DEUTSCHLAND
BENELUX
SUISSE / SCHWEIZ / SVIZZERA
ÖSTERREICH
ČESKÁ REPUBLIKA

STRASSEN- und REISEATLAS – TOERISTISCHE WEGENATLAS
TOURIST and MOTORING ATLAS – ATLAS ROUTIER et TOURISTIQUE
ATLANTE STRADALE e TURISTICO – ATLAS DE CARRETERAS y TURÍSTICO

Durchangstraßen

Grote verbindingswegen
Main road map
Grands axes routiers
Grandi arterie stradali
Grandes itinerarios

Inhaltsübersicht
Inhoud / Contents / Sommaire / Sommario / Sumario

Umschlaginnenseite: Übersicht

Binnenzijde van het omslag: Overzichtskaart / Inside front cover: Key to map pages
Intérieur de couverture : Tableau d'assemblage / Copertina interna: Quadro d'insieme / Portada interior: Mapa índice

IV - IX

Zeichenerklärung

Verklaring van de tekens / Key / Légende / Legenda / Signos convencionales

Deutschland - Schweiz - Österreich   **IV - V**

Duitsland - Zwitserland - Oostenrijk / Germany - Switzerland - Austria / Allemagne - Suisse - Autriche
Germania - Svizzera - Austria / Alemania - Suiza - Austria

Benelux   **VI - VII**

Tschechien   **VIII - IX**

Tsjechische Republiek / Czech Republic / République Tchèque / Repubblica Ceca / República Checa

2 - 115

Deutschland 1:300 000

Duitsland / Germany / Allemagne / Germania / Alemania

116 - 137

Benelux 1:400 000

138 - 153

Schweiz 1:400 000

Zwitserland / Switzerland / Suisse / Svizzera / Suiza

154 - 173

Österreich 1:400 000

Austria / Autriche

174 - 183

Tschechien 1:600 000

Tsjechische Republiek / Czech Republic / Rép. Tchèque / Repubblica Ceca / República Checa

184 - 262

Register

Index / Indice completo / Índice

263 - 317

Stadtpläne

Stadsplattegronden / Town plans / Plans de ville / Piante di città / Planos de ciudades

318-337

Europa / Europe 1: 3 500 000

MICHELIN INNOVE SANS CESSE POUR UNE MEILLEURE MOBILITÉ PLUS SÛRE, PLUS ÉCONOME, PLUS PROPRE ET PLUS CONNECTÉE.

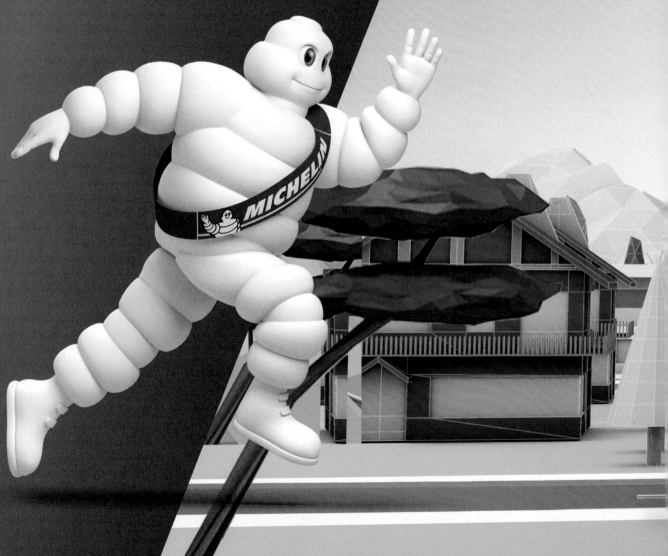

Équiper ma voiture avec **2 pneus hiver** me garantit une sécurité maximum...

?

FAUX !

En hiver, en dessous de 7°C notamment, pour une meilleure tenue de route, vos quatre pneus doivent être identiques et changés en même temps.

2 PNEUS HIVER SEULEMENT = la tenue de route de votre véhicule n'est pas optimale.

4 PNEUS HIVER = c'est le choix d'une **meilleure sécurité** dans les virages, en descente et en cas de freinage.

Si vous êtes régulièrement confrontés à la pluie, à la neige ou au verglas, optez pour un pneu de la gamme **MICHELIN Alpin**. Cette gamme vous offre confort et précision de conduite pour affronter les obstacles de l'hiver.

MICHELIN

MICHELIN S'ENGAGE

▶ MICHELIN EST
LE **N°1 MONDIAL
DES PNEUS ÉCONOMES
EN ÉNERGIE** POUR
LES VÉHICULES LÉGERS.

▶ POUR **SENSIBILISER
LES PLUS JEUNES
À LA SÉCURITÉ ROUTIÈRE,**
MÊME EN DEUX-ROUES :
DES ACTIONS DE TERRAIN
ONT ÉTÉ ORGANISÉES
DANS **16 PAYS** EN 2015.

QUIZ

1 POURQUOI BIBENDUM, LE BONHOMME MICHELIN, EST BLANC ALORS QUE LE PNEU EST NOIR ?

Le personnage de Bibendum a été imaginé à partir d'une pile de pneus, en 1898, à une époque où le pneu était fabriqué avec du caoutchouc naturel, du coton et du soufre et où il est donc de couleur claire. Ce n'est qu'après la Première guerre mondiale que sa composition se complexifie et qu'apparaît le noir de carbone. Mais Bibendum, lui, restera blanc !

2 SAVEZ-VOUS DEPUIS QUAND LE GUIDE MICHELIN ACCOMPAGNE LES VOYAGEURS ?

Depuis 1900, il était dit alors que cet ouvrage paraissait avec le siècle, et qu'il durerait autant que lui. Et il fait encore référence aujourd'hui, avec de nouvelles éditions et la sélection sur le site MICHELIN Restaurants - Bookatable dans quelques pays.

3 DE QUAND DATE « BIB GOURMAND » DANS LE GUIDE MICHELIN ?

Cette appellation apparaît en 1997 mais dès 1954 le Guide MICHELIN signale les « repas soignés à prix modérés ». Aujourd'hui, on le retrouve sur le site et dans l'application mobile MICHELIN Restaurants - Bookatable.

Si vous voulez en savoir plus sur Michelin en vous amusant, visitez l'Aventure Michelin et sa boutique à Clermont-Ferrand, France :
www.laventuremichelin.com

Une meilleure façon d'avancer

Zeichenerklärung:
Deutschland - Schweiz - Österreich

Verklaring van de tekens:
Duitsland - Zwitserland - Oostenrijk

Key:
Germany - Switzerland - Austria

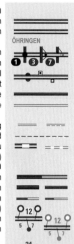

Straßen
Autobahn
Schnellstraße mit getrennten Fahrbahnen

Anschlussstellen: Voll - bzw. Teilanschlussstellen
Anschlussstellennummern
Tankstelle mit Raststätte - Hotel
Restaurant / SB-Restaurant
Internationale bzw.nationale Hauptverkehrsstraße
Überregionale Verbindungsstraße oder Umleitungsstrecke

Straße mit Belag - ohne Belag
Wirtschaftsweg, Pfad
Autobahn, Straße im Bau
(ggf. voraussichtliches Datum der Verkehrsfreigabe)
Straßenbreiten
Getrennte Fahrbahnen
4 Fahrspuren - 2 breite Fahrspuren
2 oder mehr Fahrspuren - 2 schmale Fahrspuren
Straßenentfernungen (Gesamt- und Teilentfernungen)
Mautstrecke auf der Autobahn
Mautfreie Strecke auf der Autobahn

auf der Straße
Nummerierung - Wegweisung
Europastraße - Autobahn
Bundesstraße
Verkehrshindernisse
Starke Steigung (Steigung in Pfeilrichtung)
Pass mit Höhenangabe - Höhe
Schwierige oder gefährliche Strecke
Bahnübergänge:
schnienengleich - Unterführung - Überführung
Mautstelle - Einbahnstraße
Gesperrte Straße - Straße mit Verkehrsbeschränkungen
Eingeschnitte Straße: voraussichtl.Wintersperre
Für Wohnanhänger gesperrt
Verkehrsmittel
Bahnlinie
Flughafen - Flugplatz
Autotransport:
(rotes Zeichen : saisonbedingte Verbindung)
per Schiff
per Fähre (Höchstbelastung in t)
Fähre für Personen und Fahrräder
Unterkunft - Verwaltung
Verwaltungshauptstadt
Verwaltungsgrenzen
Staatsgrenze:
Zoll - Zollstation mit Einschränkungen

Sport - Freizeit
Golfplatz - Pferderennbahn - Rennstrecke
Segelflugplatz - Strandbad
Yachthafen
Sand-, Grasstrand
Freizeitanlage - Tierpark, Zoo
Vogelschutzgebiet
Fernwanderweg
Abgelegenes Hotel oder Restaurant
Schutzhütte - Campingplatz
Standseilbahn, Seilbahn, Sessellift
Museumseisenbahn - Zahnradbahn
Sehenswürdigkeiten
Hauptsehenswürdigkeiten:
siehe GRÜNER REISEFÜHRER
Sehenswerte Orte, Ferienorte
Sakral-Bau - Schloss, Burg
Ruine - Windmühle
Höhle - Garten, Park
Sonstige Sehenswürdigkeit
Rundblick - Aussichtspunkt
Landschaftlich schöne Strecke
Ferienstraße
Sonstige Zeichen
Industrieschwebebahn
Industrieanlagen
Funk-, Sendeturm - Raffinerie
Erdöl-, Erdgasförderstelle - Kraftwerk
Bergwerk - Steinbruch - Leuchtturm
Staudamm - Soldatenfriedhof
Nationalpark - Naturpark

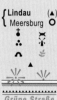

Wegen
Autosnelweg
Gescheiden rijbanen van het type autosnelweg

Aansluitingen: volledig, gedeeltelijk
Afritnummers
Serviceplaats - Hotels
Restaurant of zelfbediening
Internationale of nationale verbindingsweg
Interregionale verbindingsweg

Verharde weg - onverharde weg
Landbouwweg, pad
Autosnelweg in aanleg, weg in aanleg
(indien bekend: datum openstelling)
Breedte van de wegen
Gescheiden rijbanen
4 rijstroken - 2 brede rijstroken
2 of meer rijstroken - 2 smalle rijstroken
Afstanden (totaal en gedeeltelijk)
Gedeelte met tol op autosnelwegen
Tolvrij gedeelte op autosnelwegen

op andere wegen
Wegnummers - Bewegwijzering
Europaweg - Autosnelweg
Federale weg
Hindernissen
Steile helling (pijlen in de richting van de helling)
Bergpas en hoogte boven de zeespiegel - Hoogte
Moeilijk of gevaarlijk traject
Wegovergangen:
gelijkvloers, overheen, onderdoor
Tol - Weg met eenrichtingsverkeer
Verboden weg - Beperkt opengestelde weg
Sneeuw: vermoedelijke sluitingsperiode
Verboden voor caravans
Vervoer
Spoorweg
Luchthaven - Vliegveld
Vervoer van auto's:
(tijdens het seizoen: rood teken)
per boot
per veerpont (maximum draagvermogen in t.)
Veerpont voor voetgangers en fietsers
Verblijf - Administratie
Hoofdplaats van administratief gebied
Administratieve grenzen
Staatsgrens: Douanekantoor
Douanekantoor met beperkte bevoegdheden

Sport - Recreatie
Golfterrein - Renbaan - Autocircuit
Zweefvliegen - Zwemplaats
Jachthaven
Stranden (zand, gras)
Recreatiepark - Safaripark, dierentuin
Vogelreservaat
Lange afstandswandelpad
Afgelegen hotel of restaurant
Berghut - Kampeerterrein (tent, caravan)
Kabelspoor, kabelbaan, stoeltjeslift
Toeristentreintje - Tandradbaan
Bezienswaardigheden
Belangrijkste bezienswaardigheden:
zie DE GROENE GIDS
Interessante steden of plaatsen, vakantieoorden
Kerkelijk gebouw - Kasteel
Ruïne - Molen
Grot - Tuin, park
Andere bezienswaardigheden
Panorama - Uitzichtpunt
Schilderachtig traject
Toeristische route
Diverse tekens
Kabelvrachtvervoer
Industrie
Telecommunicatietoren of -mast - Raffinaderij
Olie- of gasput - Elektriciteitscentrale
Mijn - Steengroeve - Vuurtoren
Stuwdam - Militaire begraafplaats
Nationaal park - Natuurpark

Roads
Motorway
Dual carriageway with motorway characteristics

Interchanges : complete, limited
Interchange numbers
Service area - Hotels
Restaurant or self-service
International and national road network
Interregional and less congested road

Road surfaced - unsurfaced
Rough track, footpath
Motorway, road under construction
(when available: with scheduled opening date)
Road widths
Dual carriageway
4 lanes - 2 wide lanes
2 or more lanes - 2 narrow lanes
Distances (total and intermediate)
Toll roads on motorway
Toll-free section on motorway

on road
Numbering - Signs
European route - Motorway
Federal road
Obstacles
Steep hill (ascent in direction of the arrow)
Pass and its height above sea level - Altitude
Difficult or dangerous section of road
Level crossing:
railway passing, under road, over road
Toll barrier - One way road
Prohibited road - Road subject to restrictions
Snowbound, impassable road during the period shown
Caravans prohibited on this road
Transportation
Railway
Airport - Airfield
Transportation of vehicles:
(seasonal services in red)
by boat
by ferry (load limit in tons)
Ferry (passengers and cycles only)
Accommodation - Administration
Administrative district seat
Administrative boundaries
National boundary:
Customs post - Secondary customs post

Sport & Recreation Facilities
Golf course - Horse racetrack - Racing circuit
Gliding - Bathing place
Pleasure boat harbour - Sailing
Beaches (sand, grass)
Country park - Safari park, zoo
Bird sanctuary, refuge
Long distance footpath
Secluded hotel or restaurant
Mountain refuge hut - Caravan and camping sites
Funicular, cable car, chairlift
Tourist train - Rack railway
Sights
Principal sights:
see THE GREEN GUIDE
Towns or places of interest, Places to stay
Religious building - Historic house, castle
Ruins - Windmill
Cave - Gardens, park
Other places of interest
Panoramic view - Viewpoint
Scenic route
Tourist route
Other signs
Industrial cable way
Industrial activity
Telecommunications tower or mast - Refinery
Oil or gas well - Power station
Mine - Quarry - Lighthouse
Dam - Military cemetery
National park - Nature park

Légende : Allemagne - Suisse - Autriche	Legenda: Germania - Svizzera - Austria	Signos convencionales: Alemania - Suiza - Austria
Routes	**Strade**	**Carreteras**
Autoroute	Autostrada	Autopista
Double chaussée de type autoroutier	Doppia carreggiata di tipo autostradale	Autovía
ÖHRINGEN	ÖHRINGEN	ÖHRINGEN
Échangeurs : complet, partiels	Svincoli: completo, parziale	Enlaces : completo, parciales
Numéros d'échangeurs	Svincoli numerati	Números de los accesos
Aire de service - Hôtels	Area di servizio - Alberghi	Áreas de servicio - Hotel
Restaurant ou libre-service	Restaurant of zelfbediening	Restaurant o auto servicio
Route de liaison internationale ou nationale	Strada di collegamento internazionale o nazionale	Carretera de comunicación internacional o nacional
Route de liaison interrégionale ou de dégagement	Strada di collegamento interregionale o di disimpegno	Carretera de comunicación interregional o alternativo
Route revêtue - non revêtue	Strada rivestita - non rivestita	Carretera asfaltada - sin asfaltar
Chemin d'exploitation, sentier	Strada per carri, sentiero	Camino agrícola, sendero
Autoroute, route en construction	Autostrada, strada in costruzione	Autopista, carretera en construcción
(le cas échéant : date de mise en service prévue)	(data di apertura prevista)	(en su caso: fecha prevista de entrada en servicio)
Largeur des routes	**Larghezza delle strade**	**Ancho de las carreteras**
Chaussées séparées	Carreggiate separate	Calzadas separadas
4 voies - 2 voies larges	4 corsie - 2 corsie larghe	Cuatro carriles - Dos carriles anchos
2 voies ou plus - 2 voies étroites	2 o più corsie - 2 corsie strette	Dos carriles o más - Dos carriles estrechos
Distances (totalisées et partielles)	**Distanze** (totali e parziali)	**Distancias** (totales y parciales)
Section à péage sur autoroute	tratto a pedaggio su autostrada	Tramo de peaje en autopista
Section libre sur autoroute	tratto esente da pedaggio su autostrada	Tramo libre en autopista
sur route	Su strada	en carretera
Numérotation - Signalisation	**Numerazione - Segnaletica**	**Numeración - Señalización**
Route européenne - Autoroute	Strada europea - Autostrada	Carretera europea - Autopista
E 54 A 96	E 54 A 96	E 54 A 96
Route fédérale	Strada federale	Carretera federal
32	32	32
Obstacles	**Ostacoli**	**Obstáculos**
Forte déclivité (flèches dans le sens de la montée)	Forte pendenza (salita nel senso della freccia)	Pendiente Pronunciada (las flechas indican el sentido del ascenso)
7-12% +12%	7-12% +12%	7-12% +12%
Col et sa cote d'altitude - Altitude	Passo - Altitudine	Puerto - Altitud
793 (560)	793 (560)	793 (560)
Parcours difficile ou dangereux	Percorso difficile o pericoloso	Recorrido difícil o peligroso
Passages de la route:	Passaggi della strada:	Pasos de la carretera:
à niveau, supérieur, inférieur	a livello, cavalcavia, sottopassaggio	a nivel, superior, inferior
Barrière de péage - Route à sens unique	Casello - Strada a senso unico	Barrera de peaje - Carretera de sentido único
Route interdite - Route réglementée	Strada vietata - Strada a circolazione regolamentata	Tramo prohibido - Carretera restringida
Enneigement : période probable de fermeture	Innevamento: probabile periodo di chiusura	Nevada: Periodo probable de cierre
12-5	12-5	12-5
Route interdite aux caravanes	Strada con divieto di accesso per le roulottes	Carretera prohibida a las caravanas
Transports	**Trasporti**	**Transportes**
Voie ferrée	Ferrovia	Línea férrea
Aéroport - Aérodrome	Aeroporto - Aerodromo	Aeropuerto - Aeródromo
Transport des autos :	Trasporto auto:	Transporte de coches:
(liaison saisonnière en rouge)	(stagionale in rosso)	(Enlace de temporada: signo rojo)
par bateau	su traghetto	por barco
par bac (charge maximum en tonnes)	su chiatta (carico massimo in t.)	por barcaza (carga máxima en toneladas)
15 15	15 15	15 15
Bac pour piétons et cycles	Traghetto per pedoni e biciclette	Barcaza para el paso de peatones y vehículos dos ruedas
Hébergement - Administration	**Risorse - Amministrazione**	**Alojamiento - Administración**
Capitale de division administrative	Capoluogo amministrativo	Capital de división administrativa
L B K	L B K	L B K
Limites administratives	Confini amministrativi	Límites administrativos
Frontière :	Frontiera:	Frontera:
Douane - Douane avec restriction	Dogana - Dogana con limitazioni	Aduanas - Aduana con restricciones
Sports - Loisirs	**Sport - Divertimento**	**Deportes - Ocio**
Golf - Hippodrome - Circuit automobile	Golf - Ippodromo - Circuito Automobilistico	Golf - Hipódromo - Circuito de velocidad
Vol à voile - Baignade	Volo a vela - Stabilimento balneare	Ala Delta ou parapente - Zona de baño
Port de plaisance - Centre de voile	Porto turistico - Centro velico	Puerto deportivo - Vela
Plage (sable, herbe)	Spiaggia (sabbia, erba)	Playa (arena, hierba)
Base ou parc de loisirs - Parc animalier, zoo	Parco divertimenti - Parco con animali, zoo	Parque de ocio - Reserva de animales, zoo
Réserve d'oiseaux	Riserva ornitologica	Reserva de pájaros
Sentier de grande randonnée	Sentiero per escursioni	Sendero de gran ruta
E 1	E 1	E 1
Hôtel ou restaurant isolé	Albergo, ristorante isolato	Hotel o restaurante aislado
Refuge de montagne - Camping, caravaning	Rifugio - Campeggi, caravaning	Refugio de montaña - Camping, caravaning
Funiculaire, téléphérique, télésiège	Funicolare, funivia, seggiovia	Funicular, Teleférico, telesilla
Train touristique - à crémaillère	Trenino turistico - a cremagliera	Tren turístico - Línea de cremallera
Curiosités	**Mete e luoghi d'interesse**	**Curiosidades**
Principales curiosités : voir LE GUIDE VERT	Principali luoghi d'interesse, vedere LA GUIDA VERDE	Principales curiosidades: ver LA GUÍA VERDE
Lindau ▲ Meersburg O	Lindau ▲ Meersburg O	Lindau ▲ Meersburg O
Localités ou sites intéressants, lieux de séjour	Località o siti interessanti, luoghi di soggiorno	Localidad o lugar interesante, lugar para quedarse
Édifice religieux - Château	Edificio religioso - Castello	Edificio religioso - Castillo, fortaleza
Ruines - Moulin à vent	Rovine - Mulino a vento	Ruinas - Molino de viento
Grotte - Jardin, parc	Grotta - Giardino, parco	Cueva - Jardín, parque
Autres curiosités	Altri luoghi d'interesse	Curiosidades diversas
Panorama - Point de vue	Panorama - Vista	Vista panorámica - Vista parcial
Parcours pittoresque	Percorso pittoresco	Recorrido pintoresco
Route touristique	Strada turistica	Carretera turística
Grüne Straße	Grüne Straße	Grüne Straße
Signes divers	**Simboli vari**	**Signos diversos**
Transporteur industriel aérien	Teleferica industriale	Transportador industrial aéreo
Industries	Industrie	Industrias
Tour ou pylône de télécommunications - Raffinerie	Torre o pilone per telecomunicazioni - Raffineria	Torreta o poste de telecomunicación - Refinería
Puits de pétrole ou de gaz - Centrale électrique	Pozzo petrolifero o gas naturale - Centrale elettrica	Pozos de petróleo o de gas - Central eléctrica
Mine - Carrière - Phare	Miniera - Cava - Faro	Mina - Cantera - Faro
Barrage - Cimetière militaire	Diga - Cimitero militare	Presa - Cementerio militar
Parc national - Parc naturel	Parco nazionale - Parco naturale	Parque nacional - Parque natural

Zeichenerklärung: Benelux

Straßen
Autobahn
Schnellstraße mit getrennten Fahrbahnen
Anschlussstellen: Voll- bzw. Teilanschlussstellen
Anschlussstellennummern
Internationale bzw.nationale Hauptverkehrsstraße
Überregionale Verbindungsstraße oder Umleitungsstrecke
Straße mit Belag - ohne Belag
Wirtschaftsweg - Pfad
Autobahn, Straße im Bau
(ggf. voraussichtliches Datum der Verkehrsfreigabe)

Straßenbreiten
Getrennte Fahrbahnen
4 Fahrspuren - 3 Fahrspuren
2 breite Fahrspuren
2 Fahrspuren - 1 Fahrspur

Straßenentfernungen (Gesamt- und Teilentfernungen)
Mautstrecke auf der Autobahn

Mautfreie Strecke auf der Autobahn

auf der Straße

Nummerierung - Wegweisung
Europastraße - Autobahn   E 54   A 96
Sonstige Straßen   N 49

Verkehrshindernisse
Starke Steigung (Steigung in Pfeilrichtung)   7-12%   +12%

Bahnübergänge:
schienengleich, Unterführung, Überführun
Mautstelle - Gesperrte Straße
Verkehrsmittel
(rotes Zeichen: saisonbedingte Verbindung)
Bahnlinie - Straßenbahn
Autotransport:
per Schiff
per Fähre (Höchstbelastung in t)
Personenfähre

Flughafen - Flugplatz

Unterkunft - Verwaltung
Verwaltungshauptstadt
Verwaltungsgrenzen
Staatsgrenze

Sport - Freizeit
Golfplatz - Pferderennbahn
Rennstrecke
Yachthafen - Badestrand
Erholungsgebiet - Badepark
Vergnügungspark - Tierpark, Zoo
Vogelschutzgebiet - Abgelegenes Hotel
Campingplatz
Museumseisenbahn

Sehenswürdigkeiten
Hauptsehenswürdigkeiten:
siehe GRÜNER REISEFÜHRER   Poperinge (▲)
Sehenswerte orte, Ferienorte   Moulbaix
Sakral-Bau - Schloss, Burg - Ruine
Höhle - Vorgeschichtliches Steindenkmal
Museumsmühle - Sonstige Sehenswürdigkeit
Rundblick - Aussichtspunkt
Landschaftlich schöne Strecke

Sonstige Zeichen
Leuchtturm - Funk-, Sendeturm
Erdöl-, Erdgasförderstelle
Kraftwerk
Raffinerie - Industrieanlagen
Bergwerk - Steinbruch
Industrieschwebebahn
Staudamm - Soldatenfriedhof
Höhenangabe :
über dem Meeresspiegel   . 27
unter dem Meeresspiegel   -2.
Nationalpark - Naturpark

Verklaring van de tekens: Benelux

Wegen
Autosnelweg
Gescheiden rijbanen van het type autosnelweg
Aansluitingen: volledig, gedeeltelijk
Afritnummers
Internationale of nationale verbindingsweg
Interregionale verbindingsweg
Verharde weg - onverharde weg
Landbouwweg - Pad
Autosnelweg in aanleg - Weg in aanleg
(indien bekend: datum openstelling)

Breedte van de wegen
Gescheiden rijbanen
4 rijstroken - 3 rijstroken
2 brede rijstroken
2 rijstroken - 1 rijstrook

Afstanden (totaal en gedeeltelijk)
Gedeelte met tol op autosnelwegen

Tolvrij gedeelte op autosnelwegen

op andere wegen

Wegnummers - Bewegwijzering
Europaweg - Autosnelweg   E 54   A 96
Andere wegen   N 49

Hindernissen
Steile helling (pijlen in de richting van de helling)   7-12%   +12%

Wegovergangen:
gelijkvloers, overheen, onderdoor
Tol - Verboden weg
Vervoer (tijdens het seizoen: rood teken)

Spoorweg - Tram
Vervoer van auto's :
per boot
per veerpont (maximum draagvermogen in t.)
Veerpont voor voetgangers

Luchthaven - Vliegveld

Verblijf - Administratie
Hoofdplaats van administratief gebied
Administratieve grenzen
Staatsgrens

Sport - Recreatie
Golfterrein - Renbaan
Autocircuit
Jachthaven - Strand
Recreatiegebied - Watersport
Pretpark - Safaripark, dierentuin
Vogelreservaat - Afgelegen hotel
Kampeerterrein (tent, caravan)
Toeristentreintje

Bezienswaardigheden
Belangrijkste bezienswaardigheden:
zie DE GROENE GIDS   Poperinge (▲)
Interessante steden of plaatsen, vakantieoorden   Moulbaix
Kerkelijk gebouw - Kasteel - Ruïne
Grot - Megaliet
Molen - Andere bezienswaardigheid
Panorama - Uitzichtpunt
Schilderachtig traject

Diverse tekens
Vuurtoren - Telecommunicatietoren of -mast
Olie- of gasput
Elektriciteitscentrale
Raffinaderij - Industrie
Mijn - Steengroeve
Kabelvrachtvervoer
Stuwdam - Militaire begraafplaats
Hoogten :
boven de zeespiegel
onder de zeespiegel
Nationaal park - Natuurpark

Key: Benelux

Roads
Motorway
Dual carriageway with motorway characteristics
Interchanges: complete, limited
Interchange numbers
International and national road network
Interregional and less congested road
Road surfaced - unsurfaced
Rough track - Footpath
Motorway, road under construction
(when available: with scheduled opening date)

Road widths
Dual carriageway
4 lanes - 3 lanes
2 wide lanes
2 lanes - 1 lane

Distances (total and intermediate)
Toll roads on motorway

Toll-free section on motorway

on road

Numbering - Signs
European route - Motorway   E 54   A 96
Other roads   N 49

Obstacles
Steep hill (ascent in direction of the arrow)   7-12%   +12%

Level crossing:
railway passing, under road, over road
Toll barrier - Prohibited road

Transportation (seasonal services in red)
Railway - Tramway
Transportation of vehicles:
by boat
by ferry (load limit in tons)
Passenger ferry

Airport - Airfield

Accommodation - Administration
Administrative district seat
Administrative boundaries
National boundary

Sport & Recreation Facilities
Golf course - Horse racetrack
Racing circuit
Pleasure boat harbour - Beach
Recreational centre - Water park
Amusement park - Safari park, zoo
Bird sanctuary, refuge - Secluded hotels
Caravan and camping sites
Tourist train

Sights
Principal sights:
see THE GREEN GUIDE   Poperinge (▲)
Towns or places of interest, places to stay   Moulbaix
Religious building - Historic house, castle - Ruins
Cave - Prehistoric monument
Museum in windmill - Other places of interest
Panoramic view - Viewpoint
Scenic route

Other signs
Lighthouse - Telecommunications tower or mast
Oil or gas well
Power station
Refinery - Industrial activity
Mine - Quarry
Industrial cable way
Dam - Military cemetery
Altitudes :
above sea level
below sea level
National park - Nature park

Légende : Benelux | Legenda: Benelux | Signos convencionales: Benelux

Routes | Strade | Carreteras

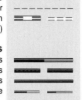

Autoroute	Autostrada	Autopista
Double chaussée de type autoroutier	Doppia carreggiata di tipo autostradale	Autovía
Échangeurs : complet, partiels	Svincoli: completo, parziale	Enlaces : completo, parciales
Numéros d'échangeurs	Svincoli numerati	Números de los accesos
Route de liaison internationale ou nationale	Strada di collegamento internazionale o nazionale	Carretera de comunicación internacional o nacional
Route de liaison interrégionale ou de dégagement	Strada di collegamento interregionale o di disimpegno	Carretera de comunicación interregional o alternativo
Route revêtue - non revêtue	Strada rivestita - non rivestita	Carretera asfaltada - sin asfaltar
Chemin d'exploitation, sentier	Strada per carri, sentiero	Camino agrícola, sendero
Autoroute, route en construction	Autostrada, strada in costruzione	Autopista, carretera en construcción
(le cas échéant : date de mise en service prévue)	(data di apertura prevista)	(en su caso: fecha prevista de entrada en servicio)

Largeur des routes | Larghezza delle strade | Ancho de las carreteras

Français	Italiano	Español
Chaussées séparées	Carreggiate separate	Calzadas separadas
4 voies - 3 voies	4 corsie - 3 corsie	Cuatro carriles - Tres carriles
2 voies larges	2 corsie larghe	Dos carriles anchos
2 voies - 1 voie	2 corsie - 1 corsia	Dos carriles - Un carril

Distances (totalisées et partielles) | Distanze (totali e parziali) | Distancias (totales y parciales)

Français	Italiano	Español
Section à péage sur autoroute	tratto a pedaggio su autostrada	Tramo de peaje en autopista
Section libre sur autoroute	tratto esente da pedaggio su autostrada	Tramo libre en autopista
sur route	Su strada	en carretera

Numérotation - Signalisation | Numerazione - Segnaletica | Numeración - Señalización

Français	Italiano	Español
Route européenne - Autoroute E 54 A 96	Strada europea - Autostrada	Carretera europea - Autopista
Autres routes N 49	Altre strade	Otras carreteras

Obstacles | Ostacoli | Obstáculos

Français	Italiano	Español
Forte déclivité (flèches dans le sens de la montée) 7-12% +12%	Forte pendenza (salita nel senso della freccia)	Pendiente Pronunciada (las flechas indican el sentido del ascenso)
Passages de la route :	Passaggi della strada:	Pasos de la carretera:
à niveau, supérieur, inférieur	a livello, cavalcavia, sottopassaggio	a nivel, superior, inferior
Barrière de péage - Route interdite	Casello - Strada vietata	Barrera de peaje - Tramo prohibido

Transports (liaison saisonnière en rouge) | Trasporti (stagionale in rosso) | Transportes (Enlace de temporada: signo rojo)

Français	Italiano	Español
Voie ferrée - Tramway	Ferrovia - Tranvia	Línea férrea
Transport des autos :	Trasporto auto:	Transporte de coches:
par bateau	su traghetto	por barco
par bac (charge maximum en tonnes)	su chiatta (carico massimo in t.)	por barcaza (carga máxima en toneladas)
Bac pour piétons	Traghetto per trasporto passegeri	Barcaza para el paso de peatones
Aéroport - Aérodrome	Aeroporto - Aerodromo	Aeropuerto - Aeródromo

Hébergement - Administration | Risorse - Amministrazione | Alojamiento - Administración

Français	Italiano	Español
Capitale de division administrative	Capoluogo amministrativo	Capital de división administrativa
Limites administratives	Confini amministrativi	Limites administrativos
Frontière	Frontiera	Frontera

Sports - Loisirs | Sport - Divertimento | Deportes - Ocio

Français	Italiano	Español
Golf - Hippodrome	Golf - Ippodromo	Golf - Hipódromo
Circuit autos, motos	Circuito Automobilistico	Circuito de velocidad
Port de plaisance - Plage	Porto turistico - Spiaggia	Puerto deportivo - Playa
Base de loisirs - Parc aquatique	Area per attività ricreative - Parco acquatico	Centro de recreo - Parque acuático
Parc d'attractions - Parc animalier, zoo	Parco divertimenti - Parco con animali, zoo	Parque de attracciones - Reserva de animales, zoo
Réserve d'oiseaux - Hôtel isolé	Riserva ornitologica - Albergo, ristorante isolato	Reserva de pájaros - Hotel o restaurante aislado
Camping, caravaning	Campeggi, caravaning	Camping, caravaning
Train touristique	Trenino turistico	Tren turístico

Curiosités | Mete e luoghi d'interesse | Curiosidades

{ Poperinge (▲) / Moulbaix

Français	Italiano	Español
Principales curiosités : voir LE GUIDE VERT	Principali luoghi d'interesse, vedere LA GUIDA VERDE	Principales curiosidades: ver LA GUÍA VERDE
Localités ou sites intéressants, lieux de séjour	Località o siti interessanti, luoghi di soggiorno	Localidad o lugar interesante, lugar para quedarse
Édifice religieux - Château - Ruines	Edificio religioso - Castello - Rovine	Edificio religioso - Castillo, fortaleza - Ruinas
Grotte - Monument mégalithique	Grotta - Monumento megalitico	Cueva - Monumento megalítico
Moulin à vent - Autre curiosité	Mulino a vento - Altri luoghi d'interesse	Molino de viento - Curiosidades diversas
Panorama - Point de vue	Panorama - Vista	Vista panorámica - Vista parcial
Parcours pittoresque	Percorso pittoresco	Recorrido pintoresco

Signes divers | Simboli vari | Signos diversos

Français	Italiano	Español
Phare - Tour ou pylône de télécommunications	Faro - Torre o pilone per telecomunicazioni	Faro - Torreta o poste de telecomunicación
Puits de pétrole ou de gaz	Pozzo petrolifero o gas naturale	Pozos de petróleo o de gas
Centrale électrique	Centrale elettrica	Central eléctrica
Raffinerie - Industries	Raffineria - Industrie	Refinería - Industrias
Mine - Carrière	Miniera - Cava	Mina - Cantera
Transporteur industriel aérien	Teleferica industriale	Transportador industrial aéreo
Barrage - Cimetière militaire	Diga - Cimitero militare	Presa - Cementerio militar
Altitudes :	Altitudini:	Altitudes:
au-dessus de la mer . 27	al di sopra del mare	sobre el mar
au-dessous de la mer -2 .	al di sotto del mare	baso el mar
Parc national - Parc naturel	Parco nazionale - Parco naturale	Parque nacional - Parque natural

Zeichenerklärung: Tscheichien

Verklaring van de tekens: Tsjechische Republiek

Key: Czech Republic

Straßen
Autobahn - Tankstelle mit Raststätte
Schnellstraße mit getrennten Fahrbahnen

Anschlussstellen: Voll- bzw. Teilanschlussstellen
Anschlussstellennummern
Internationale bzw. nationale Hauptverkehrsstraße
Überregionale Verbindungsstraße oder Umleitungsstrecke
Straße mit Belag - ohne Belag
Autobahn, Straße im Bau

Wegen
Autosnelweg - Serviceplaatsen
Gescheiden rijbanen van het type autosnelweg

Aansluitingen: volledig, gedeeltelijk
Afritnummers
Internationale of nationale verbindingsweg
Interregionale verbindingsweg
Verharde weg - onverharde weg
Autosnelweg in aanleg, weg in aanleg

Roads
Motorway - Service areas
Dual carriageway with motorway characteristics

Interchanges: complete, limited
Interchange numbers
International and national road network
Interregional and less congested road
Road surfaced - unsurfaced
Motorway, road under construction

Straßenbreiten
Getrennte Fahrbahnen
4 Fahrspuren
2 breite Fahrspuren
2 Fahrspuren
1 Fahrspur

Breedte van de wegen
Gescheiden rijbanen
4 rijstroken
2 brede rijstroken
2 rijstroken
1 rijstrook

Road widths
Dual carriageway
4 lanes
2 wide lanes
2 lanes
1 lane

Straßenentfernungen
(Gesamt- und Teilentfernungen)
Mautstrecke auf der Autobahn - auf der Schnellstraße

Mautfreie Strecke auf der Autobahn
auf der Schnellstraße

auf der Straße

Afstanden (totaal en gedeeltelijk)
Gedeelte met tol op autosnelwegen

Tolvrij gedeelte op autosnelwegen

op andere wegen

Distances (total and intermediate)
Toll roads on motorway - on express road

Toll-free section on motorway - on express road

on road

Verkehrshindernisse
Starke Steigung (Steigung in Pfeilrichtung)
Bahnübergänge:
schnienengleich - Unterführung - Überführung
Straße mit Verkehrsbeschränkungen
Mautstelle
Eingeschneite Straße: voraussichtl.Wintersperre

Hindernissen
Steile helling (pijlen in de richting van de helling)
Wegovergangen:
gelijkvloers, overheen, onderdoor
Beperkt opengestelde weg
Tol
Sneeuw: vermoedelijke sluitingsperiode

Obstacles
Steep hill (ascent in direction of the arrow)
Level crossing:
railway passing, under road, over road
Road subject to restrictions
Toll barrier
Snowbound, impassable road during the period shown

Verkehrsmittel
Flughafen
Bahnlinie
Standseibahn, Seilbahn, Sessellift
Zahnradbahn
Autotransport per Fähre

Vervoer
Luchthaven
Spoorweg
Kabelspoor, kabelbaan, stoeltjeslift
Tandradbaan
Veerpont voor auto's

Transportation
Airport
Railway
Funicular, cable car, chairlift
Rack railway
Car ferry

Verwaltung
Verwaltungshauptstadt
Verwaltungsgrenzen
Staatsgrenze
Hauptzollamt - Zollstation mit Einschränkungen

Administratie
Hoofdplaats van administratief gebied
Administratieve grenzen
Staatsgrens
Hoofddouanekantoor - Douanekantoor
met beperkte bevoegdheden

Administration
Administrative district seat
Administrative boundaries
National boundary:
Principal customs post - Secondary customs post

Sport - Freizeit
Rennstrecke
Yachthafen
Thermalbad
Skigebiet
Schutzhütte
Campingplatz
Museumseisenbahn-Linie
Nationalpark - Naturpark

Sport - Recreatie
Autocircuit
Jachthaven
Kuuroord
Wintersportplaats
Berghut
Kampeerterrein
Toeristentreintje
Nationaal park - Natuurpark

Sport & Recreation Facilities
Racing circuit
Sailing
Spa
Ski resort
Mountain refuge hut
Camping sites
Tourist train
National park - Nature park

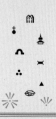

Sehenswürdigkeiten
Denkmalgeschützter Stadteil
Sakral-Bau
Holzkirche
Höhle
Schloss, Burg
Ruine
Sonstige Sehenswürdigkeit
Freilichtmuseum
Rundblick - Aussichtspunkt
Landschaftlich schöne Strecke

Bezienswaardigheden
Onder monumentenzorg
Kerkelijk gebouw
Houten kerk
Grot
Kasteel
Ruïne
Andere bezienswaardigheden
Openluchtmuseum
Panorama - Uitzichtpunt
Schilderachtig traject

Sights
Listed historic town
Religious building
Wooden church
Cave
Historic house, castle
Ruins
Other places of interest
Open air museum
Panoramic view - Viewpoint
Scenic route

Légende :
République Tchèque

Routes
Autoroute - Aires de service
Double chaussée de type autoroutier

Échangeurs : complet, partiels
Numéros d'échangeurs
Route de liaison internationale ou nationale
Route de liaison interrégionale ou de dégagement
Route revêtue - non revêtue
Autoroute, route en construction

Largeur des routes
Chaussées séparées
4 voies
2 voies larges
2 voies
1 voie

Distances (totalisées et partielles)
Section à péage sur autoroute - sur voie express

Section libre sur autoroute - sur voie express

sur route

Obstacles
Forte déclivité (flèches dans le sens de la montée)
Passages de la route :
à niveau, supérieur, inférieur
Route réglementée
Barrière de péage
Enneigement : période probable de fermeture

Transports
Aéroport
Voie ferrée
Funiculaire, téléphérique, télésiège
Voie à crémaillère
Bac pour autos

Administration
Capitale de division administrative
Limites administratives
Frontière
Douane principale - Douane avec restriction

Sports - Loisirs
Circuit automobile
Centre de voile
Station thermale
Station de sports d'hiver
Refuge de montagne
Camping
Train touristique
Parc national - Parc naturel

Curiosités
Ville classée
Édifice religieux
Église en bois
Grotte
Château
Ruines
Autres curiosités
Musée de plein air
Panorama - Point de vue
Parcours pittoresque
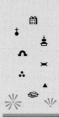

Legenda:
Repubblica Ceca

Strade
Autostrada - Area di servizio
Doppia carreggiata di tipo autostradale
Svincoli: completo, parziale
Svincoli numerati
Strada di collegamento internazionale o nazionale
Strada di collegamento interregionale o di disimpegno
Strada rivestita - non rivestita
Autostrada, strada in costruzione

Larghezza delle strade
Carreggiate separate
4 corsie
2 corsie larghe
2 corsie
1 corsia

Distanze (totali e parziali)
tratto a pedaggio su autostrada - su strada
di tipo autostradale
tratto esente da pedaggio su autostrada - su strada
di tipo autostradale

Su strada

Ostacoli
Forte pendenza (salita nel senso della freccia)
Passaggi della strada:
a livello, cavalcavia, sottopassaggio
Strada a circolazione regolamentata
Casello
Innevamento: probabile periodo di chiusura

Trasporti
Aeroporto
Ferrovia
Funicolare, funivia, seggiovia
Ferrovia a cremagliera
Trasporto auto su chiatta

Amministrazione
Capoluogo amministrativo
Confini amministrativi
Frontiera
Dogana principale - Dogana con limitazioni

Sport - Divertimento
Circuito Automobilistico
Centro velico
Stazione termale
Sport invernali
Rifugio
Campeggio
Trenino turistico
Parco nazionale - Parco naturale

Mete e luoghi d'interesse
Citta' classificata
Edificio religioso
Chiesa in legno
Grotta
Castello
Rovine
Altri luoghi d'interesse
Museo all'aperto
Panorama - Vista
Percorso pittoresco

Signos convencionales:
República Checa

Carreteras
Autopista - Áreas de servicio
Autovía
Enlaces : completo, parciales
Números de los accesos
Carretera de comunicación internacional o nacional
Carretera de comunicación interregional o alternativo
Carretera asfaltada - sin asfaltar
Autopista, carretera en construcción

Ancho de las carreteras
Calzadas separadas
Cuatro carriles
Dos carriles anchos
Dos carriles
Un carril

Distancias (totales y parciales)
Tramo de peaje en autopista - en vía rapido
Tramo libre en autopista - en vía rapido
en carretera

Obstáculos
Pendiente Pronunciada (las flechas indican el sentido del ascenso)
Pasos de la carretera:
a nivel, superior, inferior
Carretera restringida
Barrera de peaje
Nevada : Periodo probable de cierre

Transportes
Aeropuerto
Línea férrea
Funicular, Teleférico, telesilla
Línea de cremallera
Barcaza para el paso de coches

Alojamiento - Administración
Capital de división administrativa
Límites administrativos
Frontera
Aduana principal - Aduana con restricciones

Deportes - Ocio
Circuito de velocidad
Vela
Estación termal
Área de esquí
Refugio de montaña
Camping
Tren turístico
Parque nacional - Parque natural

Curiosidades
Ciudad destacada
Edificio religioso
Iglesia de madera
Cueva
Castillo, fortaleza
Ruinas
Curiosidades diversas
Museo al aire libre
Vista panorámica - Vista parcial
Recorrido pintoresco

2

Straßenverkehrsordnung
Wegcode / Motoring regulations / Réglements routiers
Regolamenti stradali / Código de circulación

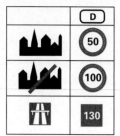

Geschwindigkeitsbegrenzung in km/h
Snelheidsbeperkingen (in km/uur)
Maximum Speed Limit: in kilometres per hour
Limitations de vitesse en kilomètres/heure
Limite di velocità in chilometri/ora
Limitación de velocidad en km/hora

Maximal zulässiger Blutalkoholgehalt / Maximaal toegelaten alcoholconcentratie in het bloed / Maximum blood alcohol level
Taux maximum d'alcool toléré dans le sang / Tasso massimo di alcol ammesso nel sangue
Indice máximo de alcohol permitido en sangre
Ⓓ 0.5g/l

Mindestalter für Autofahrer: 18 Jahre / Minimum leeftijd van de bestuurder: 18 jaar / Minimum driving age: 18 years
Age minimum du conducteur : 18 ans / Età minima del conducente: 18 anni / Edad minima del conductor: 18 años
Ⓓ

Anlegen von Sicherheitsgurten vorn und hinten vorgeschrieben / Gebruik van veiligheidsgordels vooraan en achteraan verplicht
Seat belts must be worn by driver and all passengers in front and rear seats
Port de la ceinture de sécurité à l'avant et à l'arrière obligatoire
Cintura di sicurezza sedili anteriori e posteriori obbligatoria / Cinturón de seguridad obligatorio en asientes delanteros y trasesos
Ⓓ

Helmpflicht für Motorradfahrer und -beifahrer / Gebruik van valhelm verplicht voor bestuurders en passagiers van motorfietsen
Helmets compulsory for motorcycle riders and passengers / Port du casque pour les motocyclistes et les passagers obligatoire
Casco obbligatorio per motociclisti e loro passeggeri / Casco de conductor y pasajero obligatorio en motocicletes
Ⓓ

Abblendlicht bei Tag und Nacht vorgeschrieben / Gebruik van dimlichten dag en nacht verplicht
Dipped headlights required at all times / Allumage des codes jour et nuit obligatoire
Obbligo di accendere gli anabbaglianti giorno e notte / Alumbrado de emergencia de dia y de noche obligatorio

Spikereifen verboten / Spijkerbanden verboden / Studded tyres forbidden
Pneus cloutés interdits / Gomme da neve vietate / Neumáticos claveteados prohibidos
Ⓓ

Winterreifen bei Winterwetter gesetzespflichtig / Winterbanden verplicht bij winterse verkeersomstandigheden /
Winter tyres compulsory in wintry driving conditions / Pneus hiver obligatoires en condition de circulation hivernale
Pneumatici invernali obbligatori in condizioni di circolazione invernali / Neumáticos de invierno obligatorios en condiciones de circulación invernales
Ⓓ

Warndreieck vorgeschrieben / Gevarendriehoek verplicht / Warning Triangle compulsory
Triangle de présignalisation obligatoire / Triangolo di presegnalazione obbligatorio / Triangulo de preseñalización obligatorio
Ⓓ

Verbandskasten vorgeschrieben / Verbandtrommel verplicht / First aid kit compulsory
Trousse de premiers secours obligatoire / Valigetta pronto soccorso obbligatoria / Botiguin obligatorio
Ⓓ

Sicherheitsweste vorgeschrieben / Reflecterend vest verplicht / Reflective jacket compulsory
Gilet de sécurité obligatoire / Giubbotto di sicurezza obbligatorio / Chaleco reflectante obligatorio
Ⓓ

Feuerlöscher empfohlen / Brandblusser aanbevolen / Fire extinguisher recommended
Extincteur conseillé / Estintore consigliato / Extinctor recomendado
Ⓓ

Benötigte Dokumente: Zulassungs- oder Mietwagenpapiere, Haftpflicht-versicherungsnachweis, Nationalitätskennzeichen.
Vereiste documenten: inschrijvingsbewijs of huurcontract van het voertuig, verzekering voor burgerlijke aansprakelijkheid,
officiële nummerplaat.
Documents required. Vehicle registration document or rental agreement. Third party Insurance certificate. National vehicle
identification plate.
Documents nécessaires : certificat d'immatriculation du véhicule ou de location, assurance responsabilité civile,
plaque nationale.
Documenti necessari: certificato d'immatricolazione del veicolo o di noleggio, assicurazione responsabilità civile,
targa nazionale.
Documentos necesarios: certificado de matriculación del vehiculo o certificado de alquiler, seguro de responsabilidad civil,
placa indicativa del país

1: 300 000

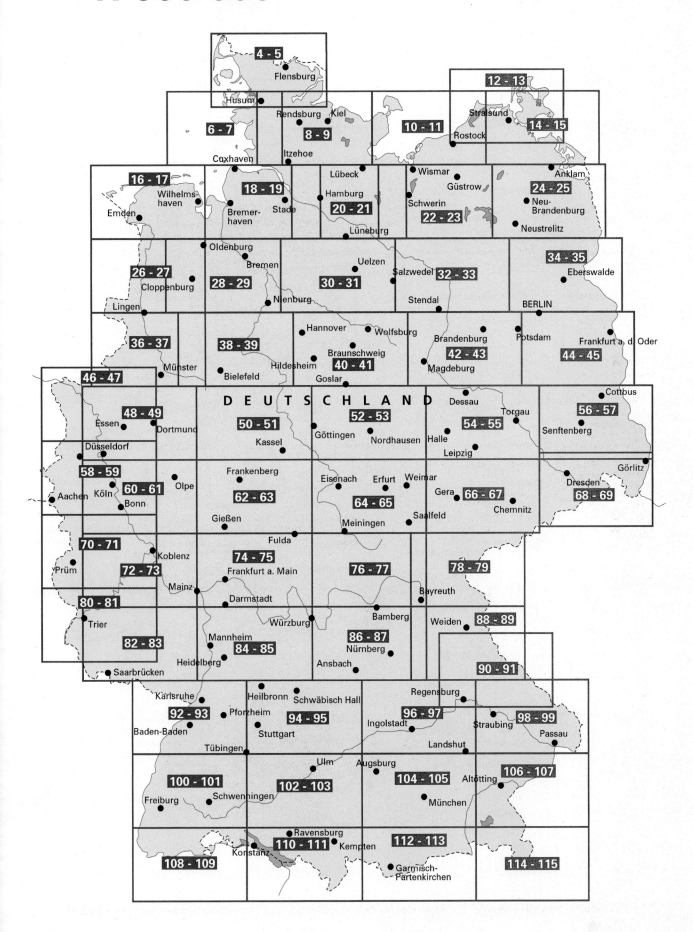

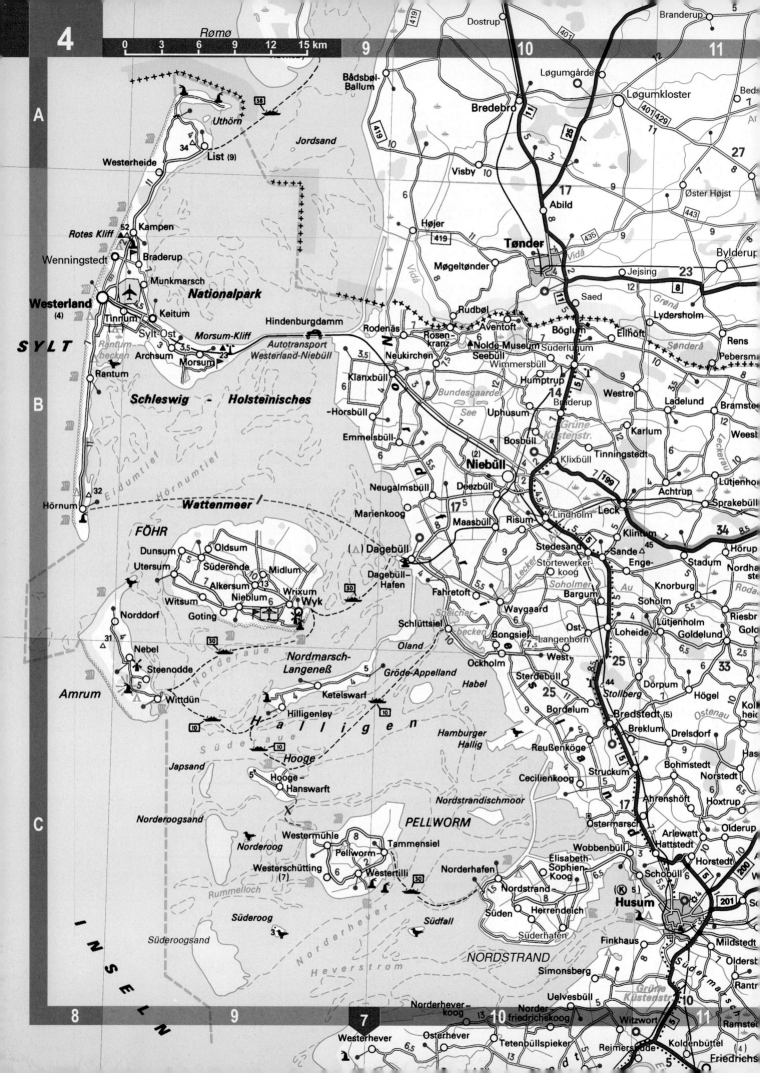

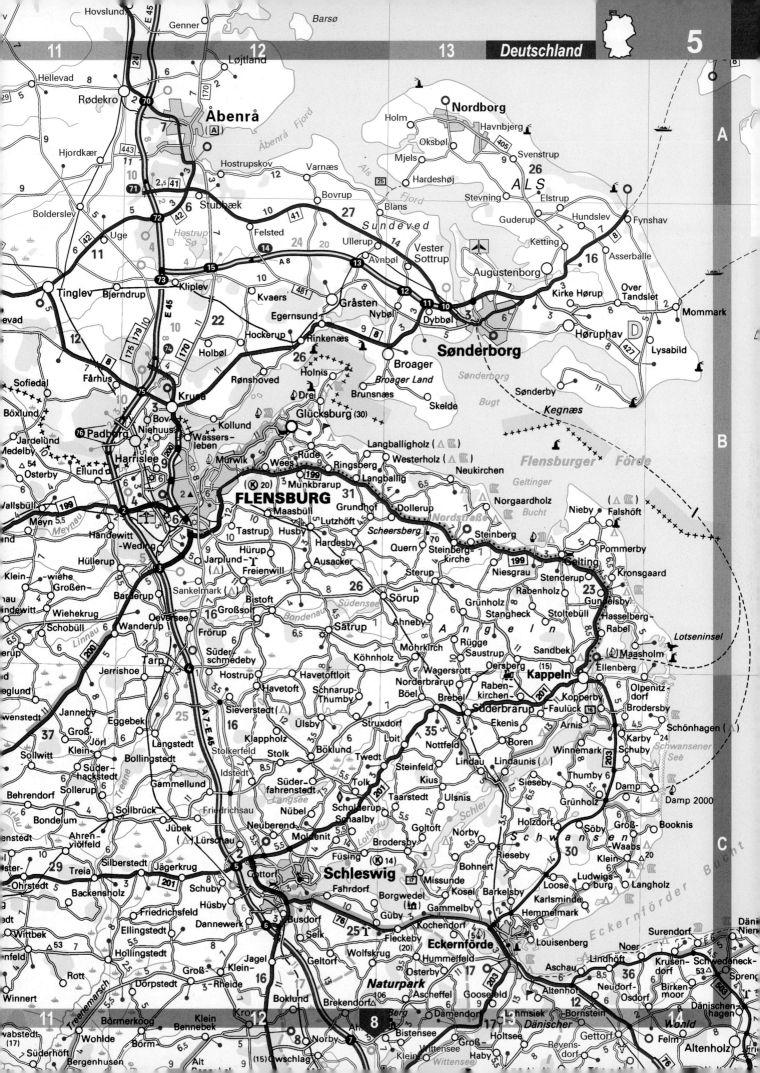

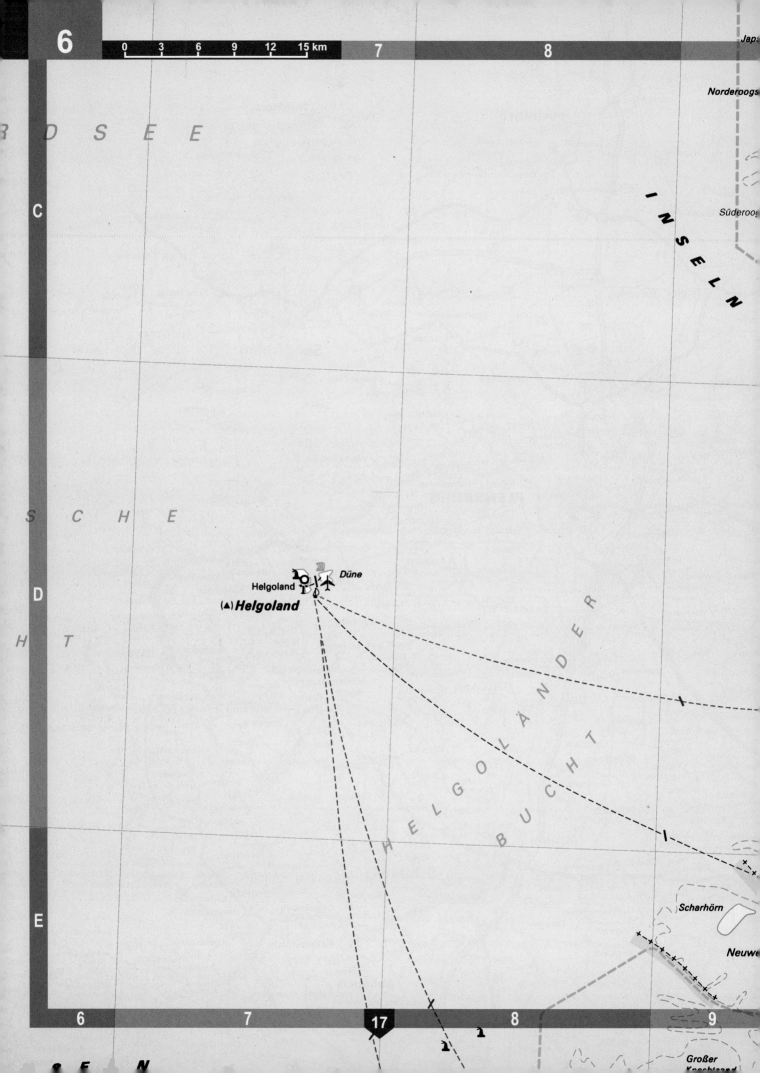

Jap

Norderoogs

Süderoog

I N S E L N

N O R D S E E

S C H E

H T

C

D

Düne

Helgoland

(▲) **Helgoland**

H E L G O L Ä N D E R

B U C H T

Scharhörn

Neuwe

E

Großer
Knechteed

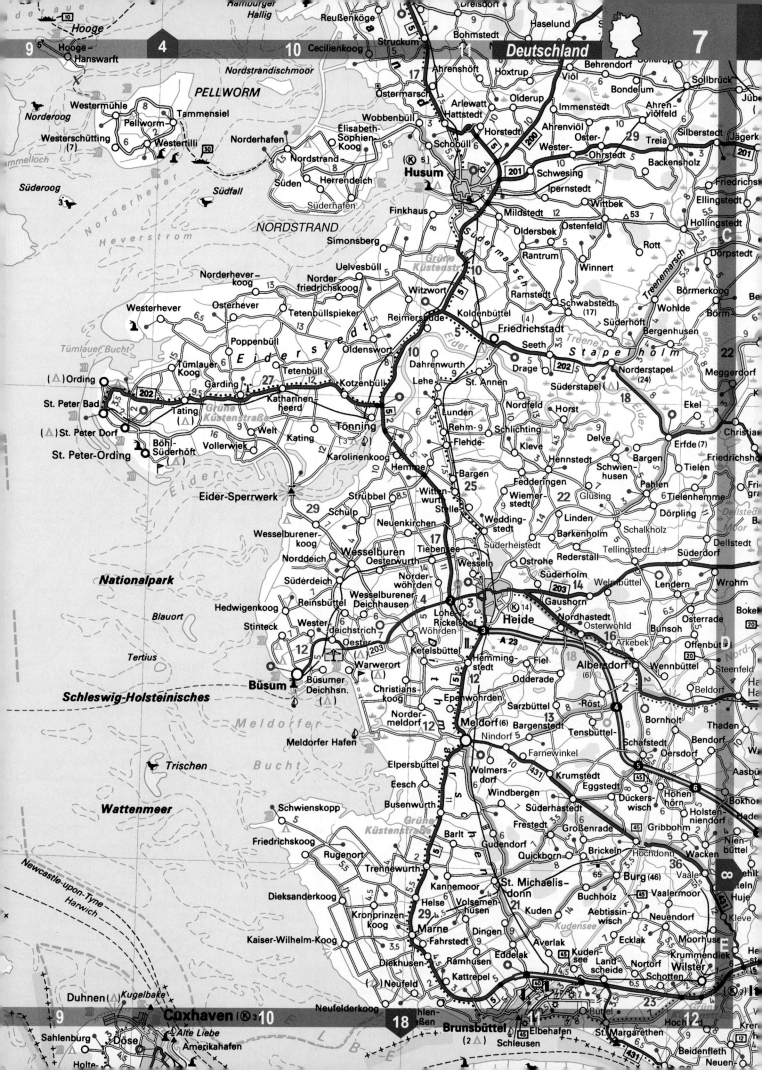

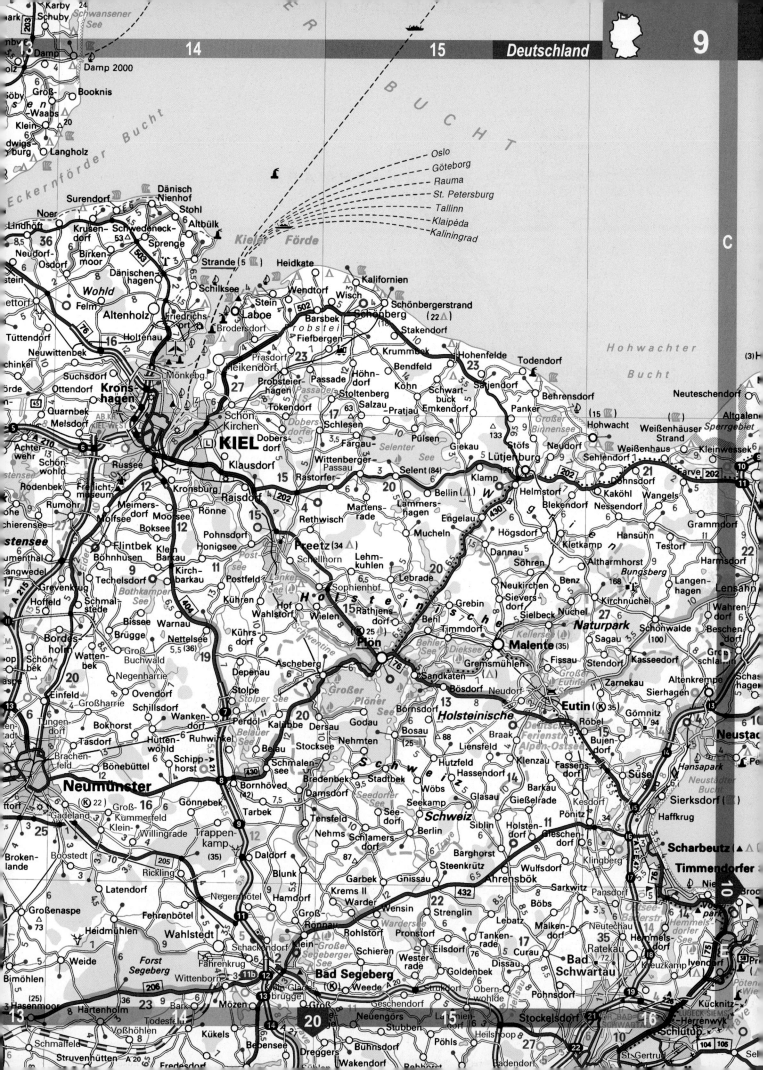

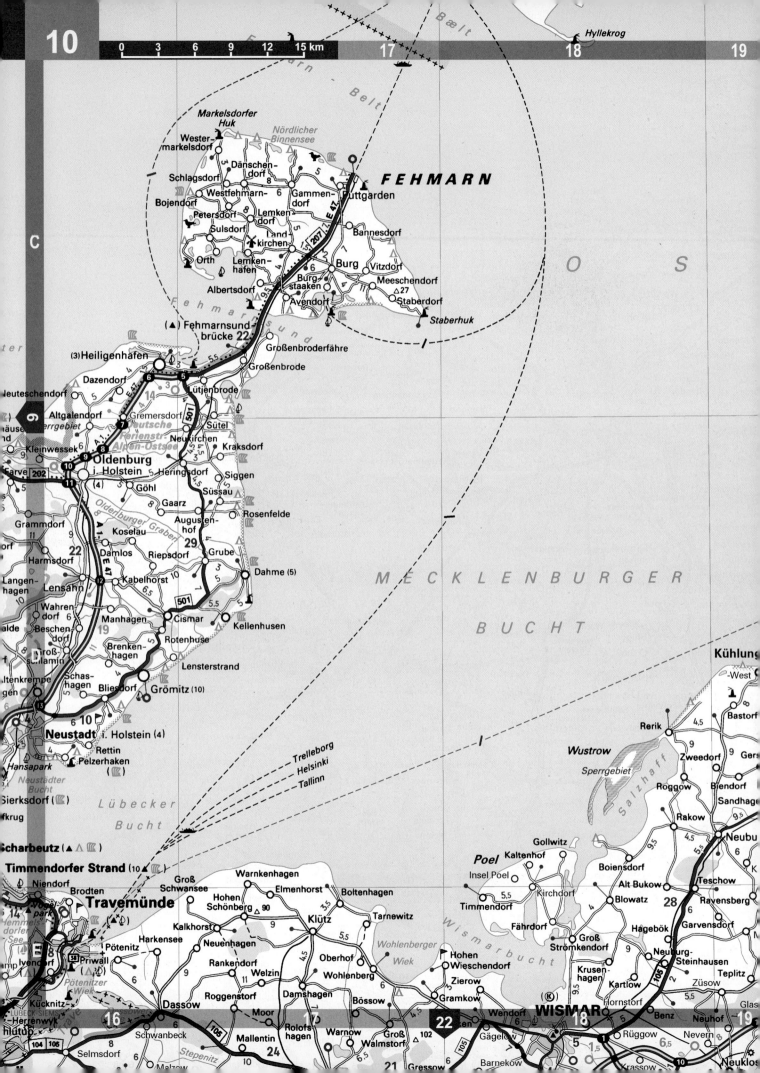

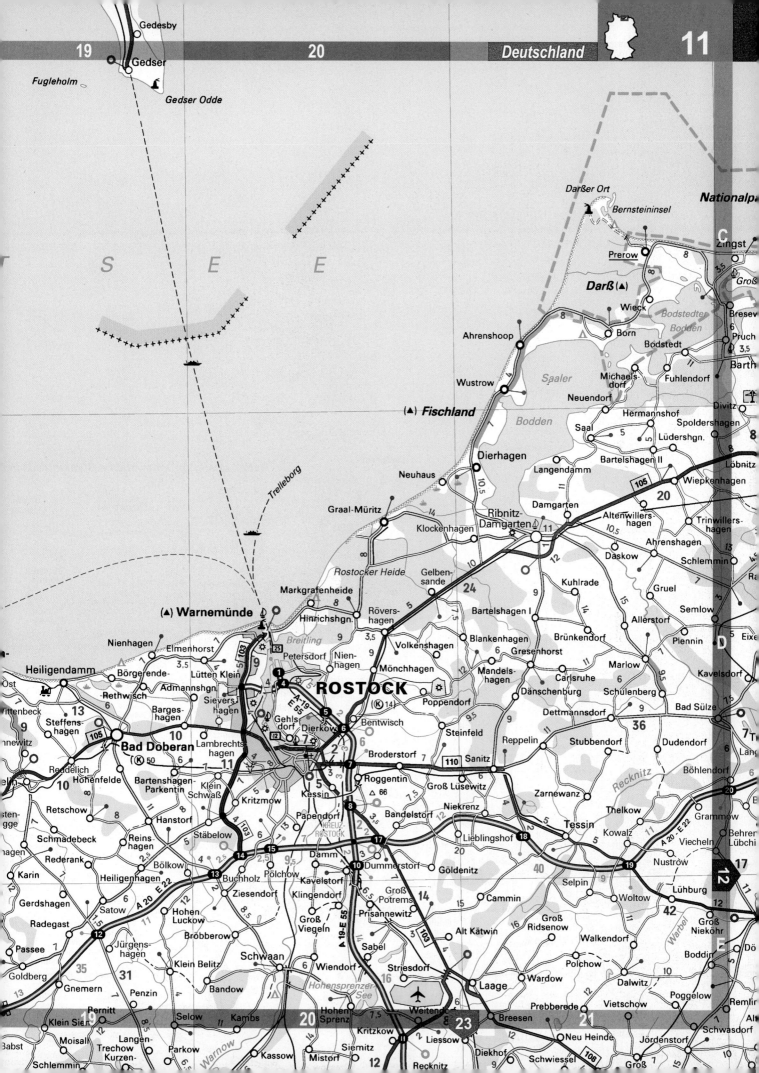

Gedesby
Gedser
Fugleholm
Gedser Odde

O S T S E E

Trelleborg

Darßer Ort
Bernsteininsel
Nationalpa
Zingst
Prerow
Groß
Bresev
Pruch
Barth
Darß (▲)
Wieck
Born
Bödstedt
Michaels-dorf
Bodstedter Bodden
Divitz
Ahrenshoop
Fuhlendorf
Saaler
Neuendorf
Wustrow
Hermannshof
Spoldershagen
Saal
Lüdershgn.
(▲) Fischland
Bodden
Bartelshagen II
Löbnitz
Dierhagen
Langendamm
Wiepkenhagen
Neuhaus
Damgarten
105
20
Graal-Müritz
Ribnitz-
Altenwillers-hagen
Trinwillers-hagen
Klockenhagen
Damgarten
Ahrenshagen
Schlemmin
Gelben-sande
Daskow
Rostocker Heide
Kuhlrade
Gruel
24
Semlow
Markgrafenheide
Bartelshagen I
Allerstorf
Hinrichshgn.
Rövers-hagen
Blankenhagen
Brünkendorf
Piennin
Eixe
(▲) Warnemünde
Volkenshagen
Gresenhorst
Nienhagen
Elmenhorst
Petersdorf
Nien-hagen
Mönchhagen
Mandels-hagen
Marlow
Kavelsdorf
Heiligendamm
Börgerende-
Lütten Klein
ROSTOCK
Carlsruhe
Schülenberg
Nienhagen
Admannshgn.
Sievers-hagen
Dänschenburg
Bad Sülze
Rethwisch
Poppendorf
Dettmannsdorf
36
Bargeshagen
Gehls-dorf
Bentwisch
Steinfeld
Wittbeck
13
Steffens-hagen
Dierkow
Reppelin
Stubbendorf
Dudendorf
Bad Doberan
10
Lambrechts-hagen
Broderstorf
110 Sanitz
Böhlendorf
Readelich
Hohenfelde
Bartenshagen-
Parkentin
Klein Schwaß
Roggentin
Groß Lüsewitz
Zarnewanz
Thelkow
Grammow
Retschow
Hanstorf
Kritzmow
Kessin
Bandelstorf
Niekrenz
Kowalz
Behrer Lübchi
Schmadebeck
Reins-hagen
Stäbelow
Papendorf
Lieblingshof
18
Viecheln
Rederank
Bölkow
Buchholz
Pölchow
Dummerstorf
Göldenitz
Selpin
19
Nuström
Karin
Heiligenhagen
Ziesendorf
Kavelstorf
Cammin
Woltow
Lühburg
Gerdshagen
Satow
Hohen Luckow
Klingendorf
Groß Potrems
14
Groß Ridsenow
42
Radegast
Bröbberow
Groß Viegeln
Prisannewitz
Alt Kätwin
Walkendorf
Groß Nieköhr
12
Jürgens-hagen
Schwaan
Wiendorf
Sabel
Polchow
Boddin
Passee
Klein Belitz
Striesdorf
Wardow
Dalwitz
Goldberg
Bandow
Laage
Prebberede
Vietschow
Poggelow
Gnemern
Penzin
Hohensprenzer See
Weitend
Remli
Bernitt
Selow
Kambs
Hohen Sprenz
Breesen
21
Klein Sien
Langen-
Trechow
Kurzen-
Parkow
20
Kritzkow
23
Neu Heinde
Jördenstorf
Al
Moisall
Siemitz
Liessow
Schwiessel
Schwasdorf
Mistorf
Diekhof
Groß
Schlemmin
12
Recknitz
106

A 19 E 55   **A 20 E 22**   **103**

Kap Arkona

Varnkevitz
Bakenberg
Gramtitz
Putgarten
Dranske
Alten-kirchen
6,5
Wiek
Juliusruh
Wieker
Breege
Bodden
Witt
Tromper
12
Wiek
16
Lohme
Kloster
72
Grieben
Libben
Strom
Bischofsdorf
Glowe
8,5
Nipmerow
133
Stubbenkammer
Vitte
Bug
Rassower
Vieregge
Bobbin
Neddesitz
160
Nationalpark
Jasmund
Fähr-insel
50
Breetzer Bodden
Neuenkirchen
Großer
Polchow
5,5
Promoisel
6
densee
Schaproden
Trent
Tetzitzer See
Jasmunder
Sagard
7
Jasmund
Neuendorf
4
Neuendorf
Bodden
E 22 E 251
96 b
13
Sassnitz
Trelleborg Rønne
Schaprode
6,5
Rappin
5
Neu Mukran
Rønne
Öhe
Bodden
Øhe
Gellen
Ummanz
Koselower See
7,5
Patzig
Ralswiek
Lietzow
Prorer
Waase
96
20
Kleiner
Ummanz-
Gingst
3
Ramitz
Parchtitz
Jasmunder
Prora
Wiek
Wusse
9
Boldevitz
7,5
5
Buschvitz
Bodden
5,5
Binz
Lieschow
Groß Kubitz
14
(K) 70
3
Karow
11
Jagdschloß Granitz
Barhöft
Dreschvitz
Bergen
12
Zirkow
Sellin
Klausdorf
Kubitzer
RÜGEN
Tilzow
28
196
5
7,5
Baabe
Prohner Wiek
Bodden
Sehlen
11
23
Lancken-Granitz
4,5
Göhren
erhof
Parow
Rambin
1,1
Samtens
Ketelshagen
9
Putbus
60
Nordperd
6
Karnitz
Vilmnitz
Neu-Reddewitz
Alt
Strelasund
Altefähr
96
E 22-E 251
26
Kasnevitz
12
Lauterbach
Middelhagen
Dänholm
6
Krakvitz
Neukamp
Vilm
Gager
Groß-Zicker
Mönchgut
ND
5
Gustow
Poseritz
Garz
Rosengarten
Rügischer Bodden
Klein-
Thiessow
10
11
22
Groß Schoritz
Silmenitz
Südperd
9
Venzvitz
Üselitz
9,5
Zudar
Greifswalder Oie
ow
Zarrendorf
Brandshagen
15
5
Zicker
Greifswalder
Krummen-hagen
4
Stahlbrode
Grabow
Ruden
D
Elmenhorst
105
5,5
Reinberg
Bodden
Behnkendorf
Miltzow
1
Struck
15
10
Reinkenhagen
4,5
Insel Riems
Wittenhagen
14
26
Kirchdorf
Gristow
Spandower-hagen
Stolten-hagen
Mannhagen Dorf
Karrendorf
Insel Koos
Lubmin
Freest
Peenemünde
Bremerhagen
18
Horst
16
Wampen
9
Wuster-husen
Karlshagen
Bartmanns-Hagen
Wüst Eldena
Groß Petershagen
7,5
Loissin
2
Nonnendorf
Kröslin
Trassenheide
96
Kaschow
Willershusen
Wieck
Ludwigsburg
Brünzow
Rubenow
Groß Ernsthof
13
Zinnov
Greifswald
K
Ryck
Kloster
Eldena
10
24
14
olschow
2,5
Zempi
Jessin
Levenhagen
Keinitz
Wolgast
23
24
14
15
25
Klevenow
Griebenow
Hinrichshagen
Neu Boltenhagen
Bannemin
9
Wüsteney
25
4
17
Krummin
Poggendorf
109
Dersekow
Weiten-
Diedrichs-
Neuendorf
Rakow
Kandelin

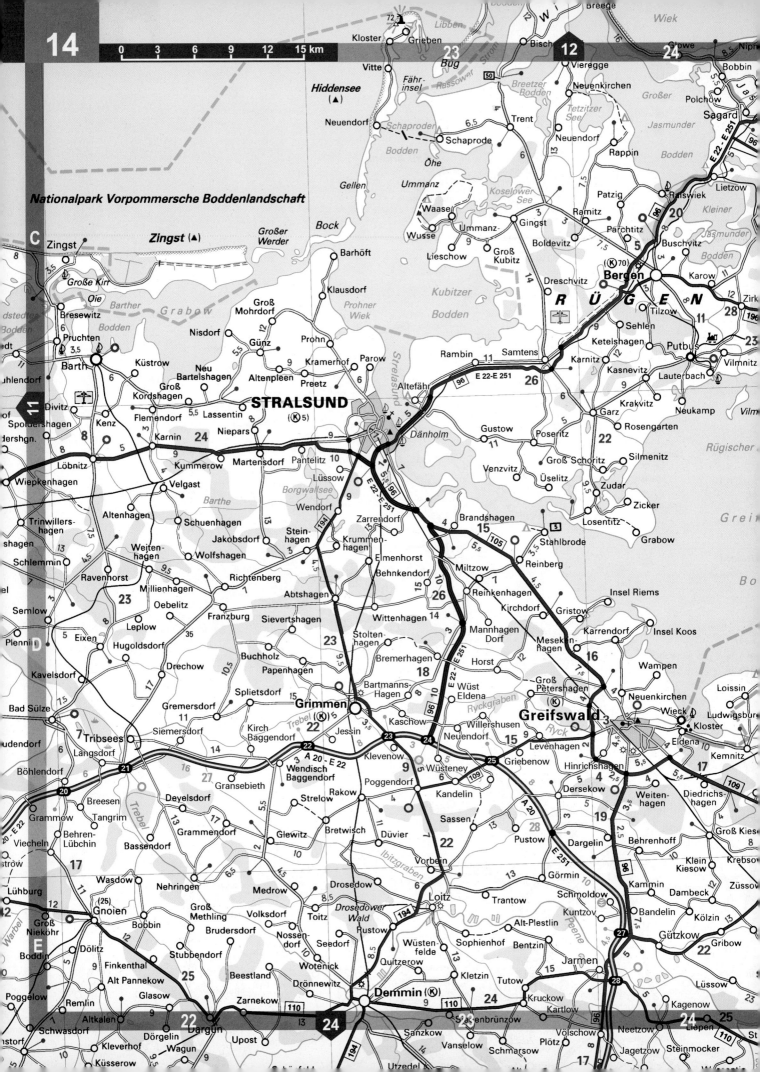

C

Nationalpark
Jasmund

Sassnitz

Mukran

Prorer

Wiek

Binz
Jagdschloß
Granitz
Sellin
Baabe
Lancken-
Granitz
Göhren
Alt
-Reddewitz
Middelhagen
Nordperd
Gager
Mönchgut
Groß-
-Zicker
Klein-
Thiessow
Südperd

Greifswalder Oie

D

Ruden

Struck
Spandower-
hagen
Peenemünde
Freest
Karlshagen
Wuster-
husen
Nonnendorf
Kröslin
Trassenheide
Rubenow
Groß
Ernsthof
Zinnowitz
Ziese
Lodmanns-
hagen
Mölschow
Zempin
Neu
tenhagen
Bannemin
Koserow
Wolgast
Krummin
Kölpinsee
USEDOM
Katzow
Neuendorf
Loddin
Sauzin
Krummine
Wiek
Gnitz
Wrangelsburg
Hohendorf
Lütow
Ückeritz
Peenestrom
Achterwasser
Lühmannsdorf
Buddenhagen
38
Warthe
Lieper
Bansin
Steinfurth
Zemitz
Wehrland
Winkel
Naturpark
Pudagla
Heringsdorf
Karlsburg
Pulow
Dewichow
Schmollen-
see
Klein
Bünzow
Wahlendow
Lassan
Rankwitz
Benz
Ahlbeck
Świnoujście
Daugzin
Rubkow
Morgenitz
Neppermin
Gothensee
Międzyzdroje
E
Buggen-
hagen
Usedom-
Korswandt
Warszów
Murchin
Suckow
Mellenthin
Katschow
Pinnow
Zirchow
Garz
Wydrzany
Przytór
Ziethen
Klotzow
110
Oderhaff
Dargen
Kamminke
Lubin

Peene
Görke
Zecherin
Welzin
Gummlin
Karsibór
Wielki

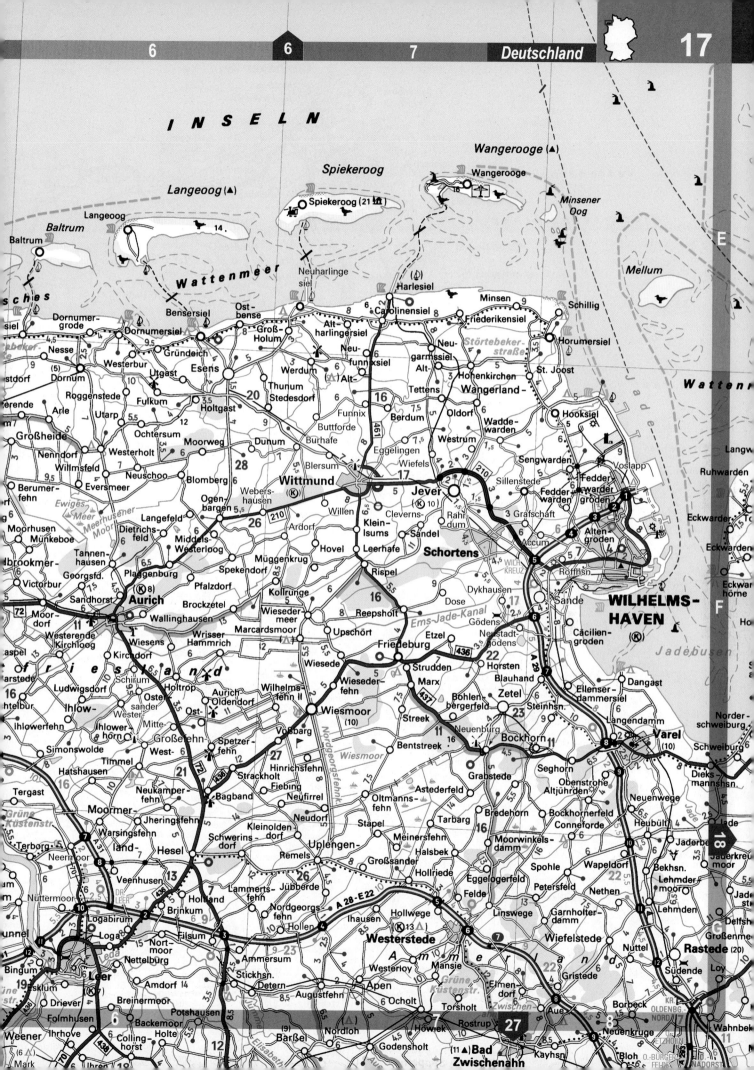

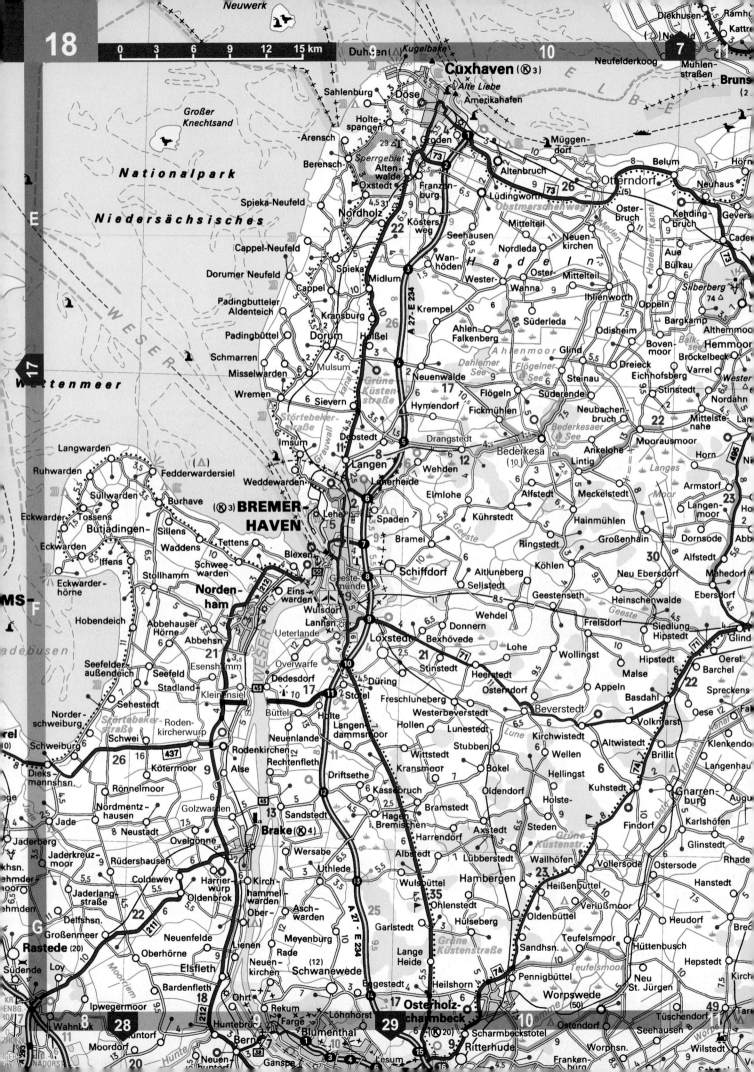

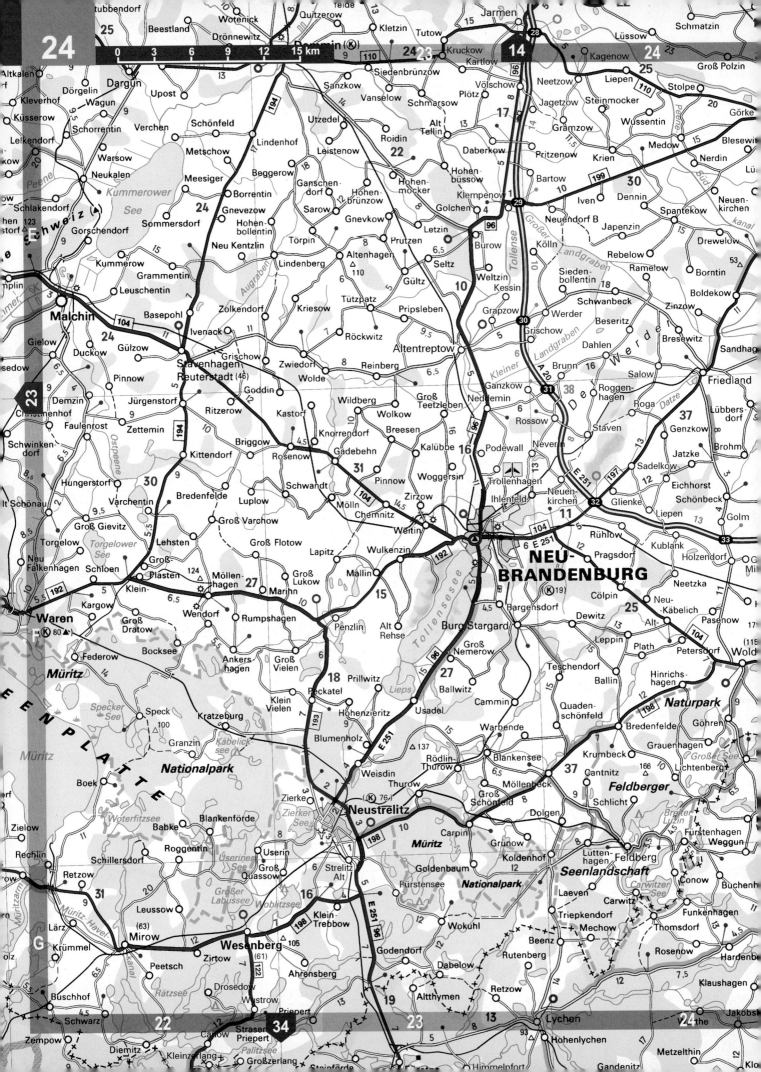

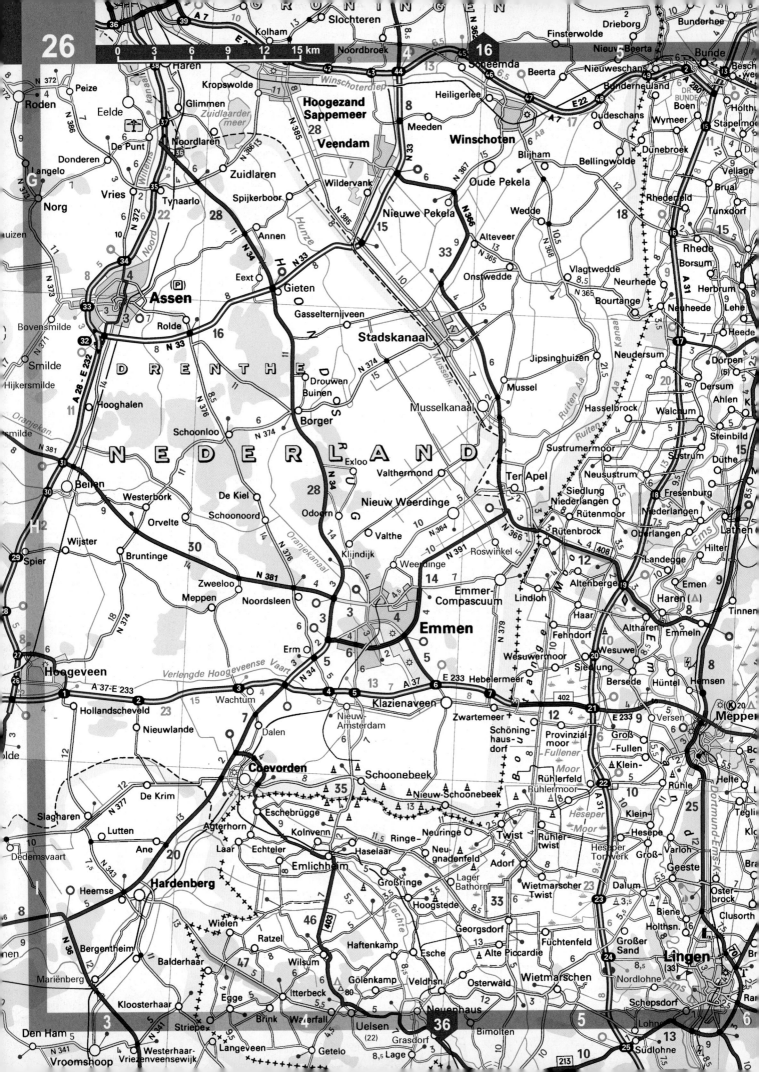

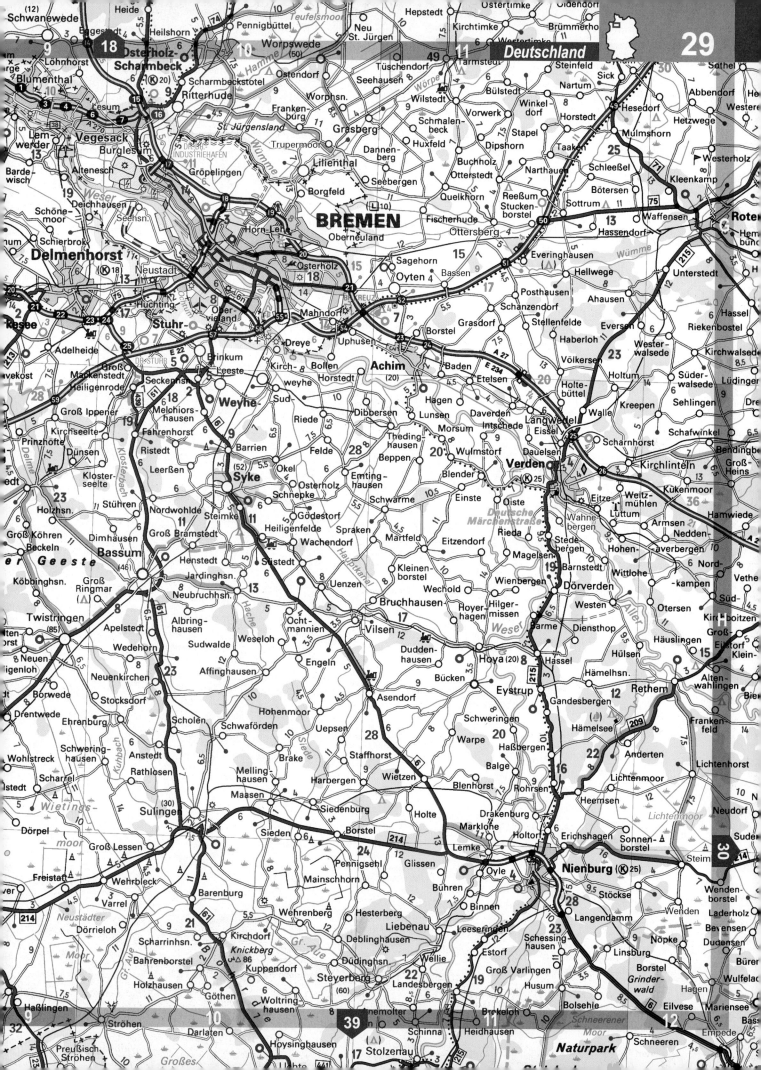

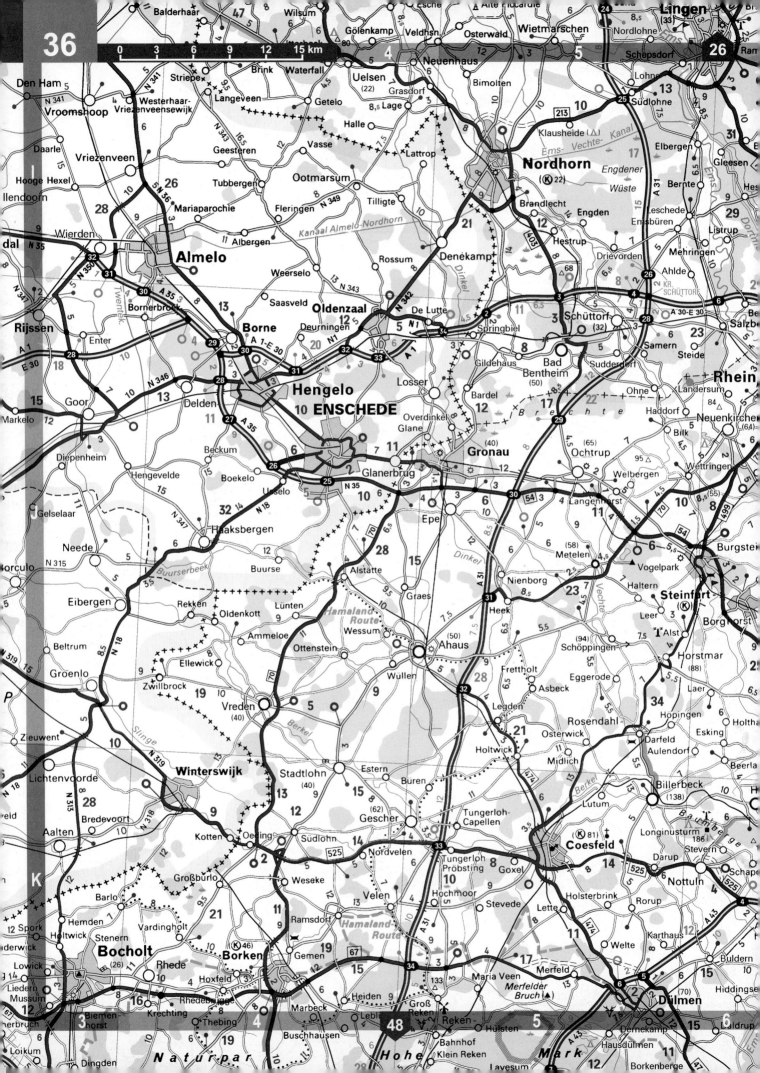

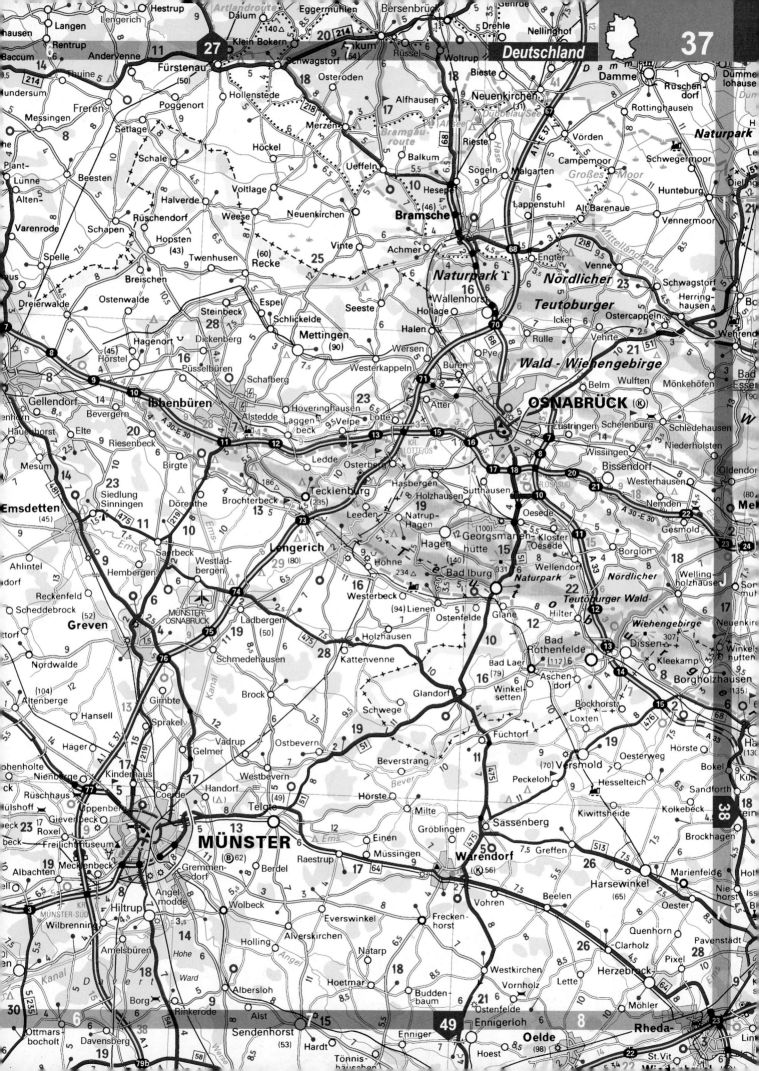

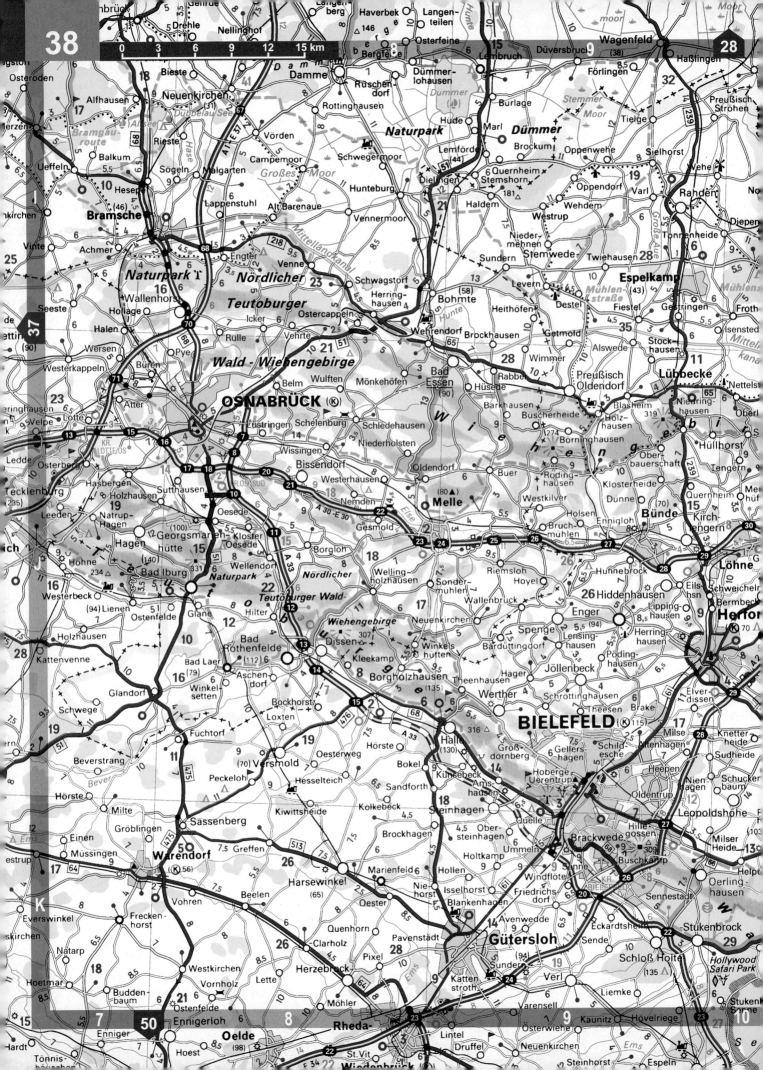

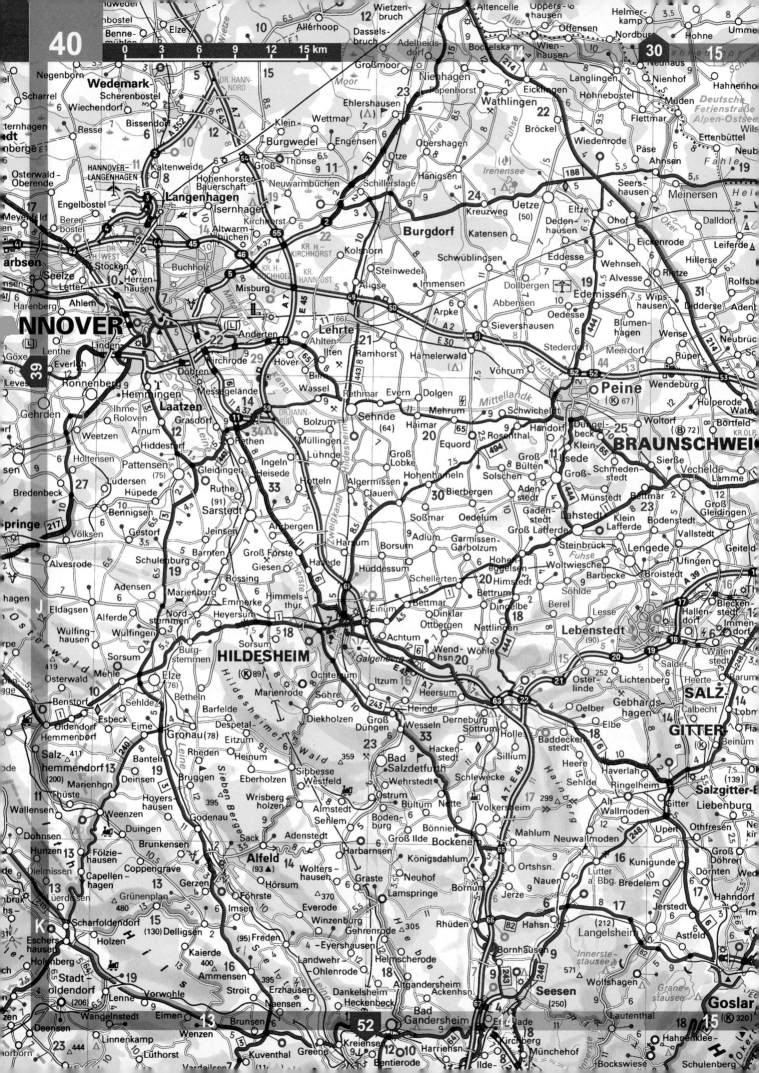

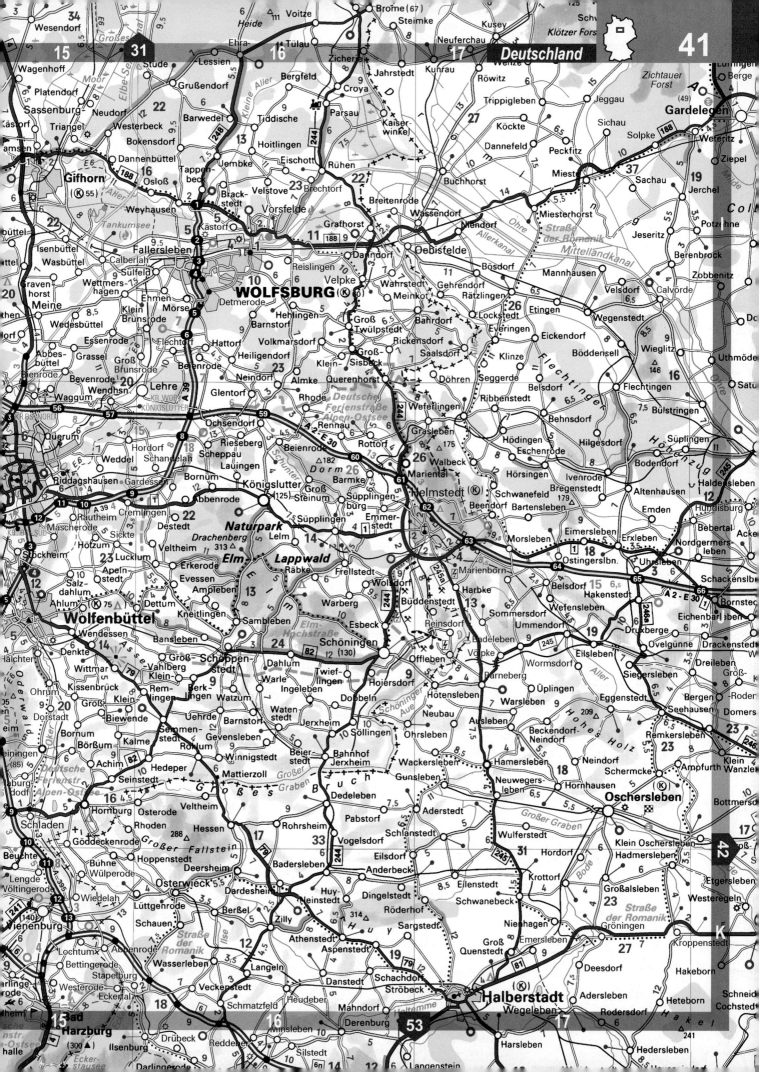

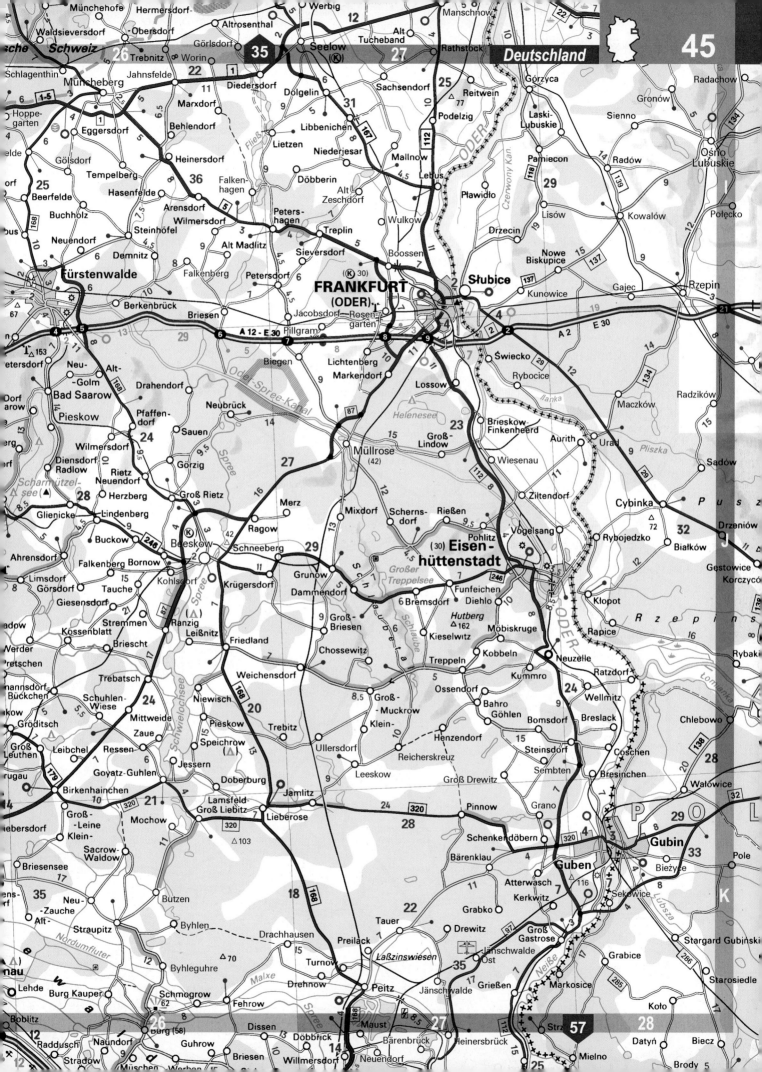

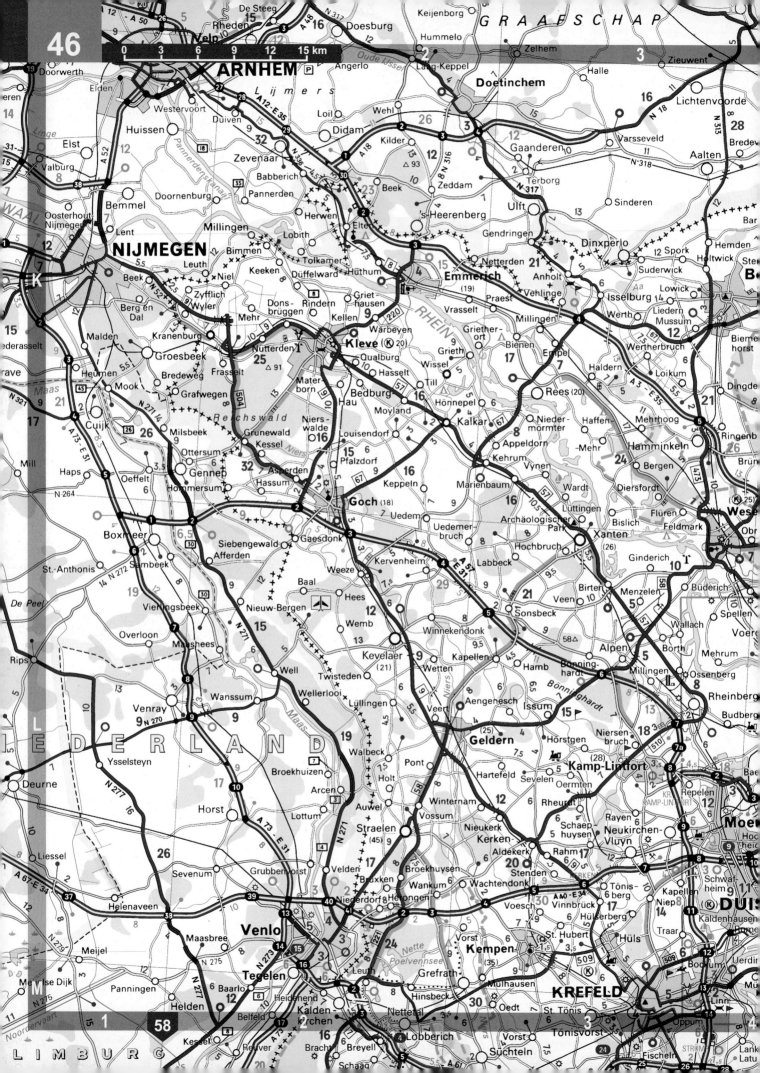

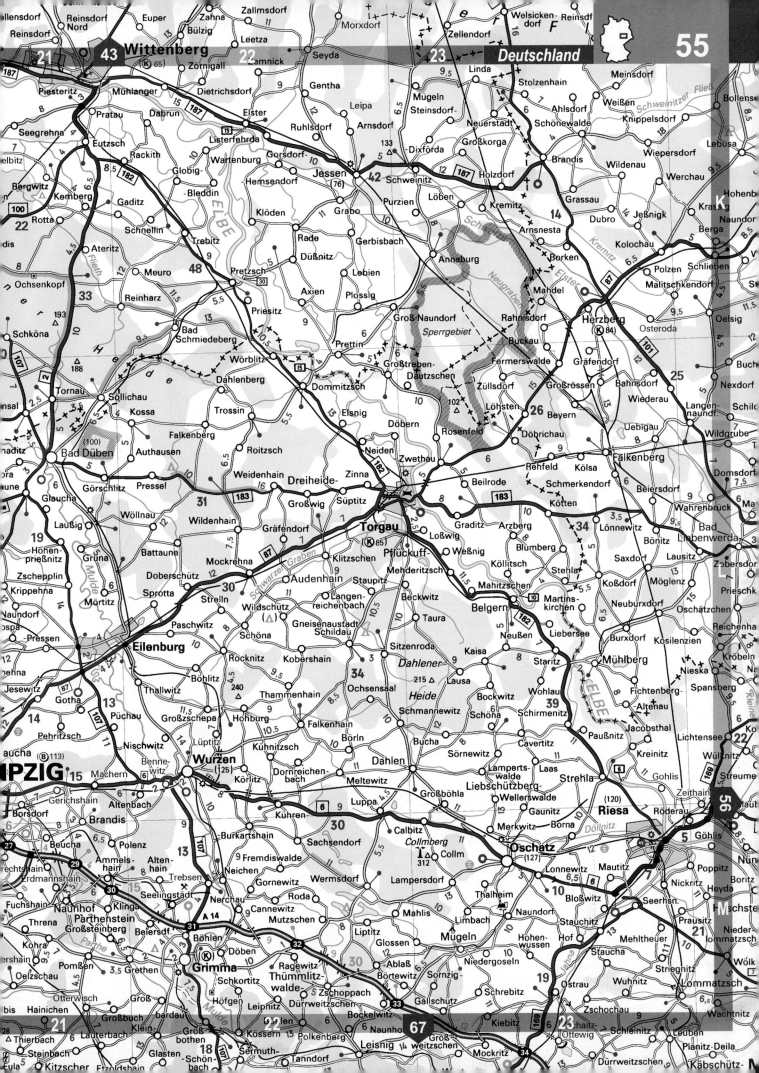

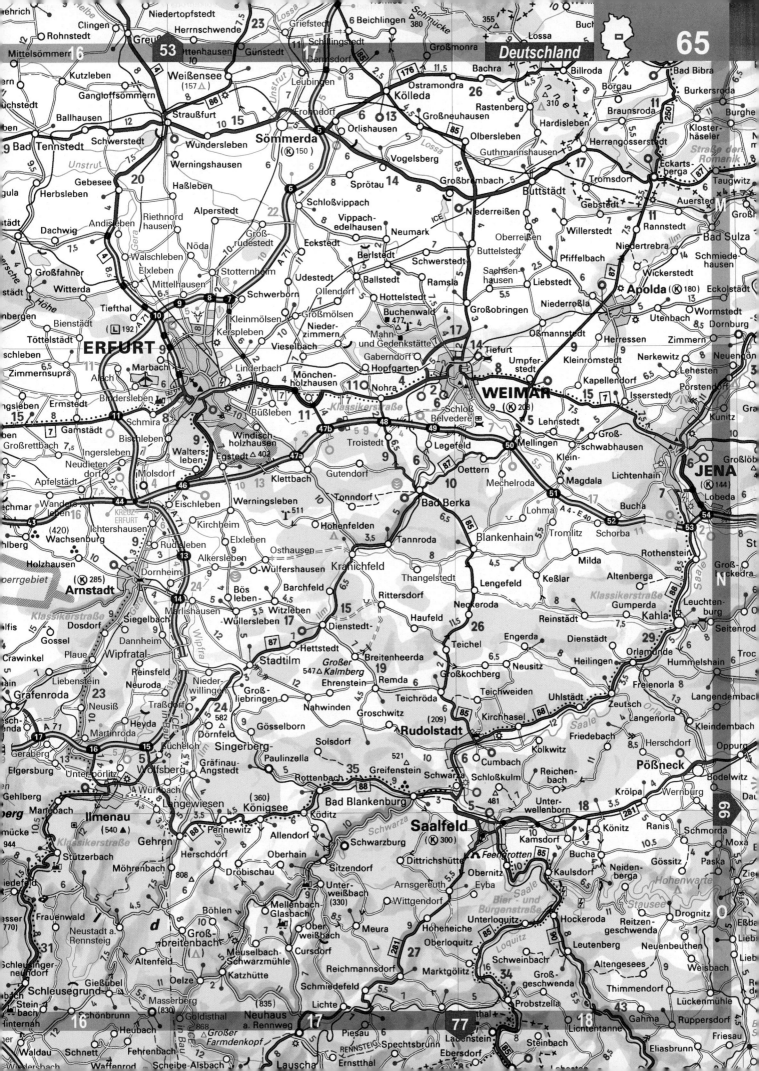

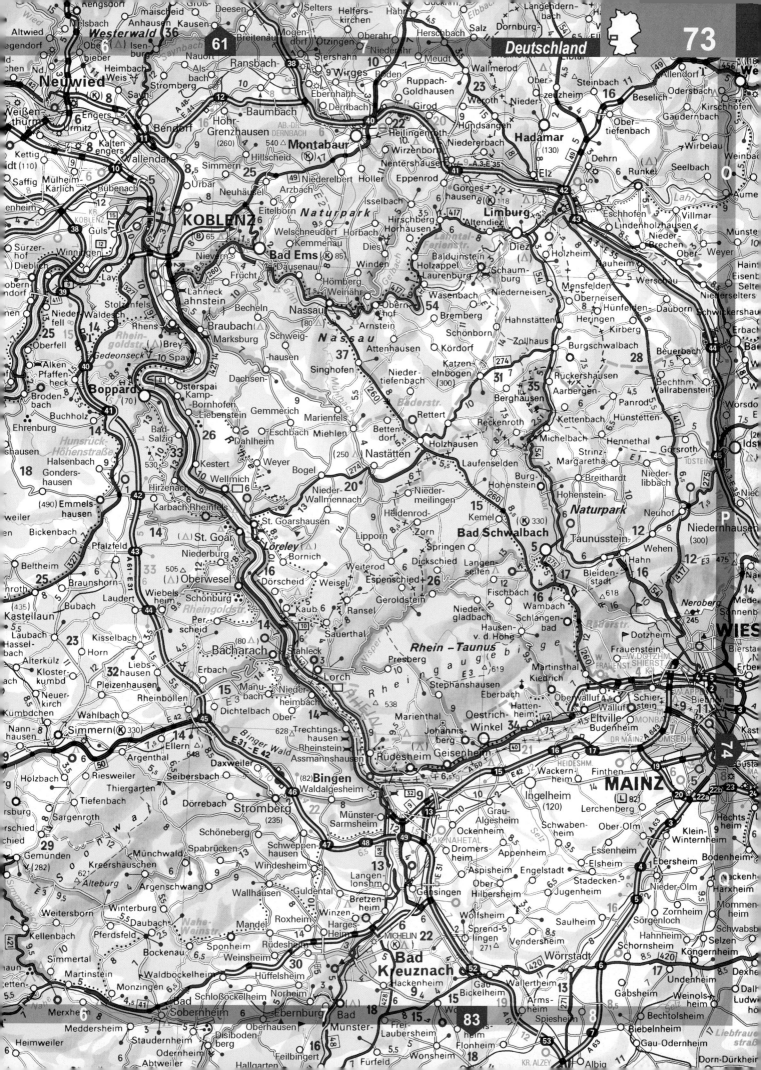

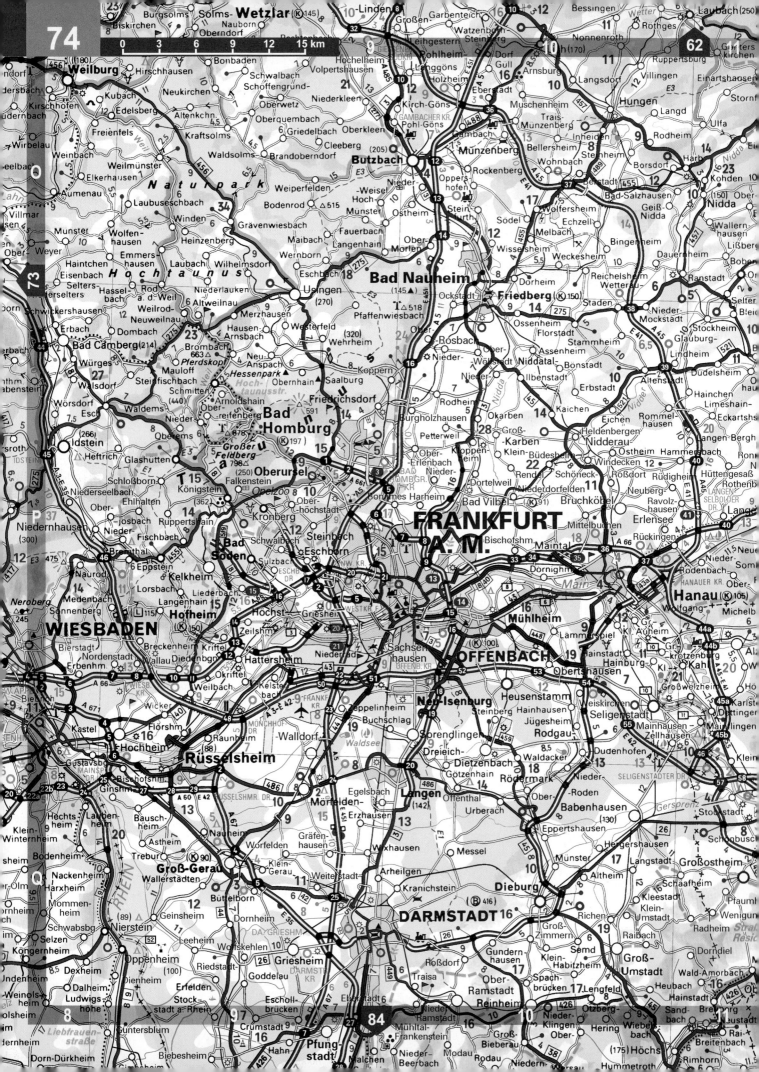

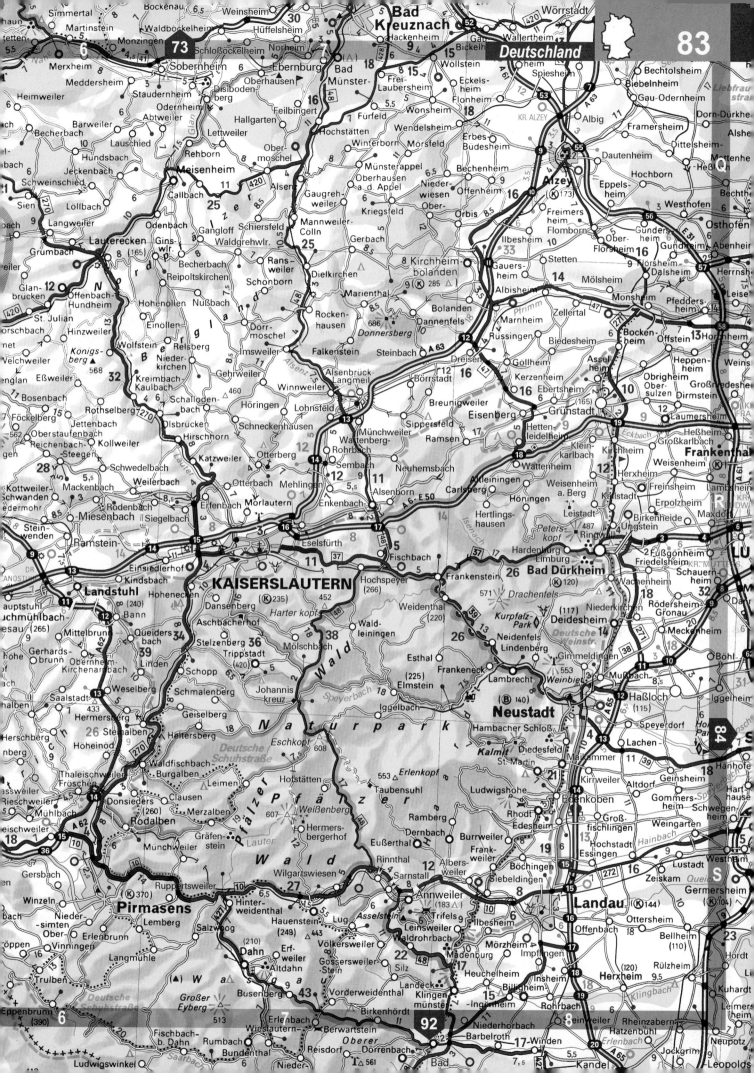

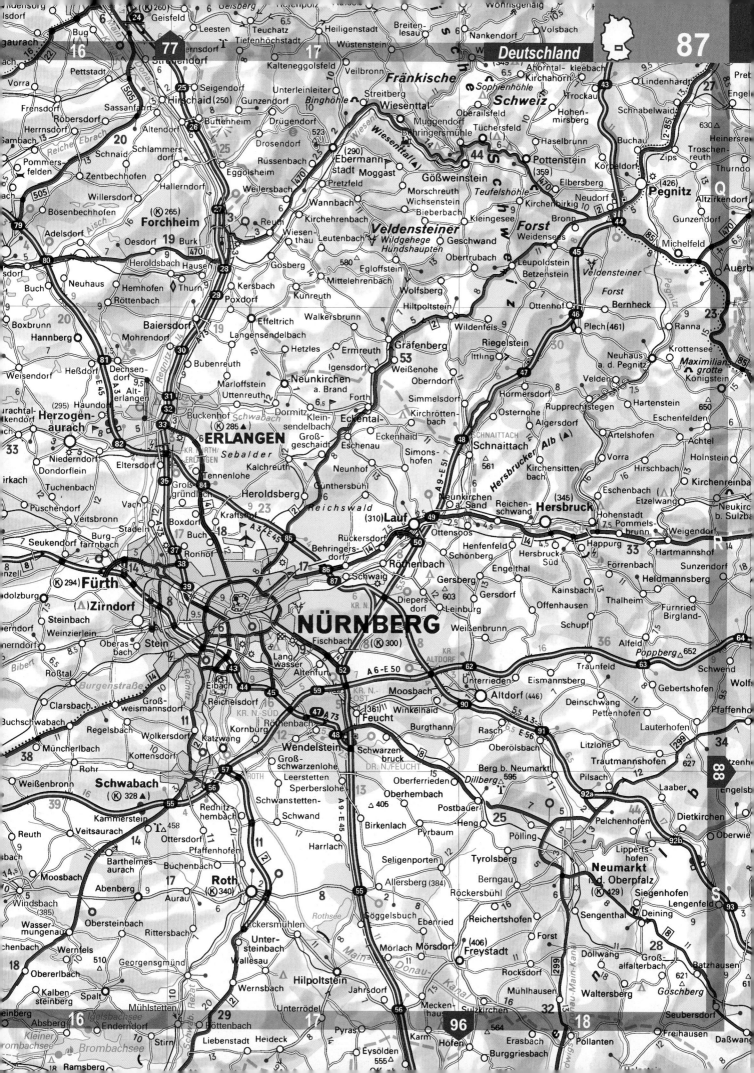

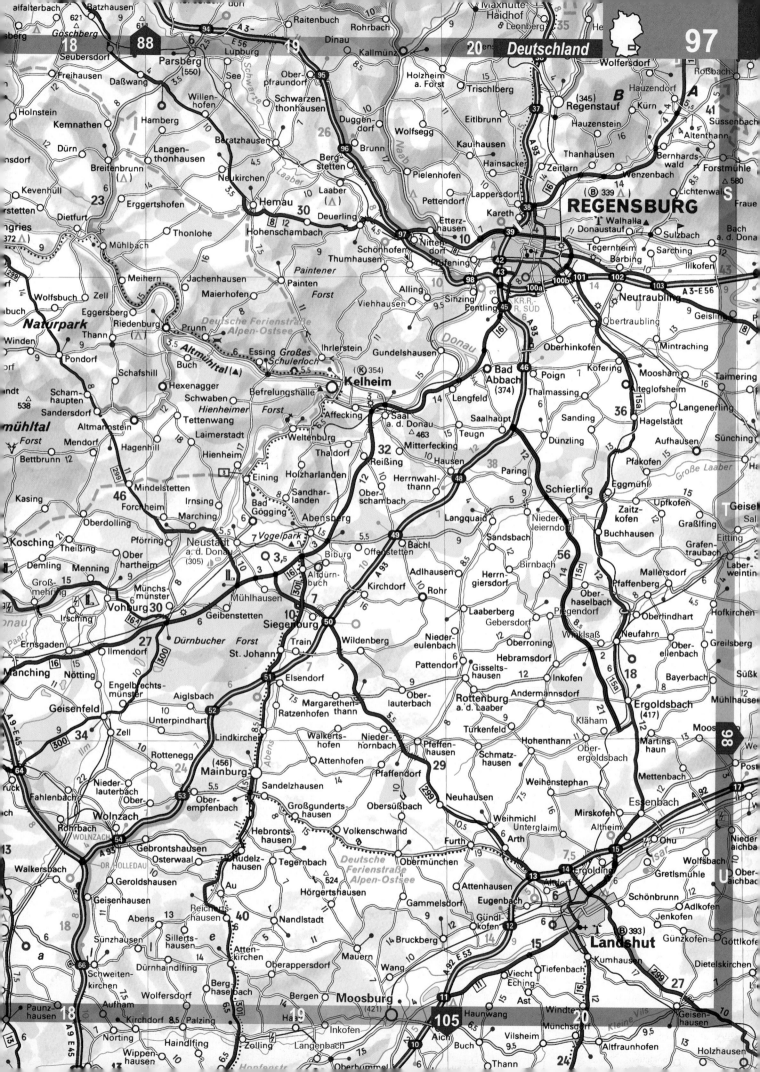

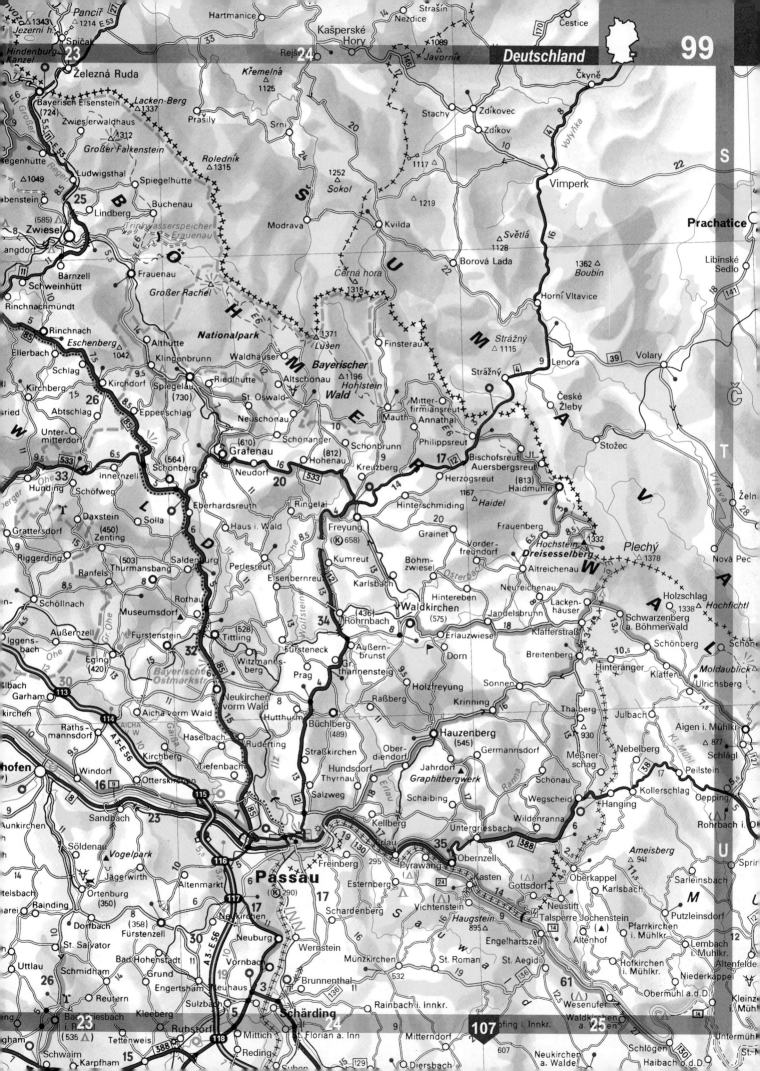

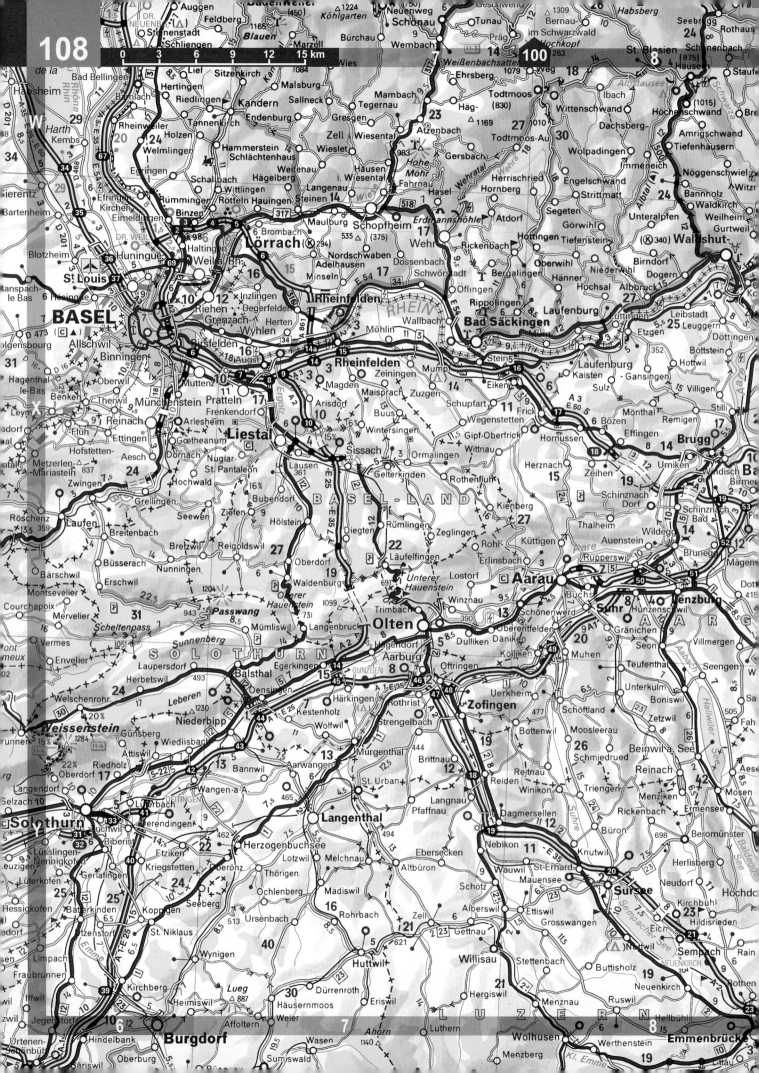

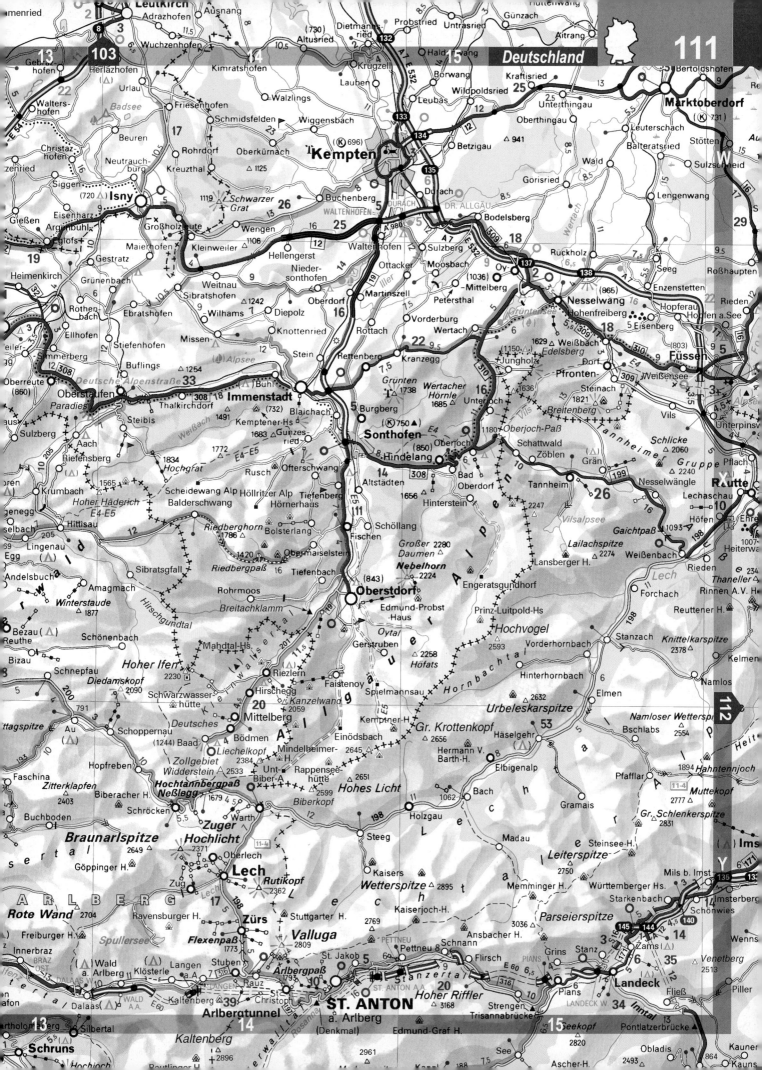

Straßenverkehrsordnung
Wegcode / Motoring regulations / Réglements routiers
Regolamenti stradali / Código de circulación

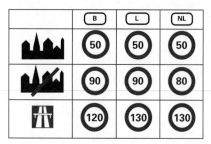

	B	L	NL
🏰	50	50	50
🏭	90	90	80
🛣	120	130	130

Geschwindigkeitsbegrenzung in km/h
Snelheidsbeperkingen (in km/uur)
Maximum Speed Limit: in kilometres per hour
Limitations de vitesse en kilomètres/heure
Limite di velocità in chilometri/ora
Limitación de velocidad en km/hora

Maximal zulässiger Blutalkoholgehalt / Maximaal toegelaten alcoholconcentratie in het bloed / Maximum blood alcohol level
Taux maximum d'alcool toléré dans le sang / Tasso massimo di alcol ammesso nel sangue / Indice máximo de alcohol permitido en sangre
(B) (L) (NL) 0.5g/l

Mindestalter für Kinder auf den Frontsitzen / Minimum leeftijd van passagiers vooraan:
Children under years of age not permitted in front seats / Age minimum des enfants admis à l'avant:
Età minima dei bambini ammessi sul sedile anteriore / Edad mínima permitide a menores para circular en el asiento delantero derecho:
(L) (NL) 12

Mindestalter für Autofahrer: 18 Jahre / Minimum leeftijd van de bestuurder: 18 jaar / Minimum driving age: 18 years
Age minimum du conducteur : 18 ans / Età minima del conducente: 18 anni / Edad mínima del conductor: 18 años
(B) (L) (NL)

Anlegen von Sicherheitsgurten vorn und hinten vorgeschrieben / Gebruik van veiligheidsgordels vooraan en achteraan verplicht
Seat belts must be worn by driver and all passengers in front and rear seats
Port de la ceinture de sécurité à l'avant et à l'arrière obligatoire
Cintura di sicurezza sedili anteriori e posteriori obbligatoria / Cinturón de seguridad obligatorio en asientos delanteros y trasesos
(B) (L) (NL)

Helmpflicht für Motorradfahrer und -beifahrer / Gebruik van valhelm verplicht voor bestuurders en passagiers van motorfietsen
Helmets compulsory for motorcycle riders and passengers / Port du casque pour les motocyclistes et les passagers obligatoire
Casco obbligatorio per motociclisti e loro passeggeri / Casco de conductor y pasajero obligatorio en motocicletes
(B) (L) (NL)

Abblendlicht bei Tag und Nacht vorgeschrieben / Gebruik van dimlichten dag en nacht verplicht
Dipped headlights required at all times / Allumage des codes jour et nuit obligatoire
Obbligo di accendere gli anabbaglianti giorno e notte / Alumbrado de emergencia de dia y de noche obligatorio
(D) (L)

Spikereifen erlaubt / Spijkerbanden toegestaan / Studded tyres allowed
Pneus cloutés autorisés / Gomme da neve autorizzate / Neumáticos claveteados autorizados
(B) 01/11 - 31/03   (L) 01/12 - 31/03

Spikereifen verboten / Spijkerbanden verboden / Studded tyres forbidden / Pneus cloutés interdits
Gomme da neve vietate / Neumáticos claveteados prohibidos
(NL)

Warndreieck vorgeschrieben / Gevarendriehoek verplicht / Warning Triangle compulsory / Triangle de présignalisation obligatoire / Triangolo di presegnalazione obbligatorio / Triangulo de preseñalización obligatorio
(B) (L)

Warndreieck empfohlen / Gevarendriehoek aanbevolen Warning Triangle recommended / Triangle de présignalisation conseillée / Triangolo di presegnalazione consigliata / Triangulo de preseñalización recomendado
(NL)

Verbandskasten empfohlen / Verbandtrommel aanbevolen / First aid kit recommended
Trousse de premiers secours conseillée / Valigetta pronto soccorso consigliata / Botiguin recomendado
(B) (L) (NL)

Sicherheitsweste vorgeschrieben / Reflecterend vest verplicht Reflective jacket compulsory / Gilet de sécurité obligatoire Giubbotto di sicurezza obbligatorio / Chaleco reflectante obligatorio
(B) (L)

Sicherheitsweste empfohlen / Reflecterend vest aanbevolen Reflective jacket recommended / Gilet de sécurité conseillé Giubbotto di sicurezza consigliato Chaleco reflectante aconsejado
(NL)

Feuerlöscher empfohlen / Brandblusser aanbevolen / Fire extinguisher recommended
Extincteur conseillé / Estintore consigliato / Extinctor recomendado
(B) (L) (NL)

Benötigte Dokumente: Zulassungs- oder Mietwagenpapiere, Haftpflicht-versicherungsnachweis, Nationalitätskennzeichen.
Vereiste documenten: inschrijvingsbewijs of huurcontract van het voertuig, verzekering voor burgerlijke aansprakelijkheid, officiële nummerplaat.
Documents required. Vehicle registration document or rental agreement. Third party Insurance certificate. National vehicle identification plate.
Documents nécessaires : certificat d'immatriculation du véhicule ou de location, assurance responsabilité civile, plaque nationale.
Documenti necessari: certificato d'immatricolazione del veicolo o di noleggio, assicurazione responsabilità civile, targa nazionale.
Documentos necesarios: certificado de matriculación del vehículo o certificado de alquiler, seguro de responsabilidad civil, placa indicativa del país

1: 400 000

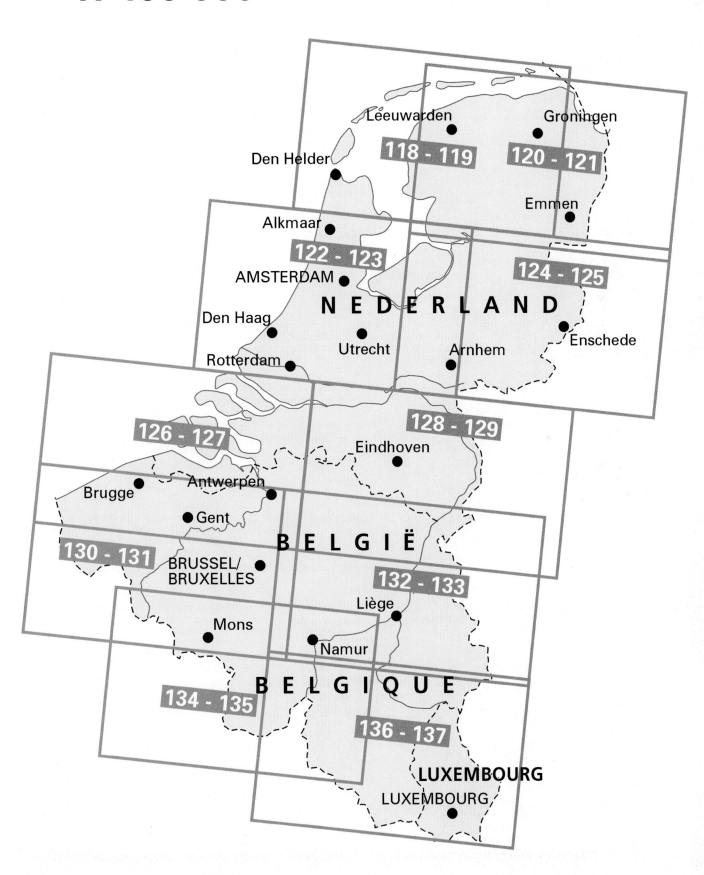

0 4 8 12 16 20 km

J K

W A D D E N E I L A N D E N

De Boschplaat

Holl

2 Oosterend
Hoorn
Midsland Lies
TERSCHELLING (▲)
30 Kaart
West-Terschelling

Vliestroom

Oost-Vlieland
Richel

VLIELAND (▲)

Griend

St.-Jacobiparochie
Minnertsga
Tzummarum
Oosterbierum
Sexbierum Ried
Dongjum
22
Waardgronden
20
Midlum
Franeke
19
Harlingen
(▲) Hitzum Tzum
Achlum Wi

De Eijerlandse Duinen
De Cocksdorp
W A D D E N Z E E
Arum Lollum
Pingjum
Zurich
Witmarsum
De Slufter Eijerlandse
De Muy Polder
Nationaal Park
Wons 16 22 Bolsward
△25
(△) De Koog
Lorentzsluizen
Exmorra 17 18 Ni
(▲) TEXEL Duinen
Makkum 19
Natuurrecreatiecentrum
Oosterend
Piaam Tjerkwerd
Allingawier
van Texel
Gaast Blauwhuis
De Waal
Parrega Oosther
Den Burg (△)
Ferwoude
De Westerduinen
Den Hoorn Oudeschild
Workum Oudeg
(Súdwest Fryslân)
De Geul
Breezanddijk Gaastmeer
't Horntje
Afsluitdijk 30 De Fluezen
Hindeloopen Wou
Noorderhaaks (△)
Marsdiep Koudum
Huisduinen Den Oever Elahuizen (Ga
Nieuw Den Helder Oosterland Stevinsluizen Molkwerum
Den Helder 14 Oudega
(△)
De Schooten Stavoren
(△) De Zandloper (Wieringen) Warns Bakhuizen
6 Hippolytushoef N 99 Rijs Ni
24 Westerland Oudemirdum
Julianadorp
Breezand
Gelderse Wieringermeer
Buurt -1 10 Wieringerwerf
Amstelmeer
Groote Keeten
13 I J S S E L M E E R
't Zand
Callantsoog Wieringerwaard Slootdorp
't Zwanenwater Polder
Middenmeer (▲)
Schagerbrug 12
St.-(Zijpe) 18
Maarensvlotbrug Schagen 12 Medemblik
Petten Barsingerhorn 38 11 Opperdoes
St.-Maarten 9 Onderdijk Andijk
Burgervlotbrug Zijdewind Twisk Werwershoof
Dirkshorn Winkel (Drechterland)
(Harenkarspel) Nieuwe-Niedorp
45 Camperduin Warmenhuizen Hoogwoud Midwoud Enkhuizen
Groet Oudkar(J)l 123 (Noorder-Koggenland) Hoogkarspel
Schoorl Opmeer Spanbroek Nibbixwoud Bovenkarspel
Langedijk Wadway Westwoud (Stede-Broec)
Obdam Zwaag

H H I J J K

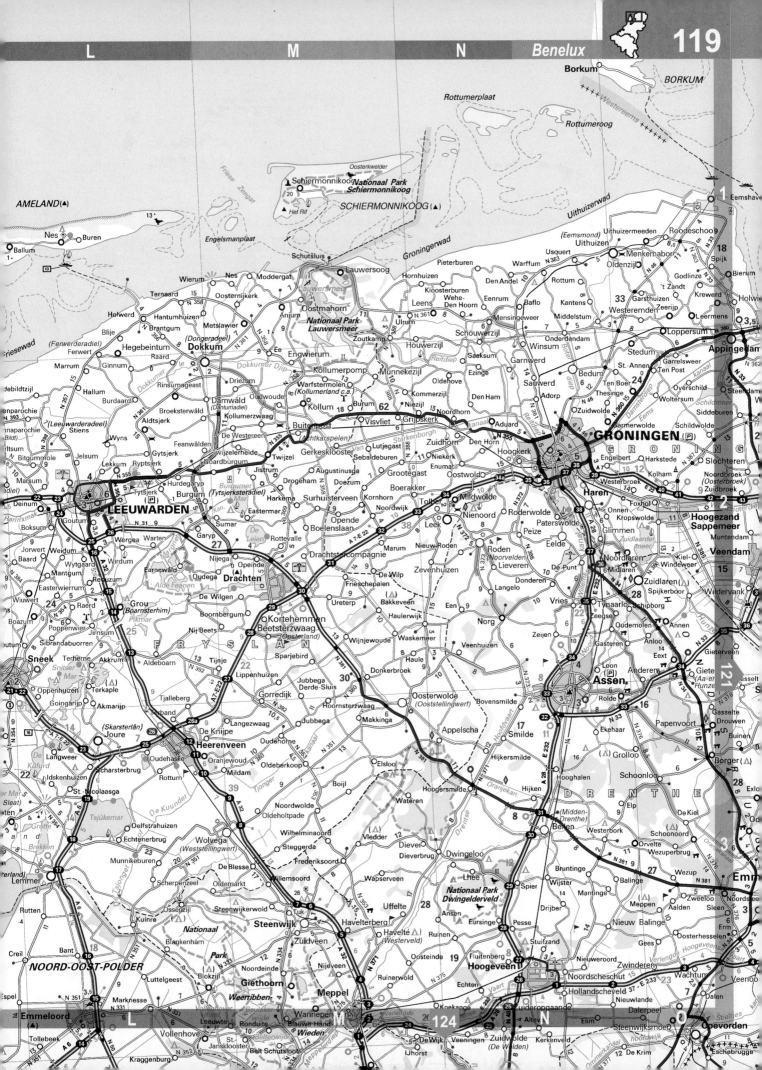

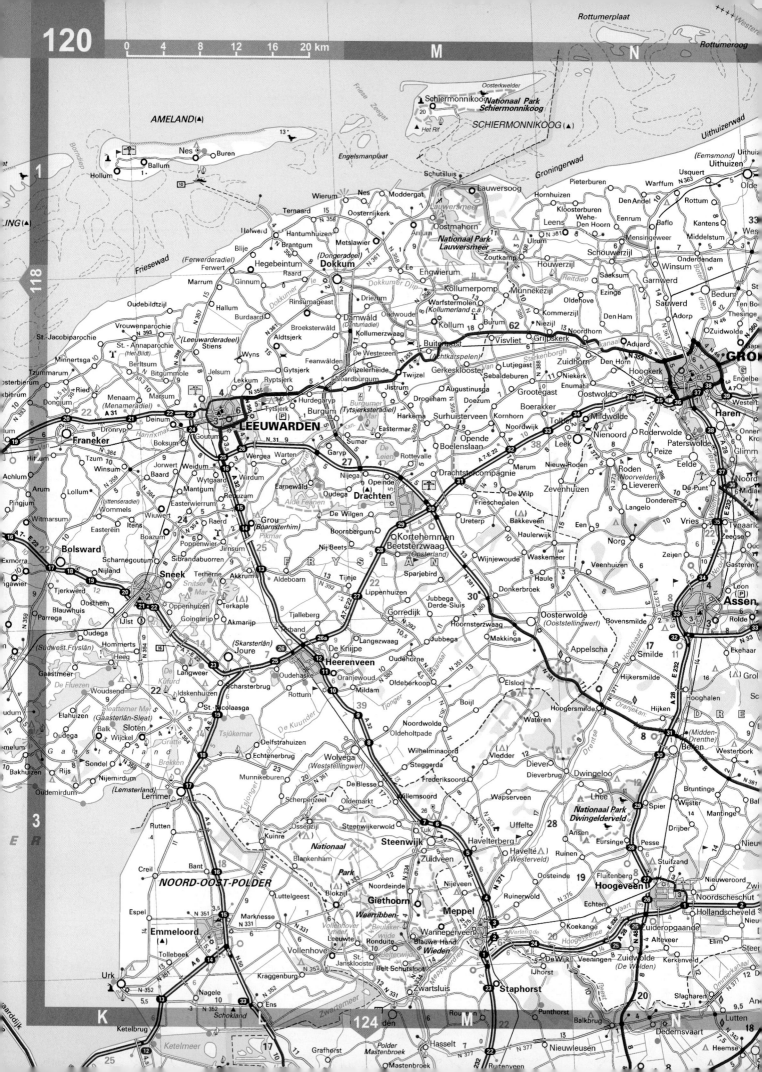

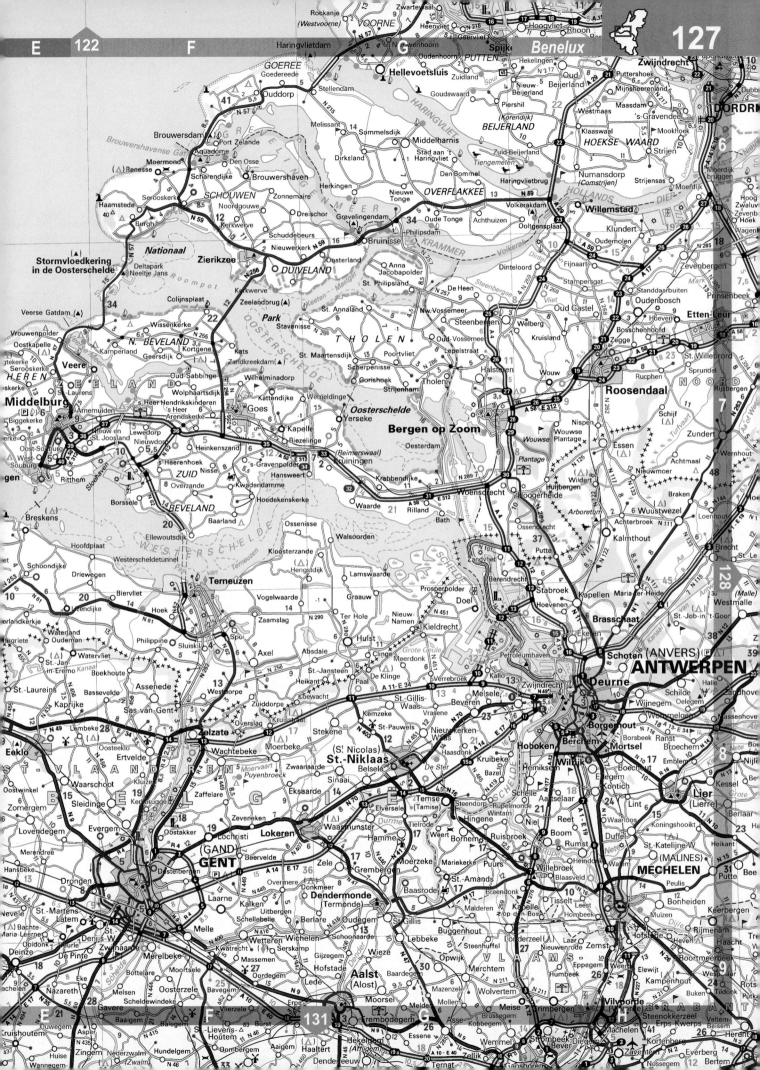

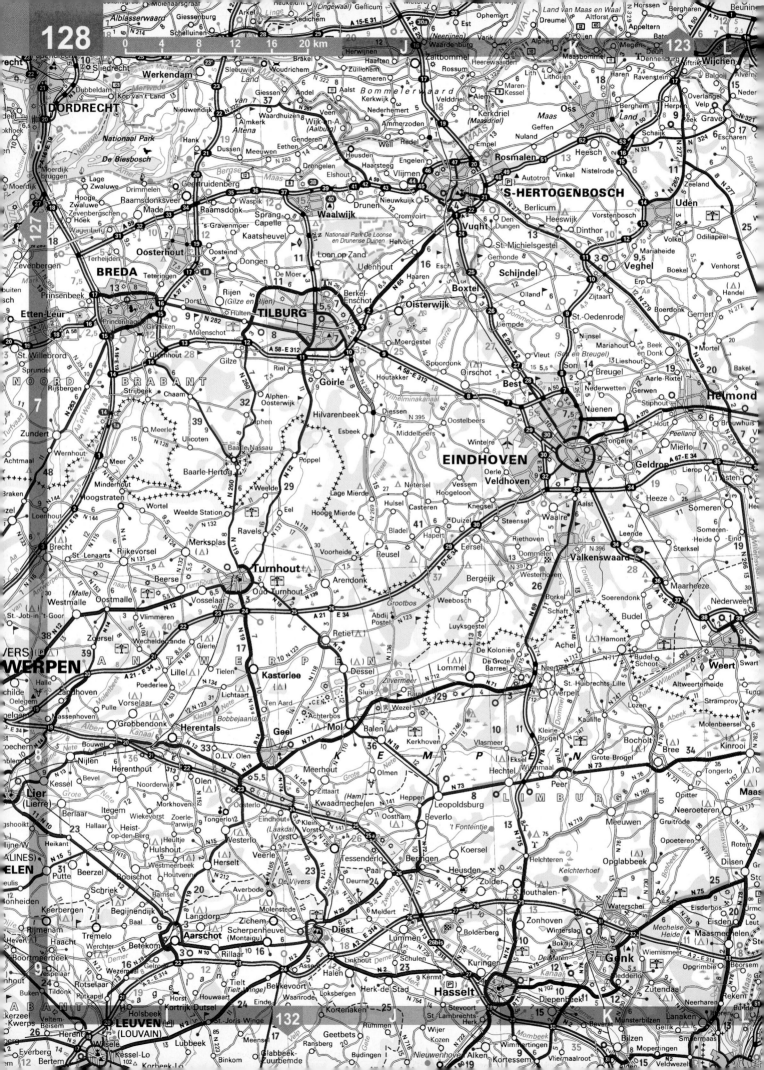

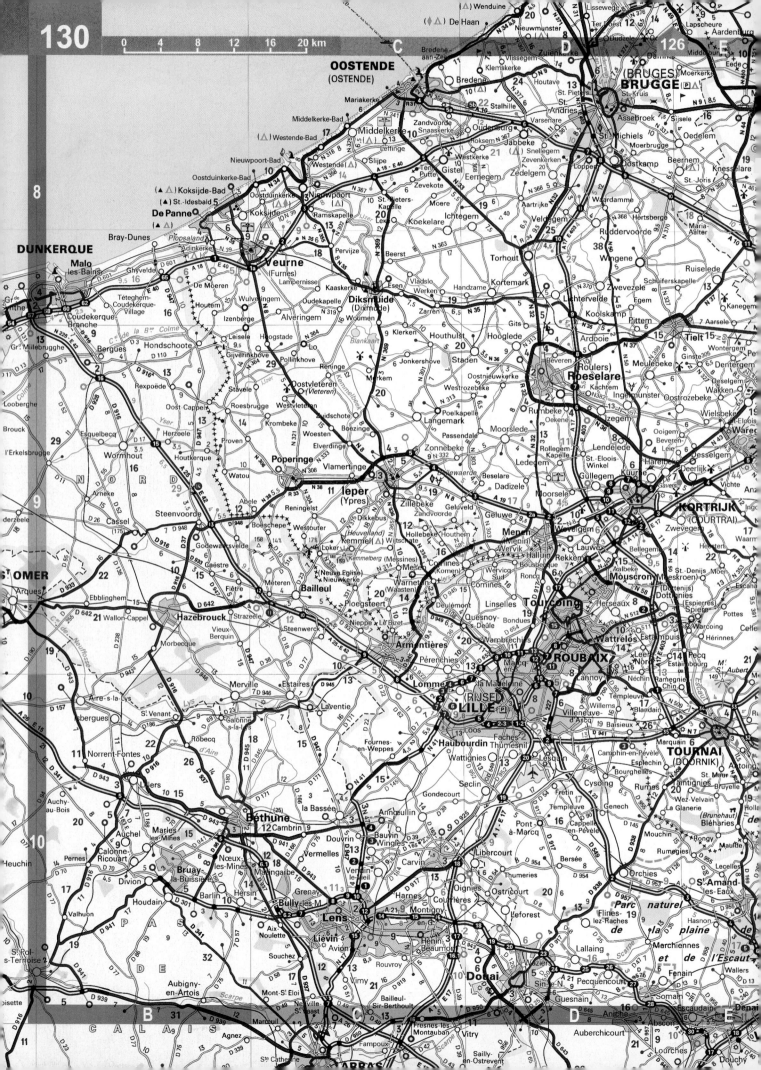

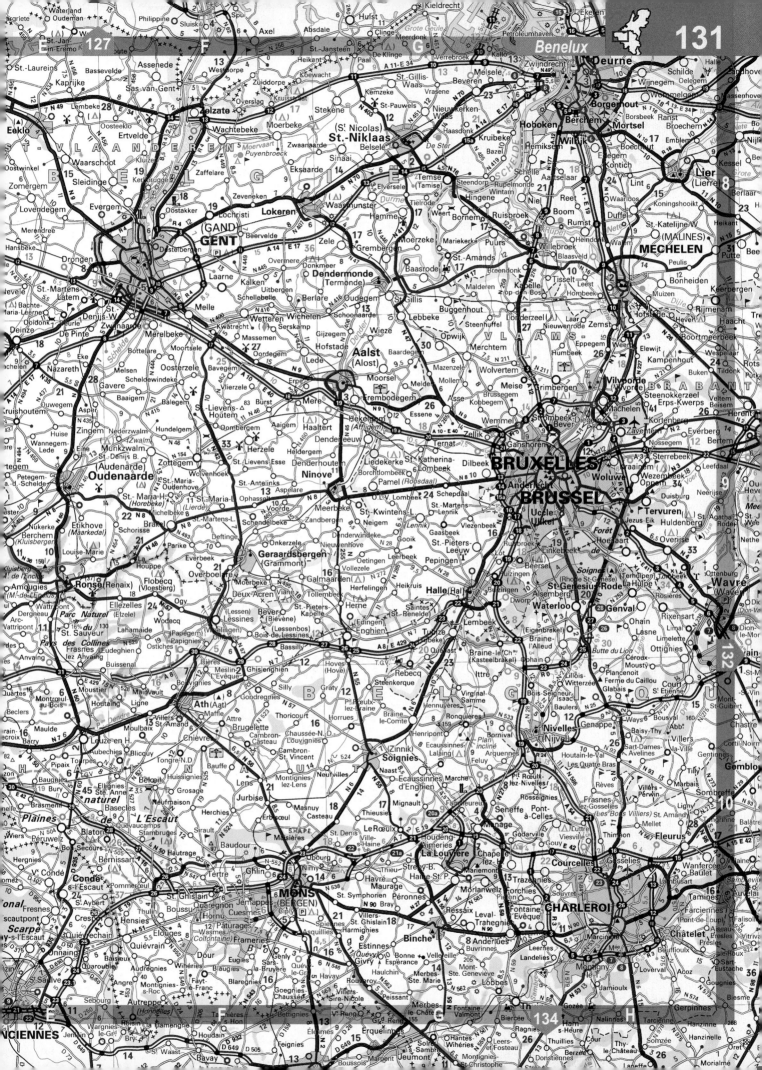

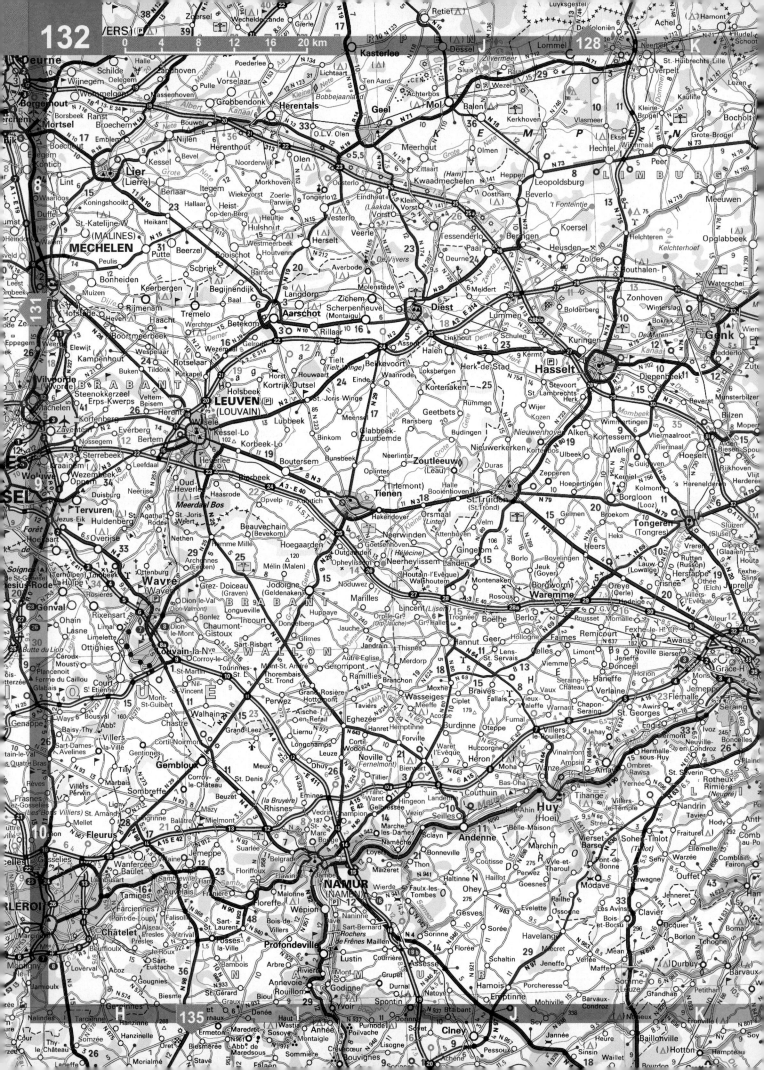

Straßenverkehrsordnung
Wegcode / Motoring regulations / Réglements routiers
Regolamenti stradali / Código de circulación

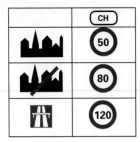

Geschwindigkeitsbegrenzung in km/h
Snelheidsbeperkingen (in km/uur)
Maximum Speed Limit: in kilometres per hour
Limitations de vitesse en kilomètres/heure
Limite di velocità in chilometri/ora
Limitación de velocidad en km/hora

 Maximal zulässiger Blutalkoholgehalt / Maximaal toegelaten alcoholconcentratie in het bloed / Maximum blood alcohol level
Taux maximum d'alcool toléré dans le sang / Tasso massimo di alcol ammesso nel sangue / Indice máximo de alcohol permitido en sangre
CH 0.5 g/l

 Mindestalter für Autofahrer: 18 Jahre / Minimum leeftijd van de bestuurder: 18 jaar / Minimum driving age: 18 years
Age minimum du conducteur : 18 ans / Età minima del conducente: 18 anni / Edad minima del conductor: 18 años
CH

 Anlegen von Sicherheitsgurten vorn und hinten vorgeschrieben
Gebruik van veiligheidsgordels vooraan en achteraan verplicht
Seat belts must be worn by driver and all passengers in front and rear seats
Port de la ceinture de sécurité à l'avant et à l'arrière obligatoire
Cintura di sicurezza sedili anteriori e posteriori obbligatoria
Cinturón de seguridad obligatorio en asientes delanteros y traseros
CH

 Helmpflicht für Motorradfahrer und -beifahrer
Gebruik van valhelm verplicht voor bestuurders en passagiers van motorfietsen
Helmets compulsory for motorcycle riders and passengers
Port du casque pour les motocyclistes et les passagers obligatoire
Casco obbligatorio per motociclisti e loro passeggeri
Casco de conductor y pasajero obligatorio en motocicletes
CH

 Abblendlicht bei Tag und Nacht vorgeschrieben / Gebruik van dimlichten dag en nacht verplicht
Dipped headlights required at all times / Allumage des codes jour et nuit obligatoire
Obbligo di accendere gli anabbaglianti giorno e notte / Alumbrado de emergencia de dia y de noche obligatorio
CH

 Spikereifen erlaubt / Spijkerbanden toegestaan / Studded tyres allowed
Pneus cloutés autorisés / Gomme da neve autorizzate / Neumáticos claveteados autorizados
CH 24/10 - 30/04

 Warndreieck vorgeschrieben / Gevarendriehoek verplicht
Warning Triangle compulsory / Triangle de présignalisation obligatoire
Triangolo di presegnalazione obbligatorio / Triangulo de preseñalización obligatorio
CH

 Verbandskasten empfohlen / Verbandtrommel aanbevolen
First aid kit recommended / Trousse de premiers secours conseillée
Valigetta pronto soccorso consigliata / Botiguin recomendado
CH

 Feuerlöscher empfohlen / Brandblusser aanbevolen
Fire extinguisher recommended / Extincteur conseillé
Estintore consigliato / Extinctor recomendado
CH

 Sicherheitsweste empfohlen / Reflecterend vest aanbevolen
Reflective jacket recommended / Gilet de sécurité conseillé
Giubbotto di sicurezza consigliato / Chaleco reflectante aconsejado
CH

 Benötigte Dokumente: Zulassungs- oder Mietwagenpapiere, Haftpflicht-versicherungsnachweis, Nationalitätskennzeichen.
Vereiste documenten: inschrijvingsbewijs of huurcontract van het voertuig, verzekering voor burgerlijke aansprakelijkheid, officiële nummerplaat.
Documents required. Vehicle registration document or rental agreement. Third party Insurance certificate. National vehicle identification plate.
Documents nécessaires : certificat d'immatriculation du véhicule ou de location, assurance responsabilité civile, plaque nationale.
Documenti necessari: certificato d'immatricolazione del veicolo o di noleggio, assicurazione responsabilità civile, targa nazionale.
Documentos necesarios: certificado de matriculación del vehiculo o certificado de alquiler, seguro de responsabilidad civil, placa indicativa del país

1: 400 000

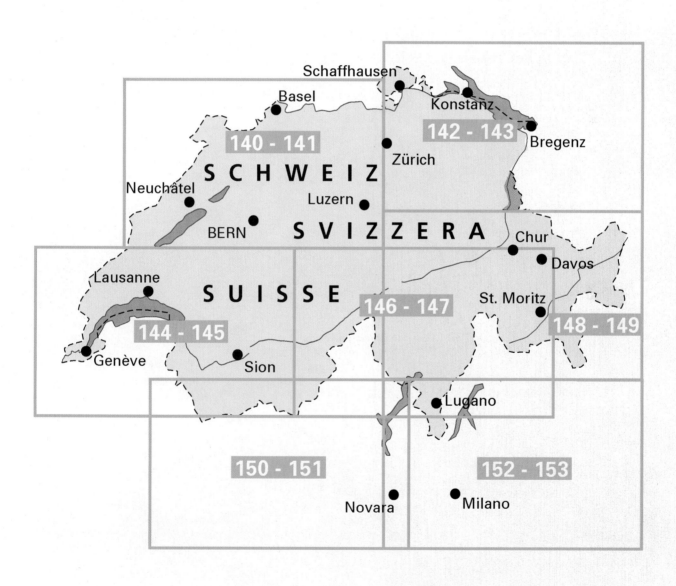

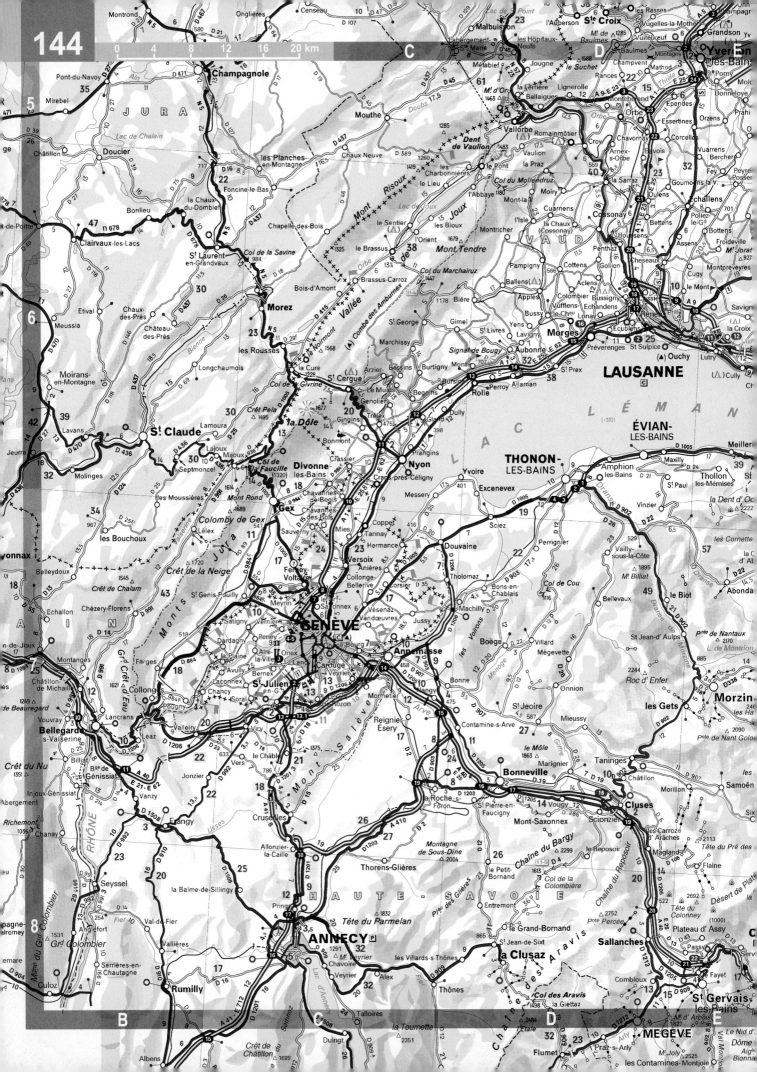

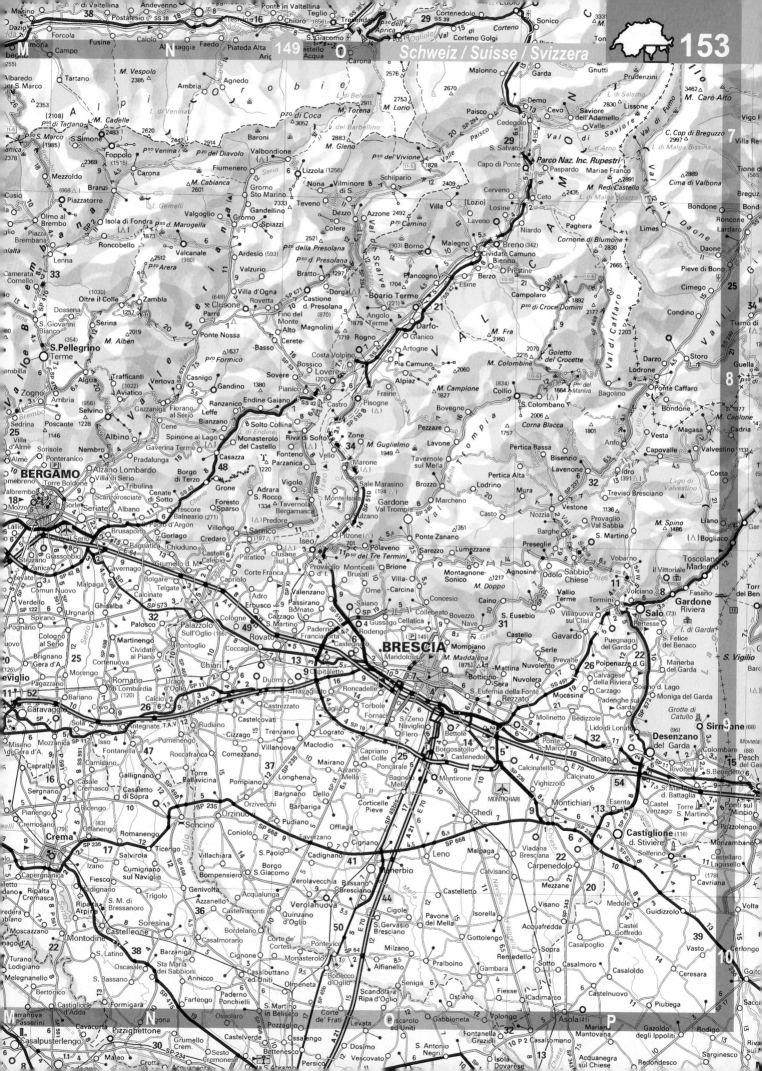

Straßenverkehrsordnung
Wegcode / Motoring regulations / Réglements routiers
Regolamenti stradali / Código de circulación

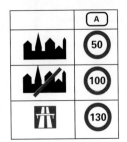

Geschwindigkeitsbegrenzung in km/h
Snelheidsbeperkingen (in km/uur)
Maximum Speed Limit: in kilometres per hour
Limitations de vitesse en kilomètres/heure
Limite di velocità in chilometri/ora
Limitación de velocidad en km/hora

Maximal zulässiger Blutalkoholgehalt / Maximaal toegelaten alcoholconcentratie in het bloed
Maximum blood alcohol level / Taux maximum d'alcool toléré dans le sang
Tasso massimo di alcol ammesso nel sangue / Indice máximo de alcohol permitido en sangre

(A) 0.5 g/l

Mindestalter für Autofahrer: 18 Jahre / Minimum leeftijd van de bestuurder: 18 jaar
Minimum driving age: 18 years / Age minimum du conducteur : 18 ans
Età minima del conducente: 18 anni / Edad minima del conductor: 18 años
(A)

Anlegen von Sicherheitsgurten vorn und hinten vorgeschrieben
Gebruik van veiligheidsgordels vooraan en achteraan verplicht
Seat belts must be worn by driver and all passengers in front and rear seats
Port de la ceinture de sécurité à l'avant et à l'arrière obligatoire
Cintura di sicurezza sedili anteriori e posteriori obbligatoria
Cinturón de seguridad obligatorio en asientes delanteros y trasesos
(A)

Helmpflicht für Motorradfahrer und -beifahrer
Gebruik van valhelm verplicht voor bestuurders en passagiers van motorfietsen
Helmets compulsory for motorcycle riders and passengers
Port du casque pour les motocyclistes et les passagers obligatoire
Casco obbligatorio per motociclisti e loro passeggeri
Casco de conductor y pasajero obligatorio en motocicletes
(A)

Spikereifen erlaubt / Spijkerbanden toegestaan / Studded tyres allowed
Pneus cloutés autorisés / Gomme da neve autorizzate / Neumáticos claveteados autorizados
(A) 01/10 -31/05

Winterreifen bei Winterwetter gesetzespflichtig / Winterbanden verplicht bij winterse verkeersomstandigheden /
Winter tyres compulsory in wintry driving conditions / Pneus hiver obligatoires en condition de circulation hivernale
Pneumatici invernali obbligatori in condizioni di circolazione invernali / Neumáticos de invierno obligatorios en condiciones de circulación invernales
(A)

Warndreieck vorgeschrieben / Gevarendriehoek verplicht
Warning Triangle compulsory / Triangle de présignalisation obligatoire
Triangolo di presegnalazione obbligatorio / Triangulo de preseñalización obligatorio
(A)

Verbandskasten vorgeschrieben / Verbandtrommel verplicht / First aid kit compulsory / Trousse de premiers secours obligatoire
Valigetta pronto soccorso obbligatoria / Botiguin obligatorio
(A)

Sicherheitsweste vorgeschrieben / Reflecterend vest verplicht / Reflective jacket compulsory / Gilet de sécurité obligatoire
Giubbotto di sicurezza obbligatorio / Chaleco reflectante obligatorio
(A)

Feuerlöscher empfohlen / Brandblusser aanbevolen / Fire extinguisher recommended / Extincteur conseillé
Estintore consigliato / Extinctor recomendado
(A)

Benötigte Dokumente: Zulassungs- oder Mietwagenpapiere, Haftpflicht-versicherungsnachweis, Nationalitätskennzeichen.
Vereiste documenten: inschrijvingsbewijs of huurcontract van het voertuig, verzekering voor burgerlijke aansprakelijkheid, officiële nummerplaat.
Documents required. Vehicle registration document or rental agreement. Third party Insurance certificate. National vehicle identification plate.
Documents nécessaires : certificat d'immatriculation du véhicule ou de location, assurance responsabilité civile, plaque nationale.
Documenti necessari: certificato d'immatricolazione del veicolo o di noleggio, assicurazione responsabilità civile, targa nazionale.
Documentos necesarios: certificado de matriculación del vehiculo o certificado de alquiler, seguro de responsabilidad civil, placa indicativa del país

1: 400 000

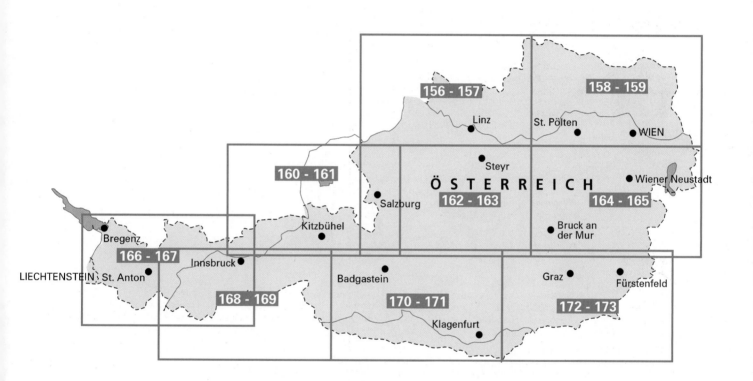

156 - 157

158 - 159

Linz

St. Pölten

WIEN

160 - 161

Steyr

Ö S T E R R E I C H

Wiener Neustadt

Salzburg

162 - 163

164 - 165

Kitzbühel

Bruck an
der Mur

Bregenz

166 - 167

Innsbruck

LIECHTENSTEIN St. Anton

Badgastein

Graz

Fürstenfeld

168 - 169

170 - 171

172 - 173

Klagenfurt

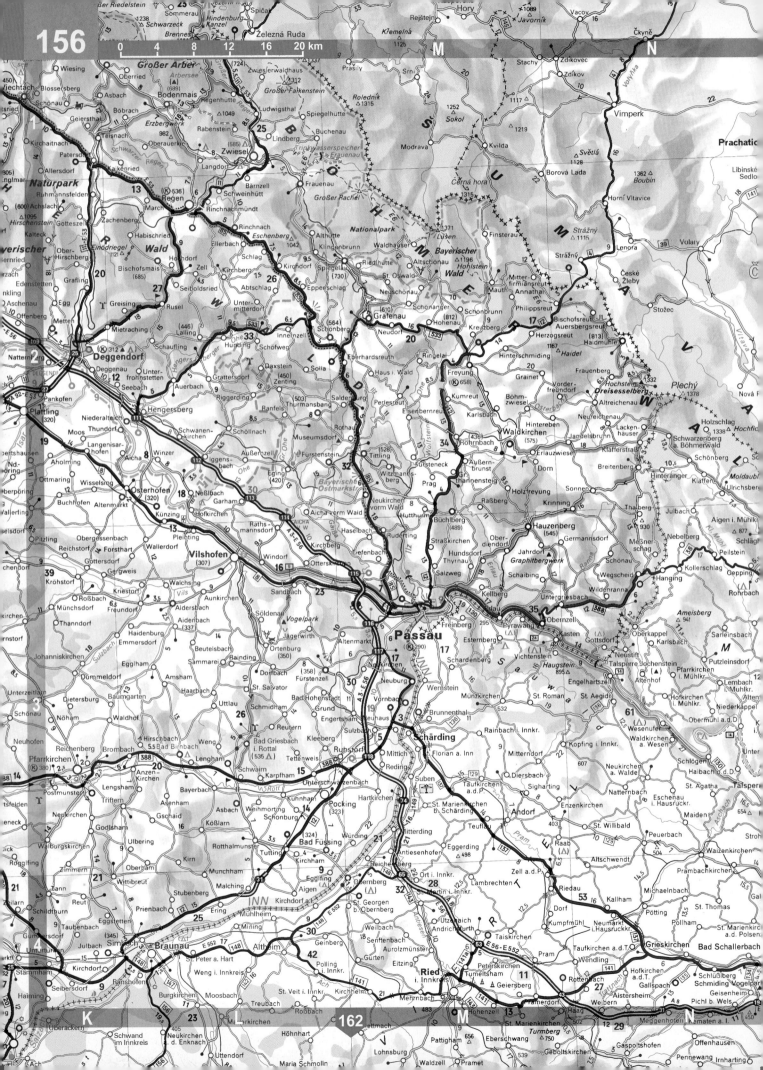

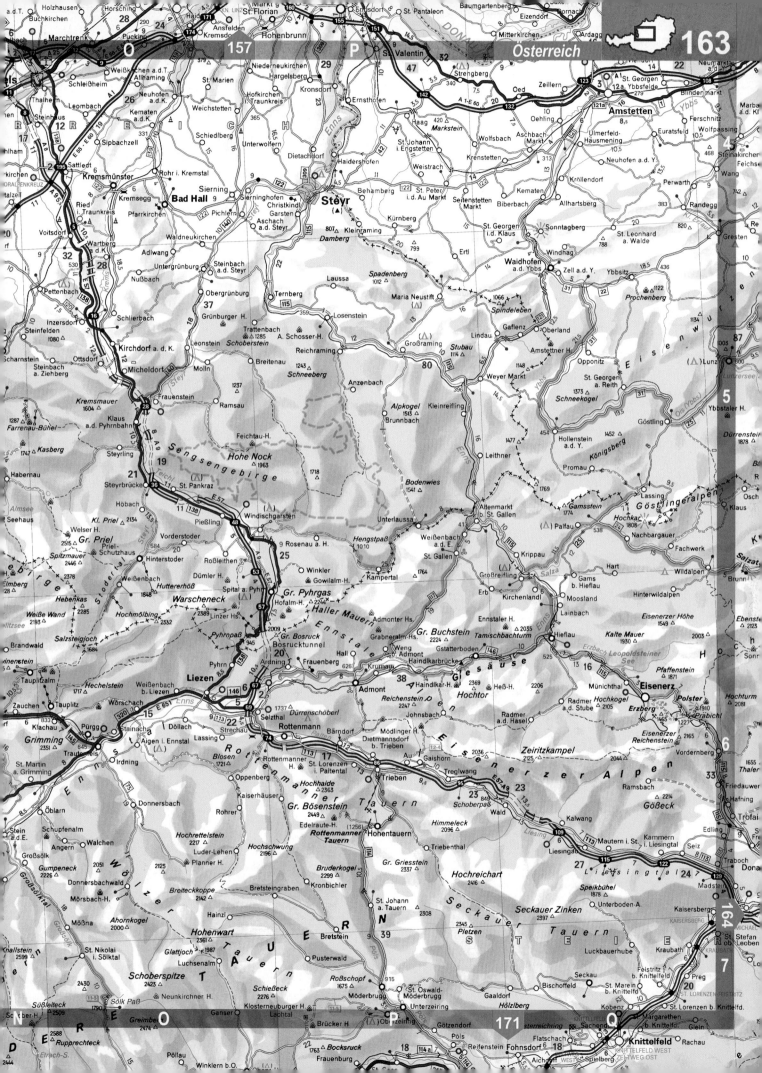

Straßenverkehrsordnung
Wegcode / Motoring regulations / Réglements routiers
Regolamenti stradali / Código de circulación

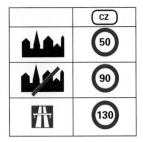

Geschwindigkeitsbegrenzung in km/h
Snelheidsbeperkingen (in km/uur)
Maximum Speed Limit: in kilometres per hour
Limitations de vitesse en kilomètres/heure
Limite di velocità in chilometri/ora
Limitación de velocidad en km/hora

 Alkoholverbot / Alcohol verboden / Zero blood alcohol level
Alcool interdit / Alcol vietato / Alcohol prohibido

 Mindestalter für Autofahrer: 18 Jahre / Minimum leeftijd van de bestuurder: 18 jaar
Minimum driving age: 18 years / Age minimum du conducteur : 18 ans
Età minima del conducente: 18 anni / Edad minima del conductor: 18 años
(CZ)

 Anlegen von Sicherheitsgurten vorn und hinten vorgeschrieben
Gebruik van veiligheidsgordels vooraan en achteraan verplicht
Seat belts must be worn by driver and all passengers in front and rear seats
Port de la ceinture de sécurité à l'avant et à l'arrière obligatoire
Cintura di sicurezza sedili anteriori e posteriori obbligatoria
Cinturón de seguridad obligatorio en asientes delanteros y trasesos
(CZ)

 Helmpflicht für Motorradfahrer und -beifahrer
Gebruik van valhelm verplicht voor bestuurders en passagiers van motorfietsen
Helmets compulsory for motorcycle riders and passengers
Port du casque pour les motocyclistes et les passagers obligatoire
Casco obbligatorio per motociclisti e loro passeggeri
Casco de conductor y pasajero obligatorio en motocicletes

 Abblendlicht bei Tag und Nacht vorgeschrieben / Gebruik van dimlichten dag en nacht verplicht
Dipped headlights required at all times / Allumage des codes jour et nuit obligatoire
Obbligo di accendere gli anabbaglianti giorno e notte / Alumbrado de emergencia de dia y de noche obligatorio
(CZ)

 Spikereifen verboten / Spijkerbanden verboden
Studded tyres forbidden / Pneus cloutés interdits
Gomme da neve vietate / Neumáticos claveteados prohibidos
(CZ)

 Warndreieck vorgeschrieben / Gevarendriehoek verplicht
Warning Triangle compulsory / Triangle de présignalisation obligatoire
Triangolo di presegnalazione obbligatorio / Triangulo de preseñalización obligatorio
(CZ)

 Verbandskasten vorgeschrieben / Verbandtrommel verplicht / First aid kit compulsory
Trousse de premiers secours obligatoire / Valigetta pronto soccorso obbligatoria / Botiguin obligatorio
(CZ)

 Sicherheitsweste vorgeschrieben / Reflecterend vest verplicht / Reflective jacket compulsory / Gilet de sécurité obligatoire
Giubbotto di sicurezza obbligatorio / Chaleco reflectante obligatorio
(CZ)

 Feuerlöscher empfohlen / Brandblusser aanbevolen / Fire extinguisher recommended
Extincteur conseillé / Estintore consigliato / Extinctor recomendado
(CZ)

 Benötigte Dokumente: Zulassungs- oder Mietwagenpapiere, Haftpflicht-versicherungsnachweis, Nationalitätskennzeichen.
Vereiste documenten: inschrijvingsbewijs of huurcontract van het voertuig, verzekering voor burgerlijke aansprakelijkheid, officiële nummerplaat.
Documents required. Vehicle registration document or rental agreement. Third party Insurance certificate. National vehicle identification plate.
Documents nécessaires : certificat d'immatriculation du véhicule ou de location, assurance responsabilité civile, plaque nationale.
Documenti necessari: certificato d'immatricolazione del veicolo o di noleggio, assicurazione responsabilità civile, targa nazionale.
Documentos necesarios: certificado de matriculación del vehiculo o certificado de alquiler, seguro de responsabilidad civil, placa indicativa del país

1: 600 000

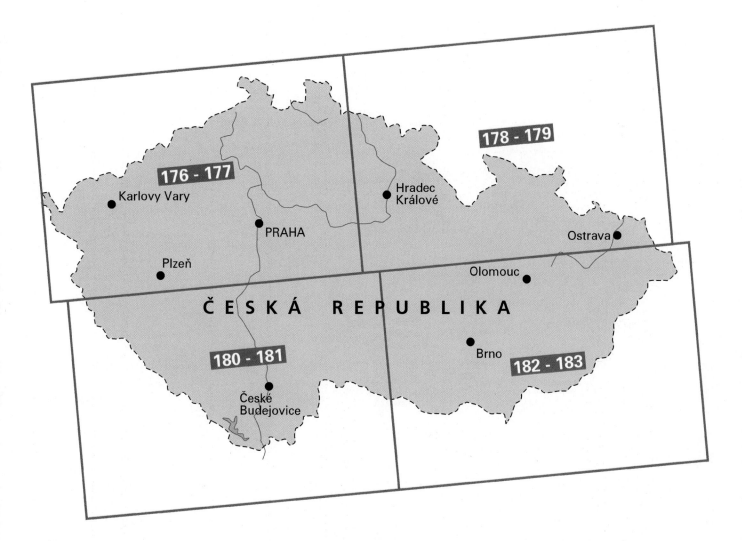

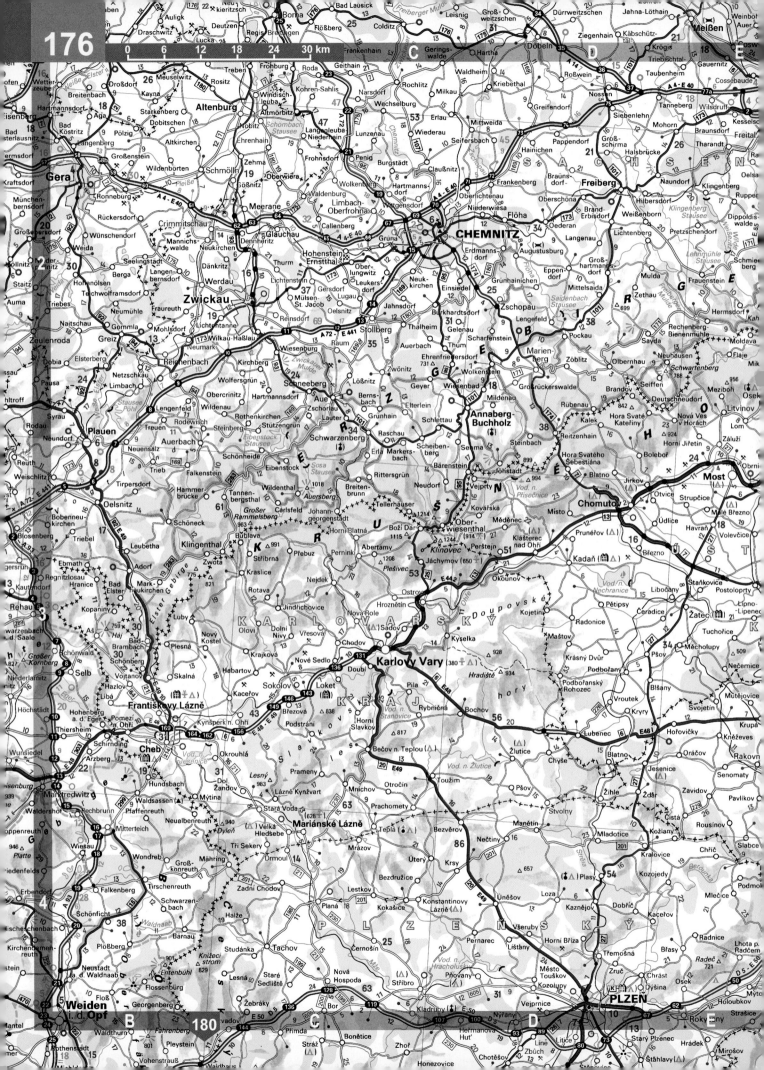

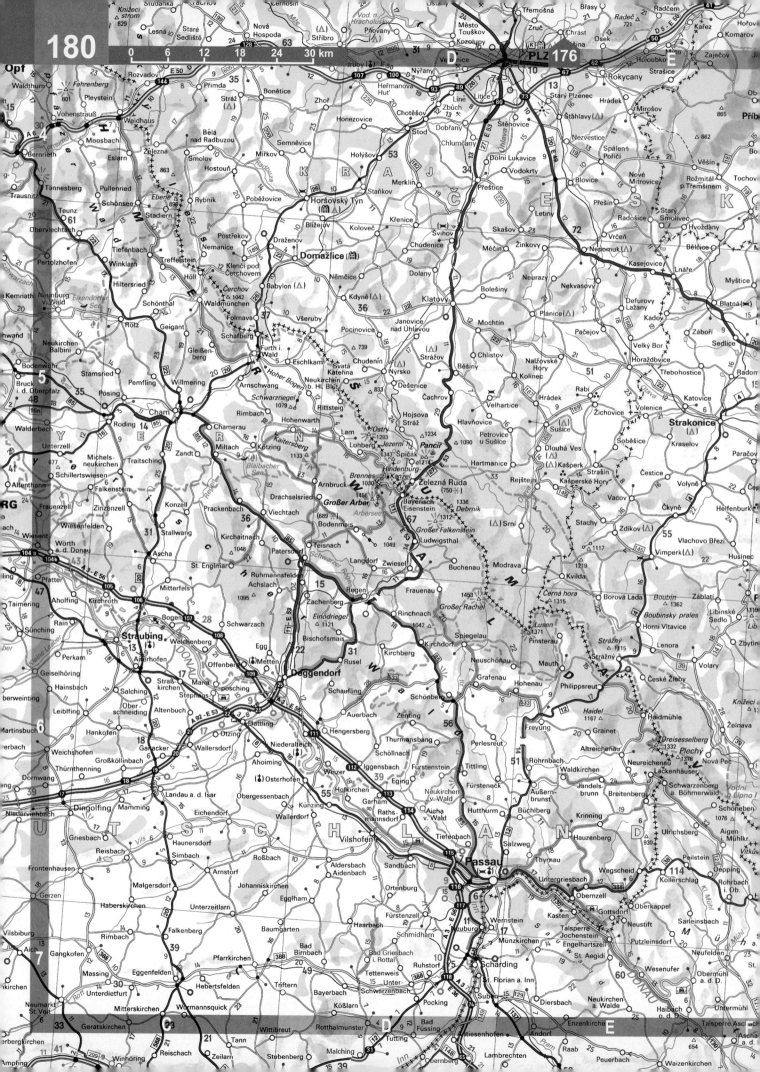

184 Deutschland

A B C D E F G H I J K L M N O P Q R S T U V W X Y Z

Page number / Numéro de page / Seitenzahl
Paginanummer / Numero di pagina / Número de página

Place / Localité / Ort
Plaatsen / Località / Localidad

Ahlefeld .... 8 C 13

Grid coordinates / Coordonnées de carroyage
Koordinatenangabe / Verwijstekens ruitsysteem
Coordinate riferite alla quadrettatura
Coordenadas en los mapas

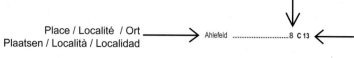

A

Aa 46 K 3
Aabach Stausee 50 L 10
Aach (Bach) 102 W 11
Aach (Kreis Freudenstadt) 93 U 9
Aach (Kreis Kempten) 111 X 13
Aach (Kreis Trier-Saarburg) 80 Q 3
Aach (Hegau) 101 W 10
Aach-Linz 102 W 11
Aachen 58 N 2
Aachquelle 101 W 10
Aalbach 85 Q 13
Aalen 95 T 14
Aar 73 O 8
Aarbergen 73 P 8
Aasbüttel 8 D 12
Aasen 101 W 9
Abbehausen 18 F 9
Abbehauser Hörne 18 F 9
Abbendorf (Kreis Prignitz) 32 H 19
Abbendorf (Kreis Rotenburg) 29 G 12
Abbendorf (Kreis Westliche Altmark) 31 H 16
Abbenfleth 19 E 12
Abbenrode (Kreis Wernigerode) 41 K 15
Abbenrode (Kreis Wolfenbüttel) 41 J 16
Abbensen (Kreis Hannover) 30 I 12
Abbensen (Kreis Peine) 40 I 14
Abbenseth 18 F 11
Abberode 53 L 17
Abbesbüttel 41 I 15
Abenberg 87 S 16
Abenden 58 N 3
Abenheim 83 Q 8
Abens 97 U 19
Abensberg 97 T 19
Abentheuer 81 R 5
Abersfeld 76 P 15
Ablach 102 V 11
Ablaß 55 M 22
Absberg 96 S 16
Abstatt 94 S 11
Abterode 52 M 13
Abtsberg 65 M 16
Abtsbessingen 52 M 16
Abtschlag 99 T 23
Abtsdorf 106 W 22
Abtsdorfer See 106 W 22
Abtsgmünd 95 T 13
Abtshagen 13 D 23
Abtsroda 75 O 13
Abtsteinach 84 R 10
Abtswind 86 Q 15
Abtweiler 81 Q 6
Abwinkl 113 W 19
Accum 17 F 8
Achberg 110 X 13
Achdorf 101 W 9
Achenbach 61 N 7
Achenmühle 105 W 20
Acher 92 U 8
Achering 105 U 19
Achern 92 U 8
Achim (Kreis Verden) 29 G 11
Achim (Kreis Wolfenbüttel) 41 J 15
Achmer 37 I 7
Achsheim 104 U 16
Achslach 91 T 22
Achstetten 103 V 13
Achtel 87 R 18
Achterberg 30 H 13
Achternmeer 27 G 8
Achterwasser 15 D 25
Achterwehr 9 D 13
Achtrup 4 B 11
Achtum 40 J 14
Ackendorf 42 J 18
Ackenhausen 40 K 14
Adamshoffnung 23 F 21
Addrup 27 H 8
Adelberg 94 T 12
Adelebsen 51 L 13
Adelhausen (Kreis Hildburghausen) 76 O 16
Adelhausen (Kreis Lörrach) 108 X 7
Adelheide 29 G 9
Adelheidsdorf 30 I 14
Adelmannsfelden 95 T 14
Adelschlag 96 T 17
Adelsdorf 87 Q 16
Adelsheim 85 R 12
Adelshofen (Kreis Ansbach) 86 R 14
Adelshofen (Rhein-Neckar-Kreis) 84 S 10
Adelsried 104 U 16
Adelwitz 55 L 23
Adelzhausen 104 U 17
Adenau 71 O 4
Adenbüttel 40 I 17
Adendorf 20 G 15
Adensen 40 J 13
Adenstedt (Kreis Hildesheim) 40 J 13
Adenstedt (Kreis Peine) 40 J 14
Adersbach 84 S 10
Adersheim 40 J 15
Adersleben 41 K 17
Aderstedt (Kreis Bernburg) 54 K 19
Aderstedt (Kreis Halberstadt) 41 J 16
Adertshausen 88 S 19
Adlhausen 97 T 20
Adlholz 88 R 19
Adlkofen 97 U 20
Adlum 40 J 14
Admannshagen 11 D 20
Adolzfurt 85 S 12
Adolzhausen 85 R 13
Adorf (Kreis Emsland) 26 I 5
Adorf (Kreis Waldeck-Frankenberg) 50 L 10
Adorf (Vogtlandkreis) 79 P 20
Adorf (Erzgebirge) 67 N 22
Adrazhofen 103 W 14
Aebtissinwisch 7 E 11
Aegidienberg 60 O 5
Aengenesch 46 L 3
Äpfingen 102 V 13
Aerzen 39 J 11
Affalter 67 O 22
Affalterbach 94 T 11
Affaltern 96 U 16
Affecking 97 T 19
Affeln 49 M 7
Afferde 39 J 12
Affing 104 U 16
Affinghausen 29 H 10
Affoldern 63 M 11
Affolterbach 84 R 10
Aftersteg 100 W 7
Aga 66 N 20
Agathenburg 19 F 12
Agawang 104 U 16
Agenbach 93 T 9
Agger 59 N 6
Agger-Stausee 61 M 6
Aglasterhausen 84 R 10
Agterhorn 26 I 4
Aham 98 U 21
Ahaus 36 J 5
Ahausen (Bodenseekreis) 110 W 11
Ahausen (Kreis Rotenburg) 29 G 11
Ahden 50 L 9
Ahe 58 N 3
Ahlbeck (Kreis Ostvorpommern) 15 E 26
Ahlbeck (Kreis Uecker-Randow) 25 E 26
Ahlde 36 I 5
Ahlden 30 H 12
Ahlefeld 8 C 13
Ahlem 40 I 12
Ahlen (Kreis Biberach) 102 V 12
Ahlen (Kreis Emsland) 26 H 5
Ahlen (Kreis Warendorf) 49 K 7
Ahlen-Falkenberg 18 E 10
Ahlenmoor 18 E 10
Ahlerstedt 19 F 12
Ahlhorn 27 H 8
Ahlintel 37 J 6
Ahlsburg 51 K 13
Ahlsdorf (Kreis Elbe-Elster) 55 K 23
Ahlsdorf (Kreis Mansfelder Land) 53 L 18
Ahlshausen 52 K 13
Ahlstadt 77 O 16
Ahlten 40 I 13
Ahlum (Altmarkkreis Salzwedel) 31 H 17
Ahlum (Kreis Wolfenbüttel) 41 J 15
Ahmsen 27 H 6
Ahnatal 51 L 12
Ahndorf 31 G 16
Ahneby 5 B 13
Ahnsbeck 30 I 14
Ahnsen 40 I 15
Aholfing 90 T 21
Aholming 98 T 22
Ahorn (Kreis Coburg) 77 P 16
Ahorn (Main-Tauber-Kreis) 85 R 12
Ahornberg 78 P 19
Ahorntal 87 Q 18
Ahr 71 O 4
Ahrbergen 40 J 13
Ahrbrück 60 O 4
Ahrem 59 N 4
Ahrensberg 24 G 23
Ahrensbök 9 D 15
Ahrensburg 20 E 14
Ahrensdorf (b. Ludwigsfelde) 44 J 23
Ahrensdorf (b. Oldenburg) 27 G 7
Ahrensdorf (b. Trebbin) 44 J 23
Ahrensdorf (Kreis Oder-Spree) 45 J 26
Ahrensfelde 34 I 24
Ahrenshagen 11 D 21
Ahrenshöft 4 C 11
Ahrenshoop 11 C 21
Ahrensmoor 19 F 12
Ahrenswohlde 19 F 12
Ahrenviöl 5 C 11
Ahrenviölfeld 5 C 11
Ahrhütte 70 O 4
Ahrweiler 60 O 5
Aich (Kreis Ansbach) 87 S 16
Aich (Kreis Esslingen) 94 U 11
Aich (Kreis Freising) 105 U 19
Aich (Kreis Landshut) 106 U 21
Aicha 99 T 23
Aicha v. Wald 98 T 23
Aichach 104 U 17
Aichelau 102 V 12
Aichelberg (Kreis Calw) 93 T 9
Aichelberg (Kreis Göppingen) 94 U 12
Aichhalden (Kreis Calw) 93 U 9
Aichhalden (Kreis Rottweil) 101 V 9
Aichschieß 94 T 12
Aichstetten 103 W 14
Aichtal 94 U 11
Aidenbach 98 U 23
Aidhausen 76 P 15
Aidlingen 93 T 10
Aigen 107 V 23
Aiglsbach 97 T 19
Aiglsham 106 W 21
Ailertchen 61 O 7
Ailingen 110 W 12
Ailringen 85 R 13
Ainbrach 98 T 22
Ainding 96 U 16
Ainhofen 104 U 18
Ainring 106 W 22
Aisch 86 R 15
Aising 105 W 20
Aislingen 95 U 15
Aistaig 101 V 9
Aiterach 98 T 21
Aiterhofen 98 T 21
Aitrach 103 W 14
Aitrang 103 W 15
Aitzendorf 67 M 22
Aixheim 101 V 10
Aken 54 K 20
Alach 65 N 16
Aland 32 H 19
Alb (Fluß b. Feldberg) 100 W 8
Alb (Fluß b. Karlsruhe) 93 T 9
Albaching 105 V 20
Albachten 37 K 6
Albaum 61 M 8
Albaxen 51 K 12
Albbruck 108 X 8
Albeck 95 U 14
Albernau 67 O 21
Albersdorf (Kreis Dithmarschen) 7 D 11
Albersdorf (Saale-Holzland-Kreis) 66 N 19
Albershausen 94 T 12
Albersloh 37 K 7
Albersroda 54 M 19
Alberstedt 53 L 18
Albersweiler 83 S 8
Albertinenhof 21 F 17
Albertsdorf 10 C 17
Albertshausen 76 P 13
Albertshofen 86 Q 14
Alberzell 104 U 18
Albig 83 Q 8
Albisheim 83 R 8
Albrechts 64 O 15
Albrechtshain 55 M 21
Albringhausen 29 H 10
Albshausen 62 N 10
Albstadt (Kreis Aschaffenburg) 75 P 11
Albstadt (Zollernalbkreis) 101 V 11
Albstausee 108 W 8
Albstedt 18 G 10
Albtal 108 W 8
Albuch 95 T 13
Alburg 98 T 21
Alchen 61 N 7
Aldekerk 46 L 3
Aldenhoven 58 N 2
Aldenrade 47 L 4
Aldersbach 98 U 23
Aldingen 101 V 10
Aldingen am Neckar 94 T 11
Aldorf 28 H 9
Alendorf 70 O 3
Alerheim 95 T 15
Alertshausen 62 M 9
Alesheim 96 S 16
Aletshausen 103 V 15
Alexisbad 53 L 17
Alf 71 P 5
Alfdorf 94 T 13
Alfeld (Kreis Hildesheim) 40 K 13
Alfeld (Kreis Nürnberger Land) 87 R 18
Alfen 50 L 10
Alferde 40 J 13
Alfershausen 96 S 17
Alfhausen 37 I 7
Alflen 71 P 5
Alfsee 37 I 7
Alfstedt (Kreis Cuxhaven) 18 F 10
Alfstedt (Kreis Rotenburg) 18 F 11
Alfter 59 N 5
Algenrodt 81 Q 5
Algenstedt 32 I 18
Algermissen 40 J 13
Algersdorf 87 R 18
Alhausen 51 K 11
Alheim 63 M 12
Aligse 40 I 13
Alitzheim 76 Q 14
Aljarn 31 G 15
Alken 71 P 6
Alkersleben 65 N 17
Alkersum 4 B 9
Alladorf 77 Q 18
Allagen 50 L 8
Allenbach (Kreis Birkenfeld) 81 Q 5
Allenbach (Kreis Siegen-Wittgenstein) 61 N 8
Allenbostel 31 G 15
Allendorf (b. Greifenstein) 62 O 8
Allendorf (b. Haiger) 61 N 8
Allendorf (Kreis Hersfeld-Rotenburg) 63 N 12
Allendorf (Kreis Limburg-Weilburg) 61 O 8
Allendorf (Kreis Saalfeld-Rodolstadt) 65 O 17
Allendorf (Schwalm-Eder-Kreis) 63 N 11
Allendorf (Eder) 62 M 10
Allendorf (Lumda) 62 N 10
Allendorf (Sauerland) 49 M 7
Allensbach 110 W 11
Aller 41 J 17
Allerheiligen 92 U 8
Allerheiligen Wasserfälle 92 U 8
Allerhoop 30 I 13
Alleringhausen 50 M 10
Allerkanal 41 I 17
Allermöhe 20 F 14
Allersberg 87 S 17
Allersburg 88 S 19
Allersdorf 91 S 22
Allersehl 31 H 15
Allershausen 105 U 18
Allersheim 85 R 13
Allerstorf 11 D 21
Alleshausen 102 V 12
Alletsried 89 S 21
Allfeld 85 S 11
Allgäuer Alpen 111 Y 14
Alling (Kreis München) 104 V 17
Alling (Kreis Regensburg) 90 T 19
Allmannsdorf 110 W 11
Allmannsweier 100 U 7
Allmannsweiler 102 V 12
Allmendingen 102 V 13
Allmenhausen 52 M 16
Allmersbach i. Tal 94 T 12
Allmuthshausen 63 N 12
Allrath 58 M 3
Allrode 53 K 16
Allstedt 53 L 18
Alme 50 L 9
Almena 39 J 11
Almersbach 61 N 6
Almerswind 77 O 17
Almke 41 I 16
Almstedt 40 J 13
Alpen 46 L 3
Alpenrod 61 O 7
Alpersbach 100 W 8
Alperstedt 65 M 17
Alpirsbach 101 U 9
Alpsee (b. Füssen) 112 X 16
Alpsee (b. Immenstadt) 111 X 14
Alsbach 73 O 6
Alsbach-Hähnlein 84 Q 9
Alsberg 75 P 12
Alsdorf (Kreis Aachen) 58 N 2
Alsdorf (Kreis Altenkirchen) 61 N 7
Alse 18 F 9
Alsenborn 83 R 7
Alsenbrück-Langmeil 83 R 7
Alsenz 83 Q 7
Alsfeld 63 N 11
Alsheim 84 Q 9
Alsleben 76 P 15
Alsleben (Saale) 54 K 19
Alsmoos 96 U 17
Alst (Kreis Steinfurt) 36 J 5
Alst (Kreis Warendorf) 37 K 7
Alstätte 36 J 4
Alstedde 37 J 7
Alster 20 E 14
Alswede 38 I 9
Alsweiler 81 R 5
Alt Barenaue 37 I 8
Alt Bennebek 8 C 12
Alt Bork 43 J 22
Alt Brenz 22 F 19
Alt Bukow 10 E 18
Alt Duvenstedt 8 C 12
Alt Gaarz 23 F 21
Alt Garge 21 G 16
Alt Golm 45 J 26
Alt-Käbelich 24 F 24
Alt Kätwin 11 E 20
Alt Kaliß 32 G 17
Alt Krenzlin 21 G 17
Alt Madlitz 45 I 26
Alt Meteln 21 E 18
Alt Mölln 21 F 15
Alt Pannekow 14 E 22
Alt-Plestlin 14 E 23
Alt Reddewitz 13 D 25
Alt Rehse 24 F 23
Alt Ruppin 33 H 22
Alt Sammit 23 F 20
Alt Schadow 44 J 25
Alt Schönau 24 F 22
Alt Schwerin 23 F 21
Alt Stahnsdorf 44 J 25
Alt Sührkow 23 E 21
Alt Tellin 24 E 23
Alt-Teterin 24 E 24
Alt Tucheband 35 I 27
Alt Wallmoden 40 J 14
Alt Zauche 45 K 26
Alt Zeschdorf 45 I 27
Altastenberg 50 M 9
Altbach 94 T 12
Altbensdorf 43 I 21
Altbülk 9 C 14
Altburg 93 T 10
Altburlage 27 G 6
Altdahn 83 S 7
Altdöbern 56 L 26
Altdorf (Kreis Böblingen) 93 U 10
Altdorf (Kreis Eichstätt) 96 T 17
Altdorf (Kreis Landshut) 97 U 20
Altdorf (Kreis Südliche Weinstraße) 83 S 8
Altdorf (Ortenaukreis) 100 V 7
Altdorf b. Nürnberg 87 R 18
Altdorfer Wald 102 W 12
Altdürnbuch 97 T 19
Alte Elde 32 G 18
Alte Jäglitz 33 H 21
Alte Oder 35 I 26
Alte Piccardie 26 I 5
Alte Salzstraße 21 F 15
Alte Sorge 7 C 12
Alteburg 73 Q 6
Altefähr 13 D 23
Alteglofsheim 97 T 20
Alten-Buseck 62 O 10
Altena 49 M 7
Altenahr 60 O 4
Altenau (Bach) 50 L 10
Altenau (Kreis Elbe-Elster) 55 L 23
Altenau (Kreis Garmisch-Partenkirchen) 112 X 17
Altenau Bergstadt 52 K 15
Altenbach (Muldentalkreis) 55 L 22
Altenbach (Rhein-Neckar-Kreis) 84 R 10
Altenbanz 77 P 16
Altenbeken 50 K 10
Altenberg (Kreis Dillingen a. d. Donau) 95 U 14
Altenberg (Rheinisch-Bergischer Kreis) 59 M 5
Altenberg (Weißeritzkreis) 68 N 25
Altenberga 65 N 18
Altenberge (Kreis Emsland) 26 H 5
Altenberge (Kreis Steinfurt) 37 J 6
Altenbergen 51 K 11

Altenbögge .... 49 L 7
Altenboitzen .... 30 H 12
Altenbrak .... 53 K 16
Altenbruch .... 18 E 10
Altenbuch (Kreis
Dingolfing-Landau) .... 98 T 22
Altenbuch
(Kreis Miltenberg) ..... 85 Q 12
Altenbüren .... 50 L 9
Altenburg (Kreis
Altenburger Land) ...... 66 N 21
Altenburg (Kreis Bernburg) . 54 K 19
Altenburg (Kreis Waldshut) 109 X 9
Altenburg (Vogelsbergkreis) 63 N 11
Altencelle .... 30 I 14
Altendambach .... 64 O 16
Altendiez .... 73 O 7
Altendorf (Kreis Bamberg) .. 87 Q 17
Altendorf (Kreis Gifhorn) .. 31 I 16
Altendorf (Kreis Kassel) .. 51 M 11
Altendorf (Kreis Neustadt a. d.
Waldnaab) .... 88 Q 19
Altendorf
(Kreis Schwandorf) .. 89 R 20
Altendorf
(Rhein-Sieg-Kreis) .. 60 O 5
Altenerding .... 105 V 19
Altenesch .... 29 G 9
Altenessen (Essen) .... 47 L 5
Altenfeld .... 50 M 9
Altenfeld (Ilm-Kreis) ...... 65 O 16
Altenfurt .... 87 R 17
Altengamme .... 20 F 14
Altengesees .... 65 O 18
Altengeseke .... 50 L 8
Altenglan .... 81 R 6
Altengottern .... 64 M 15
Altengroden .... 17 F 8
Altengronau .... 75 P 12
Altenhagen
(Kreis Bad Doberan) .. 11 D 19
Altenhagen
(Kreis Bielefeld) ..... 38 J 9
Altenhagen (Kreis Demmin) 24 E 23
Altenhagen (Kreis
Hameln-Pyrmont) ...... 39 J 12
Altenhagen (Kreis
Nordvorpommern) ...... 12 D 22
Altenhain .... 55 M 22
Altenhain .... 63 O 11
Altenhaßlau .... 75 P 11
Altenhasungen .... 51 L 11
Altenhausen .... 41 J 17
Altenheerse .... 50 L 11
Altenheim .... 92 U 7
Altenhellefeld .... 49 M 8
Altenhof .... 61 N 7
Altenhof (Kreis Barnim) .... 34 H 25
Altenhof (Kreis Müritz) ..... 23 F 21
Altenhof (Kreis
Rendsburg-Eckernförde) ...5 C 13
Altenhohenau .... 105 V 20
Altenholz .... 9 C 14
Altenhundem .... 61 M 8
Altenilpe .... 50 M 8
Altenkattbek .... 8 D 13
Altenkirchen .... 13 C 24
Altenkirchen (b. Herborn) .. 62 N 9
Altenkirchen (b. Weiburg) .. 74 O 9
Altenkirchen (Kreis Kusel) .. 81 R 5
Altenkirchen i. Westerwald 61 N 6
Altenkleusheim .... 61 M 7
Altenklitsche .... 42 I 20
Altenkreith .... 89 S 21
Altenkrempe .... 9 D 16
Altenkunstadt .... 77 P 17
Altenlotheim .... 62 M 10
Altenlünne .... 37 I 6
Altenmarhorst .... 29 H 9
Altenmarkt
(Kreis Deggendorf) .. 99 T 23
Altenmarkt (Kreis Passau) .. 98 U 24
Altenmarkt a. d. Alz ...... 106 V 21
Altenmedingen .... 31 G 15
Altenmellrich .... 50 L 8
Altenmünster
(Kreis Augsburg) ...... 103 U 15
Altenmünster
(Kreis Schweinfurt) .. 76 P 15
Altenoythe .... 27 G 7
Altenparkstein .... 88 Q 20
Altenplathow .... 42 I 20
Altenpleen .... 12 C 22
Altenplos .... 77 Q 18
Altenrath .... 59 N 5
Altenroda .... 53 M 18
Altenrüthen .... 50 L 9

Altensalzkoth .... 30 H 14
Altensalzwedel .... 31 H 17
Altenschlirf .... 63 O 12
Altenschneeberg .... 89 R 21
Altenschönbach .... 86 Q 15
Altenschwand .... 89 S 20
Altenseelbach .... 61 N 8
Altenstadt
(b. Vohenstrauß) ...... 89 R 20
Altenstadt
(Kreis Neu-Ulm) ...... 103 V 14
Altenstadt (Kreis
Weilheim-Schongau) ..104 W 16
Altenstadt a. d. Waldnaab .. 89 Q 20
Altenstädt .... 51 M 11
Altensteig .... 93 U 9
Altenthann .... 90 S 20
Altentreptow .... 24 E 23
Altenveldorf .... 88 S 19
Altenvers .... 62 N 9
Altenwahlingen .... 30 H 12
Altenwalde .... 18 E 9
Altenweddingen .... 42 K 18
Altenwillershagen .... 11 D 21
Altenzaun .... 32 H 20
Alter Schee .... 48 M 5
Alterkülz .... 71 P 6
Alterlangen .... 87 R 16
Alterode .... 53 K 18
Altershausen .... 76 P 15
Altertheim .... 85 Q 13
Altes Lager .... 43 J 22
Altes Land .... 19 F 12
Altfeld .... 85 Q 12
Altforweiler .... 82 S 4
Altfraunhofen .... 105 U 20
Altfriedland .... 35 I 26
Altfunnixsiel .... 17 F 7
Altgalendorf .... 10 D 16
Altgandersheim .... 40 K 14
Altgarmssiel .... 17 F 7
Altglashütte .... 89 Q 21
Altglashütten .... 100 W 8
Altglobsow .... 34 G 23
Altharen .... 26 H 5
Altharlingersiel .... 17 E 7
Altharmhorst .... 9 D 16
Althausen .... 76 P 15
Althegnenberg .... 104 V 17
Altheim (Alb-Donau-Kreis) 102 V 13
Altheim (Bodenseekreis) ..102 W 11
Altheim (Kreis
Biberach a. d. Riß) .. 102 V 12
Altheim (Kreis
Darmstadt-Dieburg) .. 74 Q 10
Altheim
(Kreis Freudenstadt) .. 93 U 9
Altheim (Kreis Landshut) .. 97 U 20
Altheim (Neckar-
Odenwald-Kreis) .. 85 R 12
Altheim
(Saar-Pfalz-Kreis) .. 82 S 5
Altheim (Alb) .... 95 U 14
Altheim ob Weihung .... 103 V 13
Althemmoor .... 19 E 11
Althengstett .... 93 T 10
Althütte (Kreis
Freyung-Grafenau) .. 91 T 23
Althütte
(Rems-Murr-Kreis) .. 94 T 12
Altküttendorf .... 34 H 25
Altingen .... 93 U 10
Altjührden .... 17 F 8
Altkalen .... 24 E 22
Altkirchen .... 66 N 21
Altkirchen .... 105 W 18
Altkünkendorf .... 35 G 25
Altlacher Hoch Kopf ...... 112 X 18
Altlandsberg .... 34 I 25
Altlay .... 72 Q 5
Altleiningen .... 83 R 8
Altlewin .... 35 H 26
Altlüdersdorf .... 34 G 23
Altlünen .... 47 L 6
Altlußheim .... 84 S 9
Altmannsgrün .... 79 O 20
Altmannshausen .... 86 R 15
Altmannstein .... 97 T 18
Altmark .... 31 H 17
Altmersleben .... 32 H 18
Altmittweida .... 67 N 22
Altmoorhausen .... 28 G 9
Altmorschen .... 63 M 12
Altmühl .... 96 S 15

Altmühlendorf .... 8 D 13
Altmühlsee .... 96 S 16
Altmühltal .... 97 T 19
Altmühltal (Naturpark) .... 96 T 17
Altoberndorf .... 101 V 9
Altötting .... 106 V 22
Altomünster .... 104 U 17
Altona (Hamburg) .... 19 F 13
Altranft .... 35 H 26
Altranstädt .... 54 M 20
Altreetz .... 35 H 26
Altreichenau .... 99 T 25
Altrich .... 72 Q 4
Altrip .... 84 R 9
Altrosenthal .... 35 I 26
Altsadt .... 81 S 5
Altscheid .... 70 P 3
Altschönau .... 99 T 24
Altschweier .... 92 T 8
Altshausen .... 102 W 12
Altsimonswald .... 100 V 8
Altstädten .... 111 X 14
Altsteußlingen .... 102 V 12
Altthymen .... 24 G 23
Altusried .... 103 W 14
Altwarmbüchen .... 40 I 13
Altwarp .... 25 E 26
Altweilnau .... 74 P 9
Altwied .... 61 O 6
Altwigshagen .... 25 E 25
Altwindeck .... 92 T 8
Altwistedt .... 18 F 10
Altwriezen .... 35 H 26
Altzirkendorf .... 88 Q 19
Alvenersen .... 63 N 11
Alverdissen .... 39 J 11
Alverskirchen .... 37 K 7
Alveslohe .... 19 E 13
Alvesrode .... 39 J 12
Alvesse .... 40 I 14
Alz .... 106 W 21
Alzenau .... 74 P 11
Alzenbach .... 59 N 6
Alzey .... 83 Q 8
Alzgern .... 106 V 22
Ambach .... 104 W 18
Amberg .... 88 R 19
Amberg (Kreis Unterallgäu) 104 V 16
Ambergen .... 28 H 9
Amborode .... 17 G 6
Amecke .... 49 M 7
Ameisenberg .... 89 R 21
Amelgatzen .... 39 J 12
Amelinghausen .... 30 G 14
Amelith .... 51 K 12
Ameln .... 58 N 3
Amelsbüren .... 37 K 6
Amelunxen .... 51 K 12
Amerang .... 106 W 20
Amerbach .... 96 T 16
Amerbusch .... 28 H 9
Amerdingen .... 95 T 15
Amern .... 58 M 2
Amesdorf .... 53 K 18
Ammelbruch .... 95 S 15
Ammeldingen .... 70 P 2
Ammeloe .... 36 J 4
Ammelsdorf .... 68 N 24
Ammelshain .... 55 M 21
Ammendorf .... 54 L 19
Ammensen .... 40 K 13
Ammer .... 112 X 17
Ammer-Sattel .... 112 X 16
Ammerbuch .... 93 U 10
Ammerfeld .... 96 T 16
Ammergebirge .... 112 X 16
Ammerland .... 104 W 18
Ammern .... 52 M 15
Ammerndorf .... 87 R 16
Ammersbek .... 20 E 14
Ammersee .... 104 V 17
Ammersricht .... 88 R 19
Ammersum .... 17 G 6
Ammerthal .... 88 R 19
Ammersweiler .... 94 S 12
Amönau .... 62 N 10
Amöneburg .... 62 N 10
Amorbach .... 85 R 11
Ampen .... 49 L 8
Amper (b. Moosburg) ...... 104 U 18
Ampermoching .... 105 V 18
Amperpettenbach .... 105 V 18
Ampferbach .... 86 Q 16
Ampfing .... 106 V 21

Ampfurth .... 41 J 17
Ampleben .... 41 J 16
Amrichshausen .... 85 S 13
Amrigschwand .... 108 W 8
Amrum (Insel) .... 4 C 8
Amsdorf .... 54 L 19
Amsham .... 98 U 23
Amshausen .... 38 J 9
Amstetten .... 95 U 13
Amtsberg .... 67 N 22
Andechs .... 104 W 17
Andenhausen .... 64 O 14
Anderbeck .... 41 K 16
Anderlingen .... 19 F 11
Andermannsdorf .... 97 T 20
Andernach .... 71 O 6
Andervenne (Kreis Nienburg) .. 29 H 11
Andisleben .... 65 M 16
Andorf (Kreis Osnabrück) ... 27 I 7
Andorf (Kreis
Westliche Altmark) ... 31 H 16
Andreasberg .... 50 M 9
Andrup .... 27 I 6
Anemolter .... 39 I 11
Angel .... 37 K 7
Angelbachtal .... 84 S 10
Angelburg .... 62 N 9
Angelmodde .... 37 K 7
Angeln .... 5 B 13
Angenrod .... 63 N 11
Anger .... 106 W 22
Angering .... 106 V 20
Angermünde .... 35 G 26
Angermund .... 48 M 4
Angermute .... 42 I 19
Angersbach .... 63 O 12
Angerskirchen .... 105 V 20
Angfeld .... 88 R 19
Anhausen .... 61 O 6
Anholt .... 46 K 3
Ankelohe .... 18 F 10
Ankershagen .... 24 F 22
Anklam .... 25 E 25
Ankum .... 27 I 7
Annaberg-Buchholz .... 67 O 23
Annaburg .... 55 K 23
Annahütte .... 56 L 25
Annarode .... 53 L 18
Annathal .... 99 T 24
Annerod .... 62 O 10
Annweiler .... 83 S 7
Anrath .... 58 M 3
Anreppen .... 50 K 9
Anröchte .... 50 L 8
Ansbach .... 86 S 15
Anschlag .... 49 M 6
Ansprung .... 67 O 23
Anstedt .... 29 H 10
Antdorf .... 112 W 17
Anten .... 27 I 7
Antfeld .... 50 L 9
Antonsthal .... 79 O 22
Antrift .... 63 N 11
Antrifttal .... 63 N 11
Antweiler .... 71 O 4
Anwalting .... 104 U 16
Anzefahr .... 62 N 10
Anzenkirchen .... 106 U 23
Anzhausen .... 61 N 8
Anzing .... 105 V 19
Apeldorn .... 27 H 6
Apelern .... 39 J 12
Apelnstedt .... 41 J 15
Apeltrach .... 103 V 15
Apen .... 17 G 7
Apenburg .... 32 H 17
Apensen .... 19 F 12
Apfelbach .... 85 R 13
Apfeldorf .... 104 W 16
Apfelstädt .... 65 N 16
Apfelstetten .... 102 U 12
Apfeltrach .... 103 V 15
Apfeltrang .... 104 W 16
Apflau .... 110 X 12
Aplerbeck (Dortmund) ...... 47 L 6
Apolda .... 65 M 18
Appel (Kreis Harburg) ...... 19 F 13
Appel (Kreis Rotenburg) .. 19 G 12
Appelhülsen .... 36 K 6
Appeln .... 18 F 10
Appen .... 19 F 13

Appendorf .... 77 Q 16
Appenfeld .... 63 N 12
Appenfelden .... 86 Q 15
Appenheim .... 73 Q 8
Appenrod .... 62 N 11
Appenrode .... 52 L 16
Appenweier .... 92 U 7
Arberg .... 95 S 15
Arbersee .... 91 S 23
Arbing .... 106 V 22
Archsum .... 4 B 9
Ardorf .... 17 F 7
Aremberg .... 71 O 4
Arenborn .... 51 L 12
Arendsee .... 32 H 18
Arendsee
(Kreis Uckermark) ...... 25 G 24
Arensch .... 18 E 9
Arensdorf (Kreis Köthen) .. 54 K 20
Arensdorf
(Kreis Oder-Spree) .. 45 I 26
Arenshausen .... 52 L 13
Arfeld .... 62 M 9
Argen .... 110 X 13
Argenbühl .... 111 W 13
Argenschwang .... 73 Q 7
Argenthal .... 73 Q 6
Arget .... 105 W 18
Arheilgen .... 74 Q 9
Arholzen .... 51 K 12
Arkebek .... 7 D 11
Arkeburg .... 28 H 9
Arkona (Kap) .... 13 B 24
Arlau .... 5 C 11
Arle .... 17 F 6
Arlesberg .... 95 T 14
Arlesried .... 103 V 15
Arlewatt .... 4 C 11
Arloff .... 60 O 4
Armsen .... 29 H 12
Armsfeld .... 62 M 11
Armsheim .... 83 Q 8
Armstorf .... 18 F 11
Arnach .... 103 W 13
Arnbach .... 104 U 18
Arnbruck .... 91 S 23
Arndorf .... 98 T 22
Arneburg .... 32 H 20
Arnegg .... 103 U 13
Arnim .... 32 I 19
Arnis .... 5 C 13
Arnoldsgrün .... 79 O 20
Arnoldshain .... 74 P 9
Arnoldsweiler .... 58 N 3
Arnsberg .... 76 O 13
Arnsberg (Dorf) .... 96 T 18
Arnsberg (Stadt) .... 49 L 8
Arnsberger Wald .... 49 L 8
Arnsberger Wald
(Naturpark) .... 50 L 8
Arnsburg .... 74 O 10
Arnschwang .... 89 S 22
Arnsdorf (Kreis Mittweida) .. 67 M 23
Arnsdorf (Kreis Oberspreewald-
Lausitz) .... 56 L 25
Arnsdorf (Kreis Wittenberg) 55 L 22
Arnsdorf b. Dresden .... 68 M 25
Arnsdorf-Hilbersdorf .... 69 M 28
Arnsfeld .... 67 O 23
Arnsgereuth .... 65 O 17
Arnsgrün (Elstertalkreis) .. 79 P 20
Arnsgrün (Kreis Greiz) .... 66 O 20
Arnshain .... 63 N 11
Arnsnesta .... 55 K 23
Arnstadt .... 65 N 16
Arnstein .... 73 P 7
Arnstein (Kreis Lichtenfels) 77 P 17
Arnstein
(Kreis Main-Spessart) .. 76 Q 13
Arnstorf .... 98 U 22
Arnum .... 40 J 13
Arpke .... 40 I 14
Arpsdorf .... 8 D 13
Arras .... 67 M 22
Arsbeck .... 58 M 2
Artelshofen .... 87 R 18
Artern .... 53 L 17
Arth .... 97 U 20
Artlenburg .... 21 F 15
Arzbach .... 73 O 7
Arzbach .... 113 W 18
Arzberg .... 55 L 23

Arzberg .... 79 P 20
Arzdorf .... 60 O 5
Arzfeld .... 70 P 2
Asbach (Kreis
Hersfeld-Rotenburg) .. 63 N 12
Asbach (Kreis Neuwied) .. 61 O 6
Asbach (Kreis Passau) .. 107 U 23
Asbach (Kreis Regen) .. 91 S 23
Asbach (Kreis Schmalkalden-
Meiningen) .... 64 N 15
Asbach (Neckar-Odenwald-
Kreis) .... 84 R 11
Asbach-Bäumenheim .. 96 T 16
Asbach (Kreis Borken) .. 36 J 5
Asbeck
(Märkischer Kreis) .. 49 L 7
Asch (Kreis
Langsberg a. Lech) ..104 W 16
Asch (Kreis Ulm) .... 102 U 13
Asch-Berg .... 8 C 13
Ascha .... 91 T 21
Aschach .... 76 P 14
Aschaffenburg .... 75 Q 11
Aschara .... 64 M 16
Aschau .... 5 C 13
Aschau a. Inn .... 106 V 21
Aschau i. Chiemgau ...... 114 W 20
Aschau ob Bayer .... 86 Q 15
Aschbacherhof .... 83 R 7
Aschbuch .... 97 T 18
Ascheberg .... 9 D 15
Ascheberg .... 49 K 6
Ascheffel .... 8 C 13
Aschen .... 28 I 9
Aschenau .... 98 T 22
Aschendorf .... 37 J 8
Aschendorf (Ems) .... 26 G 5
Aschenhausen .... 64 O 14
Aschenstedt .... 28 H 9
Aschersleben .... 53 K 18
Aschfeld .... 75 P 13
Aschhausen .... 85 R 12
Aschheim-Dornach
(München) .... 105 V 19
Aschhorn .... 19 E 12
Ascholding .... 105 W 18
Aschwarden .... 18 G 9
Aselage .... 27 H 7
Aseleben .... 54 L 19
Asendorf .... 39 J 11
Asendorf (Kreis Diepholz) .. 29 H 11
Asendorf (Kreis Harburg) .. 19 G 13
Asenham .... 106 U 23
Ashausen .... 20 F 14
Asmushausen .... 63 M 13
Aspach .... 64 N 15
Aspach .... 94 T 12
Aspe .... 19 G 11
Aspenstedt .... 41 K 16
Asperden .... 46 K 2
Asperg .... 94 T 11
Aspisheim .... 73 Q 7
Assamstadt .... 85 R 13
Asse .... 41 J 15
Assel .... 19 E 12
Asselheim .... 83 R 8
Asseln (Kreis Paderborn) .. 50 L 10
Asseln (Dortmund-) .... 49 L 6
Asselstein .... 83 S 7
Assenheim .... 74 P 10
Assinghausen .... 50 M 9
Aßlar .... 62 O 9
Aßling .... 105 W 20
Aßmannshardt .... 102 V 13
Assmannshausen .... 73 Q 7
Aßweiler .... 82 S 5
Ast (Kreis Cham) .... 89 R 21
Ast (Kreis Landshut) ...... 97 U 20
Astederfeld .... 17 F 7
Asten .... 106 V 22
Asterode .... 63 N 12
Astfeld .... 40 K 15
Astheim .... 74 Q 9
Astrup
(Kreis Oldenburg) ...... 27 G 8
Astrup (Kreis Vechta) .. 28 H 8
Atdorf .... 108 X 7
Ateritz .... 55 K 21
Athenstedt .... 41 K 16
Attaching .... 105 U 19
Attahöhle .... 61 M 7
Attel .... 105 V 20
Atteln .... 50 L 10
Attendorn .... 61 M 7
Attenhausen .... 73 P 7
Attenhausen
(Kreis Landshut) .... 97 U 20

A
B
C
D
E
F
G
H
I
J
K
L
M
N
O
P
Q
R
S
T
U
V
W
X
Y
Z

Attenhausen
  (Kreis Memmingen) ...... 103 W 15
Attenhofen .... 97 U 19
Attenkirchen .... 97 U 19
Attenweiler .... 102 V 13
Atter .... 37 J 7
Atterwasch .... 45 K 27
Atting .... 98 T 21
Atzelgift .... 61 N 7
Atzenbach .... 108 W 7
Atzendorf .... 42 K 18
Atzenhain .... 62 O 10
Atzenhausen .... 51 L 13
Atzmannsberg .... 88 Q 19
Au .... 61 N 6
Au .... 97 U 19
Au a. Inn .... 106 V 20
Au a. Rhein .... 93 T 8
Au b. Bad Aibling .... 113 W 19
Aua .... 63 N 12
Aub (Kreis Rhön-Grabfeld) . 76 P 15
Aub (Kreis Würzburg) ..... 86 R 14
Aubing .... 104 V 18
Aubstadt .... 76 P 15
Audenhain .... 55 L 22
Auderath .... 71 P 5
Audigast .... 66 M 20
Aue .... 67 O 22
Aue (Fluß
  b. Bad Zwischenahn) .... 17 G 7
Aue (Fluß b. Celle) .... 40 I 14
Aue (Fluß b. Harsefeld) ... 19 F 12
Aue (Kreis Ammerland) .... 27 G 8
Aue (Kreis Cuxhaven) ..... 18 E 11
Aue (Kreis
  Siegen-Wittgenstein) ... 62 M 8
Aue (Werra-Meißner-Kreis) 64 M 14
Auel .... 70 P 3
Auen .... 27 H 7
Auendorf .... 94 U 13
Auenhausen .... 51 L 11
Auenheim .... 92 U 7
Auenstein .... 94 S 11
Auenwald .... 94 T 12
Auer .... 68 M 24
Auerbach .... 67 N 22
Auerbach
  (Kreis Augsburg) .... 104 U 16
Auerbach
  (Kreis Bergstraße) .... 84 Q 9
Auerbach
  (Kreis Deggendorf) ...... 98 T 23
Auerbach (Neckar-
  Odenwald-Kreis) .... 85 R 11
Auerbach (Vogtland) .... 79 O 21
Auerbach i. d. Oberpfalz .. 88 Q 18
Auerberg .... 113 W 16
Auernheim
  (Kreis Heidenheim) ...... 95 T 14
Auernheim (Kreis Weißenburg-
  Gunzenhsn) .... 96 T 16
Auernhofen .... 86 R 14
Auerose .... 25 E 25
Auersberg .... 79 O 21
Auersbergsreut .... 99 T 25
Auerstedt .... 65 M 18
Auerswalde .... 67 N 22
Auetal .... 39 J 11
Auf dem Acker .... 52 K 15
Auf der Höhe .... 59 M 5
Aufenau .... 75 P 11
Aufham (Kreis Berchtesgadener
  Land) .... 114 W 22
Aufham (Kreis Pfaffenhofen
  a. d. Ilm) .... 105 U 8
Aufhausen (Kreis
  Dingolfing-Landau) ...... 98 U 22
Aufhausen
  (Kreis Donau-Ries) ...... 95 T 14
Aufhausen (Kreis Erding) . 105 V 19
Aufhausen
  (Kreis Göppingen) .... 94 U 13
Aufhausen
  (Kreis Regensburg) ...... 97 T 20
Aufhausen (Ostalbkreis) .. 95 T 15
Aufhofen .... 102 V 13
Aufkirch .... 104 W 16
Aufkirchen (Kreis
  Fürstenfeldbruck) .... 104 V 17
Aufkirchen
  (Kreis Starnberg) .... 104 W 18
Aufseß .... 77 Q 17
Auggen .... 100 W 6
Augraben (Bach z. Biese) . 32 H 18
Augraben
  (Bach z. Tollense) .... 24 E 22
Augsberg .... 88 R 19
Augsburg .... 104 U 16
Augsburg-Westliche Wälder
  (Naturpark) .... 103 U 15
Augsfeld .... 76 P 15
Augustdorf .... 38 K 10
Augustendorf .... 18 F 11
Augustenfeld .... 27 H 7
Augustenhof .... 10 D 17
Augustfehn .... 17 G 7
Augustusburg .... 67 N 23
Auhagen .... 39 I 11
Auhausen .... 95 S 15
Auheim .... 74 P 10
Auingen .... 102 U 12
Aukrug .... 8 D 13
Aukrug (Naturpark) .... 8 D 13
Aulendorf .... 102 W 12
Aulendorf .... 36 J 6
Aulfingen .... 101 W 9
Auligk .... 66 M 20
Aulosen .... 32 H 18
Auma .... 66 N 19
Aumenau .... 73 O 8
Aumühle (Kreis Herzogtum
  Lauenburg) .... 20 F 14
Aumühle (Kreis Oldenburg) 28 H 9
Aunkirchen .... 99 U 23
Aura .... 76 P 14
Aura i. Sinngrund .... 75 P 12
Aurach (Fluß) .... 86 R 15
Aurach (Kreis Ansbach) ... 86 S 15
Aurach (Kreis Miesbach) . 113 W 19
Aurachtal .... 87 R 16
Aurau .... 87 S 17
Aurich .... 17 F 6
Aurich-Oldendorf .... 17 F 6
Aurith .... 45 J 28
Ausacker .... 5 B 12
Ausbach .... 63 N 13
Ausleben .... 41 J 17
Ausnang .... 103 W 14
Außernbrünst .... 99 T 24
Außernzell .... 99 T 23
Autenhausen .... 76 P 16
Autenried .... 103 U 14
Authausen .... 55 L 22
Auw a. d. Kyll .... 72 Q 3
Auw b. Prüm .... 70 P 3
Auwel .... 46 L 2
Avendorf (Kreis Harburg) . 20 F 15
Avendorf a. Fehmarn ...... 10 C 17
Aventoft .... 4 B 10
Avenwedde .... 38 K 9
Averhoy .... 30 I 12
Averlak .... 7 D 12
Axien .... 55 K 22
Axstedt .... 18 F 10
Aying .... 105 W 19
Ayl .... 80 R 3
Aystetten .... 104 U 16

B

Baabe .... 13 C 25
Baal (Kreis Heinsberg) .... 58 M 2
Baal (Kreis Kleve) .... 46 L 2
Baalberge .... 54 K 19
Baar .... 71 O 5
Baasdorf .... 54 K 19
Babben .... 56 K 25
Babelsberg .... 43 I 23
Baben .... 32 H 19
Babenhausen .... 74 Q 10
Babenhausen .... 103 V 14
Babensham .... 105 V 20
Babitz .... 33 G 21
Babke .... 24 F 22
Babke .... 22 E 19
Babstadt .... 84 S 11
Baccum .... 37 I 6
Bach a. d. Donau .... 90 S 20
Bacharach .... 73 P 7
Bachem .... 80 R 4
Bachern .... 104 V 17
Bachfeld .... 77 O 16
Bachhagel .... 95 U 14
Bachl .... 97 T 19
Bachra .... 65 M 18
Backemoor .... 27 G 6
Backensholz .... 5 C 11
Backnang .... 94 T 12
Bad Abbach .... 90 T 20
Bad Aibling .... 105 W 20
Bad Alexandersbad .... 78 P 20
Bad Antogast .... 93 U 8
Bad Arolsen .... 50 L 11
Bad Bayersoien .... 112 W 17
Bad Bellingen .... 108 W 6
Bad Bentheim .... 36 J 5
Bad Bergzabern .... 92 S 8
Bad Berka .... 65 N 17
Bad Berleburg .... 62 M 9
Bad Berneck .... 78 P 19
Bad Bertrich .... 71 P 5
Bad Bevensen .... 31 G 15
Bad Bibra .... 53 M 18
Bad Birnbach .... 106 U 23
Bad Blankenburg .... 65 N 17
Bad Bocklet .... 76 P 14
Bad Brambach .... 79 P 20
Bad Bramstedt .... 8 E 13
Bad Breisig .... 60 O 5
Bad Brückenau .... 75 P 13
Bad Buchau .... 102 V 12
Bad Camberg .... 74 P 8
Bad Cannstatt .... 94 T 11
Bad Colberg .... 77 P 16
Bad Doberan .... 11 D 19
Bad Driburg .... 50 K 11
Bad Düben .... 55 L 21
Bad Dürkheim .... 83 R 8
Bad Dürrenberg .... 54 M 20
Bad Dürrheim .... 101 V 9
Bad Eilsen .... 39 J 11
Bad Elster .... 79 P 20
Bad Ems .... 73 O 7
Bad Endbach .... 62 N 9
Bad Endorf .... 106 W 20
Bad Essen .... 38 J 9
Bad Feilnbach .... 113 W 20
Bad Frankenhausen .... 53 L 17
Bad Fredeburg .... 50 M 8
Bad Freienwalde .... 35 H 26
Bad Friedrichshall .... 85 S 11
Bad Füssing .... 107 U 23
Bad Gandersheim .... 52 K 14
Bad Godesberg (Bonn) ... 59 N 5
Bad Gögging .... 97 T 19
Bad Gottleuba .... 68 N 25
Bad Griesbach i. Rottal .. 107 U 23
Bad Grönenbach .... 103 W 14
Bad Grund .... 52 K 14
Bad Harzburg .... 52 K 15
Bad Heilbrunn .... 112 W 18
Bad Helmstedt .... 41 J 17
Bad Herrenalb .... 93 T 9
Bad Hersfeld .... 63 N 13
Bad Höhenstadt .... 99 U 23
Bad Hönningen .... 60 O 5
Bad Homburg .... 74 P 9
Bad Honnef .... 60 O 5
Bad Iburg .... 37 J 8
Bad Imnau .... 101 U 10
Bad Karlshafen .... 51 L 12
Bad Kissingen .... 76 P 14
Bad Kleinen .... 22 E 18
Bad Klosterlausnitz .... 66 N 19
Bad König .... 84 Q 11
Bad Königshofen .... 76 P 15
Bad Kösen .... 66 M 19
Bad Köstritz .... 66 N 20
Bad Kohlgrub .... 112 W 17
Bad Kreuznach .... 73 Q 7
Bad Krozingen .... 100 W 7
Bad Laasphe .... 62 N 9
Bad Laer .... 37 J 8
Bad Langenbrücken .... 84 S 9
Bad Langensalza .... 64 M 15
Bad Lauchstädt .... 54 L 19
Bad Lausick .... 67 M 21
Bad Lauterberg .... 52 L 15
Bad Liebenstein .... 64 N 15
Bad Liebenwerda .... 56 L 24
Bad Liebenzell .... 93 T 10
Bad Lippspringe .... 50 K 10
Bad Marienberg .... 61 O 7
Bad Meinberg .... 39 K 10
Bad Mergentheim .... 85 R 13
Bad Mingolsheim .... 84 S 9
Bad Münder am Deister .. 39 J 12
Bad Münster a. Stein ..... 73 Q 7
Bad Münstereifel .... 60 O 4
Bad Muskau .... 57 L 28
Bad Nauheim .... 74 O 10
Bad Nenndorf .... 39 I 12
Bad Neuenahr .... 60 O 5
Bad Neustadt .... 76 P 14
Bad Niedernau .... 101 U 10
Bad Oberdorf .... 111 X 15
Bad Oeynhausen .... 39 J 10
Bad Oldesloe .... 20 E 15
Bad Orb .... 75 P 12
Bad Peterstal .... 100 U 8
Bad Pyrmont .... 39 K 11
Bad Rappenau .... 84 S 11
Bad Rehburg .... 39 I 11
Bad Reichenhall .... 114 W 22
Bad Rippoldsau .... 101 U 8
Bad Rodach .... 76 O 16
Bad Rotenfels .... 93 T 8
Bad Rothenfelde .... 37 J 8
Bad Saarow .... 45 J 26
Bad Sachsa .... 52 L 15
Bad Säckingen .... 108 X 7
Bad Salzdetfurth .... 40 J 14
Bad Salzhausen .... 74 O 10
Bad Salzig .... 71 P 6
Bad Salzschlirf .... 63 O 12
Bad Salzuflen .... 39 J 10
Bad Salzungen .... 64 N 14
Bad Sassendorf .... 49 L 8
Bad Saulgau .... 102 V 12
Bad Schandau .... 68 N 26
Bad Schmiedeberg .... 55 K 22
Bad Schönborn .... 84 S 9
Bad Schussenried .... 102 V 12
Bad Schwalbach .... 73 P 8
Bad Schwartau .... 9 E 16
Bad Segeberg .... 9 E 14
Bad Soberheim .... 81 Q 6
Bad Soden .... 75 P 12
Bad Soden am Taunus .... 74 P 9
Bad Sooden-Allendorf ... 52 M 13
Bad St. Peter
  (St. Peter-Ording) .... 7 D 9
Bad Steben .... 78 O 18
Bad Suderode .... 53 K 17
Bad Sülze .... 12 D 21
Bad Sulza .... 65 M 18
Bad Sulzburg .... 100 W 7
Bad Sulza .... 65 M 18
Bad Teinach .... 93 T 10
Bad Teinach-Zavelstein .. 93 T 10
Bad Tennstedt .... 65 M 16
Bad Tölz .... 113 W 18
Bad Überkingen .... 94 U 13
Bad Urach .... 94 U 12
Bad Vilbel (Frankfurt) .... 74 P 10
Bad Waldliesborn .... 50 K 9
Bad Waldsee .... 102 W 13
Bad Westernkotten .... 50 L 9
Bad Wiessee .... 113 W 19
Bad Wildungen .... 63 M 11
Bad Wilsnack .... 32 H 19
Bad Wimpfen .... 85 S 11
Bad Windsheim .... 86 R 15
Bad Wörishofen .... 103 V 15
Bad Wurzach .... 103 W 13
Bad Zwischenahn .... 27 G 8
Badbergen .... 27 I 7
Baddeckenstedt .... 40 J 14
Badeborn .... 53 K 17
Badel .... 32 H 17
Badeleben .... 41 J 17
Bademühlen .... 19 G 11
Baden .... 29 G 11
Baden-Baden .... 93 T 8
Baden-Neuweier .... 92 T 8
Baden-Oos (Baden-Baden) 93 T 8
Baden-Sandweier .... 92 T 8
Badenhausen .... 52 K 14
Badenstedt
  (Kreis Rotenburg) .... 19 G 11
Badenweiler .... 100 W 7
Badewitz .... 42 J 20
Badingen (Kreis Oberhavel) 34 H 23
Badingen (Kreis Stendal) . 32 I 18
Badow .... 21 F 17
Badra .... 53 L 16
Badra .... 54 L 21
Bächingen .... 95 U 14
Bächlein .... 77 P 17
Bächlingen .... 85 S 13
Baek .... 32 G 19
Bäk .... 21 E 16
Bälau .... 21 F 15
Bärenbach .... 81 Q 6
Bärenbrück .... 57 K 27
Bärenfels .... 68 N 25
Bärenklau .... 45 K 27
Bärensee .... 103 W 15
Bärenbach
  (Kreis Annaberg) .... 79 O 23
Bärenstein (Weißeritzkreis) 68 N 25
Bärental .... 100 W 8
Bärenthal .... 101 V 10
Bärenwalde .... 67 O 21
Baerl .... 46 L 4
Bärnau .... 89 Q 21
Bärnsdorf .... 68 M 25
Bärnzell .... 91 T 23
Bärwalde (Kreis
  Meißen-Dresden) .... 68 M 25
Bärwalde
  (Westlausitzkreis) .... 57 L 27
Bärweiler .... 81 Q 6
Baesweiler .... 58 N 2
Bätholt .... 27 G 7
Bagband .... 17 F 6
Bagemuhl .... 25 F 26
Bagenz .... 57 L 27
Bahlburg .... 20 G 14
Bahlingen .... 100 V 7
Bahndhof (Stühlingen) ... 109 W 9
Bahnhof-Boizenburg ...... 21 F 16
Bahnhof Jerxheim .... 41 J 16
Bahnhof Rehfelde .... 44 I 25
Bahnhof-Reken .... 47 K 5
Bahnhof Wintermoor ...... 30 G 13
Bahnitz .... 43 I 21
Bahnsdorf
  (Kreis Elbe-Elster) .... 55 L 23
Bahnsdorf (Kreis Oberspreewald-
  Lausitz) .... 56 L 26
Bahnsen .... 31 H 15
Bahra .... 76 O 14
Bahratal .... 68 N 25
Bahrdorf .... 41 I 17
Bahrendorf .... 42 K 18
Bahretal .... 68 N 25
Bahro .... 45 J 27
Baienfurt .... 102 W 12
Baier .... 64 N 14
Baierbach
  (Kreis Landshut) .... 105 U 20
Baierbach
  (Kreis Rosenheim) ..... 105 W 20
Baierbrunn .... 105 V 18
Baiern .... 105 W 19
Baiern .... 105 W 18
Baiersbronn .... 93 U 9
Baiersdorf .... 87 R 17
Baiertal .... 84 S 10
Baierz .... 103 W 13
Baindlkirch .... 104 V 17
Baindt .... 102 W 12
Bairawies .... 105 W 18
Baisingen .... 93 U 10
Baisweil .... 103 W 15
Baitz .... 43 J 22
Bakede .... 39 J 12
Bakenberg .... 13 B 23
Balbersdorf .... 89 S 22
Baldeneysee (Essen) ...... 47 L 5
Balderhaar .... 26 I 4
Baldern .... 95 T 14
Balderschwang .... 111 X 14
Baldersheim .... 86 R 14
Baldingen .... 101 W 9
Balduinstein .... 73 O 7
Balesfeld .... 70 P 3
Balge (Kreis Celle) .... 31 H 11
Balgstädt .... 54 M 19
Balhorn .... 51 M 11
Balingen .... 101 V 10
Balje .... 19 E 11
Balkee .... 18 E 11
Balkum .... 37 I 7
Ballenberg .... 85 R 12
Ballendorf .... 67 M 22
Ballendorf .... 95 U 14
Ballenstedt .... 53 K 17
Ballersbach .... 62 N 9
Ballerstedt .... 32 H 19
Ballhausen .... 65 M 16
Ballin .... 24 F 24
Ballingshausen .... 76 P 14
Ballmertshofen .... 95 T 15
Ballrechten-Dottingen ... 100 W 7
Ballstädt .... 64 M 16
Ballstedt .... 65 M 17
Ballwitz .... 24 F 23
Balow .... 22 G 19
Balsbach .... 85 R 11
Balteratsried .... 111 X 15
Baltersweil .... 109 X 9
Baltersweiler .... 81 R 5
Baltmannsweiler .... 94 T 12
Baltringen .... 103 V 13
Baltrum .... 17 E 6
Baltrum (Insel) .... 17 E 6
Balve .... 49 M 7
Balzhausen .... 103 V 15
Balzheim .... 103 V 14
Balzhofen .... 92 T 8
Bamberg .... 77 Q 16
Bamenohl .... 61 M 7
Bamlach .... 108 W 6
Bamme .... 33 I 21
Bammental .... 84 R 10
Bandau .... 31 H 17
Bandelin .... 14 E 24
Bandelow .... 25 F 25
Bandelstorf .... 11 D 20
Bandenitz .... 21 F 17
Bandow .... 11 E 20
Banfe .... 62 N 9
Bankewitz .... 31 G 16
Bankholzen .... 109 W 10
Bann .... 81 R 6
Bannemin .... 15 D 25
Bannesdorf .... 10 C 17
Bannetze .... 30 H 13
Bannewitz .... 68 N 25
Bannholz .... 108 W 8
Bannwaldsee .... 112 X 16
Bansin .... 15 E 26
Bansleben .... 41 J 16
Bansow .... 23 E 21
Banteln .... 40 J 13
Bantikow .... 33 H 21
Banz .... 77 P 17
Banzin .... 21 F 16
Banzkow .... 22 F 18
Barbarossahöhle .... 53 L 17
Barbecke .... 40 J 14
Barbelroth .... 92 S 8
Barbing .... 90 S 20
Barbis .... 52 L 15
Barby .... 42 K 19
Barchel .... 18 F 11
Barchfeld .... 64 N 14
Barchfeld a. d. Ilm .... 65 N 17
Bardel .... 36 J 5
Bardenbach .... 81 R 4
Bardenberg .... 58 N 2
Bardenfleth .... 18 G 9
Bardenitz .... 43 J 22
Barderup .... 5 B 12
Bardewisch .... 29 G 9
Bardowick .... 20 G 15
Bardüttingdorf .... 38 J 9
Barenburg .... 29 I 10
Barendorf .... 31 G 15
Barenthin .... 33 H 20
Barfelde .... 40 J 13
Barförde .... 21 F 15
Bargau .... 95 T 13
Bargdorf .... 31 G 15
Bargen .... 101 W 10
Bargen
  (Kreis Dithmarschen) .... 7 D 11
Bargen (Kreis
  Schleswig-Flensburg) .... 7 D 11
Bargen (Helmstadt-) ...... 84 S 11
Bargensdorf .... 24 F 23
Bargenstedt .... 7 D 11
Bargeshagen .... 11 D 19
Bargfeld (Kreis Celle) .... 31 H 15
Bargfeld (Kreis Rendsburg-
  Eckernförde) .... 8 D 13
Bargfeld (Kreis Uelzen) .. 31 H 15
Bargfeld-Stegen .... 20 E 14
Barghorst .... 9 D 15
Bargischow .... 25 E 25
Bargkamp .... 18 E 11
Bargstall .... 8 D 12
Bargstedt (Kreis Rendsburg-
  Eckernförde) .... 8 D 13
Bargstedt (Kreis Stade) .. 19 F 12
Bargteheide .... 20 E 14
Bargum .... 4 B 10
Barhöft .... 13 C 23
Bark .... 20 E 14
Barkau .... 9 D 15
Barkelsby .... 5 C 13
Barkenberg .... 47 K 5
Barkenholm .... 7 D 11
Barkhausen
  (Kreis Osnabrück) .... 38 J 9
Barkhausen a. d. Porta ... 39 J 10
Barkhorst .... 20 E 15
Barkow .... 23 F 20
Barlo .... 36 K 3
Barlohe .... 8 D 12
Barlt .... 7 D 11

Barmbek (Hamburg) .... 20 F 14
Barme .... 29 H 11
Barmen .... 58 N 3
Barmen (Wuppertal-) .... 48 M 5
Barmke .... 41 J 16
Barmsee .... 112 X 17
Barmstedt .... 19 E 13
Barnebeck .... 31 H 16
Barneberg .... 41 J 17
Barnekow .... 22 E 18
Barnewitz .... 33 I 21
Barnim .... 34 H 25
Barnin .... 22 F 19
Barniner See .... 22 F 19
Barnstädt .... 54 L 18
Barnstedt (Kreis Lüneburg) 31 G 15
Barnstedt (Kreis Verden) ... 29 H 11
Barnstorf (Kreis Diepholz) .. 28 H 9
Barnstorf (Kreis Wolfenbüttel) .... 41 J 16
Barnstorf (Stadtkreis Wolfsburg) .... 41 I 16
Barnten .... 40 J 13
Barntrup .... 39 K 11
Barockgarten Großsedlitz (Pirna) .... 68 N 25
Barrien .... 29 H 10
Barrl .... 30 G 13
Barsbek .... 9 C 14
Barsbüttel .... 20 F 14
Barsdorf .... 34 G 23
Barsikow .... 33 H 21
Barsinghausen .... 39 J 12
Barskamp .... 21 G 16
Barßel .... 27 G 7
Barstede .... 17 F 6
Bartelsdorf .... 30 G 12
Bartelshagen I .... 11 D 21
Bartelshagen II .... 11 D 21
Bartenshagen-Parkentin ....11 D 19
Bartensleben .... 41 J 17
Barterode .... 51 L 13
Barth .... 12 C 22
Barthe .... 12 D 22
Barthelmesaurach .... 87 S 16
Barther Bodden .... 12 C 22
Bartholomä .... 95 T 13
Bartmannshagen .... 13 D 23
Bartolfelde .... 52 L 15
Bartow .... 24 E 24
Bartschendorf .... 33 H 21
Barum (Kreis Lüneburg) ... 20 F 15
Barum (Kreis Uelzen) ... 31 G 15
Barum (Salzgitter-) .... 40 J 15
Baruth (Kreis Bautzen) ... 69 M 27
Baruth / Mark .... 44 J 24
Barver .... 29 I 9
Barwedel .... 41 I 16
Barweiler .... 71 O 4
Barz .... 23 E 21
Basbeck .... 19 E 11
Basdahl .... 18 F 10
Basdorf (Kreis Barnim) ... 34 H 24
Basdorf (Kreis Ostprignitz-Ruppin) .. 33 G 22
Basedow (Kreis Demmin) . 23 E 22
Basedow (Kreis Herzogtum Lauenburg) .... 21 F 15
Basel .... 50 K 8
Basepohl .... 24 E 22
Basse .... 39 I 12
Bassen .... 29 G 11
Bassendorf .... 14 D 22
Bassenheim .... 71 O 6
Baßlitz .... 68 M 24
Bassum .... 29 H 10
Bastei .... 68 N 26
Bastheim .... 76 O 14
Basthorst .... 21 F 15
Bastorf .... 10 D 19
Batenhorst .... 50 K 8
Batensen .... 31 H 16
Battaune .... 55 L 22
Batten .... 64 O 14
Battenberg .... 62 M 9
Battenfeld .... 62 M 9
Battenhausen .... 62 M 11
Batzenhofen .... 104 U 16
Batzhausen .... 87 S 18
Batzlow .... 35 I 26
Bauda .... 56 M 24
Baudenbach .... 86 R 15
Bauerbach .... 62 N 10
Bauerbach (Kreis Karlsruhe) ..93 S 10
Bauerbach (Kreis Schmalkalden-Meiningen) .... 76 O 15

Bauerbach (Kreis Weilheim-Schongau) ....104 W 17
Bauland .... 85 R 12
Bauler .... 71 P 4
Baumbach (Kreis Hersfeld-Rotenburg) .. 63 M 13
Baumbach (Ransbach-) .. 73 O 7
Baumberg .... 59 M 4
Baumberge .... 36 K 6
Baumburg .... 106 V 21
Baumerlenbach .... 85 S 12
Baumersroda .... 54 M 19
Baumgarten .... 98 U 22
Baumgarten (Kreis Güstrow) .... 23 E 19
Baumgarten (Kreis Oberhavel) .... 34 H 23
Baumgarten (Kreis Uckermark) .... 25 F 25
Baumholder .... 81 R 6
Baunatal .... 51 M 12
Bauschheim .... 74 Q 9
Bauschlott .... 93 T 10
Bausendorf .... 71 P 4
Bausenhagen .... 49 L 7
Baustert .... 70 Q 3
Baustetten .... 103 V 13
Bautzen .... 69 M 27
Bautzen (Talsperre) .... 69 M 27
Baven .... 30 H 14
Bavendorf .... 31 G 15
Bavendorf .... 110 W 12
Bawinkel .... 27 I 6
Bayerbach (Kreis Rottal-Inn) ....107 U 23
Bayerbach b. Ergoldsbach 98 T 20
Bayerdilling .... 96 U 16
Bayerisch Eisenstein ... 91 S 23
Bayerisch Gmain .... 114 W 22
Bayerische Rhön (Naturpark) .... 76 O 14
Bayerischer Spessart (Naturpark) .... 75 Q 11
Bayerischer Wald .... 91 S 20
Bayerischer Wald (Naturpark) .... 90 T 22
Bayersried .... 103 W 15
Bayerwald .... 113 X 19
Bayralm .... 113 X 19
Bayreuth .... 77 Q 18
Bayreuth (Flughafen) .... 77 Q 18
Bayrischzell .... 113 W 20
Beauregard .... 35 H 26
Bebelsheim .... 82 S 5
Bebenhausen .... 94 U 11
Bebensee .... 20 E 14
Beber .... 39 J 12
Beberbeck .... 51 L 12
Beberstedt .... 52 M 15
Bebertal .... 41 J 18
Bebra .... 63 N 13
Becheln .... 73 P 7
Bechenheim .... 83 Q 8
Becherbach .... 83 R 7
Becherbach b. Kirn .... 81 Q 6
Bechhofen .... 95 S 15
Bechhofen .... 81 R 6
Bechtersbohl .... 109 X 9
Bechtheim (Kreis Alzey-Worms) .... 84 Q 8
Bechtheim (Rheingau-Taunus-Kreis) ... 73 P 8
Bechtolsheim .... 83 Q 8
Bechtsrieth .... 89 R 20
Beckdorf .... 19 F 12
Beckedorf (Kreis Celle) ... 30 H 14
Beckedorf (Kreis Schaumburg) .. 39 I 11
Beckeln .... 29 H 9
Beckendorf-Neindorf .... 41 J 17
Beckingen .... 80 R 4
Becklingen .... 30 H 13
Beckstedt .... 28 H 9
Beckstein .... 85 R 13
Beckum (Kreis Warendorf) .49 K 8
Beckum (Märkischer Kreis) 49 L 7
Beckumer Berge .... 49 K 8
Beckwitz .... 55 L 22
Bedburg (Erftkreis) .... 58 N 3
Bedburg-Hau .... 46 K 2
Beddelhausen .... 62 M 9
Bedekaspel .... 16 F 5
Bederkesa .... 18 F 10
Bederkesaer See .... 18 F 10
Bedernau .... 103 V 15

Bedesbach .... 81 R 6
Bedheim .... 76 O 15
Beeck (Kreis Heinsberg) ...58 M 2
Beedenbostel .... 30 I 14
Beedenkirchen .... 84 Q 10
Beelen .... 37 K 8
Beendorf .... 41 J 17
Beelitz .... 43 J 22
Beenz (b. Lychen) .... 24 G 24
Beenz (b. Prenzlau) .... 25 G 25
Beerfelde .... 45 I 26
Beerfelden .... 84 R 10
Beerfurth .... 84 Q 10
Beerlage .... 36 J 6
Beerwalde .... 68 N 24
Beesdau .... 56 K 25
Beesenlaublingen .... 54 K 19
Beesenstedt .... 54 L 19
Beeskow .... 45 J 26
Beesten .... 37 I 6
Beestland .... 14 E 22
Beetenbrück .... 30 H 12
Beetz .... 34 H 23
Beetzendorf .... 31 H 17
Beetzsee .... 43 I 21
Beffendorf .... 101 V 9
Befreiungshalle .... 97 T 19
Bega .... 39 J 11
Beggerow .... 24 E 23
Behl .... 9 D 15
Behla .... 101 W 9
Behlendorf (Kreis Herzogtum Lauenburg) .... 21 E 16
Behlendorf (Kreis Oder-Spree) .... 45 I 26
Behler See .... 9 D 15
Behningen .... 30 G 13
Behnkendorf .... 13 D 23
Behnsdorf .... 41 J 17
Behren .... 31 H 15
Behren Lübchin .... 14 D 22
Behrendorf .... 32 H 19
Behrenhoff .... 14 D 24
Behrendorf .... 5 C 11
Behrensdorf .... 9 C 15
Behrensen .... 39 J 12
Behringen .... 64 M 15
Behringen .... 30 G 13
Behringersdorf (Nürnberg) .87 R 17
Behringersmühle .... 87 Q 18
Behrungen .... 76 O 15
Beichlingen .... 53 M 17
Beidenfleth .... 19 E 12
Beienrode .... 41 J 16
Beierfeld .... 67 O 22
Beiersdorf (Kreis Elbe-Elster) .... 55 L 23
Beiersdorf (Kreis Löbau-Zittau) .... 69 M 27
Beiersdorf (Kreis Märkisch-Oderland) .... 34 H 25
Beiersdorf (Kreis Riesa-Großenhain) .... 68 M 24
Beiersdorf (Kreis Zwickauer Land) .... 66 N 21
Beiersdorf (Muldentalkreis) 55 M 22
Beierstedt .... 41 J 16
Beifang .... 47 K 6
Beikheim .... 77 P 17
Beilngries .... 96 S 18
Beilrode .... 55 L 23
Beilstein .... 94 S 11
Beilstein (Kreis Cochem-Zell) .... 71 P 5
Beilstein (Lahn-Dill-Kreis) ... 61 O 8
Beimbach .... 86 S 13
Beimerstetten .... 95 U 13
Beinum .... 40 J 15
Beiseförth .... 63 M 12
Bekeln .... 29 H 9
Bekendorf-Neindorf .... 41 J 17
Bekhausen .... 17 G 8
Bekond .... 72 Q 4
Belau .... 9 D 14
Belauer See .... 9 D 14
Belchen .... 100 W 7
Beldorf .... 8 D 12
Belecke .... 50 L 9
Belgern (Torgau) .... 55 L 23
Belgershain .... 55 M 21
Belicke .... 43 I 20
Belkau .... 32 I 19
Bell .... 71 O 5
Bell (Hunsrück) .... 71 P 6
Bellahn .... 31 G 16
Bellamont .... 103 V 13
Belle .... 39 K 11
Belleben .... 53 K 18

Bellen .... 30 G 12
Bellenberg .... 103 V 14
Bellersen .... 51 K 11
Bellersheim .... 74 O 10
Bellheim .... 83 S 8
Bellin (Kreis Güstrow) .... 23 E 20
Bellin (Kreis Plön) ....9 D 15
Bellin (Kreis Uecker-Randow) .... 25 E 26
Belling .... 25 F 25
Bellingen .... 42 I 19
Bellings .... 75 P 12
Bellnhausen .... 62 N 10
Belm .... 37 J 8
Belmicke .... 61 M 7
Below (Kreis Müritz) .... 23 G 21
Below (Kreis Parchim) .... 23 F 19
Belrieth .... 76 O 15
Belsch .... 21 G 17
Belsdorf (Bördekreis) .... 41 J 17
Belsdorf (Ohrekreis) .... 41 I 17
Belsen .... 30 H 13
Belsen .... 101 U 11
Beltershain .... 62 O 10
Beltheim .... 71 P 6
Belum .... 18 E 10
Belvedere (Schloß) (Weimar) .... 65 N 18
Belzig .... 43 J 21
Bempflingen .... 94 U 11
Bendeleben .... 53 L 17
Bendelin .... 33 H 20
Bendestorf .... 19 F 13
Bendfeld .... 9 C 15
Bendhof .... 21 E 17
Bendingbostel .... 29 H 12
Bendorf .... 8 D 12
Bendorf .... 71 O 6
Benediktbeuern .... 112 W 18
Benediktenwand .... 112 X 18
Benefeld .... 30 H 12
Benfe .... 62 N 8
Bengel .... 71 P 5
Benhausen .... 50 K 10
Benk (Kreis Bayreuth) .... 77 P 18
Benk (Kreis Hof) .... 78 P 19
Benkeloh .... 30 G 12
Benken .... 43 J 21
Benkendorf .... 32 H 17
Benndorf (Kreis Celle) .... 30 H 13
Benndorf (Kreis Delitzsch) .. 54 L 21
Benndorf (Kreis Leipziger Land) ...... 67 M 21
Benndorf (Kreis Mansfelder Land) .... 53 L 18
Benneckenstein .... 52 K 16
Bennemühlen .... 30 I 13
Bennewitz .... 55 L 22
Benniehausen .... 52 L 14
Bennigsen .... 40 J 13
Bennin .... 21 F 16
Benningen .... 103 W 14
Benningen a. Neckar .... 94 T 11
Benninghausen .... 50 L 8
Bennstedt .... 54 L 19
Bennungen .... 53 L 17
Benolpe .... 61 M 8
Benrath .... 48 M 4
Bensberg .... 59 N 5
Bensdorf .... 43 I 21
Bensen .... 39 J 11
Bensersiel .... 17 E 6
Benshausen .... 64 O 15
Bensheim .... 84 Q 9
Benstorf .... 40 J 12
Benstrup .... 27 H 7
Benteler .... 50 K 8
Bentfeld .... 50 K 9
Bentfeld .... 27 F 20
Benthullen .... 27 G 8
Bentierode .... 52 K 14
Bentorf .... 39 J 10
Bentstreek .... 17 F 7
Bentwisch (Kreis Bad Doberan) ..11 D 20
Bentwisch (Kreis Prignitz) .32 G 19
Bentzin .... 14 E 23
Benz (Kreis Nordwestmecklenburg) ..22 E 18
Benz (Kreis Ostholstein) ....9 D 15
Benz (Kreis Ostvorpommern) .... 15 E 26
Benzenzimmern .... 95 T 15
Benzin .... 23 F 20
Benzingen .... 102 V 11
Benzingerode .... 53 K 16
Beppen .... 29 H 11
Beratzhausen .... 90 S 19

Berau .... 108 W 8
Berbersdorf .... 67 M 23
Berbisdorf .... 68 M 25
Berbling .... 105 W 19
Berching .... 96 S 18
Berchtesgaden .... 114 X 22
Berdel .... 37 K 7
Berdum .... 17 F 7
Bere .... 53 L 16
Berel .... 40 J 14
Berenbostel .... 40 I 12
Berenbrock .... 41 I 17
Berensch-Arensch .... 18 E 9
Berfa .... 63 N 12
Berg (Alb-Donau-Kreis) ....102 V 13
Berg (Kreis Ahrweiler) .... 60 O 4
Berg (Kreis Donau-Ries) ...96 T 16
Berg (Kreis Düren) .... 58 N 3
Berg (Kreis Euskirchen) ....60 O 3
Berg (Kreis Hof) .... 78 O 19
Berg (Kreis Ravensburg) ..102 W 12
Berg (Kreis Starnberg) ....104 W 18
Berg (Pfalz) .... 93 T 8
Berg b. Neumarkt .... 87 R 18
Berg i. Gau .... 96 U 17
Berga (Kreis Elbe-Elster) .. 56 K 24
Berga (Kreis Sangerhausen) .... 53 L 17
Berga (Elster) .... 66 N 20
Bergalingen .... 108 X 7
Bergatreute .... 102 W 13
Bergbaumuseum (Sangerhausen) .... 53 L 17
Bergbronn .... 95 S 14
Berge .... 27 I 7
Berge .... 50 L 9
Berge (Altmarkkreis Salzwedel) .... 42 I 18
Berge (Kreis Havelland) ....33 I 22
Berge (Kreis Prignitz) .... 23 G 19
Bergede .... 49 L 8
Bergedorf (Hamburg-) .... 20 F 14
Bergedorf (Kreis Celle) ....30 H 13
Bergen (Kreis Dahme-Spreewald) .... 56 K 25
Bergen (Kreis Freising) ....97 U 19
Bergen (Kreis Merzig-Wadern) .... 80 R 4
Bergen (Kreis Neuburg-Schrobenhausen) .... 96 T 17
Bergen (Kreis Traunstein) ..106 W 21
Bergen (Kreis Weißenburg-Gunzenhausen) .... 96 S 17
Bergen (Kreis Wesel) .... 46 K 3
Bergen (Dumme) .... 31 H 16
Bergen (Rügen) .... 13 C 24
Bergenhusen .... 7 C 11
Bergerdamm .... 33 I 22
Bergerhof .... 61 N 7
Bergfeine .... 27 I 8
Bergfelde .... 41 I 16
Bergfelde .... 34 H 23
Bergfelden .... 101 U 10
Bergfreiheit .... 63 M 11
Berggießhübel .... 68 N 25
Bergham (Kreis Rosenheim) .... 105 V 20
Bergham (Kreis Schwandorf) .... 89 S 20
Berghaselbach .... 97 U 19
Berghaupten .... 100 U 9
Berghausen .... 93 S 9
Berghausen (Hochsauerlandkreis) .... 50 M 8
Berghausen (Kreis Siegen-Wittgenstein) .... 62 M 9
Berghausen (Oberbergischer Kreis) .59 M 6
Berghausen (Rhein-Lahn-Kreis) .... 73 P 8
Bergheim (Erftkreis) .... 58 N 3
Bergheim (Hochsauerlandkreis) .... 49 L 7
Bergheim (Kreis Augsburg) .... 104 V 16
Bergheim (Kreis Höxter) ... 50 K 11
Bergheim (Kreis Neuburg-Schrobenhausen) .... 96 T 17
Bergheim (Kreis Waldeck-Frankenberg) .... 63 M 11

Bergheim (Wetteraukreis) ...74 O 11
Berghof .... 112 X 16
Bergholz (Kreis Potsdam-Mittelmark) .... 43 J 21
Bergholz (Kreis Uecker-Randow) .... 25 F 26
Bergholz-Rehbrücke .... 43 I 23
Berghülen .... 102 U 13
Bergisch Born .... 48 M 5
Bergisch Gladbach .... 59 N 5
Bergisch Neukirchen .... 59 M 5
Bergisches Land (Naturpark) .... 59 N 6
Bergkamen .... 49 L 6
Bergkirchen .... 39 J 10
Bergkirchen .... 104 V 18
Berglen .... 94 T 12
Berglern .... 105 U 19
Berglicht .... 72 Q 4
Bergneustadt .... 61 M 6
Bergrheinfeld .... 76 P 14
Bergrade Dorf .... 22 F 19
Bergstedt .... 20 E 14
Bergstein .... 58 N 3
Bergstetten .... 90 S 19
Bergstraße .... 84 R 10
Bergstraße-Odenwald (Naturpark) .... 84 R 10
Bergweiler .... 72 Q 4
Bergwitz .... 55 K 21
Bergzow .... 42 I 20
Beringhausen .... 50 L 10
Beringstedt .... 8 D 12
Berk .... 70 O 3
Berka .... 53 L 16
Berka a. d. Werra .... 64 N 14
Berka v. d. Hainich .... 64 N 15
Berkach .... 76 O 15
Berkatal .... 51 M 13
Berkau (Altmarkkreis Salzwedel) .... 32 I 18
Berkau (Kreis Wittenberg) .. 43 K 21
Berkel .... 36 J 4
Berkenbrück (Kreis Oder-Spree) .... 45 I 26
Berkenbrück (Kreis Teltow-Fläming) .... 44 J 23
Berkenthin .... 21 E 15
Berkheim .... 103 V 14
Berkhof .... 30 I 13
Berkholz .... 25 G 24
Berkholz-Meyenburg .... 35 G 26
Berklingen .... 41 J 16
Berkum .... 60 O 5
Berlar .... 50 M 9
Berlebeck .... 39 K 10
Berlepsch .... 51 L 13
Berlichingen .... 85 S 12
Berlin .... 44 I 23
Berlin (Kreis Segeberg) ....9 D 15
Berlin-Schönefeld (Flughafen) .... 44 I 24
Berlin-Tegel (Flughafen) .. 34 I 23
Berlin-Tempelhof (Flughafen) .... 44 I 24
Berlinchen .... 33 G 21
Berlingerode .... 52 L 14
Berlitt .... 33 H 20
Berlstedt .... 65 M 17
Bermaringen .... 102 U 13
Bermatingen .... 110 W 12
Bermbach (Kreis Schmalkalden-Meiningen) .... 64 N 15
Bermbach (Wartburgkreis) . 64 N 13
Bermbeck .... 38 J 9
Bermel .... 71 P 5
Bermesbach .... 93 T 9
Bermoll .... 62 O 9
Bermsgrün .... 67 O 22
Bernau .... 34 H 24
Bernau a. Chiemsee ....106 W 21
Bernau i. Schwarzwald ...100 W 8
Bernbach .... 75 P 11
Bernbach (Kreis Calw) ....93 T 9
Bernbach (Kreis Ostallgäu) ....104 W 16
Bernbeuren .... 112 W 16
Bernburg .... 54 K 19
Berndorf .... 50 M 10
Berne .... 28 G 9
Berneburg .... 63 M 13
Berneck .... 93 U 9
Berngau .... 87 S 18
Bernhardswald .... 90 S 20
Bernhausen .... 94 T 11

A
B
C
D
E
F
G
H
I
J
K
L
M
N
O
P
Q
R
S
T
U
V
W
X
Y
Z

A
B
C
D
E
F
G
H
I
J
K
L
M
N
O
P
Q
R
S
T
U
V
W
X
Y
Z

Bernheck .... 87 R 18
Bernitt .... 23 E 19
Bernkastel .... 72 Q 5
Bernloch .... 102 U 12
Bernried (Kreis Cham) .. 89 S 21
Bernried (Kreis Deggendorf) 91 T 22
Bernried a.
   Starnberger See ... 104 W 17
Bernrieth
   (b. Großenschwand) .. 89 R 20
Bernrieth
   (b. Neuenhammer) .. 89 Q 21
Bernsbach .... 67 O 22
Bernsdorf (Kreis
   Chemnitzer Land) .. 67 N 21
Bernsdorf
   (Westlausitzkreis) ... 56 L 26
Bernsfeld .... 62 N 10
Bernsfelden .... 85 R 13
Bernsgrün .... 66 O 20
Bernshausen .... 63 O 12
Bernstadt .... 69 M 28
Bernstadt .... 95 U 14
Bernstein
   (Kreis Tirschenreuth) .. 88 Q 20
Bernstein
   (Kreis Wunsiedel i. F.) .. 78 P 20
Bernstein a. Wald .... 77 P 18
Bernsteininsel .... 11 C 21
Bernstorf .... 21 E 17
Bernte .... 36 I 5
Bernterode
   (b. Heiligenstadt) ... 52 M 14
Bernterode (b. Worbis) .. 52 L 15
Berolzheim (Kreis Neustadt a. d.
   A.-Bad W.) .... 86 R 15
Berolzheim
   (Main-Tauber-Kreis) .. 85 R 12
Berrendorf .... 58 N 3
Berschweiler .... 81 R 5
Bersede .... 26 H 5
Bersenbrück .... 27 I 7
Bersrod .... 62 O 10
Berßel .... 41 K 16
Berstadt .... 74 O 10
Berste .... 56 K 25
Berthelsdorf
   (Kreis Löbau-Zittau) .. 69 M 28
Berthelsdorf (Kreis
   Sächsische Schweiz) .. 69 M 26
Berthelsdorf (Erzgebirge) .. 68 N 24
Bertikow .... 25 G 25
Bertingen .... 42 I 19
Bertkow .... 32 H 19
Bertoldsheim .... 96 T 17
Bertoldshofen .... 111 W 15
Bertsdorf-Hörnitz ...... 69 N 28
Berum .... 16 F 5
Berumbur .... 17 F 5
Berumerfehn .... 17 F 6
Berus .... 82 S 4
Berwangen .... 84 S 10
Berwartstein .... 92 S 7
Berwicke .... 49 L 8
Berzdorf .... 59 N 4
Berzhahn .... 61 O 7
Besandten .... 32 G 17
Besch .... 80 R 3
Bescheid .... 81 Q 4
Beschendorf .... 10 D 16
Beschotenweg .... 26 G 5
Beselich .... 73 O 8
Besenfeld .... 93 U 9
Besenthal .... 21 F 16
Beseritz .... 24 E 24
Besigheim .... 94 T 11
Besitz .... 21 F 16
Besse .... 51 M 12
Bessenbach .... 75 Q 11
Besseringen .... 80 R 3
Besten .... 47 L 4
Bestenheid .... 85 Q 12
Bestensee .... 44 J 24
Bestwig .... 50 L 9
Betheln .... 40 J 13
Bethen .... 27 H 8
Bethenhausen .... 66 N 20
Bethenhausen .... 97 T 18
Bettendorf .... 73 P 7
Bettenfeld .... 70 P 4
Bettenhausen .... 64 O 14
Bettenhausen .... 101 U 9
Bettingen
   (Kreis Bitburg-Prüm) .. 80 Q 3
Bettingen
   (Main-Tauber-Kreis) .. 85 Q 12
Bettingerode .... 41 K 15

Bettinghausen .... 50 L 8
Bettmar
   (Kreis Hildesheim) .. 40 J 14
Bettmar (Kreis Peine) .. 40 J 14
Bettmaringen .... 109 W 9
Bettringen .... 95 T 13
Bettrum .... 40 J 14
Betzdorf .... 61 N 7
Betzendorf .... 31 G 14
Betzenrod .... 75 O 11
Betzenstein .... 87 Q 18
Betzenweiler .... 102 V 12
Betzhorn .... 31 I 15
Betziesdorf .... 62 N 10
Betzigau .... 111 W 15
Betzin .... 33 H 22
Betzweiler-Wälde ..... 101 V 10
Beucha .... 55 M 21
Beuchen .... 85 R 11
Beuchte .... 41 K 15
Beuel (Bonn) .... 59 N 5
Beuerbach .... 73 P 8
Beuerbach .... 104 V 16
Beuerberg .... 104 W 18
Beuern .... 62 O 10
Beuern .... 54 M 19
Beuren .... 52 L 14
Beuren (Kreis Cochem-Zell) 71 P 5
Beuren (Kreis Esslingen) .. 94 U 12
Beuren
   (Kreis Ravensburg) .. 111 W 14
Beuren
   (Kreis Trier-Saarburg) .. 80 R 3
Beuren (Hochwald) .... 81 Q 4
Beuren a. d. Aach ... 101 W 10
Beuren a. Ried .... 101 W 10
Beurig .... 80 R 3
Beuron .... 101 V 10
Beuster .... 32 H 19
Beutel .... 34 G 24
Beutelsbach .... 99 U 23
Beutha .... 67 O 22
Bevenrode .... 41 I 15
Bevensen .... 30 I 12
Bever .... 37 J 7
Bever (Niedersachsen) .. 19 F 11
Bever-Stausee .... 49 M 6
Beverbrok .... 27 G 8
Beverbruch .... 27 H 8
Bevergern .... 37 J 6
Bevern
   (Kreis Cloppenburg) .. 27 H 8
Bevern
   (Kreis Holzminden) .. 51 K 12
Bevern (Kreis Pinneberg) 19 E 13
Bevern (Kreis Rotenburg) .. 19 F 11
Beverstedt .... 18 F 10
Beverstrang .... 37 J 7
Beverungen .... 51 L 12
Bexbach .... 81 R 5
Bexhövede .... 18 F 10
Bexten .... 36 I 6
Beyenburg .... 48 M 5
Beyendorf .... 42 J 18
Beyerberg .... 95 S 15
Beyern .... 55 L 23
Beyernaumburg .... 53 L 18
Beyharting .... 105 W 19
Bias .... 42 K 20
Biber .... 103 U 14
Biberach .... 85 S 11
Biberach an der Riß .. 102 V 13
Biberach i. Kinzigtal .. 100 U 8
Biberbach (Kreis Augsburg) 96 U 16
Biberbach (Kreis Cham) .. 89 R 21
Biberbach (Kreis Dachau) 105 U 18
Biberberg .... 103 U 14
Bibergau .... 86 Q 14
Biberkopf .... 111 Y 14
Bibersfeld .... 94 S 13
Bibert .... 87 R 16
Bibertal .... 103 U 14
Biblis .... 84 Q 9
Bibra .... 76 O 15
Biburg (Kreis Augsburg) .. 104 U 16
Biburg (Kreis Kelheim) .. 97 T 19
Bichl .... 112 W 18
Bickelsteiner Heide .... 31 I 16
Bicken .... 62 N 9
Bickenbach (Kreis
   Darmstadt-Dieburg) .. 84 Q 9
Bickenbach (Rhein-
   Hunsrück-Kreis) ..... 71 P 6
Bickendorf
   (Kreis Bitburg-Prüm) .. 70 P 3
Bickenriede .... 52 M 15
Bickensohl .... 100 V 6

Bidingen .... 104 W 16
Biebelnheim .... 83 Q 8
Biebelried .... 86 Q 14
Bieber .... 75 P 11
Bieberbach .... 87 Q 17
Bieberehren .... 86 R 14
Biebergemünd .... 75 P 11
Biebern .... 73 Q 6
Biebersdorf .... 44 K 25
Bieberstein
   (Kreis Freiberg) ...... 67 M 24
Bieberstein (Kreis Fulda) .. 63 O 13
Biebertal .... 62 O 9
Biebesheim .... 84 Q 9
Biebrich .... 73 P 8
Biedebach .... 63 N 12
Biedenkopf .... 62 N 9
Biederbach
   (Kreis Ansbach) ...... 86 S 16
Biederbach (Kreis
   Emmendingen) ...... 100 V 8
Biederitz .... 42 J 19
Biedesheim .... 83 R 8
Biegen .... 45 J 27
Biehain .... 57 M 28
Biehla .... 56 L 24
Biehla .... 56 L 25
Bielatal .... 68 N 26
Bielefeld .... 38 J 9
Bielen .... 53 L 16
Bielenberg .... 19 E 12
Bielstein .... 59 N 6
Biemenhorst .... 46 K 3
Biendorf
   (Kreis Bad Doberan) .. 10 D 19
Biendorf (Kreis Bernburg) .. 54 K 19
Biene .... 26 I 5
Bienen .... 46 K 3
Bienenbüttel .... 31 G 15
Biengen .... 100 W 7
Bienitz .... 54 L 20
Bienrode .... 41 J 15
Bienstädt .... 65 M 16
Bienwald .... 92 S 8
Bienwaldmühle .... 92 S 8
Bier-und-Burgenstraße .. 65 O 18
Bierbergen .... 40 J 14
Bierde (Kreis
   Minden-Lübbecke) .. 39 I 11
Bierde (Kreis
   Soltau-Fallingbostel) .. 30 H 12
Bierdorf .... 104 W 17
Biere .... 42 K 18
Bieringen (Hohenlohekreis) 85 R 12
Bieringen (Kreis Tübingen) 101 U 10
Bierlingen .... 101 U 10
Biersdorf .... 70 P 3
Bierstadt .... 74 P 8
Bierstedt .... 31 H 17
Bierth .... 59 N 6
Biese .... 32 H 18
Biesen .... 33 G 21
Biesenbrow .... 35 G 26
Biesenhard .... 96 T 17
Biesenrode .... 53 L 18
Biesenthal .... 34 H 24
Biesfeld .... 59 M 5
Biesingen .... 101 W 9
Biessenhofen .... 103 W 15
Bieste .... 37 I 8
Bieswang .... 96 T 17
Bietigheim .... 94 T 11
Bietigheim .... 93 T 8
Bietikow .... 25 G 25
Bietingen .... 109 W 10
Biewer .... 72 Q 3
Bigge .... 50 L 9
Biggesee .... 61 M 7
Bildchen .... 58 N 2
Bildechingen .... 93 U 10
Bilk .... 36 J 5
Billafingen
   (Bodenseekreis) .... 102 W 11
Billafingen (Kreis
   Biberach an der Riß) .. 102 V 11
Billbrook (Hamburg) .... 20 F 14
Bille .... 20 F 14
Billenhausen .... 103 V 15
Billerbeck .... 31 H 16
Billerbeck (Kreis Coesfeld) .. 36 K 5
Billerbeck (Kreis Lippe) .. 39 K 11
Billig .... 60 O 4
Billigheim (Neckar-
   Odenwald-Kreis) .... 85 R 11
Billigheim-Ingenheim .. 83 S 8
Billingsbach .... 85 S 13
Billingshausen .... 52 L 14

Billingshausen .... 75 Q 13
Billmerich .... 49 L 7
Billroda .... 65 M 18
Bilm .... 40 I 13
Bilsen .... 19 E 13
Bilshausen .... 52 L 14
Bilstein .... 61 M 8
Bilzingsleben .... 53 M 17
Bimbach .... 63 O 12
Bimmen .... 46 K 2
Bimöhlen .... 9 E 13
Bimolten .... 36 I 5
Binabiburg .... 106 U 21
Binau .... 84 R 11
Binde .... 32 H 18
Bindersleben .... 65 N 16
Bindfelde .... 32 I 19
Bindlach-Obergräfenthal .. 78 P 19
Bindow .... 44 J 25
Bindsachsen .... 75 O 11
Bingen .... 73 Q 7
Bingen .... 102 V 11
Bingenheim .... 74 O 10
Binger Wald .... 73 Q 7
Binghöhle .... 87 Q 17
Bingum .... 17 G 6
Binnen .... 29 I 11
Binningen .... 71 P 5
Binningen .... 101 W 10
Binswangen .... 95 U 15
Binz .... 13 C 24
Binzen .... 108 X 6
Binzenbach .... 60 O 4
Binzwangen .... 102 V 12
Bippen .... 27 I 7
Birgden .... 58 M 2
Birgel (Kreis Daun) ..... 70 P 3
Birgel (Kreis Düren) .... 58 N 3
Birgelen .... 58 M 2
Birgland .... 88 R 18
Birgte .... 37 J 6
Biringen .... 80 R 3
Birkach (Kreis Bamberg) .. 87 Q 16
Birkach (Kreis Ebersberg) 105 V 20
Birkach (Kreis Haßberge) .. 76 P 15
Birkefehl .... 62 M 8
Birkelbach .... 62 M 8
Birken-Honigsessen .. 61 N 7
Birkenau .... 84 R 10
Birkenbringhausen .... 62 M 10
Birkendorf .... 109 W 8
Birkenfeld .... 81 R 5
Birkenfeld (Enzkreis) .. 93 T 9
Birkenfeld
   (Kreis Main-Spessart) .. 75 Q 13
Birkenfeld (Kreis Neustadt a. d.
   A.-Bad W.) .... 86 R 15
Birkenfelde .... 52 L 14
Birkenhainchen .... 45 J 26
Birkenhard .... 102 V 13
Birkenheide .... 83 R 8
Birkenhördt .... 92 S 7
Birkenhügel .... 78 O 19
Birkenkopf .... 94 T 11
Birkenlach .... 87 S 17
Birkenmoor .... 5 C 14
Birkenwerder .... 34 H 23
Birkesdorf .... 58 N 3
Birkholz (Kreis Barnim) .. 34 I 24
Birkholz (Kreis Stendal) .. 42 I 19
Birklingen .... 86 Q 15
Birkmannsweiler ...... 94 T 12
Birkungen .... 52 L 15
Birkwitz-
   Pratzschwitz .... 68 N 25
Birnau .... 110 W 11
Birnbach .... 97 T 20
Birnbach .... 59 N 6
Birnbaum (Kreis Kronach) .. 77 O 18
Birnbaum (Kreis Neustadt
   a. d. A.-Bad W.) ...... 86 R 16
Birndorf .... 108 X 8
Birresborn .... 70 P 3
Birstein .... 75 O 11
Birten .... 46 L 3
Birx .... 64 O 14
Bischberg .... 77 Q 16
Bischbrunn .... 75 Q 12
Bischdorf
   (Kreis Löbau-Zittau) .. 69 M 28
Bischdorf (Kreis Oberspreewald-
   Lausitz) .... 56 K 25
Bischhagen .... 52 L 15
Bischhausen
   (Kreis Göttingen) .... 52 L 14

Bischhausen
   (Schwalm-Eder-Kreis) .. 63 M 11
Bischhausen
   (Werra-Meißner-Kreis) .. 64 M 13
Bischheim-Häslich ... 68 M 26
Bischleben .... 65 N 16
Bischoffen .... 62 N 9
Bischofferode
   (Kreis Eichsfeld) ..... 52 L 15
Bischofferode
   (Schwalm-Eder-Kreis) .. 63 M 13
Bischoffingen .... 100 V 6
Bischofrod .... 64 O 15
Bischofroda .... 64 M 15
Bischofrode .... 53 L 18
Bischofsdorf .... 13 C 23
Bischofsgrün .... 78 P 19
Bischofsheim
   (Kreis Groß-Gerau) .. 74 Q 9
Bischofsheim
   (Main-Kinzig-Kreis) .. 74 P 10
Bischofsheim an der Rhön
   (Kreis Rhön-Grabfeld) .. 76 O 14
Bischofsmais .... 91 T 23
Bischofsreut .... 99 T 25
Bischofswerda .... 68 M 26
Bischofswiesen .... 114 X 22
Bischofswerda .... 68 M 26
Bischweier .... 93 T 8
Bischwind .... 76 P 16
Bishausen .... 52 L 13
Bisingen .... 101 V 10
Biskirchen .... 62 O 8
Bislich .... 46 K 3
Bismark (Kreis
   Uecker-Randow) .... 25 F 26
Bismark (Altmark) ..... 32 I 18
Bisperode .... 39 J 12
Bispingen .... 30 G 13
Bissee .... 9 D 14
Bissel .... 27 H 8
Bissendorf
   (Kreis Hannover) .... 40 I 13
Bissendorf
   (Kreis Osnabrück) ... 37 J 8
Bissingen .... 95 T 15
Bissingen an der Teck .. 94 U 12
Bissingen ob Lontal
   (Kreis Heidenheim) .. 95 U 14
Bissingheim .... 47 L 4
Bisten .... 82 S 4
Bistensee .... 8 C 13
Bistoft .... 5 B 12
Bitburg .... 70 Q 3
Bitburg (Stausee) ...... 70 Q 3
Bittelbronn .... 85 R 11
Bittelbronn .... 101 W 10
Bittelschieß .... 102 W 11
Bittenbrunn .... 96 T 17
Bittenfeld .... 94 T 11
Bitterfeld .... 54 L 20
Bitz (Kreis Eichstätt) .. 97 T 18
Bitz (Zollernalbkreis) .. 102 V 11
Bitzen .... 61 N 7
Bitzfeld .... 85 S 12
Blaibach .... 89 S 22
Blaibacher See .... 91 S 22
Blaichach .... 111 X 14
Blandikow .... 33 G 21
Blankau (Kreis Fulda) .. 63 O 12
Blankau (Kreis Höxter) .. 51 K 12
Blankenbach .... 75 P 11
Blankenberg (Kreis
   Ostprignitz-Ruppin) .. 33 H 21
Blankenberg (Kreis Parchim) 22 E 19
Blankenberg
   (Saale-Orla-Kreis) ... 78 O 19
Blankenburg
   (Kreis Uckermark) ... 25 G 25
Blankenburg
   (Unstrut-Hainich-Kreis) .. 64 N 16
Blankenburg (Harz) ... 53 K 16
Blankenese .... 19 F 13
Blankenfelde .... 44 J 24
Blankenförde .... 24 F 22
Blankenhagen .... 38 K 9
Blankenhain
   (Kreis Weimarer Land) .. 65 N 18
Blankenhain (Kreis
   Zwickauer Land) ..... 66 N 20
Blankenhain
   (Kreis Euskirchen) ... 70 O 3
Blankenheim (Kreis
   Hersfeld-Rotenburg) .. 63 N 13
Blankenheim
   (Kreis Sangerhausen) .. 53 L 18

Blankenloch .... 93 S 9
Blankenrath .... 71 P 5
Blankenrode .... 50 L 10
Blankensee (Kreis
   Mecklenburg-Strelitz) .. 24 F 23
Blankensee
   (Kreis Teltow-Fläming) .. 44 J 23
Blankensee (Kreis
   Uecker-Randow) .... 25 F 26
Blankensee (Lübeck-) .. 21 E 16
Blankenstein .... 68 M 24
Blankenstein .... 78 O 19
Blasbach .... 62 O 9
Blasheim .... 38 J 9
Blatzheim .... 58 N 3
Blaubeuren .... 102 U 13
Blaueishütte .... 114 X 22
Blauen .... 100 W 7
Blauer Berg .... 31 H 15
Blaufelden .... 86 S 13
Blauort (Insel) .... 7 D 10
Blaustein .... 103 U 13
Bleche .... 61 M 7
Blechhammer .... 89 S 20
Bleckede .... 21 G 16
Bleckenstedt .... 40 J 15
Bleckhausen .... 70 P 4
Bleckmar .... 30 H 13
Blecksteinhaus .... 113 X 19
Bleddin .... 55 K 22
Bleibach .... 100 V 8
Bleibuir .... 60 O 3
Bleichenbach .... 74 P 11
Bleicherode .... 52 L 15
Bleichheim .... 100 V 7
Bleichstetten .... 102 U 12
Bleidenstadt .... 73 P 8
Bleiloch Stausee ...... 78 O 19
Bleiwäsche .... 50 L 10
Blekendorf .... 9 D 15
Blender .... 29 H 11
Blenhorst .... 17 F 7
Blersum .... 17 F 7
Blesdorf .... 33 G 21
Blesewitz .... 24 E 24
Blexen .... 18 F 9
Blickwedel .... 31 H 15
Blickweiler .... 82 S 5
Bliedersdorf .... 19 F 12
Blies .... 81 R 5
Bliesdalheim .... 82 S 5
Bliesdorf
   (Märkisch-Oderland) .. 35 H 26
Bliesdorf
   (Kreis Ostholstein) .. 10 D 16
Bliesen .... 81 R 5
Bliesendorf .... 43 I 22
Blieskastel .... 82 S 5
Bliesmengen-Bolchen .. 82 S 5
Bliesransbach .... 82 S 5
Bliestorf .... 21 E 15
Blievenstorf .... 22 F 18
Blindheim .... 95 U 15
Blindow .... 25 F 25
Blintendorf .... 78 O 19
Blitzenreute .... 102 W 12
Blochingen .... 102 V 12
Blochwitz .... 56 L 25
Blönried .... 102 W 12
Blönsdorf .... 43 K 22
Bloh .... 27 G 8
Bloischdorf .... 57 L 27
Blomberg .... 17 F 6
Blomberg .... 39 K 11
Blomesche Wildnis .. 19 E 12
Blonhofen .... 104 W 16
Blosenberg .... 78 O 19
Blossenau .... 96 T 16
Blossersberg .... 91 S 22
Blossin .... 44 J 25
Bloßwitz .... 55 M 23
Blosterlang .... 111 X 14
Blowatz .... 10 E 18
Blücher .... 21 F 16
Blüthen .... 32 G 19
Blumberg .... 101 W 9
Blumberg (Kreis Barnim) .. 34 I 24
Blumberg (Kreis
   Torgau-Oschatz) ... 55 L 23
Blumberg
   (Kreis Uckermark) ... 25 G 26
Blumegg .... 101 W 9
Blumenau .... 67 N 23
Blumenberg .... 42 J 18
Blumenhagen (Kreis Peine) 40 I 14

Blumenhagen *(Kreis Uecker Randow)* 25 F 25
Blumenholz 24 F 23
Blumenow 34 G 23
Blumenrod 77 P 17
Blumenthal 70 O 3
Blumenthal *(Kreis Jerichower Land)* 42 J 19
Blumenthal *(Kreis Ostprignitz-Ruppin)* 33 G 21
Blumenthal *(Kreis Rendsburg-Eckernförde)* 9 D 13
Blumenthal *(Kreis Uecker-Randow)* 25 E 25
Blumenthal (Bremen-) 29 G 9
Blunk 9 D 14
Bluno 56 L 26
Bobbau 54 K 20
Bobbin *(Kreis Güstrow)* 14 E 22
Bobbin *(Kreis Rügen)* 13 C 24
Bobengrün 78 O 18
Bobenhausen *(Vogelsbergkreis)* 63 O 11
Bobenhausen *(Wetteraukreis)* 74 O 11
Bobenheim 84 R 9
Bobenneukirchen 78 O 20
Bobenthal 92 S 7
Boberow 32 G 18
Bobingen 104 V 16
Bobitz 21 E 18
Boblitz 56 K 25
Bobstadt *(Kreis Bergstraße)* 84 R 9
Bobstadt *(Main-Tauber-Kreis)* 85 R 13
Bobzin 21 F 17
Bochin 32 G 18
Bochingen 101 V 9
Bocholt 36 K 3
Bochow *(Kreis Potsdam-Mittelmark)* 43 I 22
Bochow *(Kreis Teltow-Fläming)* 43 K 23
Bochum 47 L 5
Bock 13 C 23
Bockau 67 O 22
Bockelnhagen 52 L 15
Bockelskamp 30 I 14
Bockelwitz 55 M 22
Bockenau 73 Q 7
Bockendorf 67 N 23
Bockenem 40 J 14
Bockenheim a. d. Weinstraße 83 R 8
Bocker Kanal 50 K 9
Bockert 58 M 3
Bocket 58 M 1
Bockholte 27 H 7
Bockhorn 105 V 19
Bockhorn (Kreis Friesland) 17 F 8
Bockhorn *(Kreis Soltau-Fallingbostel)* 30 H 13
Bockhornerfeld 17 F 8
Bockhorst 37 J 8
Bockhorst (Kreis Emsland) 27 G 6
Bockhorst *(Kreis Steinburg)* 8 D 12
Bocklemünd 59 N 4
Bocksberg 96 U 16
Bocksee 24 F 22
Bockstedt 28 H 9
Bockswiese *(Hahnenklee)* 52 K 15
Bockum 46 L 3
Bockum-Hövel 49 K 7
Bockwitz 55 L 23
Boddin *(Kreis Güstrow)* 11 E 21
Boddin *(Kreis Ludwigslust)* 21 F 17
Boddin-Langnow 33 G 20
Bode *(Bach z. Saale)* 53 K 17
Bode *(Bach z. Wipper)* 52 L 15
Bodelsberg 111 W 15
Bodelshausen 101 U 10
Bodelwitz 65 N 18
Boden 73 O 7
Bodenbach 71 P 4
Bodenburg 40 J 14
Bodendorf 41 J 17
Bodendorf 60 O 5
Bodenfelde 51 L 12
Bodenheim 74 Q 8
Bodenkirchen 106 U 21
Bodenmais 91 S 23
Bodenrod 74 O 9
Bodenrode 52 L 14
Bodensee 52 L 14
Bodensee 110 X 12
Bodenstedt 40 J 15
Bodenteich 31 H 16
Bodenwerder 39 K 12
Bodenwöhr 89 S 20
Bodersweier 92 U 7
Bodetal 53 K 16
Bodman 101 W 11
Bodman-Ludwigshafen 101 W 11
Bodnegg 110 W 13
Bodolz 110 X 12
Bodstedt 11 C 21
Bodstedter Bodden 11 C 21
Böbing 112 W 16
Böbingen an der Rems 95 T 13
Böblingen 93 T 11
Böbrach 91 S 23
Böbs 9 E 15
Böchingen 83 S 8
Böcke 43 J 21
Böckenberg 34 G 25
Böddeken 50 L 10
Böddensell 41 I 17
Böddenstedt 31 H 15
Bödefeld 50 M 9
Bödexen 51 K 12
Bödigheim 85 R 11
Böel 5 C 13
Böen 27 H 7
Böglum 4 B 10
Böhen 103 W 14
Böhl-Iggelheim 84 R 8
Böhl-Süderhöft 7 D 9
Böhlen *(b. Leisnig)* 55 M 22
Böhlen *(Ilmkreis)* 65 O 17
Böhlen *(Kreis Leipziger Land)* 54 M 21
Böhlen *(Muldentalkreis)* 67 M 22
Böhlendorf 14 D 22
Böhlitz 55 L 22
Böhlitz-Ehrenberg 54 L 20
Böhme 30 H 12
Böhmenkirch 95 T 13
Böhmer Wald 89 Q 21
Böhmerwold 16 G 5
Böhmfeld 96 T 18
Böhmischbruck 89 R 21
Böhmzwiesel 99 T 24
Böhne 33 I 20
Böhne 51 M 11
Böhnhusen 9 D 14
Böhrde 29 I 10
Böhrigen 67 M 23
Böhringen *(Kreis Konstanz)* 109 W 10
Böhringen *(Kreis Reutlingen)* 94 U 12
Böhringen *(Kreis Rottweil)* 101 V 9
Boek 24 F 22
Böken 21 E 17
Bökendorf 51 K 11
Bökenförde 50 L 9
Böklund 8 C 12
Bölkendorf 35 H 26
Bölkow *(Kreis Bad Doberan)* 11 D 19
Bölkow *(Kreis Güstrow)* 23 E 20
Bölsdorf 42 I 19
Bölzke 33 G 20
Bömenzien 32 H 18
Bömighausen 50 M 10
Boen 26 G 5
Bönebüttel 9 D 14
Bönen 49 L 7
Bönitz 55 L 23
Bönnien 40 J 14
Bönnigheim 94 S 11
Bönninghardt *(Dorf)* 46 L 3
Bönningstedt 19 E 13
Bönstadt 74 P 10
Börfink 81 Q 5
Börger 27 H 6
Börgerende-Rethwisch 11 D 19
Börgermoor 27 G 6
Börln 55 L 22
Börm 8 C 12
Börmerkoog 8 C 12
Börnecke 53 K 17
Börnersdorf 68 N 25
Börnichen 67 N 23
Börnicke *(Kreis Barnim)* 34 I 24
Börnicke *(Kreis Havelland)* 33 H 22
Börninghausen 38 J 9
Börnsdorf *(Kreis Plön)* 9 D 15
Börnsen 20 F 14
Börrstadt 83 R 7
Börry 39 J 12
Börsborn 81 R 6
Börßum 41 J 15
Börstel *(Kreis Emsland)* 27 I 7
Börtewitz 55 M 22
Börtlingen 94 T 12
Börwang 111 W 15
Börzow 21 E 17
Bösdorf *(Kreis Plön)* 9 D 15
Bösdorf *(Ohrekreis)* 41 I 17
Bösel *(Kreis Cloppenburg)* 27 G 7
Bösel *(Kreis Lüchow-Dannenberg)* 31 H 17
Bösenbechhofen 87 Q 16
Bösenbrunn 78 O 20
Bösenburg 54 L 18
Böseneck 78 P 19
Bösensell 37 K 6
Bösingen *(Kreis Freudenstadt)* 93 U 9
Bösingen *(Kreis Rottweil)* 101 V 9
Bösingfeld 39 J 11
Bösleben-Wüllersleben 65 N 17
Bösperde 49 L 7
Bössow 10 E 17
Bötersen 29 G 11
Bötersheim 19 G 13
Böttigheim 85 Q 12
Böttingen *(Kreis Reutlingen)* 102 U 12
Böttingen *(Kreis Tuttlingen)* 101 V 10
Bötzingen 100 V 7
Bötzow 34 I 23
Bövingen 59 N 6
Böxlund 4 B 11
Boffzen 51 K 12
Bofsheim 85 R 12
Bogel 73 P 7
Bogen 98 T 22
Bogenberg 98 T 22
Bohlenbergerfeld 17 F 7
Bohlingen 109 W 10
Bohlsen 31 H 15
Bohmstedt 4 C 11
Bohmte 38 I 8
Bohnert 5 C 13
Bohnhorst 39 I 10
Bohsdorf 57 L 27
Boich 58 N 3
Boiensdorf 10 D 18
Boisheim 58 M 2
Boissow 21 F 16
Boitin 23 E 19
Boitze 31 G 16
Boitzen 19 F 12
Boitzenburg 25 G 24
Boitzenhagen 31 I 16
Boize 21 F 16
Boizenburg 21 F 16
Bojendorf 10 C 17
Bojendorf 77 P 17
Bokel *(b. Halle)* 50 K 9
Bokel *(b. Rietberg)* 38 J 8
Bokel *(Kreis Cuxhaven)* 18 F 10
Bokel *(Kreis Emsland)* 27 G 6
Bokel *(Kreis Gifhorn)* 31 H 15
Bokel *(Kreis Pinneberg)* 19 E 13
Bokel *(Kreis Rendsburg-Eckernförde)* 8 D 13
Bokelholm 8 D 13
Bokelhop 8 D 13
Bokeloh *(Kreis Emsland)* 26 H 6
Bokeloh *(Kreis Hannover)* 39 I 12
Bokensdorf 41 I 16
Bokholt-Hanredder 19 E 13
Bokhorst 9 D 14
Boklund 8 C 12
Boksee 9 D 14
Bolanden 83 R 8
Boldebuck 23 E 20
Boldekow 24 E 24
Boldevitz 13 C 24
Bolheim 95 U 14
Boll *(Kreis Göppingen)* 94 U 12
Boll *(Kreis Sigmaringen)* 101 W 11
Boll *(Kreis Waldshut)* 101 W 9
Bollen 29 G 10
Bollendorf 80 Q 3
Bollensdorf 56 K 24
Bollensen *(Kreis Northeim)* 51 L 13
Bollensen *(Kreis Uelzen)* 31 H 15
Bolleroda 64 M 15
Bollersdorf 35 I 26
Bollersen 30 H 13
Bollingen 103 U 13
Bollingstedt 5 C 12
Bollschweil 100 W 7
Bollstadt 95 T 15
Bollstedt 64 M 15
Bolschwitz 56 K 26
Bolsehle 29 I 11
Bolzum 40 J 13
Bolstern 102 W 12
Boltenhagen 10 E 17
Boltersen 21 G 15
Bombach 100 V 7
Bomlitz *(Lönsgrab)* 30 H 12
Bommelsen 30 H 13
Bommern 47 L 6
Boms 102 W 12
Bomsdorf 45 J 27
Bonames 74 P 10
Bonbaden 74 O 9
Bonbruck 106 U 21
Bondelum 5 C 11
Bondenau 5 B 12
Bondorf 93 U 10
Bonenburg 50 L 11
Bonese 31 H 16
Bongard 71 P 4
Bongsiel 4 B 10
Bonlanden 94 U 11
Bonn 59 N 5
Bonndorf *(Bodenseekreis)* 102 W 11
Bonndorf *(Kreis Waldshut)* 101 W 9
Bonneberg 39 J 10
Bonstetten 104 U 16
Bonstorf 30 H 14
Bonsweiher 84 R 10
Bontkirchen 50 L 9
Bonzel 61 M 8
Boock 25 F 26
Bookhof 27 H 6
Booknis 5 C 14
Boos 71 P 5
Boos 103 V 14
Boossen 45 I 27
Boostedt 9 D 14
Bopfingen 95 T 15
Boppard 71 P 6
Borbeck 27 G 8
Borbeck *(Essen)* 47 L 4
Borbein 49 K 7
Borchen 50 K 10
Bordelum 4 C 10
Bordenau 39 I 12
Bordesholm 9 D 14
Boren 5 C 13
Borg *(Kreis Merzig-Wadern)* 80 R 3
Borg *(Kreis Münster)* 37 K 6
Borgau 65 M 18
Borgdorf-Seedorf 8 D 13
Borgeln 49 L 8
Borgentreich 51 L 11
Borgerende 11 D 19
Borgfeld *(Kreis Bremen)* 29 G 10
Borgholz 51 L 11
Borgholzhausen 38 J 8
Borghorst 36 J 6
Borgloh 37 J 8
Borgsdorf 34 H 23
Borgstedt 8 C 13
Borgwallsee 14 D 22
Borgwedel 5 C 12
Boritz 68 M 24
Bork 33 G 21
Bork 47 K 6
Borken 36 K 4
Borken *(Kreis Elbe-Elster)* 55 K 23
Borken *(Kreis Uecker-Randow)* 25 F 26
Borken (Hessen) *(Kreis Hessen)* 63 M 11
Borkenberge *(Dorf)* 47 K 5
Borker See 33 G 21
Borkheide 43 J 22
Borkum 16 F 3
Borkum (Insel) *(Kreis Leer)* 16 F 4
Borkwalde 43 J 22
Borlinghausen 50 L 11
Born 42 I 18
Born am Darß *(Kreis Nordvorpommern)* 11 C 21
Borna *(Kreis Leipziger Land)* 67 M 21
Borna *(Kreis Torgau-Oschatz)* 55 M 23
Borna-Gersdorf 68 N 25
Bornberg 19 F 11
Borne *(Kreis Aschersleben-Staßfurt)* 42 K 18
Borne *(Kreis Potsdam-Mittelmark)* 43 J 21
Bornhagen 52 L 13
Bornhausen 40 K 14
Bornheim *(Rhein-Sieg-Kreis)* 59 N 4
Bornhöved 9 D 14
Bornholt 8 D 12
Bornich 73 P 7
Bornim 43 I 23
Bornitz 66 M 20
Bornow 45 J 26
Bornsdorf *(Kreis Dahme-Spreewald)* 56 K 25
Bornsen *(Kreis Uelzen)* 31 G 15
Bornsen *(Kreis Westliche Altmark)* 31 H 16
Bornstedt *(Kreis Mansfelder Land)* 53 L 18
Bornstedt *(Ohrekreis)* 41 J 18
Bornstein 9 C 13
Borntin 24 E 24
Borntosten 50 L 10
Bornum *(Kreis Anhalt-Zerbst)* 41 J 15
Bornum am Elm *(Kreis Elmstedt)* 41 J 16
Bornum am Harz 40 K 14
Borod 61 O 7
Borr 59 N 4
Borrentin 24 E 22
Borsch 64 N 13
Borsdorf 55 L 21
Borsdorf 74 O 10
Borsfleth 19 E 12
Borßum 16 F 5
Borstel *(Kreis Diepholz)* 29 H 10
Borstel *(Kreis Hannover)* 29 I 12
Borstel *(Kreis Harburg)* 19 F 14
Borstel *(Kreis Segeberg)* 8 E 13
Borstel *(Kreis Stade)* 20 F 13
Borstel *(Kreis Stendal)* 32 I 19
Borstel *(Kreis Stormarn)* 20 E 14
Borstel *(Kreis Verden)* 29 G 11
Borstel-Hohenraden *(Kreis Pinneberg)* 19 E 13
Borstel in der Kuhle *(Kreis Soltau-Fallingbostel)* 30 G 14
Borstendorf 67 N 23
Borstorf 21 F 15
Borsum *(Kreis Emsland)* 26 G 5
Borsum *(Kreis Hildesheim)* 40 J 14
Bortfeld 40 J 15
Borth 46 L 3
Borthen 68 N 25
Borwede 29 H 9
Borxleben 53 L 17
Bosau 9 D 15
Bosbüll 4 B 10
Boscheln 58 N 2
Bosen 81 R 5
Bosenbach 81 R 6
Boßdorf 43 K 22
Bosseborn 51 K 11
Bostalsee 81 R 5
Bostelwiebeck 31 G 15
Botelsdorf 21 E 17
Bothel 30 G 12
Bothenheilingen 64 M 15
Bothkamper See 9 D 14
Bothmer 30 H 12
Botnang 94 T 11
Bottenbach 83 S 6
Bottendorf 53 M 18
Bottendorf 62 M 10
Bottenhorn 62 N 9
Bottmersdorf 42 J 18
Bottorf 27 H 7
Bottrop 47 L 4
Bourtanger Moor 26 H 5
Bous 82 S 4
Bovenau 8 D 13
Bovenden 52 L 13
Bovenmoor 18 E 10
Boxberg 57 L 27
Boxberg 71 P 4
Boxberg 85 R 12
Boxbrunn 87 R 16
Boxbrunn i. Odenwald 84 R 11
Boxdorf 68 M 25
Boxdorf 87 R 17
Boxtal 85 Q 12
Braach 63 M 13
Braak *(Kreis Ostholstein)* 9 D 15
Braak *(Kreis Stormarn)* 20 F 14
Braam-Ostwennemar 49 K 7
Brachbach 61 N 7
Brachelen 58 M 2
Brachenfeld 9 D 14
Brachstedt 54 L 20
Bracht *(Hochsauerlandkreis)* 61 M 8
Bracht *(Kreis Marburg-Biedenkopf)* 62 N 10
Bracht *(Kreis Viersen)* 58 M 2
Brachthausen 61 M 8
Brachttal 75 P 11
Brachwitz 54 L 19
Brackede 21 F 16
Brackel 20 G 14
Brackel 47 L 6
Brackenheim 94 S 11
Brackstedt 41 I 16
Brackwede 38 K 9
Braderup (Sylt) *(Kreis Nordfriesland)* 4 B 10
Brädikow 33 H 21
Bräsen 43 K 21
Bräunisheim 95 U 13
Bräunlingen 101 W 9
Bräunrode 53 L 18
Bräunsdorf-Langhennersdorf 67 N 23
Brahlstorf 21 F 16
Brahmenau 66 N 20
Brahmsee 8 D 13
Braidbach 76 O 14
Brake *(Kreis Diepholz)* 29 H 10
Brake *(Kreis Lippe)* 39 J 10
Brake (Bielefeld-) *(Kreis Bielefeld)* 38 J 9
Brake (Unterweser) *(Kreis Wesermarsch)* 18 F 9
Brakel 51 K 11
Brakelsiek 39 K 11
Bralitz 35 H 26
Brambauer 47 L 6
Bramberg (Dorf) *(Kreis Haßberge)* 76 P 15
Brambostel 30 H 14
Bramel 18 F 10
Bramfeld *(Hamburg)* 20 F 14
Bramgauroute 37 I 7
Bramhar 26 I 6
Brammer 8 D 13
Bramsche *(Kreis Emsland)* 36 I 6
Bramsche *(Kreis Osnabrück)* 37 I 7
Bramstedt *(Kreis Cuxhaven)* 18 F 10
Bramstedt *(Kreis Nordfriesland)* 4 B 11
Bramwald 51 L 12
Brand *(Kreis Fulda)* 64 O 13
Brand *(Kreis Tirschenreuth)* 78 Q 19
Brand *(Kreis Traunstein)* 114 W 21
Brand *(Kreis Wunsiedel i. F.)* 78 P 20
Brand (Aachen-) 58 N 2
Brand-Erbisdorf 67 N 23
Brandau 84 Q 10
Brande-Hörnerkirchen 19 E 13
Branden-Kopf 92 U 8
Brandenberg *(Kreis Düren)* 58 N 3
Brandenberg b. Todtnau 100 W 7
Brandenburg 43 I 21
Brandenburg-Plaue 43 I 21
Branderoda 54 M 19
Brandis *(Kreis Elbe-Elster)* 55 K 23
Brandis *(Muldentalkreis)* 55 L 21
Brandlecht 36 I 5
Brandoberndorf 74 O 9
Brandscheid 70 P 2
Brandshagen 13 D 23
Branitz 57 K 27
Brannenburg 113 W 20
Branten 49 M 6
Braschwitz 54 L 20
Brassert 47 L 5
Brattendorf 77 O 16
Braubach 71 P 6
Brauel 19 G 11
Brauerschwend 63 N 11
Brauersdorf *(Kreis Kronach)* 77 O 17
Brauersdorf *(Kreis Siegen-Wittgenstein)* 61 N 8
Brauna 56 M 26
Braunau 63 M 11
Brauneberg 72 Q 4
Brauneck 113 W 18
Braunenweiler 102 V 12
Braunfels 62 O 9

Braunlage 52 K 15
Braunsbach 85 S 13
Braunsbedra 54 M 19
Braunsberg 33 G 22
Braunschweig 41 J 15
Braunschwende 53 L 17
Braunsdorf (Kreis Greiz) 66 N 19
Braunsdorf (Kreis Oder-Spree) 44 I 25
Braunsdorf (Weißeritzkreis) 68 M 24
Braunsen 50 L 11
Braunshausen 62 M 10
Braunshorn 71 P 6
Braunsrath 58 M 2
Braunsroda 65 M 18
Braunstein 62 N 10
Brauweiler 59 N 4
Brebach 82 S 5
Brebel 5 C 13
Breberen 58 M 1
Brechen 73 O 8
Brechte 36 J 5
Brechten 47 L 6
Brechtorf 41 I 16
Breckenheim 74 P 9
Breckerfeld 49 M 6
Breddenberg 27 H 6
Breddin 33 H 20
Breddorf 18 G 11
Bredehorn 17 F 7
Bredelar 50 L 10
Bredelem 40 K 15
Bredenbeck (Kreis Hannover) 40 J 12
Bredenbek (Kreis Plön) 9 D 15
Bredenbek (Kreis Rendsburg-Eckernförde) 8 D 13
Bredenborn 51 K 11
Bredenbruch 49 L 7
Bredeney (Essen) 47 L 4
Bredenfelde (Kreis Demmin) 24 F 22
Bredenfelde (Kreis Mecklenburg-Strelitz) 24 F 24
Bredereiche 34 G 23
Bredow 33 I 22
Bredstedt 4 C 10
Breege 13 C 24
Breese 32 G 19
Breesen (Kreis Demmin) 24 F 23
Breesen (Kreis Güstrow) 23 E 21
Breesen (Kreis Nordvorpommern) 14 D 22
Breesen (Kreis Nordwestmecklenburg) 21 E 17
Breetze 21 G 16
Breetzer Bodden 13 C 23
Breg 101 W 9
Bregenstedt 41 J 17
Brehme 52 L 15
Brehna 54 L 20
Breidenbach 62 N 9
Breidenstein 62 N 9
Breiholz 8 D 12
Breinermoor 27 G 6
Breinig 58 N 2
Breisach 100 V 6
Breischen 37 I 6
Breitachklamm 111 X 14
Breitau 64 M 14
Breitbrunn (Kreis Haßberge) 76 P 16
Breitbrunn (Kreis Starnberg) 104 V 17
Breitbrunn am Chiemsee 106 W 21
Breitenau (Kreis Ansbach) 86 S 14
Breitenau (Kreis Coburg) 77 P 16
Breitenau (Kreis Elbe-Elster) 56 K 25
Breitenau (Kreis Freiberg) 67 N 23
Breitenau (Weißeritzkreis) 68 N 25
Breitenau (Westerwaldkreis) 61 O 7
Breitenbach (Burgenlandkreis) 66 M 20
Breitenbach (Kreis Hersfeld-Rotenburg) 63 N 13
Breitenbach (Kreis Kassel) 51 M 11
Breitenbach (Kreis Kusel) 81 R 5
Breitenbach (Kreis Sangerhausen) 53 L 17
Breitenbach a. Herzberg (Kreis Hersfeld-Rotenburg) 63 N 12
Breitenbach b. Schleusingen (Kreis Hildburghausen) 64 O 16
Breitenbach-Stausee (Kreis Siegen-Wittgenstein) 61 N 8
Breitenbenden 60 O 4
Breitenberg (Kreis Göttingen) 52 L 14
Breitenberg (Kreis Ostallgäu) 111 X 15
Breitenberg (Kreis Passau) 99 T 25
Breitenborn (Leipziger Land) 67 M 22
Breitenborn (Main-Kinzig-Kreis) 75 P 11
Breitenbronn 103 V 15
Breitenbruch 49 L 8
Breitenbrunn (Kreis Neumarkt i. d. Oberpfalz) 103 V 15
Breitenbrunn (Kreis Unterallgäu) 97 S 18
Breitenbrunn (Odenwaldkreis) 84 Q 11
Breitenbrunn (Erzgeb.) (Westerzgebirgskreis) 79 O 22
Breitenbuch 84 R 11
Breitenburg 19 E 12
Breitenburger Moor 19 E 12
Breitenfeld (Altmarkkreis Salzwedel) 32 I 17
Breitenfeld (Elstertalkreis) 79 O 20
Breitenfelde 21 F 15
Breitenfürst 94 T 12
Breitenfurt 96 T 17
Breitengüßbach 77 Q 16
Breitenhagen (Kreis Schönebeck) 42 K 19
Breitenhagen (Märkischer Kreis) 49 M 7
Breitenheerda 65 N 17
Breitenhees 31 H 15
Breitenholz 93 U 10
Breitenlesau 77 Q 17
Breitenlohe 86 Q 15
Breitenrode 41 I 16
Breitensee 76 O 15
Breitenstein 53 L 16
Breitenthal 72 Q 6
Breitenthal 103 V 14
Breitenwisch 19 F 11
Breitenworbis 52 L 15
Breiter Luzin 24 F 24
Breitfurt 82 S 5
Breithardt 73 P 8
Breitingen 95 U 13
Breitling 11 D 20
Breitnau 100 W 8
Breitscheid (Kreis Mettmann) 47 L 4
Breitscheid (Kreis Neuwied) 61 O 6
Breitscheid (Lahn-Dill-Kreis) 61 N 8
Breitungen 53 L 17
Breitungen (Werra) 64 N 14
Brekendorf 8 C 12
Breklum 4 C 10
Brelingen 40 I 13
Breloh 30 G 14
Bremberg 73 P 7
Bremelau 102 U 12
Bremen (Kreis Bremen) 29 G 10
Bremen (Kreis Soest) 49 L 7
Bremen (Thüringen) 64 N 14
Bremen-Neustadt (Flughafen) 29 G 10
Bremerhagen 13 D 23
Bremerhaven 18 F 9
Bremervörde 19 F 11
Bremgarten 100 W 6
Bremke (Hochsauerlandkreis) 49 M 8
Bremke (Kreis Göttingen) 52 L 14
Bremm 71 P 5
Bremsdorf 45 J 27
Bremthal 74 P 9
Brend (Bach) 76 O 14
Brend (Kreis Emmendingen) 100 V 8
Brenden 108 W 8
Brenk 71 O 5
Brenken 50 L 9
Brenkenhagen 10 D 16
Brenkhausen 51 K 12
Brennberg 90 S 21
Brennersgrün 77 O 18
Brennes 91 S 23
Brensbach 84 Q 10
Brenschelbach 82 S 6
Brenz (Kreis Heidenheim) 95 U 14
Bresahn 21 F 16
Bresch 32 G 19
Bresegard b. Eldena (Kreis Ludwigslust) 22 G 18
Bresegard b. Picher (Kreis Ludwigslust) 21 F 17
Breselenz 31 G 17
Bresewitz (Kreis Mecklenburg-Strelitz) 24 E 24
Bresewitz (Kreis Nordvorpommern) 12 C 22
Bresinchen 45 J 28
Breslack 45 J 28
Brest 19 F 12
Bretleben 53 L 17
Bretnig 68 M 26
Bretsch 32 H 18
Brettach (Bach) 85 S 12
Bretten 93 S 10
Brettenfeld 86 S 14
Brettental 100 V 7
Brettheim 86 S 14
Brettin 42 I 20
Brettorf 28 H 9
Bretwisch 14 D 23
Bretzenheim (Kreis Bad Kreuznach) 73 Q 7
Bretzfeld 85 S 12
Bretzingen 85 R 12
Breuberg 84 Q 11
Breuna 51 L 11
Breungeshain 75 O 11
Breunigweiler 83 R 7
Breunings 75 P 12
Breunsdorf 66 M 21
Brevörde 39 K 12
Brey 71 P 6
Breyell 58 M 2
Brickeln 7 D 11
Briedel 71 P 5
Brielow 43 I 21
Briescht 45 J 26
Brieselang 34 I 23
Briesen (Kreis Dahme-Spreewald) 44 J 25
Briesen (Kreis Havelland) 33 H 21
Briesen (Kreis Oder-Spree) 45 I 26
Briesen (Kreis Spree-Neiße) 46 K 26
Briesener Berge 43 J 21
Briesensee 45 K 26
Brieske 56 L 25
Brieskow-Finkenheerd 45 J 27
Briesnig 57 K 27
Briest (Kreis Potsdam-Mittelmark) 43 I 21
Briest (Kreis Stendal) 42 I 20
Briest (Kreis Uckermark) 35 G 26
Brietlingen 20 F 15
Brietz 31 H 17
Brietzig 25 F 25
Brietzke 42 J 20
Brigach 101 V 9
Brigachtal 101 V 9
Briggow 24 F 22
Brillit 18 F 10
Brilon 50 L 9
Brilon-Wald 50 L 9
Bringhausen 62 M 10
Brink (Kreis Grafschaft Bentheim) 36 I 4
Brink (Märkischer Kreis) 49 M 7
Brinkum (Kreis Diepholz) 29 G 10
Brinkum (Kreis Leer) 17 G 6
Brinnis 54 L 21
Bristow 23 E 21
Britten 80 R 4
Brittheim 101 V 10
Britz (Kreis Barnim) 34 H 25
Britzingen 100 W 7
Brobergen 19 F 11
Brochdorf 30 G 13
Brochenzell 110 W 12
Brochterbeck 37 J 7
Brochthausen 52 L 15
Brock 37 J 7
Brockau (Vogtlandkreis) 66 O 20
Brockdorf 27 I 8
Brockel (Kreis Rotenburg) 30 G 12
Brocken 52 K 15
Brockhagen 38 K 9
Brockhausen (Kreis Emsland) 26 I 6
Brockhausen (Kreis Osnabrück) 38 I 9
Brockhöfe 30 G 14
Brockscheid 71 P 4
Brockum 38 I 9
Brockzetel 17 F 6
Brodenbach 71 P 6
Brodersby (Kreis Rendsburg-Eckernförde) 5 C 13
Brodersby (Kreis Schleswig-Flensburg) 5 C 13
Brodersdorf (Kreis Plön) 9 C 14
Broderstorf (Kreis Bad Doberan) 11 D 20
Brodowin 35 H 25
Brodswinden 86 S 15
Brodten 10 E 16
Bröbberow 11 E 20
Bröckau (Burgenlandkreis) 66 M 20
Bröckel (Kreis Celle) 40 I 14
Bröckelbeck 18 E 11
Brögbern 26 I 6
Brökeln 39 K 12
Broekhuysen 46 L 2
Bröl 59 N 5
Broeleck 59 N 6
Bröllin 25 F 26
Bröthen (Kreis Herzogtum Lauenburg) 21 F 16
Bröthen (Kreis Hoyerswerda) 56 L 26
Broggingen 100 V 7
Brohl 71 P 5
Brohl Lützing 60 O 5
Brohm 24 F 24
Broich (Kreis Düren) 58 N 3
Broich (Mülheim-) 47 L 4
Broichweiden 58 N 2
Broistedt 40 J 14
Brokdorf 19 E 11
Brokeloh 39 I 11
Brokenlande 9 D 13
Brokstedt 8 E 13
Brombach (Hochtaunuskreis) 74 P 9
Brombach (Kreis Lörrach) 108 X 7
Brombach (Kreis Rottal-Inn) 106 U 23
Brombach (Rhein-Neckar-Kreis) 84 R 10
Brombachsee 96 S 16
Brombachtal 84 Q 10
Brome 31 I 16
Bromskirchen 62 M 9
Bronkow 56 K 25
Bronn 87 Q 18
Bronnbach 85 Q 12
Bronnweiler 102 U 11
Bronnzell 75 O 13
Broock 23 F 20
Brosen 39 J 10
Brotdorf 80 R 4
Brotterode 64 N 15
Brual 26 G 5
Bruch (Kreis Bernkastel-Wittlich) 72 Q 4
Bruch (Oberbergischer Kreis) 49 M 6
Brucher-Stausee 59 M 6
Bruchertseifen 61 N 7
Bruchhausen (Kreis Diepholz) 29 H 11
Bruchhausen (Kreis Höxter) 51 K 11
Bruchhausen (Kreis Karlsruhe) 93 T 9
Bruchhausen (Rhein-Sieg-Kreis) 59 N 6
Bruchhausen b. Arnsberg (Hochsauerlandkreis) 49 L 8
Bruchhausen b. Olsberg (Hochsauerlandkreis) 50 M 9
Bruchköbel 74 P 10
Bruchmühlbach-Miesau 81 R 6
Bruchmühlen 38 J 9
Bruchsal 93 S 9
Bruchstedt 65 M 16
Bruchtorf 31 G 15
Bruchweiler 72 Q 5
Bruck (Kreis Ebersberg) 105 V 19
Bruck (Kreis Hof) 78 O 19
Bruck (Kreis Miesbach) 105 W 19
Bruck (Kreis Neuburg-Schrobenhausen) 96 T 17
Bruck i. d. Oberpfalz (Kreis Schwandorf) 89 S 20
Bruckberg (Kreis Ansbach) 86 R 16
Bruckberg (Kreis Landshut) 97 U 19
Bruckdorf 54 L 20
Bruckhausen (Kreis Wesel) 47 L 4
Bruckhausen (Duisburg-) (Kreis Duisburg) 47 L 4
Bruckmühl 105 W 19
Brudersdorf 14 E 22
Brüchermühle 61 N 6
Brück (Kreis Ahrweiler) 60 O 4
Brück (Kreis Kitzingen) 86 Q 14
Brück (Kreis Potsdam-Mittelmark) 43 J 22
Brück (Dreis-) (Kreis Daun) 70 P 4
Brücken (Kreis Birkenfeld) 81 R 5
Brücken (Kreis Sangerhausen) 53 L 17
Brücken (Pfalz) (Kreis Kusel) 81 R 6
Brücklein 77 P 18
Brüel 22 E 19
Brügge 49 M 6
Brügge (Kreis Prignitz) 23 G 20
Brügge (Kreis Rendsburg-Eckernförde) 9 D 14
Brüggen (Kreis Hildesheim) 40 J 13
Brüggen (Kreis Viersen) 58 M 2
Brüggen (Erft) 59 N 4
Brühl (Erftkreis) 59 N 4
Brühl (Rhein-Neckar-Kreis) 84 R 9
Brüllingsen 50 L 8
Brümmerhof 19 G 11
Brün 61 N 7
Bründel 54 K 18
Bründersen 51 M 11
Brünen 46 K 4
Brüninghausen 49 M 7
Brüninghorstedt 39 I 10
Brünkendorf 11 D 21
Brünlos 67 N 22
Brünn (Kreis Haßberge) 76 P 16
Brünn (Kreis Hildburghausen) 77 O 16
Brünnau 76 Q 15
Brünning 106 W 21
Brünnstadt 76 Q 14
Brünnstein 113 X 20
Brünst (Kreis Ansbach Land) 86 R 15
Brüntorf 39 J 10
Brüntrup 39 K 10
Brünzow 13 D 24
Brüsewitz 21 E 17
Brüssow 25 F 26
Brüttendorf 19 G 11
Brüxken 46 L 2
Brumby 42 K 19
Brunau 32 H 18
Brungershausen 62 N 9
Brunkensen 40 K 13
Brunn (Kreis Mecklenburg-Strelitz) 24 E 24
Brunn (Kreis Neustadt a. d. A.-Bad W.) 86 R 16
Brunn (Kreis Ostprignitz-Ruppin) 33 H 21
Brunn (Kreis Regensburg) 90 S 19
Brunne 33 H 22
Brunnen (Kreis Neuburg-Schrobenhausen) 96 U 17
Brunnenthal 78 O 19
Brunnthal 105 V 19
Brunow (Kreis Ludwigslust) 22 G 19
Brunow (Kreis Märkisch-Oderland) 35 H 25
Brunsbek 20 F 14
Brunsbüttel 19 E 11
Brunsen 51 K 13
Brunskappel 50 M 9
Brunslar 63 M 12
Brunsmark 21 F 16
Brunst (Kreis Ansbach Land) 86 S 15
Brunstorf 20 F 15
Bruschied 72 Q 6
Brusendorf 44 J 24
Bruttig-Fankel 71 P 5
Brux 8 D 13
Bubach (Kreis Dingolfing-Landau) 98 U 21
Bubach (Rhein-Hunsrück-Kreis) 71 P 6
Bubach a. d. Naab 88 S 20
Bubach-Calmesweiler 81 R 4
Bubenbach 101 W 8
Bubenheim 96 T 16
Bubenorbis 94 S 12
Bubenreuth 87 R 17
Buberow 34 H 23
Bubesheim 103 U 14
Bubsheim 101 V 10
Buch (Kreis Erlangen-Höchstadt) 87 Q 16
Buch (Kreis Haßberge) 76 P 15
Buch (Kreis Kelheim) 97 T 19
Buch (Kreis Neu-Ulm) 103 V 14
Buch (Kreis Nürnberg) 87 R 17
Buch (Kreis Stendal) 42 I 19
Buch (Rhein-Hunsrück-Kreis) 71 P 6
Buch (Berlin-) 34 I 24
Buch a. Ahorn 85 R 12
Buch a. Ammersee 104 V 17
Buch a. Buchrain 105 V 19
Buch a. Erlbach 105 U 20
Buch a. Forst 77 P 17
Buch a. Wald 86 R 15
Bucha (Burgenlandkreis) 53 M 18
Bucha (Kreis Saalfeld-Rudolstadt) 65 O 18
Bucha (Kreis Torgau-Oschatz) 55 L 23
Bucha (Saale-Holzland-Kreis) 65 N 18
Bucha (Saale-Orla-Kreis) 66 O 19
Buchau (Kreis Bayreuth) 87 Q 18
Buchau (Kreis Kulmbach) 77 P 17
Buchbach (Kreis Kronach) 77 O 17
Buchbach (Kreis Mühldorf a. Inn) 105 V 20
Buchdorf 96 T 16
Buchen (Neckar-Odenwald-Kreis) 85 R 11
Buchenau (Kreis Fulda) 63 N 13
Buchenau (Kreis Marburg-Biedenkopf) 62 N 9
Buchenau (Kreis Regen) 91 S 23
Buchenbach (Hohenlohekreis) 85 S 13
Buchenbach (Kreis Breisgau-Hochschwarzwald) 100 W 8
Buchenberg (Kreis Oberallgäu) 111 W 14
Buchenberg (Kreis Waldeck-Frankenberg) 62 M 10
Buchenberg (Schwarzwald-Baar-Kreis) 101 V 9
Buchenhain (Kreis Uckermark) 24 G 24
Buchenrod 75 O 12
Buchenwald 65 M 17
Buchhain 56 L 24
Buchhausen 97 T 20
Buchheim (Kreis Breisgau-Hochschwarzwald) 100 V 7
Buchheim (Kreis Tuttlingen) 101 V 10
Buchheim (Muldentalkreis) 67 M 21
Buchheim (Saale-Holzland-Kreis) 66 M 19
Buchhofen 98 T 22
Buchholz (Kreis Bad Doberan) 11 D 20
Buchholz (Kreis Dithmarschen) 7 E 11
Buchholz (Kreis Emmendingen) 100 V 7
Buchholz (Kreis Herzogtum Lauenburg) 21 E 16
Buchholz (Kreis Märkisch-Oderland) 34 I 25
Buchholz (Kreis Minden-Lübbecke) 39 I 11
Buchholz (Kreis Müritz) 23 G 21
Buchholz (Kreis Neuwied) 59 N 6
Buchholz (Kreis Nordhausen) 53 L 16
Buchholz (Kreis Nordvorpommern) 12 D 22
Buchholz (Kreis Oberhavel) 34 G 23
Buchholz (Kreis Oder-Spree) 45 I 26
Buchholz (Kreis Prignitz) 33 G 20
Buchholz (Kreis Stendal) 42 I 19
Buchholz (Niederschlesischer Oberlausitzkr.) 69 M 28
Buchholz (Rhein-Hunsrück-Kreis) 71 P 6
Buchholz (Stadtkreis Hannover) 40 I 13
Buchholz (Aller) 30 H 13
Buchholz (Duisburg-) 47 L 4
Buchholz b. Ottersberg 29 G 11
Buchholz b. Treuenbrietzen 43 J 22
Buchholz b. Visselhövede 30 G 12
Buchholz i. d. Nordheide 19 F 13
Buchhorst 41 I 17
Buching 112 X 16
Buchloe 104 V 16
Buchow-Karpzow 43 I 22
Buchschlag (Frankfurt) 74 P 10
Buchschwabach 87 R 16
Buchwäldchen 56 K 26
Buckau (Kreis Elbe-Elster) 55 L 23
Buckau (Kreis Potsdam-Mittelmark) 43 J 20
Buckenhof 87 R 17
Buckow (Kreis Havelland) 33 I 20

Buckow *(Kreis Oder-Spree)* 45 J 26
Buckow
(Kreis Teltow-Fläming) 44 K 24
Buckow
(Märkische Schweiz) 35 I 26
Budberg 46 L 3
Buddenbaum 37 K 7
Buddenhagen 15 D 25
Budenheim 73 P 8
Büchel 71 P 5
Büchelberg
(Kreis Germersheim) 92 S 8
Büchelberg
(Kreis Rhön-Grabfeld) 76 P 15
Bücheloh 65 N 16
Büchen *(Kreis*
Herzogtum Lauenburg) 21 F 15
Büchenau
(Kreis Karlsruhe Land) 93 S 9
Büchenbach *(Kreis Roth)* 87 S 17
Büchenberg *(Kreis Fulda)* 75 O 13
Büchenbeuren 72 Q 5
Büchenbronn 93 T 9
Büchereck 100 V 8
Büches 74 P 11
Büchlberg 99 T 24
Büchold 76 P 13
Bückau 31 G 17
Bückeberge 39 J 11
Bückeburg 39 J 11
Bückelte 27 I 6
Bücken 29 H 11
Bücknitz 43 J 20
Bückwitz 33 H 21
Büddenstedt 41 J 17
Büdelsdorf 8 D 13
Büden 42 J 19
Büderich *(Kreis Neuss)* 48 M 4
Büderich *(Kreis Soest)* 49 L 7
Büderich *(Kreis Wesel)* 46 L 3
Büdesheim
(Kreis Bitburg-Prüm) 70 P 3
Büdesheim
(Main-Kinzig-Kreis) 74 P 10
Büdingen
(Kreis Merzig-Wadern) 80 R 3
Büdingen *(Wetteraukreis)* 75 P 11
Büdinger Wald 75 P 11
Büdlich 81 Q 4
Büemke 50 M 8
Bühl *(Kreis Günzburg)* 103 U 14
Bühl *(Kreis Tübingen)* 93 U 10
Bühl *(Kreis Waldshut)* 109 X 9
Bühl *(Ortenaukreis)* 92 U 7
Bühl (Baden) 92 T 8
Bühl am Alpsee 111 X 14
Bühl i. Ries 95 T 15
Bühlau 68 M 26
Bühle 51 M 11
Bühler 95 T 13
Bühlerhöhe 93 T 8
Bühlertal 92 T 8
Bühlertann 95 S 13
Bühlerzell 95 S 13
Bühne *(Kreis Halberstadt)* 41 K 15
Bühne *(Kreis Höxter)* 51 L 11
Bühnsdorf 20 E 15
Bühren
(Kreis Cloppenburg) 27 H 8
Bühren *(Kreis Göttingen)* 51 L 13
Bühren *(Kreis Nienburg)* 29 I 11
Bülkau 18 E 10
Bülow *(Kreis*
Nordwestmecklenburg) 21 E 17
Bülow *(Kreis Parchim)* 22 F 19
Bülstedt 29 G 11
Bülstringen 41 J 18
Bültum 40 J 14
Bülzig 43 K 22
Bünde 38 J 9
Bündheim 41 K 15
Bünsdorf 8 C 13
Bünzen 8 D 13
Buer 38 J 9
Buer (Gelsenkirchen-) 47 L 5
Bürchau 100 W 7
Bürden 77 O 16
Büren *(Kreis Borken)* 36 K 5
Büren *(Kreis Hannover)* 30 I 12
Büren *(Kreis Paderborn)* 50 L 9
Büren *(Kreis Steinfurt)* 37 J 7
Bürgel
(Saale-Holzland-Kreis) 66 N 19
Bürgeln *(Kreis Lörrach)* 108 W 7
Bürgeln *(Kreis*
Marburg-Biedenkopf) 62 N 10
Bürgersee 94 U 12
Bürglein 87 R 16
Bürgstadt 85 Q 11
Bürresheim 71 O 5
Bürstadt 84 R 9
Bürvenich 58 O 3
Büsbach 58 N 2
Büschdorf 80 R 3
Büscheich 70 P 4
Büschergrund 61 N 7
Büscherheide 38 J 9
Büschfeld 81 R 4
Büschow 22 E 18
Büsdorf 58 N 4
Büsingen 109 W 10
Büßfeld 62 N 11
Bußleben 65 N 17
Büßlingen 101 W 10
Büste 32 H 18
Büsum 7 D 10
Büsumer Deichhausen 7 D 10
Bütlingen 20 F 15
Bütow 23 F 21
Büttel *(Kreis Cuxhaven)* 18 F 9
Büttel *(Kreis Steinburg)* 19 E 11
Büttelborn 74 Q 9
Büttgen 48 M 3
Bütthard 85 R 13
Büttstedt 52 M 14
Bützer 43 I 20
Bützfleth 19 F 12
Bützflethermoor 19 F 12
Bützow 23 E 19
Bufleben 64 N 16
Buflings 111 X 14
Bug 77 Q 16
Bugewitz 25 E 25
Buggenhagen 15 E 25
Buggenried 108 W 8
Buggingen 100 W 6
Bugk 44 J 25
Buhla 52 L 15
Buhlen 63 M 11
Buhlenberg 81 R 5
Buhlendorf 42 J 20
Buir 58 N 3
Bujendorf 9 D 16
Buke 50 K 10
Buko 43 K 21
Buldern 36 K 6
Bullau 84 R 11
Bullay 71 P 5
Bullendorf 21 F 15
Bullenhausen 20 F 14
Bulleritz 56 M 26
Bunde 26 G 5
Bundenbach 72 Q 6
Bundenthal 92 S 7
Bunderhee 16 G 5
Bunderneuland 26 G 5
Bundesgaarder See 4 B 10
Bundorf 76 P 15
Bungsberg 9 D 16
Bunkenburg 31 I 14
Bunsoh 7 D 11
Buntenbock 52 K 15
Burbach 61 N 8
Burg 7 E 11
Burg *(Kreis Spree-Neiße)* 56 K 26
Burg *(Lahn-Dill-Kreis)* 62 N 8
Burg *(Solingen)* 59 M 5
Burg *(Westlausitzkreis)* 57 L 27
Burg (Mosel) 71 P 5
Burg auf Fehmarn 10 C 17
Burg b. Magdeburg 42 J 19
Burg-Gemünden 62 N 11
Burg Hohenstein 73 P 8
Burg Kauper 45 K 26
Burg Stargard 24 F 23
Burgaltendorf 47 L 5
Burgambach 86 Q 15
Burgau 103 U 15
Burgberg 95 U 14
Burgberg i. Allgäu 111 X 14
Burgbernheim 86 R 14
Burgbrohl 71 O 5
Burgdorf 40 I 14
Burgebrach 86 Q 16
Burgen 71 P 6
Burgenstraße 84 R 10
Burgfarnbach 87 R 16
Burgfelden 101 V 10
Burggen 112 W 16
Burggriesbach 96 S 18
Burggrub 77 P 17
Burghammer 57 L 27
Burghaslach 86 Q 15
Burghasungen 51 M 11
Burghaun 63 N 13
Burghausen
(Kreis Altötting) 106 V 22
Burghausen
(Kreis Ansbach) 86 R 15
Burghausen
(Stadtkreis Leipzig) 54 L 20
Burgheim 96 T 17
Burgheßler 66 M 18
Burgholz 62 N 10
Burgholzhausen 74 P 10
Burgjoß 75 P 12
Burgkemnitz 54 K 21
Burgkirchen 106 V 22
Burgkunstadt 77 P 17
Burglahr 61 O 6
Burglauer 76 P 14
Burglengenfeld 88 S 20
Burglesum 29 G 10
Burgliebenau 54 L 20
Burgoberbach 86 S 15
Burgpreppach 76 P 15
Burgrieden 103 V 13
Burgsalach 96 S 17
Burgscheidungen 54 M 18
Burgschwalbach 73 P 8
Burgsdorf 54 L 18
Burgsinn 75 P 12
Burgsolms 62 O 9
Burgstaaken 10 C 17
Burgstädt 67 N 22
Burgstall 42 I 19
Burgstein 78 O 19
Burgsteinfurt 36 J 6
Burgstemmen 40 J 13
Burgstetten 94 T 12
Burgthann 87 R 17
Burgtonna 64 M 16
Burguffeln 51 L 12
Burgwald *(Gemeinde)* 62 N 10
Burgwalde 52 L 14
Burgwallbach 76 O 14
Burgwedel 40 I 13
Burgweiler 102 W 12
Burgwindheim 86 Q 15
Burhafe 17 F 7
Burhave 18 F 9
Burk *(Kreis Ansbach)* 95 S 15
Burk *(Kreis Forchheim)* 87 Q 17
Burkardroth 76 P 13
Burkartshain 55 M 22
Burkau 68 M 26
Burkersdorf *(Kreis Freiberg)* 68 N 24
Burkersdorf *(Kreis Kronach)* 77 P 17
Burkersroda 66 M 18
Burkhardsfelden 62 O 10
Burkhardswalde 68 N 25
Burkhardswalde-Munzig 68 M 24
Burkhardtroda 64 N 14
Burkhardtsdorf 67 N 22
Burkhardtsgrün 67 O 21
Burkheim 100 V 6
Burladingen 102 V 11
Burlafingen 103 U 14
Burlage 38 I 9
Buro 43 K 21
Burow *(Kreis Demmin)* 24 E 23
Burow *(Kreis Parchim)* 23 F 20
Burrweiler 83 S 8
Burscheid 59 M 5
Bursfelde 51 L 12
Burtenbach 103 U 15
Burtscheid 58 N 2
Burweg 19 F 11
Burxdorf 55 L 23
Busbach 77 Q 18
Busch 32 H 19
Buschbell 59 N 4
Buschhausen 47 K 4
Buschhof 24 G 22
Buschhoven 59 N 4
Buschkamp 38 K 9
Buschow 33 I 21
Buschvitz 13 C 24
Busdorf 5 C 12
Busenbach 93 T 9
Busenberg 83 S 7
Busendorf 43 J 22
Busenwurth 7 D 11
Buskow 33 H 22
Bussau 31 H 16
Bussen 102 V 12
Butjadingen 18 F 8
Buttelstedt 65 M 18
Buttenhausen 102 U 12
Buttenheim 87 Q 17
Buttenwiesen 96 U 16
Buttforde 17 F 7
Buttlar 64 N 13
Buttstädt 65 M 18
Butzbach 74 O 10
Butzen 45 K 26
Butzow 43 I 21
Butzweiler 72 Q 3
Buweiler 81 R 4
Buxheim *(Kreis Eichstätt)* 96 T 17
Buxheim
(Kreis Unterallgäu) 103 W 14
Buxtehude 19 F 13
Byhleguhre 45 K 26
Byhlen 45 K 26
Byhusen 19 F 11

C

Caaschwitz 66 N 19
Cadenberge 18 E 11
Cadolzburg 87 R 16
Cäciliengroden 17 F 8
Cämmerswalde 68 N 24
Cahnsdorf 56 K 25
Cainsdorf 67 N 21
Calau 56 K 25
Calbe 42 K 19
Calbecht 40 J 15
Calberlah 41 I 15
Calbitz 55 M 23
Calden 51 L 12
Caldern 62 N 9
Calenberg 51 L 11
Calhorn 27 H 8
Callbach 83 Q 7
Calle 50 L 8
Callenberg 67 N 21
Calmbach 93 T 9
Calveslage 28 H 8
Calvörde 41 I 17
Calw 93 T 10
Cambs 22 E 18
Cambser See 22 E 18
Camburg 66 M 19
Camin 21 F 16
Cammer 43 J 21
Cammin
(Kreis Bad Doberan) 11 E 21
Cammin *(Kreis*
Mecklenburg-Strelitz) 24 F 23
Campemoor 37 I 8
Campen 16 F 5
Canhusen 16 F 5
Cannewitz 55 M 22
Canow 33 G 22
Canstein 50 L 10
Cantnitz 24 F 24
Capelle 49 K 6
Capellenhagen 40 K 12
Cappel 18 E 9
Cappel *(Kreis Lippe)* 39 K 11
Cappel *(Kreis*
Marburg-Biedenkopf) 62 N 10
Cappel b. Lippstadt 50 K 8
Cappel-Neufeld 18 E 9
Cappeln 27 H 8
Cappenberg 47 L 6
Caputh 43 I 22
Carlow 21 E 16
Carlsberg 83 R 8
Carlsdorf 51 L 12
Carlsfeld 79 O 21
Carlsruhe 11 D 21
Carmzow 25 F 26
Carolinensiel 17 E 7
Carpin 24 F 23
Carthausen 49 M 6
Carum 27 H 8
Carwitz 24 G 24
Carwitzer See 24 G 24
Casekow 25 G 26
Casel 56 K 26
Caselow 25 F 26
Castell 86 Q 15
Castrop-Rauxel 47 L 5
Catenhorn 37 J 6
Cattenstedt 53 K 16
Catterfeld 64 N 15
Cavertitz 55 L 23
Cecilienhof *(Potsdam)* 43 I 23
Cecilienkoog 4 C 10
Celle 30 I 14
Cham 89 S 21
Chambach 89 S 22
Chamerau 89 S 22
Chammünster 89 S 22
Charlottendorf Ost 27 G 8
Charlottendorf West 27 G 8
Charlottenfelde 44 K 23
Charlottenhöhle 95 U 14
Charlottenthal 23 E 20
Chemnitz *(Kreis*
Mecklenburg-Strelitz) 24 F 23
Chemnitz
(Stadtkreis Chemnitz) 67 N 22
Chemnitz-Kleinolbersdorf 67 N 23
Chiemgauer Berge 114 W 20
Chieming 106 W 21
Chiemsee 106 W 21
Chorin 35 H 25
Chorin (Kloster) 35 H 25
Chorweiler *(Köln)* 59 M 4
Chossewitz 45 J 27
Christazhofen 111 W 13
Christdorf 33 G 21
Christertshofen 103 V 14
Christes 64 O 15
Christgarten 95 T 15
Christiansholm 8 D 12
Christianskoog 7 D 10
Christinendorf 44 J 23
Christinenhof 24 F 22
Christinental 8 D 12
Chüden 32 H 17
Chursbachtal 67 N 22
Cismar 10 D 16
Clarholz 37 K 8
Clarsbach 87 R 16
Clauen 40 J 14
Clausen 83 S 7
Clausnitz 68 N 24
Claußnitz 67 N 22
Clausstraße 53 L 17
Clausthal-Zellerfeld 52 K 15
Cleeberg 74 O 9
Cleebronn 94 S 11
Clemenswerth *(Sögel)* 27 H 6
Clenze 31 H 16
Cleverns 17 F 7
Clingen 53 M 16
Cloef 80 R 3
Cloppenburg 27 H 8
Clusorth 26 I 6
Cobbel 42 I 19
Cobbelsdorf 43 K 21
Cobbenrode 49 M 8
Coburg 77 P 16
Cochem 71 P 5
Cochstedt 53 K 18
Cölbe 62 N 10
Cölpin 24 F 24
Coerde 37 K 6
Cörmigk 54 K 19
Coesfeld 36 K 5
Cöthen 35 H 25
Colbitz 42 J 18
Colbitz-Letzlinger
Heide 42 I 18
Coldewey 18 G 9
Colditz 67 M 22
Collenberg 85 Q 11
Collinghorst 27 G 6
Collm 55 M 23
Collmberg 67 M 23
Colmberg 86 R 15
Colmnitz 68 N 24
Colnrade 28 H 9
Commerau 57 L 26
Commerau b. Klix 57 M 27
Conneforde 17 G 8
Conow 24 G 24
Conradsdorf 68 N 24
Contwig 82 S 6
Coppenbrügge 39 J 12
Coppengrave 40 K 13
Cornau 28 H 9
Cornberg 63 M 13
Corvey 51 K 12
Coschen 45 J 28
Cosel-Zeisholz 56 L 25
Cossebaude 68 M 24
Cossengrün 66 O 20
Coswig 68 M 24
Coswig (Anhalt) 43 K 21
Cotta 68 N 25
Cottbus 57 K 26
Cottenbach 77 Q 18
Cracau 42 J 19
Crailsheim 95 S 14
Crainfeld 75 O 12
Cramme 40 J 15
Cramon 21 E 17
Cramonshagen 21 E 17
Cranz 19 F 13
Cranzahl 67 O 22
Craula 64 M 15
Craupe 56 K 25
Crawinkel 65 N 16
Creglingen 86 R 14
Cremlingen 41 J 15
Cremzow 25 F 26
Creußen 88 Q 18
Creuzburg 64 M 14
Criewen 35 G 26
Crimmitschau 66 N 21
Crinitsberg 67 O 21
Crinitz 56 K 25
Crispendorf 66 O 19
Crispenhofen 85 S 12
Critzum 17 G 6
Crivitz 22 F 18
Crock 77 O 16
Cröchern 42 I 18
Cronenberg 48 M 5
Cronheim 96 S 15
Crossen *(Kreis Mittweida)* 67 M 22
Crossen *(Kreis*
Zwickauer Land) 67 N 21
Crossen a. d. Elster 66 N 19
Crosta 57 M 27
Crostau 69 M 27
Crostwitz 69 M 26
Crottendorf 79 O 22
Croya 41 I 16
Crumstadt 84 Q 9
Crussow 35 G 26
Culmitz 78 P 19
Cumbach 65 N 18
Cumlosen 32 G 18
Cunersdorf
(Kreis Annaberg) 67 O 23
Cunersdorf
(Kreis Zwickauer Land) 67 O 21
Cunewalde 69 M 27
Cunnersdorf
(Kreis Mittweida) 67 N 23
Cunnersdorf
(Weißeritzkreis) 68 N 25
Cunnersdorf
(Westlausitzkreis) 56 M 26
Cunnersdorf (Freitelsdorf-) 68 M 25
Cunnersdorf b. Königstein 68 N 26
Cunnewitz 57 M 26
Curau 9 E 15
Cursdorf 65 O 17
Curslack 20 F 14
Cuxhaven 18 E 10
Czorneboh 69 M 27

D

Daaden 61 N 7
Dabel 23 F 19
Dabelow 24 G 23
Dabendorf 44 J 24
Dabergotz 33 H 22
Daberkow 24 E 23
Dabringhausen 59 M 5
Dabrun 55 K 22
Dachau 104 V 18
Dachelhofen 88 S 20
Dachrieden 52 M 15
Dachsbach 86 R 16
Dachsberg 108 W 8
Dachsenhausen 73 P 7
Dachtel 93 T 10
Dachwig 65 M 16
Dackscheid 70 P 3
Dadow 32 G 18
Dächingen 102 V 12
Dägeling 19 E 12
Dähre 31 H 16
Dämmerwald 47 K 4
Dänholm 13 D 23
Dänisch Nienhof 9 C 14
Dänischenhagen 9 C 14
Dänischer Wohld 9 C 13
Dänkritz 66 N 21
Dänschenburg 11 D 21
Dänschendorf 10 C 17
Dätgen 9 D 13
Dagebüll 4 B 10
Dagebüll-Hafen 4 B 10
Dahenfeld 85 S 11
Dahl 50 K 10
Dahl (Hagen-) 49 M 6
Dahlbruch 61 N 8
Dahle 49 M 7
Dahlem *(Kreis Euskirchen)* 70 O 3
Dahlem *(Kreis Lüneburg)* 31 G 16
Dahlemer See 18 E 10
Dahlen *(Kreis*
Mecklenburg-Strelitz) 24 E 24

A B C D E F G H I J K L M N O P Q R S T U V W X Y Z

Dahlen (Kreis
    Potsdam-Mittelmark) ...... 43 J 21
Dahlen (Kreis Stendal) ..42 I 19
Dahlen (Kreis
    Torgau-Oschatz) ...... 55 L 23
Dahlenberg ...... 55 L 22
Dahlenburg ...... 31 G 16
Dahlener Heide ...... 55 L 23
Dahlenwarsleben ...... 42 J 18
Dahlerau ...... 48 M 5
Dahlerbrück ...... 49 M 6
Dahlewitz ...... 44 J 24
Dahlheim ...... 73 P 7
Dahlum ...... 41 J 16
Dahlwitz-Hoppegarten ...... 44 I 24
Dahme (Kreis Ostholstein) . 10 D 17
Dahme
    (Kreis Teltow-Fläming) .. 44 K 24
Dahme-Umflut-Kanal ...... 44 J 25
Dahmen ...... 23 F 21
Dahmer Kanal ...... 23 E 22
Dahmsdorf ...... 45 J 25
Dahn ...... 83 S 7
Dahnen ...... 70 P 2
Dahnsdorf ...... 43 J 21
Dahrendorf ...... 31 H 16
Dahrenwurth ...... 7 C 11
Dainrode ...... 62 M 10
Daiting ...... 96 T 16
Dalberg-Wendelstorf ...... 21 E 17
Dalchau
    (Kreis Anhalt-Zerbst) .. 42 J 19
Dalchau (Kreis Stendal) ......9 D 14
Daldorf ...... 9 D 14
Daldrup ...... 47 K 6
Daleiden ...... 70 P 2
Dalhausen ...... 51 L 11
Dalheim
    (Kreis Mainz-Bingen) .. 74 Q 8
Dalheim (Kreis Paderborn) . 50 L 10
Dalheim (-Rödgen) ...... 58 M 2
Dalherda ...... 75 O 13
Dalkendorf ...... 23 E 21
Dalkingen ...... 95 T 14
Dallau ...... 85 R 11
Dalldorf (Kreis Gifhorn) .. 40 I 15
Dalldorf (Kreis Herzogtum
    Lauenburg) ...... 21 F 15
Dalldorf (Kreis Uelzen) .. 31 H 16
Dalle ...... 30 H 14
Dallgow ...... 43 I 23
Dallmin ...... 32 G 19
Dalum (Kreis Emsland) .. 26 I 5
Dalum (Kreis Osnabrück) .. 27 I 7
Dalvers ...... 27 I 7
Dalwigksthal ...... 62 M 10
Dalwitz ...... 11 E 21
Dambeck (Altmarkkreis
    Salzwedel) ...... 31 H 17
Dambeck
    (Kreis Ludwigslust) .. 22 G 19
Dambeck (Kreis
    Lüchow-Dannenberg) .. 31 G 17
Dambeck (Kreis Müritz) .. 23 F 21
Dambeck (Kreis
    Ostvorpommern) .. 14 E 24
Dambroich ...... 59 N 5
Damelack ...... 33 H 20
Damelang-Freienthal ...... 43 J 22
Damendorf ......8 C 13
Damerow ...... 25 F 25
Damerower See ...... 23 F 20
Damflos ...... 81 Q 4
Damgarten ...... 11 D 21
Damlos ...... 10 D 16
Damm
    (Kreis Bad Doberan) .. 11 D 20
Damm (Kreis Parchim) .. 22 F 19
Damm (Kreis Wesel) .. 47 K 4
Dammbach ...... 75 Q 11
Damme (Kreis Havelland) .. 33 I 21
Damme (Kreis Uckermark) . 25 G 26
Damme (Kreis Vechta) .. 37 I 8
Dammendorf ...... 45 J 27
Dammerberge ...... 27 I 8
Dammersbach ...... 63 O 13
Dammersfeld-Kuppe .. 75 O 13
Dammhausen ...... 19 F 12
Damnatz ...... 31 G 17
Damp ......5 C 13
Damp 2000 ......5 C 14
Damsdorf (Kreis
    Dahme-Spreewald) .. 44 K 24
Damsdorf (Kreis
    Potsdam-Mittelmark) .. 43 I 22
Damsdorf (Kreis Segeberg) ..9 D 14
Damshagen ...... 10 E 17

Damshausen ...... 62 N 9
Danewitz ...... 34 H 25
Dangast ...... 17 F 8
Dankelsheim ...... 40 K 14
Dankenfeld ...... 76 Q 16
Dankerath ...... 71 O 4
Dankerode ...... 53 L 17
Dankersen ...... 39 J 10
Danketsweiler ...... 102 W 12
Dankmarshausen ...... 64 N 14
Dankoltsweiler ...... 95 S 14
Danna ...... 43 K 22
Dannau ......9 D 15
Danndorf ...... 41 I 16
Dannefeld ...... 41 I 17
Dannenberg (Kreis
    Märkisch-Oderland) .. 35 H 25
Dannenberg
    (Kreis Osterholz) .. 29 G 11
Dannenberg (Elbe) .. 31 G 17
Dannenbüttel ...... 41 I 15
Dannenfels ...... 83 R 7
Dannenwalde
    (Kreis Oberhavel) .. 34 G 23
Dannenwalde
    (Kreis Prignitz) .. 33 G 20
Dannenwerk ......5 C 12
Dannheim ...... 65 N 16
Dannigkow ...... 42 J 19
Dannstadt ...... 84 R 8
Dansenberg ...... 83 R 7
Danstedt ...... 41 K 16
Dapfen ...... 102 U 12
Darchau ...... 21 G 16
Dardesheim ...... 41 K 16
Darfeld ...... 36 J 5
Dargelin ...... 14 D 24
Dargelütz ...... 23 F 19
Dargen ...... 15 E 26
Dargersdorf ...... 34 G 24
Dargitz ...... 25 F 25
Dargow ...... 21 F 16
Dargun ...... 24 E 22
Darlaten ...... 39 I 10
Darlingerode ...... 52 K 16
Darmsheim ...... 93 T 10
Darmstadt ...... 74 Q 9
Darnstedt ...... 31 H 16
Darritz-Wahlendorf ...... 33 H 22
Darscheid ...... 71 P 4
Darß (Dorf) ...... 23 F 20
Darßer Ort ...... 11 C 21
Darup ...... 36 K 5
Dasburg ...... 70 P 2
Daseburg ...... 51 L 11
Dasing ...... 104 U 17
Daskow ...... 11 D 21
Daspe ...... 39 K 12
Dassel ...... 51 K 13
Dasselsbruch ...... 30 I 14
Dassendorf ...... 20 F 15
Dassensen ...... 51 K 13
Dassow ...... 21 E 16
Dassower See ...... 21 E 16
Daßwang ...... 97 S 18
Datteln ...... 47 L 6
Datteln-Hamm-Kanal .. 47 L 6
Dattenberg ...... 60 O 5
Dattenfeld ...... 59 N 6
Datterode ...... 64 M 14
Datze ...... 24 F 24
Daubach ...... 73 Q 6
Daubitz ...... 57 L 28
Dauborn ...... 73 P 8
Daubringen ...... 62 O 10
Dauchingen ...... 101 V 9
Dauelsen ...... 29 H 11
Dauer ...... 25 F 25
Dauernheim ...... 74 O 10
Daugendorf ...... 102 V 12
Daugzin ...... 15 E 25
Daumitsch ...... 66 N 19
Dausenau ...... 73 P 7
Dautenheim ...... 83 Q 8
Dautmergen ...... 101 V 10
Dautphe ...... 62 N 9
Dautphetal ...... 62 N 9
Dautzschen ...... 55 L 23
Davensberg ...... 49 K 6
Daverden ...... 29 H 11
Davert ...... 47 K 6
Daxstein ...... 99 T 23
Daxweiler ...... 73 Q 7
Dazendorf ...... 10 C 16
Deberndorf ...... 87 R 16

Deblinghausen ...... 29 I 10
Debstedt ...... 18 F 9
Dechow ...... 21 E 16
Dechsendorf ...... 87 R 16
Dechtow ...... 33 H 22
Deckbergen ...... 39 J 11
Deckenbach ...... 62 N 10
Deckenpfronn ...... 93 U 10
Dedeleben ...... 41 J 16
Dedelstorf ...... 31 H 15
Dedenbach ...... 60 O 5
Dedenborn ...... 70 O 3
Dedenhausen ...... 40 I 14
Dedensen ...... 39 I 12
Dederstedt ...... 54 L 19
Dedinghausen ...... 50 K 9
Deensen ...... 51 K 12
Deepen ...... 30 G 12
Deersheim ...... 41 K 16
Deesdorf ...... 41 K 17
Deesen ...... 61 O 7
Deetz ...... 42 J 20
Deetz (Havel) ...... 43 I 22
Detzbüll ......4 B 10
Deffingen ...... 103 U 14
Degenfeld ...... 95 T 13
Degerfelden ...... 108 X 7
Degernbach ...... 91 T 22
Degerndorf ...... 104 W 18
Degerndorf a. Inn .. 113 W 20
Degersheim ...... 96 S 16
Deggenau ...... 98 T 22
Deggendorf ...... 98 T 22
Deggenhausen ...... 102 W 12
Deggenhausertal ...... 110 W 12
Deggingen ...... 94 U 13
Dehlingen ...... 95 T 15
Dehmkerbrock ...... 39 J 11
Dehrn ...... 73 O 8
Deichhausen ...... 29 G 9
Deidesheim ...... 83 R 8
Deifeld ...... 50 M 9
Deilingen ...... 101 V 10
Deilinghofen ...... 49 L 7
Deimern ...... 30 G 13
Deindorf ...... 89 R 20
Deining (Kreis Bad Tölz-
    Wolfratshausen) .. 105 W 18
Deining (Kreis Neumarkt i. d.
    Oberpfalz) .. 87 S 18
Deiningen ...... 95 T 15
Deinschwang ...... 87 R 18
Deinsen ...... 40 J 13
Deinste ...... 19 F 12
Deinstedt ...... 19 F 11
Deisel ...... 51 L 12
Deisenhausen ...... 103 V 14
Deisenhofen ...... 95 U 15
Deißlingen ...... 101 V 9
Deister ...... 39 J 12
Deizisau ...... 94 T 12
Delbrück ...... 50 K 9
Delecke ...... 49 L 8
Deléchaux ...... 18 G 8
Delhoven ...... 59 M 4
Delingsdorf ...... 20 E 14
Delitz a. Berge ...... 54 L 19
Delitzsch ...... 54 L 21
Dellbrück ...... 59 N 5
Delligsen ...... 40 K 13
Dellmensingen ...... 103 V 13
Dellstedt ......8 D 12
Dellstedter Moor ......8 D 12
Dellwig ...... 49 L 7
Delme ...... 29 H 9
Delmenhorst ...... 29 G 9
Delve ......7 D 11
Demen ...... 22 F 19
Demerath ...... 71 P 4
Demern ...... 21 E 16
Demerthin ...... 33 H 20
Demitz-Thumitz ...... 69 M 26
Demker ...... 42 I 19
Demling ...... 97 T 18
Demmin ...... 14 E 23
Demmingen ...... 95 T 15
Demnitz ...... 45 I 26
Demsin ...... 43 I 20
Demzin ...... 24 E 22
Denkendorf (Kreis Eichstätt) 96 T 18
Denkendorf
    (Kreis Esslingen) .. 94 T 11

Denkershausen ...... 52 K 14
Denkingen
    (Kreis Sigmaringen) .. 102 W 11
Denkingen
    (Kreis Tuttlingen) .. 101 V 10
Denklingen (Kreis
    Landsberg a. Lech) .. 104 W 16
Denklingen
    (Oberbergischer Kreis) .. 61 N 6
Denkte ...... 41 J 15
Dennach ...... 93 T 9
Dennenlohe ...... 95 S 15
Dennewitz ...... 43 K 23
Dennheritz ...... 66 N 21
Dennin ...... 24 E 24
Dennweiler-Frohnbach .. 81 R 6
Densberg ...... 63 N 11
Densborn ...... 70 P 3
Densow ...... 34 G 24
Dentlein ...... 95 S 15
Denzlingen ...... 100 V 7
Depenau ......9 D 14
Dequede ...... 32 H 19
Derben ...... 42 I 19
Derching ...... 104 U 16
Derenburg ...... 53 K 16
Derental ...... 51 K 12
Derenthin ...... 32 G 19
Derkum ...... 59 N 4
Dermbach (Kreis
    Altenkirchen Westerw.) .. 61 N 7
Dermbach
    (Wartburgkreis) .. 64 N 14
Dermsdorf ...... 65 M 17
Dernau ...... 60 O 5
Dernbach
    (Kreis Neuwied) .. 61 O 6
Dernbach (Kreis
    Südliche Weinstraße) .. 83 S 8
Dernbach
    (Westerwaldkreis) .. 73 O 7
Derne ...... 47 L 6
Dernekamp ...... 47 K 5
Dersau ......9 D 15
Derschen ...... 61 N 7
Derschlag ...... 61 M 6
Dersekow ...... 14 D 23
Dersenow ...... 21 F 16
Dersum ...... 26 H 5
Dertingen ...... 85 Q 12
Deschka ...... 57 M 29
Desenberg ...... 51 L 11
Despetal ...... 40 J 13
Dessenbergen ...... 74 P 9
Dessau (Kreis
    Weilheim-Schongau) .. 112 W 16
Dessau
    (Stadtkreis Dessau) .. 54 K 20
Destedt ...... 41 J 16
Destel ...... 38 I 9
Deterichingen ...... 17 G 7
Detershagen ...... 42 J 19
Dethlingen ...... 30 H 14
Detmerode ...... 41 I 16
Detmold ...... 39 K 10
Dettelbach ...... 86 Q 14
Dettendorf (Kreis Neustadt a. d.
    A.-Bad W.) .. 86 R 16
Dettendorf
    (Kreis Rosenheim) .. 105 W 19
Dettenhausen ...... 94 U 11
Dettenheim
    (Kreis Karlsruhe) .. 84 S 9
Dettenheim (Kreis Weißenburg-
    Gunzenhausen) .. 96 T 16
Dettenhofen (Kreis Landsberg a.
    Lech) .. 104 W 17
Dettenhofen (Kreis Neuburg-
    Schrobenhausen) .. 96 U 17
Dettenschwang ...... 104 W 17
Detter ...... 75 P 13
Dettighofen ...... 109 X 9
Dettingen
    (Kreis Freudenstadt) .. 101 U 9
Dettingen (Kreis Konstanz) 110 W 11
Dettingen (Kreis Tübingen) 101 U 10
Dettingen a. Albuch ...... 95 U 14
Dettingen a. d. Erms .. 94 U 12
Dettingen a. d. Iller .. 103 V 14
Dettingen a. Main .. 74 P 11
Dettingen u. Teck .. 94 U 12
Dettmannsdorf ...... 11 D 21
Dettwang ...... 86 R 14
Detzeln ...... 109 W 8
Deuben ...... 66 M 20

Deudesfeld ...... 70 P 4
Deuerling ...... 90 S 19
Deufringen ...... 93 T 10
Deuna ...... 52 L 15
Deute ...... 63 M 12
Deutenheim ...... 86 R 15
Deutsch ...... 32 H 18
Deutsch-Belgischer
    Naturpark ...... 70 O 3
Deutsch Evern ...... 31 G 15
Deutsch-Luxemburgischer
    Naturpark ...... 70 P 2
Deutsch Ossig ...... 69 M 28
Deutsch Paulsdorf ...... 69 M 28
Deutsch-Polnischer
    National-park ...... 35 G 27
Deutschbaselitz ...... 56 M 26
Deutsche Alpenstraße .. 113 X 18
Deutsche Schuhstraße .. 92 S 7
Deutsche Weinstraße .. 83 S 8
Deutsche Wildstraße .. 70 P 3
Deutscheinsiedel ...... 68 O 24
Deutschenbora ...... 68 M 24
Deutschhof ...... 33 H 22
Deutschneudorf ...... 68 O 24
Deutzen ...... 66 M 21
Deuz ...... 61 N 8
Dewangen ...... 95 T 14
Dewichow ...... 15 E 25
Dewitz ...... 24 F 24
Dexbach ...... 62 N 9
Deyelsdorf ...... 14 D 22
Dezenacker ...... 96 T 17
Dhaun ...... 73 Q 6
Dhron (Neumagen-) .. 72 Q 4
Dhünn ...... 59 M 5
Dhünn Stausee ...... 59 M 5
Diahren ...... 31 H 17
Dibbach (Kreis Ansbach) .. 86 S 14
Dibbersen (Kreis Harburg) . 19 F 13
Dibbersen (Kreis Verden) .. 29 H 10
Dichtelbach ...... 73 P 7
Dickel ...... 28 I 9
Dickenberg ...... 37 J 7
Dickenschied ...... 72 Q 6
Dickschied ...... 73 P 7
Didderse ...... 40 I 17
Didderse ...... 40 I 17
Diebach (Kreis Ansbach) .. 86 S 14
Diebach
    (Kreis Bad Kissingen) .. 75 P 13
Dieblich ...... 71 P 6
Dieburg ...... 74 Q 10
Diedelkopf ...... 81 R 6
Diedelsheim ...... 93 S 10
Diedenbergen ...... 74 P 9
Diedenshausen ...... 62 M 9
Diedersdorf (Kreis
    Märkisch-Oderland) .. 45 I 26
Diedersdorf
    (Kreis Teltow-Fläming) .. 44 I 24
Diedesfeld ...... 83 S 8
Diedorf (Kreis
    Augsburg Land) .. 104 U 16
Diedorf
    (Unstrut-Hainich-Kreis) .. 64 M 14
Diedorf (Wartburgkreis) .. 64 O 14
Diedrichshagen ...... 14 D 24
Diehsa ...... 69 M 28
Diekhof ...... 23 E 21
Diekholzen ...... 40 J 13
Diekhusen ......7 E 11
Diekhusen-Fahrstedt ......7 E 11
Dieksanderkoog ......7 E 10
Dieksee ......9 D 15
Dieksmannshausen ...... 18 F 8
Diele ...... 26 G 5
Dielheim ...... 84 S 10
Dielingen ...... 38 I 9
Dielkirchen ...... 83 R 7
Diemantstein ...... 95 T 15
Diemarden ...... 52 L 13
Diemel ...... 50 M 10
Diemelsee (Gemeinde) .. 50 L 10
Diemelstadt ...... 50 L 10
Diemerode ...... 64 M 14
Diemitz ...... 33 G 22
Dienethal ...... 73 O 8
Dienhausen ...... 104 W 16
Diensdorf-Radlow ...... 45 J 26
Dienstädt ...... 65 N 18
Dienstedt-Hettstedt ...... 65 N 17
Diensthop ...... 29 H 11
Dienstede ...... 28 G 9
Diepenau ...... 38 I 10
Diepensee ...... 44 I 24
Diepersdorf ...... 87 R 17
Diepholz ...... 28 I 9

Diepholzer Moor ...... 28 I 8
Diepoldshofen ...... 103 W 13
Diepoltskirchen ...... 98 U 22
Diepolz ...... 111 X 14
Diera ...... 68 M 24
Dierberg ...... 33 G 22
Dierdorf ...... 61 O 6
Dierhagen ...... 11 D 21
Dieringhausen ...... 59 N 6
Dierkow ...... 11 D 20
Dierkshausen ...... 19 G 13
Diersbüttel ...... 30 G 14
Diesbar-Seußlitz ...... 68 M 24
Diesdorf (Altmarkkreis
    Salzwedel) ...... 31 H 16
Diesdorf
    (Kreis Magdeburg) .. 42 J 18
Dieskau ...... 54 L 20
Diespeck ...... 86 R 15
Dießen a. Ammersee .. 104 W 17
Dießfurt ...... 88 Q 19
Diestedde ...... 49 K 8
Diestelow ...... 23 F 20
Dietelhofen ...... 102 V 12
Dietelskirchen ...... 98 U 21
Dietenheim ...... 103 V 14
Dietenhofen ...... 86 R 16
Dietenwengen ...... 103 V 13
Dieterode ...... 52 M 14
Dietersburg ...... 98 U 22
Dietersdorf
    (Kreis Coburg) .. 77 P 16
Dietersdorf (Kreis
    Potsdam-Mittelmark) .. 43 J 22
Dietersdorf
    (Kreis Sangerhausen) .. 53 L 17
Dietersdorf
    (Kreis Schwandorf) .. 89 R 21
Dietershausen ...... 75 O 13
Dietersheim
    (Kreis Freising) .. 105 V 19
Dietersheim (Kreis Neustadt a. d.
    A.-Bad W.) .. 86 R 15
Dieterskirch ...... 102 V 12
Dieterskirchen ...... 89 R 21
Dietersweiler ...... 101 U 9
Dietfurt a. d. Altmühl .. 97 S 18
Dietfurt i. Mittelfranken .. 96 T 16
Dietges ...... 63 O 13
Diethensdorf ...... 67 N 22
Dietingen ...... 101 V 9
Dietkirchen ...... 87 S 18
Dietldorf ...... 88 S 19
Dietlingen ...... 93 T 9
Dietmanns ...... 103 W 13
Dietmannsried ...... 103 W 14
Dietramszell ...... 105 W 18
Dietrichingen ...... 82 S 6
Dietramszell ...... 105 W 18
Dietrichsfeld ...... 17 F 6
Dietzenbach ...... 74 P 10
Dietzhausen ...... 64 O 15
Dietrichsfeld ...... 17 F 6
Dietzhölztal ...... 62 N 8
Diez ...... 73 O 8
Differten ...... 82 S 4
Dilkrath ...... 58 M 2
Dill ...... 72 Q 6
Dillberg ...... 87 S 18
Dille ...... 62 N 8
Dillich ...... 63 N 11
Dillingen (Saar) .. 80 R 4
Dillingen a. d. Donau .. 95 U 15
Dillstädt ...... 64 O 15
Dilsberg ...... 84 R 10
Dimbach (Hohenlohekreis) . 85 S 12
Dimbach (Kreis Kitzingen) . 86 Q 14
Dimhausen ...... 29 H 10
Dinau ...... 90 S 19
Dingden ...... 46 K 3
Dingelbe ...... 40 J 14
Dingelsdorf ...... 110 W 11
Dingelstädt ...... 52 M 14
Dingelstedt ...... 41 K 16
Dingen ......7 E 11
Dingolfing ...... 98 U 21
Dingolshausen ...... 76 Q 15
Dingsleben ...... 76 O 15
Dingstede ...... 28 G 9
Dinkel ...... 36 J 5
Dinkelburg ...... 51 L 11
Dinkelsbühl ...... 95 S 14

Deutschland 193

Dinkelscherben 103 U 15
Dinkelshausen 96 U 17
Dinker 49 L 7
Dinklage 27 I 8
Dinklar 40 J 14
Dinslaken 47 L 4
Dipbach 76 Q 14
Dippach *(Kreis Fulda)* 64 O 14
Dippach *(Wartburgkreis)* 64 N 14
Dippach a. Main *(Kreis Haßberge)* 76 Q 16
Dipperz 63 O 13
Dippmannsdorf 43 J 21
Dippoldiswalde 68 N 25
Dipshorn 29 G 11
Dirlammen 63 O 11
Dirlewang 103 V 15
Dirlos 75 O 13
Dirmerzheim 59 N 4
Dirmingen 81 R 5
Dirmstein 83 R 8
Dirnaich 106 U 21
Dischingen 95 T 15
Disibodenberg 83 Q 7
Dissau 9 E 15
Dissen *(Kreis Osnabrück)* 37 J 8
Dissen *(Kreis Spree-Neiße)* 57 K 26
Dissenchen 57 K 27
Disternich 58 N 4
Ditfurt 53 K 17
Dithmarschen 7 D 11
Dittelbrunn 76 P 14
Dittelsdorf 69 N 28
Dittelsheim 83 Q 8
Dittenheim 96 S 16
Dittersbach 68 N 24
Dittersbach a. d. Eigen 69 M 28
Dittersdorf *(Mittlerer Erzgebirgskreis)* 67 N 22
Dittersdorf *(Saale-Orla-Kreis)* 66 O 19
Dittersdorf *(Weißeritzkreis)* 68 N 25
Ditterswind 76 P 15
Dittigheim 85 R 13
Dittishausen 101 W 9
Dittlofrod 63 N 13
Dittmannsdorf *(Kreis Freiberg)* 68 M 24
Dittmannsdorf *(Mittlerer Erzgebirgskreis)* 67 N 23
Dittrichshütte 65 O 17
Dittwar 85 R 12
Ditzingen 94 T 11
Ditzum 16 G 5
Ditzumerverlaat 16 G 5
Divitz 12 D 22
Dixförda 55 K 23
Dobareuth 78 O 19
Dobbeln 41 J 16
Dobbertin 23 F 20
Dobberzin 35 G 26
Dobbin 23 F 20
Dobbrikow 43 J 23
Dobbrun 32 H 19
Dobel 93 T 9
Doberburg 45 J 26
Doberlug-Kirchhain 56 L 24
Doberschau 69 M 27
Doberschütz 55 L 22
Dobersdorf 9 D 14
Dobersdorfer See 9 D 14
Dobia 66 O 20
Dobitschen 66 N 20
Dobra 68 M 25
Dobritz 42 J 20
Dobrock 18 E 11
Dockweiler 70 P 4
Dodenau 62 M 9
Dodendorf 42 J 18
Dodenhausen 62 M 11
Dodow 21 F 16
Döbbelin 45 I 27
Döbbersen 21 F 17
Döbbrick 57 K 27
Döbeln 67 M 23
Döben 55 M 22
Döberitz 43 I 21
Döbern *(Kreis Spree-Neiße)* 57 L 27
Döbern *(Kreis Torgau-Oschatz)* 55 L 22
Döbernitz 54 L 21
Döbra *(Kreis Hof)* 78 P 18
Döbra *(Kreis Sächsische Schweiz)* 68 N 25
Döbra-Berg 78 P 18
Döbrichau 55 L 23
Döckingen 96 T 16
Döcklitz 53 L 18
Döggingen 101 W 9
Döhlau 78 P 19
Döhle 30 G 14
Döhlen 27 H 8
Döhnsdorf 9 D 16
Döhren *(Kreis Minden-Lübbecke)* 39 I 11
Döhren *(Ohrekreis)* 41 I 17
Döhren *(Stadtkreis Hannover)* 40 I 13
Dölau 54 L 19
Dölitz 14 E 22
Döllbach 75 O 13
Döllen 33 H 20
Döllingen 56 L 24
Döllnitz *(Bach)* 55 M 23
Döllnitz *(Kreis Kulmbach)* 77 P 18
Döllnitz *(Saalkreis)* 54 L 20
Döllstädt 65 M 16
Döllwang 87 S 18
Dölme 39 K 12
Dölzig 54 L 20
Dömitz 32 G 17
Dömnitz *(Bach)* 32 G 20
Dönberg 48 M 5
Dönges 64 N 14
Dönitz 31 I 17
Döpshofen 104 V 16
Dörenhagen 50 K 10
Dörenthe 37 J 7
Dörentrup 39 J 11
Dörfles-Esbach 77 P 16
Dörflis 76 P 15
Dörgelin 24 E 22
Dörgenhausen 57 L 26
Döringstadt 77 P 16
Dörlinbach 100 V 7
Dörna 52 M 15
Dörnberg 51 L 12
Dörndorf 97 T 18
Dörnfeld 65 N 17
Dörnhagen 51 M 12
Dörnigheim 74 P 10
Dörnitz 42 J 20
Dörnten 40 K 15
Dörnthal 68 N 24
Dörpe 39 J 12
Dörpel 29 H 9
Dörpen 26 H 5
Dörpling 7 D 11
Dörpstedt 5 C 12
Dörpum 4 C 10
Dörrebach 73 Q 7
Dörrenbach 92 S 7
Dörrenzimmern 85 R 13
Dörrieloh 29 I 10
Dörrigsen 51 K 13
Dörrmenz 85 S 13
Dörrmoschel 83 R 7
Dörscheid 73 P 7
Dörsdorf 81 R 4
Dörverden 29 H 11
Dörzbach 85 R 13
Döschwitz 66 M 20
Döse 18 E 10
Dößel 54 L 19
Dössel 51 L 11
Dötlingen 28 H 9
Döttesfeld 61 O 6
Döttingen 71 O 5
Döttingen 85 S 13
Dogern 108 X 8
Dohm-Lammersdorf 70 P 3
Dohna 68 N 25
Dohndorf 54 K 19
Dohnsen *(Kreis Celle)* 30 H 14
Dohnsen *(Kreis Holzminden)* 39 J 12
Dohren *(Kreis Emsland)* 27 I 6
Dohren *(Kreis Harburg)* 19 G 13
Dohrenbach 51 M 13
Dohrgaul 59 M 6
Dolberg 49 K 7
Dolgelin 45 I 27
Dolgen *(Kreis Hannover)* 40 J 14
Dolgen *(Kreis Mecklenburg-Strelitz)* 24 F 24
Dolgow 31 H 17
Dollart 16 G 5
Dollbergen 40 I 14
Dolle 42 I 18
Dollenbach 101 U 8
Dollenchen 56 L 25
Dollendorf 70 O 4
Dollern 19 F 12
Dollerup 5 B 13
Dollgow 34 G 23
Dollnstein 96 T 17
Dolsenhain 67 M 21
Dom-Esch 59 N 4
Dombach 74 P 8
Dombühl 86 S 14
Domersleben 42 J 18
Dommershausen 71 P 6
Dommitzsch 55 L 22
Domnitz 54 L 19
Domsdorf 56 L 24
Domsühl 22 F 19
Donau 101 W 10
Donaualtheim 95 U 15
Donaueschingen 101 W 9
Donaumünster 96 T 16
Donauquelle 100 V 8
Donauried 95 U 15
Donaustauf 90 S 20
Donaustetten 103 V 13
Donauwörth 96 T 16
Dondörflein 87 R 16
Donndorf *(Kreis Bayreuth)* 77 Q 18
Donndorf *(Kyffhäuserkreis)* 53 M 18
Donnern 18 F 10
Donnersberg 83 R 7
Donnersdorf 76 Q 15
Donnstetten 94 U 12
Donop 39 K 10
Donrath 59 N 5
Donsbach 62 N 8
Donsbrüggen 46 K 2
Donsieders 83 S 6
Donstorf 29 H 9
Donzdorf 94 T 13
Dora *(Gedenkstätte)* 52 L 16
Dorf 81 R 4
Dorf-Güll 74 O 10
Dorf i. Warndt 82 S 4
Dorf Mecklenburg *(Kreis Nordwestmecklenburg)* 22 E 18
Dorf Saarow 45 J 26
Dorf Zechlin 33 G 22
Dorfbach 99 U 23
Dorfchemnitz 67 O 22
Dorfchemnitz b. Sayda 68 N 24
Dorfen *(Kreis Bad Tölz-Wolfratshausen)* 104 W 18
Dorfen *(Kreis Erding)* 105 V 20
Dorfgütingen 86 S 14
Dorfhain 68 N 24
Dorfitter 50 M 10
Dorfkemmathen 95 S 15
Dorfmark 30 H 13
Dorfmerkingen 95 T 14
Dorfprozelten 85 Q 12
Dorheim 74 O 10
Dorlar *(Hochsauerlandkreis)* 50 M 8
Dorlar *(Lahn-Dill-Kreis)* 62 O 9
Dorm 41 J 16
Dormagen 59 M 4
Dormettingen 101 V 10
Dormitz 87 R 17
Dorn 99 T 24
Dorn-Dürkheim 83 Q 8
Dornau 75 Q 11
Dornberg 85 R 12
Dornbock 54 K 19
Dornburg *(Kreis Anhalt-Zerbst)* 42 J 19
Dornburg *(Kreis Limburg-Weilburg)* 61 O 8
Dornburg (Saale) 66 M 18
Dornbusch 19 E 12
Dorndiel 74 Q 11
Dorndorf 64 N 14
Dorndorf-Steudnitz 66 M 19
Dornhan 101 U 9
Dornheim *(Ilmkreis)* 65 N 17
Dornheim *(Kreis Groß-Gerau)* 74 Q 9
Dornheim *(Kreis Kitzingen)* 86 R 14
Dornreichenbach 55 L 22
Dornsode 18 F 11
Dornstadt *(Alb-Donau-Kreis)* 103 U 13
Dornstadt *(Kreis Donau-Ries)* 95 S 15
Dornstedt 54 L 19
Dornstetten 93 U 9
Dornswalde 44 J 24
Dornum 17 F 6
Dornumergrode 17 E 6
Dornumersiel 17 E 6
Dornwang 98 U 21
Dorschhausen 103 V 15
Dorsel 70 O 4
Dorst 42 I 18
Dorstadt 41 J 15
Dorste 52 K 14
Dorsten 47 L 4
Dortelweil 74 P 10
Dortmund 47 L 6
Dortmund-Ems-Kanal 36 I 5
Dortmund-Ems-Kanal 37 I 6
Dortmund-Wickede *(Flughafen)* 49 L 6
Dorum 18 E 9
Dorumer Neufeld 18 E 9
Dorweiler 71 P 6
Dosdorf 65 N 16
Dose 17 F 7
Dosse 33 G 21
Dossenbach 108 X 7
Dossenheim 84 R 10
Dossow 33 G 21
Dothen 66 M 19
Dottenheim 86 R 15
Dotternhausen 101 V 10
Dottingen 102 U 12
Dottingen (Ballrechten-) 100 W 7
Dotzheim 73 P 8
Dotzlar 62 M 9
Doveren 58 M 2
Drabenderhöhe 59 N 6
Drachenberg 41 J 16
Drachenfels *(Pfälzer Wald)* 83 R 8
Drachhausen 45 K 26
Drachselsried 91 S 23
Drackenstedt 41 J 18
Drackenstein 94 U 13
Drage *(Kreis Harburg)* 20 F 14
Drage *(Kreis Nordfriesland)* 7 C 11
Drage *(Kreis Steinfurt)* 8 D 12
Dragun 21 E 17
Drahendorf 45 J 26
Drahnsdorf 44 K 24
Drakenburg 29 H 11
Drangstedt 18 F 10
Dranse 33 G 21
Dransfeld 51 L 13
Dranske 13 C 23
Draschwitz 66 M 20
Dreba 66 N 19
Drebach 67 N 23
Drebber 28 I 9
Drebkau 56 L 26
Drechow 12 D 22
Dreeke 28 H 9
Dreenkrögen 22 F 18
Drees 71 O 4
Dreesch 25 G 25
Dreeßel 30 H 12
Dreetz *(Kreis Güstrow)* 23 E 19
Dreetz *(Kreis Ostprignitz-Ruppin)* 33 H 21
Dreggers 20 E 15
Drehle 27 I 8
Drehna 56 K 25
Drehnow 45 K 27
Drehsa 69 M 27
Drei 5 B 12
Drei Annen Hohne 52 K 16
Dreiborn 70 O 3
Dreieck 18 E 10
Dreieich 74 P 10
Dreieichenhain 74 P 10
Dreierwalde 37 I 6
Dreifaltigkeitsberg 101 V 10
Dreifelden 61 O 7
Dreifelder Weiher 61 O 7
Dreihausen 62 N 10
Dreiheide 55 L 22
Dreilägerbach-Stausee 58 O 2
Dreileben 41 J 18
Dreilingen 31 H 15
Dreilützow 21 F 17
Dreis 72 Q 4
Dreis-Brück 70 P 4
Dreis-Tiefenbach 61 N 8
Dreisbach 61 O 7
Dreisen 83 R 8
Dreisesselberg 99 T 25
Dreiskau-Muckern 54 M 21
Dreislar 62 M 10
Dreißigacker 64 O 15
Dreistegen 100 V 8
Dreistelzberg 75 P 13
Dreitorspitze 112 X 17
Dreitzsch 66 N 19
Drelsdorf 4 C 11
Dremmen 58 M 2
Drenke 51 K 11
Drensteinfurt 49 K 7
Drentwede 29 H 9
Dreschvitz 13 C 23
Dresden 68 M 25
Dresden-Klotzsche *(Flughafen)* 68 M 25
Dressendorf 78 Q 18
Drestedt 19 G 13
Drethen 31 G 16
Dretzen 43 J 20
Drevenack 47 L 4
Drewelow 24 E 24
Drewen 33 H 21
Drewer 50 L 9
Drewitz *(Kreis Jerichower Land)* 42 J 20
Drewitz *(Kreis Potsdam)* 44 I 23
Drewitz *(Kreis Spree-Neiße)* 45 K 27
Drewitzer See 23 F 21
Dreye 29 G 10
Drieberg 21 E 17
Driedorf 61 O 8
Driesch 71 P 5
Drieschnitz-Kahsel 57 K 27
Driever 17 G 6
Drievorden 36 I 5
Driftsethe 18 F 9
Dringenberg 50 K 11
Drochow 56 L 25
Drochtersen 19 E 12
Dröbel 54 K 19
Dröbischau 65 O 17
Dröda 78 O 20
Drögen 34 G 23
Drögennindorf 30 G 14
Drölitz 23 E 21
Drönnewitz *(Kreis Demmin)* 14 E 22
Drönnewitz *(Kreis Ludwigslust)* 21 F 17
Drösede 32 H 18
Drößig 56 L 25
Drößling 104 V 17
Drogen 66 N 20
Drognitz 65 O 18
Drohndorf 53 K 18
Drolshagen 61 M 7
Dromersheim 73 Q 7
Drope 27 I 6
Drosa 54 K 19
Drosedow *(Kreis Demmin)* 14 E 23
Drosedow *(Kreis Mecklenburg-Strelitz)* 24 G 22
Drosedower Wald 14 E 23
Drosendorf a. d. Aufseß 77 Q 17
Drosendorf a. Eggerbach 87 Q 17
Droßdorf 66 M 20
Drove 58 N 3
Droyßig 66 M 20
Druchhorn 27 I 7
Drübeck 52 K 16
Drüber 52 K 13
Drügendorf 87 Q 17
Drüsensee 21 F 16
Druffel 50 K 9
Druisheim 96 U 16
Druxberge 41 J 17
Dubbelau See 38 I 7
Duben 44 K 25
Dubrau 57 K 27
Dubro 55 K 23
Ducherow 25 E 25
Duchtlingen 101 W 10
Duckow 24 E 22
Duddenhausen 29 H 11
Dudeldorf 72 Q 3
Dudenbostel 30 I 12
Dudendorf 11 D 21
Dudenhofen *(Kreis Ludwigshafen Land)* 84 S 9
Dudenhofen *(Kreis Offenbach)* 74 P 10
Dudensen 30 I 12
Duderstadt 52 L 14
Dudweiler 82 S 5
Düben 43 K 21
Dübener Heide 55 K 21
Dübrichen 56 K 24
Düchelsdorf 21 E 15
Dückerswisch 7 D 11
Düdelsheim 74 P 11
Düdenbüttel 19 F 12
Düderode 52 K 14
Düdinghausen 29 I 10
Düdinghausen 50 M 10
Düffelward 46 K 2
Dühren 84 S 10
Dülken 58 M 2
Dülmen 47 K 5
Dülseberg 31 H 16
Dümmer 21 F 17
Dümmer *(See)* 37 I 8
Dümmer (Naturpark) 38 I 8
Dümmerlohausen 38 I 8
Dümmersee 21 F 17
Dümmlinghausen 61 M 6
Dümpelfeld 71 O 4
Dümpten 47 L 4
Dün 52 L 15
Düne *(Insel)* 6 D 7
Dünebroek 26 G 5
Düngenheim 71 P 5
Düngstrup 28 H 9
Dünne 38 J 9
Dünsbach 85 S 13
Dünsberg 62 O 9
Dünsche 32 G 17
Dünschede 61 M 7
Dünsen 29 H 9
Dünstekoven 59 N 4
Dünwald 52 M 15
Dünzelbach 104 V 17
Dünzlau 96 T 17
Dünzling 97 T 20
Düpow 32 G 19
Düppenweiler 80 R 4
Dürbheim 101 V 10
Düren 58 N 3
Düring 18 F 9
Dürmentingen 102 V 12
Dürn 97 S 18
Dürnast 88 R 19
Dürnast (Taldorf) 110 W 12
Dürnau 102 V 12
Dürnbach 113 W 19
Dürnbucher Forst 97 T 19
Dürnersdorf 89 R 20
Dürnhaindlfing 97 U 19
Dürnsricht 88 R 20
Dürrenhofe 44 J 25
Dürrenmettstetten 101 U 9
Dürrenuhlsdorf 67 N 21
Dürrenwaid 77 O 18
Dürrenwaldstetten 102 V 12
Dürrenzimmern 95 T 15
Dürrfeld 76 Q 15
Dürrhennersdorf 69 M 27
Dürrlauingen 103 U 15
Dürrn 93 T 10
Dürrnbachhorn 114 W 21
Dürrnhaar 105 W 19
Dürröhrsdorf-Dittersbach 68 M 25
Dürrwangen 95 S 15
Dürrweitzschen *(Kreis Döbeln)* 67 M 23
Dürrweitzschen *(Muldentalkreis)* 55 M 22
Dürscheid 59 M 5
Dürwiß 58 N 2
Düsedau 32 H 19
Düshorn 30 H 12
Düsseldorf 48 M 4
Düsseldorf-Lohausen *(Flughafen)* 48 M 4
Düßnitz 55 K 22
Düste 28 H 9
Düthe 26 H 5
Dütschow 22 F 19
Dützen 39 J 10
Düversbruch 38 I 9
Düvier 14 D 23
Duggendorf 90 S 19
Duhnen 18 E 9
Duingen 40 J 13
Duisburg 47 L 4
Duisenburg 27 I 6
Dumme 31 H 16
Dummeldorf 98 U 22
Dummerstorf 11 D 20
Dundenheim 92 U 7
Dungelbeck 40 J 14
Dunningen 101 V 9
Dunstelkingen 95 T 15
Dunsum 4 B 9
Dunum 17 F 6
Duppach 70 P 3
Durach 111 W 15
Durbach 92 U 8
Durchhausen 101 V 10
Durlach 93 T 9
Durlangen 94 T 13

A B C D E F G H I J K L M N O P Q R S T U V W X Y Z

A B C D E F G H I J K L M N O P Q R S T U V W X Y Z

Durmersheim ... 93 T 8
Dußlingen ... 102 U 11
Dutendorf ... 86 Q 15
Dutenhofen ... 62 O 9
Duttenbrunn ... 75 Q 13
Dutzow ... 21 E 16
Duvensee ... 21 E 15
Duvenstedt ... 20 E 14
Dwergte ... 27 H 7
Dwerkaten ... 20 E 15
Dyck ... 48 M 3
Dykhausen ... 17 F 7

E

Ebbegebirge
(Märkischer Kreis) ... 61 M 7
Ebbingen ... 30 H 12
Ebbinghausen ... 50 L 10
Ebeleben ... 52 M 16
Ebelsbach ... 76 Q 16
Ebendörfel ... 69 M 27
Ebendorf ... 42 J 18
Ebene ... 89 R 21
Ebenhards ... 76 O 16
Ebenhausen
(Kreis Bad Kissingen) ... 76 P 14
Ebenhausen (Kreis
Pfaffenhofen a. d. Ilm) ... 96 T 18
Ebenheim ... 64 N 15
Ebenhofen ... 103 W 15
Ebenried ... 87 S 17
Ebensfeld ... 77 P 16
Ebenweiler ... 102 W 12
Eberbach ... 84 R 10
Eberbach (Kloster) ... 73 P 8
Eberdingen ... 93 T 10
Eberfing ... 112 W 17
Eberfingen ... 109 W 9
Ebergötzen ... 52 L 14
Eberhardsreuth ... 99 T 24
Eberhardzell ... 102 V 13
Eberhausen ... 51 L 13
Eberholzen ... 40 J 13
Ebermannsdorf ... 88 R 19
Ebermannstadt ... 87 Q 17
Ebermergen ... 96 T 16
Ebern ... 77 P 16
Ebernburg a. Stein ... 73 Q 7
Ebernhahn ... 73 O 7
Ebersbach ... 103 W 15
Ebersbach (Kreis Döbeln) .. 67 M 23
Ebersbach
(Kreis Löbau-Zittau) ... 69 M 27
Ebersbach
(Kreis Ravensburg) .. 102 W 12
Ebersbach (Kreis
Riesa-Großenhain) ... 68 M 25
Ebersbach
(Muldentalkreis) ... 67 M 22
Ebersbach a. d. Fils ... 94 T 12
Ebersbach-Musbach ... 102 W 12
Ebersberg ... 105 V 19
Ebersberger Forst ... 105 V 19
Ebersbrunn
(Kreis Kitzingen) .. 86 Q 15
Ebersbrunn
(Kreis Zwickauer Land) .. 66 O 21
Ebersburg ... 75 O 13
Eberschütz ... 51 L 12
Ebersdorf (Kreis Coburg) ... 77 P 17
Ebersdorf (Kreis Kronach) .. 77 O 18
Ebersdorf
(Kreis Löbau-Zittau) ... 69 M 28
Ebersdorf (Kreis
Rotenburg Wümme) .. 18 F 11
Ebersdorf
(Saale-Orla-Kreis) ... 78 O 19
Ebersdorf b. Coburg ... 77 P 17
Ebersgrün ... 66 O 20
Ebershausen ... 103 V 14
Ebersheim ... 73 Q 8
Eberspoint ... 106 U 20
Eberstadt (Kreis Gießen) .. 74 O 10
Eberstadt
(Kreis Heilbronn Land) .. 85 S 11
Eberstadt (Neckar-
Odenwald-Kreis) ... 85 R 12
Eberstadt (Darmstadt-) ... 84 Q 9
Eberstal ... 85 R 12
Eberstein ... 93 T 9
Ebersteinburg ... 93 T 8
Eberswalde ... 34 H 25
Eberswiler ... 92 U 7
Ebertshausen (Kreis Schmalkalden-
Meiningen) ... 64 O 15
Ebertshausen
(Kreis Schweinfurt) ... 76 P 15

Ebertsheim ... 83 R 8
Ebertswiese ... 64 N 15
Ebhausen ... 93 U 10
Ebingen ... 101 V 11
Ebmath ... 78 P 20
Ebnat ... 95 T 14
Ebnath ... 78 Q 19
Ebnet (Kreis Freiburg i. B.) 100 W 7
Ebnet (Kreis Waldshut) ... 101 W 8
Ebni-See ... 94 T 12
Eboldshausen ... 52 K 14
Ebrach ... 76 Q 15
Ebratshofen ... 111 X 14
Ebsdorf ... 62 N 10
Ebsdorfergrund ... 62 N 10
Ebstorf ... 31 G 15
Echbeck ... 102 W 11
Echelsbacher Brücke .. 112 W 16
Echem ... 21 F 15
Eching (Kreis Freising) .. 105 V 18
Eching (Kreis Landshut) .. 97 U 20
Eching a. Ammersee .. 104 V 17
Echte ... 52 K 14
Echteler ... 26 I 4
Echterdingen ... 94 T 11
Echternacherbrück ... 80 Q 3
Echtershausen ... 70 P 3
Echthausen ... 49 L 7
Echtz ... 58 N 3
Echzell ... 74 O 10
Eckardts ... 64 N 14
Eckardtshausen ... 64 N 14
Eckardtsheim ... 38 K 9
Eckardtsleben ... 64 M 16
Eckarts ... 75 P 13
Eckartsberga ... 65 M 18
Eckartshausen
(Kreis Haßberge) ... 76 P 16
Eckartshausen (Kreis
Schwäbisch-Hall) ... 95 S 13
Eckartshausen
(Wetteraukreis) ... 74 P 11
Eckartsweier ... 92 U 7
Eckbach ... 83 R 8
Eckel ... 19 F 13
Eckelshausen ... 62 N 9
Eckelsheim ... 83 Q 7
Eckenhagen ... 61 N 7
Eckenhaid ... 87 R 17
Eckental ... 87 R 17
Ecker ... 52 K 15
Eckernförde ... 5 C 13
Eckernförder Bucht ... 5 C 14
Eckersdorf ... 77 Q 18
Eckersmühlen ... 87 S 17
Eckerstausee ... 52 K 15
Eckerzell ... 90 S 21
Eckfeld ... 71 P 4
Ecklak ... 7 E 11
Ecklingerode ... 52 L 14
Eckmannsdorf ... 43 K 22
Eckmannshausen ... 61 N 8
Eckolstädt ... 66 M 18
Eckstedt ... 65 M 17
Eckwarden ... 18 F 8
Eckwarder ... 18 F 8
Eckwarderhörne ... 18 F 8
Eckweisbach ... 64 O 13
Eddelak ... 7 E 11
Eddelstorf ... 31 G 15
Edderitz ... 54 K 19
Eddesse ... 40 I 14
Eddigehausen ... 103 V 14
Edelbeuren ... 103 V 14
Edelsberg (Kreis
Limburg-Weilburg) ... 74 O 8
Edelsfeld ... 88 R 19
Edelshausen ... 96 U 17
Edemissen (Kreis Northeim) 51 K 13
Edemissen (Kreis Peine) ... 40 I 14
Edenbachen ... 103 V 14
Edendorf ... 8 E 12
Edenkoben ... 83 S 8
Edenstetten ... 98 T 22
Eder ... 61 N 8
Ederbringhausen ... 62 M 10
Ederen ... 58 N 2
Ederheim ... 95 T 15
Edermünde ... 51 M 12
Edersleben ... 53 L 17
Edertal ... 63 M 11
Edesheim (Kreis Northeim) 52 K 13
Edesheim (Kreis
Südliche Weinstraße) ... 83 S 8
Edewecht ... 27 G 7
Edewechterdamm ... 27 G 7

Ediger-Eller ... 71 P 5
Edingen ... 62 O 8
Edingen-Neckarhausen .... 84 R 9
Edlau ... 54 K 19
Edling b. Rosenheim .. 105 W 20
Edling b. Wasserburg .. 105 V 20
Edmund-Probst-Haus .. 111 X 15
Eesch ... 7 D 11
Effeld ... 58 M 2
Effelder (Kreis Eichsfeld) .. 52 M 14
Effelder (Kreis Sonneberg) . 77 O 17
Effeln ... 50 L 9
Effelsberg ... 60 O 4
Effelter ... 77 O 18
Effeltrich ... 87 R 17
Efringen-Kirchen ... 108 X 6
Efze ... 63 M 12
Egeln ... 42 K 18
Egelsbach ... 74 Q 9
Egenhausen
(Kreis Freudenstadt) ... 93 U 9
Egenhausen (Kreis Neustadt a. d.
A.-Bad W.) ... 86 R 15
Egenhausen
(Kreis Schweinfurt) ... 76 P 14
Egenhofen ... 104 V 17
Eger (Fluß b. Nördlingen) .. 95 T 15
Eger (Fluß b. Selb) ... 79 P 20
Egesheim ... 101 V 10
Egestorf ... 30 G 14
Egestorf a. Deister ... 39 J 12
Egg ... 98 T 22
Egg a. d. Günz ... 103 V 14
Egge (Kreis
Grafschaft-Bentheim) .. 36 I 4
Egge (Kreis
Hameln-Pyrmont) ... 39 J 11
Eggebek ... 5 C 12
Eggegebirge ... 50 K 10
Eggegebirge und Südlicher
Teutoburger Wald
(Naturpark) ... 50 K 10
Eggelingen ... 17 F 7
Eggelogerfeld ... 17 G 7
Eggenbach ... 77 P 16
Eggenfelden ... 106 U 22
Eggenrot ... 95 T 14
Eggenstedt ... 41 J 17
Eggenstein-Leopoldshafen 93 S 9
Eggenthal ... 103 W 15
Eggeringhausen ... 50 L 10
Eggermühlen ... 27 I 7
Eggerode ... 36 J 5
Eggersberg ... 97 T 18
Eggersdorf ... 42 K 19
Eggersdorf b. Müncheberg 45 I 26
Eggersdorf b. Strausberg .. 34 I 25
Eggesin ... 25 E 26
Eggoetedt ... 18 G 9
Eggingen (Kreis Ulm) .. 103 U 13
Eggingen (Kreis Waldshut) 109 W 9
Egglfing ... 107 V 23
Egglham ... 98 U 23
Egglkofen ... 106 U 21
Eggmannsried ... 102 W 13
Eggmühl ... 97 T 20
Eggolsheim ... 87 Q 17
Eggstätt ... 106 W 21
Eggstedt ... 7 D 11
Eggstetten ... 106 V 22
Eglfing ... 112 W 17
Egling ... 105 W 18
Egling a. d. Paar ... 104 V 16
Eglinglen
(Kreis Heidenheim) ... 95 T 15
Eglingen
(Kreis Reutlingen) .. 102 U 12
Egloffstein ... 87 Q 17
Eglofs ... 111 X 13
Egmating ... 105 V 19
Egringen ... 108 W 6
Egsdorf ... 44 J 24
Egstedt ... 65 N 17
Egweil ... 96 T 17
Ehebach ... 86 R 15
Ehekirchen ... 96 U 17
Ehenfeld ... 88 R 19
Ehestetten ... 102 V 12
Ehingen (Donau-Kreis) .. 102 V 13
Ehingen
(Kreis Ansbach Land) .. 95 S 15
Ehingen
(Kreis Augsburg Land) .. 96 U 16
Ehingen (Mühlhausen-) .. 101 W 10
Ehingen a. Ries ... 95 T 15
Ehle ... 42 J 19

Ehlen ... 51 M 11
Ehlenz ... 70 P 3
Ehlersdorf ... 8 C 13
Ehlershausen ... 40 I 14
Ehlhalten ... 74 P 9
Ehlscheid ... 61 O 6
Ehmen ... 41 I 16
Ehndorf ... 8 D 13
Ehningen ... 93 U 10
Ehra-Lessien ... 31 I 16
Ehrang ... 72 Q 4
Ehren ... 27 H 7
Ehrenberg (Kreis
Altenburger Land) .. 66 N 21
Ehrenberg (Kreis
Sächsische Schweiz) .. 68 N 26
Ehrenberg (Rhön) ... 76 O 14
Ehrenburg (Kreis Diepholz) 29 H 10
Ehrenburg (Kreis
Mayen-Koblenz) ... 71 P 6
Ehrenfeld ... 59 N 4
Ehrenfriedersdorf ... 67 O 22
Ehrenhain ... 67 N 21
Ehrenkirchen ... 100 W 7
Ehrenstein ... 65 N 17
Ehrenstetten ... 100 W 7
Ehrenzipfel ... 79 O 22
Ehrhorn ... 30 G 13
Ehringen ... 51 L 11
Ehringhausen ... 50 L 9
Ehringshausen
(Lahn-Dill-Kreis) ... 63 N 11
Ehringshausen
(Vogelsbergkreis) ... 62 O 9
Ehrsberg ... 108 W 7
Ehrstädt ... 84 S 10
Ehrsten ... 51 L 12
Eibach (Kreis Erding) .. 105 V 20
Eibach (Kreis Nürnberg) .. 87 R 17
Eibau ... 69 N 28
Eibelshausen ... 62 N 9
Eibelstadt ... 86 Q 14
Eibenstock ... 79 O 21
Eibenstock Stausee ... 79 O 21
Eibsee ... 112 X 16
Eich (Kreis Alzey-Worms) .. 84 Q 9
Eich (Kreis Mayen-Koblenz) 71 O 6
Eicha ... 76 O 15
Eichede ... 20 E 15
Eichelberg
(Kreis Karlsruhe) .. 84 S 10
Eichelberg (Kreis Neustadt a. d.
A.-Bad W.) .. 86 R 15
Eichelhardt ... 61 N 7
Eichelsachsen ... 75 O 11
Eichelsdorf
(Kreis Haßberge) ... 76 P 15
Eichelsdorf (Wetteraukreis) 74 O 11
Eichen (Kreuztal-) ... 61 N 7
Eichen (Nidderau-) ... 74 P 10
Eichenau ... 104 V 17
Eichenbarleben ... 42 J 18
Eichenberg ... 51 L 13
Eichenbühl ... 85 Q 11
Eichendorf ... 98 U 22
Eichenfelde ... 33 G 21
Eichenhüll ... 77 Q 17
Eichenlaubstraße ... 81 R 4
Eichenried ... 105 V 19
Eichenzell ... 75 O 13
Eicherloh ... 105 V 19
Eicherscheid (Kreis Aachen) 70 O 2
Eicherscheid
(Kreis Euskirchen) ... 60 O 4
Eichfeld ... 86 Q 14
Eichhagen ... 61 M 7
Eichhof ... 59 M 5
Eichhofsberg ... 18 E 11
Eichholz ... 21 E 16
Eichholz-Drößig ... 56 L 24
Eichhorst (Kreis Barnim) .. 34 H 24
Eichhorst (Kreis
Mecklenburg-Strelitz) .. 24 F 24
Eichigt ... 79 O 20
Eichlinghofen ... 47 L 6
Eichow ... 56 K 26
Eichsfeld ... 52 L 14
Eichstädt ... 34 H 23
Eichstätt ... 96 T 17
Eichstegen ... 102 W 12
Eichstetten ... 100 V 7
Eichtersheim ... 84 S 10
Eichwalde ... 44 I 24
Eichwerder ... 35 H 26
Eickelberg ... 22 E 19
Eickelborn ... 50 L 8

Eickeloh ... 30 H 12
Eickendorf
(Kreis Schönebeck) .. 42 K 19
Eickendorf (Ohrekreis) .... 41 I 17
Eickenrode ... 40 I 14
Eickhorst ... 39 J 10
Eicklingen ... 40 I 14
Eicks ... 60 O 3
Eickstedt ... 25 G 26
Eidengesäß ... 75 P 11
Eider ... 9 D 14
Eider-Sperrwerk ... 7 D 10
Eiderstedt ... 7 C 10
Eidinghausen ... 39 J 10
Eidumtief ... 4 B 8
Eiersheim ... 85 R 12
Eifa (Kreis
Waldeck-Frankenberg) .. 62 N 9
Eifa (Vogelsbergkreis) ... 63 N 12
Eifel ... 70 P 4
Eifelpark ... 80 Q 3
Eigeltingen ... 101 W 10
Eigenrieden ... 52 M 14
Eigenrode ... 52 M 15
Eikamp ... 59 M 5
Eikeloh ... 50 L 9
Eilenburg ... 55 L 21
Eilendorf ... 58 N 2
Eilensen ... 51 K 13
Eilenstedt ... 41 K 17
Eilsdorf ... 41 K 16
Eilsdorf (Kreis Segeberg) .. 9 E 15
Eilshausen ... 38 J 9
Eilsleben ... 41 J 17
Eilsum ... 16 F 5
Eilte ... 30 H 12
Eilversen ... 51 K 11
Eilvese ... 39 I 12
Eimbeckhausen ... 39 J 12
Eime ... 40 J 13
Eimeldingen ... 108 X 6
Eimelrod ... 50 M 10
Eimen ... 51 K 13
Eimersleben ... 41 J 17
Eimke ... 31 H 14
Eimsbüttel ... 19 F 13
Einartshausen ... 74 O 11
Einbach ... 100 V 8
Einbeck ... 51 K 13
Eine ... 53 L 18
Einecke ... 49 L 8
Einemhof ... 20 G 14
Einen (Kreis Vechta) ... 28 H 9
Einen (Kreis Warendorf) .... 37 K 7
Einfeld ... 9 D 13
Einhaus ... 21 E 16
Einhausen ... 84 Q 9
Eining ... 97 T 19
Einöd ... 82 S 5
Einödriegel ... 91 T 23
Einödsbach ... 111 Y 14
Einöllen ... 81 R 6
Einruhr ... 70 O 3
Einsal ... 49 M 6
Einsbach ... 104 V 17
Einsiedel ... 67 N 22
Einsiedlerhof ... 81 R 7
Einsingen ... 103 U 13
Einste ... 29 H 11
Einswarden ... 18 F 9
Eintürnen ... 102 W 13
Einum ... 40 J 14
Einwinkel ... 32 H 18
Eiringhausen ... 49 M 7
Eisbergen ... 39 J 11
Eisborn ... 49 L 7
Eischleben ... 65 N 16
Eischott ... 41 I 16
Eisdorf ... 52 K 14
Eiselfing ... 105 V 20
Eisemroth ... 62 N 9
Eisen ... 81 R 5
Eisenach
(Kreis Bitburg-Prüm) .. 80 Q 3
Eisenach (Kreis Eisenach) . 64 N 14
Eisenärzt ... 106 W 21
Eisenbach (Hessen) ... 63 O 12
Eisenbach (Selters-) ... 74 O 8
Eisenbach
(Hersfeld-Rotenburg) .. 63 N 12
Eisenberg
(Kreis Ostallgäu) .. 111 X 15
Eisenberg
(Saale-Holzland-Kreis) .... 66 N 19
Eisenberg (Pfalz) ... 83 R 8
Eisenbernreut ... 99 T 24

Eisenbühl ... 78 O 19
Eisenharz ... 111 W 13
Eisenheim ... 76 Q 14
Eisenhüttenstadt ... 45 J 27
Eisenschmitt ... 70 P 4
Eiserfeld (Kreis
Siegen-Wittgenstein) .. 61 N 7
Eisern ... 61 N 8
Eisfeld ... 77 O 16
Eisingen (Enzkreis) ... 93 T 10
Eisingen (Kreis Würzburg) . 85 Q 13
Eisleben Lutherstadt ... 53 L 18
Eislingen ... 94 T 13
Eismannsberg ... 87 R 18
Eissel ... 29 H 11
Eissen ... 51 L 11
Eisten ... 27 H 6
Eitelborn ... 73 O 7
Eitensheim ... 96 T 17
Eiterbach ... 84 R 10
Eiterfeld ... 63 N 13
Eiterhagen ... 63 M 12
Eitlbrunn ... 90 S 20
Eitorf ... 59 N 6
Eitra ... 63 N 12
Eitting (Kreis Erding) .. 105 U 19
Eitting (Kreis
Straubing-Bogen) ... 98 T 21
Eitze ... 29 H 11
Eitzen I ... 31 G 15
Eitzendorf ... 29 H 11
Eitzum ... 40 J 13
Eiweiler ... 81 R 4
Eixen ... 12 D 22
Eixendorfer See ... 89 R 21
Ekel ... 8 D 12
Ekelmoor ... 19 G 12
Ekenis ... 5 C 13
Ekern ... 27 G 7
Elbbach ... 61 O 7
Elbe (Fluß) ... 19 F 13
Elbe (Fluß) ... 51 M 11
Elbe (Gemeinde) ... 40 J 14
Elbe-Havel-Kanal ... 42 J 19
Elbe-Lübeck-Kanal ... 21 F 15
Elbe-Seitenkanal ... 31 I 15
Elben ... 61 N 7
Elbenau ... 42 J 19
Elbenberg ... 51 M 11
Elberfeld ... 48 M 5
Elbergen
(Kreis Cloppenburg) ... 27 H 7
Elbergen (Kreis Emsland) .. 36 I 5
Elbersroth ... 86 S 15
Elbetal (Naturpark) ... 32 G 17
Elbingerode ... 52 L 14
Elbingerode (Harz) ... 53 K 16
Elbrinxen ... 39 K 11
Elbsandstein Gebirge ... 68 N 26
Elbtal ... 61 O 8
Elbtunnel ... 19 F 13
Elbufer-Drawehn
(Naturpark) ... 31 G 16
Elbuferstraße ... 31 G 16
Elchesheim-Illingen ... 93 T 8
Elchingen ... 103 U 14
Elchingen
auf dem Härtsfeld ... 95 T 14
Eldagsen ... 40 J 12
Elde ... 22 F 18
Eldena (Kreis Ludwigslust) . 32 G 18
Eldena
(Stadtkreis Greifswald) ... 14 D 24
Eldenburg ... 32 G 18
Eldingen ... 31 H 15
Elend ... 52 K 16
Elfershausen ... 76 P 13
Elgersburg ... 65 N 16
Elgersweier ... 100 U 7
Eliasbrunn ... 77 O 18
Elisabeth-Sophien-Koog .. 4 C 10
Elisabethfehn ... 27 G 7
Elisabethfehn Kanal ... 27 G 7
Elisabethfehn Süd ... 27 G 7
Elisabethfehn West ... 27 G 7
Elisabethzell ... 91 S 22
Elkenroth ... 61 N 7
Elkerhausen ... 74 O 8
Elkeringhausen ... 50 M 9
Elkhausen ... 61 N 7
Elkofen ... 105 V 19
Ellar ... 61 O 8
Ellefeld ... 79 O 21
Ellen ... 58 N 3
Ellenbach ... 84 Q 10

Ellenberg (Kreis
  Schleswig-Flensburg) .....5 C 13
Ellenberg (Kreis
  Westliche Altmark) ....31 H 16
Ellenberg (Ostalbkreis) ......95 S 14
Ellenbogen ....64 O 14
Ellenbrunn ....96 T 17
Ellenfeld ....89 Q 21
Ellensen ....51 K 13
Ellenserdammersiel ....17 F 8
Ellenstedt ....28 H 9
Ellenz-Poltersdorf ....71 P 5
Eller (Mosel) ....71 P 5
Ellerau ....19 E 13
Ellerbach ....91 T 23
Ellerbek ....19 F 13
Ellerbrock ....27 H 7
Ellerdorf ....8 D 13
Ellerhoop ....19 E 13
Elleringhausen ....50 L 9
Elleringhausen (Twistetal-) 50 M 11
Ellern (Hunsrück) ....73 Q 6
Ellerndorf ....31 H 14
Ellershausen ....51 L 13
Ellertshäuser See ....76 P 15
Ellewick ....36 J 4
Ellgau ....96 U 16
Ellhöft ....1 B 10
Ellhofen (Kreis Heilbronn) ..94 S 11
Ellhofen (Kreis Lindau) ....111 X 13
Ellierode ....51 L 13
Ellingen (Kreis Uckermark) . 25 F 25
Ellingen (Kreis Weißenburg-
  Gunzenhausen) ....96 S 16
Ellingshausen ....63 N 12
Ellingstedt ....5 C 12
Ellmannsweiler ....103 V 13
Ellmendingen ....93 T 9
Ellrich ....52 L 15
Ellrichshausen ....86 S 14
Ellringen ....31 G 16
Ellund ....5 B 11
Ellwangen (Kreis Biberach) 103 W 13
Ellwangen (Ostalbkreis) .....95 T 14
Ellwanger Berge ....95 S 14
Ellweiler ....81 R 5
Ellzee ....103 U 14
Elm (Dorf) ....19 F 11
Elm (Wald) ....41 J 16
Elm b. Schlüchtern ....75 O 12
Elm-Hochstraße ....41 J 16
Elm-Lappwald (Naturpark) 41 J 16
Elmarshausen ....51 L 11
Elmau ....112 X 17
Elmendorf ....17 G 8
Elmenhorst
  (Kreis Bad Doberan) ......11 D 20
Elmenhorst (Kreis Herzogtum
  Lauenburg) ....21 F 15
Elmenhorst (Kreis
  Nordvorpommern) ....13 D 23
Elmenhorst (Kreis
  Nordwestmecklenburg) ...10 E 19
Elmenhorst
  (Kreis Stormarn) ....20 E 14
Elmlohe ....18 F 10
Elmpt ....58 M 2
Elmshorn ....19 E 12
Elmstein ....83 R 7
Elnhausen ....62 N 10
Elnrode ....63 N 11
Elpe ....50 M 9
Elpenrod ....62 N 11
Elpersbüttel ....7 D 11
Elpersdorf ....86 S 15
Elpersheim ....85 R 13
Elsa ....77 O 16
Elsdorf (Erftkreis) ....58 N 3
Elsdorf (Kreis Mittweida) ....67 N 22
Elsdorf (Kreis
  Rendsburg-Eckernförde) ...8 D 12
Elsdorf (Kreis
  Rotenburg Wümme) ....19 G 12
Elsdorf-Westermühlen ....8 D 12
Else ....38 J 8
Elsen ....50 K 10
Elsendorf (Kreis Bamberg) . 86 Q 15
Elsendorf (Kreis Kelheim) ...97 T 19
Elsenfeld ....75 Q 11
Elsenz ....84 S 10
Elsfleth ....18 G 9
Elsheim ....73 Q 8
Elsholz ....43 J 22
Elsnig ....55 L 22
Elsnigk ....54 K 20
Elsoff ....62 M 9
Elsoff (Westerwald) ....61 O 8

Elspe ....61 M 8
Elstal ....43 I 22
Elsten ....27 H 8
Elster ....55 K 22
Elster Gebirge ....79 P 20
Elsterberg ....66 O 20
Elstertrebnitz ....66 M 20
Elsterwerda ....56 L 24
Elstorf ....19 F 13
Elstra ....68 M 26
Elten ....46 K 2
Elterlein ....67 O 22
Eltern ....27 H 6
Elters ....63 O 13
Eltersdorf ....87 R 16
Eltingshausen ....76 P 14
Eltmann ....76 Q 16
Eltmannshausen ....64 M 13
Eltville ....73 P 8
Eltz ....71 P 6
Elze ....40 I 14
Elverdissen ....38 J 9
Eversberg ....81 S 5
Elxleben (Ilmkreis) ....65 N 17
Elxleben (Kreis Sömmerda) 65 M 16
Elz ....73 O 8
  (Kreis Emmendingen) ...100 V 8
Elzbach (Fluß b. Monreal) ..71 P 5
Elzbach (Fluß b. Mosbach) 85 R 11
Elze (Kreis Hannover) ....30 I 13
Elze (Kreis Hildesheim) ......40 J 13
Elztal ....85 R 11
Embken ....58 N 3
Embsen ....31 G 15
Embühren ....8 D 12
Emden (Kreis Emden) ....16 F 5
Emden (Ohrekreis) ....41 J 17
Emen ....26 H 5
Emerkingen ....102 V 12
Emern ....31 H 16
Emersacker ....96 U 16
Emersleben ....41 K 17
Emertsham ....106 V 21
Emhof ....88 S 19
Emkendorf (Kreis Plön) ....9 C 15
Emkendorf (Kreis
  Rendsburg-Eckernförde) ...8 D 13
Emleben ....64 N 16
Emlichheim ....26 I 4
Emmeln ....26 H 5
Emmelsbüll-Horsbüll ....4 B 10
Emmelshausen ....71 P 6
Emmen ....31 H 15
Emmendingen ....100 V 7
Emmendorf ....31 G 15
Emmer ....39 J 12
Emmerich ....46 K 2
Emmerichenhain ....61 O 8
Emmering
  (Kreis Ebersberg) ....105 W 20
Emmering (Kreis
  Fürstenfeldbruck) ....104 V 17
Emmerke ....40 J 13
Emmersdorf ....98 U 23
Emmershausen ....74 O 9
Emmerstausee ....39 K 11
Emmerstedt ....41 J 16
Emmerting ....106 V 22
Emmerzhausen ....61 N 8
Emmingen ....93 U 10
Emmingen-Liptingen ....101 W 10
Empede ....39 I 12
Empel ....46 K 3
Empfertshausen ....64 O 14
Empfingen ....101 U 10
Ems (Fluß) ....36 I 5
Ems-Jade-Kanal ....16 F 5
Ems-Vechte-Kanal ....36 I 5
Emsbüren ....36 I 5
Emscher ....47 L 4
Emsdetten ....37 J 6
Emsdorf ....62 N 10
Emseloh ....53 L 18
Emsing ....96 S 17
Emskirchen ....86 R 16
Emsland ....26 H 5
Emstal
  (Kreis Kassel Land) ....51 M 11
Emstal (Kreis
  Potsdam-Mittelmark) .....43 J 22
Emstek ....27 H 8
Emstekerfeld ....27 H 8
Emstunnel ....17 G 6
Emtinghausen ....29 H 10

Emtmannsberg ....78 Q 18
Endeholz ....31 H 14
Endel ....28 H 8
Endenburg ....108 W 7
Enderndorf ....96 S 16
Endersbach ....94 T 12
Endingen ....100 V 7
Endlhausen ....105 W 18
Endorf
  (Hochsauerlandkreis) .....49 M 8
Endorf (Kreis
  Aschersleben-Staßfurt) ...53 K 18
Endsee ....86 R 14
Engar ....51 L 11
Engden ....36 I 5
Engdener Wüste ....36 I 5
Enge-Sande ....4 B 10
Engehausen ....30 H 13
Engelade ....52 K 14
Engelau ....9 D 15
Engelbach ....62 N 9
Engelbostel ....40 I 12
Engelbrechtsmünster ....97 T 18
Engelgau ....60 O 4
Engelmannsreuth ....88 Q 18
Engeln ....29 H 10
Engeln ....71 O 5
Engelrod ....63 O 11
Engelsberg
  (Kreis Altötting) ....106 V 21
Engelsberg (Kreis Neumarkt i. d.
  Oberpfalz) ....88 S 18
Engelsbrand ....93 T 9
Engelschoff ....19 F 12
Engelschwand ....108 W 8
Engelsdorf ....89 S 21
Engelsdorf (Leipzig) ....54 L 21
Engelshütt ....91 S 23
Engelskirchen ....59 N 6
Engelstadt ....73 Q 8
Engelthal ....87 R 18
Engelswies ....102 V 11
Engeltal ....37 I 8
Enger ....38 J 9
Engeratsgundhof ....111 X 15
Engersen ....32 I 18
Engers ....71 O 6
Engersham ....99 U 24
Engertied ....103 W 15
Engishausen ....103 V 14
Engleshof ....89 R 20
Engpaß Klobenstein ....114 W 21
Engstingen ....102 U 11
Engstlatt ....101 V 10
Engter ....37 I 8
Enheim ....86 R 14
Eningen u. Achalm ....94 U 11
Enkenbach ....83 R 7
Enkenbach-Alsenborn ....83 R 7
Enkering ....96 T 18
Enkhausen ....50 M 8
Enkirch ....72 Q 5
Ennabeuren ....102 U 12
Ennepe-Stausee ....49 M 6
Ennepetal ....49 M 6
Ennest ....61 M 7
Enniger ....49 K 7
Ennigerloh ....49 K 8
Ennigloh ....38 J 9
Ensdorf (Kreis
  Amberg-Sulzbach) ....88 R 19
Ensdorf (Kreis Saarlouis) ...80 S 4
Ense ....49 L 7
Ensfeld ....96 T 17
Entenbühl ....89 Q 21
Entfelten ....114 W 21
Entraching ....93 U 10
Entrup (Kreis Höxter) ....51 K 11
Entrup (Kreis Lippe) ....39 J 10
Enz (Fluß) ....80 Q 2
Enz (Fluß) ....93 T 9
Enzberg ....93 T 10
Enzen (Kreis Euskirchen) ...58 O 4
Enzen (Kreis Schaumburg) 39 J 11
Enzenstetten ....111 X 15
Enzklösterle ....93 T 9
Enzlar ....86 Q 15
Enzweihingen ....93 T 10
Epe ....36 J 5
Epenwöhrden ....7 D 11
Epfach ....104 W 16
Epfenbach ....84 R 10
Epfenhausen ....104 V 16
Epgert ....61 O 6

Eppe ....50 M 10
Eppelborn ....81 R 4
Eppelheim ....84 R 9
Eppelsheim ....83 Q 8
Eppenbrunn ....92 S 6
Eppendorf ....67 N 23
Eppenreuth ....89 Q 20
Eppenrod ....73 O 7
Eppenschlag ....99 T 23
Eppertshausen ....74 Q 10
Eppingen ....93 S 10
Epprechtstein ....103 V 15
Eppstein ....74 P 9
Equarhofen ....86 R 14
Equord ....40 J 14
Erasbach ....96 S 18
Erbach ....103 V 13
Erbach
  (Kreis Mainz-Bingen) .....73 P 7
Erbach (Bad Camberg-) .....73 P 8
Erbach i. Odenwald ....84 R 10
Erbendorf ....88 Q 20
Erbenhausen ....64 O 14
Erbenheim ....74 P 8
Erbes-Büdesheim ....83 Q 8
Erbeskopf ....81 Q 5
Erbfeld ....51 L 13
Erbhausen ....76 Q 14
Erbrach ....74 P 10
Erbstetten ....102 V 12
Erbstorf ....21 G 15
Erbstorf ....87 R 17
Erbuch ....84 R 11
Erda ....62 N 9
Erdeborn ....53 L 18
Erdebrück ....62 N 8
Erding ....105 V 19
Erdingen ....61 N 7
Erdinger Moos ....105 V 19
Erdmannhausen ....94 T 11
Erdmannrode ....63 N 13
Erdmannsdorf
  (Lippersdorf-) ....66 N 19
Erdmannshain ....55 M 21
Erdmannshöhle ....108 X 7
Erdorf ....70 P 3
Erdweg ....104 V 17
Eremitage ....77 Q 18
Eresing ....104 V 17
Eresried ....104 V 17
Erfa ....85 R 12
Erfde ....7 D 11
Erfelden ....74 Q 9
Erfenbach ....83 R 7
Erft ....60 O 4
Erftstadt ....59 N 4
Erfurt ....65 N 17
Erfurt-Binderslebeen
  (Flughafen) ....65 N 16
Erfweiler ....83 S 7
Erfweiler-Ehlingen ....82 S 5
Ergenzingen ....93 U 10
Ergersheim ....86 R 14
Ergertshausen ....105 W 18
Erggertshofen ....97 S 18
Ergolding ....97 U 20
Ergolding-Piflas ....97 U 20
Ergoldsbach ....97 T 20
Ergste ....47 L 6
Erharting ....106 V 21
Erichhagen ....29 H 11
Erichshagen ....29 H 11
Ering ....107 V 23
Eringerfeld ....50 L 9
Eriskirch ....110 X 12
Eriskirch ....110 X 12
Erkelenz ....58 M 2
Erkenbrechtsweiler ....94 U 12
Erkensruhr ....70 O 3
Erkerode ....41 J 16
Erkershausen ....63 M 13
Erkheim ....103 V 15
Erksdorf ....62 N 11
Erkshausen ....63 M 13
Erla ....79 O 22
Erlabrunn (Kreis
  Aue-Schwarzenberg) ....79 O 22
Erlach ....86 Q 14
Erlach a. Main ....75 Q 12
Erlangen ....87 R 17
Erlau (Fluß) ....99 U 24
Erlau (Kreis
  Hildburghausen) ....64 O 16
Erlau (Kreis Mittweida) ......67 M 22

Erlau (Kreis Passau) ....99 U 24
Erlauzwiesel ....99 T 24
Erlbach (Elstertalkreis) ......79 P 21
Erlbach (Kreis Altötting) ..106 V 22
Erlbach (Muldentalkreis) ....67 M 22
Erlbach-Kirchberg ....67 N 22
Erle ....47 K 4
Erlenbach (Fluß z. Rhein) ..92 S 8
Erlenbach (Kreis Heilbronn) 85 S 11
Erlenbach (Neckar-
  Odenwald-Kreis) ....85 R 12
Erlenbach (Odenwaldkreis) 84 R 11
Erlenbach a. Main ....85 Q 11
Erlenbach b. Dahn ....92 S 7
Erlenbach b.
  Marktheidenfeld ....85 Q 12
Erlenbrunn ....83 S 6
Erlenkopf ....83 S 7
Erlenmoos ....103 V 13
Erlensee ....74 P 10
Erligheim ....94 S 11
Erlinghausen ....50 L 10
Erlstätt ....106 W 21
Erlte ....28 H 8
Erlenbach ....47 K 6
Ermendorf ....76 Q 14
Ermershausen ....76 P 15
Ermingen ....103 V 13
Ermke ....27 H 7
Ermlitz ....54 L 20
Ermreuth ....87 R 17
Ermschwerd ....51 L 13
Ermsleben ....53 K 18
Ermstedt ....65 N 16
Ermstal ....85 R 11
Ermsthal ....77 O 17
Erms ....58 N 4
Erolzheim ....103 V 14
Erp ....58 N 4
Erpel ....60 O 5
Erpensen ....31 H 16
Erpentrup ....50 K 11
Erpfingen ....102 U 11
Erpfting ....104 V 16
Erzen ....51 L 11
Ershausen ....52 M 14
Ersingen
  (Alb-Donau-Kreis) ....102 V 13
Ersingen (Enzkreis) ....93 T 9
Ersrode ....63 N 12
Ertingen ....102 V 12
Erwitte ....50 L 9
Erwitzen ....51 K 11
Erxleben (Kreis Stendal) ....32 H 19
Erxleben (Ohrekreis) ....41 J 17
Erzberg ....86 S 14
Erzgebirge ....67 O 21
Erzgrube ....93 U 9
Erzhausen (Kreis
  Darmstadt-Dieburg) .....74 Q 9
Erzhausen (Kreis Northeim) 40 K 13
Erzingen (Kreis Waldshut) 109 X 9
Erzingen (Zollernalbkreis) 101 V 10
Esbeck (Kreis Helmstedt) ...41 J 16
Esbeck (Kreis Hildesheim) . 40 J 13
Esch (Erftkreis) ....58 N 3
Esch (Kreis Daun) ....70 O 3
Esch (Kreis Köln) ....59 M 4
Esch (Grafschaft-) ....60 O 5
Esch (Waldems-) ....74 P 8
Eschach ....95 T 13
Eschau ....85 Q 11
Eschbach
  (Hochtaunuskreis) ....74 O 9
Eschbach
  (Rhein-Lahn-Kreis) ....73 P 7
Eschbach b. Kirchzarten .100 V 7
Eschbach i. Schwarzwald 100 W 6
Eschborn
  (Main-Taunus-Kreis) .....74 P 9
Eschbronn ....101 V 9
Eschdorf ....68 M 25
Esche ....26 I 4
Escheberg ....51 L 11
Escheburg ....20 F 14
Eschede ....30 H 14
Eschefeld ....67 M 21

Eschelbach ....84 S 10
Eschelbronn ....84 S 10
Eschen ....77 Q 18
Eschenau (Kreis
  Erlangen-Höchstadt) .....87 R 17
Eschenau
  (Kreis Heilbronn) ....94 S 12
Eschenbach
  (Kreis Göppingen) ....94 U 13
Eschenbach (Kreis
  Nürnberger Land) ....87 R 18
Eschenbach (Kreis
  Siegen-Wittgenstein) .....61 N 8
Eschenbach i. d. Oberpfalz 88 Q 19
Eschenberg ....91 T 23
Eschenbergen ....64 M 16
Eschenbruch ....39 K 11
Eschenburg ....62 N 9
Eschenfelden ....87 R 18
Eschenlohe ....112 X 17
Eschenrod ....75 O 11
Eschenstruth ....51 M 12
Eschental ....85 S 13
Eschenzdorf ....76 Q 14
Escherode ....51 M 12
Eschershausen
  (Kreis Holzminden) ......40 K 12
Eschershausen
  (Kreis Northeim) ....51 K 12
Eschfeld ....70 P 2
Eschhofen ....73 O 8
Eschkopf ....83 S 7
Eschlbach (Kreis Erding) ..105 V 20
Eschlbach (Kreis
  Straubing-Bogen) ....98 T 21
Eschlkam ....89 S 22
Eschlbrücken ....84 Q 9
Eschwege ....64 M 14
Eschweiler (Kreis Aachen) . 58 N 2
Eschweiler
  (Kreis Euskirchen) ....60 O 4
Eschweiler ü. Feld ....58 N 3
Eselsbeck ....51 L 13
Eselsfürth ....83 R 7
Esenhausen ....102 W 12
Esens ....17 F 6
Esenshamm ....18 F 9
Esking ....36 J 6
Esklum ....17 G 6
Eslarn ....89 R 21
Eslohe ....49 M 8
Espasingen ....101 W 11
Espel ....37 I 7
Espelkamp ....38 I 9
Espeln ....50 K 9
Espenau ....51 L 11
Espenhain ....66 M 21
Espenschied ....73 P 7
Esperde ....39 J 12
Esperke ....30 I 12
Esperstedt (Kreis
  Merseburg-Querfurt) .....54 L 19
Esperstedt
  (Kyffhäuserkreis) ....53 L 17
Eßbach ....66 O 19
Esse ....51 L 12
Essel ....30 H 12
Esselbach ....75 Q 12
Essen (Kreis Cloppenburg) 27 H 7
Essen (Kreis Essen) ....47 L 5
Essenbach ....97 U 20
Essenbach ....97 U 20
Essenheim ....73 Q 8
Essentho ....50 L 10
Esseratsweiler ....110 X 13
Essern ....39 I 10
Essern ....39 I 10
Eßfeld ....86 Q 13
Eßleben ....76 Q 14
Esslingen ....94 T 11
Eßlingen
  (Kreis Bitburg-Prüm) .....80 Q 3
Eßlingen (Kreis Tuttlingen) 101 W 10
Eßweiler ....81 R 6
Este ....19 G 13
Estenfeld ....86 Q 14
Estenfeld ....86 Q 14
Estergebirge ....112 X 17
Esterwegen ....27 H 6
Esthal ....83 R 7

A
B
C
D
E
F
G
H
I
J
K
L
M
N
O
P
Q
R
S
T
U
V
W
X
Y
Z

Esting ... 104 V 17
Estorf (Kreis Nienburg) ... 29 I 11
Estorf (Kreis Stade) ... 19 F 11
Etelsen ... 29 H 11
Etgersleben ... 42 K 18
Etingen ... 41 I 17
Etsdorf ... 88 R 20
Ettal ... 112 X 17
Etteln ... 50 L 10
Ettenbeuren ... 103 U 15
Ettenbüttel ... 40 I 15
Ettenhausen ... 64 N 14
Ettenhausen (Kreis Schwäbisch-Hall) ... 85 R 13
Ettenhausen (Kreis Traunstein) ... 114 W 21
Ettenheim ... 100 V 7
Ettenheimmünster ... 100 V 7
Ettenstatt ... 96 S 17
Etterschlag ... 104 V 17
Etterwinden ... 64 N 14
Etterzhausen ... 90 S 19
Etting (Kreis Donau-Ries) ... 96 U 17
Etting (Kreis Ingolstadt) ... 96 T 18
Etting (Kreis Weilheim-Schongau) ... 112 W 17
Ettlenschieß ... 95 U 13
Ettling ... 98 T 22
Ettlingen ... 93 T 9
Ettlingenweier ... 93 T 9
Ettringen (Kreis Mayen-Koblenz) ... 71 O 5
Ettringen (Kreis Unterallgäu) ... 103 U 15
Etz ... 19 F 13
Etzdorf (Kreis Mittweida) ... 67 M 23
Etzdorf (Stadtkreis Halle) ... 54 L 19
Etzel ... 17 F 7
Etzelwang ... 87 R 18
Etzenborn ... 52 L 14
Etzenricht ... 88 R 20
Etzgersrieth ... 89 R 21
Etzin ... 43 I 22
Etzleben ... 53 M 17
Etzoldshain ... 67 M 21
Euba ... 67 N 23
Eubigheim ... 85 R 12
Eudenbach ... 59 N 6
Eudorf ... 63 N 11
Euenheim ... 58 O 4
Euerbach ... 76 P 14
Euerdorf ... 76 P 14
Euerfeld ... 86 Q 14
Euerhausen ... 85 R 13
Euernbach ... 96 U 18
Eugenbach ... 97 U 20
Eula ... 67 M 21
Eulatal ... 67 M 21
Eulbacher Park ... 84 Q 11
Euper ... 43 K 22
Eurasburg (Kreis Aichach-Friedberg) ... 104 U 17
Eurasburg (Kreis Bad Tölz-Wolfratshausen) ... 104 W 18
Euren ... 80 Q 3
Europa-Park ... 100 V 7
Euskirchen ... 59 O 4
Eußenhausen ... 76 O 14
Eußenheim ... 75 Q 13
Eußerthal ... 83 S 7
Eutendorf ... 94 S 13
Eutenhausen ... 103 W 15
Eutin ... 9 D 15
Eutingen ... 93 T 10
Eutingen i. Gäu ... 93 U 10
Eutrich ... 57 M 26
Eutzsch ... 55 K 21
Eveking ... 49 M 7
Evendorf ... 30 G 14
Evenhausen ... 106 V 20
Everingen ... 41 I 17
Everinghausen ... 29 G 11
Everloh ... 39 I 12
Evern ... 40 J 14
Everode ... 40 K 13
Eversberg ... 50 L 9
Eversen ... 51 K 11
Eversen (Kreis Celle) ... 30 H 14
Eversen (Kreis Rotenburg) ... 29 G 11
Eversmeer ... 17 F 6
Everswinkel ... 37 K 7
Evesen ... 39 J 10
Evessen ... 41 J 16
Eving (Dortmund) ... 47 L 6
Evinghoven ... 58 M 4
Evingsen ... 49 M 7
Ewattingen ... 101 W 9

Ewersbach ... 62 N 8
Ewiges Meer ... 17 F 6
Exdorf ... 76 O 15
Exing ... 98 U 22
Exten ... 39 J 11
Exter ... 39 J 10
Externsteine ... 39 K 10
Extertal ... 39 J 11

F

Fabrikschleichach ... 76 Q 15
Fachsenfeld ... 95 T 14
Fährdorf ... 10 E 18
Fährinsel ... 13 C 23
Fahle Heide ... 40 I 15
Fahlenbach ... 97 U 18
Fahlenscheid ... 61 M 7
Fahnersche Höhe ... 65 M 16
Fahr ... 76 Q 14
Fahrbinde ... 22 F 18
Fahrdorf ... 5 C 12
Fahrenbach ... 85 R 11
Fahrenberg ... 89 Q 21
Fahrendorf (Kreis Rotenburg) ... 18 F 11
Fahrendorf (Kreis Westliche Altmark) ... 31 H 16
Fahrenhorst ... 29 H 10
Fahrenkrug ... 9 E 14
Fahrenwalde ... 25 F 26
Fahrenzhausen ... 105 U 18
Fahretoft ... 4 B 10
Fahrland ... 43 I 23
Fahrnau ... 108 X 7
Fahrstedt ... 7 E 11
Faistenoy ... 111 X 14
Falken ... 64 M 14
Falken-Gesäß ... 84 R 10
Falkenau ... 67 N 23
Falkenberg (Dorf) ... 27 H 7
Falkenberg (Kreis Elbe-Elster) ... 55 L 23
Falkenberg (Kreis Östliche Altmark) ... 32 H 19
Falkenberg (Kreis Rottal-Inn) ... 106 U 22
Falkenberg (Kreis Soltau-Fallingbostel) ... 30 H 13
Falkenberg (Kreis Tirschenreuth) ... 79 Q 20
Falkenberg (Kreis Torgau-Oschatz) ... 55 L 22
Falkenberg (Mark) ... 35 H 25
Falkenberg b. Beeskow ... 45 J 26
Falkenberg b. Fürstenwalde ... 45 J 26
Falkenburg ... 28 G 9
Falkendorf ... 87 R 16
Falkenfels ... 90 S 21
Falkenhagen (Kreis Göttingen) ... 52 L 14
Falkenhagen (Kreis Havelland) ... 34 I 23
Falkenhagen (Kreis Lippe) ... 39 K 11
Falkenhagen (Kreis Märkisch-Oderland) ... 45 I 26
Falkenhagen (Kreis Prignitz) ... 33 G 20
Falkenhagen (Kreis Uckermark) ... 25 F 25
Falkenhain (Kreis Altenburger Land) ... 66 M 20
Falkenhain (Kreis Dahme-Spreewald) ... 44 K 24
Falkenhain (Kreis Muldentalkreis) ... 55 L 22
Falkenhain (Kreis Weißeritzkreis) ... 68 N 25
Falkenrehde ... 43 I 22
Falkensee ... 34 I 23
Falkenstein (Donnersbergkreis) ... 83 R 7
Falkenstein (Hochtaunuskreis) ... 74 P 9
Falkenstein (Kreis Cham) ... 90 S 21
Falkenstein (Kreis Quedlinburg) ... 53 K 17
Falkenstein (Kreis Schweinfurt) ... 76 Q 15
Falkenstein (Vogtland) ... 79 O 21

Falkenthal ... 34 H 23
Falkenwalde ... 25 G 26
Fall ... 113 X 18
Fallersleben ... 41 I 16
Fallingbostel ... 30 H 13
Falsbrunn ... 76 Q 15
Falshöft ... 5 B 13
Fambach ... 64 N 15
Farchant ... 112 X 17
Fargau ... 9 D 15
Fargau-Pratjau ... 9 D 15
Farge ... 29 G 9
Farmbeck ... 39 J 11
Farnewinkel ... 7 D 11
Farnroda ... 64 N 15
Farnstädt ... 53 L 18
Farschweiler ... 80 Q 4
Farsleben ... 42 J 18
Farve ... 9 D 16
Farven ... 19 F 11
Farwick ... 27 I 7
Fasanerie (Schloß) ... 75 O 13
Faßberg ... 30 H 14
Fassendorf ... 9 D 15
Faßmannsreuth ... 78 P 20
Fatschenbrunn ... 76 Q 15
Fauerbach b. Nidda ... 74 O 11
Fauerbach v. d. Höhe ... 74 O 9
Faulbach ... 85 Q 12
Faulenberg ... 86 S 14
Faulenfürst ... 100 W 8
Faulenrost ... 24 F 22
Faulück ... 5 C 13
Faulungen ... 64 M 14
Fautenbach ... 92 U 8
Favorite ... 93 T 8
Fechenbach ... 85 Q 12
Fechheim ... 77 P 17
Fechingen ... 82 S 5
Feddelingen ... 7 D 11
Fedderingen ... 7 D 11
Fedderwarden ... 17 F 8
Fedderwardergroden ... 17 F 8
Fedderwardersiel ... 18 F 9
Federow ... 24 F 22
Federsee ... 102 V 12
Feengrotten (Saalfeld) ... 65 O 18
Fehl-Ritzhausen ... 61 O 8
Fehmarn-Belt ... 10 C 17
Fehmarnsund ... 10 C 17
Fehmarnsund-brücke ... 10 C 17
Fehndorf ... 26 H 5
Fehrbellin ... 33 H 22
Fehrenbach ... 77 O 16
Fehrenbötel ... 9 E 14
Fehrow ... 45 K 26
Fehichten ... 106 V 21
Feilbingert ... 83 Q 7
Feilitzsch ... 78 O 19
Felbecke ... 62 M 8
Felchow ... 35 G 26
Felda ... 64 N 14
Feldafing ... 104 W 17
Feldatal ... 63 O 11
Feldberg (Kreis Breisgau-Hochschwarzwald) ... 100 W 8
Feldberg (Kreis Mecklenburg-Strelitz) ... 24 F 24
Feldberg (Stadt) ... 100 W 6
Feldberg (Schwarzwald) ... 100 W 8
Feldberger Seenlandschaft (Naturpark) ... 24 F 24
Felde (Kreis Ammerland) ... 17 G 7
Felde (Kreis Rendsburg-Eckernförde) ... 9 D 13
Felde (Kreis Verden) ... 29 H 10
Feldgeding ... 104 U 18
Feldhausen ... 47 L 4
Feldhausen ... 102 V 11
Feldkirch ... 100 W 6
Feldkirchen (Kreis München Land) ... 105 V 19
Feldkirchen (Kreis Straubing-Bogen) ... 98 T 21
Feldkirchen (Rhein) ... 71 O 6
Feldkirchen-Westerham ... 105 V 19
Feldkrücken ... 63 O 11
Feldmark ... 46 K 3
Feldmoching ... 105 V 19
Feldrennach ... 93 T 9
Feldsee ... 100 W 8
Feldstetten ... 94 U 12
Feldstedt ... 106 W 21
Felgeleben ... 42 J 19
Felgentreu ... 43 J 23
Fell ... 80 Q 4
Fellbach ... 94 T 11
Fellen ... 75 P 12

Fellerdilln ... 61 N 8
Fellheim ... 103 V 14
Fellingshausen ... 62 O 9
Felm ... 9 C 14
Felsberg (Kreis Saarlouis) ... 80 S 4
Felsberg (Schwalm-Eder-Kreis) ... 63 M 12
Felsen ... 27 H 6
Felsengärten ... 94 S 11
Fensterbach ... 88 R 20
Ferch ... 43 J 22
Ferchesar ... 33 I 21
Ferchland ... 42 I 20
Ferdinandshof ... 25 F 25
Ferdinandshorst ... 25 F 24
Fergitz ... 34 G 25
Fermerswalde ... 55 L 23
Ferna ... 52 L 14
Ferndorf ... 61 N 8
Fernwald ... 62 O 10
Ferschweiler ... 80 Q 3
Fessenheim ... 95 T 15
Feucht ... 87 R 17
Feuchtwangen ... 86 S 14
Feudingen ... 84 R 9
Feudenheim ... 62 N 8
Feuerbach ... 86 Q 14
Feuerschützenbostel ... 30 H 14
Feusdorf ... 70 O 3
Fichtelberg ... 79 O 22
Fichtelberg (Stadt) ... 78 Q 19
Fichtelgebirge ... 78 P 19
Fichtelgebirge (Naturpark) ... 78 P 19
Fichtelgebirgestraße ... 78 P 19
Fichtelnaab ... 78 Q 20
Fichtelsee ... 78 P 19
Fichtenau ... 95 S 14
Fichtenberg ... 94 T 13
Fichtenberg-Altenau ... 55 L 23
Fichtenwalde ... 43 J 22
Fickmühlen ... 18 F 10
Fiebing ... 17 F 7
Fiefbergen ... 9 C 15
Fiegenstall ... 96 S 17
Fiel ... 7 D 11
Fiener Bruch ... 43 J 20
Fienstedt ... 54 L 19
Fiestel ... 38 I 9
Filderstadt ... 94 T 11
Filke ... 76 O 14
Fils ... 94 T 13
Filsum ... 17 G 6
Filthen ... 23 F 21
Fincken ... 23 F 21
Findorf ... 18 F 10
Finkenbach ... 84 R 10
Finkenkrug ... 34 I 23
Finkenthal ... 14 E 22
Finkenwerder (Hamburg) ... 19 F 13
Finkhaus ... 4 C 11
Finne ... 65 M 18
Finnentrop ... 61 M 7
Finning ... 104 W 17
Finningen ... 95 U 15
Finow ... 34 H 25
Finow (Bach) ... 34 H 24
Finowfurt ... 34 H 25
Finsing ... 105 V 19
Finsterau ... 99 T 24
Finsterbergen ... 64 N 15
Finsterlohr ... 86 R 14
Finsterwalde ... 56 L 25
Fintel ... 30 G 13
Finthen ... 73 Q 8
Fischach ... 103 V 15
Fischach (Bodenseekreis) ... 110 W 12
Fischbach (Kreis Biberach a. d. Riß) ... 102 V 13
Fischbach (Kreis Birkenfeld) ... 81 Q 6
Fischbach (Kreis Coburg) ... 77 O 17
Fischbach (Kreis Haßberge) ... 76 P 16
Fischbach (Kreis Kaiserslautern) ... 83 R 7
Fischbach (Kreis Kronach) ... 77 P 18
Fischbach (Kreis Meißen-Dresden) ... 68 M 26
Fischbach (Kreis Nürnberger Land) ... 87 R 17
Fischbach (Kreis Rosenheim) ... 113 W 20
Fischbach (Kreis Saarbrücken) ... 81 S 5
Fischbach (Kreis Schwandorf) ... 89 S 20

Fischbach (Main-Taunus-Kreis) ... 74 P 9
Fischbach (Rheingau-Taunus-Kreis) ... 73 P 8
Fischbach (Schwarzwald-Baar-Kreis) ... 101 V 9
Fischbach b. Dahn ... 92 S 7
Fischbachau ... 113 W 19
Fischbachtal ... 84 Q 10
Fischbeck (Kreis Hamburg) ... 19 F 13
Fischbeck (Kreis Hameln-Pyrmont) ... 39 J 11
Fischbeck (Kreis Stendal) ... 42 I 20
Fischbek (Kreis Stormarn) ... 20 E 14
Fischborn ... 75 O 11
Fischelbach ... 62 N 9
Fischeln ... 58 M 3
Fischen a. Ammersee ... 104 W 17
Fischen i. Allgäu ... 111 X 14
Fischerbach ... 100 V 8
Fischerhäuser ... 105 V 19
Fischerhude ... 29 G 11
Fischingen ... 101 U 10
Fischland ... 11 C 21
Fischwasser ... 56 L 24
Fissau ... 9 D 15
Fitzbek ... 8 E 13
Flachslanden ... 86 R 15
Flachsmeer ... 27 G 6
Flachstöckheim ... 40 J 15
Fladderlohausen ... 27 I 8
Fladungen ... 76 O 14
Flaesheim ... 47 K 5
Flamersheim ... 60 O 4
Flammersfeld ... 61 O 6
Flarchheim ... 64 M 15
Flatow ... 33 H 22
Flechtdorf ... 50 M 10
Flechtingen ... 41 I 17
Flechtinger Höhenzug ... 41 I 17
Flechtorf ... 41 I 16
Flechum ... 27 H 6
Fleck ... 113 X 18
Fleckeby ... 5 C 13
Flecken Zechlin ... 33 G 22
Fleckenberg ... 62 M 8
Fleckl ... 78 P 19
Fleesensee ... 23 F 21
Fleethof ... 25 F 25
Fleetmark ... 32 H 18
Flegessen ... 39 J 12
Flehde ... 7 D 11
Flehingen ... 93 S 10
Flein ... 94 S 11
Fleinhausen ... 95 T 15
Fleisbach ... 62 O 8
Fleischwangen ... 102 W 12
Flemsdorf ... 35 G 26
Flensburg ... 5 B 12
Flensburger Förde ... 5 B 13
Flensungen ... 62 O 11
Flerzheim ... 60 O 4
Flessau ... 32 H 19
Flessenow ... 22 E 18
Flettmar ... 40 I 14
Flierich ... 49 L 7
Flieth ... 34 G 25
Flinsbach ... 84 S 10
Flinsberg ... 52 M 14
Flintbek ... 9 D 14
Flinten ... 31 H 16
Flintsbach ... 113 W 20
Flögeln ... 18 F 10
Flögelner See ... 18 E 10
Flöha ... 67 N 23
Flörsbach ... 75 P 12
Flörsbachtal ... 75 P 12
Flörsheim am Main ... 74 P 9
Flörsheim-Dalsheim ... 83 R 8
Flötberg ... 67 M 21
Flötgraben ... 32 H 18
Flöthe ... 40 J 15
Floh ... 64 N 15
Floisdorf ... 60 O 3
Flomborn ... 83 Q 8
Florstadt ... 74 P 10
Floß ... 89 Q 20

Flossenbürg ... 89 Q 21
Flossing ... 106 V 21
Flottbek (Hamburg) ... 19 F 13
Flotzheim ... 96 T 16
Flüren ... 46 K 3
Fluorn-Winzeln ... 101 V 9
Fockbek ... 8 D 12
Fockendorf ... 66 M 21
Fockenstein ... 113 W 18
Föching ... 105 W 19
Föhr ... 4 B 9
Föhrden-Barl ... 8 E 13
Föhren ... 72 Q 4
Föhrste ... 40 K 13
Fölsen ... 51 L 11
Fölziehausen ... 40 K 12
Förbau ... 78 P 19
Förderstedt ... 42 K 18
Föritz ... 77 O 17
Förlingen ... 38 I 9
Förmitzspeicher ... 78 P 19
Förrenbach ... 87 R 18
Förste ... 52 K 14
Förstenreuth ... 78 P 19
Förstgen ... 57 M 28
Förtha ... 64 N 14
Förtschendorf ... 77 O 18
Fohrde ... 43 I 21
Fohren-Linden ... 81 R 5
Fohrenbühl ... 101 V 8
Folbern ... 56 M 24
Folmhusen ... 27 G 6
Forbach ... 93 T 9
Forchheim (Kreis Eichstätt) ... 97 T 19
Forchheim (Kreis Emmendingen) ... 100 V 7
Forchheim (Kreis Karlsruhe) ... 93 T 8
Forchheim (Mittlerer Erzgebirgskreis) ... 67 N 23
Forchheim (Oberfranken) ... 87 Q 17
Forchtenberg ... 85 S 12
Forggensee ... 112 X 16
Forheim ... 95 T 15
Forlitz-Blaukirchen ... 16 F 5
Fornsbach ... 94 T 12
Forsbach ... 59 N 5
Forst (Kreis Holzminden) ... 39 K 12
Forst (Kreis Karlsruhe) ... 84 S 9
Forst (Kreis Neumarkt i. d. Oberpfalz) ... 87 S 18
Forst (Kreis Schweinfurt) ... 76 P 14
Forst (Kreis Spree-Neiße) ... 57 K 27
Forstenrieder Park ... 104 V 18
Forstern ... 105 V 19
Forsthart ... 98 U 23
Forsting (Kreis Altötting) ... 106 V 21
Forsting (Kreis Rosenheim) ... 105 V 20
Forstinning ... 105 V 19
Forstlahm ... 77 P 18
Forstmühle ... 90 S 20
Fort Fun ... 50 M 9
Forth ... 87 R 17
Frabertsham ... 106 V 21
Fränkisch-Crumbach ... 84 Q 10
Fränkische Rezat ... 86 R 15
Fränkische Saale ... 76 O 14
Fränkische Schweiz ... 87 Q 17
Fränkische Schweiz Veldensteiner Forst (Naturpark) ... 87 Q 17
Framersheim ... 83 Q 8
Frammersbach ... 75 P 12
Franken (Kreis Ahrweiler) ... 60 O 5
Franken (Kreis Wunsiedel i. Fichtelgebirge) ... 78 P 19
Frankena ... 56 L 24
Frankenalb ... 96 T 17
Frankenau (Kreis Mittweida) ... 67 N 22
Frankenau (Kreis Waldeck-Frankenberg) ... 62 M 10
Frankenbach (Kreis Gießen) ... 62 N 9
Frankenberg (Kreis Heilbronn) ... 85 S 11
Frankenberg (Kreis Bayreuth Land) ... 88 Q 19
Frankenberg (Kreis Mittweida) ... 67 N 23
Frankenberg (Kreis Waldeck-Frankenberg) ... 62 M 10
Frankenburg ... 29 G 10
Frankendorf ... 33 G 22
Frankeneck ... 83 R 8
Frankenfeld ... 30 H 12
Frankenfelde (Kreis Märkisch-Oderland) ... 35 H 26
Frankenfelde (Kreis Teltow-Fläming) ... 44 J 23

Frankenförde 43 J 23
Frankenhain *(Ilm-Kreis)* 65 N 16
Frankenhain *(Kreis Leipziger Land)* 67 M 21
Frankenhardt 95 S 14
Frankenheim 54 L 20
Frankenheim (Rhön) 64 O 14
Frankenhöhe 86 S 14
Frankenhöhe (Naturpark) 86 R 15
Frankenhofen *(Alb-Donau-Kreis)* 102 V 12
Frankenhofen *(Kreis Ansbach)* 95 S 15
Frankenhofen *(Kreis Ostallgäu)* 104 W 16
Frankenholz 81 R 5
Frankenroda 64 M 14
Frankenstein *(Kreis Darmstadt-Dieburg)* 84 Q 10
Frankenstein *(Kreis Freiberg)* 67 N 23
Frankenstein *(Kreis Kaiserslautern Land)* 83 R 7
Frankenthal *(Kreis Bautzen)* 68 M 26
Frankenthal *(Kreis Frankenthal Pfalz)* 84 R 9
Frankenwald 77 O 18
Frankenwald (Naturpark) 77 O 18
Frankenwinheim 76 Q 14
Frankershausen 51 M 13
Frankfurt 86 Q 15
Frankfurt (Oder) 45 I 27
Frankfurt a. Main 74 P 10
Frankfurt-Rhein-Main *(Flughafen)* 74 P 9
Frankleben 54 M 19
Frankweiler 83 S 8
Franzburg 12 D 22
Franzenburg 18 E 10
Franzosenkopf 75 P 11
Frasdorf 106 W 20
Frasselt 46 K 2
Frauenau 91 T 23
Frauenaurach 87 R 16
Frauenberg *(Kreis Euskirchen)* 58 N 4
Frauenberg *(Kreis Freyung-Grafenau)* 99 T 25
Frauenbiburg 98 U 21
Frauendorf *(Kreis Lichtenfels)* 77 P 17
Frauendorf *(Kreis Oberspreewald-Lausitz)* 56 L 25
Frauenhagen 35 G 26
Frauenhain 56 L 24
Fraueninsel 106 W 21
Frauenmark 21 E 17
Frauenneuharting 105 V 20
Frauenprießnitz 66 M 19
Frauenroth 76 P 14
Frauensee 64 N 14
Frauenstein *(Kreis Freiberg)* 68 N 24
Frauenstein *(Kreis Wiesbaden)* 73 P 8
Frauenstein-Nassau 68 N 24
Frauenstetten 96 U 16
Frauental 86 R 14
Frauenwald 65 O 16
Frauenzell 90 S 21
Frauenzimmern 94 S 11
Fraunberg 105 U 19
Fraureuth 66 N 21
Fraurombach 63 N 12
Frauwüllesheim 58 N 3
Frebershausen 62 M 10
Frechen 59 N 4
Frechenrieden 103 W 15
Freckenfeld 92 S 8
Freckenhorst 37 K 7
Freckleben 53 K 18
Fredeburg 21 E 16
Fredelsloh 51 K 13
Freden 40 K 13
Fredenbeck 19 F 12
Fredersdorf *(Kreis Märkisch-Oderland)* 44 I 25
Fredersdorf *(Kreis Potsdam-Mittelmark)* 43 J 21
Fredersdorf *(Kreis Uckermark)* 35 G 26
Fredesdorf 20 E 14
Freest 13 D 25
Frehne 23 G 20
Frei Laubersheim 83 Q 7
Freiahorn 87 Q 18
Freiamt 100 V 7
Freiberg 68 N 24
Freiberg am Neckar 94 T 11
Freiberger Mulde 68 N 24
Freiburg 19 E 11
Freiburg i. Breisgau 100 V 7
Freidorf 44 J 25
Freienfels 74 O 8
Freienfels 77 Q 17
Freienhagen 50 M 11
Freienhagen *(Kreis Eichsfeld)* 52 L 14
Freienhagen *(Kreis Oberhavel)* 34 H 23
Freienhufen 56 L 25
Freienohl 49 L 8
Freienorla 65 N 18
Freienried 104 V 17
Freienseen 62 O 11
Freiensteinau 75 O 12
Freienthal 43 J 22
Freienwill 5 B 12
Freigericht 75 P 11
Freihalden 103 U 15
Freihaslach 86 Q 15
Freihausen 97 S 18
Freiheit 47 K 5
Freihof 100 V 7
Freihung 88 R 19
Freilassing 106 W 22
Freilingen *(Kreis Euskirchen)* 70 O 4
Freilingen *(Westerwaldkreis)* 61 O 7
Freimersheim 83 Q 8
Freinhausen 96 U 18
Freinsheim 83 R 8
Freiolsheim 93 T 9
Freirachdorf 61 O 7
Freiroda 54 L 20
Freisen 81 R 5
Freising 105 U 19
Freist 54 L 19
Freistatt 29 I 9
Freistett 92 T 7
Freital *(Dresden)* 68 N 24
Freitelsdorf-Cunnersdorf 68 M 25
Freiwalde 44 K 25
Frelenberg 58 N 2
Frellstedt 41 J 16
Frelsdorf 18 F 10
Fremdingen 95 T 15
Fremdiswalde 55 M 22
Fremersdorf 80 R 3
Frensdorf 87 Q 16
Freren 37 I 6
Freschluneberg 18 F 10
Fresdorf 43 J 23
Fresenburg 26 H 5
Frestedt 7 D 11
Fretter 49 M 8
Fretterode 52 M 14
Frettholt 36 J 5
Fretzdorf 33 G 21
Freudenbach 86 R 14
Freudenberg 34 H 25
Freudenberg *(Kreis Amberg-Sulzbach)* 88 R 19
Freudenberg *(Kreis Siegen-Wittgenstein)* 61 N 7
Freudenberg *(Main-Tauber-Kreis)* 85 Q 11
Freudenburg 80 R 3
Freudenstadt 93 U 9
Freudenstein 93 S 10
Freudental 94 S 11
Freundorf 98 U 23
Freusburg 61 N 7
Freutsmoos 106 V 21
Freyburg 54 M 19
Freyenstein 23 G 21
Freystadt 87 S 17
Freyung 99 T 24
Frickenhausen *(Kreis Esslingen)* 94 U 12
Frickenhausen *(Kreis Unterallgäu)* 103 V 14
Frickenhausen a. Main 86 Q 14
Frickenhofen 94 T 13
Frickhofen 61 O 8
Frickingen 102 W 11
Fridingen 101 V 10
Fridolfing 106 W 22
Frieda 64 M 14
Friedberg 74 O 10
Friedberg *(Kreis Aichach-Friedberg)* 104 U 16
Friedberg *(Kreis Sigmaringen)* 102 V 12
Friedberger Ach 96 U 16
Friedebach *(Kreis Freiberg)* 68 N 24
Friedebach *(Saale-Orla-Kreis)* 65 N 18
Friedeburg 54 L 19
Friedeburg 17 F 7
Friedelshausen 64 O 14
Friedelsheim 83 R 8
Friedenfelde 34 G 25
Friedenfels 78 Q 20
Friedensdorf 62 N 9
Friedenshorst 33 H 22
Friedenweiler 101 W 8
Friederikensiel 17 E 7
Friedersdorf *(Kreis Bitterfeld)* 54 L 21
Friedersdorf *(Kreis Dahme-Spreewald)* 44 J 25
Friedersdorf *(Kreis Elbe-Elster)* 56 L 24
Friedersdorf *(Kreis Löbau-Zittau)* 69 M 27
Friedersdorf *(Niederschlesischer Oberlausitzkr.)* 69 M 28
Friedersdorf *(Weißeritzkreis)* 68 N 24
Friedersdorf *(Westlausitzkreis)* 68 M 26
Friedersdorf b. Brenitz 56 K 24
Friedersreuth 88 Q 20
Friedewald *(Kreis Altenkirchen)* 61 N 7
Friedewald *(Kreis Hersfeld-Rotenburg)* 63 N 13
Friedewald *(Kreis Meißen-Dresden)* 68 M 24
Friedewalde 39 I 10
Friedingen *(Kreis Biberach a. d. Riß)* 102 V 12
Friedingen *(Kreis Konstanz)* 101 W 10
Friedländer Große Wiese 25 F 25
Friedland *(Kreis Göttingen)* 51 L 13
Friedland *(Kreis Mecklenburg-Strelitz)* 24 E 24
Friedland *(Kreis Oder-Spree)* 45 J 26
Friedlos 63 N 13
Friedmannsdorf 78 P 19
Friedrichroda 64 N 15
Friedrichsau 5 C 12
Friedrichsbrück 51 M 13
Friedrichsbrunn 53 K 17
Friedrichsdorf *(Hochtaunuskreis)* 74 P 9
Friedrichsdorf *(Kreis Gütersloh)* 38 K 9
Friedrichsfehn 27 G 8
Friedrichsfeld 5 C 12
Friedrichsfeld (Mannheim-) 84 R 9
Friedrichsfeld (Niederrhein) 46 L 3
Friedrichsgabe 19 E 13
Friedrichsgraben 8 D 12
Friedrichshafen 110 X 12
Friedrichshafen-Löwental *(Flughafen)* 110 X 12
Friedrichshagen 44 I 24
Friedrichshain 57 L 27
Friedrichshausen 62 M 10
Friedrichshöhe 53 L 16
Friedrichshofen 96 T 18
Friedrichsholm 8 D 12
Friedrichskoog 7 D 10
Friedrichsmoor 22 F 18
Friedrichsort 9 C 14
Friedrichsrode 52 L 15
Friedrichsruh *(Aumühle)* 20 F 15
Friedrichsruhe 22 F 19
Friedrichsruhe 85 S 12
Friedrichstadt 7 C 11
Friedrichstal 93 S 9
Friedrichsthal 81 S 5
Friedrichsthal *(Kreis Nordhausen)* 52 L 15
Friedrichsthal *(Kreis Oberhavel)* 34 H 23
Friedrichsthal *(Kreis Uckermark)* 35 G 27
Friedrichsthaler Wasserstraße 35 G 26
Friedrichswald 39 J 11
Friedrichswalde 34 G 25
Friedrichswalde-Ottendorf 68 N 25
Friedrichswerth 64 N 15
Frielendorf 63 N 11
Frielingen *(Kreis Hannover)* 39 I 12
Frielingen *(Kreis Hersfeld-Rotenburg)* 63 N 12
Frielingen *(Kreis Soltau-Fallingbostel)* 30 H 13
Frielingsdorf 59 M 6
Friemar 65 N 16
Friemen 63 M 13
Friesack 33 H 21
Friesau 78 O 18
Friesdorf 53 L 17
Friesen 77 P 18
Friesenhagen 61 N 7
Friesenhausen *(Kreis Fulda)* 75 O 13
Friesenhausen *(Kreis Haßberge)* 76 P 15
Friesenheim 100 U 7
Friesenhofen 111 W 14
Friesenried 103 W 15
Friesheim 59 N 4
Friesoythe 27 G 7
Frießnitz 66 N 19
Frille 39 I 10
Frimmersdorf 58 M 3
Friolzheim 93 T 10
Frischborn 63 O 12
Fristingen 95 U 15
Frittlingen 101 V 10
Fritzdorf 60 O 5
Fritzlar 63 M 11
Fröbersgrün 66 O 20
Frömern 49 L 7
Frömmstedt 53 M 17
Fröndenberg 49 L 7
Frörup 5 B 12
Frössen 78 O 19
Frohburg 67 M 21
Frohnau 67 O 22
Frohnau (Berlin-) 34 I 23
Frohndorf 65 M 17
Frohngau 60 O 4
Frohnhausen *(Kreis Höxter)* 51 L 11
Frohnhausen *(Kreis Waldeck-Frankenberg)* 62 N 9
Frohnhausen *(Lahn-Dill-Kreis)* 62 N 8
Frohnlach 77 P 17
Frohnsdorf 67 N 21
Frohnstetten 102 V 11
Froitzheim 58 N 3
Frommenhausen 101 U 10
Frommern 101 V 10
Fronau 89 S 21
Fronberg 88 R 20
Fronhausen 62 N 10
Fronhofen 102 W 12
Fronreute 102 W 12
Fronrot 95 S 13
Frontenhausen 98 U 21
Froschgrundsee 77 O 17
Frose 53 K 18
Frosthövel 49 K 7
Frotheim 38 I 10
Frücht 73 P 7
Fuchshain 55 M 21
Fuchshofen 71 O 4
Fuchsmühl 78 Q 20
Fuchsstadt *(Kreis Bad Kissingen)* 75 P 13
Fuchsstadt *(Kreis Schweinfurt)* 76 P 15
Fuchsstadt *(Kreis Würzburg)* 86 Q 13
Fuchstal 104 W 16
Füchtenfeld 26 I 5
Füchtorf 37 J 8
Fühlingen *(Köln)* 59 M 4
Fünfbronn 93 U 9
Fünfeichen 45 J 27
Fünfhausen 20 F 14
Fünfstetten 96 T 16
Füramoos 103 W 13
Fürfeld *(Kreis Heilbronn)* 84 S 11
Fürfeld *(Kreis Kreuznach)* 83 Q 7
Fürholzen 105 V 20
Fürnheim 95 S 15
Fürnried 87 R 18
Fürstenau 37 I 7
Fürstenau 84 Q 11
Fürstenau *(Dorf)* 51 K 11
Fürstenberg 34 G 23
Fürstenberg 101 W 9
Fürstenberg *(Kreis Paderborn)* 50 L 10
Fürstenberg *(Kreis Waldeck-Frankenberg)* 62 M 10
Fürstenberg (Weser) 51 K 12
Fürsteneck 99 T 24
Fürstenfeldbruck 104 V 17
Fürstenhagen 24 F 24
Fürstenhagen *(Kreis Northeim)* 51 L 12
Fürstenhagen *(Werra-Meißner-Kreis)* 51 M 13
Fürstenlager 84 Q 9
Fürstensee 24 G 23
Fürstenstein 99 T 23
Fürstenwalde 68 N 25
Fürstenwalde (Spree) 45 I 26
Fürstenwerder 24 F 24
Fürstenzell 99 U 23
Fürth *(Kreis Bergstraße)* 84 R 10
Fürth *(Kreis Neunkirchen)* 81 R 5
Fürth *(Nürnberg)* 87 R 16
Fürth a. Berg 77 P 17
Fürweiler 80 R 3
Fürwigge-Stausee 61 M 7
Füsing 5 C 12
Füssen 112 X 16
Füssenich 58 N 3
Fützen 101 W 9
Fuhlen 39 J 11
Fuhlendorf 8 E 13
Fuhlendorf *(Kreis Nordvorpommern)* 11 C 21
Fuhlenhagen 21 F 15
Fuhne 54 L 20
Fuhrbach 52 L 15
Fuhrberg 30 I 13
Fuhrn 89 R 20
Fuhse 40 I 14
Fulda 63 O 13
Fuldabrück 51 M 12
Fuldatal 51 L 12
Fulde 30 H 12
Fulgenstadt 102 V 12
Fulkum 17 F 6
Fullen 26 H 5
Fullener Moor 26 H 5
Funkenhagen 24 G 24
Funnix 17 F 7
Furth *(Kreis Landshut)* 97 U 20
Furth *(Kreis Straubing-Bogen)* 91 T 22
Furth i. Wald 89 S 22
Furtle-Paß 95 T 13
Furtwangen 100 V 8
Fußgönheim 83 R 8

G

Gaarz 10 D 16
Gabelbach 103 U 15
Gaberndorf 65 N 17
Gablenz 57 L 28
Gablingen 104 U 16
Gabsheim 73 Q 8
Gachenbach 96 U 17
Gadebusch 21 E 17
Gadeland 9 D 14
Gadenstedt 40 J 14
Gadernheim 84 Q 10
Gaderoth 59 N 6
Gaditz 55 K 22
Gadow *(Berlin)* 33 G 21
Gadsdorf 44 J 23
Gächingen 102 U 12
Gädebehn *(Kreis Demmin)* 24 F 23
Gädebehn *(Kreis Parchim)* 22 F 18
Gägelow 22 E 18
Gänheim 76 Q 14
Gärtenroth 77 P 18
Gärtringen 93 U 10
Gaesdonk 46 L 2
Gäufelden 93 U 10
Gagel 32 H 18
Gager 13 D 25
Gaggenau 93 T 8
Gaggstadt 86 S 14
Gahlen 47 L 4
Gahlenz 67 N 23
Gahma 77 O 18
Gahro 56 K 25
Gahry 57 K 27
Gaibach 76 Q 14
Gaienhofen 109 W 10
Gailbach 75 Q 11
Gaildorf 94 S 13
Gailenkirchen 94 S 13
Gailingen 109 W 10
Gaimersheim 96 T 18
Gaimühle 84 R 11
Gaisbeuren 102 W 13
Gaißa 99 U 23
Gaißach 113 W 18
Gaistal 93 T 9
Gaisthal 89 R 21
Galenbecker See 25 F 25
Galgenberg 40 J 13
Gallin *(Kreis Ludwigslust)* 21 F 16
Gallin *(Kreis Parchim)* 23 F 20
Gallinchen 57 K 27
Gallmersgarten 86 R 14
Gallschütz 55 M 23
Gallun 44 J 24
Gambach *(Kreis Main-Spessart)* 75 P 13
Gambach *(Wetteraukreis)* 74 O 10
Gamburg 85 Q 12
Gammelby 5 C 13
Gammellund 5 C 12
Gammelsbach 84 R 10
Gammelsdorf 97 U 19
Gammelshausen 94 U 12
Gammendorf 10 C 17
Gammersfeld 96 T 17
Gammertingen 102 V 11
Gammesfeld 86 S 14
Gamsen 41 I 15
Gamshurst 92 T 8
Gamstädt 65 N 16
Ganacker 98 T 22
Gandenitz 34 G 24
Ganderkesee 29 G 9
Gandesbergen 29 H 11
Gangelt 58 N 1
Gangkofen 106 U 21
Gangloff 83 R 7
Gangloffsömmern 65 M 16
Ganschendorf 24 E 23
Ganschow 23 E 20
Gansheim 96 T 16
Ganspe 29 G 9
Gantikow 33 H 21
Ganzer 33 H 21
Ganzkow 24 F 24
Ganzlin 23 F 20
Ganzow 21 E 17
Garbeck 49 M 7
Garbek 9 D 15
Garbenteich 62 O 10
Garbsen 39 I 12
Garching a. d. Alz 106 V 21
Garching b. München 105 V 18
Gardelegen 42 I 18
Gardessen 41 J 16
Garding 7 D 10
Garenernieholt 27 H 7
Garham 99 T 23
Garitz *(Kreis Anhalt-Zerbst)* 43 K 20
Garitz *(Kreis Bad Kissingen)* 76 P 14
Garlin 32 G 19
Garlipp 32 I 18
Garlitz *(Kreis Havelland)* 33 I 21
Garlitz *(Kreis Ludwigslust)* 21 G 17
Garlstedt 18 G 10
Garlstorf *(Kreis Harburg)* 20 G 14
Garlstorf *(Kreis Lüneburg)* 21 F 16
Garmisch-Partenkirchen 112 X 17
Garmissen-Garbolzum 40 J 14
Garnholterdamm 17 G 8
Garnsdorf 67 N 22
Garrel 27 H 8
Gars am Inn 105 V 20
Gars-Bahnhof 106 V 20
Garsdorf 88 R 19
Garsebach 68 M 24
Garsena 54 L 19
Garßen 30 I 14
Garstadt 76 Q 14
Garstedt *(Kreis Harburg)* 20 G 14
Garstedt *(Kreis Segeberg)* 19 E 13
Gartenberg 104 W 18
Gartenstadt 9 D 13
Gartow *(Kreis Lüchow-Dannenberg)* 32 G 18
Gartow *(Kreis Ostprignitz-Ruppin)* 33 H 21
Gartower Forst 32 H 18
Gartrop-Bühl 47 L 4
Gartz 25 G 27
Garvensdorf 10 E 19
Garwitz 22 F 19
Garz *(Kreis Ostprignitz-Ruppin)* 33 H 21
Garz *(Kreis Ostvorpommern)* 15 E 26
Garz *(Kreis Prignitz)* 32 G 20
Garz (Rügen) 13 D 24

198 Deutschland
A B C D E F G H I J K L M N O P Q R S T U V W X Y Z

Garze 21 G 16
Garzin 35 I 25
Gatersleben 53 K 17
Gatow *(Berlin)* 44 I 23
Gatow *(Kreis Uckermark)* 35 G 27
Gattendorf 78 P 19
Gattenhofen 86 R 14
Gatterstädt 53 L 18
Gau-Algesheim 73 Q 8
Gau-Bickelheim 73 Q 8
Gau-Bischofsheim 73 Q 8
Gau-Odernheim 83 Q 8
Gauangelloch 84 R 10
Gauaschach 75 P 13
Gaudernbach 73 O 8
Gauernitz 68 M 24
Gauersheim 83 R 8
Gauerstadt 77 P 16
Gaugrehweiler 83 Q 7
Gaukönigshofen 86 R 13
Gaunitz 55 L 23
Gauselfingen 102 V 11
Gaushorn 7 D 11
Gaußig 69 M 26
Gauting 104 V 18
Gebelzig 69 M 28
Gebenbach 88 R 19
Gebersdorf 44 K 24
Gebersdorf 97 T 20
Gebertshofen 87 R 18
Gebesee 65 M 16
Gebhardshagen 40 J 15
Gebhardshain 61 N 7
Gebrazhofen 111 W 13
Gebrontshausen 97 U 19
Gebsattel 86 R 14
Gebstedt 65 M 18
Gechingen 93 T 10
Geckenheim 86 R 14
Geddelsbach 94 S 12
Gedelitz 32 G 17
Gedenkstätte 30 H 13
Gedeonseck 71 P 6
Gedern 75 O 11
Geesdorf 86 Q 15
Geesow 25 G 27
Geeste 26 I 5
Geestemünde 18 F 9
Geestenseth 18 F 10
Geestgottberg 32 H 19
Geesthacht 20 F 15
Geestmoor 28 I 9
Gefäll 76 P 13
Gefell *(Kreis Sonneberg)* 77 P 17
Gefell *(Saale-Orla-Kreis)* 78 O 19
Gefrees 78 P 19
Gegensee 25 F 26
Gehaus 64 N 14
Gehlberg 65 N 16
Gehlenberg 27 H 7
Gehlsdorf 11 D 20
Gehlweiler 73 Q 6
Gehofen 53 M 17
Gehrde 27 I 8
Gehrden *(Kreis Hannover)* 39 J 12
Gehrden *(Kreis Höxter)* 51 L 11
Gehrden *(Kreis Stade)* 19 E 11
Gehren *(Ilm-Kreis)* 65 O 17
Gehren *(Kreis Dahme-Spreewald)* 56 K 24
Gehren *(Kreis Uecker-Randow)* 25 F 25
Gehrenberg 110 W 12
Gehrendorf 41 I 17
Gehrenrode 40 K 14
Gehringswalde 67 O 23
Gehrweiler 83 R 7
Geibenstetten 97 T 19
Geichlingen 80 Q 2
Geiersberg 75 Q 12
Geiersthal 91 S 22
Geierswalde 56 L 26
Geigant 89 S 22
Geigelstein 114 W 21
Geilenkirchen 58 N 2
Geilshausen 62 O 10
Geilsheim 95 S 15
Geinsheim *(Kreis Groß-Gerau)* 74 Q 9
Geinsheim *(Kreis Neustadt a. d. Weinstr.)* 83 S 8
Geisa 64 N 13
Geisberg 77 Q 17
Geisecke 49 L 6
Geiselbach 75 P 11
Geiselberg 81 S 7
Geiselbullach 104 V 18
Geiselhöring 98 T 21
Geiselwind 86 Q 15
Geisenfeld 97 T 18
Geisenhain 66 N 19
Geisenhausen *(Kreis Landshut)* 105 U 20
Geisenhausen *(Kreis Pfaffenhofen a. d. Ilm)* 97 U 18
Geisenheim 73 Q 7
Geisfeld 77 Q 17
Geising 68 N 25
Geisingberg 68 N 25
Geisingen *(Kreis Reutlingen)* 102 V 12
Geisingen *(Kreis Tuttlingen)* 101 W 9
Geisleden 52 L 14
Geisling 90 T 20
Geislingen *(Ostalbkreis)* 95 T 15
Geislingen *(Zollernalbkreis)* 101 V 10
Geislingen a. d. Steige 94 U 13
Geislingen a. Kocher 85 S 13
Geismar *(Göttingen)* 52 L 13
Geismar *(Kreis Eichsfeld)* 52 M 14
Geismar *(Kreis Waldeck-Frankenberg)* 62 M 10
Geismar *(Schwalm-Eder-Kreis)* 63 M 11
Geismar *(Wartburgkreis)* 63 N 13
Geiß-Nidda 74 O 10
Geißhöhe 75 Q 11
Geißlingen 86 R 14
Geisweid *(Siegen)* 61 N 7
Geitau 113 W 19
Geitelde 40 J 15
Geithain 67 M 22
Gelbach 73 O 7
Gelbensande 11 D 20
Gelchsheim 86 R 14
Geldern 46 L 2
Geldersheim 76 P 14
Gelenau (Erzgebirge) 67 N 22
Gelenau (Lückersdorf-) 68 M 26
Gellen 13 C 23
Gellendorf 37 J 6
Gellershagen 38 J 9
Gellershausen 76 P 16
Gellershausen 62 M 11
Gellmersdorf 35 H 26
Gelmer 37 J 7
Gelnhaar 75 O 11
Gelnhausen 75 P 11
Gelsdorf 60 O 5
Gelsenkirchen 47 L 5
Geltendorf 104 V 17
Gelting 5 B 13
Gelting 104 W 18
Geltinger Bucht 5 B 13
Geltolfing 98 T 21
Geltorf 5 C 12
Geltow 43 I 22
Gembeck 50 L 10
Gemeinfeld 76 P 15
Gemen 36 K 4
Gemmerich 73 P 7
Gemmingen 84 S 10
Gemmrigheim 94 S 11
Gempfing 96 T 16
Gemünd 70 Q 2
Gemünd (Eifel) 70 O 3
Gemünden *(Rhein-Hunsrück-Kreis)* 73 Q 6
Gemünden *(Westerwaldkreis)* 61 O 8
Gemünden (Felda) 62 N 11
Gemünden (Wohra) 62 N 10
Gemünden a. Main 75 P 13
Genderkingen 96 T 16
Gendorf 106 V 22
Gengenbach 100 U 8
Genkel-Stausee 61 M 6
Genkingen 102 U 11
Gennach 104 V 16
Genschmar 35 I 27
Genshagen 44 J 23
Gensingen 73 Q 7
Gensungen 63 M 12
Gentha 55 K 22
Genthin 42 I 20
Gentingen 80 Q 2
Genzkow 24 F 24
Georgenberg 89 Q 21
Georgensgmünd 87 S 17
Georgenthal 64 N 15
Georgsdorf 26 I 5
Georgsfeld 17 F 6
Georgsheil 17 F 5
Georgsmarienhütte 37 J 8
Gera 66 N 20
Geraberg 65 N 16
Gerabronn 85 S 13
Gerach 77 P 16
Geratskirchen 106 U 21
Gerbach 83 Q 7
Gerbershausen 52 L 13
Gerbisbach 55 K 22
Gerbitz 54 K 19
Gerblingerode 52 L 14
Gerbrunn 86 Q 13
Gerbstedt 53 L 18
Gerchsheim 85 Q 13
Gerdau 31 H 15
Gerdehaus 30 H 14
Gerderath 58 M 2
Gerdshagen *(Kreis Bad Doberan)* 11 E 19
Gerdshagen *(Kreis Güstrow)* 23 E 20
Gerdshagen *(Kreis Prignitz)* 23 G 20
Gereonsweiler 58 N 2
Geretsried 105 W 18
Gereuth 77 P 16
Gergweis 98 U 22
Gerhardsbrunn 81 R 6
Gerhardshofen 86 R 16
Gerhardtsgereuth 76 O 16
Gerhausen 102 U 13
Gerichshain 55 L 21
Gerichtstetten 85 R 12
Gering 71 P 5
Geringswalde 67 M 22
Gerlachsheim 85 R 13
Gerlebogk 54 K 19
Gerlfangen 80 R 3
Gerlingen 61 N 7
Gerlingen 94 T 11
Germannsdorf 99 U 25
Germaringen 103 W 16
Germendorf 34 H 23
Germering 104 V 18
Germerode 63 M 13
Germersheim 84 S 9
Germete 51 L 11
Germeter 58 N 3
Gernach 76 Q 14
Gernlinden 104 V 17
Gernrode *(Kreis Eichsfeld)* 52 L 15
Gernrode *(Kreis Quedlinburg)* 53 K 17
Gernsbach 93 T 8
Gernsheim 84 Q 9
Geroda 75 P 13
Gerold 112 X 17
Geroldsau 93 T 8
Geroldsgrün 77 O 18
Geroldshausen 85 Q 13
Geroldshausen i.d. Hallertau 97 U 18
Geroldstein 73 P 7
Gerolfing 96 T 18
Gerolfingen 95 S 15
Gerolsbach 96 U 18
Gerolstein 70 P 4
Gerolzahn 85 R 11
Gerolzhofen 76 Q 15
Gersbach *(Kreis Pirmasens)* 83 S 6
Gersbach *(Kreis Waldshut)* 108 W 7
Gersberg 87 R 18
Gersdorf 87 R 18
Gersdorf *(Kreis Bad Doberan)* 10 D 19
Gersdorf *(Kreis Chemnitzer Land)* 67 N 22
Gersdorf *(Niederschlesischer Oberlausitzkr.)* 69 M 28
Gersdorf (Krugge-) 35 H 25
Gersdorf b. Leisnig 67 M 22
Gersdorf-Möhrsdorf 68 M 26
Gersfeld 75 O 13
Gersheim 82 S 5
Gersprenz 84 Q 10
Gerstedt 31 H 17
Gersten 27 I 6
Gerstenberg 66 M 21
Gerstengrund 64 N 14
Gerstetten 95 U 14
Gersthofen 104 U 16
Gerstruben 111 X 14
Gerstungen 64 N 14
Gerswalde 34 G 25
Gertenbach 51 L 13
Gerthausen 64 O 14
Gerthe 47 L 5
Gerwisch 42 J 19
Gerzen 40 K 13
Gerzen 98 U 21
Geschendorf 9 E 15
Gescher 36 K 5
Geschwand 87 Q 17
Geschwend 100 W 7
Geschwenda 65 N 16
Gesees 77 Q 18
Geseke 50 L 9
Geslau 86 R 14
Gesmold 37 J 8
Gessertshausen 104 V 16
Gestorf 40 J 13
Gestratz 111 X 13
Gestringen 38 I 9
Gestungshausen 77 P 17
Getelo 36 I 4
Getmold 38 I 9
Gettorf 9 C 13
Geusa 54 L 19
Geusfeld 76 Q 15
Geußnitz 66 M 20
Geutenreuth 77 P 17
Gevelinghausen 50 L 9
Gevelsberg 48 M 6
Gevelsdorf 58 M 3
Gevenich *(Kreis Cochem-Zell)* 71 P 5
Gevenich *(Kreis Düren)* 58 N 2
Gevensleben 41 J 16
Geversdorf 18 E 11
Gewissenruh 51 L 12
Gey 58 N 3
Geyen 59 N 4
Geyer 67 O 22
Geyersdorf 67 O 23
Gfäll 90 S 21
Gichenbach 75 O 13
Giebelstadt 85 R 13
Giebing 105 U 18
Gieboldehausen 52 L 14
Giebringhausen 50 L 10
Gieckau *(Kreis Burgenlandkreis)* 66 M 19
Giekau 9 D 15
Gielde 41 J 15
Gielow 24 E 22
Gielsdorf 35 I 25
Giengen a. d. Brenz 95 U 14
Gierath 58 M 3
Giershagen 50 L 10
Giersleben 53 K 18
Gierstädt 65 M 16
Giesel 75 O 12
Gieselwerder 51 L 12
Giesen 40 J 13
Giesenhorst 33 H 21
Giesenkirchen 58 M 3
Giesensdorf 45 J 26
Gieseritz 31 H 17
Gießelrade 9 D 15
Gießen 62 O 10
Gießen 111 W 13
Gießmannsdorf 44 K 25
Gießübel 65 O 16
Gievenbeck 37 K 6
Gifhorn 41 I 15
Giflitz 63 M 11
Giggenhausen 105 U 18
Gilching 104 V 17
Gildehaus 36 J 5
Gilfershausen 63 N 13
Gillenfeld 71 P 4
Gillersheim 52 L 14
Gillrath 58 N 2
Gilmerdingen 30 G 13
Gilsbach 61 N 8
Gilserberg 62 N 11
Gilten 30 H 12
Gimborn 59 M 6
Gimbsheim 84 Q 9
Gimbte 37 J 6
Gimmeldingen 83 R 8
Gimmlitz 68 N 24
Gimritz 54 L 19
Gimte 51 L 12
Ginderich 46 L 3
Gindorf 70 P 3
Gingen 94 U 13
Gingst 13 C 23
Ginsheim 74 Q 9
Ginsweiler 81 R 6
Girbigsdorf 69 M 28
Girkhausen 62 M 9
Girod 73 O 7
Gischow 23 F 20
Gisingen 80 S 3
Gisseltshausen 97 T 20
Gissigheim 85 R 12
Gistenbeck 31 H 16
Gittelde 52 K 14
Gitter 40 J 15
Gittersdorf 63 N 12
Gladau 42 J 20
Gladbach 58 N 3
Gladbeck 47 L 5
Gladdenstedt 31 I 16
Gladebeck 51 L 13
Gladenbach 62 N 9
Gladigau 32 H 18
Glaisin 22 G 18
Glambeck 34 G 25
Glambeck 34 H 23
Glan 83 Q 7
Glan-Münchweiler 81 R 6
Glanbrücken 81 R 6
Glandorf 37 J 8
Glane 37 J 8
Glasau 9 D 15
Glasewitz 23 E 20
Glashofen 85 R 12
Glashütte 39 K 11
Glashütte *(Kreis Miesbach)* 113 X 18
Glashütte *(Kreis Segeberg)* 20 E 14
Glashütte *(Kreis Sigmaringen)* 102 W 11
Glashütte *(Kreis Uecker-Randow)* 25 F 26
Glashütte *(Weißeritzkreis)* 68 N 25
Glashütten 77 Q 18
Glashütten *(Hochtaunuskreis)* 74 P 9
Glashütten *(Wetteraukreis)* 75 O 11
Glasin 22 E 19
Glasow *(Kreis Demmin)* 14 E 22
Glasow *(Kreis Teltow-Fläming)* 44 I 24
Glasow *(Kreis Uecker-Randow)* 25 F 26
Glaßdorf 27 H 7
Glasstraße 78 Q 19
Glasten 67 M 22
Glatt 101 U 9
Glattbach 75 P 11
Glatten 101 U 9
Glau 44 J 23
Glaubitz 56 M 24
Glauburg 74 P 11
Glaucha 55 L 21
Glauchau 67 N 21
Glebitzsch 54 L 20
Glees 71 O 5
Gleesen 36 I 6
Glehn *(Kreis Euskirchen)* 60 O 3
Glehn *(Kreis Neuss)* 48 M 3
Gleichamberg 76 O 15
Gleichen 52 L 14
Gleichen 63 M 11
Gleidingen 40 J 13
Gleidorf 62 M 8
Gleierbrück 61 M 8
Gleina *(Burgenlandkreis)* 54 M 19
Gleina *(Kreis Altenburger Land)* 66 N 21
Gleiritsch 89 R 20
Gleisberg 67 M 23
Gleismuthhausen 76 P 16
Gleißenberg *(Kreis Cham)* 89 S 22
Gleißenberg *(Kreis Erlangen-Höchstadt)* 86 Q 15
Glems 94 U 11
Glentorf 41 J 16
Glesch 58 N 3
Gleschendorf 9 D 15
Glesien 54 L 20
Glesse 39 K 12
Glessen 59 N 4
Gletschergarten 114 W 22
Gleuel 59 N 4
Gleusdorf 77 P 16
Gleußen 77 P 16
Glewitz 14 D 22
Glienecke 43 J 21
Glienick 44 J 24
Glienicke 45 J 26
Glienicke (Nordbahn) 34 I 23
Glienig 44 K 24
Glienke 24 F 24
Glind 18 E 10
Glinde 42 J 19
Glinde *(Kreis Rotenburg)* 18 F 11
Glinde *(Kreis Stormarn)* 20 F 14
Glindenberg 42 J 19
Glindow 43 I 22
Glinstedt 18 F 11
Glissen *(b. Nienburg)* 29 I 11
Glissen *(b. Petershagen)* 39 I 10
Globig-Bleddin 55 K 22
Glösingen 49 L 8
Glöthe 42 K 19
Glött 95 U 15
Glöwen 33 H 20
Glonn *(Kreis Dachau)* 104 U 18
Glonn *(Kreis Ebersberg)* 105 W 19
Glossen 55 M 22
Glottertal 100 V 7
Glowe 13 C 24
Glücksburg 5 B 12
Glückstadt 19 E 12
Glüsing 7 D 11
Gmünd *(Kreis Neustadt a. d. Waldnaab)* 88 Q 19
Gmünd *(Kreis Regensburg)* 90 T 21
Gmund 113 W 19
Gnadau 42 K 19
Gnadensee 110 W 11
Gnandstein 67 M 21
Gnarrenburg 18 F 11
Gnaschwitz-Doberschau 69 M 27
Gneisenaustadt Schildau 55 L 22
Gnemern 11 E 19
Gneven 22 F 18
Gnevezow 24 E 22
Gnevkow 24 E 23
Gnevsdorf 23 F 20
Gnewikow 33 H 22
Gnissau 9 D 15
Gnitz 15 D 25
Gnötzheim 86 R 14
Gnoien 14 E 22
Gnotzheim 96 S 16
Gnutz 8 D 13
Goch 46 K 2
Gochsheim *(Kreis Karlsruhe)* 93 S 10
Gochsheim *(Kreis Schweinfurt)* 76 P 14
Gockenholz 30 I 14
Godau 9 D 15
Goddelau 74 Q 9
Goddelsheim 50 M 10
Goddin *(Kreis Demmin)* 24 F 23
Goddin *(Kreis Nordwestmecklenburg)* 21 E 17
Goddula 54 M 20
Godelheim 51 K 12
Godenau 40 J 13
Godendorf 24 G 23
Godensholt 27 G 7
Godenstedt 19 G 11
Godern 22 F 18
Godlsham 106 U 22
Göbel 42 J 20
Göbrichen 93 T 10
Göda 69 M 26
Göddeckenrode 41 J 15
Gödenroth 71 P 6
Gödens 17 F 7
Gödenstorf 30 G 14
Gödestorf 29 H 10
Göditz 42 K 19
Göffingen 102 V 12
Göggelsbuch 87 S 17
Göggingen 95 T 12
Göggingen *(Kreis Sigmaringen)* 102 V 11
Göggingen *(Stadtkreis Augsburg)* 104 U 16
Gögglingen 103 U 13
Göhl 10 D 16
Göhlen 22 G 18
Göhlen *(Kreis Oder-Spree)* 45 J 27
Göhlis 55 M 24
Göhlsdorf 43 I 22
Göhrde 31 G 16
Göhrde (Forst) 31 G 16
Göhren 96 T 17
Göhren *(Kreis Altenburger Land)* 66 N 21
Göhren *(Kreis Ludwigslust)* 32 G 18
Göhren *(Kreis Mecklenburg-Strelitz)* 24 F 24
Göhren *(Kreis Parchim)* 22 F 18
Göhren *(Kreis Rügen)* 13 C 25
Göhren-Döhlen 66 N 20
Göhren-Lebbin 23 F 21
Göhrendorf 54 L 18

Göldenitz (Kreis Bad Doberan) ....11 D 20
Göldenitz (Kreis Herzogtum Lauenburg) ... 21 E 15
Gölenkamp ......26 I 4
Göllheim ......83 R 8
Göllin ......22 E 19
Göllingen ......53 L 17
Göllnitz ......56 L 25
Gölsdorf (Kreis Oder-Spree) 45 I 26
Gölsdorf (Kreis Teltow-Fläming) ......43 K 22
Gömnigk ......43 J 22
Gömnitz ......9 D 16
Gönnebek ......9 D 14
Gönnern ......62 N 9
Gönningen ......102 U 11
Göppingen ......94 T 12
Görgeshausen ......73 O 7
Görike ......33 H 20
Görisried ......111 W 15
Göritz (Kreis Anhalt-Zerbst) 43 K 21
Göritz (Kreis Uckermark) ...25 F 25
Göritzhain ......67 N 22
Görke ......24 E 24
Görlitz ......69 M 28
Görlsdorf (Kreis Märkisch-Oderland) ...35 I 26
Görlsdorf (Kreis Uckermark) 35 G 25
Görmar ......52 M 15
Görmin ......14 E 23
Görne ......33 H 21
Görsbach ......53 L 16
Görschlitz ......55 L 21
Görsdorf (b. Beeskow) ...45 J 26
Görsdorf (b. Storkow) ...44 J 25
Görsdorf (Kreis Teltow-Fläming) ...44 K 24
Görsroth ......73 P 8
Görwihl ......108 X 8
Görzhain ......63 N 12
Görzig (Kreis Köthen) ...54 L 19
Görzig (Kreis Oder-Spree) . 45 J 26
Görzig (Kreis Riesa-Großenhain) ...56 L 24
Görzke ......43 J 21
Göschberg ......87 S 18
Göschitz ......66 O 19
Göschweiler ......101 W 8
Gösmes ......78 P 18
Gösselborn ......65 N 17
Gössenheim ......75 P 13
Gössersdorf ......77 P 18
Gössitz ......65 O 18
Gößlow ......21 F 17
Gößnitz ......66 N 21
Gößweinstein ......87 Q 18
Göthen ......29 I 10
Götschendorf ......34 G 25
Göttelfingen ......93 U 9
Göttengrün ......78 O 19
Göttersdorf ......98 U 22
Göttin ......43 I 21
Götting ......105 W 19
Göttingen ......52 L 13
Göttingen ......103 U 14
Göttingen (Kreis Marburg-Biedenkopf) ...62 N 10
Göttingen (Kreis Warendorf) 50 L 8
Göttlin ......33 I 20
Göttlkofen ......98 U 20
Götz ......43 I 22
Götzdorf ......19 F 12
Götzendorf ......88 R 20
Götzenhain ......74 Q 10
Götzerberge ......43 I 22
Götzing ......106 W 22
Götzingen ......85 R 12
Göxe ......39 I 12
Gohfeld ......39 J 10
Gohlefanz ......31 H 16
Gohlis (Kreis Riesa-Großenhain) ...55 L 23
Gohlis (Leipzig) ......54 L 21
Gohlitz ......43 I 22
Gohr ......59 M 4
Gohrau ......54 K 21
Gohrisch ......68 N 26
Gokels ......8 D 12
Golchen ......24 E 23
Goldach ......105 V 19
Goldbach (Bodenseekreis) 110 W 11
Goldbach (Kreis Aschaffenburg) .....75 Q 11
Goldbach (Kreis Bautzen) .. 68 M 26
Goldbach (Kreis Gotha) ......64 N 15

Goldbach (Kreis Schwäbisch-Hall) ......95 S 14
Goldbeck (Kreis Schaumburg) ......39 J 11
Goldbeck (Kreis Stade) ...19 F 12
Goldbeck (Kreis Stendal) ...32 H 19
Goldberg (Kreis Nordwestmecklenburg) ...11 E 19
Goldberg (Kreis Parchim) ...23 F 20
Goldberger See ......23 F 20
Goldebek ......4 B 11
Goldelund ......4 B 11
Goldenbaum ......24 G 23
Goldenbek ......9 E 15
Goldenbow ......22 F 19
Goldene Aue ......53 L 16
Goldensee ......21 E 16
Goldenstädt ......22 F 18
Goldenstedt ......28 H 9
Goldisthal ......77 O 17
Goldkronach ......78 P 19
Goldlauter ......64 O 16
Goldmühl ......78 P 19
Goldscheuer ......92 U 7
Golkrath ......58 M 2
Gollach ......86 R 14
Gollachostheim ......86 R 14
Gollensdorf ......32 H 18
Gollenshausen ......106 W 21
Gollhofen ......86 R 14
Gollin ......34 G 24
Gollmitz (Kreis Oberspreewald-Lausitz) ...56 K 25
Gollmitz (Kreis Uckermark) ...25 G 25
Gollmuthhausen ......76 O 15
Gollwitz (b. Brandenburg) ...43 I 21
Gollwitz (b. Wusterwitz) ...43 I 20
Gollwitz (Kreis Nordwestmecklenburg) ...10 D 18
Golm (Kreis Mecklenburg-Strelitz) ...24 F 24
Golm (Kreis Potsdam-Mittelmark) ......43 I 22
Golmbach ......39 K 12
Golmberg ......44 J 24
Golmsdorf ......66 N 19
Golßen ......44 K 24
Goltoft ......5 C 13
Goltzscha ......68 M 24
Golzheim ......58 N 3
Golzow (Kreis Barnim) ...34 H 25
Golzow (Kreis Märkisch-Oderland) ...35 I 27
Golzow (Kreis Potsdam-Mittelmark) ...43 J 21
Golzwarden ......18 F 9
Gomadingen ......102 U 12
Gomaringen ......102 U 11
Gommern ......42 J 19
Gommersheim ......83 S 8
Gommla ......66 N 20
Gompertshausen ......76 P 15
Gompitz ......68 M 24
Gondelsheim ......93 S 9
Gondershausen ......71 P 6
Gondorf ......71 P 6
Gonna ......53 L 17
Gonnesweiler ......81 R 5
Gontershausen ......62 N 10
Gonterskirchen ......74 O 11
Gonzerath ......72 Q 5
Goosefeld ......8 C 13
Gorden ......56 L 24
Gorenzen ......53 L 18
Gorgast ......35 I 27
Gorkow ......25 F 26
Gorleben ......32 G 18
Gorlosen ......32 G 18
Gornau ......67 N 23
Gornewitz ......55 M 22
Gornhausen ......72 Q 5
Gornsdorf ......67 N 22
Gorschendorf ......24 E 22
Gorsdorf-Hemsendorf ...55 K 22
Gorsleben ......53 M 17
Gorspen ......39 I 11
Gortz ......43 I 21
Gorxheimertal ......84 R 10
Gosbach ......94 U 13
Gosberg ......87 Q 17
Gosda ......56 K 25
Gosda I ......57 K 27
Goseck ......66 M 19
Gosen ......44 I 25
Gosheim (Kreis Donau-Ries) ...96 T 16
Gosheim (Kreis Tuttlingen) 101 V 10

Goslar ......40 K 15
Gospenroda ......64 N 14
Gossa ......54 K 21
Gossel ......65 N 16
Gossenberg ......77 P 16
Gossenzugen ......102 V 12
Gossersdorf ......91 S 22
Gossersweiler-Stein ......83 S 7
Goßfelden ......62 N 10
Goßmannsdorf ......76 P 15
Goßmannsdorf (Ochsenfurt) 86 Q 14
Goßmar (Kreis Dahme-Spreewald) ...56 K 25
Goßmar (Kreis Elbe-Elster) 56 K 25
Gotha (b. Erfurt) ......64 N 16
Gotha (b. Leipzig) ......55 L 21
Gothel ......28 H 9
Gothensee ......15 E 26
Goting ......4 B 9
Gottberg ......33 H 21
Gottenheim ......100 V 7
Gottesgabe ......21 F 17
Gotteszell ......91 T 22
Gottfrieding ......98 U 21
Gotthun ......23 F 21
Gottmadingen ......109 W 10
Gottmannshofen ......96 U 16
Gottorf ......5 C 12
Gottow ......44 J 23
Gottsbüren ......51 L 12
Gottsdorf ......99 U 25
Gotzenalm ......114 X 22
Goxel ......36 K 5
Goyatz-Guhlen ......45 J 26
Graach a. d. Mosel ......72 Q 5
Graal-Müritz ......11 D 20
Grab ......94 S 12
Grabau (Kreis Lüchow-Dannenberg) ...31 G 17
Grabau (Kreis Stormarn) ...20 E 14
Grabe ......52 M 15
Graben ......104 V 16
Graben-Neudorf ......84 S 9
Grabenstätt ......106 W 21
Grabenstetten ......94 U 12
Grabko ......45 K 27
Grabo ......55 K 22
Grabow (Bucht) ......12 C 22
Grabow (Kreis Jerichower Land) ...42 J 19
Grabow (Kreis Ludwigslust) ...22 G 18
Grabow (Kreis Lüchow-Dannenberg) ...31 G 17
Grabow (Kreis Rügen) ...13 D 24
Grabow b. Blumenthal ...33 G 21
Grabow-Below ......23 G 21
Grabow-Buckow ......23 G 20
Grabowhöfe ......23 F 21
Grabstede ......17 F 7
Graditz ......55 L 23
Gräben ......43 J 21
Gräbendorf ......44 J 25
Gräfelfing ......104 V 18
Gräfenberg ......87 R 17
Gräfenbuch ......86 R 15
Gräfendorf ......75 P 13
Gräfendorf (Kreis Elbe-Elster) ...55 L 23
Gräfendorf (Kreis Teltow-Fläming) ...44 K 23
Gräfendorf (Kreis Torgau-Oschatz) ...55 L 22
Gräfenhäusling ......77 P 17
Gräfenhain (Kreis Gotha) 64 N 16
Gräfenhain (Westlausitzkreis) ...68 M 25
Gräfenhainichen ......54 K 21
Gräfenhausen (Enzkreis) ...93 T 9
Gräfenhausen (Kreis Darmstadt-Dieburg) ...74 Q 9
Gräfenneuses ......86 Q 15
Gräfenroda ......65 N 16
Gräfenstein ......83 S 7
Gräfensteinberg ......96 S 16
Gräfenthal ......77 O 17
Gräfentonna ......64 M 16
Gräfenwarth ......66 O 19
Gräfinau-Angstedt ......65 N 17
Gräfrath ......48 M 5
Gräningen ......33 I 21
Gräpel ......19 F 11
Graes ......36 J 4
Grävenwiesbach ......74 O 9
Grafel ......19 F 11
Grafeld ......27 I 7
Grafenaschau ......112 X 17

Grafenau (Kreis Böblingen) 93 T 10
Grafenau (Kreis Freyung-Grafenau) ......99 T 24
Grafenberg ......96 S 17
Grafengehaig ......77 P 18
Grafenhausen ......101 W 8
Grafenhausen (Kappel-) ...100 V 7
Grafenkirchen ......89 S 21
Grafenreuth ......89 Q 20
Grafenrheinfeld ......76 P 14
Grafentraubach ......97 T 20
Grafenwald ......47 L 4
Grafenwiesen ......89 S 22
Grafenwöhr ......88 Q 19
Grafhorst ......41 I 16
Grafing ......105 V 19
Grafling ......98 T 22
Grafrath ......104 V 17
Grafschaft (Hochsauerlandkreis) ...62 M 8
Grafschaft (Kreis Ahrweiler) 60 O 5
Grafschaft (Kreis Friesland) 17 F 7
Grafwegen ......46 K 1
Grainau ......112 X 17
Grainbach ......113 W 20
Grainet ......99 T 24
Graitschen ......66 N 19
Grambek ......21 F 16
Grambin ......25 E 26
Grambow (Kreis Nordwestmecklenburg) ...21 F 17
Grambow (Kreis Parchim) ...23 F 20
Grambow (Kreis Uecker-Randow) ...25 F 27
Gramkow ......10 D 17
Grammdorf ......9 D 16
Grammendorf ......14 D 22
Grammentin ......24 E 22
Grammow ......11 D 21
Gramschatz ......76 Q 13
Gramschatzer Wald ......85 Q 13
Gramtitz ......13 C 23
Gramzow (Kreis Ostvorpommern) ...24 E 24
Gramzow (Kreis Uckermark) ...25 G 26
Grande ......20 F 15
Grandenborn ......64 M 14
Granestausee ......40 K 15
Granheim ......102 V 12
Granitz ......13 C 24
Grano ......45 K 27
Granschütz ......66 M 20
Gransebieth ......14 D 22
Gransee ......34 G 23
Granstedt ......19 F 11
Granterath ......58 M 2
Granzin (Kreis Mecklenburg-Strelitz) ...24 F 22
Granzin (Kreis Parchim) ...23 F 19
Granzin b. Boizenburg ...21 F 16
Granzow ......33 H 20
Grapzow ......24 E 23
Grasberg ......29 G 10
Grasbrunn ......105 V 19
Grasdorf (Grafschaft Bentheim) ...36 I 4
Grasdorf (Kreis Hannover) . 40 J 13
Grasdorf (Kreis Verden) ...29 G 11
Grasellenbach ......84 R 10
Grasleben ......41 J 17
Grassau ......114 W 21
Grassau (Kreis Elbe-Elster) 55 K 23
Grassau (Kreis Stendal) ...32 H 19
Grassel ......41 I 15
Graßlfing ......97 T 20
Graste ......40 K 13
Graswang ......112 X 17
Grattersdorf ......99 T 23
Grattstadt ......77 O 16
Grauel ......8 D 13
Grauen (Kreis Harburg) ...19 F 13
Grauen (Kreis Soltau-Fallingbostel) ...30 G 13
Grauenhagen ......24 F 24
Grauhof (Goslar) ......40 K 15
Graulingen ......31 H 15
Graupa ......68 M 25
Graustein ......57 K 27
Grauwallkanal ......18 F 9
Grave ......39 K 12
Gravenhorst ......41 I 15
Grebbin ......23 F 19
Grebenau ......63 N 12
Grebendorf ......64 M 14
Grebenhagen ......52 M 14
Grebenhain ......75 O 12

Grebenstein ......51 L 12
Grebin ......9 D 15
Grebs (Kreis Ludwigslust) .. 21 G 17
Grebs (Kreis Potsdam-Mittelmark) ...43 J 21
Grebshorn ......31 I 15
Greding ......96 S 18
Greene ......52 K 13
Greetsiel ......16 F 5
Greffen ......37 K 8
Greffern ......92 T 8
Grefrath (Kreis Neuss) ...46 L 3
Grefrath (Kreis Viersen) ...48 M 3
Greifenberg ......104 V 17
Greifendorf ......67 M 23
Greifenhagen ......53 L 18
Greifenhain (Kreis Leipziger Land) ...67 M 21
Greifenhain (Kreis Spree-Neiße) ...56 L 26
Greifenstein ......62 O 8
Greiffenberg ......35 G 25
Greifswald ......13 D 24
Greifswalder Bodden ......13 D 24
Greifswalder Oie ......15 D 25
Greiling ......113 W 18
Greilsberg ......97 T 20
Greimerath (Kreis Bernkastel-Wittlich) ...71 P 4
Greimerath (Kreis Trier-Saarburg) ...80 R 4
Grein ......84 R 10
Greiselbach ......95 S 15
Greising ......98 T 23
Greiz ......66 O 20
Gremersdorf (Kreis Nordvorpommern) ...12 D 22
Gremersdorf (Kreis Ostholstein) ...10 C 16
Gremheim ......95 U 15
Gremmelsbach ......101 W 8
Gremmendorf ......37 K 7
Gremsdorf ......87 Q 16
Gremsmühlen ......9 D 15
Grenderich ......71 P 5
Grenz ......25 F 26
Grenzach-Wyhlen ......108 X 7
Greppin ......54 L 20
Gresaubach ......81 R 4
Gresenhorst ......11 D 21
Gresgen ......108 W 7
Gresse ......21 F 16
Gressenich ......58 N 2
Gressow ......21 E 17
Greßthal ......76 P 14
Grethem ......30 H 12
Grethen ......55 M 21
Gretlsmühle ......97 U 20
Grettstadt ......76 Q 14
Greußen ......53 M 16
Greußenheim ......85 Q 13
Greuth ......86 Q 15
Greven ......37 J 6
Greven (Kreis Ludwiglust) .. 21 F 16
Greven (Kreis Parchim) ...23 F 19
Grevenbroich ......58 M 3
Grevenbrück ......61 M 8
Grevenhagen ......50 K 10
Grevenkrug ......9 D 14
Grevenstein ......49 M 8
Grevesmühlen ......21 E 17
Gribbohm ......8 D 12
Gribow ......14 E 24
Grieben (Kreis Nordwestmecklenburg) ...21 E 17
Grieben (Kreis Oberhavel) ...34 H 23
Grieben (Kreis Rügen) ...13 C 23
Grieben (Kreis Stendal) ...42 I 19
Griebenow ......14 D 23
Griebo ......43 K 21
Griedelbach ......74 O 9
Griefstedt ......53 M 17
Griesbach ......93 U 8
Griesbach (Kreis Dingolfing-Landau) ...98 U 22
Griesbach (Kreis Tirschenreuth) ...79 Q 21
Griesbeckerzell ......104 U 17
Griese Gegend ......21 G 17
Griesen ......112 X 16
Griesheim (Frankfurt) ...74 P 9
Griesheim (Darmstadt-Dieburg) ...74 Q 9
Griesingen ......102 V 13
Grießem ......39 J 11
Grießen ......45 K 27

Griesstätt ......105 W 20
Grieth ......46 K 2
Griethausen ......46 K 2
Grietherort ......46 K 2
Grillenberg ......53 L 17
Grillenburg ......68 N 24
Grimburg ......81 R 4
Grimersum ......16 F 5
Grimma ......55 M 22
Grimme (Kreis Anhalt-Zerbst) ...43 J 20
Grimme (Kreis Uckermark) .25 F 26
Grimmelfingen ......103 U 13
Grimmelshausen ......76 O 15
Grimmelshofen ......101 W 9
Grimmen ......13 D 23
Grimnitzsee ......34 H 25
Grinau ......21 E 15
Grindau ......30 I 12
Grinderwald ......29 I 12
Grippel ......32 G 17
Grischow (b. Altentreptow) .24 E 24
Grischow (b. Stavenhagen) 24 E 23
Grißheim ......100 W 6
Gristede ......17 G 8
Gristow ......13 D 23
Grobau ......78 O 19
Grobleben ......42 I 19
Grochewitz ......43 K 21
Grockstädt ......53 M 18
Groden ......18 E 10
Gröben (Kreis Teltow-Fläming) ...44 J 23
Gröben (Kreis Weißenfels) .66 M 20
Gröbenzell ......104 V 18
Gröbern (Kreis Bitterfeld) .. 54 K 21
Gröbern (Kreis Meißen-Dresden) ...68 M 24
Gröbers ......54 L 20
Gröbitz ......56 L 25
Gröblingen ......37 K 7
Gröbzig ......54 K 19
Gröde-Appelland (Insel) ...4 C 10
Gröditsch ......45 J 26
Gröditz (Kreis Bautzen) ...69 M 27
Gröditz (Kreis Riesa-Großenhain) ...56 L 24
Grömbach ......93 U 9
Grömitz ......10 D 16
Gröna ......54 K 19
Grönebach ......50 M 9
Grönheim ......27 H 7
Gröningen ......86 S 14
Grönloh ......27 I 8
Grönwohld ......20 F 15
Gröpelingen (Bremen) ...29 G 10
Gröst ......54 M 19
Grötsch ......57 K 27
Grötschenreuth ......78 Q 20
Grötzingen (Alb-Donau-Kreis) ...102 U 12
Grötzingen (Kreis Esslingen) ...94 U 11
Grötzingen (Kreis Karlsruhe) ...93 S 9
Grohnde ......39 J 12
Groitzsch ......66 M 20
Grombach ......84 S 10
Gronau (Kreis Bergstraße) . 84 Q 10
Gronau (Kreis Ludwigsburg) ...94 S 12
Gronau (Leine) ......40 J 13
Gronau (Westfalen) ......36 J 5
Grone ......51 L 13
Groothusen ......16 F 5
Groschlattengrün ......78 Q 20
Groschwitz ......65 N 17
Groß Ammensleben ......42 J 18
Groß Aspe ......19 F 12
Groß Bademeusel ......57 K 28
Groß Bäbelin ......23 F 21
Groß Barnitz ......21 E 15
Groß Bawinkel ......27 I 6
Groß Behnitz ......33 I 22
Groß Bengerstorf ......21 F 16
Groß Berkel ......39 J 11
Groß Berßen ......27 H 6
Groß Beuchow ......56 K 26
Groß-Bieberau ......84 Q 10
Groß Biewende ......41 J 15
Groß Bisdorf ......14 D 23
Groß Boden ......20 E 15
Groß Börnecke ......42 K 18
Groß Bramstedt ......29 H 10
Groß Breese ......32 H 17

A B C D E F G H I J K L M N O P Q R S T U V W X Y Z

A B C D E F G H I J K L M N O P Q R S T U V W X Y Z

Groß-Briesen
  (Kreis Oder-Spree) .... 45 J 27
Groß Briesen (Kreis
  Potsdam-Mittelmark) .. 43 J 21
Groß Brunsrode .... 41 I 16
Groß Buchholz .... 32 G 19
Groß Buchwald .... 9 D 14
Groß Bülten .... 40 J 14
Groß Comburg .... 94 S 13
Groß Döbbern .... 57 L 26
Groß Döhren .... 40 K 15
Groß Dölln .... 34 H 24
Groß Dratow .... 24 F 22
Groß Drewitz .... 45 J 27
Groß Düben .... 57 L 27
Groß Düngen .... 40 J 14
Groß-Eichen .... 62 O 11
Groß Eilstorf .... 30 H 12
Groß-Ellershausen
  (Göttingen) .... 51 L 13
Groß Ernsthof .... 15 D 25
Groß-Felda .... 63 O 11
Groß Flotow .... 24 F 22
Groß-Fredenbeck .... 19 F 12
Groß Fredenwalde .... 34 G 25
Groß Fullen .... 26 H 5
Groß Garz .... 32 H 18
Groß Gastrose .... 45 K 27
Groß-Gerau .... 74 Q 9
Groß Germersleben .... 42 J 18
Groß Gievitz .... 24 F 22
Groß Gladebrügge .... 9 E 14
Groß Gleichberg .... 76 O 15
Groß Gleidingen .... 40 J 15
Groß Glienicke .... 44 I 23
Groß Godems .... 22 F 19
Groß Görnow .... 22 E 19
Groß Gottschow .... 32 G 19
Groß Grönau .... 21 E 16
Groß Haßlow .... 33 G 21
Groß Hehlen .... 30 I 14
Groß Heide .... 31 G 17
Groß Heins .... 30 H 12
Groß Hesebeck .... 31 G 15
Groß Hesepe .... 26 I 5
Groß Holum .... 17 E 7
Groß Hundstod .... 114 X 22
Groß Ilde .... 40 J 14
Groß Ilsede .... 40 J 14
Groß Ippener .... 29 H 9
Groß Ippensen .... 19 F 12
Groß Jamno .... 57 K 27
Groß Jehser .... 56 K 25
Groß Karben .... 74 P 10
Groß Kelle .... 23 F 21
Groß Kiesow .... 14 D 24
Groß Köhron .... 29 H 0
Groß Kölzig .... 57 L 27
Groß Köris .... 44 J 24
Groß Kordshagen .... 12 C 22
Groß Krams .... 21 F 17
Groß Krankow .... 21 E 18
Groß Krauscha .... 69 M 28
Groß Kreutz .... 43 I 22
Groß Kubitz .... 13 C 23
Groß Kummerfeld .... 9 D 14
Groß Laasch .... 22 F 18
Groß Labenz .... 22 E 19
Groß Lafferde .... 40 J 14
Groß Leine .... 45 K 26
Groß Lengden .... 52 L 14
Groß Leppin .... 32 H 20
Groß Lessen .... 29 I 10
Groß Leuthen .... 45 J 26
Groß Liedern .... 31 H 15
Groß Linde .... 32 G 19
Groß-Lindow .... 45 J 27
Groß Lobke .... 40 J 14
Groß Luckow .... 25 F 25
Groß Lüben .... 32 H 19
Groß Lüsewitz .... 11 D 21
Groß Luja .... 57 L 27
Groß Lukow .... 24 F 23
Groß Mackenstedt .... 29 G 10
Groß-Markow .... 23 E 22
Groß Marzehns .... 43 K 21
Groß Meckelsen .... 19 G 12
Groß Mehßow .... 56 K 25
Groß Methling .... 14 E 22
Groß Midlum .... 16 F 5
Groß Miltzow .... 24 F 24
Groß Mimmelage .... 27 I 7
Groß Mohrdorf .... 12 C 22
Groß Molzahn .... 21 E 16
Groß Muckrow .... 45 J 27
Groß Mühlingen .... 42 K 19

Groß Munzel .... 39 I 12
Groß-Naundorf .... 55 K 22
Groß Nemerow .... 24 F 23
Groß Neuendorf .... 35 H 27
Groß Nieköhr .... 11 E 21
Groß Niendorf
  (Kreis Parchim) .... 23 F 19
Groß Niendorf
  (Kreis Segeberg) .... 20 E 14
Groß Oesingen .... 31 I 15
Groß Offenseth-Aspern ..... 19 E 13
Groß Oßnig .... 57 K 27
Groß Pankow
  (Kreis Parchim) .... 23 F 19
Groß Pankow
  (Kreis Prignitz) .... 32 G 20
Groß Petershagen .... 13 D 23
Groß Pinnow .... 35 G 26
Groß Plasten .... 24 F 22
Groß Polzin .... 15 E 24
Groß Potrems .... 11 E 20
Groß Quassow .... 24 G 23
Groß Quenstedt .... 41 K 17
Groß Raden .... 23 E 19
Groß-Radisch .... 57 M 28
Groß Reken .... 36 K 5
Groß Rheide .... 5 C 12
Groß Ridsenow .... 11 E 21
Groß Rietz .... 45 J 26
Groß Ringmar .... 29 H 10
Groß Rodensleben .... 42 J 18
Groß Rönnau .... 9 E 14
Groß Roge .... 23 E 21
Groß-Rohrheim .... 84 Q 9
Groß Rosenburg .... 42 K 19
Groß Rünz .... 21 E 16
Groß Salitz .... 21 E 17
Groß Santersleben .... 42 J 18
Groß Sarau .... 21 E 16
Groß Schacksdorf .... 57 K 27
Groß Schauen .... 44 J 25
Groß Schenkenberg .... 21 E 15
Groß Schierstedt .... 53 K 18
Groß Schmölen .... 32 G 17
Groß Schneen .... 52 L 13
Groß Schönebeck .... 34 H 24
Groß Schönfeld .... 24 F 23
Groß Schoritz .... 13 D 24
Groß Schulzendorf .... 44 J 24
Groß Schwansee .... 10 E 17
Groß Schwarzlosen .... 42 I 19
Groß Schwechten .... 32 H 19
Groß Schwiesow .... 23 E 20
Groß Siemz .... 21 E 16
Groß Sisbeck .... 41 I 16
Groß Stavern .... 27 H 6
Groß Stoinum .... 41 J 16
Groß Sterneberg .... 19 F 12
Groß Stieten .... 22 E 18
Groß Strömkendorf .... 10 E 18
Groß Süstedt .... 31 H 15
Groß Teetzleben .... 24 F 23
Groß Tessin .... 23 E 20
Groß Thondorf .... 31 G 16
Groß Thurow .... 21 E 16
Groß Twülpstedt .... 41 I 16
Groß-Umstadt .... 74 Q 10
Groß Upahl .... 23 E 20
Groß Vahlberg .... 41 J 16
Groß Varchow .... 24 F 22
Groß Varlingen .... 29 I 11
Groß Viegeln .... 11 E 20
Groß Vielen .... 24 F 23
Groß Vollstedt .... 8 D 13
Groß Walmstorf .... 21 E 17
Groß Warnow .... 32 G 18
Groß Wasserburg .... 44 J 25
Groß Welle .... 32 G 20
Groß Welzin .... 21 F 17
Groß Werzin .... 32 G 20
Groß Wittensee .... 8 C 13
Groß Wittfeitzen .... 31 G 16
Groß Wokern .... 23 E 21
Groß Woltersdorf .... 33 G 20
Groß Wüstenfelde .... 23 E 21
Groß Zicker .... 13 D 25
Groß Ziescht .... 44 K 24
Groß Ziethen (Kreis Barnim) . 35 H 25
Groß-Ziethen
  (Kreis Oberhavel) .... 34 H 23
Groß-Zimmern .... 74 Q 10
Großaitingen .... 104 V 16
Großalfalterbach .... 87 S 18
Großalmerode .... 51 M 13
Großalsleben .... 41 K 17
Großaltdorf .... 95 S 13

Großaspach .... 94 T 12
Großbadegast .... 54 K 20
Großbardau .... 55 M 22
Großbardorf .... 76 P 15
Großbartloff .... 52 M 14
Großbeeren .... 44 I 23
Großberndten .... 52 L 16
Großbettlingen .... 94 U 11
Großbeuthen .... 44 J 23
Großbirkach .... 86 Q 15
Großbissendorf .... 88 S 19
Großbockedra .... 66 N 19
Großbodungen .... 52 L 15
Großböhla .... 55 L 23
Großbothen .... 67 M 22
Großbottwar .... 94 T 11
Großbreitenbach .... 65 O 17
Großbrembach .... 65 M 17
Großbrüchter .... 52 M 15
Großbuch .... 55 M 21
Großbundenbach .... 82 S 6
Großburlo .... 36 K 4
Großburschla .... 64 M 14
Großdehsa .... 69 M 27
Großderschau .... 33 H 21
Großdingharting .... 105 W 18
Großdittmannsdorf .... 68 M 25
Großdobritz .... 68 M 24
Großdornberg .... 38 J 9
Großdrebnitz .... 68 M 26
Großdubrau .... 69 M 27
Große Aue .... 38 I 9
Große Blöße .... 51 K 12
Große Enz .... 93 T 9
Große Kirr .... 12 C 22
Große Laaber .... 97 T 20
Große Lauter .... 102 V 12
Große Ohe .... 99 T 23
Große Röder .... 56 M 25
Große Striegis .... 67 N 23
Große Vils .... 105 U 20
Großebersdorf .... 66 N 19
Großefehn .... 17 F 6
Großeibstadt .... 76 P 15
Großeicholzheim .... 85 R 11
Grosselfingen .... 101 V 10
Großen-Buseck .... 62 O 10
Großen-Linden .... 62 O 9
Großenaspe .... 9 E 13
Großenbach .... 63 N 13
Großenbaum .... 47 L 4
Großenbreden .... 51 K 11
Großenbrode .... 10 C 17
Großenbroderfähre .... 10 C 17
Großeneder .... 51 L 11
Großenehrich .... 53 M 16
Großenconglio .... 63 N 11
Großenging .... 27 H 7
Großengottern .... 64 M 15
Großengstingen .... 102 U 11
Großenhain .... 56 M 24
Großenhain .... 18 F 10
Großenhausen .... 75 P 11
Großenheidorn .... 39 I 12
Großenhül .... 77 Q 18
Großenkneten .... 28 H 8
Großenlüder .... 63 O 12
Großenlupnitz .... 64 N 15
Großenmarpe .... 39 K 11
Großenmeer .... 18 G 8
Großenmoor .... 63 N 12
Großenrade .... 7 D 11
Großenried .... 86 S 15
Großenritte .... 51 M 12
Großenrode .... 51 K 13
Großenschwand .... 89 R 20
Großensee .... 64 N 13
Großensees .... 20 F 15
Großenstein .... 66 N 20
Großensterz .... 79 Q 20
Großentaft .... 63 N 13
Großenwede .... 30 G 13
Großenwieden .... 39 J 11
Großenwiehe .... 5 B 11
Großenwörden .... 19 E 11
Großer Arber .... 91 S 23
Großer Auerberg .... 53 L 17
Großer Beerberg .... 64 O 16
Großer Binnensee .... 9 D 15
Großer Daumen .... 111 X 15
Großer Dreesch .... 22 F 18
Großer Eutiner See .... 9 D 15
Großer Eyberg .... 83 S 7
Großer Falkenstein .... 91 S 23
Großer Fallstein .... 41 J 16

Großer Farmdenkopf .... 77 O 17
Großer Feldberg .... 74 P 9
Großer Graben .... 41 J 16
Großer Hundskopf .... 101 U 8
Großer Inselsberg .... 64 N 15
Großer Jasmunder Bodden .. 13 C 24
Großer Kalmberg .... 65 N 17
Großer Knechtsand .... 18 E 9
Großer Knollen .... 52 K 15
Großer Kornberg .... 78 P 20
Großer Labussee .... 24 G 22
Großer Landgraben .... 24 E 24
Großer Müggelsee .... 44 I 24
Großer Osser .... 91 S 23
Großer Plöner See .... 9 D 15
Großer Rachel .... 91 T 24
Großer Rammelsberg ...... 79 O 21
Großer Regen .... 91 S 23
Großer Riedelstein .... 91 S 22
Großer Sand .... 26 I 5
Großer See .... 24 F 24
Großer Segeberger See ... 9 E 14
Großer Selchower See ..... 44 J 25
Großer Steinberg .... 51 K 13
Großer Sternberger See ... 23 E 19
Großer Treppelsee .... 45 J 27
Großer Waldstein .... 78 P 19
Großer Wariner See .... 22 E 19
Großer Werder .... 12 C 22
Großerkmannsdorf .... 68 M 25
Großerlach .... 94 S 12
Großes Bruch .... 41 J 16
Großes Meer .... 16 F 5
Großes Moor
  (Kreis Diepholz) .... 28 H 9
Großes Moor
  (Kreis Gifhorn) .... 41 I 15
Großes Moor
  (Kreis Hannover Land) .. 40 I 13
Großes Moor (Kreis
  Nienburg Weser) .... 39 I 10
Großes Moor (Kreis Vechta) 37 I 8
Großes Schulerloch .... 90 T 19
Großfahner .... 65 M 16
Großfischlingen .... 83 S 8
Großfurra .... 53 L 16
Großgarnstadt .... 77 P 17
Großgeschaidt .... 87 R 17
Großgeschwenda .... 65 O 18
Großglattbach .... 93 T 10
Großgörschen .... 54 M 20
Großgoltern .... 39 I 12
Großgrabe .... 56 L 26
Großgräfendorf .... 54 L 19
Großgrimma .... 66 M 20
Großgründlach .... 87 R 17
Großgundertshausen ...... 97 U 19
Großhabersdorf .... 86 R 16
Großhansdorf .... 20 F 14
Großharbach .... 86 R 14
Großharrie .... 9 D 14
Großharthau .... 68 M 26
Großhartmannsdorf .... 67 N 23
Großhartpenning .... 105 W 19
Großheide .... 17 F 6
Großheirath .... 77 P 16
Großhelfendorf .... 105 W 19
Großhennersdorf .... 69 N 28
Großheringen .... 66 M 19
Großhesselohe .... 105 V 18
Großheubach .... 85 Q 11
Großhöbing .... 96 S 17
Großholzhausen .... 113 W 20
Großholzleute .... 111 W 14
Großinzemoos .... 104 V 18
Großjörl .... 5 C 11
Großkarolinenfeld .... 105 W 20
Großkayna .... 54 M 19
Großkitzighofen .... 104 V 16
Großklenau .... 79 Q 21
Großkmehlen .... 56 L 25
Großkochberg .... 65 N 18
Großköllnbach .... 98 T 21
Großkönigsförde .... 8 C 13
Großkötz .... 103 U 14
Großkonruth .... 79 Q 21
Großkorbetha .... 54 M 20
Großkorga .... 55 K 23
Großkoschen .... 56 L 26
Großkrotzenburg .... 74 P 10
Großkuchen .... 95 T 14
Großkühnau .... 54 K 20
Großkugel .... 54 L 20
Großkundorf .... 66 N 20
Großlangenfeld .... 70 P 2
Großlangheim .... 86 Q 14

Großlehna .... 54 M 20
Großleinungen .... 53 L 17
Großliebringen .... 65 N 17
Großlittgen .... 70 P 4
Großlöbichau .... 66 N 19
Großlohra .... 52 L 15
Großmachnow .... 44 J 24
Großmehring .... 97 T 18
Großmölsen .... 65 M 17
Großmonra .... 53 M 17
Großmoor .... 40 I 14
Großmutz .... 34 H 23
Großnaundorf .... 68 M 25
Großneuhausen .... 65 M 17
Großniedesheim .... 84 R 8
Großnöbach .... 105 U 18
Großnottersdorf .... 96 S 17
Großobringen .... 65 M 18
Großörner .... 53 L 18
Großolbersdorf .... 67 N 23
Großostheim .... 74 Q 11
Großpaschleben .... 54 K 19
Großpörthen .... 66 N 20
Großpösna .... 55 M 21
Großpostwitz .... 69 M 27
Großräschen .... 56 L 26
Großrettbach .... 65 N 16
Großrinderfeld .... 85 Q 13
Großringe .... 26 I 4
Großröhrsdorf .... 68 M 26
Großrössen .... 55 L 23
Großropperhausen .... 63 N 12
Großrosseln .... 82 S 4
Großrudestedt .... 65 M 17
Großrückerswalde .... 67 O 23
Großsachsen .... 84 R 10
Großsander .... 17 G 7
Großschafhausen .... 103 V 13
Großschirma .... 67 N 23
Großschlamin .... 10 D 16
Großschönau .... 69 N 27
Großschönbrunn .... 88 R 19
Großschwabhausen .... 65 N 18
Großschwarzenlohe .... 87 R 17
Großschweidnitz .... 69 M 27
Großsedlitz .... 68 N 25
Großselheim .... 62 N 10
Großsolt .... 5 B 12
Großsorheim .... 95 T 15
Großstadelhofen .... 102 W 11
Großsteinberg .... 55 M 21
Großsteinhausen .... 82 S 6
Großstöbnitz .... 66 N 21
Großthannensteig .... 99 T 24
Großthiemig .... 56 L 25
Großtöpfer .... 52 M 14
Großtreben-Zwethau ...... 55 L 22
Großvargula .... 65 M 16
Großvoigtsberg .... 67 N 23
Großwaabs .... 5 C 13
Großwalbur .... 77 P 16
Großwallstadt .... 75 Q 11
Großwaltersdorf .... 67 N 23
Großwechsungen .... 52 L 16
Großweil .... 112 W 17
Großweismannsdorf .... 87 R 16
Großweitzschen .... 67 M 23
Großwelsbach .... 64 M 15
Großwelzheim .... 74 P 11
Großwenden .... 78 P 20
Großwenkheim .... 76 P 15
Großwerther .... 52 L 16
Großwig .... 55 L 22
Großwitzeetze .... 32 H 17
Großwoltersdorf .... 34 G 23
Großwudicke .... 33 I 20
Großwulkow .... 42 I 20
Großzecher .... 21 F 16
Großzerlang .... 33 G 22
Großziethen (Berlin) ...... 44 I 24
Großzöberitz .... 54 L 20
Großzössen .... 55 L 22
Großzschepa .... 55 L 22
Grove .... 21 F 15
Grub
  (Kreis Hildburghausen) . 64 O 15
Grub (Kreis
  Neustadt a. d. Walnaab) . 88 Q 19
Grub a. Forst .... 77 P 17
Grube (Kreis Ostholstein) . 10 D 17
Grube (Kreis Prignitz) .... 32 G 20
Grubo .... 43 J 21
Grubschütz .... 69 M 27
Gruel .... 11 D 21
Grümpen .... 77 O 17
Grün .... 91 S 22

Grüna
  (Kreis Chemnitzer Land) . 67 N 22
Grüna
  (Kreis Teltow-Fläming) .... 43 J 23
Grünau (Berlin) .... 44 I 24
Grünau (Stadtkreis Leipzig) 54 M 20
Grünbach (Göltzschtalkreis) 79 O 21
Grünbach (Kreis Erding) ... 105 V 20
Grünbach (Kreis
  Mühldorf a. Inn) .... 106 V 21
Grünberg .... 62 O 10
Grünberg (Kreis
  Altenburger Land) ...... 66 N 21
Grünberg (Kreis Uckermark) 25 F 26
Gründau .... 75 P 11
Gründeich .... 17 F 6
Gründelhardt .... 95 S 13
Grüneberg .... 34 H 23
Grüneck .... 105 V 19
Grünefeld .... 34 H 22
Grünen Berg .... 95 T 14
Grünen-Plan .... 111 X 14
Grünenbaindt .... 103 U 13
Grünendeich .... 19 F 12
Grünenplan .... 40 K 13
Grünes Moor .... 56 L 26
Grünewald .... 56 L 26
Grünewalde .... 56 L 25
Grüngräbchen .... 56 L 25
Grünhagen .... 31 G 15
Grünhain .... 67 O 22
Grünhainichen .... 67 N 23
Grünheide .... 44 I 25
Grünhof (Kreis Herzogtum
  Lauenburg) .... 20 F 15
Grünhof (Kreis
  Uecker-Randow) .... 25 F 24
Grünholz (Kreis Rendsburg-
  Eckernförde) .... 5 C 13
Grünholz (Kreis
  Schleswig-Flensburg) ... 5 B 13
Grüningen .... 101 W 9
Grünkraut .... 110 W 12
Grünmettstetten .... 101 U 9
Grünow (b. Passow) ...... 35 G 26
Grünow (b. Prenzlau) .... 25 G 25
Grünow (Kreis
  Mecklenburg-Strelitz) .. 24 F 23
Grünsfeld .... 85 R 13
Grünsfeldhausen .... 85 R 13
Grünstadt .... 83 R 8
Grüntal .... 34 H 25
Grüntegernbach .... 105 V 20
Grünten .... 112 X 14
Grüntensee .... 111 X 15
Grünthal .... 106 V 21
Grünwald .... 105 V 18
Grünz .... 25 G 26
Grüppelbach .... 63 N 13
Grüssow .... 23 F 21
Grütz .... 33 I 20
Gruhno .... 56 L 24
Gruibingen .... 94 U 12
Gruiten .... 48 M 5
Grumbach .... 81 R 6
Grumbach (Kreis Annaberg) 67 O 23
Grumbach
  (Saale-Orla-Kreis) ...... 77 O 18
Grumbach (Weißeritzkreis) 68 M 24
Gruna .... 55 L 21
Grünbach .... 93 T 10
Grund .... 99 U 23
Grundfeld .... 77 P 17
Grundhof .... 5 B 12
Grundoldendorf .... 19 F 12
Grundsteinheim .... 50 L 10
Grunewald .... 34 G 24
Grunewald .... 46 K 2
Grunow (Kreis
  Märkisch-Oderland) .... 35 I 26
Grunow (Kreis Oder-Spree) 45 J 27
Gruol .... 101 U 10
Grupenhagen .... 39 J 11
Gschaid .... 106 U 23
Gschwend .... 94 T 13
Gstadt .... 106 W 21
Guben .... 45 K 28
Guckheim .... 61 O 7
Gudelacksee .... 33 H 22
Gudendorf .... 7 D 11
Gudenhagen .... 50 L 9
Gudensberg .... 63 M 12
Guderhandviertel .... 19 F 12
Gudersleben .... 52 L 16
Gudow .... 21 F 16
Güby .... 5 C 13
Güglingen .... 93 S 11

Gühlen 33 H 22
Gühlen-Glienicke 33 G 22
Gülden 31 G 16
Güldengossa 54 M 21
Gülitz 32 G 19
Gülpe 33 H 20
Gülper See 33 H 20
Güls 71 O 6
Gültlingen 93 U 10
Gültstein 93 U 10
Gültz 24 E 23
Gülze 21 F 16
Gülzow (Kreis Demmin) 24 E 22
Gülzow (Kreis Güstrow) 23 E 20
Gülzow (Kreis Herzogtum Lauenburg) 21 F 15
Gündelbach 93 T 10
Gündelwangen 101 W 8
Günding 104 V 18
Gündlingen 100 V 6
Gündlkofen 97 U 20
Gündringen 93 U 10
Günne 49 L 8
Günserode 53 M 17
Günstedt 53 M 17
Günsterode 63 M 12
Günterberg 35 G 25
Günterode 52 L 14
Güntersberge 53 L 16
Güntersen 51 L 13
Güntersleben 75 Q 13
Günterstal 100 W 7
Günthers 64 O 13
Günthersbühl 87 R 17
Günthersdorf 54 L 20
Günthersleben 64 N 16
Günz 12 C 22
Günzach 103 W 15
Günzburg 103 U 14
Günzenhausen 105 V 18
Günzerode 52 L 15
Günzgen 109 X 9
Günzkofen 97 U 20
Gürth 79 P 20
Gürzenich 58 N 3
Güsen 42 I 19
Güssefeld 32 H 18
Güsten 53 K 18
Güster 21 F 16
Güstow 25 G 25
Güstritz 31 H 17
Güstrow 23 E 20
Gütenbach 100 V 8
Güterbahnhof (Freiburg im Breisgau) 100 V 7
Güterberg 25 F 25
Güterfelde 44 I 23
Güterglück 42 K 19
Gütersloh 38 K 9
Güttersbach 84 R 10
Güttingen 109 W 10
Gützkow 14 E 24
Guhlsdorf 32 G 20
Guhrow 56 K 26
Guldental 73 Q 7
Gulow 32 G 19
Gummersbach 59 M 6
Gummlin 25 E 26
Gumpelstadt 64 N 14
Gumperda 65 N 18
Gumpersdorf 106 V 22
Gumtow 33 H 20
Gundelfingen (Kreis Breisgau-Hochschwarzwald) 100 V 7
Gundelfingen (Kreis Reutlingen) 102 V 12
Gundelfingen a.d. Donau 95 U 15
Gundelsby 5 B 13
Gundelsdorf 96 U 17
Gundelshausen 90 T 19
Gundelsheim (Kreis Bamberg) 77 Q 16
Gundelsheim (Kreis Heilbronn) 85 S 11
Gundelsheim (Kreis Weißenburg-Gunzenhausen) 96 T 16
Gunderath 71 P 4
Gundernhausen 74 Q 10
Gundersheim 83 Q 8
Gundersleben 52 M 16
Gundheim 83 Q 8
Gundhelm 75 O 12
Gundhöring 98 T 21
Gundlitz 78 P 18
Gundremmingen 95 U 15
Gungolding 96 T 18
Gunningen 101 V 10
Gunsleben 41 J 17
Guntersblum 84 Q 9
Gunzen 79 O 20
Gunzenau 75 O 12
Gunzendorf (Kreis Amberg-Sulzbach) 87 Q 18
Gunzendorf (Kreis Ansbach) 86 R 14
Gunzendorf (Kreis Bamberg) 87 Q 17
Gunzenhausen 96 S 16
Gunzenheim 96 T 16
Gunzesried 111 X 14
Gurtweil 108 X 8
Gusborn 32 G 17
Gusenburg 81 R 4
Gusow 35 I 27
Gussenstadt 95 U 13
Gussow 44 J 25
Gustavsburg 74 Q 8
Gustorf 58 M 3
Gustow 13 D 23
Gutach (Schwarzwaldbahn) 100 V 8
Gutach i. Breisgau 100 V 7
Guteborn 56 L 25
Gutenberg 94 U 12
Gutendorf 65 N 17
Guteneck 89 R 20
Gutenfürst 78 O 19
Gutengermendorf 34 H 23
Gutenstein 102 V 11
Gutenstetten 86 R 15
Gutenswegen 42 J 18
Gutenthal 81 Q 5
Gutenzell 103 V 13
Gutenzell-Hürbel 103 V 13
Guthmannshausen 65 M 18
Gutmadingen 101 W 9
Gutow 23 E 20
Guttau 57 M 27
Guttenberg (Burg) 85 S 11
Guttenberg (Kreis Kulmbach) 77 P 18
Guttenburg 106 V 21
Guttenthau 78 Q 19
Guxhagen 51 M 12
Gyhum 29 G 11
Gymnich 59 N 4

H

Haag (Kreis Bayreuth) 77 Q 18
Haag (Kreis Bernkastel-Wittlich) 72 Q 5
Haag (Kreis Kitzingen) 86 Q 15
Haag (Kreis Schwandorf) 89 R 21
Haag (Rhein-Neckar-Kreis) 84 R 10
Haag a. d. Amper. 105 U 19
Haag i. Oberbayern 105 V 20
Haale 8 D 12
Haan 48 M 5
Haar 105 V 19
Haar (Kreis Emsland) 26 H 6
Haar (Kreis Lüneburg) 21 G 16
Haarbach 99 U 23
Haarbrück 51 L 12
Haarbrücken 77 P 17
Haard 76 P 14
Haard (Die) 47 K 5
Haardt 83 S 7
Haardtkopf 72 Q 5
Haaren 50 L 10
Haasow 57 K 27
Haaßel 19 F 11
Habach 112 W 17
Habbelrath 59 N 4
Habel (Insel) 4 C 10
Haberloh 29 G 11
Haberskirchen 98 U 21
Habichtsthal 75 P 12
Habichtswald 51 M 11
Habinghorst 30 H 14
Habinghorst 47 L 5
Habischried 91 T 23
Habitzheim 74 Q 10
Habkirchen 82 S 5
Habsberg 100 W 8
Habscheid 70 P 2
Habsthal 102 W 11
Haby 8 C 13
Hachborn 62 N 10
Hache 29 H 10
Hachelbich 53 L 16
Hachen 49 L 7
Hachenburg 61 O 7
Hachmühlen 39 J 12
Hachtel 86 R 13
Hackenbroich 59 M 4
Hackenheim 73 Q 7
Hackenstedt 40 J 14
Hackpfüffel 53 L 17
Hadamar 73 O 8
Haddorf 36 J 5
Hadeln 18 E 10
Hadelner Kanal 18 E 10
Hademstorf 30 H 12
Hadenfeld 8 D 12
Hadersbach 98 T 21
Hadmersleben 41 K 17
Häder 103 U 15
Häfnerhaslach 93 S 10
Häg 108 W 7
Hägelberg 108 X 7
Häger (Kreis Bielefeld) 38 J 9
Häger (Kreis Münster West) 37 J 6
Hähnichen 57 L 28
Hähnlein 84 Q 9
Hämelerwald 40 I 14
Hämelhausen 29 H 11
Hämelschenburg 39 J 12
Hämelsee 29 H 11
Hämerten 32 I 19
Hämmern 77 O 17
Hänchen 57 K 26
Hänigsen 40 I 14
Hänner 108 X 8
Härdler 62 M 8
Härtsfeld 95 T 14
Häsen 34 H 23
Häusern 108 W 8
Häuslingen 29 H 12
Hafenlohr 75 Q 12
Hafenpreppach 76 P 16
Hafenreut 96 T 16
Haferungen 52 L 15
Haffen-Mehr 46 K 3
Haffkrug 9 D 16
Haftenkamp 26 I 4
Hagau 96 T 16
Hage 16 F 5
Hagebök 10 E 18
Hagelstadt 97 T 20
Hagen 47 L 6
Hagen (Hochsauerlandkreis) 49 M 7
Hagen (Kreis Gifhorn) 31 H 15
Hagen (Kreis Hameln-Pyrmont) 39 K 11
Hagen (Kreis Hannover) 29 I 12
Hagen (Kreis Paderborn) 50 K 9
Hagen (Kreis Segeberg) 8 E 13
Hagen (Kreis Stade) 19 F 12
Hagen (Kreis Verden) 29 H 11
Hagen a. Teutoburger Wald 37 J 7
Hagen i. Bremischen 18 F 9
Hagenah 19 F 11
Hagenau 86 S 14
Hagenauer Forst 96 U 17
Hagenbach 93 S 8
Hagenbüchach 86 R 16
Hagenburg 39 I 11
Hagendorf 89 R 21
Hagenheim 104 W 16
Hagenhill 97 T 19
Hagenort 37 J 6
Hagenow 21 F 17
Hagenow Heide 21 F 17
Hagenwerder 69 M 28
Hagermarsch 16 F 5
Hagnau 110 W 11
Hagstedt 27 H 8
Hahausen 40 K 14
Hahle 52 L 14
Hahlen 27 H 7
Hahlen 39 J 10
Hahn (Kreis Darmstadt-Dieburg) 84 Q 9
Hahn (Rhein-Hunsrück-Kreis) 72 Q 5
Hahn (Rheingau-Taunus-Kreis) 73 P 8
Hahn am See 61 O 7
Hahnbach 88 R 19
Hahndorf 40 K 15
Hahnenbach (Stadt) 72 Q 6
Hahnenhorn 40 I 15
Hahnenkamm 96 S 16
Hahnenkammsee 96 T 16
Hahnenklee 52 K 15
Hahnenmoor (Kreis Osnabrück) 27 H 7
Hahnerberg 48 M 5
Hahnheim 73 Q 8
Hahnstätten 73 P 8
Haibach (Kreis Aschaffenburg) 75 Q 11
Haibach (Kreis Straubing-Bogen) 91 S 22
Haibühl 91 S 23
Haida 56 L 24
Haidel 99 T 25
Haidemühl 56 L 26
Haidenaab 78 Q 19
Haidenburg 98 U 23
Haidenkofen 98 T 21
Haidgau 102 W 13
Haidlfing 98 T 22
Haidmühle 99 T 25
Haidt 78 O 19
Haig 77 P 17
Haiger 61 N 8
Haigerach 100 U 8
Haigerloch 101 U 10
Hailfingen 93 U 10
Hailing 98 T 21
Hailtingen 102 V 12
Haimar 40 J 14
Haimbach 63 O 12
Haimhausen 105 V 18
Haiming 106 V 22
Haimpertshofen 97 U 18
Hain 53 L 16
Hain-Gründau 75 P 11
Haina 76 O 15
Haina 62 M 10
Hainbach 114 W 20
Hainbach 83 S 8
Hainbach (Dorf) 63 N 11
Hainberg 40 J 14
Hainburg 74 P 10
Hainchen 66 M 19
Hainchen (Kreis Siegen-Wittgenstein) 61 N 8
Hainchen (Wetteraukreis) 74 P 10
Haindlfing 105 U 19
Hainewalde 69 N 28
Haingersdorf 98 U 22
Haingrund 84 Q 11
Hainhausen 74 P 10
Hainich 64 M 15
Hainichen (Kreis Leipziger Land) 67 N 23
Hainichen (Kreis Mittweida) 67 M 21
Hainleite 53 L 16
Hainmühlen 18 F 10
Hainrode 52 L 16
Hainrode (Hainleite) 53 L 17
Hainsacker 90 S 20
Hainsbach 98 T 21
Hainsfarth 95 T 15
Hainspitz 66 N 19
Hainstadt (Kreis Offenbach) 74 P 10
Hainstadt (Neckar-Odenwald-Kreis) 85 R 11
Hainstadt (Odenwaldkreis) 84 Q 11
Haintchen 74 O 8
Hainzell 63 O 12
Haisterkirch 102 W 13
Haiterbach 93 U 9
Hajen 39 J 12
Hakeborn 42 K 18
Hakel 53 K 17
Hakenberg 33 H 22
Hakenberg 50 L 10
Hakenstedt 41 J 17
Halbe 44 J 25
Halbemond 16 F 5
Halbendorf (Kreis Bautzen) 57 M 27
Halbendorf (Niederschlesischer Oberlausitzkr.) 57 L 27
Halberstadt 41 K 17
Halblech 112 X 16
Halchter 41 J 15
Haldem 38 I 9
Haldenhof 102 W 11
Haldensleben 42 J 18
Haldensleben II 42 J 18
Haldenwang 103 W 15
Haldern 46 K 3
Halen (Kreis Cloppenburg) 27 H 8
Halen (Kreis Osnabrück) 37 I 7
Halenbeck 23 G 20
Halfing 105 W 20
Halgehausen 62 M 10
Halingen 49 L 7
Hallbergmoos 105 V 19
Halle 54 L 19
Halle 38 J 9
Halle (Kreis Grafschaft-Bentheim) 36 I 4
Halle (Kreis Holzminden) 39 K 12
Halle-Neustadt 54 L 19
Hallenberg 62 M 9
Hallendorf 40 J 15
Hallerndorf 87 Q 16
Hallerstein 78 P 19
Hallertau 97 U 18
Hallgarten 83 Q 7
Halligen 4 C 9
Hallschlag 70 O 3
Hallstadt 77 Q 16
Hallwangen 93 U 9
Halsbach (Kreis Altötting) 106 V 22
Halsbach (Kreis Main-Spessart) 75 P 12
Halsbek 17 G 7
Halsbrücke 68 N 24
Halsdorf 62 N 10
Halsenbach 71 P 6
Halserspitz 113 X 19
Halstenbek 19 F 13
Haltern (Kreis Recklinghausen) 47 K 5
Haltern (Kreis Steinfurt) 36 J 5
Halterner Stausee 47 K 5
Haltingen 108 X 6
Halver 49 M 6
Halverde 37 I 7
Halvesbostel 19 F 12
Halvestorf 39 J 11
Halzhausen 95 U 13
Hamb 46 L 3
Hambach 58 N 3
Hambach 76 P 14
Hambacher Schloß 83 S 8
Hamberg 97 S 19
Hamberge 21 E 15
Hambergen 18 G 10
Hamborn 47 L 4
Hambrücken 84 S 9
Hambuch 71 P 5
Hambühren 30 I 13
Hamburg 19 F 14
Hamburg-Fuhlsbüttel (Flughafen) 19 F 13
Hamburger Hallig 4 C 10
Hamdorf (Kreis Rendsburg-Eckernförde) 8 D 12
Hamdorf (Kreis Segeberg) 9 E 14
Hameln 39 J 12
Hamelspringe 39 J 12
Hamelwörden 19 E 11
Hamelwördenermoor 19 E 11
Hamersen 19 G 12
Hamersleben 41 J 17
Hamfelde 20 F 15
Hamm
Hamm (Kreis Alzey-Worms) 84 Q 9
Hamm (Kreis Recklinghausen) 47 K 5
Hamm (Sieg) 61 N 7
Hamm (Westfalen) 49 K 7
Hammah 19 F 12
Hamme 47 G 10
Hammel 27 H 7
Hammelbach 84 R 10
Hammelburg 75 P 13
Hammelspring 34 G 24
Hammenstedt 52 K 14
Hammer 70 O 2
Hammer 106 W 22
Hammer (Kreis Herzogtum Lauenburg) 21 F 15
Hammer (Kreis Oberhavel) 34 H 24
Hammer a. d. Ücker 25 F 25
Hammer-unterwiesenthal 79 O 23
Hammerau 106 W 22
Hammerbrücke 79 O 21
Hammereisenbach-Bregenbach 101 W 8
Hammerfließ 44 J 24
Hammersbach 74 P 10
Hammerschmiede See 95 T 13
Hammerstein 81 Q 5
Hammerstein 108 W 6
Hamminkeln 46 K 3
Hammoor 20 E 14
Hamstrup 27 H 7
Hamwarde 20 F 15
Hamweddel 8 D 12
Hamwiede 30 H 12
Hanau 74 P 10
Handeloh 19 G 13
Handewitt 5 B 11
Handorf 37 K 7
Handorf (Kreis Lüneburg) 20 F 15
Handorf (Kreis Peine) 40 J 14
Handrup 27 I 6
Handzell 96 U 17
Haneberg 27 I 6
Hanerau-Hademarschen 8 D 12
Hangelar (Bonn) 59 N 5
Hangelsberg 44 I 25
Hanhofen 84 S 9
Hankensbüttel (Isenhagen) 31 H 15
Hankofen 98 T 21
Hann. Münden 51 L 12
Hannberg 87 R 16
Hannebach 71 O 5
Hannersgrün 88 R 20
Hannober 110 W 13
Hannover 40 I 13
Hannover-Langenhagen (Flughafen) 40 I 13
Hansapark 9 D 16
Hansell 37 J 6
Hansen 31 H 15
Hanshagen (Kreis Nordwestmecklenburg) 21 E 17
Hanshagen (Kreis Ostvorpommern) 14 D 24
Hanstedt (Kreis Harburg) 19 G 14
Hanstedt (Kreis Rotenburg) 18 G 11
Hanstedt (Kreis Uelzen) 31 G 15
Hanstedt II 31 H 15
Hanstorf 11 D 19
Hansühn 9 D 16
Hanswarft 4 C 9
Hanum 31 H 16
Happenweiler 110 W 12
Happing 105 W 20
Happurg 87 R 18
Harb 74 O 10
Harbach 61 N 7
Harbarnsen 40 K 13
Harber 30 H 13
Harbergen 29 H 11
Harbke 41 J 17
Harburg (Hamburg) 19 F 13
Harburg (Schwaben) 96 T 16
Hardebek 8 E 13
Hardegsen 51 L 13
Hardehausen 50 L 10
Hardenbeck 24 G 24
Hardenburg 83 R 8
Harderode 39 J 12
Hardert 61 O 6
Hardesby 5 B 12
Hardheim 85 R 12
Hardisleben 65 M 18
Hardt 101 V 9
Hardt (Kreis Warendorf) 49 K 7
Hardt (Mönchengladbach-) 58 M 3
Hardtberg (Bonn) 59 N 5
Hardthausen 85 S 12
Hardtwald 93 S 9
Haren 26 H 5
Harenberg 40 I 12
Hargesheim 73 Q 7
Harheim 74 P 10
Harkebrügge 27 G 7
Harkemissen 39 J 10
Harkensee 10 E 16
Harkerode 53 K 18
Harksheide 19 E 14
Harle 63 M 12
Harleshausen 51 L 12
Harlesiel 17 E 7
Harlingen 80 R 3
Harlingerode 41 K 15
Harmating 105 W 18
Harmelingen 30 G 13
Harmenhausen 29 G 9
Harmsdorf (Kreis Herzogtum Lauenburg) 21 E 16
Harmsdorf (Kreis Ostholstein) 9 D 16
Harmstorf (Kreis Harburg) 19 F 13
Harmstorf (Kreis Lüneburg) 31 G 16
Harmuthsachsen 63 M 13
Harnekop 35 H 26
Harpe 32 H 18
Harperscheid 70 O 3
Harpfing 106 V 21
Harpstedt 29 H 9
Harra 78 O 19
Harras 77 O 16
Harrbach 75 P 13
Harrendorf 18 F 10
Harrenstätte 27 H 6
Harriehausen 52 K 14
Harrienstädt 39 I 10

A B C D E F G **H** I J K L M N O P Q R S T U V W X Y Z

Harrierwurp .... 18 G 9
Harrislee .... 5 B 12
Harrlach .... 87 S 17
Harscheid .... 59 N 6
Harsdorf .... 77 P 18
Harsefeld .... 19 F 12
Harsewinkel .... 37 K 8
Harsleben .... 53 K 17
Harste .... 51 L 13
Harsum .... 40 J 13
Harsweg .... 16 F 5
Hart .... 101 U 10
Hart a. d. Alz .... 106 V 21
Hartefeld .... 46 L 3
Hartegasse .... 59 M 0
Hartenholm .... 20 E 14
Hartenrod .... 62 N 9
Hartenstein .... 67 O 22
Hartenstein .... 87 R 18
Harter Kopf .... 83 R 7
Hartershausen .... 63 O 12
Harth .... 50 L 9
Hartha (Kreis Döbeln) .... 67 M 22
Hartha (Weißeritzkreis) .... 68 N 24
Harthausen (Kreis Ludwigshafen) .... 84 S 9
Harthausen (Kreis München) .... 105 V 19
Harthausen (Kreis Rottweil) .... 101 V 9
Harthausen (Main-Tauber-Kreis) .... 85 R 13
Harthausen a. d. Scheer . 102 V 11
Harthausen b. Feildhausen .... 102 V 11
Hartheim (Kreis Breisgau-Hochschwarzwald) .... 100 W 6
Hartheim (Zollernalbkreis) 101 V 10
Harthofen .... 105 V 19
Hartkirchen .... 107 U 24
Hartmannsbach .... 68 N 25
Hartmannsdorf (Kreis Dahme-Spreewald) .... 44 K 25
Hartmannsdorf (Kreis Mittweida) .... 67 N 22
Hartmannsdorf (Kreis Oder-Spree) .... 44 I 25
Hartmannsdorf (Kreis Zwickauer Land) .. 67 O 21
Hartmannsdorf (Saale-Holzland-Kreis) .. 66 N 19
Hartmannsdorf-Reichenau 68 N 24
Hartmannsgrün .... 66 O 20
Hartmannshain .... 75 O 11
Hartmannshof .... 87 R 18
Hartum .... 39 J 10
Harxheim .... 73 Q 8
Harz .... 53 K 15
Harz-Hochstraße .... 52 K 15
Harzgerode .... 53 L 17
Hasberg .... 103 V 15
Hasbergen .... 37 J 7
Hasborn .... 71 P 4
Hasborn-Dautweiler .... 81 R 4
Hase .... 37 I 8
Hasede .... 40 J 13
Hasel .... 108 O 15
Haselaar .... 26 I 4
Haselau .... 19 F 12
Haselbach (Kreis Neuburg-Schrobenhausen) .. 96 U 17
Haselbach (Kreis Passau) .99 U 24
Haselbach (Kreis Rhön-Grabfeld) .... 76 O 14
Haselbach (Kreis Schwandorf) .. 88 R 20
Haselbach (Kreis Sömmerda) .... 66 M 21
Haselbach (Kreis Sonneberg) .... 77 O 17
Haselbach (Kreis Straubing-Bogen) .. 91 S 22
Haselberg .... 35 H 26
Haselbrunn .... 87 Q 18
Haseldorf .... 19 F 12
Haseloff-Grabow .... 43 J 22
Haselstein .... 63 N 13
Haselund .... 4 C 11
Hasenfeld .... 70 O 3
Hasenfelde .... 45 I 26
Hasenfleet .... 19 E 11
Hasenmoor .... 19 E 13
Hasenthal .... 77 O 17
Hasenweiler .... 108 X 7
Haslach (b. Bad Waldsee) 102 W 13
Haslach (Kreis Ansbach) .... 95 S 15

Haslach (Kreis Biberach a. d. Riß) .... 103 W 14
Haslach (Kreis Freiburg im Breisgau) ... 100 W 7
Haslach (Kreis Traunstein) 106 W 21
Haslach im Kinzigtal .... 100 V 8
Hasloch .... 85 Q 12
Hasloh .... 19 E 13
Haspe .... 49 L 6
Haßberge .... 76 P 15
Haßberge (Naturpark) .... 76 P 15
Haßbergen .... 29 H 11
Hassel (Kreis Celle) .... 30 H 13
Hassel (Kreis Nienburg) .. 29 H 11
Hassel (Kreis Rotenburg) .... 30 G 12
Hassel (Kreis Stendal) .... 32 I 19
Hassel (Saarpfalz-Kreis) .. 82 S 5
Hassel (Gelsenkirchen-) .. 47 L 5
Hasselbach (Hochtaunuskreis) .... 74 O 9
Hasselbach (Rhein-Hunsrück-Kreis) .... 71 P 6
Hasselberg .... 5 B 13
Hasselbrock .... 26 H 5
Hasselfelde .... 53 K 16
Hasselhorst .... 30 H 13
Hasselroth .... 75 P 11
Hasselt .... 46 K 2
Hassenbach .... 76 P 13
Hassenberg .... 77 P 17
Hassendorf (Kreis Ostholstein) .... 9 D 15
Hassendorf (Kreis Rotenburg) .... 29 G 11
Hasserode .... 52 K 16
Haßfurt .... 76 P 15
Haßlach .... 77 P 17
Haßlach b. Teuschnitz .... 77 O 18
Haßleben (Kreis Sömmerda) .... 65 M 16
Haßleben (Kreis Uckermark) .... 25 G 25
Haßlingen .... 38 I 9
Haßlinghausen .... 48 L 5
Haßloch .... 83 R 8
Haßmersheim .... 85 S 11
Haßmoor .... 8 D 13
Hassum .... 46 K 2
Haste .... 39 I 12
Hastedt .... 30 G 12
Hasten .... 48 M 5
Hastenrath .... 58 N 2
Hastenrath (-Scherpenseel) 58 N 2
Hatshausen .... 17 F 6
Hatten .... 28 G 9
Hattendorf (Kreis Schaumburg) .... 39 J 11
Hattendorf (Vogelsbergkreis) .... 63 N 11
Hattenheim .... 73 P 8
Hattenhof .... 75 O 13
Hattenhofen (Kreis Fürstenfeldbruck) .. 104 V 17
Hattenhofen (Kreis Göppingen) .. 94 T 12
Hattenrod .... 62 O 10
Hattenweiler .... 102 W 11
Hattersheim .... 74 P 9
Hattert .... 61 N 7
Hatterwüsting .... 28 G 8
Hattgenstein .... 81 Q 5
Hattingen (Ennepe-Ruhr-Kreis) .... 47 L 5
Hattingen (Kreis Tuttlingen) .... 101 W 10
Hattorf .... 41 I 16
Hattorf a. Harz .... 52 L 14
Hattrop .... 49 L 8
Hatzbach .... 62 N 11
Hatzenbühl .... 93 S 8
Hatzenreuth .... 79 P 21
Hatzfeld .... 62 N 9
Hatzte .... 19 G 12
Hatzum .... 16 G 6
Hau .... 46 K 2
Haubersbronn .... 94 T 12
Haueda .... 51 L 11
Hauenhorst .... 37 J 6
Hauenstein .... 83 S 7
Hauerz .... 103 W 13
Haufeld .... 65 N 17
Haundorf (Kreis Erlangen-Höchstadt) .... 87 R 16

Haundorf (Kreis Weißenburg-Gunzenhausen) .. 86 S 16
Haune .... 63 O 13
Hauneck .... 63 N 13
Haunersdorf .... 98 U 22
Haunetal .... 63 N 13
Haunsheim .... 95 U 15
Haunstetten (Kreis Augsburg Stadt) .. 104 V 16
Haunstetten (Kreis Eichstätt) .. 96 S 18
Haunswies .... 104 U 17
Haunwang .... 105 U 20
Haupt .... 50 K 9
Hauptgraben .... 35 I 27
Hauptkanal .... 29 H 10
Hauptschwenda .... 63 N 12
Hauptstuhl .... 81 R 6
Hauröden .... 52 L 15
Haus i. Wald .... 99 T 24
Hausach .... 100 V 8
Hausbach .... 80 R 4
Hausberge .... 39 J 10
Hausbruch .... 19 F 13
Hausdorf .... 67 M 22
Hausdülmen .... 47 K 5
Hausen (Kreis Amberg-Sulzbach) .. 88 R 19
Hausen (Kreis Bad Kissingen) .... 76 P 14
Hausen (Kreis Böblingen) .. 93 T 10
Hausen (Kreis Donau-Ries) 95 T 15
Hausen (Kreis Euskirchen) . 58 O 3
Hausen (Kreis Forchheim) . 87 Q 17
Hausen (Kreis Kelheim) .. 97 T 20
Hausen (Kreis Limburg-Weilburg) .. 61 O 8
Hausen (Kreis Miltenberg) .. 75 Q 11
Hausen (Kreis Reutlingen) 102 V 11
Hausen (Kreis Rhön-Grabfeld) .. 76 O 14
Hausen (Kreis Unterallgäu) .. 103 V 15
Hausen (Kreis Viersen) .. 58 M 3
Hausen (Schwalm-Eder-Kreis) .... 63 N 12
Hausen (Werra-Meißner-Kreis) .. 51 M 13
Hausen (Wied) .... 61 O 6
Hausen a. Andelsbach .. 102 W 11
Hausen a. Bach .... 86 S 14
Hausen a. d. Möhlin .... 100 W 7
Hausen a. Tann .... 101 V 10
Hausen-Arnsbach .... 74 P 9
Hausen b. Würzburg .... 76 Q 14
Hausen i. Killertal .... 102 V 11
Hausen i. Tal .... 101 V 11
Hausen i. Wiesental .... 108 W 7
Hausen v. d. Höhe .... 73 P 8
Hausen vor Wald .... 101 W 9
Hausham .... 113 W 19
Hausknecht .... 95 T 13
Hausneindorf .... 53 K 17
Hausselberg .... 30 H 14
Haussömmern .... 65 M 16
Hausstette .... 27 H 8
Haustadt .... 80 R 4
Hauswurz .... 75 O 12
Hauteroda .... 53 M 17
Hauzenberg .... 99 U 24
Hauzendorf .... 90 S 20
Hauzenstein .... 90 S 20
Havekost (Kreis Herzogtum Lauenburg) ... 21 F 15
Havekost (Kreis Oldenburg) 29 H 9
Havel .... 34 G 24
Havelberg .... 32 H 20
Havelkanal .... 34 I 23
Havelländischer Großer Hauptkanal .. 33 I 21
Havelland .... 43 I 21
Havelsche Mark .... 42 I 19
Haverbeck .... 39 J 11
Haverbek .... 28 I 8
Haverlah .... 40 J 14
Havetoft .... 5 C 12
Havetoftloit .... 5 C 12
Havixbeck .... 36 K 6
Hawangen .... 103 W 14
Hayingen .... 102 V 12
Hayn .... 53 L 17
Haynrode .... 52 L 15
Haynsburg .... 66 M 20
Hebanz .... 78 P 20
Hebel .... 63 M 12
Hebelermeer .... 26 H 5

Hebenhausen .... 51 L 13
Heber (Dorf) .... 30 G 13
Hebertsfelden .... 106 U 22
Hebertshausen .... 104 V 18
Hebramsdorf .... 97 T 20
Hebrontshausen .... 97 U 19
Hechingen .... 101 U 10
Hechlingen .... 96 T 16
Hechthausen .... 19 F 11
Hechtsheim .... 74 Q 8
Heckelberg .... 34 H 25
Heckenbach .... 71 O 5
Heckenbeck .... 40 K 13
Heckentrup .... 49 K 8
Heckfeld .... 85 R 12
Heckhuscheid .... 70 P 2
Hecklingen .... 53 K 18
Heddesbach .... 84 R 10
Heddesheim .... 84 R 9
Heddinghausen .... 50 L 10
Hedemünden .... 51 L 13
Hedendorf .... 19 F 12
Hedeper .... 41 J 16
Hedersleben (Kreis Mansfelder Land) .... 54 L 18
Hedersleben (Kreis Quedlinburg) .. 53 K 17
Hedwigenkoog .... 7 D 10
Heede (Kreis Diepholz) .. 28 I 9
Heede (Kreis Emsland) .. 26 H 5
Heedfeld .... 49 M 6
Heek .... 36 J 5
Heemsen .... 29 H 11
Heepen .... 38 J 9
Heere .... 40 J 14
Heeren .... 42 I 19
Heeren-Werve .... 49 L 7
Heerstedt .... 18 F 10
Heersum .... 40 J 14
Heerte .... 40 J 15
Hees .... 46 L 2
Heeselicht .... 68 M 26
Heeslingen .... 19 G 12
Heessen .... 49 K 7
Hefersweiler .... 83 R 7
Hefigkofen .... 110 W 12
Heftrich .... 74 P 9
Hegaublick .... 101 W 10
Hegensdorf .... 50 L 9
Heggbach .... 103 V 13
Heggen .... 61 M 7
Hehlen .... 39 K 12
Hehlingen .... 41 I 16
Hehn .... 50 L 9
Heidberg .... 59 N 4
Heide .... 7 D 11
Heide .... 59 N 5
Heide .... 95 S 15
Heide Park .... 30 G 13
Heideck .... 96 S 17
Heidelbach .... 63 N 11
Heidelbeck .... 39 J 11
Heidelberg .... 84 R 10
Heidelheim .... 78 P 20
Heidelsheim .... 93 S 9
Heidelstein .... 76 O 14
Heiden (Kreis Borken) .... 47 K 4
Heiden (Kreis Lippe) .... 39 K 10
Heidenau .... 68 N 25
Heidenau .... 19 G 12
Heidenburg .... 72 Q 4
Heidenend .... 46 M 2
Heidenfeld .... 76 Q 14
Heidenheim .... 96 S 16
Heidenheim a. d. Brenz .. 95 T 14
Heidenrod .... 73 P 7
Heidersdorf .... 68 N 24
Heidesheim a. Rhein .... 73 Q 8
Heidgraben .... 19 E 13
Heidhausen .... 39 I 11
Heidhof .... 32 G 17
Heidhusen .... 28 G 9
Heidingsfeld .... 85 Q 13
Heidkate .... 9 C 14
Heidmoor .... 19 E 13
Heidmühlen .... 19 E 13
Heidweiler .... 72 Q 4
Heigenbrücken .... 75 P 12
Heikendorf .... 9 C 14
Heilbronn .... 94 S 11
Heilgersdorf .... 77 P 16
Heiligenberg .... 102 W 11
Heiligendamm .... 11 D 19
Heiligendorf .... 41 I 16
Heiligenfelde .... 29 H 10
Heiligengrabe .... 33 G 21

Heiligenhafen .... 10 C 16
Heiligenhagen .... 11 D 19
Heiligenhaus (Kreis Mettmann) .... 48 M 4
Heiligenhaus (Rheinisch-Bergischer Kreis) .. 59 N 5
Heiligenkirchen .... 39 K 10
Heiligenloh .... 29 H 9
Heiligenrode .... 29 H 10
Heiligenroth .... 73 O 7
Heiligenstadt .... 52 L 14
Heiligenstadt .... 77 Q 17
Heiligenstedten .... 8 E 12
Heiligenstein .... 84 S 0
Heiligenthal .... 53 L 18
Heiligenthal .... 31 G 15
Heiligenzimmern .... 101 V 10
Heiligkreuz (Kreis Bad Kissingen) .. 75 P 13
Heiligkreuz (Kreis Traunstein) .. 106 V 21
Heiligkreuzsteinach .. 84 R 10
Heiligkreuztal .... 102 V 12
Heilingen .... 65 N 18
Heilinghausen .... 89 S 20
Heilsau .... 21 E 15
Heilsbronn .... 86 R 16
Heilshoop .... 21 E 15
Heilshorn .... 18 G 10
Heimarshausen .... 63 M 11
Heimbach .... 100 V 7
Heimbach (Kreis Birkenfeld) .... 81 R 5
Heimbach (Kreis Düren) .. 70 O 3
Heimbach (Schwalm-Eder-Kreis) .. 62 N 11
Heimbach-Weis .... 71 O 6
Heimboldshausen .... 64 N 13
Heimborn .... 61 N 7
Heimbuchenthal .... 75 Q 11
Heimenkirch .... 111 X 13
Heimerdingen .... 93 T 10
Heimersheim .... 60 O 5
Heimertingen .... 103 V 14
Heimertshausen .... 63 N 11
Heimerzheim .... 59 N 4
Heimhausen .... 39 I 11
Heimsheim .... 93 T 10
Heimweiler .... 81 Q 6
Heinade .... 51 K 12
Heinbockel .... 19 F 11
Heinde .... 40 J 14
Heinebach .... 63 M 13
Heinefelde .... 28 H 13
Heinersbrück .... 57 K 27
Heinersdorf (Kreis Ansbach) .. 95 S 15
Heinersdorf (Kreis Oder-Spree) .. 45 I 26
Heinersdorf (Kreis Sonneberg) .. 77 O 17
Heinersdorf (Kreis Uckermark) .. 35 G 26
Heinersdorf (Saale-Orla-Kreis) .. 77 O 18
Heinersgrün .... 78 O 19
Heinersreuth (Kreis Bayreuth) .. 77 Q 18
Heinersreuth (Kreis Kulmbach) .... 77 P 18
Heinersreuth (Kreis Neustadt a. d. Waldnaab) .. 88 Q 19
Heiningen .... 41 J 15
Heiningen .... 94 U 12
Heinkenborstel .... 8 D 13
Heinrichs .... 64 O 15
Heinrichsberg .... 42 J 19
Heinrichsdorf .... 33 G 21
Heinrichsdorf .... 50 M 9
Heinrichshagen .... 39 K 12
Heinrichsort .... 67 N 21
Heinrichsruh .... 25 F 25
Heinrichsthal .... 75 P 12
Heinrichswalde .... 25 F 25
Heinsberg .... 58 M 2
Heinsberg (Kreis Olpe) .. 61 M 8
Heinschenwalde .... 18 F 10
Heinsen (Kreis Holzminden) .. 39 K 12
Heinsen (Kreis Lüneburg) . 31 G 15
Heinsheim .... 85 S 11
Heinstetten .... 101 V 10
Heintrop .... 49 L 8
Heinum .... 40 J 13
Heinzenbach .... 72 Q 6
Heinzenberg .... 74 O 9

Heisebeck .... 51 L 12
Heisede .... 40 J 13
Heisingen (Essen) .... 47 L 5
Heißbüttel .... 18 G 10
Heist .... 19 F 12
Heisterbacherrott .... 59 N 5
Heisterende .... 19 E 12
Heitersheim .... 100 W 6
Heithöfen .... 38 I 9
Helbe .... 52 L 16
Helbigsdorf .... 68 M 24
Helbigsdorf (Kreis Freiberg) 68 N 24
Helbra .... 53 L 18
Holdburg .... 76 P 16
Helden .... 61 M 7
Heldenbergen .... 74 P 10
Heldenstein .... 106 V 21
Heldmannsberg .... 87 R 18
Heldra .... 64 M 14
Heldritt .... 77 O 16
Heldrungen .... 53 M 17
Helenenberg .... 80 Q 3
Helenesee .... 45 J 27
Helfant .... 80 R 3
Helferskirchen .... 61 O 7
Helfta .... 53 L 18
Helgoländer Bucht .... 6 E 7
Helgoland .... 6 D 7
Helgoland-Düne (Flughafen) .6 D 7
Hell Berge .... 32 I 17
Hellberg .... 70 O 3
Helle .... 32 G 20
Hellefeld .... 49 M 8
Hellendorf .... 68 N 25
Hellengerst .... 111 X 14
Hellenhahn-Schellenberg .. 61 O 7
Hellental .... 51 K 12
Hellenthal .... 70 O 3
Heller .... 36 N 8
Hellersdorf .... 44 I 24
Hellertshausen .... 72 Q 5
Hellingen .... 76 P 16
Hellingst .... 18 F 10
Hellste .... 75 P 11
Hellwege .... 29 G 11
Helm .... 21 F 17
Helmarshausen .... 51 L 12
Helmbrechts (Kreis Hof) .. 78 P 19
Helmbrechts (Kreis Tirschenreuth) .. 78 Q 20
Helme .... 53 L 16
Helmerkamp .... 31 I 14
Helmern (Kreis Höxter) .. 51 L 11
Helmern (Kreis Paderborn) 50 L 10
Helmers .... 64 N 14
Helmershausen .... 64 O 14
Holmighausen .... 27 H 7
Helmighausen .... 50 L 10
Helminghausen .... 50 L 10
Helmlingen .... 92 T 7
Helmscherode .... 40 K 14
Helmsdorf .... 52 M 15
Helmsdorf b. Pirna .... 68 M 26
Helmsgrün .... 66 O 20
Helmsheim .... 93 S 9
Helmstadt .... 85 Q 13
Helmstadt-Bargen .... 84 S 10
Helmste .... 19 F 12
Helmstedt .... 41 J 17
Helmstorf
Helpershain .... 63 O 11
Helpsen .... 39 J 11
Helpt .... 24 F 24
Helpter Berge .... 24 F 24
Helpup .... 38 K 10
Helsa .... 51 M 13
Helse .... 7 E 11
Helsen .... 50 L 11
Helstorf .... 30 I 12
Helte .... 26 H 6
Heltersberg .... 83 S 7
Helvesiek .... 30 G 12
Hemau .... 90 S 19
Hembergen .... 37 J 6
Hembsen .... 51 K 11
Hemden .... 36 K 3
Hemdingen .... 19 E 13
Hemeln .... 51 L 12
Hemer .... 49 L 7
Hemeringen .... 39 J 11
Hemfurth .... 62 M 11
Hemhof .... 106 W 21
Hemhofen .... 87 Q 16
Hemleben .... 53 M 17
Hemme .... 7 D 11
Hemmelmark .... 5 C 13
Hemmelsdorf .... 9 E 16

Deutschland 203

Hemmelsdorfer See 9 E 16
Hemmelte 27 H 7
Hemmendorf 39 J 12
Hemmendorf 101 U 10
Hemmenhofen 109 W 10
Hemmerde 49 L 7
Hemmerden 58 M 3
Hemmern 50 L 9
Hemmersdorf 80 R 3
Hemmersheim 86 R 14
Hemmingen 40 J 13
Hemmingen 94 T 11
Hemmingstedt 7 D 11
Hemmoor 19 E 11
Hemsbach 84 R 9
Hemsbünde 30 G 12
Hemsen *(Kreis Emsland)* 26 H 5
Hemsen *(Kreis Soltau-Fallingbostel)* 30 G 13
Hemsendorf 55 K 22
Hemslingen 30 G 12
Hemstedt 32 I 18
Hendungen 76 O 15
Henfenfeld 87 R 18
Heng 87 S 18
Hengen 94 U 12
Hengersberg 98 T 23
Hengersberger Ohe 99 T 23
Henglarn 50 L 10
Hengsen 49 L 6
Hengsterholz 28 H 9
Hengstfeld 86 S 14
Hengstlage 27 H 8
Henneberg 76 O 15
Hennef 59 N 5
Hennen 49 L 6
Hennersdorf *(Kreis Elbe-Elster)* 56 L 24
Hennersdorf *(Weißeritzkreis)* 68 N 24
Hennesee 50 L 8
Hennethal 73 P 8
Hennickendorf *(Kreis Märkisch-Oderland)* 44 I 25
Hennickendorf *(Kreis Teltow-Fläming)* 43 J 23
Hennigsdorf 34 I 23
Henningen 31 H 16
Henningsleben 64 M 15
Hennstedt *(Kreis Dithmarschen)* 7 D 11
Hennstedt *(Kreis Steinburg)* 8 D 13
Hennweiler 72 Q 6
Henstedt *(Kreis Diepholz)* 29 H 10
Henstedt *(Kreis Segeberg)* 20 E 14
Hentern 80 R 4
Hentrup 50 K 8
Henzendorf 45 J 27
Hepberg 96 T 18
Heppendorf 58 N 3
Heppenheim (Bergstraße) 84 R 8
Heppenheim a. d. Weise 83 R 9
Hepstedt 18 G 11
Herbede 47 L 5
Herbelhausen 62 M 10
Herbergen 27 H 7
Herbern 49 K 6
Herbertingen 102 V 12
Herbertshofen 96 U 16
Herbolzheim *(Kreis Emmendingen)* 100 V 7
Herbolzheim *(Kreis Neustadt a. d. A.-Bad W.)* 86 R 15
Herborn 62 N 8
Herbram 50 K 10
Herbram Wald 50 K 10
Herbrechtingen 95 U 14
Herbrum 26 G 5
Herbrumerkämpe 26 G 6
Herbsen 50 L 11
Herbsleben 65 M 16
Herbstadt 76 P 15
Herbstein 63 O 12
Herbsthausen 85 R 13
Herchen 59 N 6
Herchenhain 75 O 11
Herchweiler 81 R 5
Hercules *(Kassel)* 63 M 12
Herda 64 N 14
Herdecke 47 L 6
Herdern 100 V 7
Herdorf 61 N 7
Herdringen 49 L 7
Herdwangen 102 W 11
Heretsried 104 U 16
Herfa 63 N 13
Herfatz 110 W 13
Herford 38 J 10
Herforst 72 Q 4
Hergarten 60 O 3
Hergatz 110 X 13
Hergershausen *(Kreis Darmstadt-Dieburg)* 74 Q 10
Hergershausen *(Kreis Hersfeld-Rotenburg)* 63 M 13
Herges 64 N 15
Hergisdorf 53 L 18
Hergolshausen 76 Q 14
Herhagen 50 M 8
Herhahn 70 O 3
Hering 84 Q 10
Heringen 53 L 16
Heringen 73 P 8
Heringen (Werra) 64 N 14
Heringhausen *(Hochsauerlandkreis)* 50 L 9
Heringhausen *(Kreis Waldeck-Frankenberg)* 50 L 10
Heringsdorf *(Kreis Ostholstein)* 10 D 17
Heringsdorf *(Kreis Ostvorpommern)* 15 E 26
Herkenrath 59 N 5
Herlasgrün 66 O 20
Herlazhofen 111 W 14
Herlefeld 63 M 13
Herleshausen 64 M 14
Herlheim 76 Q 14
Herlinghausen 51 L 11
Hermannsburg 30 H 14
Hermannsdenkmal *(Detmold)* 39 K 10
Hermannsdorf 67 O 22
Hermannsfeld 76 O 14
Hermannshof 11 D 21
Hermannskoppe 75 P 12
Hermannsreuth 89 Q 21
Hermaringen 95 U 14
Hermersberg 81 S 6
Hermersbergerhof 83 S 7
Hermersdorf 86 Q 16
Hermersdorf-Obersdorf 35 I 26
Hermershausen 62 N 10
Hermesdorf 70 Q 3
Hermeskeil 81 R 4
Hermsdorf *(Kreis Dahme-Spreewald)* 44 J 25
Hermsdorf *(Kreis Meißen-Dresden)* 68 M 25
Hermsdorf *(Kreis Oberspreewald-Lausitz)* 56 L 25
Hermsdorf *(Ohrekreis)* 42 J 18
Hermsdorf *(Saale-Holzland-Kreis)* 66 N 19
Hermsdorf (Erzgebirge) 68 N 24
Hermsdorf (Spree) 57 M 27
Hermuthausen 85 S 13
Herne 47 L 5
Heroldingen 95 T 15
Heroldsbach 87 Q 16
Heroldsberg 87 R 17
Heroldstatt 102 U 12
Herolz 75 O 12
Herongen 46 L 2
Herpf 64 O 14
Herreden 52 L 16
Herren Steinfeld 21 E 17
Herrenberg 93 U 10
Herrenchiemsee 106 W 21
Herrendeich 4 C 10
Herrengosserstedt 65 M 18
Herrenhäuser Gärten 40 I 13
Herrenhausen 40 I 13
Herreninsel 106 W 21
Herrentierbach 85 S 13
Herrenwies 93 U 8
Herrenzimmern 101 V 9
Herressen 65 M 18
Herrgottskirche 86 R 14
Herrieden 86 S 15
Herrig 58 N 4
Herringen 49 L 7
Herringhausen *(Kreis Herford)* 38 J 9
Herringhausen *(Kreis Osnabrück Land)* 37 I 8
Herrischried 108 W 8
Herrlingen 103 U 13
Herrnberchtheim 86 R 14
Herrnburg 21 E 16
Herrngiersdorf 97 T 20
Herrnhut 69 M 28
Herrnneuses 86 R 15
Herrnschwende 53 M 17
Herrnsdorf 87 Q 16
Herrnsheim 84 R 8
Herrnwahlthann 97 T 19
Herrsching 104 W 17
Herrstein 81 Q 6
Hersbruck *(Kreis Nürnberger Land)* 87 R 18
Hersbruck Süd *(Kreis Nürnberger Land)* 87 R 18
Hersbrucker Alb 87 R 18
Herschbach 71 O 5
Herschbach (Oberwesterwald) 61 O 7
Herschbach (Unterwesterwald) 61 O 7
Herschberg 83 S 6
Herschdorf *(Ilm-Kreis)* 65 O 17
Herschdorf *(Saale-Orla-Kreis)* 65 N 18
Herscheid 49 M 7
Herschfeld 76 P 14
Herschweiler-Pettersheim 81 R 6
Hersdorf 70 P 3
Hersel 59 N 5
Herßum 27 H 6
Herste 51 K 11
Herstelle 51 L 12
Hertefeld 33 I 22
Herten 47 L 5
Herten 108 X 7
Hertingen 108 W 6
Hertlingshausen 83 R 8
Hertmannsweiler 94 T 12
Hervest 47 K 5
Herwigsdorf 69 M 28
Herxheim a. Berg 83 R 8
Herxheim b. Landau 83 S 8
Herzberg 63 N 12
Herzberg *(Kreis Elbe-Elster)* 55 K 23
Herzberg *(Kreis Oder-Spree)* 45 J 26
Herzberg *(Kreis Ostprignitz-Ruppin)* 33 H 22
Herzberg *(Kreis Parchim)* 23 F 19
Herzberg a. Harz 52 L 15
Herzebrock-Clarholz 37 K 8
Herzfeld *(Kreis Parchim)* 22 G 19
Herzfeld *(Kreis Soest)* 49 L 8
Herzfelde *(Kreis Märkisch-Oderland)* 34 G 24
Herzfelde *(Kreis Uckermark)* 44 I 25
Herzhausen *(Kreis Siegen-Wittgenstein)* 61 N 8
Herzhausen *(Kreis Waldeck-Frankenberg)* 62 M 10
Herzhorn 19 E 12
Herzkamp 48 M 5
Herzlake 27 H 6
Herzogau 89 R 22
Herzogenaurach 87 R 16
Herzogenhorn 100 W 8
Herzogenrath 58 N 2
Herzogenreuth 77 Q 17
Herzogenweiler 101 V 9
Herzogsreut 99 T 24
Herzogstand 112 X 17
Herzogswalde 68 M 24
Herzogsweiler 93 U 9
Herzsprung *(Kreis Ostprignitz-Ruppin)* 33 G 21
Herzsprung *(Kreis Uckermark)* 35 H 25
Hesborn 62 M 9
Hesedorf b. Bremervörde 19 F 11
Hesedorf b. Gyhum 29 G 12
Hesel 17 G 6
Heselwangen 101 V 10
Hesepe *(Kreis Osnabrück)* 37 I 7
Heseper Moor 26 I 5
Heseper Torfwerk 26 I 5
Heskem 62 N 10
Hespert 61 N 7
Heßberg 76 O 16
Heßdorf 87 R 16
Hesselbach 76 P 14
Hesselbach *(Kreis Siegen-Wittgenstein)* 62 N 9
Hesselbach *(Odenwaldkreis)* 84 R 11
Hesselberg 95 S 15
Hesselhurst 92 U 7
Hesselte 36 I 6
Hesselteich 37 J 8
Hessen 41 J 16
Hessenpark 74 P 9
Hessenreuth 88 Q 19
Hessenreuther und Manteler Wald (Naturpark) 88 Q 19
Hessental 94 S 13
Hessenthal 75 Q 11
Hesserode 63 M 12
Heßheim 84 R 8
Hessigheim 94 T 11
Hessisch Lichtenau 63 M 13
Hessisch Oldendorf 39 J 11
Hessische Rhön (Naturpark) 75 O 13
Hessischer Spessart (Naturpark) 75 P 12
Heßlar *(Kreis Main-Spessart)* 75 Q 13
Heßlar *(Schwalm-Eder-Kreis)* 63 M 12
Heßler 47 L 5
Heßles 64 N 15
Heßlingen 39 J 11
Heßloch 83 Q 8
Hesterberg 29 I 10
Hestrup *(Kreis Emsland)* 27 I 6
Hestrup *(Kreis Grafschaft-Bentheim)* 36 I 5
Heteborn 41 K 17
Hetendorf 30 H 14
Hetlingen 19 F 12
Hettenhausen 75 O 13
Hettenleidelheim 83 R 8
Hettenrodt 81 Q 5
Hettensen 51 L 13
Hettingen *(Kreis Sigmaringen)* 102 V 11
Hettingen *(Neckar-Odenwald-Kreis)* 85 R 12
Hettingenbeuern 85 R 11
Hettstadt 85 Q 13
Hettstedt *(Ilm-Kreis)* 65 N 17
Hettstedt *(Kreis Mansfelder Land)* 53 L 18
Hetzbach 84 R 10
Hetzdorf *(Kreis Freiberg)* 68 N 24
Hetzdorf *(Kreis Uckermark)* 25 F 25
Hetzerath 72 Q 4
Hetzerode 63 M 13
Hetzles 87 R 17
Hetzwege 29 G 12
Heubach *(Kreis Darmstadt-Dieburg)* 74 Q 10
Heubach *(Kreis Fulda)* 75 O 13
Heubach *(Kreis Hildburghausen)* 77 O 16
Heubach *(Ostalbkreis)* 95 T 13
Heubisch 77 P 17
Heubült 17 F 8
Heuchelberg 93 S 10
Heuchelheim 62 O 9
Heuchelheim-Klingen 83 S 8
Heuchlingen *(Kreis Heidenheim)* 95 U 14
Heuchlingen *(Ostalbkreis)* 95 T 13
Heuckewalde 66 N 20
Heudeber 41 K 16
Heudorf 18 G 10
Heudorf a. Bussen 102 V 12
Heudorf b. Mengen 102 V 11
Heudorf b. Meßkirch 102 W 11
Heudorf i. Hegau 101 W 10
Heuerßen 39 J 11
Heufelden 102 V 13
Heugrumbach 76 Q 13
Heukewalde 66 N 20
Heusenstamm 74 P 10
Heustreu 76 O 14
Heusweiler 81 R 4
Heuthen 52 M 14
Hevensen 51 L 13
Heverstrom 4 C 9
Hewingsen 49 L 8
Hexenagger 97 T 19
Hexenloch 100 V 8
Heyda *(Ilm-Kreis)* 65 N 16
Heyda *(Kreis Riesa-Großenhain)* 55 M 24
Heyen 39 J 12
Heyerode 64 M 14
Heyersum 40 J 13
Heygendorf 53 L 18
Heynitz 68 M 24
Heyrothsberge 42 J 19
Hiddenhausen 38 J 9
Hiddensee *(Insel)* 13 C 23
Hiddesen 39 K 10
Hiddestorf 40 J 13
Hiddingen 30 G 12
Hiddingsel 47 K 6
Hiddingsen 49 L 8
Hienheim 97 T 19
Hienheimer Forst 97 T 19
Hiesfeld 47 L 4
Hilbeck 49 L 7
Hilberath 60 O 4
Hilbersdorf *(Kreis Freiberg)* 68 N 24
Hilbersdorf *(Kreis Greiz)* 66 N 20
Hilbringen 80 R 3
Hilchenbach 61 N 8
Hildburghausen 76 O 16
Hildebrandshagen 24 F 24
Hilden 48 M 4
Hilders 64 O 14
Hildesheim 40 J 13
Hildesheimer Wald 40 J 13
Hildfeld 50 M 9
Hildrizhausen 93 U 10
Hilfarth 58 M 2
Hilgen 59 M 5
Hilgenroth 61 N 6
Hilgermissen 29 H 11
Hilgershausen *(Schwalm-Eder-Kreis)* 63 M 12
Hilgershausen *(Werra-Meißner-Kreis)* 51 M 13
Hilgertshausen 104 U 18
Hilgesdorf 41 J 17
Hilkenbrook 27 H 7
Hilkerode 52 L 14
Hille 39 I 10
Hillegossen 38 K 9
Hillensberg 58 N 1
Hillentrup 39 J 10
Hillern 30 G 13
Hillerse *(Kreis Gifhorn)* 40 I 15
Hillerse *(Kreis Northeim)* 52 K 13
Hillershausen 50 M 10
Hillersleben 42 J 18
Hillesheim 70 P 4
Hilligenley 4 C 9
Hilligsehl 30 H 12
Hillmersdorf 56 K 24
Hillscheid 73 O 7
Hilmersdorf 67 N 23
Hilpoltstein 87 S 17
Hils 40 K 13
Hilsbach 84 S 10
Hiltenfingen 104 V 16
Hilter (Ems) 26 H 5
Hilter a. Teutoburger Wald 37 J 8
Hiltersklingen 84 R 10
Hiltersried 89 R 21
Hiltpoltstein 87 R 17
Hiltrop 47 L 5
Hiltrup 37 K 6
Hilzingen 109 W 10
Himbergen 31 G 16
Himmelgeist 48 M 4
Himmelkron 77 P 18
Himmelmert 49 M 7
Himmelpfort 34 G 23
Himmelpforten 19 F 11
Himmelsberg 52 L 16
Himmelstadt 75 Q 13
Himmelsthür 40 J 13
Himmerod 70 P 4
Himmighausen 50 K 11
Himstedt 40 J 14
Hindelang 111 X 15
Hindenberg *(Kreis Nordwestmecklenburg)* 21 E 17
Hindenberg *(Kreis Oberspreewald-Lausitz)* 56 K 25
Hindenberg *(Kreis Ostprignitz-Ruppin)* 34 G 23
Hindenburg *(Kreis Stendal)* 32 H 19
Hindenburg *(Kreis Uckermark)* 34 G 24
Hindenburg-Kanzel 91 S 23
Hindenburgdamm 4 B 9
Hinrichsfehn 17 F 7
Hinrichshagen *(Kreis Mecklenburg-Strelitz)* 24 F 24
Hinrichshagen *(Kreis Ostvorpommern)* 14 D 24
Hinrichshagen *(Kreis Rostock)* 11 D 20
Hinsbeck 46 L 2
Hinsdorf 54 K 20
Hinte 16 F 5
Hintereben 99 T 24
Hinterhermsdorf 69 N 27
Hinterheubronn 100 W 7
Hinternah 77 O 16
Hinterschmiding 99 T 24
Hintersee 25 F 26
Hintersee *(Kreis Berchtesgadener Land)* 114 X 22
Hinterskirchen 105 U 20
Hinterstein 111 X 15
Hintersteinau 75 O 12
Hintersteinenberg 94 T 13
Hinterweidenthal 83 S 7
Hinterzarten 100 W 8
Hinzdorf 32 H 19
Hinzerath 72 Q 5
Hinzert-Pölert 81 Q 4
Hinzweiler 81 R 6
Hipstedt 18 F 10
Hirnsberg 105 W 20
Hirrlingen 101 U 10
Hirsau 93 T 10
Hirschaid 87 Q 16
Hirschau *(Kreis Amberg-Sulzbach)* 88 R 19
Hirschau *(Kreis Tübingen)* 93 U 10
Hirschbach *(Kreis Amberg-Sulzbach)* 87 R 18
Hirschbach *(Kreis Hildburghausen)* 64 O 16
Hirschbach *(Kreis Rottal-Inn)* 106 U 23
Hirschbach *(Weißeritzkreis)* 68 N 25
Hirschberg *(Kreis Eichstätt)* 96 S 18
Hirschberg *(Kreis Soest)* 50 L 8
Hirschberg *(Rhein-Lahn-Kreis)* 73 O 7
Hirschberg *(Saale-Orla-Kreis)* 78 O 19
Hirschberg an der Bergstraße 84 R 9
Hirschenstein 91 T 22
Hirschfeld *(Kreis Elbe-Elster)* 56 L 24
Hirschfeld *(Kreis Freiberg)* 68 M 24
Hirschfeld *(Kreis Greiz)* 66 N 20
Hirschfeld *(Kreis Schweinfurt Land)* 76 Q 14
Hirschfeld *(Kreis Zwickauer Land)* 66 O 21
Hirschfelde *(Kreis Barnim)* 34 I 25
Hirschfelde *(Kreis Löbau-Zittau)* 69 N 28
Hirschgundtal 111 X 14
Hirschhausen 74 O 9
Hirschhorn 106 U 22
Hirschhorn (Neckar) 84 R 10
Hirschhorn (Pfalz) 81 R 7
Hirschneuses 86 R 16
Hirschsprung 100 W 8
Hirschstein 68 M 24
Hirschthal 92 S 7
Hirschwald *(Dorf)* 88 R 19
Hirten 71 P 5
Hirten 106 V 21
Hirtenstein 67 O 23
Hirzenach 71 P 6
Hirzenhain *(Lahn-Dill-Kreis)* 62 N 9
Hirzenhain *(Wetteraukreis)* 75 O 11
Historischer Dampzug Chanderli 108 W 6
Hitdorf 59 M 4
Hittbergen 21 F 15
Hittfeld 19 F 13
Hitzacker 31 G 17
Hitzelrode 52 M 14
Hitzerode 52 M 13
Hitzhusen 8 E 13
Hitzkirchen 75 O 11
Hitzkofen 102 V 11
Hobeck 42 J 20
Hobendeich 18 F 9
Hoberge Uerentrup 38 J 9
Hoch-Weisel 74 O 9
Hochalb 94 U 13
Hochaltingen 95 T 15
Hochberg 106 W 21
Hochberg *(b. Saulgau)* 102 W 12
Hochberg *(b. Sigmaringen)* 102 V 11
Hochberg *(Kreis Ludwigsburg)* 94 T 11
Hochborn 83 Q 8
Hochbruch 46 L 3
Hochburg 100 V 7
Hochdahl 48 M 4
Hochdonn 7 D 11

A B C D E F G H I J K L M N O P Q R S T U V W X Y Z

A B C D E F G H I J K L M N O P Q R S T U V W X Y Z

Hochdorf (Kreis Biberach a. d. Riß) ... 102 V 13
Hochdorf (Kreis Calw) ... 93 U 10
Hochdorf (Kreis Esslingen) . 94 T 12
Hochdorf (Kreis Freudenstadt) ... 93 U 9
Hochdorf (Kreis Regen) ... 91 T 23
Hochelheim ... 74 O 9
Hochfeld ... 19 E 12
Hochfeld (Kreis Donau-Ries) ... 96 T 16
Hochfelln ... 114 W 21
Hochgrat ... 111 X 16
Hochharz ... 52 K 15
Hochhausen (Main-Tauber-Kreis) ... 85 R 12
Hochhausen (Neckar-Odenwald-Kreis- ... 84 S 11
Hochheide ... 46 L 4
Hochheim a. Main ... 74 P 9
Hochkalter ... 114 X 22
Hochkarspitze ... 112 X 18
Hochkirch ... 69 M 27
Hochkirchen ... 58 N 3
Hochkopf ... 100 W 7
Hochmössingen ... 101 V 9
Hochmoor ... 36 K 5
Hochneukirch ... 58 M 3
Hochplatte ... 112 X 16
Hochrhönstraße ... 76 O 14
Hochries ... 113 W 20
Hochsal ... 108 X 8
Hochscheid ... 72 Q 5
Hochspeicher Rabenleite .. 89 R 20
Hochspeyer ... 83 R 7
Hochstadt ... 77 P 17
Hochstadt ... 83 S 8
Hochstätt ... 105 W 20
Hochstätten ... 83 Q 7
Hochstahl ... 77 Q 17
Hochstein ... 95 T 25
Hochstetten ... 93 S 9
Hochstetten Dhaun ... 81 Q 6
Hochtaunus (Naturpark) ... 74 O 9
Hochtaunusstraße ... 74 P 9
Hochwald ... 69 N 28
Hochwang ... 103 U 14
Hochwanner ... 112 X 19
Hockenheim ... 84 S 9
Hockenheimring ... 84 S 9
Hockeroda ... 65 O 18
Hodenhagen ... 30 H 12
Höchberg ... 85 Q 13
Höchenschwand ... 108 W 8
Höchheim ... 76 O 15
Höchst (Frankfurt a. Main-) 74 P 9
Höchst i. Odenwald ... 84 Q 10
Höchstadt a. d. Aisch ... 87 Q 16
Höchstädt ... 78 P 20
Höchstädt a. d. Donau ... 95 U 15
Höchstenbach ... 61 O 7
Höckel ... 37 I 7
Höckendorf (Weißeritzkreis) ... 68 M 25
Höckendorf (Westlausitzkreis) ... 68 N 24
Hödingen ... 41 J 17
Höfats ... 111 X 15
Höfen ... 70 O 2
Höfen ... 96 S 18
Höfen a. d. Enz ... 93 T 9
Höfendorf ... 101 U 10
Höfer ... 30 H 14
Höferänger ... 77 P 18
Höfgen ... 55 M 22
Höfingen ... 39 J 11
Höfingen ... 93 T 11
Högel ... 4 C 11
Högling ... 88 R 20
Höglwörth ... 106 W 22
Högsdorf ... 9 D 15
Höhbeck ... 32 G 18
Höheinöd ... 83 S 6
Höheischweiler ... 83 S 6
Höhenhaus (Köln) ... 59 N 5
Höhenkirchen ... 105 V 19
Höhenpark ... 94 T 11
Höhenrain (Kreis Rosenheim) ... 105 W 19
Höhenrain (Kreis Starnberg) ... 104 W 18
Höhn ... 61 O 7
Höhndorf ... 9 C 15
Höhnstedt ... 54 L 19
Höhr-Grenzhausen ... 73 O 7
Hölingen ... 28 H 9

Höll (Kreis Cham) ... 89 R 22
Hölle ... 78 O 19
Höllensteinsee ... 91 S 22
Höllental ... 100 W 8
Höllrich ... 75 P 13
Höllritzer Alp ... 111 X 14
Hölsbrunn ... 106 U 21
Höltinghausen ... 27 H 8
Hölzlebruck ... 100 W 8
Hönebach ... 64 N 13
Höngeda ... 64 M 15
Höngen ... 58 M 1
Hoengen ... 58 N 2
Höningen ... 83 R 8
Hoeningen ... 58 M 4
Hönnen ... 49 M 7
Hönnepel ... 46 K 2
Hönningen ... 60 O 4
Hönow ... 34 I 24
Höntrop ... 47 L 5
Höpfingen ... 85 R 12
Höpingen ... 36 J 5
Hörbach ... 62 N 8
Hörbering ... 106 U 21
Hörde (Dortmund) ... 47 L 6
Hörden ... 52 K 14
Hördt ... 84 S 8
Hörenhausen ... 103 V 14
Hörgenau ... 63 O 11
Hörgertshausen ... 97 U 19
Höringen ... 83 R 7
Höringhausen ... 50 M 10
Hörlkofen ... 105 V 19
Hörmannsdorf ... 88 S 19
Hörne ... 18 E 11
Hörnerhaus ... 111 X 14
Hörnitz ... 69 N 28
Hörnum ... 4 B 8
Hörnumtief ... 4 B 9
Hörpel ... 30 G 14
Hörpolding ... 106 W 21
Hörre ... 74 O 9
Hörschhausen ... 71 P 4
Hörsel ... 64 N 15
Hörselgau ... 64 N 15
Hörsingen ... 41 J 17
Hörste (Kreis Gütersloh) ... 38 J 8
Hörste (Kreis Lippe) ... 39 K 10
Hörste (Kreis Soest) ... 50 K 9
Hörste (Kreis Warendorf) ... 37 J 7
Hörstein ... 74 P 11
Hörstel ... 37 J 6
Hörsten ... 8 D 12
Hörstgen ... 46 L 3
Hörstmar ... 39 J 10
Hörsum ... 40 K 13
Hörup ... 4 B 11
Hörzhausen ... 96 U 17
Hösbach ... 75 P 11
Hösel ... 48 M 4
Höslwang ... 106 W 20
Hösseringen ... 31 H 15
Hößlinsülz ... 94 S 12
Hoest ... 49 K 8
Hötensleben ... 41 J 17
Hötmar ... 37 K 7
Höttingen ... 96 S 17
Hötzelsroda ... 64 M 15
Hötzum ... 41 J 15
Hövel ... 49 L 7
Hövelhof ... 50 K 9
Hövelriege ... 50 K 9
Höver (Kreis Hannover) ... 40 I 13
Höver (Kreis Uelzen) ... 31 G 16
Höveringhausen ... 37 J 7
Höwisch ... 32 H 18
Höxberg ... 49 K 8
Höxter ... 51 K 12
Hof ... 78 P 19
Hof (Kreis Rastatt) ... 92 T 8
Hof (Kreis Riesa-Großenhain) ... 55 M 23
Hof (Westerwaldkreis) ... 61 N 8
Hof (Bernau-) ... 100 W 8
Hof-Pirk (Flughafen) ... 78 P 19
Hof Wahlstorf ... 9 D 14
Hofbieber ... 63 O 13
Hofdorf ... 90 T 21
Hofen ... 95 T 14
Hoffeld ... 9 D 13
Hoffenheim ... 84 S 10
Hoffnungsthal ... 59 N 5
Hofgeismar ... 51 L 12
Hofheim ... 76 P 15

Hofheim (Kreis Bergstraße) 84 R 9
Hofheim a. Taunus ... 74 P 9
Hofkirchen (Kreis Passau) .. 99 T 23
Hofkirchen (Kreis Straubing-Bogen) ... 98 T 20
Hofolding ... 105 W 19
Hofoldinger Forst ... 105 W 19
Hofolpe ... 61 M 8
Hofsgrung ... 100 W 7
Hofstätten ... 83 S 7
Hofstetten (Kreis Eichstätt) . 96 T 17
Hofstetten (Kreis Haßberge) ... 76 P 15
Hofstetten (Kreis Landsberg a. Lech) ... 104 V 16
Hofstetten (Kreis Miltenberg) ... 75 Q 11
Hofstetten (Ortenaukreis) . 100 V 8
Hofweier ... 100 U 7
Hohberg ... 100 U 7
Hohburg ... 55 L 22
Hohe Acht ... 71 O 5
Hohe Bleick ... 112 X 16
Hohe Bracht ... 61 M 8
Hohe Eifel ... 71 P 4
Hohe Mark ... 47 K 5
Hohe Mark (Naturpark) ... 47 K 4
Hohe Möhr ... 108 W 7
Hohe Schrecke ... 53 M 17
Hohe Ward ... 37 K 7
Hohe Warte ... 94 U 11
Hohebach ... 85 R 13
Hohegeiß ... 52 L 15
Hoheleye ... 62 M 9
Hohen Demzin ... 23 E 21
Hohen Luckow ... 11 E 19
Hohen Mistorf ... 23 E 22
Hohen Neuendorf ... 34 H 23
Hohen Pritz ... 23 F 19
Hohen Schönberg ... 10 E 17
Hohen Sprenz ... 11 E 20
Hohen Viecheln ... 22 E 18
Hohen Wangelin ... 23 F 21
Hohen Wieschendorf ... 10 E 18
Hohenahlsdorf ... 44 K 23
Hohenahr ... 62 N 9
Hohenaltheim ... 95 T 15
Hohenaschau ... 114 W 20
Hohenaspe ... 8 E 12
Hohenau ... 99 T 24
Hohenaverbergen ... 29 H 11
Hohenbellin ... 42 I 20
Hohenberg (Kreis Kulmbach) ... 78 P 18
Hohenberg (Ortenaukreis) .. 92 U 8
Hohenberg (Ostalbkreis) ... 95 S 14
Hohenberg a. d. Eger ... 79 P 20
Hohenberg-Krusemark ... 32 H 19
Hohenbocka ... 56 L 26
Hohenbollentin ... 24 E 23
Hohenbostel ... 39 J 12
Hohenbruch ... 34 H 23
Hohenbrück-Neu Schadow- ... 44 J 25
Hohenbrünzow ... 24 E 23
Hohenbrunn ... 105 V 19
Hohenbucko ... 56 K 24
Hohenbünstorf ... 31 G 15
Hohenbüssow ... 24 E 23
Hohenburg ... 88 S 19
Hohendodeleben ... 42 J 18
Hohendorf ... 15 D 25
Hohenebra ... 53 M 16
Hohenecken ... 83 R 7
Hoheneggelsen ... 40 J 14
Hoheneiche (Kreis Saalfeld-Rudolstadt) ... 65 O 17
Hoheneiche (Werra-Meißner-Kreis) .... 64 M 13
Hohenerxleben ... 54 K 18
Hohenfeld ... 86 Q 14
Hohenfelde (Kreis Bad Doberan) ...... 11 D 19
Hohenfelde (Kreis Plön) .. 9 C 15
Hohenfelde (Kreis Steinburg) .... 19 E 12
Hohenfelden ... 65 N 17
Hohenfels (Kreis Konstanz) ... 102 W 11
Hohenfels (Kreis Neumarkt i. d. Oberpfalz) .... 88 S 19
Hohenferchesar ... 43 I 21
Hohenfichte ... 67 N 23
Hohenfinow ... 35 H 25
Hohenfreiberg ... 111 X 15
Hohenfurch ... 104 W 16

Hohengandern ... 52 L 13
Hohengöhren ... 32 I 20
Hohengörsdorf ... 44 K 23
Hohengüßbach ... 77 Q 16
Hohengüstow ... 25 G 25
Hohenhäusling ... 77 Q 17
Hohenhameln ... 40 J 14
Hohenhaslach ... 94 S 11
Hohenhausen ... 39 J 10
Hohenheida ... 54 L 21
Hohenhenningen ... 31 I 17
Hohenhewen ... 101 W 10
Hohenhörn ... 7 D 11
Hohenholte ... 37 K 6
Hohenhorn ... 20 F 15
Hohenhorst ... 19 F 12
Hohenhorster-Bauerschaft 40 I 13
Hohenirlach ... 89 R 20
Hohenkammer ... 105 U 18
Hohenkemnath ... 88 R 19
Hohenkirchen ... 64 N 16
Hohenkirchen ... 17 F 7
Hohenlandin ... 35 G 26
Hohenlandsberg ... 86 R 14
Hohenleimbach ... 71 O 5
Hohenleipisch ... 56 L 24
Hohenlepte ... 42 K 20
Hohenleuben ... 66 N 20
Hohenlimburg ... 49 L 6
Hohenlinden ... 105 V 19
Hohenlobbese ... 43 J 20
Hohenlockstedt ... 8 E 12
Hohenloher Ebene ... 85 S 13
Hohenlychen ... 34 G 23
Hohenmemmingen ... 95 U 14
Hohenmirsberg ... 87 Q 18
Hohenmocker ... 24 E 23
Hohenmölsen ... 66 M 20
Hohenmoor (Kreis Diepholz) ... 29 H 10
Hohenmoor (Kreis Stade) ... 19 F 11
Hohennauen ... 33 H 21
Hohenöllen ... 81 R 6
Hohenölsen ... 66 N 20
Hohenpeißenberg ... 104 W 17
Hohenpölz ... 77 Q 17
Hohenpolding ... 105 U 20
Hohenprießnitz ... 55 L 21
Hohenrechberg ... 94 T 13
Hohenreichen ... 96 U 16
Hohenreinkendorf ... 25 G 27
Hohenroda (Kreis Delitzsch) ... 54 L 21
Hohenroda (Kreis Hersfeld-Rotenburg) ... 63 N 13
Hohenrode ... 39 J 11
Hohenroth ... 76 P 14
Hohensaaten ... 35 H 26
Hohenschambach ... 90 S 19
Hohenschönhausen (Berlin) 34 I 24
Hohenschwangau ... 112 X 16
Hohenseeden ... 42 J 20
Hohenseefeld ... 44 K 23
Hohenselchow ... 25 G 26
Hohensolms ... 62 O 9
Hohensprenzer See ... 11 E 20
Hohenstadt (Kreis Göppingen) ... 94 U 12
Hohenstadt (Kreis Nürnberger Land) ... 87 R 18
Hohenstadt (Main-Tauber-Kreis) ... 85 R 12
Hohenstadt (Ostalbkreis) ... 95 T 13
Hohenstaufen ... 94 T 13
Hohenstein ... 73 P 8
Hohenstein ... 35 I 25
Hohenstein ... 102 U 12
Hohenstein-Ernstthal ... 67 N 22
Hohentengen ... 102 V 12
Hohentengen a. Hochrhein ... 109 X 9
Hohenthan ... 89 Q 21
Hohenthann (Kreis Landshut) ... 97 U 20
Hohenthann (Kreis Rosenheim) ... 105 W 19
Hohenthurm ... 54 L 20
Hohentramm ... 31 H 17
Hohentwiel ... 109 W 10
Hohenwald ... 79 Q 20
Hohenwarsleben ... 42 J 18
Hohenwart ... 96 U 18
Hohenwarte Stausee ... 65 O 18
Hohenwarth ... 89 S 22
Hohenwarthe ... 42 J 19
Hohenwepel ... 51 L 11
Hohenwestedt ... 8 D 12

Hohenwulsch ... 32 H 18
Hohenwussen ... 55 M 23
Hohenwutzen ... 35 H 26
Hohenzell ... 75 P 12
Hohenzethen ... 31 G 16
Hohenziatz ... 42 J 20
Hohenzieritz ... 24 F 23
Hohenzollern ... 101 V 10
Hohenzollern Alb ... 102 V 11
Hoher Berg ... 31 H 15
Hoher Bogen ... 89 S 22
Hoher Fläming ... 43 J 21
Hoher Gras-Berg ... 112 X 18
Hoher Häderich ... 111 X 14
Hoher Ifen ... 111 X 14
Hoher Kranz-Berg ... 112 X 17
Hoher Mechtin ... 31 G 16
Hoher Vogelsberg (Naturpark) ... 63 O 11
Hoher Westerwald ... 61 N 7
Hoherodskopf ... 75 O 11
Hohes Holz ... 41 J 17
Hohkeppel ... 59 N 5
Hohlbügel ... 96 T 17
Hohloh ... 93 T 9
Hohlstedt ... 53 L 17
Hohlstein ... 99 T 24
Hohn ... 8 D 12
Hohnbach ... 67 M 22
Hohndorf (Kreis Stollberg) .. 67 N 22
Hohndorf (Mittlerer Erzgebirgskreis) ... 67 N 23
Hohne ... 31 I 15
Hohne ... 37 J 7
Hohnebostel ... 40 I 14
Hohner See ... 8 D 12
Hohnhausen ... 76 P 15
Hohnhorst (Kreis Celle) ... 31 I 14
Hohnhorst (Kreis Schaumburg) ... 39 I 12
Hohnsen ... 39 J 12
Hohnstedt ... 52 K 13
Hohnstein (Stadt) ... 68 N 26
Hohnstorf ... 31 G 15
Hohnstorf (Elbe) ... 21 F 15
Hohwacht ... 9 D 16
Hohwachter Bucht ... 9 C 16
Hohwald ... 69 M 26
Hoiersdorf ... 41 J 16
Hoinkhausen ... 50 L 9
Hoisbüttel ... 20 E 14
Hoisdorf ... 20 F 14
Hoisten ... 48 M 4
Hoitlingen ... 41 I 16
Holdenstedt ... 53 L 18
Holdenstedt ... 31 H 15
Holdorf (Kreis Nordwestmecklenburg) ... 21 E 17
Holdorf (Kreis Vechta) ... 27 I 8
Holenberg ... 39 K 12
Holenbrunn ... 78 P 20
Holheim ... 95 T 15
Holiday-Park ... 83 S 8
Hollage ... 37 I 7
Holle ... 40 J 14
Holleben ... 54 L 19
Hollen (Kreis Gütersloh) ... 38 K 9
Hollen (Kreis Leer) ... 17 G 7
Hollen b. Armstorf ... 18 F 11
Hollen b. Loxstedt ... 18 F 10
Hollenbach (Hohenlohekreis) ... 85 R 13
Hollenbach (Kreis Neuburg-Schrobenhausen) ... 96 U 17
Hollenbek ... 21 F 16
Hollenermoor ... 27 G 7
Hollenstede ... 37 I 7
Hollenstedt (Kreis Harburg) 19 F 13
Hollenstedt (Kreis Northeim) 52 K 13
Holler ... 73 O 7
Hollerath ... 70 O 3
Hollern-Twielenfleth ... 19 F 12
Hollfeld ... 77 Q 17
Hollige ... 30 H 12
Holling ... 37 K 7
Hollingstedt ... 5 C 12
Hollnseth ... 18 F 11
Hollriede ... 17 G 7
Hollstadt ... 76 O 14
Hollwege ... 17 G 7
Hollywood Safari Park ... 38 K 10

Holm (Kreis Harburg) ... 19 G 13
Holm (Kreis Pinneberg) ... 19 F 13
Holm-Seppensen ... 19 G 13
Holnis ... 5 B 12
Holnstein (Kreis Amberg-Sulzbach) ... 88 R 18
Holnstein (Kreis Neumarkt i. d. Oberpfalz) ... 97 S 18
Holpe ... 61 N 7
Holsen (Kreis Herford) ... 38 J 9
Holsen (Kreis Paderborn) ... 50 K 9
Holßel ... 18 E 9
Holste ... 18 F 10
Holsteinische Schweiz ... 9 D 15
Holstendorf ... 9 D 15
Holstenniendorf ... 8 D 12
Holsterbrink ... 36 K 5
Holsterhausen ... 47 K 4
Holsthum ... 80 Q 3
Holt ... 46 L 2
Holte (Kreis Cuxhaven) ... 18 F 9
Holte (Kreis Emsland) ... 27 H 6
Holte (Kreis Leer) ... 27 G 6
Holte (Kreis Nienburg) ... 29 H 11
Holtebüttel ... 29 H 11
Holtemme ... 41 K 16
Holten ... 47 L 4
Holtenau ... 9 C 14
Holtensen (Kreis Hameln-Pyrmont) ... 39 J 12
Holtensen (Kreis Hannover) 40 J 12
Holtespangen ... 18 E 9
Holtgast ... 17 F 6
Holthausen (Hochsauerlandkreis) ... 50 M 9
Holthausen (Kreis Emsland) 26 I 5
Holthausen (Kreis Steinfurt) 36 J 6
Holthausen b. Breckerfeld . 49 M 6
Holtheim ... 50 L 10
Holthusen ... 21 F 18
Holtkamp ... 38 K 9
Holtland ... 17 G 6
Holtorf (Kreis Lüchow-Dannenberg) ... 32 G 18
Holtorf (Kreis Nienburg) ... 29 H 11
Holtorf (Kreis Oldenburg) ... 28 H 9
Holtrop ... 17 F 6
Holtrup ... 28 H 8
Holtrup ... 39 J 10
Holttange ... 27 G 7
Holtum ... 29 H 11
Holtwick (Kreis Borken) ... 36 K 3
Holtwick (Kreis Coesfeld) ... 36 J 5
Holtwick (Kreis Recklinghausen) ... 47 K 5
Holungen ... 52 L 15
Holvede ... 19 F 12
Holxen ... 31 H 15
Holzappel ... 73 O 7
Holzbach (Stadt) ... 73 Q 6
Holzbronn ... 93 U 10
Holzburg ... 63 N 11
Holzdorf ... 55 K 23
Holzdorf ... 5 C 13
Holzelfingen ... 102 U 11
Holzen ... 40 K 13
Holzen ... 108 W 6
Holzen (Hochsauerlandkreis) ... 49 L 7
Holzen (Kirche) ... 96 U 16
Holzen (Kreis Dortmund) ... 47 L 6
Holzendorf ... 24 F 24
Holzengel ... 53 M 16
Holzerath ... 80 Q 4
Holzerode ... 52 L 14
Holzfreyung ... 99 T 24
Holzgerlingen ... 93 U 11
Holzgünz ... 103 V 14
Holzham ... 105 W 19
Holzhammer ... 88 R 20
Holzharlanden ... 97 T 19
Holzhau ... 68 N 24
Holzhausen (b. Harpstedt) . 29 H 9
Holzhausen (b. Wildeshausen) ... 28 H 9
Holzhausen (Ilm-Kreis) ... 65 N 17
Holzhausen (Kreis Diepholz) 29 I 10
Holzhausen (Kreis Hildburghausen) ... 76 P 16
Holzhausen (Kreis Höxter) . 51 K 11
Holzhausen (Kreis Kassel) . 51 L 12
Holzhausen (Kreis Landshut) ... 105 U 20
Holzhausen (Kreis Lippe) ... 39 J 10

Holzhausen (Kreis
    Minden-Lübbecke) ... 38 J 9
Holzhausen
    (Kreis Osnabrück) .... 37 J 8
Holzhausen (Kreis
    Ostprignitz-Ruppin) ... 33 H 21
Holzhausen
    (Kreis Schweinfurt) ...... 76 P 14
Holzhausen (Kreis
    Siegen-Wittgenstein) ...... 61 N 8
Holzhausen (Kreis Steinfurt) 37 J 7
Holzhausen (Kreis Stendal) 32 I 18
Holzhausen
    (Lahn-Dill-Kreis) ...... 62 O 8
Holzhausen (Leipzig) ...... 54 M 21
Holzhausen
    (Werra-Meißner-Kreis) .... 64 M 14
Holzhausen (-Externsteine) 39 K 10
Holzhausen (Eder) .... 62 N 9
Holzhausen a. d. Haide ... 73 P 7
Holzhausen a.
    Starnberger See ...... 104 W 18
Holzhausen am Hünstein .. 62 N 9
Holzhausen b. Homberg .... 63 M 12
Holzhausen b. Teisendorf 106 W 22
Holzhausen II .... 39 I 10
Holzheim (Kreis
    Dillingen a. d. Donau) ... 95 U 15
Holzheim (Kreis
    Donau-Ries) .... 96 U 16
Holzheim
    (Kreis Euskirchen) ...... 60 O 4
Holzheim (Kreis Gießen) ... 74 O 10
Holzheim (Kreis
    Hersfeld-Rotenburg) ... 63 N 13
Holzheim (Kreis Neu-Ulm) 103 U 14
Holzheim
    (Rhein-Lahn-Kreis) ...... 73 O 8
Holzheim a. Forst .... 90 S 19
Holzingen .... 96 S 16
Holzkirch .... 95 U 13
Holzkirchen
    (Kreis Miesbach) ...... 105 W 19
Holzkirchen (Kreis Neuburg-
    Schrobenhausen) ...... 96 U 17
Holzkirchen
    (Kreis Würzburg) ...... 85 Q 13
Holzkirchhausen .... 85 Q 13
Holzlar .... 59 N 5
Holzmaden .... 94 U 12
Holzminden .... 51 K 12
Holzmühl .... 75 O 12
Holzolling .... 105 W 19
Holzschlag .... 101 W 8
Holzschwang .... 103 U 14
Holzsußra .... 52 M 16
Holzthaleben .... 52 L 15
Holzwald .... 101 U 8
Holzweiler .... 58 M 3
Holzweißig .... 54 L 20
Holzwickede .... 49 L 6
Homberg .... 102 W 12
Homberg (Efze) .... 63 M 12
Homberg (Niederrhein) ... 46 L 4
Homberg (Ohm) .... 62 N 11
Homberg-Meiersberg ...... 48 M 4
Hombressen .... 51 L 12
Hombruch .... 47 L 6
Homburg .... 59 N 6
Homburg .... 81 S 6
Homburg .... 75 P 13
Homburg a. Main .... 85 Q 12
Homert .... 49 M 6
Hommerich .... 59 M 5
Hommersum .... 46 K 2
Hommertshausen .... 62 N 9
Honau .... 102 U 7
Honerdingen .... 30 H 12
Honhardt .... 95 S 14
Honigsee .... 9 D 14
Honrath .... 59 N 5
Honsolgen .... 104 V 16
Honstetten .... 101 W 10
Hontheim .... 71 P 4
Honzrath .... 80 R 4
Hoof .... 81 R 5
Hooge .... 4 C 9
Hooge (Insel) .... 4 C 9
Hoogstede .... 26 I 4
Hoopte .... 20 F 14
Hoort .... 21 F 18
Hope .... 30 I 12
Hopfau .... 101 U 9
Hopfelde .... 63 M 13
Hopfen a. See .... 112 X 16
Hopfenstraße .... 105 U 19
Hopferau .... 111 X 15

Hopferbach .... 103 W 15
Hopferstadt .... 86 R 14
Hopfgarten
    (Kreis Leipziger Land) ... 67 M 21
Hopfgarten
    (Kreis Weimarer Land) ... 65 N 17
Hoppecke .... 50 L 9
Hoppegarten .... 45 I 26
Hoppegarten (Dahlwitz-) .. 44 I 24
Hoppenrade
    (Kreis Güstrow) ...... 23 E 20
Hoppenrade
    (Kreis Havelland) ...... 43 I 22
Hoppenrade (Kreis Prignitz) 32 G 20
Hoppensen .... 51 K 13
Hoppenstedt .... 41 K 15
Hoppenwalde .... 25 E 26
Hoppetenzell .... 101 W 11
Hoppstädten-Weiersbach .. 81 R 5
Hopsten .... 37 I 6
Horas .... 63 O 12
Horath .... 72 Q 4
Horb .... 101 U 10
Horbach
    (Kreis Aachen Land) ...... 58 N 2
Horbach
    (Main-Kinzig-Kreis) ...... 75 P 11
Horbach (Westerwaldkreis) 73 O 7
Horben .... 100 W 7
Horbruch .... 72 Q 5
Horchheim .... 84 R 8
Hordel .... 41 K 17
Hordorf .... 41 J 15
Horgau .... 104 U 16
Horgen .... 101 V 9
Horgenzell .... 102 W 12
Horhausen .... 73 O 7
Horhausen (Westerwald) ... 61 O 6
Horheim .... 109 X 9
Horka (Niederschlesischer
    Oberlausitzkr.) ...... 57 M 28
Horka (Westlausitzkreis) 69 M 26
Horkheim .... 94 S 11
Horla .... 53 L 17
Hormersdorf .... 67 N 22
Hormersdorf .... 87 R 18
Horn .... 39 K 10
Horn .... 109 W 10
Horn (Hamburg) .... 20 F 14
Horn (Kreis Coesfeld) .... 49 K 6
Horn (Kreis Cuxhaven) ... 18 F 11
Horn (Kreis Soest) ...... 50 L 8
Horn (Rhein-
    Hunsrück-Kreis) ...... 71 P 6
Horn-Lehe .... 29 G 10
Hornbach (Kreis Pirmasens) 82 S 6
Hornbach (Neckar-
    Odenwald-Kreis) ...... 85 R 11
Hornbek .... 21 F 15
Hornberg
    (b. Neckarzimmern) ... 85 S 11
Hornberg (Kreis Calw) ..... 93 U 9
Hornberg (Kreis Waldshut) 108 X 7
Hornberg
    (Schwarzwaldbahn) .... 100 V 8
Hornbostel .... 30 H 13
Hornburg (Kreis
    Mansfelder Land) ...... 53 L 18
Hornburg
    (Kreis Wolfenbüttel) ... 41 J 15
Horndorf .... 31 G 15
Horneburg .... 19 F 12
Horneburg .... 47 L 5
Hornhausen .... 41 J 17
Hornisgrinde .... 92 U 8
Hornow .... 57 L 27
Hornstorf .... 22 E 18
Hornstorf .... 98 T 21
Horrem .... 58 N 4
Horrenberg .... 84 S 10
Horrheim .... 93 T 10
Horsbüll .... 4 B 9
Horschbach .... 81 R 6
Horschhach .... 81 R 6
Horsmar .... 52 M 15
Horst (Berg) .... 47 L 5
Horst (Kreis Dithmarschen) . 7 D 11
Horst (Kreis Ludwigslust) .. 21 F 15
Horst (Kreis
    Nordvorpommern) ...... 13 D 23
Horst (Kreis Steinburg) .. 19 E 12
Horst (Kreis Unna) ...... 49 K 7
Horstdorf .... 54 K 21
Horstedt
    (Kreis Nordfriesland) .... 4 C 11
Horstedt (Kreis Rotenburg) 29 G 11
Horstedt (Kreis Verden) .. 29 G 10

Horsten .... 17 F 7
Horstmar .... 36 J 5
Horstwalde .... 44 J 24
Horumersiel .... 17 E 8
Hosena .... 56 L 26
Hosenfeld .... 75 O 12
Hoske .... 57 L 26
Hossingen .... 101 V 10
Hoßkirch .... 102 W 12
Hostrup .... 5 C 12
Hotteln .... 40 J 13
Hottelstedt .... 65 M 17
Hottenbach .... 72 Q 5
Hottingen .... 108 X 8
Hottorf .... 58 M 3
Houverath .... 60 O 4
Hovel .... 17 F 7
Hoven .... 58 N 3
Hovestadt .... 49 L 8
Howe .... 20 F 14
Howiek .... 27 G 7
Hoxfeld .... 36 K 4
Hoxtrup .... 4 C 11
Hoya .... 29 H 11
Hoyel .... 38 J 9
Hoyerhagen .... 29 H 11
Hoyershausen .... 40 J 13
Hoyerswerda .... 57 L 26
Hoym .... 53 K 17
Hoysinghausen .... 39 I 10
Hubertshofen .... 101 W 9
Huchenfeld .... 93 T 10
Huchting (Bremen) ...... 29 G 10
Huckelheim .... 75 P 11
Hude .... 28 G 9
Hübender .... 59 N 6
Hüchelhoven .... 58 M 4
Hückelhoven .... 58 M 2
Hückeswagen .... 59 M 6
Hüddessum .... 40 J 14
Hüde .... 38 I 9
Hüffelsheim .... 73 Q 7
Hüffenhardt .... 84 S 11
Hüfingen .... 101 W 9
Hügelheim .... 100 W 6
Hügelsheim .... 92 T 8
Hüinghausen .... 49 M 7
Hüingsen .... 49 L 7
Hülben .... 94 U 12
Hülchrath .... 58 M 4
Hüllerup .... 5 B 12
Hüllhorst .... 38 J 10
Hülperode .... 40 J 15
Hüls (Kreis Krefeld) .... 46 L 3
Hüls (Kreis Recklinghausen) 47 L 5
Hülsa .... 63 N 12
Hülsberg .... 27 G 8
Hülsebeck .... 23 G 19
Hülseberg .... 18 G 10
Hülseburg .... 21 F 17
Hülsede .... 39 J 12
Hülsen .... 39 K 10
Hülsen (Kreis Emsland) ... 27 H 6
Hülsen (Kreis Verden) ... 29 H 12
Hülsenbusch .... 59 M 6
Hülserberg .... 46 L 3
Hülshoff (Roxel) .... 37 K 6
Hülsten .... 47 K 5
Hümme .... 51 L 12
Hümmel .... 60 O 4
Hümmling .... 27 H 6
Hünersedel .... 100 V 7
Hünfeld .... 63 N 13
Hünfelden .... 73 P 8
Hünger .... 59 M 5
Hünsborn .... 61 N 7
Hünstetten .... 73 P 8
Hüntel .... 26 H 5
Hünxe .... 47 L 4
Hünzingen .... 30 H 12
Hüpede .... 40 J 13
Hüpstedt .... 52 M 15
Hürbel .... 103 V 13
Hürben .... 95 U 14
Hürtgen .... 58 N 3
Hürtgenwald .... 58 N 3
Hürth (Köln) .... 59 N 4
Hürup .... 5 B 12
Hüsby .... 5 C 12
Hüsede .... 38 J 9
Hüssingen .... 96 T 16
Hüthum .... 46 K 2
Hütschenhausen .... 81 R 6
Hüttblek .... 20 E 14
Hütten (Alb-Donau-Kreis) . 102 U 12
Hütten (Kreis Neustadt a. d.
    Waldnaab) .... 88 Q 19

Hütten (Kreis
    Schwäbisch-Hall) ...... 94 S 12
Hüttenberg .... 74 O 9
Hüttenbusch .... 18 G 10
Hüttener Berge (Naturpark) ..8 C 12
Hüttenfeld .... 84 R 9
Hüttengesäß .... 74 P 11
Hüttengrund .... 77 O 17
Hüttenheim .... 86 R 14
Hüttenkofen .... 98 T 21
Hüttenrode .... 53 K 16
Hüttensee .... 30 H 13
Hüttenthal .... 84 R 10
Hüttenwohld .... 9 D 14
Hüttersdorf .... 80 R 4
Hüttgeswasen .... 81 Q 5
Hütting .... 96 T 17
Hüttingen b. Lahr ...... 80 Q 2
Hüttisheim .... 103 V 13
Hüttlingen .... 95 T 14
Hützel .... 30 G 14
Huflfing .... 112 W 17
Hugoldsdorf .... 12 D 22
Hugstetten .... 100 V 7
Hugsweier .... 100 U 7
Huisheim .... 96 T 16
Hullern .... 47 K 5
Hultrop .... 49 L 8
Humbach .... 105 W 18
Humfeld .... 39 J 11
Hummelfeld .... 5 C 13
Hummelshain .... 65 N 18
Hummeltal .... 77 Q 18
Hummersen .... 39 K 11
Hummerzheim .... 60 O 4
Hummetroth .... 84 Q 10
Humprechtshausen ...... 76 P 15
Humptrup .... 4 B 10
Hunau .... 50 M 9
Hundelshausen .... 51 M 13
Hundelshausen .... 76 Q 15
Hunderdorf .... 91 T 22
Hundersingen
    (Kreis Reutlingen) .... 102 U 12
Hundersingen
    (Kreis Sigmaringen) ... 102 V 12
Hundeshagen .... 52 L 14
Hundham .... 113 W 19
Hundhausen .... 61 N 6
Hundheim .... 85 Q 12
Hundluft .... 43 K 21
Hundorf .... 105 W 18
Hunding .... 99 T 23
Hundisburg .... 42 J 18
Hundsangen .... 73 O 7
Hundsbach
    (Kreis Bad Kreuznach) .... 81 Q 6
Hundsbach
    (Kreis Main-Spessart) ... 75 P 13
Hundsbach (Kreis Rastatt) . 93 U 8
Hundsbach
    (Kreis Tirschenreuth) ... 79 P 20
Hundsdorf .... 62 M 11
Hundseck .... 93 U 8
Hundshübel .... 67 O 21
Hundsmühlen .... 27 G 8
Hungen .... 74 O 10
Hungerstorf .... 24 F 22
Hunzen .... 39 K 12
Hupperath .... 70 Q 4
Hurlach .... 104 V 16
Husbäke .... 27 G 7
Husby .... 5 B 12
Husen .... 50 L 10
Hustedt .... 30 H 14
Husten .... 61 N 7
Husum (Kreis Nienburg) .. 29 I 11
Husum
    (Kreis Nordfriesland) .... 4 C 11
Hutberg .... 45 J 21
Hutten .... 75 O 12
Huttenheim .... 84 S 9
Huttenwang .... 103 W 15
Hutthurm .... 99 T 24
Hutzdorf .... 63 N 12

Hutzfeld .... 9 D 15
Huxfeld .... 29 G 11
Huy .... 41 K 16
Huy-Neinstedt .... 41 K 16
Huzenbach .... 93 U 9
Hymendorf .... 18 F 10

I

Iba .... 63 N 13
Ibach (Kreis Waldshut) .. 108 W 8
Ibach (Ortenaukreis) .... 92 U 8
Ibbenbüren .... 37 J 7
Iber .... 88 R 19
Iber .... 51 K 13
Ibersheim .... 84 Q 9
Ibitzgraben .... 14 D 23
Ibra .... 63 N 12
Ichenhausen .... 103 U 14
Ichenheim .... 100 U 7
Ichstedt .... 53 L 17
Ichtershausen .... 65 N 16
Ickelheim .... 86 R 15
Icker .... 37 I 8
Ickern .... 47 L 6
Icking .... 104 W 18
Idar-Oberstein .... 81 Q 5
Idarkopf .... 72 Q 5
Idarwald .... 72 Q 5
Iden .... 32 H 19
Idenheim .... 80 Q 3
Idensen .... 39 I 12
Idesheim .... 80 Q 3
Idstedt .... 5 C 12
Idstein .... 74 P 8
Iffeldorf .... 112 W 17
Iffens .... 18 F 9
Iffezheim .... 92 T 8
Ifta .... 64 M 14
Igel .... 80 Q 3
Igelsbachsee .... 96 S 16
Igelsberg .... 93 U 9
Igelsloch .... 93 T 9
Igensdorf .... 87 R 17
Igersheim .... 85 R 13
Iggelbach .... 83 R 7
Iggelheim .... 84 R 8
Iggensbach .... 99 T 23
Iggingen .... 95 T 13
Igling .... 104 V 16
Ihlbeck .... 19 F 11
Ihleburg .... 42 J 19
Ihlenfeld .... 24 F 24
Ihlienworth .... 18 E 10
Ihlow .... 17 F 6
Ihlow .... 35 I 26
Ihlow .... 17 F 6
Ihlowerfehn .... 17 F 6
Ihlowerhorn .... 17 F 6
Ihme-Roloven .... 40 J 13
Ihmert .... 49 M 7
Ihn .... 80 S 3
Ihren .... 27 G 6
Ihrenbrück .... 70 P 2
Ihrhove .... 27 G 6
Ihringen .... 100 V 6
Ihringshausen .... 51 L 12
Ihrlerstein .... 90 T 19
Ikenhausen .... 51 L 11
Ilbenstedt .... 74 P 10
Ilberstedt .... 54 K 19
Ilbeshausen b. .... 75 O 11
Ilbesheim b.
    Kirchheimbolanden ... 83 Q 8
Ilbesheim b. Landau .... 83 S 8
Ildehausen .... 52 K 14
Ilfeld .... 53 L 16
Ilhorn .... 30 G 13
Ilka Höhe .... 104 W 17
Illenschwang .... 95 S 15
Iller .... 111 X 16
Illerberg .... 103 V 14
Illerbeuren .... 103 W 14
Illerich .... 71 P 5
Illerieden .... 103 V 14
Illerkirchberg .... 103 U 14
Illertissen .... 103 V 14
Illerwinkel .... 103 W 14
Illesheim .... 86 R 15
Illingen .... 93 T 10
Illingen
    (Kreis Nordfriesland) .... 4 C 11
Illkofen .... 90 S 20
Illmensee .... 102 W 12
Illmersdorf .... 44 K 24
Illschwang .... 88 R 19

Ilme .... 51 K 13
Ilmenau .... 65 N 16
Ilmendorf .... 97 T 18
Ilmmünster .... 97 U 18
Ilmspan .... 85 Q 13
Ilse .... 40 J 14
Ilsenburg .... 52 K 16
Ilsfeld .... 94 S 11
Ilshofen .... 85 S 13
Ilster .... 30 G 14
Ilten .... 40 I 13
Ilvese .... 39 I 11
Ilvesheim .... 84 R 9
Ilz .... 99 T 24
Imbshausen .... 52 K 14
Imgenbroich .... 70 O 2
Immekath .... 31 I 17
Immekeppel .... 59 N 5
Immelborn .... 64 N 14
Immendingen .... 101 W 10
Immendorf .... 40 J 15
Immendorf .... 58 N 2
Immeneich .... 108 W 8
Immenhausen .... 51 L 12
Immenreuth .... 78 Q 19
Immenried .... 103 W 13
Immenrode (Kreis Goslar) .. 40 K 15
Immenrode
    (Kreis Nordhausen) .... 52 L 16
Immensen
    (Kreis Hannover) ...... 40 I 14
Immensen (Kreis Northeim) 51 K 13
Immenstaad .... 110 W 12
Immenstadt .... 111 X 14
Immenstedt .... 4 C 11
Immer .... 28 G 9
Immerath .... 58 M 3
Immichenhain .... 63 N 12
Immighausen .... 50 M 10
Immingerode .... 52 L 14
Impflingen .... 83 S 8
Imsbach .... 83 R 7
Imsen .... 40 K 13
Imsum .... 18 F 9
Imsweiler .... 83 R 7
Inchenhofen .... 96 U 17
Inde .... 58 N 2
Indelhausen .... 102 V 12
Inden .... 58 N 3
Ingeleben .... 41 J 16
Ingelfingen .... 85 S 12
Ingelheim a. Rhein ..... 73 Q 8
Ingeln .... 40 J 13
Ingenheim .... 83 S 8
Ingenried
    (Kreis Ostallgäu) ...... 103 W 15
Ingenried (Kreis
    Weilheim-Schongau) .... 104 W 16
Ingerkingen .... 102 V 13
Ingersheim .... 94 T 11
Ingersleben .... 65 N 16
Ingoldingen .... 102 V 13
Ingolstadt .... 96 T 18
Ingstetten .... 102 U 12
Inheiden .... 74 O 10
Inkofen (Kreis Freising) 105 U 19
Inkofen (Kreis Landshut) . 97 T 20
Inn .... 99 U 24
Inneringen .... 102 V 11
Innernzell .... 99 T 23
Innerste .... 52 K 14
Innertestausee .... 40 K 14
Innien .... 8 D 13
Inning a. Ammersee .... 104 V 17
Inning a. Holz .... 105 U 20
Inningen .... 104 V 16
Insel (Kreis
    Soltau-Fallingbostel) .. 30 G 13
Insel (Kreis Stendal) ... 42 I 19
Insel Koos .... 13 D 24
Insel Riems .... 13 D 24
Inselsee .... 23 E 20
Insheim .... 83 S 8
Insingen .... 86 S 14
Insul .... 71 O 4
Intschede .... 29 H 11
Inzell .... 114 W 22
Inzigkofen .... 102 V 11
Inzlingen .... 108 X 7
Inzmühlen .... 19 G 13
Ipernstedt .... 4 C 11
Iphofen .... 86 Q 14
Ippendorf (Bonn) .... 59 N 5
Ippesheim .... 86 R 14
Ippingen .... 101 W 10
Ippinghausen .... 51 M 11

A B C D E F G H **I J K L** M N O P Q R S T U V W X Y Z

Ipsheim .... 86 R 15
Iptingen .... 93 T 10
Ipwegermoor .... 18 G 8
Irchenrieth .... 89 R 20
Irenensee .... 40 I 14
Irfersdorf .... 96 T 18
Irfersgrün .... 66 O 21
Irl .... 106 V 21
Irlach .... 89 R 21
Irlahüll .... 96 T 18
Irlbach .... 98 T 22
Irmelshausen .... 76 O 15
Irmenach .... 72 Q 5
Irmgarteichen .... 61 N 8
Irmtraut .... 61 O 8
Irndorf .... 101 V 10
Irnsing .... 97 T 19
Irrel .... 80 Q 3
Irrhausen .... 70 P 2
Irsch .... 80 R 3
Irschenberg .... 105 W 19
Irsching .... 97 T 18
Irsee .... 103 W 15
Irsen .... 70 P 2
Irslingen .... 101 V 10
Irxleben .... 42 J 18
Isar .... 112 X 17
Isarfall .... 112 X 17
Isarwinkel .... 113 W 18
Iselersheim .... 19 F 11
Iselshausen .... 93 U 10
Isen .... 105 V 20
Isenach .... 83 R 8
Isenbruch .... 58 M 1
Isenbüttel .... 41 I 15
Isenburg .... 71 O 6
Isenhagen
  (Hankensbüttel) .... 31 H 15
Isensee .... 19 E 11
Isenstedt .... 38 I 9
Iseringhausen .... 61 N 7
Iserlohn .... 49 L 7
Iserlohnerheide .... 49 L 7
Isernhagen .... 40 I 13
Ismaning .... 105 V 19
Isny .... 111 W 14
Ispringen .... 93 T 10
Issel .... 46 K 3
Isselbach .... 73 O 7
Isselburg .... 46 K 3
Isselhorst .... 38 K 9
Issendorf .... 19 F 12
Isserstedt .... 65 N 18
Issigau .... 78 O 19
Issing .... 104 W 16
Issum .... 46 L 3
Isterbies .... 42 J 20
Istha .... 51 M 11
Istrup (Kreis Höxter) .... 51 K 11
Istrup (Kreis Lippe) .... 39 K 11
Ith Hills .... 40 J 12
Ittel .... 80 Q 3
Ittenbach .... 59 N 5
Ittendorf .... 110 W 12
Ittenhausen .... 102 V 11
Itter .... 84 R 11
Itterbeck .... 26 I 4
Ittersbach .... 93 T 9
Ittersdorf .... 80 S 3
Ittling (Kreis
  Nürnberger Land) .... 87 R 18
Ittling (Kreis Straubing) .... 98 T 21
Ittlingen .... 84 S 10
Itz .... 77 P 16
Itzehoe .... 8 E 12
Itzenbuttel .... 19 G 13
Itzenhain .... 62 N 11
Itzgrund .... 77 P 16
Itzstedt .... 20 E 14
Itzum .... 40 J 13
Iven .... 24 E 24
Ivenack .... 24 E 22
Ivendorf .... 10 E 16
Ivenrode .... 41 J 17
Iversheim .... 60 O 4
Iznang .... 109 W 10

J

Jabel (Kreis Müritz) .... 23 F 21
Jabel (Kreis
  Ostprignitz-Ruppin) .... 33 G 21
Jachen .... 112 X 18
Jachenau .... 112 X 18
Jachenhausen .... 97 T 19
Jackerath .... 58 M 3
Jacobsdorf .... 45 I 27
Jacobsthal .... 55 L 23

Jade .... 18 F 8
Jadebusen .... 18 F 8
Jaderberg .... 17 G 8
Jaderkreuzmoor .... 17 G 8
Jaderlangstraße .... 18 G 8
Jaebetz .... 23 G 21
Jägerei .... 30 H 14
Jägerkrug .... 5 C 12
Jägerndorf .... 98 U 22
Jägersburg .... 81 R 5
Jägersruh .... 78 P 19
Jägerwirth .... 99 U 23
Jäglitz .... 33 H 21
Jämlitz .... 57 L 27
Jänickendorf
  (Kreis Oder-Spree) .... 45 I 26
Jänickendorf
  (Kreis Teltow-Fläming) .... 44 J 23
Jänkendorf .... 57 M 28
Jännersdorf .... 23 G 20
Jänschwalde .... 45 K 27
Jänschwalde Ost .... 45 K 27
Jävenitz .... 42 I 18
Jagdshof .... 77 O 17
Jagel .... 5 C 12
Jagetzow .... 24 E 24
Jagow .... 25 F 25
Jagst .... 85 S 12
Jagstberg .... 85 S 13
Jagsthausen .... 85 S 12
Jagstheim .... 95 S 14
Jagstzell .... 95 S 14
Jahmo .... 43 K 22
Jahna .... 55 M 23
Jahna-Löthain .... 68 M 24
Jahnberge .... 33 H 22
Jahnsdorf .... 67 N 22
Jahnsfelde .... 45 I 26
Jahrdorf .... 99 U 24
Jahrsdorf .... 8 D 12
Jahrsdorf .... 87 S 17
Jahrstedt .... 41 I 16
Jakobsdorf .... 12 D 22
Jakobshagen .... 34 G 24
Jakobsthal .... 75 P 11
Jakobwüllesheim .... 58 N 3
Jameln .... 31 G 17
Jamlitz .... 45 K 27
Jandelsbrunn .... 99 T 25
Janneby .... 5 C 11
Jannowitz .... 56 L 25
Japenzin .... 24 E 24
Japsand (Insel) .... 4 C 9
Jarchau .... 32 I 19
Jardelund .... 5 B 11
Jardinghausen .... 29 H 10
Jarlingen .... 30 H 12
Jarmen .... 14 E 24
Jarnsen .... 30 I 14
Jarplund-Weding .... 5 B 12
Jasmund .... 13 C 24
Jasnitz .... 22 F 18
Jastorf .... 31 G 15
Jatzke .... 24 F 24
Jatznick .... 25 F 25
Jebenhausen .... 94 T 12
Jeber-Bergfrieden .... 43 K 21
Jechtingen .... 100 V 6
Jeckenbach .... 81 Q 6
Jeddeloh I .... 27 G 8
Jeddeloh II .... 27 G 8
Jeddingen .... 30 H 12
Jederitz .... 33 H 20
Jedesheim .... 103 V 14
Jedinghagen .... 59 M 6
Jeeben .... 31 H 17
Jeetzbach .... 32 G 19
Jeetze .... 32 H 18
Jeetzel .... 31 G 17
Jeggau .... 41 I 17
Jehserig .... 57 L 26
Jelmstorf .... 31 G 15
Jembke .... 41 I 16
Jemgum .... 17 G 6
Jemmeritz .... 32 I 17
Jena .... 65 N 18
Jengen .... 104 W 16
Jenkofen .... 97 U 20
Jenkwitz .... 69 M 27
Jennelt .... 16 F 5
Jenner .... 114 X 23
Jennewitz .... 11 D 19
Jerchel (Altmarkkreis
  Salzwedel) .... 41 I 17
Jerchel (Kreis Havelland) .... 43 I 21
Jerchel (Kreis Stendal) .... 42 I 19

Jerichow .... 42 I 20
Jerischke .... 57 L 28
Jerrishoe .... 5 C 12
Jersbek .... 20 E 14
Jersleben .... 42 J 18
Jerstedt .... 40 K 15
Jerxheim .... 41 J 16
Jerze .... 40 K 14
Jesberg .... 63 N 11
Jesendorf .... 22 E 18
Jesendorf .... 98 U 21
Jesenwang .... 104 V 17
Jeserig b. Belzig .... 43 J 21
Jeserig b. Brandenburg .... 43 I 22
Jeseritz .... 41 I 17
Jesewitz .... 55 L 21
Jessen .... 55 K 22
Jessenitz .... 21 G 17
Jessern .... 45 J 26
Jeßnigk .... 55 K 23
Jeßnitz .... 54 K 20
Jestädt .... 52 M 14
Jesteburg .... 19 G 13
Jestetten .... 109 X 9
Jetsch .... 44 K 24
Jettebruch .... 30 H 13
Jettenbach .... 81 R 6
Jettenbach .... 106 V 21
Jettingen .... 93 U 10
Jettingen-Scheppach .... 103 U 15
Jettkofen .... 102 W 12
Jetzendorf .... 104 U 18
Jevenstedt .... 8 D 12
Jever .... 17 F 7
Jeversen .... 30 I 13
Jheringsfehn .... 17 G 6
Joachimsthal .... 34 H 25
Jobstgreuth .... 86 R 15
Jochberg .... 112 X 18
Jochenstein
  (Talsperre) .... 99 U 25
Jocketa .... 66 O 20
Jockgrim .... 93 S 8
Jocksdorf .... 57 L 27
Joditz .... 78 O 19
Jöhlingen .... 93 S 9
Jöhstadt .... 67 O 23
Jöllenbeck .... 38 J 9
Jördenstorf .... 23 E 21
Jößnitz .... 66 O 20
Johannesberg .... 75 P 11
Johannesberg b.
  Fulda .... 75 O 12
Johannesbrunn .... 98 U 21
Johanngeorgenstadt .... 79 O 22
Johanniskirchen .... 98 U 22
Johanniskreuz .... 83 R 7
Joldelund .... 4 C 11
Jonsdorf .... 69 N 28
Jork .... 19 F 13
Jossa .... 75 P 12
Jossgrund .... 75 P 12
Jostal .... 100 W 8
Jucken .... 70 P 2
Judenbach .... 77 O 17
Jübar .... 31 H 16
Jübberde .... 17 G 7
Jübek .... 5 C 12
Jüchen .... 58 M 3
Jüchsen .... 76 O 15
Jüdenberg .... 54 K 21
Jüdendorf .... 54 M 19
Jügesheim .... 74 P 10
Jühnde .... 51 L 13
Jülchendorf .... 22 E 19
Jülich .... 58 N 3
Jümme .... 17 G 7
Jünkerath .... 70 O 3
Jürgenshagen .... 11 E 19
Jürgenstorf
  (Kreis Demmin) .... 24 F 22
Jürgenstorf
  (Kreis Lüneburg) .... 21 G 15
Jüterbog .... 43 K 23
Jütrichau .... 42 K 20
Jützenbach .... 52 L 15
Jugenheim (Seeheim-) .... 84 Q 9
Jugenheim i. Rheinhessen .... 73 Q 8
Juhöhe .... 84 R 10
Juist .... 16 E 4
Juist (Insel) .... 16 E 4
Julbach .... 106 V 22
Juliusburg .... 21 F 15
Juliusruh .... 13 C 24
Jungingen (Kreis Ulm) .... 103 U 13

Jungingen
  (Zollernalbkreis) .... 101 V 11
Jungnau .... 102 V 11
Junkersdorf .... 76 P 15
Junkersdorf a. d.
  Weisach .... 76 P 16
Junkershausen .... 76 O 15
Junkersrott .... 16 F 5
Justingen .... 102 U 12

K

Kaaks .... 8 E 12
Kaakstedt .... 34 G 25
Kaan-Marienborn .... 61 N 8
Kaarßen .... 31 G 17
Kaarst .... 48 M 3
Kaarz .... 22 E 19
Kabel .... 47 L 6
Kabelhorst .... 10 D 16
Kabelitz .... 42 I 20
Kablow .... 44 J 25
Kachtenhausen .... 38 K 10
Kade .... 43 I 20
Kadelburg .... 109 X 8
Kaden .... 61 O 7
Käbelicksee .... 24 F 22
Käbschütztal .... 68 M 24
Kälberbronn .... 93 U 9
Kämmerzell .... 63 O 12
Kämpfelbach .... 93 T 9
Kändler .... 67 N 22
Kärlingerhaus .... 114 X 22
Kästorf (Kreis Gifhorn) .... 41 I 15
Kästorf (Kreis Wolfsburg) .... 41 I 16
Käthen .... 32 I 18
Kagar .... 33 G 22
Kagel .... 44 I 25
Kagenow .... 14 E 24
Kahl a. Main .... 74 P 11
Kahla .... 56 L 24
Kahla .... 65 N 18
Kahleberg .... 68 N 25
Kahler Asten .... 62 M 9
Kahlersberg .... 114 X 23
Kahren .... 57 K 27
Kahren .... 80 R 3
Kahrstedt .... 32 H 18
Kaichen .... 74 P 10
Kaierde .... 40 K 13
Kaifenheim .... 71 P 5
Kaikenried .... 91 S 23
Kailbach .... 84 R 11
Kainsbach .... 87 R 18
Kaisa .... 55 K 22
Kaiser-Wilhelm-Koog .... 7 E 10
Kaiserau (Kreis Dortmund) . 49 L 6
Kaiserau
  (Oberbergischer Kreis) .... 59 M 6
Kaiseringen .... 102 V 11
Kaiserslautern .... 83 R 7
Kaisersesch .... 71 P 5
Kaisershagen .... 52 M 15
Kaiserstuhl .... 100 V 6
Kaiserswerth .... 48 M 4
Kaiserwinkel .... 41 I 16
Kaisheim .... 96 T 16
Kaitersberg .... 89 S 22
Kajedeich .... 19 E 11
Kakau .... 54 K 21
Kakau .... 31 H 16
Kakenstorf .... 19 G 13
Kakerbeck .... 32 H 17
Kakerbeck .... 19 F 12
Kaköhl .... 9 D 16
Kalbach .... 75 O 12
Kalbe .... 32 I 18
Kalbe .... 19 G 12
Kalbensteinberg .... 87 S 16
Kalbsrieth .... 53 L 18
Kalchreuth .... 87 R 17
Kaldauen .... 59 N 5
Kaldenhausen .... 46 L 3
Kaldenkirchen .... 46 M 2
Kaldorf .... 96 T 17
Kalefeld .... 52 K 14
Kalenborn (Kreis Ahrweiler) 60 O 4
Kalenborn
  (Kreis Cochem-Zell) .... 71 P 5
Kalenborn (Kreis Neuwied) 60 O 5
Kalenborn-Scheuern .... 70 P 3
Kalifornien .... 9 K 2
Kalkar .... 46 K 2
Kalkhorst .... 10 E 17
Kalkofen .... 102 V 10
Kalkreuth .... 68 M 24
Kall .... 60 O 3

Kalldorf .... 39 J 10
Kallenbach .... 47 K 4
Kallenhardt .... 50 L 9
Kalletal .... 39 J 10
Kallinchen .... 44 J 24
Kallmerode .... 52 L 14
Kallmoor .... 19 G 12
Kallmünz .... 90 S 19
Kallmuth .... 60 O 3
Kallstadt .... 83 R 8
Kalme .... 41 J 15
Kalmit .... 83 S 8
Kalt .... 71 P 6
Kalteck .... 91 T 22
Kaltenbronn .... 93 T 9
Kaltenbrunn (Kreis Coburg) 77 P 16
Kaltenbrunn (Kreis Neustadt a. d.
  Waldnaab) .... 88 R 19
Kalteneber .... 52 M 14
Kalteneggolsfeld .... 87 Q 17
Kaltenengers .... 71 O 6
Kaltenhof .... 10 D 18
Kaltenkirchen .... 19 E 13
Kaltenlengsfeld .... 64 O 14
Kaltenmark .... 54 L 19
Kaltennordheim .... 64 O 14
Kaltensondheim .... 86 Q 14
Kaltensundheim .... 64 O 14
Kaltental .... 104 W 16
Kaltenweide .... 40 I 13
Kaltenwestheim .... 64 O 14
Kalterherberg .... 70 O 2
Kaltes Feld .... 95 T 13
Kalthausen .... 49 M 6
Kalthof .... 49 L 7
Kaltohmfeld .... 52 L 15
Kaltwasser .... 57 M 28
Kalübbe .... 24 F 23
Kalübbe .... 9 D 14
Kambs (Kreis Güstrow) .... 23 G 21
Kambs (Kreis Müritz) .... 23 G 21
Kamen .... 49 L 6
Kamenz .... 68 M 26
Kamern .... 33 H 20
Kamin .... 10 E 19
Kammbach .... 92 U 7
Kammeltal .... 103 U 15
Kammer .... 106 W 21
Kammerbach .... 51 M 13
Kammerberg .... 105 U 18
Kammerforst .... 64 M 15
Kammerforst .... 76 O 15
Kammerstatt .... 95 S 13
Kammerstein .... 87 S 16
Kammin .... 14 E 24
Kamminke .... 25 E 26
Kamp .... 25 E 25
Kamp Bornhofen .... 71 P 6
Kamp-Lintfort .... 46 L 3
Kampe .... 27 G 7
Kampen .... 19 G 13
Kampen (Sylt) .... 4 B 9
Kampenwand .... 114 W 21
Kamperfehn .... 27 G 7
Kamsdorf .... 65 O 18
Kandel .... 93 S 8
Kandel (Berg) .... 100 V 8
Kandern .... 108 W 7
Kandertal .... 100 W 7
Kannawurf .... 53 M 17
Kannenmoor .... 7 E 11
Kanzach .... 102 V 12
Kanzelwand .... 111 X 14
Kanzem .... 80 Q 3
Kanzlersgrund .... 64 N 15
Kapellen (Kreis Kleve) .... 46 L 3
Kapellen (Kreis Wesel) .... 46 L 3
Kapellen (Erft) .... 58 M 3
Kapellendorf .... 65 N 18
Kapern .... 32 G 18
Kapfenburg .... 95 T 14
Kappe .... 34 H 24
Kappel .... 72 P 6
Kappel (Kreis
  Biberach a. d. Riß) .... 102 V 12
Kappel
  (Kreis Ravensburg) .... 110 W 12
Kappel b. Lenzkirch .... 100 W 8
Kappel b. Waldsassen .... 79 P 20
Kappel-Grafenhausen .... 100 V 7
Kappeln .... 5 C 13
Kappelrodeck .... 92 U 8
Karbach
  (Kreis Main-Spessart) .... 75 Q 12

Karbach
  (Rhein-Hunsrück-Kreis) .. 71 P 6
Karben .... 74 P 10
Karbow-Vietlübbe .... 23 F 20
Karby .... 5 C 13
Karcheez .... 23 E 20
Karden .... 71 P 5
Kardorf .... 103 W 14
Kareth .... 90 S 20
Karft .... 21 F 17
Kargow .... 24 F 22
Karin .... 11 D 19
Karith .... 42 J 19
Karken .... 58 M 2
Karlsbach .... 99 T 24
Karlsbad .... 93 T 9
Karlsbrunn .... 82 S 4
Karlsburg .... 15 E 24
Karlsdorf .... 66 N 19
Karlsdorf-Neuthard .... 93 S 9
Karlsfeld .... 104 V 18
Karlshagen .... 13 D 25
Karlshausen .... 70 P 2
Karlshöfen .... 18 F 11
Karlshuld .... 96 T 17
Karlskron .... 96 T 18
Karlsminde .... 5 C 13
Karlsruhe .... 93 S 9
Karlstadt .... 75 Q 13
Karlstein .... 114 W 22
Karlstein a. Main .... 74 P 11
Karlum .... 4 B 10
Karm .... 96 S 17
Karmitz .... 31 G 17
Karnap .... 47 L 5
Karnin (Kreis
  Nordvorpommern) .... 12 D 22
Karnin (Kreis
  Ostvorpommern) .... 25 E 25
Karnitz .... 13 C 24
Karolinenkoog .... 7 D 10
Karow (Kreis Güstrow) .... 23 E 20
Karow
  (Jerichower Land) .... 43 I 20
Karow (Kreis Parchim) .... 23 F 20
Karow (Kreis Rügen) .... 13 C 24
Karpfham .... 107 U 23
Karrendorf .... 13 D 24
Karrenzin .... 22 F 19
Karsbach .... 75 P 13
Karsdorf .... 54 M 18
Karsee .... 110 W 13
Karstädt
  (Kreis Ludwigslust) .... 22 G 18
Karstädt (Kreis Prignitz) .... 32 G 19
Karthane .... 33 H 20
Karthaus .... 36 K 5
Kartlow (Kreis Demmin) .... 24 E 23
Kartlow (Kreis
  Nordwestmecklenburg) .... 10 E 18
Karwe .... 33 H 22
Karwitz .... 31 G 17
Karze .... 21 G 16
Kasbach-Ohlenberg .... 60 O 5
Kaschow .... 13 D 23
Kasel-Golzig .... 44 K 25
Kasendorf .... 77 P 18
Kasing .... 97 T 18
Kasnevitz .... 13 C 24
Kaspeltshub .... 89 S 20
Kassau .... 31 H 16
Kassebruch .... 18 F 9
Kasseburg .... 20 F 15
Kasseedorf .... 9 D 16
Kassel .... 51 M 12
Kassel (Main-Kinzig-Kreis) .... 75 P 11
Kasselburg .... 70 P 4
Kassieck .... 32 I 18
Kassow .... 23 E 20
Kastel (Mainz-) .... 74 P 8
Kastel-Staadt .... 80 R 3
Kastellaun .... 71 P 6
Kastl (Kreis Altötting) .... 106 V 22
Kastl (Kreis
  Amberg-Sulzbach) .... 88 R 19
Kastl (Kreis Tirschenreuth) . 88 R 19
Kastorf (Kreis Demmin) .... 24 F 23
Kastorf (Kreis
  Herzogtum Lauenburg) .... 21 E 15
Katelbogen .... 23 E 19
Katensen .... 40 I 14
Katerbow .... 33 H 21
Katernberg (Wuppertal-) .... 48 M 5
Katharinenheerd .... 7 C 10

Kathlow 57 K 27
Kathrinhagen 39 J 11
Kathus 63 N 13
Kating 7 D 10
Katlenburg-Lindau 52 K 14
Katrop 49 L 8
Katschenreuth 77 P 18
Katschow 15 E 26
Kattendorf 20 E 14
Kattenstroth 38 K 9
Kattenvenne 37 J 7
Kattrepel 7 E 11
Katzbach 89 S 22
Katzenbach
 (Kreis Altenkirchen) 61 N 7
Katzenbach
 (Kreis Bad Kissingen) 76 P 13
Katzenbuckel 84 R 11
Katzenelnbogen 73 P 7
Katzenfurt 62 O 9
Katzenloch 81 Q 5
Katzensteig 100 V 8
Katzenstein 95 T 15
Katzental 85 R 11
Katzhütte 65 O 17
Katzow 15 D 25
Katzwang 87 R 17
Katzweiler 83 R 7
Katzwinkel 61 N 7
Kaub 73 P 7
Kauern 66 N 20
Kauerndorf 77 P 18
Kaufbeuren 103 W 15
Kaufering 104 V 16
Kaufungen (Kreis
 Chemnitzer Land) 67 N 22
Kaufungen (Kreis Kassel) 51 M 12
Kaufunger Wald 51 L 13
Kaulhausen 90 S 20
Kaulitz 32 H 18
Kaulsdorf 65 O 18
Kaunitz 50 K 9
Kausche 56 L 26
Kauschwitz 78 O 20
Kausen 61 O 6
Kautenbach 72 Q 5
Kautendorf 78 P 19
Kavelsdorf 12 D 22
Kavelstorf 11 D 20
Kay 106 V 22
Kayh 93 U 10
Kayhausen 27 G 8
Kayhude 20 E 14
Kayna 66 N 20
Keeken 46 K 2
Keez 22 E 18
Kefenrod 75 O 11
Kefferhausen 52 M 14
Kehdingbruch 18 E 10
Kehdingen 19 E 11
Kehl 92 U 7
Kehlbach 77 O 17
Kehlen 110 W 12
Kehlstein 114 X 23
Kehmstedt 52 L 15
Kehnert 42 I 19
Kehrberg 33 G 20
Kehrenbach 63 M 12
Kehrig 71 P 5
Kehrigk 44 J 25
Kehrsen 21 F 16
Kehrum 46 K 3
Keidenzell 86 R 16
Keilberg 75 Q 11
Keitlinghausen 49 K 8
Keitum 4 B 9
Kelberg 71 P 4
Kelbra 53 L 17
Kelbra (Stausee) 53 L 16
Keldenich (Erftkreis) 59 N 4
Keldenich
 (Kreis Euskirchen) 60 O 3
Kelheim 97 T 19
Kelkheim 74 P 9
Kell (Kreis Mayen-Koblenz) 71 O 5
Kell (Kreis Trier-Saarburg) 80 Q 3
Kella 52 M 14
Kellberg 99 U 24
Kellen 46 K 2
Kellenbach 73 Q 6
Kellenhusen 10 D 17
Keller 34 H 23
Kellerhöhe 27 H 8
Kellersee 9 D 15
Kellerwald 63 M 11
Kellinghusen 8 E 13
Kellmünz 103 V 14

Kelsterbach 74 P 9
Keltern 93 T 9
Kelz 58 N 3
Kelze 51 L 12
Kemberg 55 K 21
Kemel 73 P 8
Kemlitz 56 K 24
Kemmenau 73 O 7
Kemmern 77 Q 16
Kemnade (Bodenwerder) 39 K 12
Kemnader See 47 L 5
Kemnat 103 U 15
Kemnath
 (Kreis Schwandorf) 89 R 20
Kemnath
 (Kreis Tirschenreuth) 78 Q 19
Kemnath a. Buchberg 88 R 20
Kemnathen 97 S 18
Kemnitz (Elstertalkreis) 78 O 19
Kemnitz
 (Kreis Löbau-Zittau) 69 M 28
Kemnitz
 (Kreis Ostvorpommern) 14 D 24
Kemnitz (Kreis Prignitz) 33 G 20
Kemnitz
 (Kreis Teltow-Fläming) 43 J 22
Kempen (Kreis Heinsberg) 58 M 2
Kempen (Kreis Viersen) 46 L 3
Kempenich 71 O 5
Kempfeld 81 Q 5
Kempfenbrunn 75 P 12
Kempten 111 W 14
Kemptener Haus 111 X 14
Kemptner-Hütte 111 Y 14
Kemtau 67 N 22
Kenn 71 P 5
Kenz 12 D 22
Kenzenhütte 112 X 16
Kenzingen 100 V 7
Keppeln 46 K 2
Keppenbach 100 V 7
Kerbfeld 76 P 15
Kerkau 32 H 18
Kerken 46 L 3
Kerkingen 95 T 15
Kerkow 35 G 25
Kerkuhn 32 H 18
Kerkwitz 45 K 27
Kermeter (Der) 70 O 3
Kernen i. Remstal 94 T 12
Kerpen 58 N 4
Kerpen (Eifel) 70 P 4
Kersbach 87 Q 17
Kerschenbach 70 O 3
Kerspe-Stausee 59 M 6
Kerspenhausen 63 N 12
Kerspleben 65 M 17
Kerstenhausen 63 M 11
Kerstlingerode 52 L 14
Kervenheim 46 L 2
Kerzell 75 O 13
Kerzendorf 44 J 23
Kerzenheim 83 R 8
Kesbern 49 L 7
Kesdorf 9 D 15
Kessel 46 K 2
Kesseling 60 O 5
Kesselsdorf 68 M 24
Kessin
 (Kreis Bad Doberan) 11 D 20
Kessin (Kreis Demmin) 24 E 23
Keßlar 65 N 18
Kesternich 70 O 2
Kestert 71 P 6
Ketelsbüttel 7 D 11
Ketelshagen 13 C 24
Ketelswarf 4 C 9
Ketsch 84 R 9
Ketteldorf 86 R 16
Ketten 63 O 13
Kettenacker 102 V 11
Kettenbach 73 P 8
Kettenburg 30 H 12
Kettenhausen 61 N 6
Kettenhöfstetten 86 R 15
Kettenkamp 27 I 7
Ketterschwang 104 W 16
Kettershausen 103 V 14
Kettig 71 O 6
Kettwig 47 L 4
Ketzerbachtal 67 M 23
Ketzin 43 I 22
Ketzür 43 I 21
Keula 52 M 15
Keulenberg 68 M 25

Kevelaer 46 L 2
Kevenhüll 97 S 18
Keyenberg 58 M 3
Kicklingen 95 U 15
Kiebitz 67 M 23
Kiebitzreihe 19 E 12
Kiedrich 73 P 8
Kiefersfelden 113 X 20
Kiehnwerder 35 I 26
Kiekebusch 57 K 27
Kiekindemark 22 F 19
Kiel 9 D 14
Kieler Bucht 9 B 14
Kieler Förde 9 C 14
Kiemertshofen 104 U 17
Kienbaum 44 I 25
Kienberg 33 I 22
Kienberg 106 V 21
Kienitz 35 H 27
Kierdorf 59 N 4
Kierspe 61 M 6
Kierspe Bahnhof 61 M 6
Kieselbach 64 N 14
Kieselbronn 93 T 10
Kieselwitz 45 K 27
Kieve 23 G 21
Kilchberg 93 U 11
Kilianshof 76 O 14
Killer 102 V 11
Killingen 95 T 14
Kimbach 84 Q 11
Kimratshofen 111 W 14
Kindelbrück 53 M 17
Kindelsberg 61 N 7
Kindenheim 83 R 8
Kinderbeuern 71 P 5
Kinderhaus 37 K 6
Kinding 96 S 18
Kindsbach 81 R 6
Kinheim 72 Q 5
Kinsau 104 W 16
Kinzig 75 P 11
Kinzig 101 U 9
Kinzigtalsperre 75 P 12
Kinzweiler 58 N 2
Kipfenberg 96 T 18
Kippenheim 100 V 7
Kippenheimweiler 100 V 7
Kipsdorf 68 N 25
Kirburg 73 P 8
Kirch Baggendorf 14 D 23
Kirch-Brombach 84 Q 10
Kirch-Göns 74 O 9
Kirch Grubenhagen 23 F 21
Kirch Jesar 21 F 17
Kirch Mulsow 10 E 19
Kirch Rosin 23 E 20
Kirch Stück 22 E 18
Kirchahorn 87 Q 18
Kirchaich 76 Q 16
Kirchanschöring 106 W 22
Kirchardt 84 S 10
Kirchasch 105 V 20
Kirchbarkau 9 D 14
Kirchberg (Kreis Erding) 105 V 20
Kirchberg (Kreis Goslar) 52 K 14
Kirchberg (Kreis Landshut) 98 U 21
Kirchberg (Kreis Passau) 99 U 23
Kirchberg
 (Kreis Bad Doberan) 11 D 20
Kirchberg (Rhein-
 Hunsrück-Kreis) 72 Q 6
Kirchberg
 (Schwalm-Eder-Kreis) 63 M 11
Kirchberg a. d. Iller 103 V 14
Kirchberg a. d. Jagst 86 S 13
Kirchberg a. d. Murr 94 T 12
Kirchberg b. Jülich 58 N 3
Kirchberg i. Wald 99 T 23
Kirchbichl 105 W 18
Kirchbierlingen 102 V 13
Kirchboitzen 30 H 12
Kirchboke 50 K 9
Kirchborchen 50 L 10
Kirchbracht 75 O 11
Kirchbrak 39 K 12
Kirchdorf (Kreis Aurich) 17 F 6
Kirchdorf (Kreis Diepholz) 29 I 10
Kirchdorf (Kreis Keilheim) 97 T 19
Kirchdorf (Kreis
 Nordvorpommern) 13 D 23
Kirchdorf (Kreis
 Nordwestmecklenburg) 10 D 18

Kirchdorf
 (Kreis Unterallgäu) 103 V 15
Kirchdorf a. d. Amper 105 U 18
Kirchdorf a. d. Iller 103 V 14
Kirchdorf a. Haunpold 105 W 19
Kirchdorf a. Inn 106 V 23
Kirchdorf i. Wald 91 T 23
Kirchdornberg 38 J 9
Kirchehrenbach 87 Q 17
Kircheib 59 N 6
Kirchen 61 N 7
Kirchen 102 V 12
Kirchen-Hausen 101 W 10
Kirchenarnbach 81 R 6
Kirchenbirkig 87 Q 18
Kirchenbollenbach 81 Q 6
Kirchendemenreuth 88 Q 20
Kirchengel 53 M 16
Kirchenlaibach 88 Q 19
Kirchenlamitz 78 P 19
Kirchenpingarten 78 Q 19
Kirchenreinbach 87 R 18
Kirchensall 85 S 12
Kirchensittenbach 87 R 18
Kirchentellinsfurt 94 U 11
Kirchenthumbach 88 Q 19
Kirchenwinn 88 S 19
Kirchfarrnbach 86 R 16
Kirchfembach 87 R 16
Kirchhain 62 N 10
Kirchhammelwarden 18 G 9
Kirchhasel 65 N 18
Kirchhaslach 103 V 14
Kirchhatten 28 G 9
Kirchhausen 84 S 11
Kirchheide 39 J 10
Kirchheilingen 64 M 16
Kirchheim (Ilm-Kreis) 65 N 17
Kirchheim
 (Kreis Euskirchen) 60 O 4
Kirchheim (Kreis
 Hersfeld-Rotenburg) 63 N 12
Kirchheim
 (Kreis Traunstein) 106 V 22
Kirchheim (Kreis Würzburg) 85 R 13
Kirchheim a. d. Weinstraße 83 R 8
Kirchheim a. Neckar 94 S 11
Kirchheim a. Ries 95 T 15
Kirchheim b. München 105 V 19
Kirchheim i. Schwaben 103 V 15
Kirchheim u. Teck 94 U 12
Kirchheimbolanden 83 R 8
Kirchherten 58 M 3
Kirchhöfe 100 V 8
Kirchhof 63 M 12
Kirchhofen 100 W 7
Kirchhorst 40 I 13
Kirchhoven 58 M 2
Kirchhundem 61 M 8
Kirchimmen 28 G 9
Kirchisdorf 58 N 3
Kirchlauter 76 P 16
Kirchlinteln 77 P 17
Kirchlengern 38 J 9
Kirchleus 77 P 18
Kirchlinteln 29 H 11
Kirchmöser 43 I 21
Kirchmöser Dorf 43 I 21
Kirchnüchel 9 D 16
Kirchohmfeld 52 L 15
Kirchroda 40 I 13
Kirchrode 40 I 13
Kirchrothenbach 87 R 17
Kirchroth 90 T 21
Kirchschletten 77 P 16
Kirchseelte 29 H 10
Kirchseeon 105 V 19
Kirchtimke 19 G 11
Kirchtroisdorf 58 N 3
Kirchveischede 61 M 7
Kirchvers 62 N 9
Kirchwald 71 O 5
Kirchwalsede 29 G 12
Kirchweidach 106 V 21
Kirchweiler 70 P 4
Kirchwerder 20 F 14
Kirchweyhe
 (Kreis Diepholz) 29 H 10
Kirchweyhe (Kreis Uelzen) 31 G 15
Kirchwistedt 18 F 10
Kirchworbis 52 L 15
Kirchzarten 100 W 7
Kirchzell 85 R 11
Kirf 80 R 3

Kirkel 82 S 5
Kirn 81 Q 6
Kirn 106 U 23
Kirnbach 101 V 8
Kirnberg 86 R 14
Kirnitzschtal 67 N 26
Kirrlach 84 S 9
Kirrweiler 81 R 6
Kirrweiler (Pfalz) 83 S 8
Kirschau 69 M 27
Kirschfurt 85 Q 11
Kirschhausen 84 R 10
Kirschhofen 73 O 8
Kirschweiler 81 Q 5
Kirtorf 63 N 11
Kisdorf 20 E 14
Kisdorferwohld 20 E 14
Kisselbach 71 P 6
Kissenbrück 41 J 15
Kissendorf 103 U 14
Kissing 104 V 16
Kißlegg 111 W 13
Kist 85 Q 13
Kittendorf 24 F 22
Kittlitz 21 F 16
Kittlitz (Kreis Löbau-Zittau) 69 M 28
Kittlitz (Kreis Oberspreewald-
 Lausitz) 56 K 25
Kitzen 54 M 20
Kitzingen 86 Q 14
Kitzscher 67 M 21
Kius 5 C 13
Kiwittsheide 37 J 8
Klaber 23 E 21
Kladow (Berlin) 44 I 23
Kladrum 22 F 19
Kläden (Altmarkkreis
 Salzwedel) 32 H 18
Kläden (Kreis Stendal) 32 I 18
Kläham 97 T 20
Klaffenbach 67 N 22
Klafferstraß 99 T 25
Klais 112 X 17
Klamp 9 D 15
Klandorf 34 H 24
Klanxbüll 4 B 10
Klappholz 5 C 12
Klardorf 88 S 20
Klasdorf 44 J 24
Klattenhof 28 H 9
Klausdorf (Kreis
 Nordvorpommern) 13 C 23
Klausdorf
 (Kreis Teltow-Fläming) 44 J 24
Klausdorf (Schwentine) 9 D 14
Klausen 72 Q 4
Klaushagen 24 G 24
Klausheide 36 I 5
Klebitz 43 K 22
Klecken 19 F 13
Kleeberg 107 U 23
Kleefeld 27 G 8
Kleekamp 37 J 8
Kleenkamp 29 G 12
Kleestadt 74 Q 10
Klein Ammensleben 42 I 18
Klein Bademeusel 57 K 28
Klein Barkau 9 D 14
Klein Behnitz 33 I 22
Klein Belitz 11 E 19
Klein Bengerstorf 21 F 16
Klein Bennebek 8 C 12
Klein Berkel 39 J 12
Klein Berßen 27 H 6
Klein Biewende 41 J 15
Klein Breese 32 H 17
Klein Briesen 43 J 21
Klein Brockdorf 27 I 8
Klein Brunsrode 41 I 16
Klein Bümmerstede 27 G 8
Klein Bünzow 15 E 24
Klein Damerow 23 F 20
Klein Döbbern 57 K 27
Klein Dölln 34 H 24
Klein-Eichen 62 O 11
Klein Eilstorf 30 H 12
Klein Engersen 32 I 18
Klein-Fredenbeck 19 F 12
Klein Fullen 26 H 5
Klein Gartz 32 H 17
Klein-Gerau 74 Q 9
Klein Germersleben 42 J 19
Klein Gottschow 32 G 20
Klein Grabow 23 E 20
Klein Haßlau 33 G 21
Klein Henstedt 29 H 9

Klein Hesebeck 31 G 15
Klein Hesepe 26 I 5
Klein Ilsede 40 J 14
Klein Isums 17 F 7
Klein-Karben 74 P 10
Klein Kiesow 14 E 24
Klein Köris 44 J 25
Klein-Krauscha 57 M 28
Klein Kreutz 43 I 21
Klein-Krotzenburg 74 P 10
Klein Kummerfeld 9 D 14
Klein Labenz 22 E 19
Klein Lafferde 40 J 14
Klein Leine 45 K 26
Klein Lengden 52 L 14
Klein Leppin 33 H 20
Klein Linden 62 O 9
Klein Luckow 25 F 25
Klein Lüben 32 H 19
Klein-Markow 23 E 21
Klein Marzehns 43 J 21
Klein Meckelsen 19 G 12
Klein Muckrow 45 J 27
Klein Mühlingen 42 K 19
Klein Nordende 19 E 12
Klein Offenseth 19 E 13
Klein Offenseth-
 Sparrieshoop 19 E 13
Klein Oschersleben 41 J 18
Klein Pampau 21 F 15
Klein Pankow 23 F 20
Klein Partwitz 56 L 26
Klein Plasten 24 F 22
Klein Priebus 57 L 28
Klein Radden 44 K 25
Klein Reken 47 K 5
Klein Rheide 5 C 12
Klein Rodensleben 42 J 18
Klein Rönnau 9 D 14
Klein Rogahn 21 F 18
Klein Sarau 21 E 16
Klein Scharrel 27 G 8
Klein Schierstedt 53 K 18
Klein Schmölen 32 G 17
Klein Schneen 51 L 13
Klein Schulzendorf 44 J 23
Klein Schwaß 11 D 20
Klein Schwechten 32 H 19
Klein Sien 22 E 19
Klein Sisbeck 41 I 16
Klein Stavern 27 H 6
Klein Süntel 39 J 12
Klein Süstedt 31 H 15
Klein Trebbow (Kreis
 Mecklenburg-Strelitz) 24 G 23
Klein Trebbow (Kreis
 Nordwestmecklenburg) 22 E 18
Klein-Umstadt 74 Q 10
Klein Upahl 23 E 20
Klein Vahlberg 41 J 16
Klein Vielen 24 F 23
Klein Wangelin 23 F 20
Klein Wanzleben 42 J 18
Klein Wesenberg 21 E 15
Klein-Winternheim 73 Q 8
Klein Wittensee 8 C 13
Klein Zicker 13 D 25
Klein Ziegenfelder Tal 77 P 18
Klein Ziethen 35 H 25
Klein Zimmern 74 Q 10
Kleinaitingen 104 V 16
Kleinalmerode 51 M 13
Kleinaspach 94 T 12
Kleinau 32 H 18
Kleinbach 74 P 10
Kleinbardau 67 M 22
Kleinbardorf 76 P 15
Kleinbautzen 69 M 27
Kleinberghofen 104 U 17
Kleinberndten 52 L 15
Kleinblittersdorf 82 S 5
Kleinbodungen 52 L 15
Kleinborbritzsch 68 N 24
Kleinbrüchter 52 M 15
Kleinbüllesheim 59 N 4
Kleindembach 65 N 18
Kleine Aller 41 I 16
Kleine Elster 56 L 24
Kleine Enz 93 T 9
Kleine Laaber 98 T 21
Kleine Spree 57 L 27
Kleine Vils 105 U 20
Kleinebstadt 76 P 15
Kleinenberg (Kreis
 Hameln-Pyrmont) 39 K 11

A B C D E F G H I J K L M N O P Q R S T U V W X Y Z

Kleinenberg
  (Kreis Paderborn) ... 50 L 10
Kleinenborstel ... 29 H 11
Kleinenbremen ... 39 J 11
Kleinenbroich ... 48 M 3
Kleinenglis ... 63 M 11
Kleinengstingen ... 102 U 11
Kleinenkneten ... 28 H 9
Kleinenmarpe ... 39 K 10
Kleinensee ... 64 N 13
Kleinensiel ... 18 F 9
Kleiner Brombachsee ... 96 S 16
Kleiner Gleichberg ... 76 O 15
Kleiner Jasmunder Bodden 13 C 24
Kleiner Landgraben ... 24 F 23
Kleines Haff ... 25 E 26
Kleinfurra ... 52 L 16
Kleingartach ... 93 S 10
Kleingesee ... 87 Q 18
Kleinglattbach ... 93 T 10
Kleinhammer ... 49 M 7
Kleinhartmannsdorf ... 67 N 23
Kleinhaslach ... 86 R 16
Kleinhau ... 58 N 3
Kleinhelmsdorf ... 66 M 19
Kleinheubach ... 85 Q 11
Kleinich ... 72 Q 5
Kleinjena ... 66 M 19
Kleinjörl ... 5 C 11
Kleinkahl ... 75 P 11
Kleinkarlbach ... 83 R 8
Kleinkönigsförde ... 8 C 13
Kleinkötz ... 103 U 14
Kleinkrausnik ... 56 K 24
Kleinkühnau ... 54 K 20
Kleinlangenfeld ... 70 P 3
Kleinlangheim ... 86 Q 14
Kleinlüder ... 63 O 12
Kleinmachnow (Berlin) ... 44 I 23
Kleinmaischeid ... 61 O 6
Kleinmölsen ... 65 M 17
Kleinmutz ... 34 H 23
Kleinnaundorf-Würschnitz . 68 M 25
Kleinoldendorf ... 17 G 7
Kleinosthein ... 74 P 11
Kleinottweiler ... 81 R 5
Kleinow ... 32 G 19
Kleinpaschleben ... 54 K 19
Kleinpösna ... 55 M 21
Kleinpritzer See ... 23 F 19
Kleinradmeritz ... 69 M 28
Kleinrinderfeld ... 85 Q 13
Kleinröhrsdorf ... 68 M 25
Kleinromstedt ... 65 N 18
Kleinsassen ... 63 O 13
Kleinsaubernitz ... 57 M 27
Kleinschmalkalden ... 64 N 15
Kleinschwabhausen ... 65 N 18
Kleinsendelbach ... 87 R 17
Kleinsteinbach ... 93 T 9
Kleinvollstedt ... 8 D 13
Kleinwaabs ... 5 C 13
Kleinwallstadt ... 75 Q 11
Kleinwaltersdorf ... 67 N 23
Kleinwechsungen ... 52 L 16
Kleinweiler ... 111 X 14
Kleinweisach ... 86 Q 15
Kleinwelka ... 69 M 27
Kleinwenkheim ... 76 P 14
Kleinwerther ... 52 L 16
Kleinwessek ... 9 D 16
Kleinwiehe ... 5 B 11
Kleinwörden ... 19 F 11
Kleinwulkow ... 42 I 20
Kleinwusterwitz ... 43 I 20
Kleinzerbst ... 54 K 20
Kleinzerlang ... 33 G 22
Kleinziegenfeld ... 77 P 17
Klempau ... 21 E 15
Klempenow ... 24 E 23
Klenau ... 104 U 17
Klengen ... 101 V 9
Klenkendorf ... 18 F 11
Klenzau ... 9 D 15
Kleptow ... 25 F 26
Klepzig ... 54 L 20
Kleßen ... 33 H 21
Klessener Zootzen ... 33 H 21
Kletkamp ... 9 D 15
Klettbach ... 65 N 17
Klettstedt ... 64 M 16
Klettwitz ... 56 L 25
Kletzen-Zschölkau ... 54 L 21
Kletzin ... 14 E 23
Kletzke ... 32 H 20
Kleukheim ... 77 P 17

Kleutsch ... 54 K 20
Kleve ... 46 K 2
Kleve (Kreis Dithmarschen) ... 7 D 11
Kleve (Kreis Steinburg) ... 8 E 12
Klevenow ... 14 D 23
Kleverhof ... 24 E 22
Kliding ... 71 P 5
Klieken ... 43 K 21
Kliestow ... 44 J 23
Klietz ... 32 H 20
Klietznick ... 42 I 20
Klieve ... 50 L 8
Klinga ... 55 M 21
Klingbach ... 83 S 8
Klingberg ... 9 D 16
Klingen (Kreis
  Aichach-Friedberg) ... 104 U 17
Klingen (Kreis Würzburg) ... 86 R 14
Klingenberg ... 68 N 24
Klingenberg ... 85 Q 11
Klingenberg Stausee ... 68 N 24
Klingenbrunn ... 91 T 23
Klingendorf ... 11 E 20
Klingenmünster ... 83 S 8
Klingenthal ... 79 O 21
Klinglbach ... 91 S 22
Klingsmoos ... 96 U 17
Klink ... 23 F 21
Klinke ... 22 F 19
Klinkrade ... 21 E 15
Klinkum ... 58 M 2
Klint ... 19 F 11
Klintum ... 4 B 10
Klinze ... 41 I 17
Klitschmar ... 54 L 20
Klitten ... 57 L 27
Klitzschen ... 55 L 22
Klixbüll ... 4 B 10
Klobbicke ... 34 H 25
Klobenreuth ... 88 Q 20
Klobikau ... 54 L 19
Klockenhagen ... 11 D 21
Klockow ... 25 F 26
Klocksdorf ... 21 E 16
Klocksin ... 23 F 21
Kloddram ... 21 F 17
Klöden ... 55 K 22
Klötze ... 31 I 17
Klötzer Forst ... 31 I 17
Kloppenheim ... 74 P 10
Kloschwitz ... 54 L 19
Kloster ... 13 C 23
Kloster Neuendorf ... 42 I 18
Kloster Oesede ... 37 J 8
Kloster Veßra ... 76 O 15
Kloster Zinna ... 43 J 23
Klosterbach ... 29 H 10
Klosterbeuren ... 103 V 14
Klosterdorf ... 35 I 25
Klosterfelde ... 34 H 24
Klosterhäseler ... 65 M 18
Klosterheide ... 38 J 9
Klosterholte ... 27 I 6
Klosterkumbd ... 71 P 6
Klosterkuppel ... 75 Q 12
Klosterlangheim ... 77 P 17
Klosterlechfeld ... 104 V 16
Klostermansfeld ... 53 L 18
Klostermoor ... 27 G 6
Klosterreichenbach ... 93 U 9
Klosterseelte ... 29 H 10
Klosterwalde ... 34 G 24
Klotingen ... 49 L 7
Klotten ... 71 P 5
Klotzow ... 15 E 25
Klotzsche (Dresden) ... 68 M 25
Klüden ... 42 I 18
Klüppelberg ... 59 M 6
Kluß ... 23 E 20
Klüsserath ... 72 Q 4
Klütz ... 10 E 17
Kluftern ... 110 W 12
Kluse ... 26 H 6
Kmehlen-Gävernitz ... 68 M 24
Knappenrode ... 57 L 26
Knau ... 66 O 19
Kneblinghausen ... 50 L 9
Knechtsteden (Kloster) ... 59 M 4
Kneese ... 21 F 16
Kneheim ... 27 H 7
Kneitlingen ... 41 J 16
Knesebeck ... 31 H 16
Knesing ... 106 W 21

Knetterheide ... 38 J 10
Knetzgau ... 76 Q 15
Knickberg ... 29 I 10
Kniebis ... 93 U 8
Knielingen ... 93 S 9
Knippelsdorf ... 55 K 24
Knittlingen ... 93 S 10
Knock ... 16 F 5
Knopfmacherfelsen ... 101 V 10
Knopp-Labach ... 81 R 6
Knorburg ... 4 B 11
Knorrendorf ... 24 F 23
Knorrhütte ... 112 X 17
Knottenried ... 111 X 14
Knüll ... 63 N 12
Knüllgebirge ... 63 N 12
Knüllwald ... 63 N 12
Knutbühren ... 51 L 13
Kobbeln ... 45 J 27
Koberg ... 21 F 15
Kobern-Gondorf ... 71 P 6
Kobershain ... 55 L 22
Koblentz ... 25 F 26
Koblenz ... 57 L 26
Kobrow ... 22 E 19
Kochel a. See ... 112 X 18
Kochelsee ... 112 X 18
Kochendorf ... 5 C 13
Kocher ... 95 T 13
Kochersteinsfeld ... 85 S 12
Kocherstetten ... 85 S 13
Kochertürn ... 85 S 11
Kochstedt ... 54 K 20
Kodersdorf ... 69 M 28
Köbbinghausen ... 29 H 9
Köchelstorf ... 21 E 17
Köckte (Altmarkkreis
  Salzwedel) ... 41 I 17
Köckte (Kreis Stendal) ... 42 I 19
Köditz (Kreis Hof) ... 78 P 19
Köditz (Kreis
  Saalfeld-Rudolstadt) ... 65 N 17
Ködnitz ... 77 P 18
Köfering (Kreis
  Amberg-Sulzbach) ... 88 R 19
Köfering
  (Kreis Regensburg) ... 90 T 20
Köhlen (Kreis Cuxhaven) .. 18 F 10
Köhlen (Kreis
  Lüchow-Dannenberg) ... 31 H 17
Köhn ... 9 C 15
Köhnholz ... 5 B 12
Köhra ... 55 M 21
Kölau ... 31 H 16
Kölburg ... 96 T 16
Kölbeck ... 37 J 8
Kölleda ... 65 M 17
Köllerbach ... 81 S 4
Köllitsch ... 55 L 23
Kölln ... 24 E 24
Kölln-Reisiek ... 19 E 13
Köln ... 59 N 4
Köln-Bonn (Flughafen) ... 59 N 5
Kölpinsee ... 15 D 26
Kölsa (Kreis Delitzsch) ... 54 L 20
Kölsa (Kreis Elbe-Elster) ... 55 L 23
Kölschhausen ... 62 O 9
Kölzin (Kreis Ludwigslust) . 21 F 16
Kölzin (Kreis
  Ostvorpommern) ... 14 E 24
Könau ... 31 H 16
Könderitz ... 66 M 20
Köndringen ... 100 V 7
Könen ... 80 Q 3
Köngen ... 94 T 12
Köngernheim ... 73 Q 8
Könghausen ... 103 V 15
Königerode ... 53 L 17
Königheim ... 85 R 12
Königreich ... 19 F 13
Königs Wusterhausen ... 44 J 24
Königsbach-Stein ... 93 T 9
Königsberg ... 33 G 21
Königsberg ... 81 R 6
Königsberg (Dorf) ... 62 O 9
Königsberg i. Bayern ... 76 P 15
Königsborn ... 42 J 19
Königsbronn ... 95 T 14
Königsbrück ... 68 M 25
Königsbrunn ... 104 V 16
Königsdahlum ... 40 K 14
Königsdorf ... 59 N 4
Königsdorf ... 105 W 18
Königsee ... 65 O 17

Königseggwald ... 102 W 12
Königsfeld ... 60 O 5
Königsfeld ... 77 Q 17
Königsfeld i. Schwarzwald 101 V 9
Königshagen ... 63 M 11
Königshain ... 69 M 28
Königshain-Widerau ... 67 N 22
Königshainer Gebirge ... 69 M 28
Königsheim ... 101 V 10
Königshofen
  (Kreis Ansbach) ... 95 S 15
Königshofen
  (Main-Tauber-Kreis) ... 85 R 13
Königshoven ... 58 M 3
Königshügel ... 8 C 12
Königshütte ... 52 K 16
Königslutter ... 41 J 16
Königsmark ... 32 H 19
Königsmoor (Stadt) ... 20 G 12
Königsmoos ... 96 U 17
Königssee ... 114 X 22
Königstein ... 68 N 26
Königstein ... 74 P 9
Königstein ... 88 R 18
Königstuhl ... 84 R 10
Königswald ... 63 M 13
Königswalde
  (Kreis Annaberg) ... 67 O 23
Königswalde
  (Kreis Zwickauer Land) .. 66 N 21
Königswinter (Bonn) ... 59 N 5
Könitz ... 65 O 18
Könnern ... 54 K 19
Könnigde ... 32 I 18
Köpenick ... 44 I 24
Köpernitz (Kreis
  Ostprignitz-Ruppin) ... 33 G 22
Köpernitz (Kreis
  Potsdam-Mittelmark) ... 43 J 20
Köpfchen ... 58 N 2
Köppelsdorf ... 77 O 17
Köppern ... 74 P 9
Körbecke ... 51 L 11
Körbecke (Möhnesee) ... 49 L 8
Körbeldorf ... 87 Q 18
Körbelitz ... 42 J 19
Körchow ... 21 F 17
Kördorf ... 73 P 7
Köritz ... 33 H 21
Körle ... 63 M 12
Körlitz ... 55 L 22
Körner ... 52 M 15
Körperich ... 80 Q 2
Körprich ... 80 R 4
Körrenzig ... 58 M 2
Kösching ... 97 T 18
Köschinger Forst ... 97 T 18
Köselitz ... 43 K 21
Kösingen ... 95 T 15
Köslau ... 76 P 16
Kösseine ... 78 Q 19
Kössern ... 67 M 22
Kößlarn ... 107 U 23
Kößnach ... 90 T 21
Köstersweg ... 18 E 10
Köstorf ... 31 G 16
Köterberg (Dorf) ... 51 K 11
Kötermoor ... 18 F 9
Köthel ... 21 F 15
Köthen (Anhalt) ... 54 K 19
Köthensdorf-
  Reitzschlitz ... 67 N 22
Kötten ... 55 L 23
Köttewitz-Krebs ... 68 N 25
Köttingen ... 59 N 4
Kötz ... 103 U 14
Kötzlin ... 33 H 20
Kötzschau ... 54 M 20
Kötzting ... 89 S 22
Kogel (Kreis Ludwigslust) . 21 F 16
Kogel (Kreis Müritz) ... 23 F 21
Kohden ... 74 O 11
Kohlberg (Kreis Esslingen) . 94 T 12
Kohlberg (Kreis Neustadt a. d.
  Waldnaab) ... 88 R 20
Kohlbissen ... 30 H 14
Kohlgarten ... 100 W 7
Kohlgrund ... 50 L 10
Kohlscheid ... 58 N 2
Kohlsdorf ... 45 J 26
Kohlstädt ... 50 K 10

Kohlstetten ... 102 U 11
Kohlwald ... 93 U 9
Kohren-Sahlis ... 67 M 21
Kolberg ... 44 J 25
Kolbermoor ... 105 W 20
Kolbingen ... 101 V 10
Kolbinger Höhle ... 101 V 10
Koldenbüttel ... 7 C 11
Koldenhof ... 24 G 24
Kolenfeld ... 39 I 12
Kolitzheim ... 76 Q 14
Kolkerheide ... 4 C 11
Kolkhagen ... 31 G 15
Kolkwitz (Kreis
  Saalfeld-Rudolstadt) ... 65 N 18
Kolkwitz
  (Kreis Spree-Neiße) ... 56 K 26
Kollbach ... 98 U 22
Kollbach (Kreis Dachau) ... 105 U 18
Kollbach (Kreis Rottal-Inn) . 98 U 21
Kollerbeck ... 51 K 11
Kollm ... 57 M 28
Kollmar ... 19 E 12
Kollnau ... 100 V 7
Kollnburg ... 91 S 22
Kollow ... 20 F 15
Kollrunge ... 17 F 7
Kollweiler ... 81 R 6
Kolnvenn ... 26 I 4
Kolochau ... 55 K 23
Kolpin ... 44 J 25
Kolrep ... 33 G 20
Kolshorn ... 40 I 13
Kolzenburg ... 44 J 23
Kommern ... 58 N 2
Kommingen ... 101 W 9
Komptendorf ... 57 K 27
Konken ... 81 R 6
Konnersreuth ... 79 P 20
Konradshofen ... 103 V 15
Konradsreuth ... 78 P 19
Konstanz ... 110 X 11
Konz ... 80 Q 3
Konzell ... 91 S 22
Konzen ... 70 O 2
Kopp ... 70 P 3
Koppatz ... 57 K 27
Koppelow ... 23 E 20
Koppenbrück ... 33 H 21
Kopperby ... 5 C 13
Korb ... 94 T 12
Korb (Möckmühl) ... 85 R 12
Korb-Kleinheppach ... 94 T 12
Korbach ... 50 M 10
Korbetha ... 54 L 19
Korbußen ... 66 N 20
Kordel ... 72 Q 3
Kordigast ... 77 P 17
Kork ... 92 U 7
Kornbach ... 78 P 19
Kornbühl ... 102 U 11
Kornburg ... 87 R 17
Kornelimünster ... 58 N 2
Korntal-Münchingen ... 94 T 11
Kornwestheim ... 94 T 11
Korschenbroich ... 48 M 3
Korswandt ... 15 E 26
Kortenbeck ... 31 H 16
Korweiler ... 71 P 6
Kosel ... 57 L 28
Kosel ... 5 C 13
Koselau ... 10 D 16
Koselitz ... 56 L 24
Koselower See ... 13 C 23
Koserow ... 15 D 26
Kosilenzien ... 55 L 24
Koslar ... 58 N 3
Kospa-Pressen ... 55 L 21
Kossa ... 55 L 23
Koßdorf ... 55 L 23
Kossebade ... 23 F 19
Kossenblatt ... 45 J 26
Koßwig ... 56 K 26
Kostebrau ... 56 L 25
Kotelow ... 25 F 24
Kothen ... 75 O 13
Kotitz ... 69 M 27
Kotten ... 57 L 26
Kottenforst Ville
  (Naturpark) ... 59 N 4
Kottenheide ... 79 O 21
Kottenheim ... 71 O 5
Kottendorf ... 87 R 16
Kottgeisering ... 104 V 17
Kottweiler-Schwanden ... 81 R 6
Kotzen ... 33 I 21
Kotzenbüll ... 7 C 10

Kowalz ... 11 D 21
Koxhausen ... 70 Q 2
Kraak ... 22 F 18
Kraatz ... 34 H 23
Kraatz-Buberow ... 34 H 23
Krackow ... 25 F 26
Krähberg ... 84 R 11
Krähenberge ... 33 G 22
Kränzlin ... 33 H 22
Kraftisried ... 111 W 15
Kraftsbuch ... 96 S 17
Kraftsdorf ... 66 N 19
Kraftshof ... 87 R 17
Kraftsolms ... 74 O 9
Kragen ... 30 H 14
Krahne ... 43 J 21
Kraiburg ... 106 V 21
Kraichbach ... 84 S 9
Kraichtal ... 93 S 10
Krailing ... 91 S 22
Krailling ... 104 V 18
Krainke ... 21 G 16
Kraisdorf ... 76 P 16
Krakow a. See ... 23 F 20
Krakower See ... 23 F 20
Kraksdorf ... 10 D 17
Krakvitz ... 13 D 24
Kramerhof ... 13 C 23
Krampfer ... 32 G 20
Krams ... 33 G 20
Kranenburg ... 19 F 11
Kranenburg ... 46 K 2
Kranepuhl ... 43 J 21
Krangen ... 33 H 22
Kranichfeld ... 65 N 17
Kranichstein ... 74 Q 10
Krankenhagen ... 39 J 11
Kranlucken ... 64 N 13
Kransburg ... 18 E 9
Kransmoor ... 18 F 10
Kranzberg ... 105 U 18
Kranzegg ... 111 X 14
Krassig ... 55 K 24
Krassolzheim ... 86 R 15
Krassow ... 22 E 18
Kratzeburg ... 24 F 22
Krauchenwies ... 102 V 11
Kraupa ... 56 L 24
Krauschwitz ... 57 L 28
Krausenbach ... 75 Q 12
Krausnick ... 44 J 25
Krausnicker Berge ... 44 J 25
Kraußnitz ... 56 L 25
Krauthausen ... 58 N 3
Krautheim
  (Hohenlohekreis) ... 85 R 12
Krautheim
  (Kreis Kitzingen) ... 76 Q 14
Krautsand ... 19 E 12
Krautscheid
  (Kreis Bitburg-Prüm) ... 70 P 2
Krautscheid
  (Kreis Neuwied) ... 59 N 6
Kray ... 47 L 5
Kreba-Neudorf ... 57 L 28
Krebeck ... 52 L 14
Kreblitz ... 44 K 25
Krebsow ... 14 D 24
Krechting ... 36 K 4
Kreckow ... 25 F 24
Kredenbach ... 61 N 8
Kreepen ... 29 H 12
Kreershäuschen ... 73 Q 6
Krefeld ... 46 M 3
Kreidach ... 84 R 10
Kreien ... 23 F 20
Kreiensen ... 52 K 13
Kreimbach-Kaulbach ... 81 R 6
Kreinitz ... 55 L 23
Kreischa ... 68 N 25
Krekel ... 58 O 3
Krelingen ... 30 H 12
Krembz ... 21 F 17
Kremitz ... 55 K 23
Kremkau ... 32 I 18
Kremmeldorf ... 77 Q 17
Kremmen ... 34 H 23
Kremmin ... 22 G 18
Krempdorf ... 19 E 12
Krempe ... 19 E 12
Krempel ... 18 E 10
Krempendorf ... 23 G 20
Kremperheide ... 19 E 12
Krempin ... 10 D 19
Krems II ... 9 D 16
Krenkingen ... 109 W 8

Krensheim .... 85 R 13
Krensitz .... 54 L 21
Kreßberg .... 95 S 14
Kressbronn .... 110 X 12
Krettnach .... 80 Q 3
Kretzschau .... 66 M 20
Kreuth .... 88 S 19
Kreuth .... 113 X 19
Kreutzen .... 30 H 14
Kreuz-Spitze .... 112 X 16
Kreuzau .... 58 N 3
Kreuzberg .... 76 O 13
Kreuzberg .... 99 T 24
Kreuzberg
 (Oberbergischer Kreis) .. 59 M 6
Kreuzberg (Ahr) .... 60 O 4
Kreuzebra .... 52 L 14
Kreuzeck .... 112 X 17
Kreuzholzhausen .... 104 V 17
Kreuzkamp .... 9 E 16
Kreuzkrug .... 34 G 24
Kreuztal .... 61 N 7
Kreuzthal (Kreis Haßberge) . 76 P 15
Kreuzthal
 (Kreis Oberallgäu) ..... 111 W 14
Kreuzweg .... 40 I 14
Kreuzweiler .... 80 R 3
Kreuzweingarten .... 60 O 4
Kreuzwertheim .... 85 Q 12
Krevese .... 32 H 19
Krewelin .... 34 H 24
Kreypau .... 54 M 20
Kriebethal .... 67 M 23
Kriebitzsch .... 66 M 20
Kriebstein .... 67 M 23
Kriegsfeld .... 83 Q 7
Kriele .... 33 I 21
Krielow .... 43 I 22
Krien .... 24 E 24
Kriesow .... 24 E 23
Kriestorf .... 98 U 23
Kriftel .... 74 P 9
Krina .... 54 L 21
Kringelsdorff .... 57 L 27
Krinitz .... 32 G 18
Krinning .... 99 T 25
Kripp .... 60 O 5
Krippehna .... 55 L 21
Kritzkow .... 23 E 20
Kritzmow .... 11 D 20
Kritzow (b. Lübz) .... 23 F 20
Kritzow (b. Schwerin) ...... 22 F 18
Kröbeln .... 56 L 24
Kröchlendorff .... 25 G 25
Krögelstein .... 77 Q 17
Krögis .... 68 M 24
Kröhstorf .... 98 U 22
Krölpa .... 65 N 18
Kröning .... 98 U 21
Kröpelin .... 11 D 19
Kröppelshagen .... 20 F 14
Kröppen .... 83 S 6
Kröslin .... 13 D 25
Kröv .... 72 Q 5
Krofdorf-Gleiberg .... 62 O 9
Krogaspe .... 9 D 13
Kroge (Kreis
 Soltau-Fallingbostel) .. 30 H 13
Kroge (Kreis Vechta) .... 27 I 8
Krohnhorst .... 34 G 25
Krombach (Kreis
 Aschaffenburg) .... 75 P 11
Krombach (Kreis
 Siegen-Wittgenstein) ... 61 N 7
Krombach-Stausee .... 61 O 8
Kromlau .... 57 L 27
Krommenthal .... 75 P 12
Kronach .... 77 P 17
Kronau .... 84 S 9
Kronberg .... 74 P 9
Kronburg .... 103 W 14
Kronenburg .... 70 O 3
Kronprinzenkoog .... 7 E 10
Kronsburg .... 9 D 14
Kronsforde .... 21 E 15
Kronsgaard .... 5 B 13
Kronshagen .... 9 C 14
Kronsmoor .... 8 E 12
Kronweiler .... 81 R 5
Kropp .... 8 C 12
Kroppach .... 61 N 7
Kroppen .... 56 L 25
Kroppenstedt .... 41 K 17
Kropstädt .... 43 K 22
Krossen .... 44 K 24
Krostitz .... 54 L 21
Krottelbach .... 81 R 5

Krottenkopf .... 112 X 17
Krottensee .... 87 R 18
Krottorf .... 41 K 17
Krottorf .... 61 N 7
Kruckow .... 14 E 23
Krückau .... 19 E 13
Krückeberg .... 39 J 11
Krüden .... 32 H 19
Krügersdorf .... 45 J 26
Krümmel .... 24 G 22
Krün .... 112 X 17
Krüssau .... 42 J 20
Kruft .... 71 O 6
Krugau .... 45 J 25
Krugsdorf .... 25 F 26
Krugzell .... 111 W 14
Krukow .... 21 F 15
Krum .... 76 P 15
Krumbach .... 84 R 10
Krumbach
 (Kreis Sigmaringen) ... 101 W 11
Krumbach (Schwaben) ...... 103 V 15
Krumbeck .... 24 F 24
Krumhermersdorf .... 67 N 23
Krummasel .... 31 G 17
Krummbek .... 9 C 15
Krumme Fohre .... 77 P 18
Krummendeich .... 19 E 11
Krummendiek .... 8 E 12
Krummenerl .... 61 M 7
Krummenhagen .... 13 D 23
Krummenhennersdorf .... 68 N 24
Krummennaab .... 88 Q 20
Krummensee .... 34 I 25
Krummesse .... 21 E 15
Krummhörn .... 16 F 5
Krummin .... 15 D 25
Krumminer Wiek .... 15 D 25
Krummwisch .... 8 C 13
Krumpa .... 54 M 19
Krumstedt .... 7 D 11
Krusendorf
 (Kreis Luneburg) .... 21 G 16
Krusendorf (Kreis
 Rendsburg-Eckernförde) .. 5 C 14
Krusenhagen .... 10 E 18
Kubach .... 74 O 8
Kubitzer Bodden .... 13 C 23
Kublank .... 24 F 24
Kuchelmiß .... 23 E 21
Kuchen .... 94 U 13
Kuchenheim .... 60 O 4
Kuchenwörde .... 20 F 15
Kuden .... 7 E 11
Kudensee (Stadt) .... 7 E 11
Kudow-Lüchfeld .... 33 H 22
Kückelheim
 (Hochsauerlandkreis) ... 49 M 8
Kückelheim
 (Märkischer Kreis) ..... 49 M 7
Kückhoven .... 58 M 3
Kücknitz-Herrenwyk .... 21 E 16
Küdow-Lüchfeld .... 33 H 22
Kühbach .... 96 U 17
Kühlenthal .... 96 U 16
Kühlungsborn .... 10 D 19
Kühlungsborn Ost .... 11 D 19
Kühlungsborn West .... 10 D 19
Kühndorf .... 64 O 15
Kühnhaide .... 67 O 23
Kühnham .... 107 U 23
Kühnhausen .... 96 U 17
Kühnitzsch .... 55 L 22
Kühren .... 54 K 19
Kühren .... 9 D 14
Kühren-Burkartshain .... 55 L 22
Kührsdorf .... 9 D 14
Kührstedt .... 18 F 10
Kühsen .... 21 E 15
Kükels .... 20 E 14
Kükenmoor .... 29 H 12
Küllstedt .... 52 M 14
Külsheim .... 85 Q 12
Külte .... 51 L 11
Kümbdchen .... 73 Q 6
Kümmernitz .... 33 H 20
Kümmersbruck .... 88 R 19
Kümmritz .... 44 K 24
Künisches Gebirge .... 91 S 23
Künsche .... 32 H 17
Künsdorf .... 78 O 19
Künsebeck .... 38 J 9
Küntrop .... 49 M 7
Künzell .... 63 O 13
Künzelsau .... 85 S 13

Künzing .... 98 T 23
Küps .... 77 P 17
Kürbitz .... 78 O 20
Kürmreuth .... 88 R 19
Kürn .... 90 S 20
Kürnach .... 76 Q 14
Kürnbach .... 93 S 10
Kürten .... 59 M 5
Kürzell .... 100 U 7
Kues .... 72 Q 5
Küssaberg .... 109 X 9
Küsserow .... 23 E 22
Küstelberg .... 50 M 9
Küsten .... 31 H 17
Küstenkanal .... 27 H 6
Küstrin-Kietz .... 35 I 27
Küstrow .... 12 C 22
Kütten .... 54 L 20
Küttig .... 71 P 6
Kützberg .... 76 P 14
Kugelbake (Cuxhaven) .... 7 E 10
Kuhardt .... 84 S 8
Kuhbach .... 100 U 7
Kuhbier .... 33 G 20
Kuhfelde .... 31 H 17
Kuhlen .... 22 E 18
Kuhlhausen .... 33 H 20
Kuhlrade .... 11 D 21
Kuhs .... 23 E 20
Kuhsdorf .... 33 G 20
Kuhstedt .... 18 F 10
Kuhstorf .... 21 F 17
Kukuk .... 23 F 19
Kulkwitz .... 54 M 20
Kulkwitzer See .... 54 M 20
Kulmain .... 78 Q 19
Kulmbach .... 77 P 18
Kulz .... 89 R 21
Kumhausen .... 97 U 20
Kummer .... 22 G 18
Kummerfeld .... 19 E 13
Kummerow
 (Kreis Demmin) .... 24 E 22
Kummerow (Kreis
 Nordvorpommern) .... 12 D 22
Kummerow
 (Kreis Uckermark) ...... 35 G 26
Kummerower See .... 24 E 22
Kummersdorf .... 44 J 25
Kummersdorf-
 Alexanderdorf .... 44 J 24
Kummersdorf Gut .... 44 J 24
Kummerwöhren .... 45 J 27
Kumreut .... 99 T 24
Kunersdorf (Kreis
 Märkisch-Oderland) .... 35 H 26
Kunersdorf
 (Kreis Spree-Neiße) ... 56 K 26
Kunigunde .... 40 K 15
Kunitz .... 66 N 18
Kunnersdorf .... 69 M 28
Kunow (Kreis Prignitz) ..... 33 H 20
Kunow (Kreis Uckermark) ... 35 G 26
Kunrau .... 31 I 17
Kunreuth .... 87 Q 17
Kuntzow .... 14 E 24
Kupferberg .... 77 P 18
Kupferdreh .... 47 L 5
Kupferzell .... 85 S 13
Kuppendorf .... 29 I 10
Kuppenheim .... 93 T 8
Kuppentin .... 23 F 20
Kuppingen .... 93 U 10
Kupprichhausen .... 85 R 12
Kurl .... 49 L 6
Kurpfalz Park .... 83 R 8
Kursdorf .... 54 L 20
Kurtenberg .... 60 O 4
Kurtscheid .... 61 O 6
Kurtschlag .... 34 H 24
Kurzen Trechow .... 23 E 19
Kurzlipsdorf .... 43 K 22
Kuschkow .... 44 J 25
Laiz .... 102 V 11
Kusel .... 81 R 6
Kusey .... 31 I 17
Kusterdingen .... 94 U 11
Kutenholz .... 19 F 11
Kutzleben .... 65 M 16
Kutzschenbach .... 11 D 20
Kuventhal .... 51 K 13
Kyffhäuser .... 53 L 17
Kyffhäuser Gebirge .... 53 L 17
Kyhna .... 54 L 20
Kyll .... 80 P 3
Kyllburg .... 70 P 3
Kyritz .... 33 H 21
Kyritz Ruppiner Heide ..... 33 G 21

L

Laaber (Kreis Neumarkt i. d.
 Oberpfalz) .... 87 S 18
Laaber (Kreis Regensburg) .. 90 S 19
Laacher See .... 71 O 5
Laage .... 11 E 21
Laar .... 26 I 4
Laar (Kreis Kassel Land) ... 51 L 11
Laas .... 55 L 23
Laasche .... 32 G 18
Laase .... 22 E 19
Laaslich .... 32 G 19
Laasow .... 56 K 26
Laatzen .... 40 J 13
Labbeck .... 46 L 3
Labenz .... 21 E 15
Laber .... 97 X 17
Laberweinting .... 98 T 20
Laboe .... 9 C 14
Lachen .... 83 S 8
Lachendorf .... 30 I 14
Lachte .... 31 H 15
Lachtehausen .... 30 I 14
Lacken-Berg .... 91 S 23
Lackendorf .... 101 V 9
Lackenhäuser .... 99 T 25
Ladbergen .... 37 J 7
Ladeburg
 (Kreis Anhalt-Zerbst) . 42 J 19
Ladeburg (Kreis Barnim) ... 34 H 24
Ladekop .... 19 F 13
Ladelund .... 4 B 11
Ladenburg .... 84 R 9
Laderholz .... 30 I 12
Lägerdorf .... 19 E 12
Lähden .... 27 H 6
Lämmerspiel .... 74 P 10
Ländchen Friesack .... 33 H 21
Ländchen Rhinow .... 33 H 21
Länge .... 101 W 9
Längenau .... 79 P 20
Laer .... 36 J 6
Laer .... 24 G 22
Laeven .... 24 G 24
Laffeld .... 58 M 2
Lage (Kreis
 Grafschaft-Bentheim) .. 36 I 4
Lage (Kreis Lippe) .... 39 K 10
Lager Bathorn .... 26 I 5
Lager Bergen-Belsen .... 30 H 13
Lager Hammelburg .... 75 P 13
Lager Lechfeld .... 104 V 16
Lager Orbke .... 30 H 13
Lagershausen .... 52 K 14
Laggenbeck .... 37 J 7
Lahde .... 39 I 10
Lahm (Kreis Coburg) .... 77 P 16
Lahm (Kreis Kronach) ...... 77 O 18
Lahm b. Lichtenfels .... 77 P 17
Lahn (Kreis Emsland) ...... 27 H 6
Lahnau .... 62 O 9
Lahnstein .... 62 N 10
Lahneck
 (Lahnstein) .... 71 P 6
Lahnstein .... 71 P 6
Lahntal .... 62 N 10
Lahr (Kreis Cochem-Zell) .. 71 P 6
Lahr (Kreis
 Limburg-Weilburg) ..... 61 O 8
Lahr (Ortenaukreis) ...... 100 U 7
Lahstedt .... 40 J 14
Laibstadt .... 96 S 17
Laichingen .... 94 U 13
Laimering .... 104 U 17
Laimerstadt .... 97 T 19
Laimgrub .... 106 W 21
Laimnau .... 110 X 12
Laineck .... 77 Q 18
Laisa .... 62 N 9
Laiz .... 102 V 11
Lalendorf .... 23 E 21
Lalling .... 99 T 23
Lam .... 91 S 23
Lambertsberg .... 70 P 3
Lambrecht .... 83 R 8
Lambsheim .... 83 R 8
Lamerden .... 51 L 11
Lamerdingen .... 104 V 16
Lamme .... 40 J 15
Lammersdorf .... 70 O 2
Lammershagen .... 9 D 15
Lammerstedt .... 67 N 22
Lammersfehn .... 17 G 7

Lampaden .... 80 R 4
Lampersdorf .... 55 M 23
Lampertheim .... 84 R 9
Lampertswalde (Kreis
 Riesa-Großenhain) ..... 56 M 25
Lampertswalde (Kreis
 Torgau-Oschatz) .... 55 L 23
Lampoding .... 106 W 22
Lampoldshausen .... 85 S 12
Lamsfeld-Groß Liebitz .... 45 K 26
Lamspringe .... 40 K 14
Lamstedt .... 18 F 11
Lancken-Granitz .... 13 C 24
Landau (Kreis
 Waldeck-Frankenberg) .. 51 L 11
Landau a. d. Isar .... 98 T 22
Landau i. d. Pfalz .... 83 S 8
Landeck .... 83 S 8
Landefeld .... 63 M 13
Landegge .... 26 H 5
Landemert .... 49 M 7
Landenhausen .... 63 O 12
Landersdorf .... 105 V 20
Landershofen .... 96 T 17
Landersum .... 36 J 6
Landesbergen .... 29 I 11
Landesbrück .... 19 E 11
Landeskrone .... 69 M 28
Landgraben (Bach b. Aken) . 54 K 19
Landgraben
 (Bach b. Friedland) ... 24 E 24
Landgrafroda .... 53 L 18
Landkern .... 71 P 5
Landkirchen .... 10 C 17
Landolfshausen .... 52 L 14
Landsatz .... 31 G 17
Landsberg .... 54 L 20
Landsberg a. Lech .... 104 V 16
Landschaftspolder .... 16 G 5
Landscheid .... 70 Q 4
Landscheide .... 7 E 11
Landsham .... 105 V 19
Landshausen .... 84 S 10
Landshut .... 97 U 20
Landstuhl .... 81 R 6
Landsweiler .... 81 R 4
Landwehr .... 40 K 13
Landwehrhagen .... 51 L 12
Langballig .... 5 B 12
Langballigholz .... 5 B 12
Langburkersdorf .... 69 M 26
Langd .... 74 O 10
Langdorf .... 91 S 23
Lange Berge .... 77 O 16
Lange Heide .... 18 G 10
Langebrück .... 68 M 25
Langefeld .... 17 F 6
Langel .... 59 N 5
Langeln .... 19 E 13
Langeln
 (Kreis Wernigerode) ... 41 K 16
Langeloh .... 30 G 13
Langelsheim .... 40 K 14
Langen (Kreis Cuxhaven) ... 18 F 9
Langen (Kreis Emsland) .... 27 I 6
Langen (Kreis Offenbach) .. 74 Q 10
Langen (Kreis
 Ostprignitz-Ruppin) ... 33 H 22
Langen-Bergheim .... 74 P 11
Langen Brütz .... 22 F 18
Langen Jarchow .... 22 E 18
Langen Trechow .... 23 E 19
Langenaltheim .... 96 T 16
Langenapel .... 31 H 16
Langenargen .... 110 X 12
Langenau
 (Alb-Donau-Kreis) ..... 95 U 14
Langenau (Kreis Freiberg) . 67 N 23
Langenau (Kreis Kronach) .. 77 O 17
Langenau (Kreis Lörrach) . 108 X 7
Langenaubach .... 61 N 8
Langenbach
 (Kreis Freising) ...... 105 U 19
Langenbach
 (Kreis Freudenstadt) .. 93 U 8
Langenbach (Kreis Hof) .... 77 O 18
Langenberg
 (Hochsauerlandkreis) .. 50 M 9
Langenberg (Kreis
 Chemnitzer Land) ...... 67 N 22
Langenberg
 (Kreis Gütersloh) ..... 50 K 8

Langenberg
 (Kreis Mettmann) ...... 47 L 5
Langenberg (Kreis Vechta) . 27 I 8
Langenberg
 (Stadtkreis Gera) ..... 66 N 20
Langenbernsdorf .... 66 N 20
Langenbeutingen .... 85 S 12
Langenbieber .... 63 O 13
Langenbogen .... 54 L 19
Langenbrand (Kreis Calw) .. 93 T 9
Langenbrand
 (Kreis Rastatt) .... 93 T 8
Langenbrettach .... 85 S 12
Langenbrücke .... 97 U 18
Langenbrügge .... 31 H 16
Langenbuch .... 66 O 19
Langenburg .... 85 S 13
Langendamm
 (Kreis Friesland) ..... 17 F 8
Langendamm
 (Kreis Nienburg) ...... 29 I 11
Langendamm (Kreis
 Nordvorpommern) .... 11 D 21
Langendammsmoor .... 18 F 9
Langendembach .... 65 N 18
Langendernbach .... 61 O 8
Langendorf
 (Kreis Friesland) ..... 17 F 8
Langendorf
 (Burgenlandkreis) ..... 66 M 20
Langendorf
 (Kreis Bad Kissingen) .. 76 P 13
Langendorf (Kreis
 Marburg-Biedenkopf) ... 62 N 10
Langendorf
 (Kreis Weißenfels) .... 66 M 19
Langendreer .... 47 L 5
Langeneck .... 106 U 22
Langeneichstädt .... 54 L 19
Langeneicke .... 50 L 9
Langenenslingen .... 102 V 12
Langenerling .... 97 T 20
Langenfeld (Kreis
 Hameln-Pyrmont) ...... 39 J 11
Langenfeld
 (Kreis Mayen-Koblenz) . 71 O 5
Langenfeld
 (Kreis Mettmann) ...... 59 M 4
Langenfeld (Kreis Neustadt a. d.
 A.-Bad W.) .... 86 R 15
Langenfeld
 (Kreis Wartburgkreis) . 64 N 14
Langengeisling .... 105 V 19
Langengrassau .... 56 K 24
Langenhagen
 (Kreis Hannover) ...... 40 I 13
Langenhagen
 (Kreis Ostholstein) ... 9 D 16
Langenhagen
 (Kreis Parchim) .... 23 F 20
Langenhahn .... 61 O 7
Langenhain
 (Main-Taunus-Kreis) ... 74 P 9
Langenhain
 (Werra-Meißner-Kreis) . 64 M 14
Langenhain (-Ziegenberg) .. 74 O 9
Langenhard .... 100 V 7
Langenhart .... 102 V 11
Langenhaslach .... 103 V 15
Langenhausen .... 18 F 11
Langenhennersdorf .... 68 N 26
Langenhessen .... 66 N 21
Langenholtensen .... 52 K 14
Langenholthausen .... 49 M 7
Langenholzhausen .... 39 J 10
Langenhorn (Hamburg) ..... 19 F 13
Langenhorst
 (Kreis Steinfurt) ..... 36 J 5
Langenisarhofen .... 98 T 22
Langenlehsten .... 21 F 16
Langenleiten .... 76 P 13
Langenleuba-Niederhain .. 67 N 21
Langenleuba-Oberhain .... 67 N 21
Langenlipsdorf .... 43 K 23
Langenlonsheim .... 73 Q 7
Langenmoor .... 18 F 11
Langenmosen .... 96 U 17
Langenaundorf .... 55 L 24
Langenuffeln .... 103 V 15
Langenordnach .... 100 W 8
Langenorla .... 65 N 18
Langenpettenbach .... 104 U 18
Langenpreising .... 105 U 19
Langenprozelten .... 75 P 12
Langenrain .... 110 W 11
Langenreichen .... 96 U 16
Langenreichenbach ...... 55 L 22
Langenreinsdorf .... 66 N 21
Langensalzwedel .... 32 I 19

A B C D E F G H I J K L M N O P Q R S T U V W X Y Z

Langenschiltach .... 101 V 8
Langenschwarz .... 63 N 12
Langenseifen .... 73 P 8
Langenselbold .... 74 P 11
Langensendelbach .... 87 R 17
Langenstadt .... 77 P 18
Langenstein
(Kreis Halberstadt) ... 53 K 16
Langenstein (Kreis
Marburg-Biedenkopf) ... 62 N 10
Langensteinach .... 86 R 14
Langensteinbach
(Kreis KarlsruheLand) .. 93 T 9
Langensteinbach
(Kreis Mittweida) ... 67 N 21
Langenstraße .... 50 L 9
Langenstriegis .... 67 N 23
Langenteilen .... 28 I 8
Langenthal .... 51 L 12
Langenthonhausen .... 97 S 19
Langenweddingen .... 42 J 18
Langenweißbach .... 67 O 21
Langenwetzendorf .... 66 N 20
Langenwolmsdorf .... 68 M 26
Langenwolschendorf .... 66 O 19
Langenzenn .... 87 R 16
Langeoog .... 17 E 6
Langeoog (Insel) .... 17 E 6
Langer See .... 44 I 24
Langerringen .... 104 V 16
Langerwehe .... 58 N 3
Langerwisch .... 43 J 23
Langes Moor .... 18 F 10
Langewiese .... 62 M 9
Langewiesen .... 65 N 16
Langförden .... 27 H 8
Langfurth .... 95 S 15
Langgöns .... 74 O 9
Langhagen .... 23 E 21
Langhennersdorf .... 67 N 23
Langholt .... 27 G 6
Langholz .... 5 C 13
Langlingen .... 40 I 14
Langmühle .... 83 S 7
Langnau .... 110 X 12
Langniendorf .... 21 E 15
Langnow .... 33 G 20
Langquaid .... 97 T 20
Langreder .... 39 J 12
Langschede .... 49 L 7
Langscheid .... 49 L 7
Langsdorf (Kreis Gießen) ... 74 O 10
Langsdorf (Kreis
Nordvorpommern) ... 14 D 22
Langsee .... 5 C 12
Langstadt .... 74 Q 10
Langstedt .... 5 C 12
Langsur .... 80 Q 3
Langula .... 64 M 15
Langwaden .... 84 Q 9
Langwarden .... 18 F 9
Langwasser .... 87 R 17
Langwedel (Kreis Gifhorn) .. 31 H 15
Langwedel (Kreis
Rendsburg-Eckernförde) ..9 D 13
Langwedel (Kreis Verden) .. 29 H 11
Langwege .... 27 I 8
Langweid a. Lech .... 96 U 16
Langweiler .... 81 R 6
Lanhausen .... 18 F 9
Lank-Latum .... 48 M 4
Lankau .... 21 E 16
Lanke .... 34 H 24
Lanker See .... 9 D 14
Lankow .... 22 F 18
Lanstrop .... 49 L 6
Lantenbach .... 61 M 6
Lanz .... 32 G 18
Lanze .... 32 H 17
Lanzenhain .... 63 O 11
Lanzingen .... 75 P 11
Lapitz .... 24 F 23
Lappenstuhl .... 37 I 8
Lappersdorf .... 90 S 20
Larrelt .... 16 F 5
Larrieden .... 95 S 14
Lasbek .... 20 E 15
Lascheid .... 70 P 3
Lasel .... 70 P 3
Lassahn .... 21 F 16
Lassan .... 15 E 25
Laßbach .... 85 S 13
Laßbruch .... 39 J 11
Lassentin .... 12 D 22
Laßrönne .... 20 F 14
Laßzinswiesen .... 45 K 27
Lastau .... 67 M 22

Lastrup
(Kreis Cloppenburg) ... 27 H 7
Lastrup (Kreis Emsland) .. 27 H 6
Latdorf .... 54 K 19
Latendorf .... 9 E 14
Latferde .... 39 J 12
Lathen .... 26 H 5
Latrop .... 62 M 9
Laub (Kreis Donau-Ries) .. 95 T 15
Laub (Kreis Kitzingen) .. 86 Q 14
Laubach .... 95 T 13
Laubach (Hochtaunuskreis) 74 O 9
Laubach
(Kreis Cochem-Zell) ... 71 P 5
Laubach (Kreis Gießen) .. 62 O 10
Laubach (Kreis Göttingen) . 51 L 13
Laubach (Rhein-
Hunsrück-Kreis- ... 71 P 6
Lauben (Kreis Oberallgäu) 111 W 14
Lauben
(Kreis Unterallgäu) ... 103 V 14
Laubenheim .... 74 Q 8
Laubsdorf .... 57 K 27
Laubusch .... 56 L 26
Laubuseschbach .... 74 O 9
Laucha .... 64 N 15
Laucha a. d. Unstrut .... 54 M 19
Lauchdorf .... 103 W 15
Lauchert .... 102 V 11
Lauchhammer .... 56 L 25
Lauchheim .... 95 T 14
Lauchringen .... 109 X 8
Lauchröden .... 64 N 14
Lauda-Königshofen .... 85 R 13
Laudenbach
(Kreis Main-Spessart) .. 75 Q 13
Laudenbach
(Kreis Miltenberg) ... 85 Q 11
Laudenbach
(Main-Tauber-Kreis) .. 85 R 13
Laudenbach
(Rhein-Neckar-Kreis) .. 84 R 9
Laudenbach
(Werra-Meißner-Kreis) .. 51 M 13
Laudenberg .... 85 R 11
Laudert .... 71 P 6
Laue .... 54 L 21
Lauenau (Hannover) .... 39 J 12
Lauenberg .... 51 K 13
Lauenbrück .... 30 G 12
Lauenburg .... 21 F 15
Lauenburgische Seen
(Naturpark) ... 21 E 16
Lauenförde .... 51 L 12
Lauenhagen .... 39 I 11
Lauenhain (Kreis Kronach) . 77 O 18
Lauenhain
(Kreis Zwickauer Land) .. 66 N 21
Lauenhain-Tanneberg ... 67 M 22
Lauenstein (Kreis
Hameln-Pyrmont) ... 39 J 12
Lauenstein (Kreis Kronach) 77 O 18
Lauenstein (Weißeritzkreis) 68 N 25
Lauer .... 76 P 14
Lauf .... 92 U 8
Lauf a. d. Pegnitz .... 87 R 17
Laufach .... 75 P 11
Laufdorf .... 62 O 9
Laufeld .... 71 P 4
Laufen .... 106 W 22
Laufen a. d. Eyach .... 101 V 10
Laufen a. Kocher .... 95 T 13
Laufenburg .... 108 X 8
Laufenselden .... 73 P 7
Laufersweiler .... 72 Q 5
Lauffen a. Neckar .... 94 S 11
Lauffen o. Rottweil .... 101 V 9
Laugna .... 96 U 16
Lauingen .... 41 J 16
Lauingen .... 95 T 13
Laumersheim (Mannheim) . 83 R 8
Laumühlen .... 19 F 11
Laupertshausen .... 103 V 13
Laupheim .... 103 V 13
Laupin .... 21 G 17
Laurenburg .... 73 O 7
Laus .... 105 W 19
Lausa .... 55 L 23
Lauscha .... 77 O 17
Lauschied .... 81 Q 6
Lausheim .... 101 W 9
Lausitz .... 43 K 22
Lausitzer Bergland .... 69 M 26
Laußig .... 55 L 21
Laußnitz .... 68 M 25
Lauta .... 56 L 26

Lauta-Dorf .... 56 L 26
Lauta-Nord .... 56 L 26
Lautenbach
(Kreis Neunkirchen) .. 81 R 5
Lautenbach (Kreis Rastatt) . 93 T 9
Lautenbach (Ortenaukreis) . 92 U 8
Lautenthal .... 52 K 14
Lauter .... 67 O 22
Lauter (Dorf) .... 62 O 10
Lauterach .... 102 V 12
Lauterbach (Elstertalkreis) . 78 O 20
Lauterbach
(Kreis Dachau) ... 104 V 17
Lauterbach (Kreis
Dillingen a. d. Donau) .. 96 U 16
Lauterbach
(Kreis Freising) ... 105 U 19
Lauterbach
(Kreis Rosenheim) .. 105 W 20
Lauterbach
(Kreis Rottweil) ... 101 V 9
Lauterbach
(Kreis Rügen) ... 13 C 24
Lauterbach (Kreis
Saarbrücken) ... 82 S 4
Lauterbach (Kreis
Sächsische Schweiz) .. 68 M 26
Lauterbach
(Kreis Zwickauer Land) .. 66 N 21
Lauterbach (Mittlerer
Erzgebirgskreis) ... 67 N 23
Lauterbach
(Muldentalkreis) ... 67 M 21
Lauterbach
(Vogelsbergkreis) ... 63 O 12
Lauterbrunn .... 104 U 16
Lauterburg .... 95 T 13
Lauterecken .... 81 R 6
Lauterhofen .... 87 R 18
Lautern .... 95 T 13
Lautersee .... 112 X 17
Lauterstein .... 95 T 13
Lautertal .... 77 P 16
Lautertal (Odenwald) .... 84 Q 10
Lautertal (Vogelsberg) .... 63 O 11
Lautitz .... 69 M 28
Lautlingen .... 101 V 10
Lautrach .... 103 W 14
Lautzenbrücken .... 61 N 7
Lautzert .... 61 O 6
Lautzkirchen .... 82 S 5
Lavelsloh .... 39 I 10
Lavesum .... 47 K 5
Lawalde .... 69 M 27
Laxbach .... 84 R 10
Lay .... 71 P 6
Lebach .... 81 R 4
Lebatz .... 9 E 15
Lebehn .... 25 F 26
Lebendorf .... 54 K 19
Lebenstedt .... 40 J 14
Leberskirchen .... 98 U 21
Lebien .... 55 K 22
Leblich .... 47 K 4
Lebrade .... 9 D 15
Lebus .... 45 I 27
Lebusa .... 56 K 24
Lech .... 112 X 15
Lechbruck .... 112 W 16
Lechenich .... 59 N 4
Lechterke .... 27 I 7
Leck .... 4 B 10
Lecker Au .... 4 B 10
Leckerau .... 4 B 11
Leda .... 17 G 6
Ledde .... 37 J 7
Leeden .... 37 J 7
Leeder .... 104 W 16
Leegebruch .... 34 H 23
Leeheim .... 74 Q 9
Leer .... 17 G 6
Leer .... 36 J 9
Leerhafe .... 17 F 7
Leerßen .... 29 H 10
Leerstetten .... 87 S 17
Leese .... 39 I 11
Leeseringen .... 29 I 11
Leeskow .... 45 J 27
Leeste .... 29 H 10
Leetza .... 55 L 21
Leezdorf .... 16 F 5
Leezen (Kreis Parchim) .. 22 F 18
Leezen (Kreis Segeberg) .. 20 E 14
Legan .... 8 D 12

Legau .... 103 W 14
Legde .... 32 H 19
Legden .... 36 J 5
Legelshurst .... 92 U 7
Lehde .... 45 K 25
Lehe (Kreis Dithmarschen) .. 7 C 11
Lehe (Kreis Emsland) .... 26 G 5
Lehe (Bremerhaven-) .... 18 F 9
Leheheide .... 18 F 9
Lehen (Stadtkreis
Freiburg i. B.) ... 100 V 7
Lehenthal .... 77 P 18
Leherheide .... 18 F 9
Lehesten (Kreis
Saalfeld-Rudolstadt) .. 77 O 18
Lehesten
(Saale-Holzland-Kreis) .. 65 N 18
Lehmden .... 17 G 8
Lehmdermoor .... 17 G 8
Lehmen .... 71 P 6
Lehmke .... 31 H 15
Lehmkuhlen .... 9 D 15
Lehmrade .... 21 F 16
Lehmsiek .... 8 C 13
Lehndorf .... 66 N 21
Lehnin .... 43 J 22
Lehnitz .... 34 H 23
Lehnmühle Stausee .... 68 N 24
Lehnsdorf .... 43 J 21
Lehnstedt .... 65 N 18
Lehr .... 103 U 13
Lehrbach .... 62 N 11
Lehrberg .... 86 R 15
Lehrde .... 30 H 12
Lehre .... 41 J 16
Lehrensteinsfeld .... 94 S 11
Lehrte (Kreis Emsland) .. 27 H 6
Lehrte (Kreis Hannover) .. 40 I 13
Lehsen .... 21 F 17
Lehsten .... 24 F 22
Leibchel .... 45 J 26
Leibelbach .... 86 S 15
Leibenstadt .... 85 R 12
Leiberg .... 50 L 9
Leiberstung .... 92 T 8
Leibertingen .... 101 V 11
Leiblfing .... 98 T 21
Leibolz .... 63 N 13
Leibsch .... 44 J 25
Leichlingen .... 59 M 5
Leidendorf .... 86 S 15
Leideneck .... 71 P 6
Leidersbach .... 75 Q 11
Leidringen .... 101 V 10
Leiferde .... 40 I 15
Leiha .... 54 M 19
Leihgestern .... 62 O 10
Leimbach .... 71 O 4
Leimbach (Kreis
Mansfelder Land) .. 53 L 18
Leimbach
(Kreis Nordhausen) .. 53 L 16
Leimbach (Wartburgkreis) .. 64 N 14
Leimen (Kreis Pirmasens) . 83 S 7
Leimen
(Rhein-Neckar-Kreis) .. 84 R 10
Leimersdorf .... 60 O 5
Leimersheim .... 93 S 9
Leimrieth .... 76 O 16
Leimsfeld .... 63 N 11
Leimstruth .... 62 N 8
Leina .... 64 N 15
Leinach .... 75 Q 13
Leinburg .... 87 R 17
Leine (Bach b.
Aschersleben) ... 53 L 17
Leine (Bach b.
Heiligenstadt) ... 51 L 14
Leine (Fluß z. Aller) .... 39 I 12
Leinefelde .... 52 L 14
Leinfelden-Echterdingen .. 94 T 11
Leingarten .... 94 S 11
Leinstetten .... 101 U 9
Leinsweiler .... 83 S 8
Leinzell .... 95 T 13
Leipa .... 55 K 22
Leipferdingen .... 101 W 10
Leipnitz .... 55 M 22
Leippe .... 56 L 26
Leipzig .... 55 L 21
Leipzig-Schkeuditz
(Flughafen) ... 54 L 20
Leiselheim .... 84 R 8
Leisenwald .... 75 P 11

Leislau .... 66 M 19
Leisnig .... 67 M 22
Leißnitz .... 45 J 26
Leistadt .... 83 R 8
Leisten .... 23 F 20
Leistenförde .... 21 F 16
Leistenow .... 24 E 23
Leitershofen .... 104 U 16
Leitersweiler .... 81 R 5
Leitheim .... 96 T 16
Leitmar .... 50 L 10
Leitzkau .... 42 J 19
Leiwen .... 72 Q 4
Lelbach .... 50 M 10
Lellenfeld .... 95 S 15
Lelm .... 41 J 16
Lembach (Kreis Haßberge) 76 Q 16
Lembach (Kreis Waldshut) 101 W 9
Lembeck .... 47 K 4
Lemberg .... 83 S 6
Lembruch .... 38 I 9
Lemförde .... 38 I 9
Lemgo .... 39 J 10
Lemgow .... 32 H 18
Lemke .... 29 I 11
Lemkendorf .... 10 C 17
Lemkenhafen .... 10 C 17
Lemmersdorf .... 25 F 25
Lemsahl-Mellingstedt .... 20 E 14
Lemwerder .... 29 G 9
Lendern .... 8 D 12
Lenderscheid .... 63 N 12
Lendersdorf .... 58 N 3
Lendorf .... 63 M 12
Lendringsen .... 49 L 7
Lengde .... 41 K 15
Lengdorf .... 105 V 20
Lengede .... 40 J 14
Lengefeld
(Kreis Sangerhausen) .. 53 L 17
Lengefeld
(Kreis Weimarer Land) .. 65 N 18
Lengefeld (Mittlerer
Erzgebirgskreis) .. 67 N 23
Lengefeld
(Unstrut-Hainich-Kreis) .. 52 M 15
Lengelsheid .... 61 M 7
Lengenbostel .... 19 G 12
Lengenfeld
(Göltzschtalkreis) .. 66 O 21
Lengenfeld (Kreis Neumarkt i. d.
Oberpfalz) ... 88 S 18
Lengenfeld
(Kreis Ostallgäu) .. 104 W 16
Lengenfeld b.
Groschlattengrün ... 78 Q 20
Lengenfeld b.
Tirschenreuth ... 89 Q 20
Lengenfeld u. Stein .... 52 M 14
Lengenwang .... 111 W 15
Lengerich .... 27 I 6
Lengerich .... 37 J 7
Lengers .... 64 N 14
Lengfeld
(Kreis Hildburghausen) .. 76 O 15
Lengfeld (Kreis Kelheim) .. 97 T 20
Lengfeld (Kreis Schwandorf) 89 R 21
Lengfeld
(Stadtkreis Würzburg) .. 86 Q 13
Lengfeld Fasanenhof .... 74 Q 10
Lengfurt .... 85 Q 12
Lenggries .... 113 W 18
Lengham .... 107 U 23
Lenglern .... 51 L 13
Lengmoos .... 105 V 20
Lengsham .... 106 U 23
Lengthal .... 98 T 21
Lenhausen .... 49 M 7
Lenkersheim .... 86 R 15
Lenne (Fluß b. Winterberg) 62 M 9
Lenne (Hochsauerlandkreis) 62 M 8
Lenne (Kreis Holzminden) . 40 K 13
Lennegebirge .... 49 M 7
Lennep .... 48 M 5
Lennestadt .... 61 M 8
Lenningen .... 94 U 12
Lenningsen .... 49 L 7
Lensahn .... 10 D 16
Lensterstrand .... 10 D 16
Lenterode .... 52 L 14
Lentersheim .... 95 S 15
Lentföhrden .... 19 E 13
Lenthe .... 40 I 12
Lenting .... 96 T 18
Lentzke .... 33 H 22
Lenz (Kreis Müritz) .. 23 F 21

Lenz (Kreis
Riesa-Großenhain) ... 68 M 24
Lenzen (Kreis Parchim) .. 23 E 20
Lenzen (Kreis Prignitz) .. 32 G 18
Lenzinghausen .... 38 J 9
Lenzkirch .... 100 W 8
Leobendorf .... 106 W 22
Leonberg
(Kreis Schwandorf) .. 88 S 20
Leonberg
(Kreis Tirschenreuth) .. 79 Q 20
Leonberg (Stuttgart) .... 93 T 11
Leopoldshafen .... 93 S 9
Leopoldshagen .... 25 E 25
Leopoldshöhe .... 38 J 10
Leopoldskanal .... 100 V 7
Leopoldstal .... 50 K 10
Leplow .... 12 D 22
Leppersdorf .... 68 M 25
Leppin (Altmarkkreis
Salzwedel) ... 32 H 18
Leppin (Kreis
Mecklenburg-Strelitz) .. 24 F 24
Leps .... 42 K 20
Lerbach .... 52 K 14
Lerchenberg .... 64 M 14
Lerchenberg .... 73 Q 8
Leschede .... 36 I 5
Lesse .... 40 J 14
Lessenich .... 60 O 4
Lessien .... 31 I 16
Leßlohe .... 89 Q 21
Lesum .... 29 G 10
Lethe .... 27 H 8
Letmathe .... 49 L 6
Letschin .... 35 I 27
Lette (Kreis Coesfeld) .. 36 K 5
Lette (Kreis Warendorf) .. 37 K 8
Letter .... 40 I 12
Lettewitz .... 54 L 19
Lettgenbrunn .... 75 P 12
Lettin .... 54 L 19
Lettmecke .... 49 M 7
Lettweiler .... 83 Q 7
Letzin .... 24 E 23
Letzlingen .... 42 I 18
Leubach .... 64 O 14
Leubas .... 111 W 15
Leuben .... 67 M 23
Leubetha .... 79 O 20
Leubingen .... 65 M 17
Leubnitz (Elstertalkreis) .. 78 O 20
Leubnitz
(Kreis Zwickauer Land) .. 66 N 21
Leubsdorf .... 67 N 23
Leubsdorf .... 60 O 5
Leuchau .... 77 P 18
Leuchtenberg .... 89 R 20
Leuchtenburg .... 65 N 18
Leudersdorf .... 70 O 4
Leuenberg .... 35 H 25
Leukersdorf .... 67 N 22
Leun .... 62 O 9
Leuna .... 54 M 20
Leupoldsgrün .... 78 P 19
Leupoldstein .... 87 Q 18
Leupolz .... 110 W 13
Leuscheid .... 59 N 6
Leuschentin .... 24 E 22
Leussow
(Kreis Ludwigslust) .. 21 G 17
Leussow (Kreis
Mecklenburg-Strelitz) .. 24 G 22
Leustetten .... 102 W 11
Leutenbach .... 87 Q 17
Leutenberg .... 65 O 18
Leutenschach .... 111 W 15
Leutersdorf .... 69 N 27
Leutershausen
(Kreis Ansbach) .. 86 S 15
Leutershausen
(Kreis Rhön-Grabfeld) .. 76 P 14
Leutesdorf .... 71 O 6
Leutesheim .... 92 U 7
Leuth .... 46 L 2
Leuthen .... 57 K 26
Leutkirch .... 103 W 14
Leutstetten .... 104 V 18
Leuzendorf .... 86 R 14
Levenhagen .... 13 D 23
Leverkusen (Köln) .... 59 M 4
Levern .... 38 I 9
Leveste .... 39 I 12
Levitzow .... 23 E 21
Lexow .... 23 F 21
Leybucht .... 16 F 5
Leybuchtpolder .... 16 F 5

Libben 13 C 23
Libbenichen 45 I 27
Libbesdorf 54 K 20
Liblar 59 N 4
Libur 59 N 5
Lich 62 O 10
Lichenroth 75 O 11
Licherode 63 M 12
Lichte 77 O 17
Lichtenau 66 N 19
Lichtenau 50 L 10
Lichtenau (Kreis Ansbach) 86 S 16
Lichtenau (Kreis Neuburg-Schrobenhausen) 96 T 18
Lichtenau (Kreis Rastatt) 92 T 7
Lichtenberg 61 N 7
Lichtenberg (Berlin) 44 I 24
Lichtenberg (Kreis Hof) 78 O 19
Lichtenberg (Kreis Lüchow-Dannenberg) 32 H 17
Lichtenberg (Kreis Mecklenburg-Strelitz) 24 F 24
Lichtenberg (Kreis Westlausitz-Dresdener Land) 68 M 25
Lichtenberg (Stadtkreis Frankfurt Oder) 45 J 27
Lichtenberg (Stadtkreis Salzgitter) 40 J 14
Lichtenberg (Erzgebirge) 68 N 24
Lichtenborn 70 P 2
Lichtendorf 49 L 6
Lichtenfels 62 M 10
Lichtenfels 77 P 17
Lichtenhaag 98 U 21
Lichtenhagen 39 K 12
Lichtenhain (Kreis Sächsische Schweiz) 69 N 26
Lichtenhain (Stadtkreis Jena) 65 N 18
Lichtenhorst 29 H 12
Lichtenmoor (Stadt) 29 H 11
Lichtenow 44 I 25
Lichtensee 56 L 24
Lichtenstein 67 N 21
Lichtenstein 102 U 11
Lichtental 93 T 8
Lichtentanne (Kreis Saalfeld-Rudolstadt) 77 O 18
Lichtentanne (Kreis Zwickauer Land) 66 N 21
Lichtenwald (Kreis Esslingen) 94 T 12
Lichtenwald (Kreis Regensburg) 90 S 20
Lichtenwalde 67 N 23
Lichterfeld 56 L 25
Lichterfelde (Kreis Barnim) 34 H 25
Lichterfelde (Kreis Stendal) 32 H 19
Liebelsberg 93 T 10
Liebenau 68 N 25
Liebenau 29 I 11
Liebenau 51 L 11
Liebenau 110 W 12
Liebenberg 34 H 23
Liebenburg 40 J 15
Liebengrün 66 O 18
Liebenrode 52 L 15
Liebenscheid 61 N 8
Liebenstadt 96 S 17
Liebenstein 65 N 16
Liebenstein 89 Q 21
Liebenstein (Bornhofen) 71 P 6
Liebenthal 34 H 24
Liebenwalde 34 H 24
Lieberhausen 61 M 6
Lieberose 45 K 26
Liebersee 55 L 23
Liebertwolkwitz 54 M 21
Liebfrauenstraße 84 Q 8
Lieblingshof 11 D 20
Lieblos 75 P 11
Liebschütz 66 O 18
Liebschützberg 55 L 23
Liebshausen 71 P 6
Liebstadt 68 N 25
Liebstedt 65 M 18
Liechelkopf 111 Y 14
Liederbach 74 P 9
Liedern 46 K 3
Liederstädt 53 M 18
Liedolsheim 84 S 9
Lieg 71 P 6
Liegau-Augustusbad 68 M 25
Liel 108 W 6
Lieme 39 J 10
Liemehna 55 L 21
Liemke 38 K 9
Lienen 18 G 9
Lienen 37 J 7
Liener 27 H 7
Lienheim 109 X 9
Liensfeld 9 D 15
Lienzingen 93 T 10
Liepe (Kreis Barnim) 35 H 25
Liepe (Kreis Havelland) 33 I 21
Liepe (Kreis Uecker-Randow) 25 F 26
Liepen (Kreis Mecklenburg-Strelitz) 24 F 24
Liepen (Kreis Ostvorpommern) 24 E 24
Lieper Winkel 15 E 25
Liepgarten 25 E 26
Lieps 24 F 23
Liers 71 O 4
Liesborn 50 K 8
Lieschow 13 C 23
Liesen 62 M 9
Liesenich 71 P 5
Lieser 72 Q 5
Lieskau 56 L 25
Lieske (Kreis Bautzen) 57 M 27
Lieske (Kreis Oberspreewald-Lausitz) 56 L 26
Ließen 44 J 24
Liessow (Kreis Güstrow) 23 E 21
Liessow (Kreis Parchim) 22 E 18
Liesten 32 H 17
Lietzen 45 I 27
Lietzow (Kreis Havelland) 33 I 22
Lietzow (Kreis Rügen) 13 C 24
Liezheimer Forst 95 T 15
Liggeringen 109 W 11
Liggersdorf 102 W 11
Lilienstein 68 N 26
Lilienthal (Bremen) 29 G 10
Limbach (Göltzschtalkreis) 66 O 20
Limbach (Kreis Bamberg) 87 Q 16
Limbach (Kreis Günzburg) 103 U 15
Limbach (Kreis Haßberge) 76 Q 15
Limbach (Kreis Meißen-Dresden) 68 M 24
Limbach (Kreis Neuwied) 59 N 6
Limbach (Kreis Saarlouis) 81 R 4
Limbach (Kreis Sonneberg) 77 O 17
Limbach (Kreis Torgau-Oschatz) 55 M 23
Limbach (Neckar-Odenwald-Kreis) 85 R 11
Limbach (Saar-Pfalz-Kreis) 81 S 5
Limbach-Oberfrohna 67 N 22
Limberg 56 K 26
Limburg 83 R 8
Limburg a. d. Lahn 73 O 8
Limburgerhof 84 R 9
Limeshain 74 P 11
Limmersdorf 77 P 18
Limpurger Forst 86 R 15
Limsdorf 45 J 26
Linach 101 V 8
Linau 21 F 15
Lind 60 O 4
Lind 89 R 21
Linda (Kreis Wittenberg) 55 K 23
Linda (Saale-Orla-Kreis) 66 N 19
Lindach 106 V 21
Lindau 77 P 18
Lindau (Kreis Anhalt-Zerbst) 42 J 20
Lindau (Kreis Northeim) 52 L 14
Lindau (Kreis Rendsburg-Eckernförde) 8 C 13
Lindau (Kreis Schleswig-Flensburg) 5 C 13
Lindau i. Bodensee (Kreis LindauBodensee) 110 X 13
Lindaunis 5 C 13
Lindberg 91 S 23
Linde 34 H 23
Linde 59 M 5
Linden (Hannover) 40 I 13
Linden (Kreis Bad Tölz-Wolfratshausen) 105 W 18
Linden (Kreis Dithmarschen) 7 D 11
Linden (Kreis Hildburghausen) 76 O 15
Linden (Kreis Kaiserslautern) 81 R 6
Linden (Kreis Neustadt a. d. A.- Bad W.) 86 R 15
Linden (Kreis Uelzen) 31 H 15
Linden-Dahlhausen 47 L 5
Lindena 56 L 24
Lindenau (Kreis Aue-Schwarzenberg) 67 O 21
Lindenau (Kreis Hildburghausen) 76 P 16
Lindenau (Kreis Oberspreewald-Lausitz) 56 L 25
Lindenberg (Kreis Bad Dürkheim) 83 R 8
Lindenberg (Kreis Barnim) 34 I 24
Lindenberg (Kreis Demmin) 24 E 23
Lindenberg (Kreis Oder-Spree) 45 J 26
Lindenberg (Kreis Ostallgäu) 104 V 16
Lindenberg (Kreis Prignitz) 33 G 20
Lindenberg i. Allgäu 111 X 13
Lindenfels 84 Q 10
Lindenhagen 25 G 25
Lindenhardt 87 Q 18
Lindenhayn 54 L 21
Lindenhof 24 E 23
Lindenholzhausen 73 O 8
Lindenkreuz 66 N 19
Lindenthal (Leipzig) 54 L 21
Linderbach 65 N 17
Linderhof 112 X 16
Linderhofe 39 J 11
Lindern (Kreis Emsland) 27 H 7
Lindern (Kreis Hannover Land) 58 N 2
Lindewitt 5 B 11
Lindheim 74 P 10
Lindhöft 5 C 13
Lindholm 4 B 10
Lindhorst (Kreis Hannover Land) 39 I 11
Lindhorst (Kreis Uckermark) 25 F 25
Lindhorst (Ohrekreis) 42 J 18
Lindkirchen 97 T 19
Lindlar 59 M 6
Lindloh 26 H 5
Lindow (Kreis Nordwestmecklenburg) 21 E 16
Lindow (Kreis Ostprignitz-Ruppin) 34 H 22
Lindstedt 32 I 18
Lindthal 56 L 25
Lindwedel 30 I 13
Lingelbach 63 N 12
Lingen 26 I 5
Lingenfeld 84 S 9
Lingese-Stausee 59 M 6
Lingwedel 31 H 15
Linken 25 F 27
Linkenheim-Hochstetten 93 S 9
Linn 46 L 3
Linnau 4 B 11
Linnenfeld 49 K 7
Linnenkamp 51 K 13
Linnich 58 N 2
Linow 33 G 22
Linsburg 29 I 11
Linsengericht 75 P 11
Linstow 23 F 21
Linswege 17 G 7
Lintach 88 R 19
Lintel (Kreis Delmenhorst) 28 G 9
Lintel (Kreis Gütersloh) 50 K 9
Linthe 43 J 22
Lintig 18 F 10
Lintorf 48 L 4
Lintzel 30 H 14
Linum 33 H 22
Linumhorst 33 H 22
Linx (Rheinau) 92 U 7
Linz 56 L 25
Linz a. Rhein 60 O 5
Lippach 95 T 14
Lippborg 49 L 8
Lippe 61 N 8
Lippendorf 66 M 21
Lipperbruch 50 K 9
Lipperode 50 K 9
Lippersdorf 67 N 23
Lippersdorf-Erdmannsdorf 66 N 19
Lippertsgrün 78 P 18
Lippertshofen 87 S 18
Lippertsreute 102 W 11
Lippetal 49 K 8
Lippinghausen 38 J 9
Lippling 50 K 9
Lippoldsberg 51 L 12
Lipporn 73 P 7
Lippramsdorf 47 K 5
Lipprechterode 52 L 15
Lippstadt 50 K 9
Liptingen 101 W 10
Liptitz 55 M 22
Lirstal 71 P 5
Lisberg 76 Q 16
Lischeid 62 N 11
Lispenhausen 63 N 13
Lissa 54 L 20
Lißberg 74 O 11
Lissingen 70 P 3
List 4 A 9
Listerfehrda 55 K 22
Listrup 36 I 6
Litschen 57 L 27
Littel 27 G 8
Littenweiler 100 W 7
Litterzhofen 96 S 18
Littfeld 61 M 7
Litzelstetten 110 W 11
Litzendorf 77 Q 17
Litzlohe 87 R 18
Lixfeld 62 N 9
Lobbach 84 R 10
Lobberich 58 M 2
Lobbese 43 J 22
Lobeda 65 N 18
Lobenfeld 84 R 10
Lobenstein 78 O 18
Lobeofsund 33 H 22
Lobmachtersen 40 J 15
Lobstädt 66 M 21
Loburg 42 J 20
Loccum 39 I 11
Loch 60 O 4
Lochau 54 L 20
Lochen 105 W 18
Lochenstein 101 V 10
Locherhof 101 V 9
Lochtum 41 K 15
Lochum 61 O 7
Lockstädt 32 G 20
Lockstedt (Altmarkkreis Salzwedel) 32 I 17
Lockstedt (Kreis Steinburg) 8 E 13
Lockstedt (Ohrekreis) 41 I 17
Locktow 43 J 22
Lockweiler 81 R 4
Lockwisch 21 E 16
Lodbergen 27 H 7
Loddin 15 D 26
Lodenau 57 L 28
Lodersleben 53 L 18
Lodmannshagen 15 D 24
Löbau 69 M 28
Löbejün 54 L 19
Löben 55 K 23
Löberitz 54 L 20
Löbichau 66 N 20
Löbitz 66 M 19
Löbnitz (Kreis Delitzsch) 54 L 21
Löbnitz (Kreis Nordvorpommern) 12 D 22
Löbschütz 66 M 20
Löcherberg 100 U 8
Löchgau 94 S 11
Löcknitz (Kreis Uecker-Randow) 25 F 26
Lödderitz 42 K 19
Löderburg 53 K 18
Lödingsen 51 L 13
Lödla 66 N 21
Löf 71 P 6
Löffelscheid 71 P 5
Löffelstelzen 85 R 13
Löffelsterz 76 P 15
Löffingen 101 W 9
Lögow 33 H 21
Löhlbach 62 M 10
Löhma 66 O 19
Löhme 34 I 25
Löhnberg 62 O 8
Löhne 38 J 10
Löhnhorst 29 G 9
Löhrieth 76 P 14
Löhsten 55 L 23
Löllbach 81 Q 6
Löningen 27 H 7
Lönnewitz 55 L 23
Lönsgrab 30 H 12
Lönsstein 30 H 14
Löpsingen 95 T 15
Lörch 100 V 7
Lörrach 108 X 7
Lörzenbach 84 R 10
Löschenrod 75 O 13
Löschwitz 88 Q 19
Lössau 66 O 19
Lößnitz 67 O 22
Lövenich (Kreis Heinsberg) 58 M 2
Lövenich (Stadtkreis Köln) 59 N 4
Löwen 51 L 11
Löwenberg 34 H 23
Löwenbruch 44 J 23
Löwendorf 51 K 13
Löwenhagen 51 L 13
Löwensen 39 K 11
Löwenstedt 5 C 11
Löwenstein 94 S 12
Löwensteiner Berge 94 S 12
Löwitz (Kreis Nordwestmecklenburg) 21 E 17
Löwitz (Kreis Ostvorpommern) 25 E 25
Loffenau 93 T 9
Loga 69 M 26
Loga 17 G 6
Logabirum 17 G 6
Lohausen 48 M 4
Lohbarbek 8 E 12
Lohberg 91 S 23
Lohberge 19 G 13
Lohbrügge 20 F 14
Lohe (Kreis Cloppenburg) 27 G 7
Lohe (Kreis Cuxhaven) 18 F 10
Lohe (Kreis Emsland) 27 H 6
Lohe (Kreis Vechta) 27 H 8
Lohe-Föhrden 8 C 12
Lohe-Rickelshof 7 D 11
Loheide 4 B 10
Lohfelden 51 M 12
Lohhof 39 I 10
Lohkirchen 106 V 21
Lohm 33 H 20
Lohma (Altenburg) 67 N 21
Lohma (Pleystein) 89 R 21
Lohmar 59 N 5
Lohme 13 C 24
Lohmen (Kreis Güstrow) 23 E 20
Lohmen (Kreis Sächsische Schweiz) 68 N 26
Lohne 32 H 18
Lohne 36 I 5
Lohne (Kreis Soest) 49 L 8
Lohne (Schwalm-Eder-Kreis) 63 M 11
Lohne (Oldenburg) 27 I 8
Lohnsfeld 83 R 7
Lohr 86 S 14
Lohr a. Main 75 Q 12
Lohra 62 N 9
Lohrbach 85 R 11
Lohrhaupten 75 P 12
Lohsa 57 L 27
Loiching 98 U 21
Loikum 46 K 3
Loiperstätt 105 V 20
Loipl 114 X 22
Loisach 112 X 17
Loissin 13 D 24
Loit 5 C 13
Loiterau 5 C 12
Loitsche 42 J 19
Loitz 14 E 23
Loitzendorf 91 S 21
Lollar 62 O 10
Lomersheim 93 T 10
Lomitz 32 H 18
Lommatzsch 55 M 23
Lommersdorf 70 O 4
Lommersum 59 N 4
Lomnitz 68 M 25
Lomske 57 M 27
Lonau 52 K 15
Londorf 62 N 10
Lone 95 U 14
Lonetal 95 U 14
Longerich (Köln) 59 N 4
Longkamp 72 Q 5
Longuich 72 Q 4
Lonnerstadt 86 Q 16
Lonnewitz 55 M 23
Lonnig 71 P 6
Lonsee 95 U 13
Lonzig 66 N 20
Looft 8 D 12
Loop 9 D 13
Loope 59 N 6
Loose 5 C 13
Loosen 21 G 17
Loppenhausen 103 V 15
Loppersum 16 F 5
Loppin 23 F 21
Loquard 16 F 5
Loquitz 65 O 18
Lorch 73 P 7
Lorch 94 T 13
Loreley 73 P 7
Lorenzenzimmern 95 S 13
Lorenzreuth 78 P 20
Lorsbach 74 P 9
Lorsch 84 R 9
Lorscheid 81 Q 4
Lorup 27 H 6
Loschwitz (Dresden) 68 M 25
Losentitz 13 D 24
Loshausen 63 N 11
Losheim 80 R 4
Losheim (Eifel) 70 O 3
Lossa 53 M 18
Loßbruch 39 K 10
Loßburg 101 U 9
Losse 32 H 19
Lossow 45 J 27
Loßwig 55 L 23
Lostau 42 J 19
Lothe 39 K 11
Lotseninsel 5 B 14
Lotte 37 J 7
Lotten 27 I 6
Lottengrün 79 O 20
Lottstetten 109 X 9
Louisenberg 5 C 13
Louisendorf (Kreis Kleve) 46 K 2
Louisendorf (Kreis Waldeck-Frankenberg) 62 M 10
Lowick 46 K 3
Loxstedt 18 F 9
Loxten 27 I 7
Loxten 37 J 8
Loy 18 G 8
Lubmin 13 D 24
Lubolz 44 K 25
Lucherberg 58 N 3
Lucka 66 M 20
Luckau 56 K 25
Luckau 31 H 17
Luckenau 66 M 20
Luckenwalde 44 J 23
Lucklum 41 J 16
Luckow 25 G 26
Luckow 25 E 26
Luckow-Petershagen 25 G 26
Ludenhausen 104 W 16
Ludolfshausen 52 L 13
Ludorf 23 F 22
Ludwag 77 Q 17
Ludweiler-Warndt 82 S 4
Ludwigs-Donau-Main-Kanal 87 S 18
Ludwigsau 63 N 13
Ludwigsaue 34 H 23
Ludwigsburg 13 D 24
Ludwigsburg 5 C 13
Ludwigsburg 94 T 11
Ludwigschorgast 77 P 18
Ludwigsdorf 17 F 6
Ludwigsfelde 44 J 23
Ludwigshafen 84 R 9
Ludwigshafen a. Bodensee 101 W 11
Ludwigshöhe (Kreis Mainz-Bingen) 84 Q 9
Ludwigshöhe (Kreis Südliche Weinstraße) 83 S 8
Ludwigslust 22 G 18
Ludwigsluster Kanal 21 G 18
Ludwigsmoos 96 U 17
Ludwigsstadt 77 O 18
Ludwigsthal 91 S 23
Ludwigswinkel 92 S 7
Lübars 42 J 20
Lübbecke 38 J 9
Lübben 44 K 25
Lübbenau 45 K 25
Lübbenow 25 F 25
Lübbersdorf 24 F 24
Lübberstedt (Kreis Harburg) 30 G 14
Lübberstedt (Kreis Osterholz) 18 F 10
Lübberstorf 22 E 19
Lübbow 31 H 17
Lübeck 21 E 16
Lübecker Bucht 10 D 16
Lüben 31 H 16
Lübesse 22 F 18
Lüblow 22 F 18
Lübnitz 43 J 21
Lübow 22 E 18
Lübs (Kreis Anhalt-Zerbst) 42 J 19
Lübs (Kreis Ostvorpommern) 25 E 25

Lübstorf ... 22 E 18
Lübtheen ... 21 G 17
Lübz ... 23 F 20
Lübzin ... 23 E 19
Lüchow ... 31 H 17
Lüchtringen ... 51 K 12
Lückendorf ... 69 N 28
Lückenmühle ... 65 O 18
Lückersdorf-Gelenau ... 68 M 26
Lückstedt ... 32 H 18
Lüdelsen ... 31 H 16
Lüdenhausen ... 39 J 11
Lüdenscheid ... 49 M 6
Lüder ... 31 H 15
Lüderbach ... 64 M 14
Lüderitz ... 42 I 19
Lüdermünd ... 63 O 12
Lüdersburg ... 21 G 15
Lüdersdorf (Kreis Barnim) .. 35 H 26
Lüdersdorf (Kreis Nordwestmecklenburg) .. 21 E 16
Lüdersdorf (Kreis Teltow-Fläming) .. 44 J 23
Lüdersen ... 40 J 13
Lüdersfeld ... 39 I 11
Lüdershagen ... 11 D 21
Lüdingen ... 30 G 12
Lüdinghausen ... 47 K 6
Lüdingworth ... 18 E 10
Lüdingworth-Seehausen .. 18 E 10
Lüerdissen ... 40 K 12
Lüffingen ... 32 I 18
Lügde ... 39 K 11
Lüge ... 32 H 18
Lühburg ... 11 E 21
Lühe ... 32 J 19
Lühmannsdorf ... 15 D 24
Lühnde ... 40 J 13
Lüllau ... 19 G 13
Lüllingen ... 46 L 2
Lülsfeld ... 76 Q 14
Lünebach ... 70 P 3
Lüneburg ... 20 G 15
Lüneburger Heide ... 30 G 13
Lüneburger Heide (Naturschutzpark) .. 30 G 13
Lünen ... 47 L 6
Lünen-Süd ... 47 L 6
Lünern ... 49 L 7
Lünne ... 37 I 6
Lünow ... 43 I 21
Lünten ... 36 J 4
Lüntorf ... 39 K 12
Lünzen ... 30 G 13
Lüptitz ... 55 L 22
Lürschau ... 5 C 12
Lüsche ... 27 H 8
Lüskow ... 25 E 24
Lüßberg ... 31 H 15
Lüssow (Kreis Güstrow) ... 23 E 20
Lüssow (Kreis Nordvorpommern) 13 D 23
Lüssow (Kreis Ostvorpommern) .. 14 E 24
Lüstringen ... 37 J 8
Lütau ... 21 F 15
Lütersheim ... 51 L 11
Lütetsburg ... 16 F 5
Lütgendortmund ... 47 L 6
Lütgeneder ... 51 L 11
Lüthorst ... 51 K 13
Lütje Hörn (Insel) ... 16 F 4
Lütjenbrode ... 10 C 17
Lütjenburg ... 9 D 15
Lütjenholm ... 4 B 12
Lütjenhorn ... 4 B 11
Lütjensee ... 20 F 15
Lütjenwestedt ... 8 D 12
Lütkendorf ... 23 G 20
Lütkenwisch ... 32 G 18
Lütmarsen ... 51 K 12
Lütow ... 15 D 25
Lüttauer See ... 21 F 16
Lüttchendorf ... 53 L 18
Lütte ... 43 J 21
Lütten Klein ... 11 D 20
Lüttenhagen ... 24 F 24
Lüttenmark ... 21 F 16
Lütter ... 75 O 13
Lüttewitz-Dreißig ... 67 M 23
Lüttgenrode ... 41 K 16
Lüttgenzlatz ... 42 J 20
Lüttingen ... 46 K 3
Lüttow ... 21 F 16
Lüttringhausen ... 48 M 5
Lütz ... 71 P 6
Lützel ... 61 N 8

Lützelbach (Kreis Darmstadt-Dieburg) ... 84 Q 10
Lützelbach (Odenwaldkreis) ... 84 Q 11
Lützelburg ... 104 U 16
Lützelwig ... 63 M 12
Lützen ... 54 M 20
Lützenhardt ... 93 U 9
Lützenkirchen ... 59 M 5
Lützkampen ... 70 P 2
Lützlow ... 25 G 26
Lützow ... 21 F 17
Lützschena-Stahmeln ... 54 L 20
Lug ... 56 L 25
Lug ... 83 S 7
Lugau ... 56 L 24
Lugau (Erzgebirge) ... 67 N 22
Luhden ... 39 J 11
Luhdorf ... 20 G 14
Luhe ... 19 G 14
Luhe-Wildenau ... 88 R 20
Luhme ... 33 G 22
Luhmühlen ... 30 G 14
Luhnstedt ... 8 D 13
Luisenburg ... 78 P 19
Luisenhütte (Balve) ... 49 L 7
Luisenthal ... 64 N 16
Luizhausen ... 95 U 13
Luko ... 43 K 20
Lumpzig ... 66 N 20
Lunden ... 7 D 11
Lune ... 20 F 10
Lunestedt ... 18 F 10
Lunow ... 35 H 26
Lunsen ... 29 H 11
Lunzenau ... 67 N 22
Lupburg ... 97 S 19
Lupendorf ... 23 F 21
Lupfen ... 101 V 10
Luplow ... 24 F 22
Luppa (Kreis Bautzen) ... 57 M 27
Luppa (Kreis Torgau-Oschatz) ... 55 L 22
Luppe ... 54 L 20
Lusen ... 99 T 24
Luso ... 42 K 20
Lust ... 42 K 18
Lustadt ... 83 S 8
Lusthoop ... 19 F 12
Luthe ... 39 I 12
Luther-Denkmal ... 64 N 15
Lutheran ... 23 F 20
Lutten ... 28 H 9
Luttenwang ... 104 V 17
Lutter (Kreis Eichsfeld) ... 52 L 14
Lutter (Kreis Hannover) ... 30 I 12
Lutterberg ... 51 L 12
Lutterloh ... 30 H 14
Luttern ... 30 H 14
Luttingen ... 108 X 8
Luttum ... 29 H 11
Lutum ... 36 K 5
Lutzerath ... 71 P 5
Lutzhöft ... 5 B 12
Lutzhorn ... 19 E 13
Lychen ... 34 G 23
Lynow ... 44 J 24

M

Maar ... 63 O 12
Maas-Schwalm-Nette (Naturpark) ... 58 M 2
Maasbüll ... 5 B 12
Maasbüll (b. Niebüll) ... 4 B 10
Maasdorf (Kreis Elbe-Elster) ... 56 L 24
Maasdorf (Kreis Köthen) ... 54 K 19
Maasen ... 29 H 10
Maasholm ... 5 B 13
Maberzell ... 63 O 12
Machern ... 54 L 21
Machtlfing ... 104 W 17
Machtlos (b. Bebra) ... 63 N 13
Machtlos (b. Breitenbach) .. 63 N 12
Machtolsheim ... 94 U 13
Macken ... 71 P 6
Mackenbach ... 81 R 6
Mackenrode (Kreis Eichsfeld) ... 52 M 14
Mackenrode (Kreis Göttingen) ... 52 L 14
Mackenrode (Kreis Nordhausen) ... 52 L 15
Mackensen ... 51 K 13
Mackenzell ... 63 O 13

Madel ... 42 J 19
Madenburg ... 83 S 8
Madenhausen ... 76 P 14
Madfeld ... 50 L 10
Mägdesprung ... 53 K 17
Mägerkingen ... 102 V 11
Mährenhausen ... 77 P 16
Mähring ... 79 Q 21
Mähringen (Kreis Tübingen) ... 94 U 11
Mähringen (Stadtkreis Ulm) ... 103 U 13
Märkisch Buchholz ... 44 J 25
Märkisch Wilmersdorf ... 44 J 23
Märkische Schweiz (Naturpark) ... 35 I 26
Märschendorf ... 27 H 8
Märtensmühle ... 44 J 23
Mäusdorf ... 85 S 13
Magdala ... 65 N 18
Magdeburg ... 42 J 18
Magdeburgerforth ... 42 J 20
Magdlos ... 75 O 12
Magelsen ... 29 H 11
Magersdorf ... 42 I 20
Magetsried ... 104 W 17
Magolsheim ... 102 U 12
Magstadt ... 93 T 10
Mahdel ... 55 K 23
Mahdel ... 80 R 4
Mahitzschen ... 55 L 23
Mahlberg ... 47 K 4
Mahlberg ... 100 V 7
Mahlbergskopf ... 81 Q 6
Mahlenzien ... 43 J 21
Mahlis ... 55 M 22
Mahlitz ... 33 H 20
Mahlow ... 44 I 24
Mahlsdorf ... 32 H 17
Mahlspüren ... 102 W 11
Mahlstetten ... 101 V 10
Mahlum ... 40 J 14
Mahlwinkel ... 42 I 19
Mahnburg ... 31 H 16
Mahndorf ... 53 K 16
Mahnhagen ... 29 G 10
Mahnhagen Dorf ... 13 D 23
Maibach ... 74 O 9
Maibach ... 76 P 14
Maichingen ... 93 T 10
Maierhöfen ... 111 X 14
Maierhofen ... 90 T 19
Maikammer ... 83 S 8
Mailar ... 50 M 8
Mailheim ... 86 R 15
Mailing ... 97 T 18
Main ... 74 P 10
Main-Donau-Kanal ... 87 Q 16
Mainaschaff ... 74 Q 11
Mainau ... 110 W 11
Mainberg ... 76 P 14
Mainbernheim ... 86 Q 14
Mainbullau ... 85 Q 11
Mainburg ... 97 U 19
Maineck ... 77 P 17
Mainflingen ... 74 P 11
Mainhardt ... 94 S 12
Mainhausen ... 74 P 11
Mainleus ... 77 P 18
Mainroth ... 77 P 17
Mainschhorn ... 29 I 11
Mainsondheim ... 86 Q 14
Mainstockheim ... 86 Q 14
Maintal ... 74 P 10
Mainwangen ... 101 W 11
Mainz ... 73 Q 8
Mainzweiler ... 81 R 5
Maisach ... 104 V 17
Maitenbeth ... 105 V 20
Maitis ... 94 T 13
Malberg ... 70 P 3
Malborn ... 81 Q 4
Malchen ... 84 Q 9
Malchin ... 24 E 22
Malchiner See ... 23 E 21
Malching ... 107 V 23
Malchow ... 23 F 21
Malente ... 9 D 15
Malgarten ... 37 I 8
Malgersdorf ... 98 U 22
Malitschkendorf ... 55 K 23
Malkendorf ... 9 E 15
Malkomes ... 63 N 13
Mallenchen ... 56 K 25
Mallentin ... 21 E 17
Mallersdorf ... 97 T 20
Mallerstetten ... 97 S 18
Mallin ... 24 F 23

Malliß ... 32 G 17
Mallnow ... 45 I 27
Malloh ... 31 I 16
Malmsheim ... 93 T 10
Malsburg ... 108 W 7
Malsch (Kreis Karlsruhe) .. 93 T 9
Malsch (Rhein-Neckar-Kreis) ... 84 S 10
Malschwitz ... 69 M 27
Malse ... 18 F 10
Malsfeld ... 63 M 12
Malstedt ... 19 F 11
Malter-Paulsdorf ... 68 N 24
Malterdingen ... 100 V 7
Malterhausen ... 43 J 22
Malxe ... 57 K 27
Malzow ... 21 E 16
Mambach ... 108 W 7
Mamerow ... 23 E 21
Mammendorf ... 104 V 17
Mamming ... 98 U 21
Manau ... 76 P 15
Manching ... 97 T 18
Mandel ... 73 Q 7
Mandelbachtal ... 82 S 5
Mandeln ... 62 N 9
Mandelshagen ... 11 D 21
Mandelsloh ... 30 I 12
Mandern ... 80 R 4
Manderscheid (Kreis Bernkastel-Wittlich) ... 70 P 4
Manderscheid (Kreis Bitburg-Prüm) ... 70 P 3
Manebach ... 65 N 16
Manegsdorf ... 42 I 20
Manhagen ... 10 D 16
Manheim ... 58 N 3
Manker ... 33 H 22
Mankmoos ... 22 E 19
Mankmuß ... 32 G 18
Mannebach (Kreis Trier-Saarburg) ... 80 R 3
Mannhagen Dorf ... 13 D 23
Mannhausen ... 41 I 17
Mannheim ... 84 R 9
Mannichswalde ... 66 N 20
Mannweiler Cölln ... 83 Q 7
Manrode ... 51 L 12
Manschnow ... 35 I 27
Mansfeld ... 53 L 18
Mansie ... 17 G 7
Manslagt ... 16 F 5
Mantel ... 88 R 20
Manteler Forst ... 89 Q 20
Mantinghausen ... 50 K 9
Mantlach ... 96 S 17
Manubach ... 73 P 7
Marbach ... 84 R 10
Marbach (Dorf) ... 63 O 13
Marbach (Kreis Erfurt) ... 65 N 16
Marbach (Kreis Mittweida) ... 67 M 23
Marbach (Kreis Reutlingen) ... 102 V 12
Marbach (Kreis Sigmaringen) ... 102 U 12
Marbach (Schwarzwald-Baar-Kreis) ... 101 V 9
Marbach a. Neckar ... 94 T 11
Marbeck ... 47 K 4
Marbostel b. Soltau ... 30 H 13
Marburg ... 62 N 10
Marcardsmoor ... 17 F 7
March (Kreis Breisgau-Hochschwarzwald) ... 100 V 7
March (Kreis Regen) ... 91 T 23
Marching ... 97 T 19
Mardorf (Kreis Hannover) .. 39 I 11
Mardorf (Kreis Marburg-Biedenkopf) ... 62 N 10
Margarethen ... 106 U 21
Margarethenthann ... 97 T 19
Margetshöchheim ... 85 Q 13
Margretshaun ... 81 R 5
Margrethausen ... 101 V 10
Maria Birnbaum ... 104 U 17
Maria Brünnlein ... 96 T 15
Maria Eck ... 106 W 21
Maria Engelport ... 71 P 5
Maria Gern ... 114 W 23
Maria Laach ... 71 O 5
Maria Steinbach ... 103 W 14
Maria Veen ... 36 K 5
Mariabrunn ... 58 N 2
Mariäkappel ... 95 S 14

Mariakirchen ... 98 U 22
Marialinden ... 59 N 5
Mariaposching ... 98 T 22
Mariasheim ... 93 T 10
Mariaweiler ... 58 N 3
Mariazell ... 101 V 9
Marienbaum ... 46 K 3
Marienberg ... 67 O 23
Marienberg ... 58 N 2
Marienberg ... 105 W 20
Marienberghausen ... 59 N 6
Marienborn ... 41 J 17
Marienburg ... 40 J 13
Marienburg ... 71 P 5
Marienchor ... 16 G 5
Mariendorf ... 51 L 12
Marieney ... 79 O 20
Marienfeld (Kreis Gütersloh) ... 37 K 8
Marienhafe ... 16 F 5
Marienhagen ... 40 J 13
Marienhausen ... 61 O 7
Marienheide ... 59 M 6
Marienkoog ... 4 B 10
Marienloh ... 50 K 10
Marienmünster ... 51 K 11
Marienrode ... 40 J 13
Marienroth ... 77 O 18
Mariensee ... 30 I 12
Marienstatt ... 61 N 7
Marienstedt ... 21 E 15
Marienstein ... 113 W 19
Mariental ... 41 J 16
Mariental (Kreis Oberhavel) ... 34 G 23
Mariental (Kreis Wesel) ... 47 K 4
Mariental (Rheingau-Taunus-Kreis) ... 73 P 7
Mariental (Pfalz) ... 83 R 7
Marienwerder ... 34 H 24
Marihn ... 24 F 22
Marine Ehrenmal (Laboe) ... 9 C 14
Maring-Noviand ... 72 Q 5
Marisfeld ... 64 O 15
Marjoß ... 75 P 12
Mark ... 27 G 6
Markdorf ... 110 W 12
Markee ... 33 I 22
Markelfingen ... 109 W 11
Markelsdorfer Huk ... 10 C 17
Markelsheim ... 85 R 13
Markendorf (Kreis Teltow-Fläming) ... 44 K 23
Markendorf (Stadtkreis Frankfurt) ... 45 J 27
Markersbach ... 67 O 22
Markersdorf (Kreis Mittweida) ... 67 N 22
Markersdorf (Niederschlesischer Oberlausitzkr.) ... 69 M 28
Markgrafenheide ... 11 D 20
Markgrafpieske ... 44 J 25
Markgröningen ... 94 T 11
Markhausen ... 27 H 7
Markkleeberg ... 54 M 21
Marklendorf ... 30 H 13
Marklkofen ... 98 U 21
Marklohe ... 29 H 11
Markneukirchen ... 79 P 20
Markoldendorf ... 51 K 13
Markranstädt ... 54 M 20
Markröhlitz ... 54 M 19
Marksuhl ... 64 N 14
Markt ... 96 U 16
Markt Berolzheim ... 96 S 16
Markt Bibart ... 86 R 15
Markt Einersheim ... 86 R 14
Markt Erlbach ... 86 R 15
Markt Indersdorf ... 104 U 18
Markt Nordheim ... 86 R 15
Markt Rettenbach ... 103 W 15
Markt Schwaben ... 105 V 19
Markt Taschendorf ... 86 Q 15
Markt Wald ... 103 V 15
Marktbergel ... 86 R 15
Marktbreit ... 86 Q 14
Marktgölitz ... 65 O 18
Marktheidenfeld ... 75 Q 12
Marktl ... 106 V 22
Marktleugast ... 78 P 18
Marktleuthen ... 78 P 20
Marktlustenau ... 95 S 14

Marktoberdorf ... 111 W 15
Marktoffingen ... 95 T 15
Marktredwitz ... 78 P 20
Marktrodach ... 77 P 18
Marktschellenberg ... 114 W 23
Marktschorgast ... 78 P 18
Marktsteft ... 86 Q 14
Marktsteinach ... 76 P 15
Marktzeuln ... 77 P 17
Marl ... 38 L 5
Marl ... 47 L 5
Marlach ... 85 R 12
Marlen ... 92 U 7
Marlesreuth ... 78 P 19
Marlishausen ... 66 N 17
Marloffstein ... 87 R 17
Marlow ... 11 D 21
Marmagen ... 60 O 3
Marmbach ... 104 W 17
Marne ... 7 E 11
Marnheim ... 83 R 8
Marnitz ... 23 G 19
Maroldsweisach ... 76 P 15
Marolterode ... 52 M 16
Marpingen ... 81 R 5
Marquardt ... 43 I 22
Marquartstein ... 114 W 21
Marren ... 27 H 7
Marsberg ... 50 L 10
Marschacht ... 20 F 15
Marschalkenzimmern ... 101 V 9
Marsdorf ... 68 M 25
Martensdorf ... 12 D 22
Martensrade ... 9 D 15
Martfeld ... 29 H 11
Martinfeld ... 52 M 14
Martinlamitz ... 78 P 19
Martinroda ... 65 N 16
Martinsbuch ... 98 T 21
Martinshaun ... 97 T 20
Martinsheim ... 86 R 14
Martinshöhe ... 81 R 6
Martinskirchen ... 55 L 23
Martinsmoos (Neubulach) .. 93 U 9
Martinsthal ... 73 P 8
Martinszell ... 111 X 14
Marwede ... 31 H 15
Marx ... 17 F 7
Marxdorf ... 45 I 26
Marxen ... 19 G 14
Marxgrün ... 78 O 19
Marxheim ... 96 T 16
Marxloh ... 47 L 4
Marxzell ... 93 T 9
Marzahn (Berlin) ... 34 I 24
Marzahna ... 43 J 22
Marzahne ... 43 I 21
Marzell ... 100 W 7
Marzhausen ... 51 L 13
Marzling ... 105 U 19
Marzoll ... 114 W 22
Masbeck ... 36 K 6
Maschen ... 20 F 14
Mascherode ... 41 J 15
Masel ... 31 H 15
Maselheim ... 103 V 13
Maserer Paß ... 114 W 21
Maspe ... 39 K 11
Maßbach ... 76 P 14
Massen ... 56 L 25
Massen ... 49 L 6
Massenbach ... 84 S 11
Massenbachhausen ... 84 S 11
Massenhausen ... 105 U 18
Masserberg ... 77 O 16
Masserberg ... 77 O 16
Massing ... 106 U 21
Massow ... 23 G 21
Mastershausen ... 71 P 6
Mastholte ... 50 K 9
Masthorn ... 70 P 2
Materborn ... 46 K 2
Matgendorf ... 23 E 21
Matorf ... 39 J 10
Matrum ... 27 H 7
Mattendorf ... 57 K 27
Mattierzoll ... 41 J 16
Mattsies ... 103 V 15
Matzdorf ... 25 F 25
Matzenbach ... 95 S 14
Matzersreuth ... 79 Q 21
Matzing ... 106 W 21
Matzlow-Garwitz ... 22 F 19
Mauchen ... 109 W 9
Mauenheim ... 101 W 10
Mauer ... 84 R 10

Deutschland 213

Mauerkirchen 106 W 20
Mauern 97 U 19
Mauersberg 67 O 23
Mauerstetten 104 W 16
Maukendorf 57 L 26
Maulbach 62 N 11
Maulbeerwalde 33 G 21
Maulbronn 93 S 10
Maulburg 108 X 7
Mauloff 74 P 9
Maumke 61 M 8
Mauren 96 T 16
Maurine 21 E 16
Mausbach 58 N 2
Maust 57 K 27
Mauth 99 T 24
Mauthaus-Stausee 77 O 18
Mautitz 55 M 23
Mauzenberg 93 T 9
Maxdorf 83 R 8
Maxen 68 N 25
Maxhütte-Haidhof 88 S 20
Maximiliansau 93 S 8
Maximiliansgrotte 87 R 18
Maxsain 61 O 7
Mayen 71 O 5
Mayschoß 60 O 5
Mechau 32 H 18
Mechelgrün 79 O 20
Mechelroda 65 N 18
Mechenhard 85 Q 11
Mechenried 76 P 15
Mechernich 60 O 3
Mechlenreuth 78 P 19
Mechow (Kreis Herzogtum Lauenburg) 21 E 16
Mechow (Kreis Mecklenburg-Strelitz) 24 G 24
Mechtersen 20 G 14
Mechtersheim 84 S 9
Mechterstädt 64 N 15
Mechtshausen 40 K 14
Meckbach 63 N 13
Meckel 80 Q 3
Meckelfeld 20 F 14
Meckelstedt 18 F 10
Meckenbeuren 110 W 12
Meckenhausen 87 S 17
Meckenheim (Kreis Bad Dürkheim) 83 R 8
Meckenheim (Rhein-Sieg-Kreis) 60 O 5
Meckesheim 84 S 10
Mecklar 63 N 13
Mecklenbeck 37 K 6
Mecklenburger Bucht 10 D 17
Mecklenburgische Schweiz 23 E 21
Mecklenburgische Seenplatte 23 F 20
Meddersheim 81 Q 6
Meddewade 20 E 15
Medebach 50 M 10
Medelby 4 B 11
Medelon 62 M 10
Medem 18 E 10
Medenbach 74 P 9
Medewitz 43 J 21
Medingen 68 M 25
Medingen (Bad Bevensen) 31 G 15
Medlingen 95 U 14
Medlitz 77 P 16
Medow 24 E 24
Medrow 14 E 22
Meeder 77 P 16
Meensen 51 L 13
Meerane 66 N 21
Meerbeck 39 I 11
Meerbusch (Düsseldorf) 48 M 4
Meerdorf 40 I 14
Meerhof 50 L 10
Meerholz 75 P 11
Meerhusener Moor 17 F 6
Meersburg 110 W 11
Meeschendorf 10 C 17
Meesiger 24 E 22
Meetschow 32 G 18
Meetzen 21 E 17
Meezen 8 D 13
Megesheim 95 T 15
Meggen 61 M 8
Meggerdorf 8 C 12
Mehderitzsch 55 L 23
Mehedorf 18 F 11
Mehla 66 N 20
Mehlbek 8 D 12
Mehle 40 J 13
Mehlem 60 O 5
Mehlen (Bonn) 63 M 11
Mehlingen 83 R 7
Mehliskopf 93 U 8
Mehlmeisel 78 Q 19
Mehltheuer (Elstertalkreis) 66 O 20
Mehltheuer (Kreis Riesa-Großenhain) 55 M 23
Mehmke 31 H 16
Mehr (b. Kleve) 46 K 2
Mehr (b. Rees) 46 K 3
Mehren (Kreis Altenkirchen) 59 N 6
Mehren (Kreis Daun) 71 P 4
Mehrhoog 46 K 3
Mehring 72 Q 4
Mehring 106 V 22
Mehringen 53 K 18
Mehringen 36 I 5
Mehrow 34 I 24
Mehrstedt 52 M 16
Mehrstetten 102 U 12
Mehrum 40 J 14
Mehrum 46 L 3
Meiches 63 O 11
Meichow 35 G 25
Meidelstetten 102 U 11
Meiderich 47 L 4
Meierhof 78 P 19
Meiersberg 25 E 25
Meiersberg 48 M 4
Meihern 97 T 18
Meilendorf 54 K 20
Meilenhofen 96 T 17
Meilschnitz 77 O 17
Meimbressen 51 L 12
Meimersdorf 9 D 14
Meimsheim 94 S 11
Meinbrexen 51 K 12
Meine 41 I 15
Meineringhausen 50 M 10
Meinern 30 H 13
Meinersdorf 67 N 22
Meinersen 40 I 15
Meinersfehn 17 G 7
Meinerzhagen 61 M 6
Meineweh 66 M 19
Meinhard 52 M 14
Meinheim 96 S 16
Meinholz 30 H 13
Meiningen 64 O 15
Meiningsen 49 L 8
Meinkenbracht 49 M 8
Meinkot 41 I 16
Meinsdorf (Kreis Anhalt-Zerbst) 43 K 20
Meinsdorf (Kreis Teltow-Fläming) 55 K 23
Meinsen 39 J 11
Meisberg 53 L 18
Meisburg 70 P 4
Meisdorf 53 K 17
Meisenheim 81 Q 7
Meiße 30 H 13
Meißen 68 M 24
Meißendorf 30 H 13
Meißenheim 100 U 7
Meißner 64 M 13
Meißner-Kaufunger Wald (Naturpark) 51 M 12
Meiste 50 L 9
Meitingen 96 U 16
Meitze 30 I 13
Meitzendorf 42 J 18
Melaune 69 M 28
Melbach 74 O 10
Melbeck 31 G 15
Melchingen 102 U 11
Melchiorshausen 29 H 10
Melchow 34 H 25
Meldorf 7 D 11
Meldorfer Bucht 7 D 10
Meldorfer Hafen 7 D 10
Melgershausen 63 M 12
Melkendorf 77 P 18
Melkof 21 F 17
Melkow 42 I 20
Melle 38 J 9
Melleck 114 W 22
Mellen 32 G 18
Mellen 49 M 7
Mellenbach-Glasbach 65 O 17
Mellendorf 40 I 13
Mellensee 44 J 24
Mellenthin 15 E 26
Mellin 31 I 16
Mellingen 65 N 18
Mellinghausen 29 H 10
Mellnau 62 N 10
Mellrich 50 L 8
Mellrichstadt 76 O 14
Mellum (Insel) 17 E 8
Melpers 64 O 14
Melsbach 61 O 6
Melsdorf 9 D 14
Melstrup 26 H 6
Melsungen 63 M 12
Meltewitz 55 L 22
Melverode (Braunschweig) 41 J 15
Melz 23 G 21
Melzingen 31 G 15
Melzow 35 G 25
Memleben 53 M 18
Memmelsdorf 77 Q 16
Memmelsdorf i. Unterfranken 77 P 16
Memmenhausen 103 V 15
Memmert (Insel) 16 F 4
Memmingen 103 W 14
Memprechtshofen 92 T 7
Menden (Rheinland) 59 N 5
Menden (Sauerland) 49 L 7
Mendhausen 76 O 15
Mendig 71 O 5
Mendorf 97 T 18
Mendorferbuch 88 S 19
Mengede 47 L 6
Mengelrode 52 L 14
Mengen (Kreis Breisgau-Hochschwarzwald) 100 W 7
Mengen (Kreis Sigmaringen) 102 V 12
Mengeringhausen 50 L 10
Mengerschied 73 Q 6
Mengersgereuth-Hämmern 77 O 17
Mengershausen 51 L 13
Mengerskirchen 61 O 8
Mengkofen 98 T 21
Mengsberg 63 N 11
Mengshausen 63 N 12
Menkhausen 49 M 8
Menne 51 L 11
Mennewitz 54 K 19
Mennighüffen 38 J 10
Menning 97 T 18
Menningen 102 V 11
Mennisweiler 102 W 13
Mensfelden 73 O 8
Menslage 27 H 7
Menteroda 52 M 15
Menz (Kreis Jerichower Land) 42 J 19
Menz (Kreis Oberhavel) 34 G 23
Menzel 50 L 9
Menzelen 46 L 3
Menzendorf 21 E 17
Menzenschwand 100 W 8
Menzing 104 V 18
Menzingen 93 S 10
Meppen 26 H 5
Merbeck 58 M 2
Merching 104 V 16
Merchingen 85 R 12
Merchingen 80 R 4
Merchweiler 81 R 5
Merdingen 100 V 7
Merenberg 61 O 8
Merfeld 36 K 5
Merfelder Bruch 36 K 5
Mergelstetten 95 U 14
Mering 104 V 16
Merken 58 N 3
Merkendorf 66 N 19
Merkendorf (Kreis Ansbach) 86 S 16
Merkendorf (Kreis Bamberg) 77 Q 16
Merkenfritz 75 O 11
Merkers 64 N 14
Merkershausen 76 P 15
Merklingen (Alb-Donau-Kreis) 94 U 13
Merklingen (Kreis Böblingen) 93 T 10
Merkstein 58 N 2
Merkur 93 T 8
Merkwitz (Kreis Torgau-Oschatz) 55 M 23
Merkwitz (Leipzig) 54 L 21
Merl (Kreis Cochem-Zell) 71 P 5
Merl (Rhein-Sieg-Kreis) 60 O 5
Merlau 62 O 11
Merlsheim 50 K 11
Mernes 75 P 12
Mersch (Kreis Düren) 58 N 3
Mersch (Kreis Warendorf) 49 K 7
Merscheid 72 Q 5
Merschwitz 68 M 24
Merseburg 54 L 19
Merten (b. Brühl) 59 N 4
Merten (b. Eitorf) 59 N 6
Mertendorf 66 M 19
Mertesdorf 80 Q 4
Mertingen 96 U 16
Mertloch 71 P 5
Merxhausen (Kreis Holzminden) 51 K 12
Merxhausen (Kreis Kassel) 51 M 11
Merxheim 81 Q 6
Merxleben 64 M 16
Merz 45 J 27
Merzalben 83 S 7
Merzdorf (Kreis Elbe-Elster) 56 L 24
Merzdorf (Kreis Teltow-Fläming) 44 J 24
Merzen 37 I 7
Merzenhausen 58 N 2
Merzenich 58 N 3
Merzhausen 100 W 7
Merzhausen (Hochtaunuskreis) 74 P 9
Merzhausen (Schwalm-Eder-Kreis) 63 N 11
Merzien 54 K 20
Merzig 80 R 3
Merzkirchen 80 R 3
Meschede 50 L 8
Meschenich 59 N 4
Mescherin 25 G 27
Meseberg (Kreis Oberhavel) 34 H 23
Meseberg (Kreis Stendal) 32 H 19
Meseberg (Ohrekreis) 42 J 18
Mesekenhagen 13 D 23
Mesendorf 33 G 20
Mespelbrunn 75 Q 11
Meßdorf 32 H 18
Messegelände (Hannover) 40 J 13
Messel 74 Q 10
Messelhausen 85 R 13
Messenkamp 39 J 12
Messerich 80 Q 3
Messingen 37 I 6
Messinghausen 50 L 10
Meßkirch 102 W 11
Meßnerschlag 99 U 25
Meßstetten 101 V 10
Mestlin 23 F 19
Mesum 37 J 6
Metebach 64 N 15
Metel 39 I 12
Metelen 36 J 5
Metelsdorf 22 E 18
Metschow 24 E 22
Metten 98 T 22
Mettenbach 97 U 20
Mettendorf 80 Q 2
Mettenhausen 98 U 22
Mettenheim 106 V 21
Mettenheim 84 Q 8
Metterich 70 Q 3
Metternich 59 N 4
Metting 98 T 21
Mettingen 37 J 7
Mettinghausen 50 K 9
Mettlach 80 R 3
Mettmann 48 M 4
Metzdorf 80 Q 3
Metze 51 M 11
Metzels 64 O 15
Metzelthin 34 G 24
Metzingen 94 U 11
Metzingen (Kreis Celle) 31 H 15
Metzingen (Kreis Lüchow-Dannenberg) 31 G 16
Metzlos-Gehaag 75 O 12
Meudt 61 O 7
Meura 65 O 17
Meurich 80 R 3
Meuro (Kreis Oberspreewald-Lausitz) 56 L 25
Meuro (Kreis Wittenberg) 55 K 22
Meuro-Sackwitz 55 K 22
Meuselbach-Schwarzmühle 65 O 17
Meuselwitz 66 M 20
Mewegen 25 F 26
Meyenburg 23 G 20
Meyenburg 18 G 9
Meyenfeld 39 I 12
Meyhen 66 M 19
Meyn 5 B 11
Meynau 5 B 11
Meynbach 32 G 18
Michaelsbuch 98 T 22
Michaelsdorf 11 C 21
Michelau 77 P 17
Michelau i. Steigerwald 76 Q 15
Michelbach (Kreis Aschaffenburg) 74 P 11
Michelbach (Kreis Marburg-Biedenkopf) 62 N 10
Michelbach (Kreis Rastatt) 93 T 9
Michelbach (Kreis Saarlouis) 80 R 4
Michelbach (Rhein-Hunsrück-Kreis) 71 P 6
Michelbach (Nassau) 73 P 8
Michelbach a. d. Bilz 94 S 13
Michelbach a. d. Lücke 86 S 14
Michelbach a. Wald 85 S 12
Michelfeld (Kreis Amberg-Sulzbach) 87 Q 18
Michelfeld (Kreis Kitzingen) 86 Q 14
Michelfeld (Kreis Schwäbisch-Hall) 94 S 13
Michelfeld (Rhein-Neckar-Kreis) 84 S 10
Micheln 54 K 19
Michelrieth 85 Q 12
Michelsberg (Dorf) 63 N 11
Michelsdorf 43 J 22
Michelsneukirchen 90 S 21
Michelstadt 84 Q 11
Michelwinnaden 102 W 13
Michelwitz 66 M 20
Michendorf 43 J 23
Michldorf 89 R 20
Mickhausen 103 V 15
Middelhagen 13 D 25
Middels-Westerloog 17 F 6
Midlich 36 J 5
Midlum (Föhr) 4 B 9
Midlum (Kreis Cuxhaven) 18 E 9
Midlum (Kreis Leer) 17 G 6
Miehlen 73 P 7
Miel 59 N 4
Mierendorf 23 E 20
Miesau 81 R 6
Miesbach 113 W 19
Miesenbach 81 R 6
Miesenheim 71 O 6
Mieste 41 I 17
Miesterhorst 41 I 17
Mietenkam 106 W 21
Mietingen 103 V 13
Mietraching (Kreis Deggendorf) 98 T 23
Mietraching (Kreis Rosenheim) 105 W 19
Mihla 64 M 15
Milchenbach 61 M 8
Milda 65 N 18
Milde 42 I 18
Mildenau 67 O 23
Mildenberg 34 G 23
Mildenitz 25 F 24
Mildensee 54 K 20
Mildstedt 4 C 11
Milkau 67 M 22
Milkel 57 M 27
Milkersdorf 56 K 26
Millienhagen 12 D 22
Millingen (Kreis Kleve) 46 K 3
Millingen (Kreis Wesel) 46 L 3
Milmersdorf 34 G 24
Milow (Kreis Havelland) 43 I 20
Milow (Kreis Ludwigslust) 32 G 18
Milow (Kreis Uckermark) 25 F 25
Milse 38 J 9
Milseburg 63 O 13
Milser Heide 38 K 10
Milspe 48 M 6
Milstrich 56 M 26
Miltach 89 S 22
Milte 37 K 7
Miltenberg 85 Q 11
Miltern 42 I 19
Miltzow 13 D 23
Milz 76 O 15
Milzau 54 L 19
Mimmenhausen 110 W 11
Mindel 103 V 15
Mindelaltheim 103 U 15
Mindelheim 103 V 15
Mindelheimer-Hütte 111 Y 14
Mindelsee 109 W 11
Mindelstetten 97 T 18
Mindelzell 103 V 15
Minden (Kreis Bitburg-Prüm) 80 Q 3
Minden (Kreis Minden-Lübbecke) 39 J 10
Minderheide 39 J 10
Minderlittgen 71 P 4
Mindersdorf 102 W 11
Minfeld 92 S 8
Mingerode 52 L 14
Minheim 72 Q 4
Minseln 108 X 7
Minsen 17 E 7
Minsener Oog (Insel) 17 E 8
Minsleben 53 K 16
Minstedt 19 F 11
Mintraching 90 T 20
Minzow 23 F 21
Mirow (Kreis Mecklenburg-Strelitz) 24 G 22
Mirow (Kreis Parchim) 22 F 18
Mirskofen 97 U 20
Misburg 40 I 13
Mischelbach 96 S 17
Misselwarden 18 E 9
Missen 111 X 14
Missen 56 K 26
Missen-Wilhams 111 X 14
Mißlareuth 78 O 19
Missunde 5 C 13
Mistelbach 77 Q 18
Mistelfeld 77 P 17
Mistelgau 77 Q 18
Mistorf 23 E 20
Mittbach 105 V 20
Mittegroßefehn 17 F 6
Mittel-Berge 49 M 8
Mittel-Gründau 75 P 11
Mittelbach (Kreis Chemnitzer Land) 67 N 22
Mittelbach (Kreis Zweibrücken) 82 S 6
Mittelberg 111 X 15
Mittelbiberach 102 V 13
Mittelbronn 94 T 13
Mittelbrunn 81 R 6
Mittelbuch 103 V 13
Mittelbuchen 74 P 10
Mittelehrenbach 87 Q 17
Mitteleschenbach 87 S 16
Mittelfischach 95 S 13
Mittelhausen (Kreis Erfurt) 65 M 17
Mittelhausen (Kreis Sangerhausen) 53 L 18
Mittelherwigsdorf 69 N 28
Mittelhof 61 N 7
Mittelkalbach 75 O 12
Mittellandkanal 37 I 8
Mittelmarsch 16 F 5
Mittelneufnach 103 V 15
Mittelnkirchen 19 F 12
Mittelpöllnitz 66 N 19
Mittelradde 27 H 6
Mittelreidenbach 81 Q 6
Mittelsaida 67 N 23
Mittelschmalkalden 64 N 15
Mittelsinn 75 P 12
Mittelsömmern 65 M 16
Mittelsteinach 86 R 15
Mittelsten Thülle 27 H 7
Mittelstenahe 18 F 11
Mittelstetten (Kreis Augsburg) 104 V 16
Mittelstetten (Kreis Fürstenfeldbruck) 104 V 17
Mittelstrimmig 71 P 5
Mitteltal 93 U 8
Mittelteil (b. Ihlienworth) 18 E 10
Mittelteil (b. Lüdingworth) 18 E 10
Mittelzell 109 W 11
Mittenaar 62 N 9
Mittenwald 112 X 17
Mittenwalde (Kreis Dahme-Spreewald) 44 J 24
Mittenwalde (Kreis Uckermark) 34 G 24
Mitteralm 113 W 20
Mitterdarching 105 W 19
Mitterfecking 97 T 19
Mitterfels 91 T 22
Mitterfirmiansreut 99 T 24
Mittergars 106 V 20
Mitterskirchen 106 U 22
Mitterteich 79 Q 20
Mittich 107 U 24
Mittlerer Isarkanal 105 U 19

A B C D E F G H I J K L M N O P Q R S T U V W X Y Z

A B C D E F G H I J K L M N O P Q R S T U V W X Y Z

Mittweida .... 67 N 22
Mittweide .... 45 J 26
Mitwitz .... 77 P 17
Mixdorf .... 45 J 27
Mochau (Kreis Döbeln) .. 67 M 23
Mochau (Kreis Wittenberg) .43 K 22
Mochenwangen .... 102 W 12
Mochow .... 45 K 26
Mockern .... 66 N 21
Mockrehna .... 55 L 22
Mockritz .... 67 M 23
Modau .... 84 Q 10
Modautal .... 84 Q 10
Modschiedel .... 77 P 17
Möbiskruge .... 45 J 27
Mockenlohe .... 96 T 17
Möckern .... 42 J 19
Möckmühl .... 85 S 12
Mödingen .... 95 U 15
Mögelin .... 43 I 20
Mögglingen .... 95 T 13
Möglenz .... 55 L 24
Möglin .... 35 I 26
Möglingen .... 94 T 11
Möhlau .... 54 K 21
Möhler .... 37 K 8
Möhne .... 50 L 9
Möhnesee .... 49 L 8
Möhnsen .... 21 F 15
Möhra .... 64 N 14
Möhren .... 96 T 16
Möhrenbach .... 65 O 16
Möhrendorf .... 87 R 16
Möhringen .... 101 W 10
Möhringen (Stuttgart) .... 94 T 11
Mölbis .... 67 M 21
Mölkau (Leipzig) .... 54 M 21
Möllbergen .... 39 J 10
Möllen .... 47 L 4
Möllenbeck .... 39 J 11
Möllenbeck
(Kreis Ludwigslust) .. 22 G 19
Möllenbeck (Kreis
Mecklenburg-Strelitz) .. 24 F 24
Möllenbeck (Kreis Stendal) 32 H 18
Möllendorf .... 53 L 18
Möllenhagen .... 24 F 22
Möllensdorf .... 43 K 21
Mölln (Kreis Demmin) .. 24 F 23
Mölln (Kreis
Herzogtum Lauenburg) .. 21 F 16
Mölschbach .... 83 R 7
Mölschow .... 15 D 25
Mölsheim .... 83 R 8
Mömbris .... 75 P 11
Mömling .... 84 Q 11
Mömlingen .... 74 Q 11
Mönau .... 57 L 27
Mönchberg .... 85 Q 11
Mönchengladbach .... 58 M 3
Mönchenholzhausen ...... 65 N 17
Mönchgut .... 13 D 25
Mönchhagen .... 11 D 20
Mönchhosbach .... 63 M 13
Mönchkröttendorf .... 77 P 17
Mönchröden .... 77 P 17
Mönchsambach .... 86 Q 16
Mönchsdeggingen .... 95 T 15
Mönchsroth .... 95 S 15
Mönchweiler .... 101 V 9
Mönkeberg .... 9 C 14
Mönkebude .... 25 E 25
Mönkehöfen .... 38 J 8
Mönkloh .... 19 E 13
Mönninghausen .... 50 K 9
Mönsheim .... 93 T 10
Mörel .... 8 D 13
Mörfelden .... 74 Q 9
Mörfelden-Walldorf .... 74 Q 9
Mörgen .... 103 V 15
Möringen .... 32 I 19
Mörlach .... 87 S 17
Mörlbach .... 86 R 14
Mörlenbach .... 84 R 10
Mörnsheim .... 96 T 17
Moers .... 46 L 3
Mörsbach
(Kreis Zweibrücken) .. 82 S 6
Mörsbach
(Westerwaldkreis) .. 61 N 7
Mörsch .... 93 T 8
Mörschied .... 81 Q 5
Mörsdorf .... 71 P 6
Mörsdorf .... 87 S 17
Mörse .... 41 I 16
Mörsfeld .... 83 Q 7
Mörshausen .... 63 M 12

Mörsingen .... 102 V 12
Mörslingen .... 95 U 15
Mörtitz .... 55 L 21
Mörzheim .... 83 S 8
Mörzmeim .... 92 U 8
Möschlitz .... 66 O 19
Moese .... 50 K 9
Möser .... 42 J 19
Mössingen .... 102 U 11
Mößling .... 106 V 21
Möthlow .... 33 I 21
Möttingen .... 95 T 15
Möttlingen .... 93 T 10
Mötzing .... 98 T 21
Mötzingen .... 93 U 10
Mözen .... 20 E 14
Mogendorf .... 61 O 7
Moggast .... 87 Q 17
Mohlsdorf .... 66 N 20
Moholz .... 57 M 28
Mohorn .... 68 M 24
Moide .... 30 H 13
Moisall .... 23 E 19
Moisburg .... 19 F 13
Moisched .... 62 N 11
Moischt .... 62 N 10
Moisling .... 21 E 15
Molau .... 66 M 19
Molbath .... 31 H 16
Molbergen .... 27 H 7
Molchow .... 33 H 22
Moldenit .... 5 C 12
Molfsee .... 9 D 14
Molkenberg .... 33 H 20
Mollenfelde .... 51 L 13
Mollseifen .... 62 M 9
Molmerswende .... 53 L 17
Molschleben .... 65 M 16
Molsdorf .... 65 N 16
Moltow .... 22 E 18
Moltzow .... 23 F 21
Molzen .... 31 G 15
Mommenheim .... 73 Q 8
Monakam .... 93 T 10
Mondfeld .... 85 Q 12
Mondorf
(Kreis Merzig-Wadern) .. 80 R 3
Mondorf
(Rhein-Sieg-Kreis) .. 59 N 5
Monheim .... 59 M 4
Monheim .... 96 T 16
Monreal .... 71 P 5
Monrepos .... 94 T 11
Monschau .... 70 O 2
Monschau (Forst) .... 70 O 2
Monsheim .... 83 R 8
Montabaur .... 73 O 7
Monzel .... 72 Q 4
Monzelfeld .... 72 Q 5
Monzingen .... 81 Q 6
Moor .... 21 E 17
Moor-Siedlung .... 27 G 6
Moorausmoor .... 18 F 10
Moorbek .... 28 H 8
Moordorf (Kreis Aurich) .. 17 F 6
Moordorf
(Kreis Wesermarsch) .. 28 G 9
Moorenweis .... 104 V 17
Moorhusen (b. Glückstadt) .19 E 12
Moorhusen (b. Itzehoe) .. 7 E 12
Moorhusen (Kreis Aurich) .. 17 F 6
Moormerland .... 17 F 6
Moorrege .... 19 E 13
Moorriem .... 18 G 8
Moorsee .... 9 D 14
Moorweg .... 17 F 6
Moorwerder (Hamburg) .. 20 F 14
Moorwinkelsdamm .... 17 G 7
Moos (Kreis Deggendorf) .98 T 22
Moos (Kreis Konstanz) .109 W 10
Moos (Kreis Rastatt) ..... 92 T 8
Moosbach (Kreis Ansbach) 87 S 16
Moosbach (Kreis Neustadt a. d.
Waldnaab) .... 89 R 21
Moosbach (Kreis
Nürnberger Land) .. 87 R 17
Moosbach
(Kreis Oberallgäu) ..111 X 15
Moosbeuren .... 102 V 13
Moosbronn .... 93 T 9
Moosburg .... 102 V 12
Moosburg a. d. Isar ..... 105 U 19
Moosen .... 105 U 20
Moosfürth .... 98 T 22

Moosham (Kreis
Mühldorf a. Inn) .....105 V 20
Moosham
(Kreis Regensburg) .. 90 T 20
Mooshausen .... 103 W 14
Moosheim .... 102 V 12
Moosinning .... 105 V 19
Moosthann .... 97 T 20
Moosthenning .... 98 T 21
Mooswald .... 100 U 8
Moraas .... 21 F 17
Morbach .... 72 Q 5
Morenhoven .... 59 N 4
Morgenitz .... 15 E 25
Morgenröthe .... 79 O 21
Morgenröthe-Rautenkranz 79 O 21
Morgenrot .... 53 K 17
Moringen .... 51 K 13
Moritz .... 42 K 20
Moritzburg .... 68 M 25
Morl .... 54 L 19
Morlautern .... 83 R 7
Morles .... 63 O 13
Morlesau .... 75 P 13
Mornshausen .... 62 N 9
Morsbach .... 61 N 7
Morscheid Riedenburg ... 81 Q 5
Morschen .... 63 M 12
Morschenich .... 58 N 3
Morschreuth .... 87 Q 17
Morshausen .... 71 P 6
Morsleben .... 41 J 17
Morsum (Kreis Verden) .. 29 H 11
Morsum (Sylt) .... 4 B 9
Morsum-Kliff .... 4 B 9
Morungen .... 53 L 17
Morxdorf .... 43 K 22
Mosbach .... 64 N 15
Mosbach .... 85 R 11
Mosborn .... 75 P 12
Mosbruch .... 71 P 4
Mosebeck .... 39 K 10
Mosel .... 66 N 21
Mosel .... 72 Q 4
Moselberge .... 72 Q 4
Moselkern .... 71 P 6
Moseltal .... 72 Q 4
Mosenberg (b. Homberg) .63 M 12
Mosenberg
(b. Manderscheid) .. 70 P 4
Mosenstein .... 63 M 12
Mosigkau .... 54 K 20
Mossau .... 84 Q 10
Mossautal .... 84 R 10
Moßbach .... 66 N 19
Motel .... 21 F 17
Motten .... 75 O 13
Mottgers .... 75 P 12
Mottschieß .... 102 W 11
Motten .... 44 J 24
Motzenhofen .... 96 U 17
Motzfeld .... 63 N 13
Motzlar .... 64 N 13
Moxa .... 66 O 18
Moyland .... 46 K 2
Much .... 59 N 6
Muchelberg .... 9 D 15
Muchow .... 22 G 19
Muckental (Ostalbkreis) .. 85 T 14
Muckwar .... 56 K 26
Mud .... 85 R 11
Mudau .... 85 R 11
Muddenhagen .... 51 L 11
Mudersbach .... 61 N 7
Mücheln .... 54 M 19
Mücka .... 57 M 28
Mücke .... 62 O 11
Mückendorf .... 44 J 24
Mückenloch .... 84 R 10
Müden (Kreis Celle) ...... 30 H 14
Müden (Kreis Gifhorn) ... 40 I 15
Müdesheim .... 75 Q 13
Mügeln (Kreis
Torgau-Oschatz) ..... 55 M 23
Mügeln (Kreis Wittenberg) ..55 K 23
Müggelheim .... 44 I 24
Müggendorf .... 18 E 10
Müggenkrug .... 17 F 7
Müglitz .... 68 N 25
Müglitztal .... 68 N 25
Mühlacker .... 93 T 10
Mühlanger .... 55 K 22
Mühlau .... 67 N 22
Mühlbach (Fluß) .... 73 P 7
Mühlbach (Kreis Heilbronn) 93 S 10
Mühlbach (Kreis
Hersfeld-Rotenburg) ...... 63 N 12

Mühlbach
(Kreis Main-Spessart) .. 75 Q 13
Mühlbach (Kreis Mittweida) 67 N 23
Mühlbach (Kreis Neumarkt
i. d. Oberpfalz) .... 97 S 18
Mühlbach
(Kreis Rhön-Grabfeld) .. 76 P 14
Mühlbach (Kreis
Sächsische Schweiz) .. 68 N 25
Mühlbach (Rieschweiler-) .. 83 S 6
Mühlbeck .... 54 L 21
Mühlberg
(Kreis Elbe-Elster) .. 55 L 23
Mühlberg (Kreis Gotha) .. 65 N 16
Mühlburg .... 93 S 9
Mühldorf .... 106 V 21
Mühleip .... 59 N 6
Mühlen .... 27 I 8
Mühlen .... 101 U 10
Mühlen Eichsen .... 21 E 17
Mühlenbach .... 100 V 8
Mühlenbarbek .... 8 E 12
Mühlenbeck .... 34 I 24
Mühlenberg (Kreis Emsland) 27 H 6
Mühlenberg
(Kreis Holzminden) .. 51 K 12
Mühlenhof .... 23 F 19
Mühlenrade .... 21 F 15
Mühlenrahmede .... 49 M 7
Mühlental .... 79 O 20
Mühlfeld .... 76 O 15
Mühlhausen (Kreis
Aichach-Friedberg) ..104 U 16
Mühlhausen (Kreis
Biberach a. d. Riß) ..102 W 13
Mühlhausen (Kreis
Dingolfing-Landau) .. 98 T 21
Mühlhausen (Kreis
Erlangen-Höchstadt) .. 86 Q 16
Mühlhausen
(Kreis Kelheim) ...... 97 T 19
Mühlhausen (Kreis Neumarkt
i. d. Oberpfalz) .... 87 S 18
Mühlhausen (Kreis
Waldeck-Frankenberg) .. 50 L 10
Mühlhausen
(Kreis Würzburg) ..... 76 Q 14
Mühlhausen
(Rhein-Neckar-Kreis) .. 84 S 10
Mühlhausen-Sarmsheim .. 73 Q 7
Mühlhausen
(Schwalm-Eder-Kreis) .. 63 M 12
Mühlhausen (Stuttgart) .. 94 T 11
Mühlhausen-Ehingen ... 101 W 10
Mühlheim .... 74 P 10
Mühlheim .... 96 T 16
Mühlheim a. Bach .... 101 U 10
Mühlheim a. d. Donau ... 101 W 10
Mühlhofen .... 110 W 11
Mühlingen .... 93 S 10
Mühlleithen .... 79 O 21
Mühlried .... 96 U 17
Mühlrose .... 57 L 28
Mühlsbach .... 100 V 8
Mühlsdorf .... 42 K 20
Mühlstedt .... 43 K 20
Mühlstetten .... 96 S 17
Mühltal .... 84 Q 10
Mühltroff .... 66 O 19
Mühlhausen .... 46 L 3
Mülheim (Köln) .... 59 N 4
Mülheim (Kreis Euskirchen) 70 O 4
Mülheim (Mosel) .... 72 Q 5
Mülheim a. d. Ruhr .... 47 L 4
Mülheim-Kärlich .... 71 O 6
Müllenbach
(Kreis Ahrweiler) ..... 71 P 4
Müllenbach
(Kreis Cochem-Zell) .. 71 P 5
Müllenbach
(Oberbergischer Kreis) ... 61 N 6
Müllheim .... 100 W 6
Müllingen .... 40 J 13
Müllrose .... 45 J 27
Mülsen St. Jacob .... 67 N 21
Mülsen St. Micheln ...... 67 N 21
Mülsen St. Niclas .... 67 N 21
Mülverstedt .... 64 M 15
Mümling-Grumbach .... 84 Q 10
Münchaurach .... 87 R 16
Müncheberg .... 45 I 26
Münchehagen .... 39 I 11
Münchehof (Kreis
Dahme-Spreewald) ... 44 J 25

Münchehofe (Kreis
Märkisch-Oderland) .. 35 I 26
München .... 105 V 18
München-F.J. Strauss
(Flughafen) .... 105 U 19
Münchenbernsdorf .... 66 N 19
Münchenreuth (Kreis Hof) .78 O 19
Münchenreuth
(Kreis Tirschenreuth) .. 79 P 20
Müncherlbach .... 87 R 16
Münchham .... 107 V 23
Münchhausen .... 56 K 24
Münchhausen .... 62 N 10
Münchingen .... 101 W 9
Münchingen (Stuttgart) .. 94 T 11
Münchsdorf
(Kreis Landshut) .....105 U 20
Münchsdorf
(Kreis Rottal-Inn) .... 98 U 22
Münchsmünster .... 97 T 19
Münchsteinach .... 86 R 15
Münchwald .... 73 Q 7
Münchweiler .... 100 V 7
Münchweiler a. d. Alsenz .. 83 R 7
Münchweiler a. d. Rodalb .. 83 S 7
Mündelheim .... 46 L 4
Münden .... 62 M 10
Mündersbach .... 61 O 7
Mündling .... 96 T 16
Münk .... 71 P 5
Münkeboe .... 17 F 6
Münklingen .... 93 T 10
Münnerstadt .... 76 P 14
Münsing .... 104 W 18
Münsingen .... 102 U 12
Münstedt .... 40 J 14
Münster (Kreis Augsburg) .103 V 15
Münster (Kreis
Darmstadt-Dieburg) .. 74 Q 10
Münster (Kreis Donau-Ries) 96 U 16
Münster (Kreis
Limburg-Weilburg) .. 74 O 8
Münster (Kreis
Straubing-Bogen) .. 90 T 21
Münster
(Main-Tauber-Kreis) .. 86 R 14
Münster (Wetteraukreis) .. 74 O 9
Münster (Westfalen) ...... 37 K 6
Münster-Osnabrück
(Flughafen) .... 37 J 7
Münster-Sarmsheim .... 73 Q 7
Münsterappel .... 83 Q 7
Münsterbrock .... 51 K 11
Münsterdorf .... 19 E 12
Münsterhausen .... 103 V 15
Münstermaifeld .... 71 P 6
Münstertal .... 100 W 7
Müntz .... 58 N 3
Münzenberg .... 74 O 10
Münzesheim .... 93 S 10
Müritz-Elde-Wasserstraße .23 F 20
Müritz-Havel-Kanal ...... 24 G 22
Müritz National-park ..... 24 F 22
Müritz See .... 23 F 21
Müritzarm .... 23 G 22
Mürlenbach .... 70 P 3
Mürow .... 35 G 26
Mürsbach .... 77 P 16
Mürwik .... 5 B 12
Müschede .... 49 L 8
Müschen .... 56 K 26
Müschenbach .... 61 N 7
Müsen .... 61 N 8
Müsleringen .... 39 I 11
Muess .... 22 F 18
Müssen .... 21 F 15
Müssentin .... 31 H 16
Müssingen .... 37 K 7
Mützdorf .... 43 J 21
Mützel .... 42 I 20
Mützenich .... 70 O 2
Mützingen .... 31 G 16
Mützlitz .... 33 I 21

Mulfingen .... 85 R 13
Mulknitz .... 57 K 27
Mulkwitz .... 57 L 27
Mulmshorn .... 29 G 11
Mulsum (Kreis Cuxhaven) .. 18 E 9
Mulsum (Kreis Stade) .... 19 F 11
Mummelsee .... 92 U 8
Mumsdorf .... 66 M 20
Mundelfingen .... 101 W 9
Mundelsheim .... 94 S 11
Munderkingen .... 102 V 12
Mundersum .... 37 I 6
Mundingen
(Alb-Donau-Kreis) ..102 V 12
Mundingen
(Kreis Emmendingen) ..100 V 7
Munkbrarup .... 5 B 12
Munkmarsch .... 4 B 9
Munningen .... 95 T 15
Munster .... 30 H 14
Munzingen .... 100 W 7
Mupperg .... 77 P 17
Muppersdorf .... 77 P 17
Murchin .... 15 E 25
Murg .... 108 X 8
Murgtal .... 93 T 9
Murnau .... 112 W 17
Murnauer Moos .... 112 X 17
Murr .... 94 T 11
Murrhardt .... 94 T 12
Mursberg .... 94 T 11
Musbach .... 102 W 12
Muschenheim .... 74 O 10
Muschwitz .... 66 M 20
Muskauer Heide .... 57 L 27
Mußbach .... 83 R 8
Mussenhausen .... 103 W 15
Mussum .... 46 K 3
Mustin (Kreis
Herzogtum Lauenburg) .. 21 E 16
Mustin (Kreis Parchim) .. 23 E 19
Mutlangen .... 94 T 13
Muttensweiler .... 102 V 13
Mutterstadt .... 84 R 9
Mutzschen .... 55 M 22
Myhl .... 58 M 2
Mylau .... 66 O 20

N

Naab .... 88 R 20
Naabeck .... 88 S 20
Nabburg .... 89 R 20
Nachrodt-Wiblingwerde .. 49 L 6
Nachterstedt .... 53 K 18
Nachtsheim .... 71 P 5
Nackel .... 33 H 21
Nackenheim .... 74 Q 9
Nadrensee .... 25 G 27
Nägelstedt .... 64 M 16
Naensen .... 51 K 13
Nagel .... 78 Q 19
Nagold .... 93 U 10
Nagoldstaubecken .... 93 V 9
Nahbollenbach .... 81 Q 6
Nahe .... 20 E 14
Nahe .... 81 Q 6
Nahe-Weinstraße .... 73 Q 7
Nahmitz .... 43 I 22
Nahrendorf .... 31 G 16
Nahrstedt .... 32 I 19
Nahwinden .... 65 N 17
Naila .... 78 P 19
Naitschau .... 66 O 20
Nalbach .... 80 R 4
Namborn .... 81 R 5
Nandlstadt .... 97 U 19
Nankendorf .... 77 Q 18
Nannhausen .... 73 Q 6
Nanzdietschweiler .... 81 R 6
Nanzenbach .... 62 N 9
Narsdorf .... 67 M 22
Narthauen .... 29 G 11
Nartum .... 29 G 11
Nassau .... 68 N 24
Nassau .... 73 P 7
Nassenbeuren .... 103 V 15
Nassenfurch .... 63 M 11
Nassenfels .... 96 T 17
Nassenheide .... 34 H 23
Nassig .... 85 Q 12
Naßweiler .... 82 S 4
Naßtätten .... 73 P 7
Natarp .... 37 K 7
Nateln .... 49 L 8
Natendorf .... 31 G 15
Natenstedt .... 28 H 9
Natho .... 42 K 20

Natingen .... 51 L 11
Natrup Hagen
(Nationalpark) ...... 37 J 7
Nattenhausen
(Nationalpark) ...... 103 V 14
Nattenheim (Nationalpark) 70 P 3
Natterholz (Nationalpark) .. 96 T 16
Natternberg (Nationalpark) 98 T 22
Nattheim (Nationalpark) .... 95 T 14
Natzungen .... 51 L 11
Nauborn .... 62 O 9
Nauen (Kreis Goslar) ...... 40 K 14
Nauen (Kreis Havelland) ... 33 I 22
Nauendorf .... 54 L 19
Naugarten .... 25 G 25
Nauheim
(Kreis Groß-Gerau) ... 74 Q 9
Nauheim (Kreis
Limburg-Weilburg) ... 73 O 8
Naumburg .... 66 M 19
Naumburg .... 51 M 11
Naundorf (Kreis
Altenburger Land) ... 66 N 20
Naundorf
(Kreis Delitzsch) ...... 55 L 21
Naundorf (Kreis Elbe-Elster) 56 K 24
Naundorf (Kreis Freiberg) .. 68 N 24
Naundorf (Kreis Oberspreewald-
Lausitz) .... 56 K 26
Naundorf
(Kreis Torgau-Oschatz) .. 55 M 23
Naundorf
(Kreis Wittenberg) ...... 43 K 22
Naundorf (Saalkreis) ...... 54 L 20
Naunheim
(Kreis Mayen-Koblenz) ... 71 P 5
Naunhof (Kreis
Riesa-Großenhain) ... 68 M 24
Naunhof
(Kreis Torgau-Oschatz) .. 67 M 22
Naunhof (Muldentalkreis) ... 55 M 21
Nauort .... 71 O 6
Naurath (Eifel) .... 72 Q 4
Naurod .... 74 P 8
Nausis .... 63 N 12
Nautschütz .... 66 M 19
Nauwalde .... 56 L 24
Nazza .... 64 M 15
Neandertal .... 48 M 4
Nebel .... 4 C 9
Nebelhöhle .... 102 U 11
Nebelhorn .... 111 X 15
Nebelin .... 32 G 19
Nebelschütz .... 68 M 26
Nebenstedt .... 31 G 17
Nebra .... 53 M 18
Nebringen .... 93 U 10
Neckar .... 84 R 10
Neckarbischofsheim .... 84 S 10
Neckarelz .... 84 R 11
Neckargemünd .... 84 R 10
Neckargerach .... 84 R 11
Neckarhausen .... 84 R 10
Neckarhausen (Edingen)- .. 84 R 9
Neckarsteinach .... 84 R 10
Neckarsulm .... 85 S 11
Neckartailfingen .... 94 U 11
Neckartal .... 84 R 10
Neckartal-Odenwald
(Naturpark) .... 85 R 11
Neckartenzlingen .... 94 U 11
Neckarzimmern .... 84 S 11
Neckeroda .... 65 N 18
Neddemin .... 24 F 23
Neddenaverbergen .... 29 H 12
Neddesitz .... 13 C 24
Nedlitz
(Kreis Anhalt-Zerbst) ... 42 J 20
Nedlitz (Kreis
Jerichower Land) ...... 42 J 19
Neef .... 71 P 5
Neehausen .... 54 L 19
Neenstetten .... 95 U 14
Neerdar .... 50 M 10
Neermoor .... 17 G 6
Neersen .... 58 M 3
Neerstedt .... 28 H 9
Neese .... 21 G 15
Neetzka .... 24 F 24
Neetzow .... 24 E 24
Negenborn
(Kreis Hannover) ...... 40 I 12
Negenborn
(Kreis Holzminden) ... 39 K 12
Negenharrie .... 9 D 14
Negernbötel .... 9 E 14

Nehden .... 50 L 9
Neheim-Hüsten .... 49 L 7
Nehlitz .... 54 L 19
Nehms .... 9 D 15
Nehmten .... 9 D 15
Nehren .... 71 P 5
Nehren .... 102 U 11
Nehringen .... 14 E 22
Neibsheim .... 93 S 10
Neichen .... 55 M 22
Neiden .... 55 L 22
Neidenbach .... 70 P 3
Neidenberga .... 65 O 18
Neidenfels .... 83 R 8
Neidenstein .... 84 S 10
Neidhardswinden .... 86 R 16
Neidlingen .... 94 U 12
Neindorf (Bördekreis) ..... 41 J 17
Neindorf
(Kreisstadt Wolfsburg) ... 41 I 16
Neinstedt .... 53 K 17
Neipperg .... 94 S 11
Neitersen .... 61 N 6
Nelben .... 54 L 19
Nellingen .... 94 U 13
Nellingen a. d. Fildern .... 94 T 11
Nellinghof .... 28 I 8
Nemden .... 37 J 8
Nemmenich .... 58 N 4
Nemmersdorf .... 78 Q 19
Nempitz .... 54 M 20
Nemsdorf .... 54 L 18
Nemsdorf-Göhrendorf ...... 54 L 18
Nenderoth .... 61 O 8
Nendingen .... 101 V 10
Nendorf .... 39 I 10
Nendorp .... 16 G 5
Nenndorf (Kreis Harburg) .. 19 F 13
Nenndorf (Kreis Wittmund) . 17 E 6
Nennhausen .... 33 I 21
Nennig .... 80 R 3
Nennslingen .... 96 S 17
Nentershausen (Kreis
Hersfeld-Rotenburg) .. 64 M 13
Nentershausen
(Westerwaldkreis) .... 73 O 7
Nentschau .... 78 P 20
Nenzenheim .... 86 R 14
Nenzingen .... 101 W 10
Neppermin .... 15 E 26
Neppermin-Balm .... 15 E 26
Nerchau .... 55 M 22
Nerdin .... 24 E 24
Nerdlen .... 71 P 4
Nerenstetten .... 95 U 14
Neresheim .... 95 T 14
Neritz .... 20 E 14
Nerkewitz .... 65 N 18
Neroberg .... 73 P 8
Neroth .... 70 P 4
Nersingen .... 103 U 14
Neschen .... 59 M 5
Neschholz .... 43 J 22
Neschwitz .... 57 M 26
Nesenitz .... 31 I 17
Nessa .... 66 M 20
Nesse (Kreis Aurich) ...... 17 F 6
Nesselbach .... 85 S 13
Nesselröden
(Kreis Göttingen) ...... 52 L 14
Nesselröden
(Werra-Meißner-Kreis) .. 64 M 14
Nesselwang .... 111 X 15
Nesselwangen .... 102 W 11
Nessendorf .... 9 D 16
Neßlbach .... 99 T 23
Neßmersiel (Kreis Aurich) .. 17 E 6
Nethe .... 51 L 11
Nethen .... 17 G 8
Netphen .... 61 N 8
Netra .... 64 M 14
Nette (Fluß b. Kempen) .... 47 L 2
Nette (Fluß b. Mayen) ..... 71 P 5
Nettelburg .... 17 G 6
Nettelkamp .... 31 H 15
Nettelrede .... 39 J 12
Nettelsee .... 9 D 14
Nettelstädt .... 50 L 9
Nettelstedt .... 38 J 10
Nettersheim .... 60 O 3
Nettersheim-Butzheim ..... 58 M 4
Nettgau .... 31 I 16
Nettlingen .... 40 J 14
Netze .... 51 M 11
Netzeband .... 33 H 21

Netzen .... 43 I 22
Netzow .... 34 G 24
Netzschkau .... 66 O 20
Neu-Anspach .... 74 P 9
Neu Bartelshagen .... 12 C 22
Neu Boltenhagen .... 15 D 24
Neu Darchau .... 31 G 16
Neue Welt .... 16 F 5
Neu Duvenstedt .... 8 C 13
Neu Ebersdorf .... 18 F 10
Neu-Eichenberg .... 51 L 13
Neu-Esting .... 104 V 17
Neu Fahrland .... 43 I 23
Neu Falkenhagen .... 33 I 22
Neu Gaarz .... 23 F 21
Neu Golm .... 45 J 26
Neu Gülze .... 21 F 16
Neu Heinde .... 23 E 21
Neu-Isenburg (Frankfurt) .. 74 P 10
Neu Käbelich .... 24 F 24
Neu Kaliß .... 32 G 17
Neu Kentzlin .... 24 E 22
Neu Königsaue .... 53 K 18
Neu Kosenow .... 25 E 25
Neu-Listernohl .... 61 M 7
Neu Ludwigsdorf .... 62 M 9
Neu Lübbenau .... 44 J 25
Neu Mukran .... 13 C 24
Neu Poserin .... 23 F 20
Neu Reddewitz .... 13 C 24
Neu St. Jurgen .... 18 G 10
Neu Ulm .... 103 U 14
Neu Versen .... 26 H 5
Neu Wendischthun .... 21 G 16
Neu Wulmstorf .... 19 F 13
Neu Zachun .... 21 F 17
Neu Zauche .... 45 K 26
Neu Zittau .... 44 I 25
Neuärgerniß .... 66 O 20
Neualbenreuth .... 79 Q 21
Neuastenberg .... 62 M 9
Neubachenbruch .... 18 F 10
Neubärnim .... 35 H 26
Neubau (Börderkreis) ..... 41 J 17
Neubau (Kreis Bayreuth) .. 78 P 19
Neubau (Kreis Cham) ..... 89 S 21
Neubeckum .... 49 K 8
Neubensdorf .... 43 I 21
Neuberend .... 5 C 12
Neuberg .... 74 P 10
Neubeuern .... 113 W 20
Neubiberg .... 105 V 18
Neubörger .... 27 H 6
Neubokel .... 40 I 15
Neubrandenburg .... 24 F 23
Neubronn .... 86 R 13
Neubruchhausen .... 29 H 10
Neubruck .... 86 R 16
Neubrück
(Kreis Oder-Spree) .... 45 J 26
Neubrück (Kreis Peine) ... 40 I 15
Neubrunn .... 76 O 15
Neubrunn .... 85 Q 13
Neubukow .... 10 D 19
Neubulach .... 93 U 10
Neuburg a. d. Donau ..... 96 T 17
Neuburg a. d. Kammel .... 103 V 15
Neuburg a. Inn .... 99 U 24
Neuburg a. Rhein .... 93 T 8
Neuburg-Steinhausen .... 10 E 18
Neuburgweier .... 93 T 8
Neuburglage .... 27 G 6
Neuburxdorf .... 55 L 23
Neuching .... 105 V 19
Neudenau .... 85 S 11
Neudersum .... 26 H 5
Neudietendorf .... 65 N 16
Neudingen .... 101 W 9
Neudörpen .... 27 H 6
Neudorf (Kreis Annaberg) .. 79 O 22
Neudorf (Kreis Ansbach) .. 86 R 16
Neudorf (Kreis Bautzen) ... 57 M 27
Neudorf (Kreis Bayreuth) .. 87 Q 18
Neudorf (Kreis
Freyung-Grafenau) ... 99 T 24
Neudorf (Kreis Leer) ...... 17 F 7
Neudorf (Kreis Lichtenfels) . 77 P 17
Neudorf (Kreis Neustadt a. d.
Waldnaab) .... 88 R 20
Neudorf (Kreis Nienburg) .. 30 H 12
Neudorf (Kreis Ostholstein) . 9 D 15
Neudorf (Kreis Plön) ...... 9 D 15
Neudorf
(Kreis Quedlinburg) ... 53 L 17
Neudorf (Kreis Waldeck-
Frankenberg) .... 50 L 10
Neudorf (Kreis Weißenburg-
Gunzenhausen) .... 96 T 17

Neudorf (Graben-) .... 84 S 9
Neudorf-Bornstein .... 9 C 13
Neudorf-Platendorf ...... 41 I 15
Neudrossenfeld .... 77 P 18
Neue Dosse .... 33 H 20
Neue Jäglitz .... 33 H 20
Neuehütten .... 43 J 21
Neueibau .... 69 N 27
Neuekrug .... 31 H 16
Neuenbau .... 77 O 17
Neuenbaum .... 59 M 4
Neuenbeken .... 50 K 10
Neuenbeuthen .... 65 O 18
Neuenbrook .... 19 E 12
Neuenbürg .... 27 G 8
Neuenbürg (Enzkreis) ... 93 T 9
Neuenbürg
(Kreis Karlsruhe) ...... 84 S 10
Neuenbunnen .... 27 H 7
Neuenburg .... 100 W 6
Neuendeich .... 19 E 12
Neuendettelsau .... 86 S 16
Neuendorf .... 75 P 12
Neuendorf (Altmarkkreis
Salzwedel) .... 32 H 17
Neuendorf (Kreis Barnim) .. 35 H 26
Neuendorf (Kreis
Dahme-Spreewald) .... 44 K 25
Neuendorf (Kreis Güstrow) . 23 E 19
Neuendorf (Kreis
Oberhavel) .... 34 H 23
Neuendorf (Kreis
Ostprignitz-Ruppin) ... 33 H 21
Neuendorf (Kreis
Ostvorpommern) ...... 15 D 25
Neuendorf (Kreis
Potsdam-Mittelmark) .. 43 J 22
Neuendorf
(Kreis Spree-Neiße) ... 57 K 27
Neuendorf A .... 25 E 25
Neuendorf a. Damm ...... 32 I 18
Neuendorf a. See .... 44 J 25
Neuendorf a. See (Kreis
Dahme-Spreewald) .... 13 C 23
Neuendorf B .... 24 E 24
Neuendorf b. Elmshorn .. 19 E 12
Neuendorf b. Grimmen .. 13 D 23
Neuendorf b. Neuenkirchen 13 C 23
Neuendorf b. Saal .... 11 C 21
Neuendorf b. Wilster ..... 7 E 11
Neuendorf i. Sande ...... 45 I 26
Neuendorfer See .... 44 J 25
Neuenfelde .... 18 G 9
Neuenfelde (Hamburg-) .. 19 F 13
Neuengamme .... 20 F 14
Neuengeseke .... 50 L 8
Neuengönna .... 66 N 18
Neuengörs .... 20 E 15
Neuengronau .... 75 P 12
Neuengrün .... 77 P 18
Neuenhagen
(b. Bad Freienwalde) .. 35 H 26
Neuenhagen (b. Berlin) .. 44 I 25
Neuenhagen (Kreis
Nordvorpommern) ..... 10 E 17
Neuenhain .... 63 N 11
Neuenhammer .... 89 Q 21
Neuenhäßlau .... 74 P 11
Neuenhaus .... 36 I 4
Neuenhaus .... 94 U 11
Neuenheerse .... 50 K 10
Neuenhof .... 64 N 14
Neuenhofe .... 42 J 18
Neuenhuntorf .... 28 G 9
Neuenkirchen
(b. Bramsche) .... 37 I 7
Neuenkirchen (b. Melle) .. 38 J 9
Neuenkirchen
(Kreis Cuxhaven) ...... 18 E 10
Neuenkirchen
(Kreis Diepholz) ...... 29 H 10
Neuenkirchen
(Kreis Dithmarschen) .. 7 D 10
Neuenkirchen
(Kreis Goslar) .... 40 J 15
Neuenkirchen
(Kreis Gütersloh) ...... 50 K 9
Neuenkirchen
(Kreis Ludwigslust) ... 21 F 16
Neuenkirchen (Kreis
Mecklenburg-Strelitz) .. 24 F 24
Neuenkirchen
(Kreis Osterholz) ...... 18 G 9
Neuenkirchen
(Kreis Rügen) .... 13 C 24

Neuenkirchen (Kreis
Soltau-Fallingbostel) .. 30 G 13
Neuenkirchen (Kreis Stade) 19 F 12
Neuenkirchen
(Kreis Steinburg) ...... 19 E 12
Neuenkirchen
(Kreis Steinfurt) .... 36 J 6
Neuenkirchen (Oldenburg) 37 I 8
Neuenkirchen b. Anklam .. 24 E 24
Neuenkirchen b.
Greifswald .... 13 D 24
Neuenkleusheim .... 61 M 7
Neuenklitsche .... 42 I 20
Neuenknick .... 39 I 11
Neuenkoop .... 28 G 9
Neuenkruge .... 27 G 8
Neuenlande .... 18 F 9
Neuenmarhorst .... 29 H 9
Neuenmarkt .... 77 P 18
Neuenrade .... 49 M 7
Neuensalz .... 79 O 20
Neuenschleuse .... 19 E 11
Neuendorf
(Kreis Kulmbach) ...... 77 P 18
Neuensorg .... —
Neuensorg (Kreis Lichtenfels) 77 P 17
Neuensorga .... 66 N 19
Neuenstadt .... 85 S 11
Neuenstein
(Hohenlohekreis) ..... 85 S 12
Neuenstein (Kreis
Hersfeld-Rotenburg) .. 63 N 12
Neuensund .... 25 F 25
Neuental .... 63 N 11
Neuenwalde .... 18 E 10
Neuenweg .... 100 W 7
Neuenwege .... 17 F 8
Neuer Kanal .... 22 F 18
Neuerburg (Kreis
Bernkastel-Wittlich) ... 71 P 4
Neuerburg
(Kreis Bitburg-Prüm) .. 70 P 2
Neuerkirch .... 71 P 6
Neuermark-Lübars .... 32 I 20
Neuerstadt .... 55 K 23
Neufahrn (Kreis Freising) . 105 V 18
Neufahrn (Kreis Landshut) . 97 T 20
Neufang (Kreis Kronach) .. 77 P 18
Neufang (Kreis Kulmbach) . 77 P 18
Neufarn .... 105 V 19
Neufeld .... 7 E 11
Neufelderkoog .... 7 E 10
Neufels .... 85 S 12
Neuferchau .... 31 I 17
Neuffen .... 94 U 12
Neufinsing .... 105 V 19
Neufirrel .... 17 F 7
Neufnach .... 103 V 15
Neufra (Kreis
Biberach a. d. Riß) ... 102 V 12
Neufra (Kreis Rottweil) ... 101 V 10
Neufra
(Kreis Sigmaringen) ... 102 V 11
Neufrach .... 110 W 11
Neufraunhofen .... 105 U 20
Neufunnixsiel .... 17 E 7
Neugablonz .... 103 W 15
Neugalmsbüll .... 4 B 10
Neugarmssiel .... 17 E 7
Neugattersleben .... 54 K 19
Neugersdorf .... 69 N 27
Neuglienicke .... 33 G 22
Neuglobsow .... 34 G 23
Neugnadenfeld .... 26 I 4
Neugraben .... 19 F 13
Neugrimnitz .... 34 H 25
Neuhaaren .... 58 M 2
Neuhäusel .... 73 O 7
Neuhardenberg .... 35 I 26
Neuhardlingersiel .... 17 E 7
Neuhaus (Allgäu) .... 110 X 13
Neuhaus
(Kreis Bayreuth) ...... 77 Q 17
Neuhaus (Kreis Celle) .... 40 I 14
Neuhaus (Kreis Cham) ... 90 S 21
Neuhaus (Kreis
Erlangen-Höchstadt) .. 87 Q 16
Neuhaus (Kreis Hof) ..... 78 O 19
Neuhaus
(Kreis Lüneburg) ...... 21 G 16
Neuhaus
(Kreis Miesbach) ...... 113 W 19
Neuhaus (Kreis
Nordwestpommern) ... 11 D 20
Neuhaus (Schwarzwald-
Baar-Kreis) .... 101 W 9
Neuhaus (Oste) .... 18 E 11

Neuhaus a. d. Eger ...... 79 P 20
Neuhaus a. d. Pegnitz ... 87 R 18
Neuhaus a. Inn .... 99 U 24
Neuhaus a. Rennweg .... 77 O 17
Neuhaus i. Solling .... 51 K 12
Neuhaus-Schierschnitz .. 77 P 17
Neuhausen (Enzkreis) ... 93 T 10
Neuhausen
(Kreis Freiberg) .... 68 N 24
Neuhausen (Kreis Hof) ... 78 P 20
Neuhausen
(Kreis Konstanz) ...... 101 W 10
Neuhausen
(Kreis Landshut) ...... 97 U 19
Neuhausen
(Kreis Spree-Neiße) ... 57 K 27
Neuhausen a. d. Erms .... 94 U 11
Neuhausen a. d. Fildern .. 94 T 11
Neuhausen o. Eck .... 101 W 10
Neuheede .... 26 G 5
Neuheide .... 53 L 16
Neuheilenbach .... 70 P 3
Neuheim .... 43 J 23
Neuhemsbach .... 83 R 7
Neuherberg (Kreis Neustadt a. d.
A.-Bad W.) .... 86 R 14
Neuherberg
(Stadtkreis München) .. 105 V 18
Neuhof (Kreis Fulda) ..... 63 N 12
Neuhof (Kreis Hildesheim) . 40 K 14
Neuhof (Kreis Ludwigslust) 21 F 16
Neuhof (Kreis Oberhavel) . 34 G 24
Neuhof (Kreis
Osterode a. Harz) ..... 52 L 15
Neuhof (Rheingau-
Taunus-Kreis) .... 73 P 8
Neuhof (Forst) .... 75 O 12
Neuhof a. d. Zenn .... 86 R 15
Neuhof b. Bad Kleinen ... 22 E 18
Neuhof b. Neukloster .... 22 E 19
Neuhof b. Neustadt-Glewe 22 F 18
Neuhof b. Parchim ...... 22 F 18
Neuhof b. Rerik .... 84 R 9
Neuhofen
(Kreis Rottal-Inn) ...... 106 U 22
Neuhofen (Kreis
Straubing-Bogen) ..... 98 T 21
Neuholland .... 34 H 23
Neuhonrath .... 59 N 5
Neuhütten
(Kreis Heilbronn) ...... 94 S 12
Neuhütten
(Kreis Main-Spessart) .. 75 P 12
Neuhütten
(Kreis Trier-Saarburg) .. 81 R 5
Neukalen .... 24 E 22
Neukamp .... 13 D 24
Neukamperfehn .... 17 F 6
Neukieritzsch .... 66 M 21
Neukirch (Bodenseekreis) 110 X 13
Neukirch (Kreis Bautzen) . 69 N 27
Neukirch (Kreis Rottweil) . 101 V 10
Neukirch (Schwarzwald-
Baar-Kreis) .... 100 V 8
Neukirch (Westlausitzkreis) 56 M 25
Neukirchen (b. Malente) .. 9 D 15
Neukirchen
(b. Oldenburg i. Holstein) 10 D 17
Neukirchen (Kreis Coburg) . 77 O 16
Neukirchen (Kreis Freiberg) 68 M 24
Neukirchen (Kreis
Hersfeld-Rotenburg) .. 63 N 13
Neukirchen
(Kreis Leipziger Land) .. 67 M 21
Neukirchen (Kreis Neuss) . 58 M 4
Neukirchen
(Kreis Nordfriesland) .. 4 B 10
Neukirchen
(Kreis Regensburg) .... 88 S 20
Neukirchen
(Kreis Rottal-Inn) ...... 106 U 22
Neukirchen
(Kreis Schwandorf) .... 97 S 19
Neukirchen (Kreis Stendal) 32 H 19
Neukirchen (Kreis
Straubing-Bogen) ..... 91 T 22
Neukirchen (Kreis
Waldeck-Frankenberg) . 62 M 10
Neukirchen (Lahn-Dill-Kreis) 74 O 9
Neukirchen
(Rhein-Sieg-Kreis) .... 60 O 4
Neukirchen
(Schwalm-Eder-Kreis) . 63 N 11
Neukirchen (Wartburgkreis) 64 M 15
Neukirchen (Erzgebirge) ... 67 N 22

A B C D E F G H I J K L M N O P Q R S T U V W X Y Z

Neukirchen (Pleiße) .... 66 N 21
Neukirchen a. d. Alz .. 106 V 21
Neukirchen a. Inn .... 99 U 24
Neukirchen a. Teisenberg 106 W 22
Neukirchen b. Hl. Blut .. 89 S 22
Neukirchen b.
　Sulzbach-Rosenberg .... 88 R 18
Neukirchen-Balbini ...... 89 S 21
Neukirchen v. Wald ...... 99 T 24
Neukirchen-Vluyn .... 46 L 3
Neukissing .... 104 V 16
Neukloster (Kreis
　Nordwestmecklenburg) .. 22 E 19
Neukloster (Kreis Stade) .. 19 F 12
Neuklostersee .... 22 E 19
Neukünkendorf .... 35 H 26
Neuküstrinchen .... 35 H 26
Neukyhna .... 54 L 20
Neuland (b. Himmelpforlen) 19 F 11
Neuland (b. Wischhafen) .. 19 E 11
Neulautern .... 94 S 12
Neuleben .... 21 E 16
Neulehe .... 27 G 6
Neuleiningen .... 83 R 8
Neuler .... 95 T 14
Neulewin .... 35 H 26
Neuliebel .... 57 L 28
Neulietzegöricke .... 35 H 26
Neulingen .... 93 T 10
Neulögow .... 34 G 23
Neulöwenberg .... 34 H 23
Neulohn .... 58 N 2
Neulorup .... 27 H 7
Neulußheim .... 84 S 9
Neumagen-Dhron .... 72 Q 4
Neumark (Göltzschtalkreis) 66 O 21
Neumark
　(Kreis Weimarer Land) ... 65 M 17
Neumarkhausen .... 27 H 7
Neumarkt i. d. Oberpfalz .. 87 S 18
Neumarkt-St. Veit ...... 106 U 21
Neumorschen .... 63 M 12
Neumühle (Kreis Greiz) .. 66 N 20
Neumühle (Kreis Uelzen) .. 31 G 16
Neumühle (Schwerin) ...... 22 F 18
Neumühler See .... 21 F 17
Neumünster .... 9 D 13
Neunaigen .... 88 R 20
Neunburg v. Wald .... 89 R 21
Neundorf (b. Lobenstein) .. 77 O 18
Neundorf (b. Schleiz) ...... 66 O 19
Neundorf (Elstertalkreis) .. 78 O 20
Neundorf (Kreis Annaberg) . 67 O 23
Neundorf (Kreis
　Aschersleben-Staßfurt) .. 53 K 18
Neunheilingen .... 64 M 16
Neunhof .... 87 R 17
Neunhofen .... 66 N 19
Neunkhausen .... 61 N 7
Neunkirchen (Kreis Daun) .. 70 P 4
Neunkirchen
　(Kreis Miltenberg) ...... 85 Q 12
Neunkirchen (Kreis
　Schwäbisch-Hall) .... 94 S 12
Neunkirchen (Kreis
　Siegen-Wittgenstein) ... 61 N 8
Neunkirchen
　(Main-Tauber-Kreis) .. 85 R 13
Neunkirchen (Neckar-
　Odenwald-Kreis) .... 84 R 11
Neunkirchen
　(Stadtkreis Weiden) .. 88 Q 20
Neunkirchen
　(Westerwaldkreis) ..... 61 O 8
Neunkirchen (Saar) ...... 81 R 5
Neunkirchen a. Brand .... 87 R 17
Neunkirchen a. Main .... 78 Q 18
Neunkirchen a. Sand .... 87 R 17
Neunkirchen-Seelscheid .. 59 N 6
Neunstadt .... 95 T 14
Neunstetten
　(Hohenlohekreis) ...... 85 R 12
Neunstetten
　(Kreis Ansbach) .... 86 S 15
Neuötting .... 106 V 22
Neupetershain .... 56 L 26
Neupetershain Nord .... 56 L 26
Neupotz .... 93 S 8
Neurath .... 58 M 3
Neuravensburg .... 110 X 13
Neureetz .... 35 H 26
Neureichenau .... 99 T 25
Neureut .... 93 S 9
Neurhede .... 26 G 5
Neuried .... 92 U 7
Neuried (München) ...... 104 V 18
Neuringe .... 26 I 5

Neurochlitz .... 25 G 27
Neuroda .... 65 N 16
Neurüdnitz .... 35 H 26
Neuruppin .... 33 H 22
Neusäß .... 104 U 16
Neusalza-Spremberg ...... 69 M 27
Neusatz (Kreis Calw) .... 93 T 9
Neusatz (Kreis Rastatt) .. 92 U 8
Neuscharrel .... 27 G 7
Neuschloß .... 84 R 9
Neuschönau .... 99 T 24
Neuschönau .... 99 T 24
Neuschoo .... 17 F 6
Neuschwanstein .... 112 X 16
Neuseddin .... 43 J 22
Neuses .... 75 P 11
Neuses (Kreis Coburg) .... 77 P 16
Neuses (Main-Tauber-Kreis) 85 R 13
Neuses a. Berg .... 86 Q 14
Neuses a. Raueneck ...... 76 P 16
Neuses a. Sand .... 86 Q 15
Neusetz .... 86 Q 14
Neusiß .... 64 N 16
Neusitz .... 65 N 18
Neusitz .... 86 R 14
Neusorg .... 78 Q 19
Neusorge .... 57 L 28
Neuß .... 48 M 4
Neußen .... 55 L 23
Neustadt (Kreis Eichsfeld) . 52 L 15
Neustadt (Kreis
　Ostprignitz-Ruppin) .... 33 H 21
Neustadt
　(Kreis Wesermarsch) .. 18 F 9
Neustadt (Odenwaldkreis) . 84 Q 11
Neustadt (Saale-Orla-Kreis) 66 N 19
Neustadt (Titisee-) ...... 100 W 8
Neustadt (Westlausitzkreis) 57 L 27
Neustadt (-Bremen) ...... 29 G 10
Neustadt (Harz) .... 53 L 16
Neustadt (Hessen) .... 63 N 11
Neustadt (Vogtland) ..... 79 O 20
Neustadt (Wied) .... 61 O 6
Neustadt a. d. Aisch .... 86 R 15
Neustadt a. d. Donau .... 97 T 19
Neustadt a. d. Waldnaab .. 89 Q 20
Neustadt a. d. Weinstraße . 83 R 8
Neustadt a. Kulm .... 88 Q 19
Neustadt a. Main .... 75 Q 12
Neustadt a. Rennsteig ... 65 O 16
Neustadt a. Rübenberge .. 39 I 12
Neustadt b. Coburg ...... 77 P 17
Neustadt-Glewe .... 22 F 18
Neustadt i. Holstein ..... 9 D 16
Neustadt i. Sachsen ..... 69 M 26
Neustadtgödens .... 17 F 7
Neustädt .... 64 N 14
Neustädter Bucht .... 9 D 16
Neustädter Moor .... 29 H 9
Neustädtlein .... 95 S 14
Neustädtlein a. Forst .... 77 Q 18
Neustädtles .... 76 O 14
Neustetten (Kreis Ansbach) 86 R 15
Neustetten (Kreis Tübingen) 93 U 10
Neustraßburg .... 70 P 3
Neustrelitz .... 24 F 23
Neusustrum .... 26 H 5
Neutechau .... 9 E 16
Neuteschendorf .... 10 C 16
Neuthard .... 93 S 9
Neutraubling .... 90 T 20
Neutrauchburg .... 111 W 14
Neutrebbin .... 35 I 26
Neutz .... 54 L 19
Neutz-Lettewitz .... 54 L 19
Neuvrees .... 27 H 7
Neuwallmoden .... 40 J 14
Neuwarmbüchen .... 40 I 13
Neuwarper See .... 25 E 26
Neuwegersleben .... 41 J 17
Neuweiler .... 93 U 9
Neuweilnau .... 74 P 9
Neuwerder .... 33 H 21
Neuwernsdorf .... 68 N 24
Neuwesteel .... 16 F 5
Neuwied .... 71 O 6
Neuwiese .... 56 L 26
Neuwildflecken .... 75 O 13
Neuwittenbek .... 9 C 14
Neuwürschnitz .... 67 N 22
Neuzelle .... 45 J 27
Neuzelle .... 45 J 27
Nevern .... 22 F 18
Neversdorf .... 20 E 14
Neviges .... 48 M 5
Newel .... 80 Q 3

Nexdorf .... 55 L 24
Neye-Stausee .... 59 M 6
Nichel .... 43 J 22
Nickenich .... 71 O 5
Nicklashausen .... 85 Q 12
Nickritz .... 55 M 23
Nidda .... 74 O 11
Niddasee .... 75 O 11
Nidder .... 75 O 11
Nidderau .... 74 P 10
Nideggen .... 58 N 3
Niebel .... 43 J 22
Niebendorf-Heinsdorf ... 44 K 24
Nieblum .... 4 B 9
Niebüll .... 4 B 10
Nieby .... 5 B 13
Niedaltdorf .... 80 R 3
Nieden .... 25 F 25
Niedenstein .... 51 M 11
Nieder-Beerbach .... 84 Q 10
Nieder-Bobritzsch .... 68 N 24
Nieder Erlenbach .... 74 P 10
Nieder Fläming .... 44 K 22
Nieder-Frauendorf ...... 68 N 25
Nieder-Gemünden .... 62 N 11
Nieder-Kainsbach .... 84 Q 10
Nieder-Kinzig .... 84 Q 10
Nieder-Klingen .... 84 Q 10
Nieder-Lichtenau .... 67 N 23
Nieder-Liebersbach ..... 84 R 10
Nieder-Mockstadt .... 74 P 10
Nieder-Mörlen .... 74 O 10
Nieder-Moos .... 75 O 12
Nieder Ochtenhausen ... 19 F 11
Nieder-Ohmen .... 62 O 11
Nieder-Olm .... 73 Q 8
Nieder Ramstadt .... 84 Q 10
Nieder Roden .... 74 Q 10
Nieder-Rosbach .... 74 P 10
Nieder-Seemen .... 75 O 11
Nieder-Seifersdorf ...... 69 M 28
Nieder-Waroldern .... 50 M 11
Nieder-Weisel .... 74 O 10
Nieder-Werbe (Kreis
　Waldeck-Frankenberg) . 50 M 10
Nieder-Wiesen .... 83 Q 7
Nieder-Wöllstadt .... 74 P 10
Niederahr .... 61 O 7
Niederaichbach .... 98 U 20
Niederalben .... 81 R 6
Niederalbertsdorf .... 66 N 20
Niederarnbach .... 96 U 17
Niederasphe .... 62 N 9
Niederau .... 68 M 24
Niederau .... 58 N 3
Niederaudorf .... 113 X 20
Niederaula .... 63 N 12
Niederbachem .... 58 N 4
Niederbachem .... 60 O 5
Niederbeisheim .... 63 M 12
Niederberg .... 59 N 4
Niederbergheim .... 50 L 8
Niederbergkirchen .... 106 V 21
Niederbergstraße .... 49 L 7
Niederberndorf .... 50 M 8
Niederbieber .... 63 O 13
Niederbieber-Segendorf 71 O 6
Niederbösa .... 53 M 17
Niederbrechen .... 73 O 8
Niederbreitbach .... 61 O 6
Niederbrombach .... 81 Q 5
Niederburg .... 73 P 7
Niedercunnersdorf ...... 69 M 27
Niederdielfen .... 61 N 8
Niederdorf .... 67 N 22
Niederdorf .... 46 L 2
Niederdorfelden .... 74 P 10
Niederdorla .... 64 M 15
Niederdreisbach .... 61 N 7
Niederdresselndorf .... 61 N 8
Niederdünzebach .... 64 M 14
Niederdürenbach .... 71 O 5
Niedereimer .... 49 L 8
Niedereisenhausen ...... 62 N 9
Niederelbert .... 73 O 7
Niederelsbach .... 63 M 12
Niederelsungen .... 51 L 11
Niederembt .... 58 N 3
Niederemmel .... 72 Q 4
Niederense .... 49 L 7
Niederersbach .... 73 O 7
Niedereschach .... 101 V 9
Niedereulenbach .... 97 T 20
Niederfell .... 71 P 6

Niederfinow .... 35 H 25
Niederfischbach .... 61 N 7
Niederfrohna .... 67 N 22
Niederfüllbach .... 77 P 16
Niedergandern .... 52 L 13
Niedergebra .... 52 L 15
Niedergladbach .... 73 P 7
Niedergörsdorf .... 43 K 22
Niedergoseln .... 55 M 23
Niedergründau .... 75 P 11
Niedergude .... 63 M 13
Niedergurig .... 69 M 27
Niederhausen .... 100 V 7
Niederhaverbeck .... 30 G 13
Niederheimbach .... 73 P 7
Niederhöcking .... 98 U 22
Niederhofen .... 103 W 14
Niederholsten .... 38 J 8
Niederhone .... 64 M 14
Niederhorbach .... 92 S 8
Niederhornbach .... 97 T 19
Niederierirndorf .... 97 T 20
Niederirsen .... 61 N 6
Niederjesar .... 45 I 27
Niederjosbach .... 74 P 9
Niederjossa .... 63 N 12
Niederkail .... 72 Q 4
Niederkaina .... 69 M 27
Niederkalbach .... 75 O 12
Niederkassel .... 48 M 4
Niederkassel .... 59 N 5
Niederkaufungen .... 51 M 12
Niederkirchen .... 83 R 7
Niederkirchen b.
　Deidesheim .... 83 R 8
Niederkirchen i. Ostertal 81 R 5
Niederkleen .... 74 O 9
Niederklein .... 62 N 10
Niederkrüchten .... 58 M 2
Niederlamitz .... 78 P 19
Niederlandin .... 35 G 26
Niederlangen .... 26 H 5
Niederlauch .... 70 P 3
Niederlauer .... 76 P 14
Niederlauken .... 74 O 9
Niederlausitz .... 56 K 24
Niederlauterbach .... 97 U 18
Niederlauterstein .... 67 N 23
Niederlehme .... 44 J 24
Niederlern .... 105 U 19
Niederlibbach .... 73 P 8
Niederlinxweiler .... 81 R 5
Niederlistingen .... 51 L 11
Niederlommatzsch ...... 68 M 24
Niederlosheim .... 80 R 4
Niederlungwitz .... 67 N 21
Niedermarsberg .... 50 L 10
Niedermehnen .... 38 I 9
Niedermeien .... 39 J 10
Niedermeilingen .... 73 P 7
Niedermeiser .... 51 L 11
Niedermöllern .... 66 M 19
Niedermöllrich .... 63 M 12
Niedermörmter .... 46 K 3
Niedermohr .... 81 R 6
Niedermotzing .... 90 T 21
Niedermurach .... 89 R 21
Niederneisen .... 73 P 8
Niederndodeleben ...... 42 J 18
Niederndorf .... 66 N 19
Niederndorf .... 61 N 7
Niederndorf .... 87 R 16
Niederndorf .... 73 O 8
Niederneuching .... 105 V 19
Niedernhall .... 85 S 12
Niedernhausen (Kreis
　Darmstadt-Dieburg) .. 84 Q 10
Niedernhausen (Rheingau-
　Taunus-Kreis) .... 74 P 8
Niedernjesa .... 51 L 13
Niedernstöcken .... 30 I 12
Niederntudorf .... 50 L 10
Niedernwöhren .... 39 I 11
Niederoderwitz .... 69 N 28
Niederöfflingen .... 71 P 4
Niederorke .... 62 M 10
Niederorschel .... 52 L 15
Niederpöllnitz .... 66 N 19
Niederpöring .... 98 U 22
Niederrad .... 74 P 9
Niederrauna .... 103 V 15
Niederreifenberg .... 74 P 9
Niederreißen .... 65 M 18
Niederrieden .... 103 V 14
Niederrodenbach .... 74 P 11
Niederröblingen .... 53 L 18
Niederroßbach .... 61 O 8

Niederroßla .... 65 M 18
Niederroth .... 104 V 18
Niedersachswerfen ...... 52 L 16
Niedersächsisches
　Wattenmeer .... 16 F 4
Niederscheld .... 62 N 8
Niederschlettenbach .... 92 S 7
Niederschmon .... 53 L 18
Niederschöna .... 68 N 24
Niederschönenfeld ...... 96 T 16
Niederschopfheim ..... 100 U 7
Niederseelbach .... 74 P 8
Niederselters .... 73 O 8
Niederseßmar .... 59 M 6
Niedersfeld .... 50 M 9
Niedersgegen .... 80 Q 2
Niedershausen .... 62 O 8
Niedersimten .... 83 S 6
Niedersonthofen ...... 111 X 14
Niederspier .... 53 M 16
Niederstaufen .... 110 X 13
Niedersteinbach .... 67 N 21
Niedersteinbach .... 75 P 11
Niederstetten .... 85 R 13
Niederstotzingen ...... 95 U 14
Niederstraubing ...... 105 U 20
Niederstrich .... 19 E 11
Niederstriegis .... 67 M 23
Niedersunzing .... 98 T 21
Niedertaufkirchen .... 106 V 21
Niederthalhausen ...... 63 N 12
Niedertiefenbach .... 62 O 8
Niedertopfstedt .... 53 M 16
Niedertrebra .... 65 M 18
Niedertrennbach .... 98 U 21
Niederurff .... 63 M 11
Niedervellmar .... 51 L 12
Niederviehbach .... 98 U 21
Niedervorschütz .... 63 M 12
Niederwalgern .... 62 N 10
Niederwallmenach ..... 73 P 7
Niederwangen .... 110 W 13
Niederwasser .... 100 V 8
Niederweidbach .... 62 N 9
Niederweiler .... 100 W 6
Niederweis .... 80 Q 3
Niederwerbig .... 43 J 22
Niederwerrn .... 76 P 14
Niederwiesa .... 67 N 23
Niederwihl .... 108 X 8
Niederwillingen .... 65 N 17
Niederwinden .... 100 V 8
Niederwinkling .... 98 T 22
Niederwörresbach ...... 81 Q 6
Niederwürschnitz ...... 67 N 22
Niederwürzbach .... 82 S 5
Niederzell .... 75 P 12
Niederzeuzheim .... 73 O 8
Niederzier .... 58 N 3
Niederzimmern .... 65 M 17
Niederzissen .... 71 O 5
Niedringhausen .... 38 J 9
Niefern-Öschelbronn .. 93 T 10
Niegripp .... 42 J 19
Nieheim .... 51 K 11
Niehorst .... 38 K 9
Niehuus .... 5 B 12
Niekrenz .... 11 D 21
Niel .... 46 K 2
Niemberg .... 54 L 20
Niemegk .... 43 J 22
Niemetal .... 51 L 13
Nienberge .... 37 K 6
Nienbergen .... 31 H 16
Nienborg .... 36 J 5
Nienborstel .... 8 D 12
Nienbüttel .... 8 D 12
Nienburg .... 54 K 19
Nienburg .... 29 I 11
Niendorf
　(Kreis Ludwigslust) .. 32 G 17
Niendorf (Kreis
　Nordwestmecklenburg) 21 E 16
Niendorf (Ohre-Kreis) .. 41 I 17
Niendorf (Hamburg-) ... 19 F 13
Niendorf (Lübeck-) ...... 21 E 15
Niendorf I (Kreis Uelzen) . 31 G 15
Niendorf (b. Lage) .... 39 K 10
Nienhagen
　(b. Leopoldshöhe) ..... 38 J 10
Nienhagen
　(Kreis Bad Doberan) .. 11 D 19
Nienhagen (Kreis Celle) . 40 I 14
Nienhagen
　(Kreis Halberstadt) .... 41 K 17
Nienhagen (Kreis Northeim) 51 K 13

Nienhagen (Kreis
　Soltau-Fallingbostel) .. 30 H 12
Nienhagen
　(Stadtkreis Rostock) .. 11 D 20
Nienhagen b. Güstrow .. 23 E 20
Nienhagen b. Teterow .. 23 E 21
Nienhof .... 40 I 14
Nienkattbek .... 8 D 13
Nienstädt .... 39 J 11
Nienstedt
　(Kreis Hameln-Pyrmont) . 39 J 12
Nienstedt
　(Kreis Osterode a. Harz) . 52 K 14
Nienstedt
　(Kreis Sangerhausen) .. 53 L 18
Nienwalde .... 32 G 18
Nienwohld .... 20 E 14
Nienwohlde .... 31 H 15
Niep .... 46 L 3
Niepars .... 12 D 22
Nieplitz .... 43 J 22
Niern .... 58 M 3
Niersbach .... 72 Q 4
Niersenbruch .... 46 L 3
Niersstein .... 48 M 4
Nierstein .... 74 Q 9
Nierswalde .... 46 K 2
Niese .... 51 K 11
Niesgrau .... 5 B 13
Nieska .... 55 L 24
Niesky .... 57 M 28
Nieste .... 51 M 13
Niestetal .... 51 M 12
Nieukerk .... 46 L 3
Nievenheim .... 59 M 4
Nievern .... 73 O 7
Niewisch .... 45 J 26
Niewitz .... 44 K 25
Nikolausberg .... 52 L 13
Nikolausdorf .... 27 H 8
Nimburg .... 100 V 7
Nims .... 70 P 3
Nimschleuse .... 70 P 3
Nimshuscheid .... 70 P 3
Nimsreuland .... 70 P 3
Nincop .... 19 F 13
Nindorf (Kreis Celle) .. 30 H 13
Nindorf (Kreis Cuxhaven) . 18 F 11
Nindorf
　(Kreis Dithmarschen) .. 7 D 11
Nindorf (Kreis Harburg) . 30 G 14
Nindorf (Kreis
　Rendsburg-Eckernförde) . 8 D 13
Nindorf (Kreis Rotenburg) . 30 H 12
Nindorf (Kreis Stade) .. 19 F 12
Nipmerow .... 13 C 24
Nischwitz .... 55 L 22
Nisdorf .... 12 C 22
Nister .... 61 N 7
Nister-Möhrendorf ..... 61 O 8
Nistertal .... 61 O 7
Nitscharreuth .... 66 N 20
Nittel .... 80 R 3
Nittenau .... 89 S 20
Nittendorf .... 90 S 19
Nitzahn .... 43 I 21
Nitzow .... 32 H 20
Nobitz .... 66 N 21
Nochten .... 57 L 27
Nöbdenitz .... 66 N 20
Nöbeln .... 67 N 22
Nöggenschwiel .... 108 W 8
Nöhlen .... 98 U 22
Nöpke .... 29 I 12
Noer .... 5 C 14
Nördlicher Binnensee .. 10 C 17
Nördlicher Teutoburger Waldwiehen-
　gebirge (Naturpark) .. 37 I 8
Nördlingen .... 95 T 15
Nörten-Hardenberg ... 52 L 13
Nörting .... 105 U 18
Nösche .... 58 N 3
Nöschenrode .... 53 K 16
Nössige .... 68 M 24
Nöthen .... 60 O 4
Nötting .... 97 T 18
Növenthien .... 31 H 16
Nohen .... 81 R 5
Nohfelden .... 81 R 5
Nohn (Kreis Daun) ..... 70 P 4
Nohn
　(Kreis Merzig-Wadern) . 80 R 3
Nohra (Kreis Nordhausen) . 52 L 16
Nohra (Kreis Weimar-Land) 65 M 17
Nolde-Museum Seebüll .. 4 B 10
Nonnenberg .... 106 U 21
Nonnenbach .... 70 O 3

Nonnendorf (Kreis Ostvorpommern) .... 13 D 25
Nonnendorf (Kreis Teltow-Fläming) .. 44 K 23
Nonnenhorn .... 110 X 12
Nonnenmiß .... 93 T 9
Nonnenroth .... 62 O 10
Nonnenweier .... 100 U 7
Nonnewitz .... 66 M 20
Nonnweiler .... 81 R 4
Nonnweiler (Stausee) .. 81 R 4
Norby (b. Büdelsdorf) .. 8 C 12
Norby (b. Eckernförde) .. 5 C 13
Nord Edewecht .... 27 G 7
Nord-georgsfehnkanal .. 17 F 7
Nord-Ostsee-Kanal ..... 8 D 12
Nordahn .... 18 F 11
Nordborchen .... 50 K 10
Nordburg .... 30 I 14
Norddeich (Kreis Aurich) .. 16 F 5
Norddeich (Kreis Dithmarschen) ..7 D 10
Norddinker .... 49 L 7
Norddorf .... 4 B 9
Norddrebber .... 30 H 12
Nordel .... 39 I 10
Norden .... 16 F 5
Nordenau .... 62 M 9
Nordenbeck .... 50 M 10
Nordenberg .... 86 R 14
Nordendorf .... 96 U 16
Nordenham .... 18 F 9
Nordenholz .... 28 G 9
Nordenstadt .... 74 P 9
Norderaue .... 4 C 9
Norderbrarup .... 5 C 13
Norderfriedrichskoog .. 7 C 10
Norderhafen .... 4 C 10
Norderhever .... 4 C 9
Norderheverkoog .... 7 C 10
Nordermeldorf .... 7 D 11
Norderney .... 16 E 5
Norderney am Leuchtturm .. 16 E 5
Norderoog (Insel) .... 4 C 9
Norderoogsand (Insel) .. 4 C 9
Norderschweiburg ...... 18 F 8
Norderstapel .... 7 C 11
Norderstedt .... 19 E 14
Norderwöhrden .... 7 D 11
Nordfeld .... 7 C 11
Nordfriesische Inseln ... 4 B 8
Nordfriesland .... 8 B 10
Nordgeorgsfehn .... 17 G 7
Nordgermersleben ..... 41 J 18
Nordhackstedt .... 4 B 11
Nordhalben .... 77 O 18
Nordhastedt .... 7 D 11
Nordhausen .... 53 L 16
Nordheim .... 84 Q 9
Nordheim (Kreis Donau-Ries) .. 96 T 16
Nordheim (Kreis Heilbronn) 94 S 11
Nordheim (Kreis Schmalkalden-Meiningen) ...... 76 O 15
Nordheim a. Main ...... 76 Q 14
Nordheim v. d. Rhön ... 76 O 14
Nordhelle .... 61 M 7
Nordhemmern .... 39 I 10
Nordholte .... 27 I 6
Nordholz .... 18 E 9
Nordhorn .... 36 I 5
Nordkampen .... 30 H 12
Nordkirchen .... 47 K 6
Nordleda .... 18 E 10
Nordloh .... 27 G 7
Nordlohne .... 26 I 5
Nordmarsch-Langeneß .. 4 C 9
Nordmentzhausen ...... 18 F 8
Nordperd .... 13 C 25
Nordpfälzer Bergland ... 83 R 6
Nordrach .... 100 U 6
Nordradde .... 26 H 6
Nordschwaben .... 108 X 7
Nordsehl .... 39 I 11
Nordstemmen .... 40 J 13
Nordstetten .... 101 U 10
Nordstrand (Gemeinde) .. 4 C 10
Nordstrandischmoor ... 4 C 10
Nordstraße .... 5 B 13
Nordumfluter .... 45 K 26
Nordvelen .... 36 K 4
Nordwalde .... 37 J 6
Nordwohlde .... 29 H 10
Norf .... 48 M 4
Norgaardholz .... 5 B 13
Norheim .... 73 Q 7
Norstedt .... 4 C 11

Northeim .... 52 K 13
Nortmoor .... 17 G 6
Nortorf (Kreis Rendsburg-Eckernförde) ...8 D 13
Nortorf (Kreis Steinburg) .. 7 E 11
Nortrup .... 27 I 7
Nossen .... 67 M 23
Nossendorf .... 14 E 22
Nossentiner Hütte ..... 23 F 21
Nossentiner-Schwinzer Heide (Naturpark) ...... 23 F 20
Nostorf .... 21 F 15
Noswendel .... 81 R 4
Nothfelden .... 51 L 11
Nothschrei .... 100 W 7
Nothweiler .... 92 S 7
Notscheid .... 61 O 7
Nottekanal .... 44 J 24
Nottensdorf .... 19 F 12
Notter .... 52 M 15
Nottfeld .... 5 C 13
Nottuln .... 36 K 6
Notzing .... 105 V 19
Notzingen .... 94 T 12
Nudersdorf .... 43 K 21
Nudow .... 44 J 23
Nübel .... 8 D 12
Nübbel .... 5 C 12
Nüchel .... 9 D 15
Nüdlingen .... 76 P 14
Nümbrecht .... 59 N 6
Nünchritz .... 56 M 24
Nürburg .... 71 O 4
Nürburgring .... 71 O 4
Nürnberg .... 87 R 17
Nürnberg (Flughafen) .. 87 R 17
Nürtingen .... 94 U 12
Nüßleshof .... 64 N 15
Nüst .... 63 O 13
Nüsttal .... 63 O 13
Nütterden .... 46 K 2
Nüttermoor .... 17 G 6
Nützen .... 19 E 13
Nufringen .... 93 U 10
Nunkirchen .... 80 R 4
Nunsdorf .... 44 J 23
Nurn .... 77 P 18
Nusbaum .... 80 Q 3
Nusplingen .... 101 V 10
Nußbach (Kreis Kusel) .. 83 R 7
Nußbach (Ortenaukreis) .. 92 U 8
Nußbach (Schwarzwald-Baar-Kreis) ...... 101 V 8
Nußdorf .... 93 T 10
Nußdorf (Bodenseekreis) .. 110 W 11
Nußdorf (Kreis Ludwigsburg) .. 93 T 10
Nußdorf (Kreis Traunstein) ...... 106 W 21
Nußdorf a. Inn .... 113 W 20
Nusse .... 21 F 15
Nußloch .... 84 S 10
Nustrow .... 11 D 21
Nutha .... 42 K 20
Nuthe .... 44 J 23
Nuthe (Bach) .... 42 K 20
Nuthegraben .... 44 J 23
Nutscheid (Der) .... 59 N 6
Nuttel .... 17 G 8
Nutteln .... 8 E 12
Nuttlar .... 50 L 9
Nymphenburg (München) . 105 V 18

O

Ob .... 112 W 16
Obbach .... 76 P 14
Obenhausen .... 103 V 14
Obenstrohe .... 17 F 8
Ober-Abtsteinach ...... 84 R 10
Ober Beerbach .... 84 Q 10
Ober-Bessingen .... 62 O 10
Ober-Bobritzsch .... 68 N 24
Ober-Breidenbach ..... 63 N 11
Ober-Erlenbach .... 74 P 10
Ober-Flörsheim .... 83 Q 8
Ober-Frauendorf ...... 68 N 25
Ober Gleen .... 63 N 11
Ober-Hainbrunn .... 84 R 10
Ober-Heinsdorf .... 66 O 21
Ober-Hilbersheim ..... 73 Q 8
Ober-Kainsbach .... 84 Q 10
Ober-Kinzig .... 84 Q 10
Ober-Klingen .... 84 Q 10
Ober Kostenz .... 72 Q 6
Ober-Lais .... 75 O 11
Ober-Lichtenau .... 68 M 25
Ober-Mörlen .... 74 O 10

Ober-Moos .... 75 O 12
Ober Ochtenhausen .... 19 F 11
Ober-Ohmen .... 63 O 11
Ober-Olm .... 73 Q 8
Ober Rammingen ..... 103 V 15
Ober-Ramstadt .... 84 Q 10
Ober-Roden .... 74 Q 10
Ober-Rosbach .... 74 P 10
Ober Schönmattenwag . 84 R 10
Ober-Seemen .... 75 O 11
Ober-Seibertenrod ..... 63 O 11
Ober-Sensbach .... 84 R 11
Ober-Waroldern .... 50 M 10
Ober-Wegfurth .... 63 N 12
Ober-Werbe .... 50 M 10
Ober-Werle .... 50 M 10
Ober-Wiesen .... 83 Q 7
Ober Wöllstadt .... 74 P 10
Oberacker .... 93 S 10
Oberaden .... 49 L 6
Oberahr .... 61 O 7
Oberaichbach .... 98 U 20
Oberailsfeld .... 87 Q 18
Oberalba .... 64 N 14
Oberaltertheim .... 85 Q 13
Oberammergau .... 112 X 17
Oberampfrach .... 86 S 14
Oberappersdorf .... 97 U 19
Oberasbach .... 87 R 16
Oberau (Kreis Berchtesgadener Land) .... 114 X 23
Oberau (Kreis Garmisch-Partenkirchen) .. 112 X 17
Oberaudorf .... 113 X 20
Oberauerbach .... 82 S 6
Oberauerkiel .... 91 S 23
Oberaula .... 63 N 12
Oberaurach .... 76 Q 15
Oberaußem .... 58 N 4
Oberbach .... 75 O 13
Oberbalbach .... 85 R 13
Oberbalzheim .... 103 V 14
Oberbauer .... 49 M 6
Oberbauerschaft .... 38 J 9
Oberbechingen .... 95 U 15
Oberbeisheim .... 63 M 12
Oberbergen .... 100 V 6
Oberbergkirchen ..... 106 V 21
Oberbernbach .... 104 U 17
Oberbessenbach .... 75 Q 11
Oberbettingen .... 70 P 3
Oberbiberg .... 105 W 18
Oberbibrach .... 88 Q 19
Oberbieber .... 71 O 6
Oberbiel .... 62 O 9
Oberbillig .... 80 Q 3
Oberbodnitz .... 66 N 19
Oberböhmsdorf .... 66 O 19
Oberbösa .... 53 M 17
Oberboihingen .... 94 U 12
Oberbrechen .... 73 O 8
Oberbrombach .... 81 Q 5
Oberbruch-Dremmen ... 58 M 2
Oberbrüden .... 94 T 12
Oberbrügge .... 49 M 6
Oberbrumberg .... 77 P 18
Oberbrunn .... 77 P 18
Obercarsdorf .... 68 N 24
Obercrinitz .... 67 O 21
Obercunnersdorf ...... 69 M 28
Oberdachstetten ...... 86 R 15
Oberderdingen .... 93 S 10
Oberdielbach .... 84 R 11
Oberdiendorf .... 99 U 24
Oberdieten .... 62 N 9
Oberdigisheim .... 101 V 10
Oberding .... 105 V 19
Oberdischingen ...... 102 V 13
Oberdolling .... 97 T 18
Oberdorf .... 67 N 22
Oberdorf a. Ipf .... 95 T 15
Oberdorf b. Immenstadt .. 111 X 14
Oberdorf b. Langenargen 110 X 12
Oberdorla .... 64 M 15
Oberdrees .... 60 O 4
Oberdünzebach .... 64 M 14
Obere Bauerschaft .... 30 I 12
Obere Donau (Naturpark) 101 V 10
Obereggen .... 100 W 6
Obereichenbach .... 86 S 15
Obereisenheim .... 76 Q 14
Obereiseseheim .... 85 S 11
Oberelchingen .... 103 U 14
Oberellen .... 64 N 14

Oberellenbach .... 97 T 20
Oberelsbach .... 76 O 14
Oberelsungen .... 51 L 11
Oberembt .... 58 N 3
Oberempfenbach ...... 97 U 19
Oberems .... 74 P 9
Oberensingen .... 94 U 11
Oberesch .... 80 R 3
Obereschach (Kreis Ravensburg) . 110 W 12
Obereschach (Schwarzwald-Baar-Kreis) .... 101 V 9
Obereschenbach ...... 75 P 13
Oberessendorf .... 102 W 13
Obereßfeld .... 76 P 15
Oberfeldbrecht .... 86 R 15
Oberfeldkirchen ..... 106 V 21
Oberfell .... 71 P 6
Oberferrieden .... 87 S 17
Oberfischbach .... 95 S 13
Oberfischbach .... 61 N 7
Oberflacht .... 101 V 10
Oberflossing .... 106 V 21
Obergartzem .... 60 O 4
Obergebra .... 52 L 15
Obergeis .... 63 N 12
Obergermaringen .... 104 W 16
Obergessenbach .... 98 U 22
Obergessertshausen .. 103 V 15
Obergimpern .... 84 S 11
Obergimsbach .... 85 R 13
Oberglottertal .... 100 V 7
Obergräfenhain .... 67 N 22
Obergrenzebach .... 63 N 11
Obergriesbach .... 104 U 17
Obergriesheim .... 85 S 11
Obergröningen .... 95 T 13
Obergrombach .... 93 S 9
Obergünzburg .... 103 W 15
Obergurig .... 69 M 27
Oberhaching .... 105 V 18
Oberhäslich .... 68 N 25
Oberhaid .... 77 Q 16
Oberhain .... 65 O 17
Oberham .... 106 U 23
Oberhambach .... 81 Q 5
Oberhammelwarden ... 18 G 9
Oberhammersbach ... 100 U 8
Oberhartheim .... 97 T 18
Oberhaselbach .... 97 T 20
Oberhausen (Kreis Emmendingen) ... 100 V 7
Oberhausen (Kreis Neuburg-Schrobenhausen) .. 96 T 17
Oberhausen (Kreis Oberhausen) .... 47 L 4
Oberhausen (Kreis Weilheim-Schongau) .... 112 W 17
Oberhausen a. d. Appel . 83 Q 7
Oberhausen a. d. Nahe ... 83 Q 7
Oberhausen b. Oldenburg . 28 G 9
Oberhausen-Rheinhausen 84 S 9
Oberhaverbeck .... 30 G 13
Oberheimbach .... 73 P 7
Oberheldrungen .... 53 M 17
Oberhenneborn .... 50 M 8
Oberhermsgrün .... 79 O 20
Oberhinkofen .... 90 T 20
Oberhirschberg .... 91 T 22
Oberhöchstadt .... 74 P 9
Oberhöcking .... 98 U 21
Oberhof (Kreis Nordwestmecklenburg) .. 10 E 17
Oberhof (Kreis Schmalkalden-Meiningen) ...... 64 N 16
Oberhohenried .... 76 P 15
Oberholzhausen .... 62 M 10
Oberholzheim .... 103 V 13
Oberholzklau .... 61 N 7
Oberhummel .... 105 U 19
Oberickelsheim .... 86 R 14
Oberiflingen .... 101 U 9
Oberjettenberg ...... 114 W 22
Oberjettingen .... 93 U 10
Oberjoch .... 111 X 15
Oberjosbach .... 74 P 9

Oberkail .... 70 P 4
Oberkalbach .... 75 O 13
Oberkammlach .... 103 V 15
Oberkatz .... 64 O 14
Oberkaufungen .... 51 M 12
Oberkessach .... 85 R 12
Oberkirch .... 92 U 8
Oberkirchen (Hochsauerlandkreis) . 62 M 9
Oberkirchen (Kreis St. Wendel) .. 81 R 5
Oberkirn .... 72 Q 6
Oberkirnach .... 101 V 8
Oberkleen .... 74 O 9
Oberkochen .... 95 T 14
Oberköst .... 86 Q 16
Oberkollbach .... 93 T 10
Oberkollwangen .... 93 T 9
Oberkotzau .... 78 P 19
Oberkürnach .... 111 W 14
Oberlahr .... 61 O 6
Oberlangau .... 89 R 21
Oberlangen .... 26 H 5
Oberlangenstadt ...... 77 P 17
Oberlangheim .... 77 P 17
Oberlascheid .... 70 P 2
Oberlauchringen .... 109 X 8
Oberlauringen .... 76 P 15
Oberlausitz .... 68 M 26
Oberlauterbach (Kreis Landshut) .. 97 T 19
Oberlauterbach (Kreis Pfaffenhofen a. d. Ilm) . 97 U 18
Oberleichtersbach ..... 75 P 13
Oberleinach .... 75 Q 13
Oberlemp .... 62 O 9
Oberlenningen .... 94 U 12
Oberleterie .... 27 G 8
Oberleuken .... 80 R 3
Oberlichtenau .... 67 N 22
Oberlind (Kreis Neustadt a. d. Waldnaab) .. 89 R 20
Oberlind (Kreis Sonneberg) .. 77 O 17
Oberlindhart .... 97 T 20
Oberlinxweiler .... 81 R 5
Oberlistingen .... 51 L 11
Oberloquitz .... 65 O 18
Oberlübbe .... 39 J 10
Oberlungwitz .... 67 N 22
Obermässing .... 96 S 17
Obermaiselstein ..... 111 X 14
Obermarchtal .... 102 V 12
Obermarsberg .... 50 L 10
Obermaßfeld-Grimmenthal 76 O 15
Obermaubach .... 58 N 3
Obermehler .... 52 M 15
Obermeiser .... 51 L 11
Obermeitingen ...... 104 V 16
Obermelsungen .... 63 M 12
Obermögersheim ..... 96 S 15
Obermoschel .... 83 Q 7
Obermühlhausen .... 104 W 17
Obermünchen .... 97 U 19
Obermünstertal ...... 100 W 7
Obermurach .... 89 R 21
Obernau (Kreis Aschaffenburg) . 101 U 10
Obernau (Kreis Tübingen) .. 75 Q 11
Obernau-Stausee ..... 61 N 8
Obernbreit .... 86 R 14
Obernburg .... 75 Q 11
Oberndorf (Kreis Cuxhaven) .. 19 E 11
Oberndorf (Kreis Nürnberger Land) .. 87 R 17
Oberndorf (Lahn-Dill-Kreis) .. 62 O 9
Oberndorf (Main-Kinzig-Kreis) .. 75 P 12
Oberndorf a. Lech ..... 96 T 16
Obernderf a. Neckar .. 101 V 9
Oberneisen .... 73 P 8
Oberneuching .... 105 V 19
Oberneudorf .... 85 R 11
Oberneufnach .... 103 V 15
Oberneukirchen ...... 106 V 21
Oberneuland .... 29 G 10
Obernfeld .... 52 L 14
Obernhain .... 74 P 9
Obernhausen .... 76 O 13
Obernheim .... 101 V 10
Obernheim-Kirchenarnbach .. 81 R 6
Obernhof .... 73 P 7
Obernholz .... 31 H 15

Obernitz .... 65 O 18
Obernjesa .... 51 L 13
Obernkirchen .... 39 J 11
Obernsees .... 77 Q 18
Oberntief .... 86 R 15
Oberntudorf .... 50 L 9
Obernüst .... 64 O 13
Obernwöhren .... 39 J 11
Obernwohlde .... 9 E 15
Obernzell .... 99 U 24
Obernzenn .... 86 R 15
Oberoderwitz .... 69 N 28
Oberölsbach .... 87 R 18
Oberöwisheim .... 84 S 10
Oberohe .... 30 H 14
Oberoppurg .... 66 N 19
Oberornau .... 105 V 20
Oberostendorf ...... 104 W 16
Oberotterbach .... 92 S 7
Oberottmarshausen .. 104 V 16
Oberpfälzer Wald ..... 89 Q 20
Oberpfälzer Wald (Naturpark) .... 89 R 21
Oberpfaffenhofen ... 104 V 17
Oberpferdt .... 78 P 19
Oberpframmern ..... 105 V 19
Oberpfraundorf .... 90 S 19
Oberpiebing .... 98 T 21
Oberpleichfeld .... 76 Q 14
Oberpleis .... 59 N 5
Oberpöring .... 98 T 22
Oberprechtal .... 100 V 8
Oberquembach .... 74 O 9
Oberreichenbach (Kreis Calw) .. 93 T 9
Oberreichenbach (Kreis Erlangen-Höchstadt) .... 86 R 16
Oberreichenbach (Kreis Fürth) .. 86 R 16
Oberreichenbach (Main-Kinzig-Kreis) .. 75 O 11
Oberreidenbach .... 81 Q 6
Oberreifenberg .... 74 P 9
Oberreißen .... 65 M 18
Oberreute .... 111 X 13
Oberried (Kreis Breisgau-Hochschwarzwald) .. 100 W 7
Oberried (Kreis Regen) . 91 S 23
Oberrieden (Kreis Saalfeld-Rudolstadt) .. 51 M 13
Oberrieden (Kreis Unterallgäu) .. 103 V 15
Oberriexingen .... 94 T 11
Oberriffingen .... 95 T 14
Oberröblingen (Kreis Neustadt a. d. A.-Bad W.) .. 86 Q 15
Oberrimbach (Main-Tauber-Kreis) .. 86 R 14
Oberrimsingen .... 100 W 7
Oberrodenbach .... 74 P 11
Oberröblingen .... 53 L 17
Oberroning .... 97 T 20
Oberrosphe .... 62 N 10
Oberroßbach .... 62 N 8
Oberrot .... 94 S 12
Oberroth (Kreis Dachau) .. 104 V 17
Oberroth (Kreis Neu-Ulm) 103 V 14
Oberrotweil .... 100 V 6
Obersalwey .... 49 M 8
Obersalzberg .... 114 X 23
Oberschambach .... 97 T 19
Oberscheffel(enz) ...... 85 R 11
Oberscheidweiler ..... 71 P 4
Oberscheinfeld .... 86 Q 15
Oberscheld .... 62 N 9
Oberschledorn .... 50 M 10
Oberschleißheim ... 105 V 18
Oberschmeien .... 102 V 11
Oberschneiding .... 98 T 21
Oberschönbach .... 70 O 3
Oberschöna .... 67 N 23
Oberschönau .... 64 N 15
Oberschöneberg .... 103 V 15
Oberschönegg .... 103 V 14
Oberschönenfeld ... 104 V 16
Oberschopfheim .... 100 U 7
Oberschwandorf ...... 93 U 9
Oberschwappach ..... 76 Q 15
Oberschwarzach ...... 76 Q 15
Oberschweinbach .. 104 V 17
Obersdorf (Kreis Mansfelder Land) .. 53 L 17
Obersdorf (Kreis Siegen-Wittgenstein) .. 61 N 8
Obersdorf (Hermsdorf-) .. 35 I 26
Obersee .... 33 H 21
Obersee .... 114 X 22

Oberseifersdorf ... 69 N 28
Obersgegen ... 80 Q 2
Obershagen ... 40 I 14
Obershausen ... 61 O 8
Obersimten ... 83 S 6
Obersinn ... 75 P 12
Obersöchering ... 112 W 17
Obersontheim ... 95 S 13
Oberspechtrain ... 98 U 21
Oberspeltach ... 95 S 13
Oberspier ... 53 M 16
Oberspiesheim ... 76 Q 14
Oberspitzenbach ... 100 V 7
Oberstadion ... 102 V 13
Oberstadt ... 64 O 15
Oberstaufen ... 111 X 14
Oberstaufenbach ... 81 R 6
Oberstdorf ... 111 X 14
Oberste Henn ... 61 N 8
Obersteeg ... 59 N 5
Obersteinach ... 85 S 13
Obersteinbach ... 94 S 12
Obersteinbach a. d. Haide . 87 S 16
Obersteinhagen ... 38 K 9
Oberstenfeld ... 94 S 11
Oberstetten ... 102 V 11
Oberstimm ... 96 T 18
Oberstreu ... 76 O 14
Obersülzen ... 83 R 8
Obersüßbach ... 97 U 19
Obersuhl ... 64 N 14
Obersulmetingen ... 102 V 13
Obersulzbach ... 86 R 15
Obersunzing ... 98 T 21
Obertal ... 93 U 8
Obertalheim ... 93 U 9
Obertaufkirchen ... 105 V 20
Oberteisendorf ... 106 W 22
Oberteuringen ... 110 W 12
Oberthal ... 81 R 5
Obertheres ... 76 P 15
Oberthingau ... 111 W 15
Oberthulba ... 76 P 13
Obertiefenbach ... 73 O 8
Obertraubling ... 90 T 20
Obertrennbach ... 98 U 21
Obertrubach ... 87 Q 18
Obertshausen ... 74 P 10
Obertsrot ... 93 T 9
Oberückersee ... 34 G 25
Oberufhausen ... 63 N 13
Oberuhldingen ... 110 W 11
Oberurff ... 63 M 11
Oberursel ... 74 P 9
Oberveischede ... 61 M 7
Obervellmar ... 51 L 12
Oberviechtach ... 89 R 21
Oberviehbach ... 98 U 21
Obervieland ... 29 G 10
Oberwachingen ... 102 V 12
Oberwald ... 75 O 11
Oberwaldbach ... 103 U 15
Oberwaldbehrungen ... 76 O 14
Oberwalluf ... 73 P 8
Oberwarngau ... 105 W 19
Oberweid ... 64 O 14
Oberweidbach ... 62 N 9
Oberweier
  (Kreis Karlsruhe) ... 93 T 9
Oberweier (Ortenaukreis) . 100 U 7
Oberweiler ... 70 P 3
Oberweiler-Tiefenbach ... 81 R 6
Oberweis ... 70 Q 3
Oberweißbach ... 65 O 17
Oberweißenbrunn ... 76 O 13
Oberwesel ... 73 P 7
Oberweser ... 51 L 12
Oberwetz ... 74 O 9
Oberwiehl ... 61 N 6
Oberwiera ... 67 N 21
Oberwiesenacker ... 88 S 18
Oberwiesenthal ... 79 O 22
Oberwihl ... 108 X 8
Oberwildenau ... 88 R 20
Oberwinden ... 100 V 8
Oberwinter ... 60 O 5
Oberwittighausen ... 85 R 13
Oberwittstadt ... 85 R 12
Oberwössen ... 114 W 21
Oberwolfach ... 100 V 8
Oberzeitlbach ... 104 U 17
Oberzell (Kreis Konstanz) 110 W 11
Oberzell
  (Kreis Ravensburg) ... 110 W 12
Oberzell
  (Main-Kinzig-Kreis) ... 75 P 13

Oberzella ... 64 N 14
Oberzeuzheim ... 73 O 8
Oberzier ... 58 N 3
Oberzissen ... 71 O 5
Obhausen ... 54 L 18
Obing ... 106 V 21
Obrigheim ... 84 R 11
Obrigheim (Pfalz) ... 83 R 8
Obrighoven ... 46 L 3
Ocholt ... 27 G 7
Ochsenbach ... 93 S 10
Ochsenberg ... 95 T 14
Ochsendorf ... 41 J 16
Ochsenfeld ... 96 T 17
Ochsenfurt ... 86 R 14
Ochsenhausen ... 103 V 13
Ochsenkopf
  (Kreis Bayreuth Land) .... 78 P 19
Ochsenkopf
  (Kreis Wittenberg) ... 55 K 21
Ochsensaal ... 55 L 22
Ochsenwang ... 94 U 12
Ochsenwerder (Hamburg) .. 20 F 14
Ochtelbur ... 17 F 6
Ochtendung ... 71 O 6
Ochtersum
  (Kreis Hildesheim) ... 40 J 13
Ochtersum
  (Kreis Wittmund) ... 17 F 6
Ochtmannien ... 29 H 10
Ochtmannsbruch ... 19 F 13
Ochtmersleben ... 42 J 18
Ochtmissen ... 20 G 15
Ochtrup ... 36 J 5
Ochtum ... 29 G 10
Ockenheim ... 73 Q 7
Ockfen ... 80 R 3
Ockholm ... 4 B 10
Ockrilla ... 68 M 24
Ockstadt ... 74 P 10
Odderade ... 7 D 11
Odelzhausen ... 104 V 17
Odenbach ... 81 Q 6
Odendorf ... 60 O 4
Odenhausen ... 62 O 10
Odenheim ... 84 S 10
Odenkirchen ... 58 M 3
Odenspiel ... 61 N 7
Odenthal ... 59 M 5
Odenwald ... 84 R 10
Oder (Fluß b. Wulften) ... 52 L 14
Oder-Havel-Kanal ... 34 H 24
Oder-Spree-Kanal ... 44 I 25
Oderberg ... 35 H 26
Oderbruch ... 35 H 26
Oderbrück ... 52 K 15
Oderding ... 104 W 17
Oderin ... 44 J 25
Odernheim a. Glan ... 83 Q 7
Odersbach ... 73 O 8
Odersberg ... 61 O 8
Odershausen ... 63 M 11
Oderstausee ... 52 L 15
Oderteich ... 52 K 15
Oderwald ... 41 J 15
Odisheim ... 18 E 10
Oebelitz ... 12 D 22
Oebisfelde ... 41 I 16
Oechsen ... 64 N 14
Oechtringen ... 31 G 15
Oedelsheim ... 51 L 12
Oedelum ... 40 J 14
Ödenwald ... 101 U 9
Ödenwaldstetten ... 102 U 12
Oederan ... 67 N 23
Oederquart ... 19 E 11
Oedesse ... 40 I 14
Oedheim ... 85 S 11
Oeding ... 36 K 4
Oedingen ... 61 M 8
Ödsbach ... 92 U 8
Oedt ... 46 M 3
Öfingen ... 101 W 9
Oelde ... 49 K 8
Ölbronn-Dürrn ... 93 T 10
Oelixdorf ... 8 E 12
Oellingen ... 95 U 14
Oellingen ... 86 R 14
Oelsa ... 68 N 25
Oelsen ... 68 N 25

Oelshausen ... 51 M 11
Oelsig ... 55 K 24
Oelsnitz (Erzgebirge) ... 67 N 22
Oelsnitz-Niegeroda ... 56 L 24
Oelze ... 65 O 17
Oelzschau ... 55 M 21
Önsbach ... 92 U 8
Oepfershausen ... 64 O 14
Oer-Erkenschwick ... 47 L 5
Oerel ... 18 F 11
Oering ... 20 E 14
Oerlenbach ... 76 P 14
Oerlinghausen ... 38 K 9
Oermten ... 46 L 3
Oerrel (Kreis Gifhorn) ... 31 H 15
Oerrel (Kreis Soltau-
  Fallingbostel) ... 30 H 14
Oerreler Moor ... 31 H 15
Oersdorf (Kreis
  Rendsburg-Eckernförde) ...8 D 12
Oersdorf (Kreis Stade) ... 19 F 12
Oerzen ... 31 G 14
Oeschebüttel ... 8 E 13
Öschelbronn
  (Kreis Böblingen) ... 93 U 10
Öschelbronn (Niefern-)
  (Enzkreis) ... 93 T 10
Öschingen ... 102 U 11
Oesdorf ... 50 L 10
Oesdorf ... 87 Q 16
Oese ... 18 F 11
Oesede ... 37 J 8
Oesfeld ... 85 R 13
Oeslau ... 77 P 17
Oester ... 37 K 8
Oester-Stausee ... 61 M 7
Oesterbehringen ... 64 M 15
Oesterdeichstrich ... 7 D 10
Oestereiden ... 50 L 9
Österfeld ... 61 M 7
Oesterholz ... 50 K 10
Oesterweg ... 37 J 8
Oesterwiehe ... 50 K 9
Oesterwurth ... 7 D 10
Oestheim ... 86 S 14
Oestinghausen ... 49 L 8
Östliche Karwendelspitze 112 X 18
Oestrich-Winkel ... 73 P 8
Östringen ... 84 S 10
Östrum ... 40 J 14
Ötigheim ... 93 T 8
Ötisheim ... 93 T 10
Oetjendorf ... 20 E 15
Oettern ... 65 N 18
Oettersdorf ... 66 O 19
Oettingen ... 95 T 15
Oetzen ... 31 G 16
Oetzendorf ... 31 G 15
Ötzingen ... 61 O 7
Oeventrop ... 49 L 8
Oeverich ... 60 O 5
Oeversee ... 5 B 12
Oeynhausen ... 51 K 11
Offdilln ... 61 N 8
Offen ... 30 H 13
Offenau ... 85 S 11
Offenbach (Frankfurt) ... 74 P 10
Offenbach
  (Lahn-Dill-Kreis) ... 62 N 9
Offenbach a. d. Queich ... 83 S 8
Offenbach Hundheim ... 81 R 6
Offenbau ... 96 S 17
Offenberg ... 98 T 22
Offenbüttel ... 8 D 12
Offenburg ... 92 U 7
Offenhausen (Kreis
  Nürnberger Land) ... 87 R 18
Offenheim ... 83 Q 8
Offensen (Kreis Celle) ... 30 I 14
Offensen (Kreis Northeim) .. 51 L 13
Offenstetten ... 97 T 19
Offenthal ... 74 Q 10
Offenwang ... 106 W 22
Offingen (Kreis
  Biberach a. d. Riß) ... 102 V 12
Offingen (Kreis Günzburg) 103 U 15
Offleben ... 41 J 17
Offstein ... 83 R 8
Ofterdingen ... 101 U 11
Ofterschwang ... 111 X 14
Oftersheim ... 84 R 9
Ogenbargen ... 17 F 6
Oggelsbeuren ... 102 V 13
Oggelshausen ... 102 V 12

Oggenhausen ... 95 T 14
Oggersheim ... 84 R 9
Ogrosen ... 56 K 26
Oha ... 8 D 12
Ohe (Fluß) ... 27 H 6
Ohe (Fluß) ... 99 T 23
Ohe (Kreis Celle) ... 30 H 14
Ohe (Kreis
  Rendsburg-Eckernförde) ...8 D 13
Ohl ... 59 M 6
Ohle ... 49 M 7
Ohlenberg ... 60 O 5
Ohlendorf ... 20 F 14
Ohlendorf (Salzgitter-) ... 40 J 15
Ohlenrode ... 40 K 13
Ohlenstedt ... 18 G 10
Ohlerath ... 60 O 4
Ohlsbach ... 100 U 7
Ohlstadt ... 112 X 17
Ohm ... 62 O 11
Ohmhausen ... 94 U 11
Ohmenheim ... 95 T 15
Ohmgebirge ... 52 L 15
Ohnastetten ... 102 U 11
Ohndorf ... 39 I 12
Ohof ... 40 I 14
Ohorn ... 68 M 26
Ohratalsperre ... 64 N 16
Ohrdorf ... 31 H 16
Ohrdruf ... 64 N 16
Ohre ... 41 I 17
Ohrel ... 19 F 11
Ohrenbach (Stadt) ... 86 R 14
Ohrensen ... 19 F 12
Ohrnberg ... 85 S 12
Ohrsleben ... 41 J 16
Ohrt ... 18 G 9
Ohrtermersch ... 27 I 7
Ohrum ... 41 J 15
Ohu ... 97 U 20
Oie ... 12 C 22
Oiste ... 29 H 11
Okarben ... 74 P 10
Okel ... 29 H 10
Oker ... 40 K 15
Okerstausee ... 52 K 15
Okertal ... 52 K 15
Okriftel ... 74 P 9
Oland ... 4 B 10
Olbernhau ... 68 O 24
Olberode ... 63 N 12
Olbersdorf ... 69 N 28
Olbersleben ... 65 M 18
Olching ... 104 V 17
Oldau ... 30 I 13
Oldeborg ... 17 F 5
Oldenbrok ... 18 G 9
Oldenbüttel
  (Kreis Osterholz) ... 18 G 10
Oldenbüttel (Kreis
  Rendsburg-Eckernförde) ...8 D 12
Oldenburg
  (Stadtkreis Oldenburg) ... 27 G 8
Oldenburg i. Holstein ... 10 D 16
Oldenburger Graben ... 10 D 16
Oldendorf (Kreis Celle) ... 30 H 14
Oldendorf (Kreis
  Hameln-Pyrmont) ... 40 J 12
Oldendorf
  (Kreis Osnabrück) ... 38 J 8
Oldendorf (Kreis Osterholz) 18 F 10
Oldendorf (Kreis Rotenburg) 19 G 11
Oldendorf (Kreis Stade) ... 19 F 11
Oldendorf (Kreis Steinburg) ..8 E 12
Oldendorf (Luhe) ... 30 G 14
Oldendorf a. d. Göhrde ... 31 G 16
Oldendorp ... 16 G 5
Oldenhütten ... 8 D 13
Oldenkott ... 36 J 4
Oldenstadt ... 31 H 15
Oldenswort ... 7 C 10
Oldentrup ... 38 J 9
Oldersbek ... 4 C 11
Oldershausen ... 20 F 15
Oldersum ... 17 G 6
Olderup ... 4 C 11
Oldisleben ... 53 M 17
Oldorf ... 17 F 7
Oldsum ... 4 B 10
Olef ... 70 O 3
Olef-Stausee ... 70 O 3
Olewig ... 80 Q 3
Olfen (Kreis Coesfeld) ... 47 K 6

Olfen (Odenwaldkreis) ... 84 R 10
Olk ... 80 Q 3
Ollarzried ... 103 W 15
Ollendorf ... 65 M 17
Ollheim ... 59 N 4
Ollsen ... 30 G 14
Olpe ... 61 M 7
Olpe (Hochsauerlandkreis) . 49 L 8
Olpe (Rheinisch-
  Bergischer Kreis) ... 59 M 5
Olpenitzdorf ... 5 C 14
Olsberg ... 50 L 9
Olsbrücken ... 81 R 6
Oltmannsfehn ... 17 F 7
Olzheim ... 70 P 3
Ommersheim ... 82 S 5
Onolzheim ... 95 S 14
Onstmettingen ... 101 V 10
Oos ... 70 P 3
Opelzoo ... 74 P 9
Opfenbach ... 110 X 13
Opferbaum ... 76 Q 14
Opferdingen ... 101 W 9
Opfingen ... 100 V 7
Opladen ... 59 M 5
Oppach ... 69 M 27
Oppau ... 84 R 9
Oppelhain ... 56 L 24
Oppeln ... 18 E 10
Oppelsbohm ... 94 T 12
Oppenau ... 92 U 8
Oppendorf ... 38 I 9
Oppenheim ... 74 Q 9
Oppenwehe ... 38 I 9
Oppenweiler ... 94 T 12
Opperhausen
  (Kreis Northeim) ... 52 K 13
Oppershausen (Kreis Celle) 30 I 14
Oppershausen
  (Unstrut-Hainich-Kreis) .. 64 M 15
Oppershofen ... 74 O 10
Oppertshofen ... 96 T 16
Oppin ... 54 L 20
Oppingen ... 94 U 13
Oppitz ... 57 M 27
Oppum ... 48 M 3
Oppurg ... 66 N 18
Oranienbaum ... 54 K 21
Oranienburg ... 34 H 23
Orbis ... 83 Q 7
Orbke ... 30 H 13
Orenhofen ... 72 Q 3
Orke ... 62 M 10
Orla ... 65 N 18
Orlamünde ... 65 N 18
Orleshausen ... 74 P 11
Orlishausen ... 65 M 17
Ormesheim ... 82 S 5
Ormont ... 70 P 3
Ornbau ... 86 S 15
Ornbrok ... 18 G 9
Orscholz ... 80 R 3
Orsenhausen ... 103 V 13
Orsfeld ... 70 P 3
Orsingen ... 101 W 10
Orsingen-Nenzingen ... 101 W 10
Orsoy ... 46 L 4
Ortenberg (Ortenaukreis) ... 92 U 7
Ortenberg (Wetteraukreis) .. 74 O 11
Ortenburg ... 99 U 23
Orth ... 10 C 17
Ortmannsdorf ... 67 N 21
Ortrand ... 56 L 25
Ortshausen ... 40 K 14
Ortwig ... 35 H 27
Osann-Monzel ... 72 Q 4
Osberghausen ... 59 N 6
Osburg ... 80 R 4
Osburger Hochwald ... 80 R 4
Oschätzchen ... 56 L 24
Oschatz ... 55 M 23
Oschersleben ... 41 J 17
Oschitz ... 66 O 19
Osdorf ... 9 C 14
Osdorf (Hamburg-) ... 19 F 13
Osloß ... 41 I 16
Osnabrück ... 37 J 8
Ossa ... 67 M 21
Osseck ... 78 P 19
Ossenbeck ... 28 I 9
Ossenberg ... 46 L 3
Ossendorf (Kreis Höxter) ... 51 L 11
Ossendorf
  (Kreis Oder-Spree) ... 45 J 27
Ossenheim ... 74 P 10
Oßling ... 56 L 26
Oßmannstedt ... 65 M 18

Ost-Langenhorn ... 4 B 10
Ostbense ... 17 E 6
Ostbevern ... 37 J 7
Ostbüren ... 49 L 7
Ostdorf ... 101 V 10
Oste ... 19 G 12
Oste-Hamme Kanal ... 18 F 10
Ostedt ... 31 H 16
Osteel ... 16 F 5
Osten ... 19 E 11
Ostenau ... 5 C 11
Ostendorf
  (Kreis Cloppenburg) ... 27 H 7
Ostendorf (Kreis Oetorholz) 20 C 10
Ostendorf (Kreis Stade) ... 19 F 11
Ostenfeld (Husum) ... 5 C 11
Ostenfeld (Rendsburg) ... 8 D 13
Ostenfelde
  (Kreis Osnabrück) ... 37 J 8
Ostenfelde
  (Kreis Warendorf) ... 37 K 8
Ostenholz ... 30 H 13
Ostenholzer Moor ... 30 H 13
Ostenwalde (Kreis Emsland) 27 H 6
Ostenwalde (Kreis Steinfurt) 37 I 6
Oster-Ohrstedt ... 5 C 11
Osterath ... 48 M 3
Osterbach ... 99 T 23
Osterberg (Kreis Neu-Ulm) 103 V 14
Osterberg (Kreis Steinfurt) . 37 J 7
Osterbrock ... 26 I 5
Osterbruch ... 18 E 10
Osterbuch ... 96 U 16
Osterburg ... 32 H 19
Osterburken ... 85 R 12
Osterby (Kreis
  Rendsburg-Eckernförde) ...5 C 13
Osterby (Kreis
  Schleswig-Flensburg) ... 5 B 11
Ostercappeln ... 37 I 8
Ostereistedt ... 19 G 11
Osterems ... 16 F 4
Osterfeine ... 28 I 8
Osterfeld ... 66 M 19
Osterhagen ... 52 L 15
Osterhausen
  (Kreis Cloppenburg) ... 27 H 8
Osterhausen (Kreis
  Mansfelder Land) ... 53 L 18
Osterhever ... 7 C 10
Osterhofen
  (Kreis Deggendorf) ... 98 T 23
Osterhofen
  (Kreis Ravensburg) ... 102 W 13
Osterholz (Kreis Diepholz) . 29 H 10
Osterholz (Bremen-) ... 29 G 10
Osterholz-Scharmbeck ... 18 G 10
Osterhorn ... 19 E 13
Osterlinde ... 40 J 14
Osterlindern ... 27 H 7
Ostermarsch (Kreis Aurich) 16 F 5
Ostermarsch
  (Kreis Nordfriesland) ... 4 C 11
Ostermoor ... 27 G 7
Ostermünchen ... 105 W 20
Ostermunzel ... 39 I 12
Osterndorf ... 18 F 10
Osternienburg ... 54 K 20
Osternohe ... 87 R 18
Osteroda (Kreis Elbe-Elster) 55 K 23
Osterode
  (Kreis Halberstadt) ... 41 J 16
Osterode a. Harz ... 52 K 14
Osteroden ... 37 I 7
Osterrade ... 8 D 13
Osterrönfeld ... 8 D 13
Ostersander ... 17 F 6
Ostersee ... 112 W 17
Ostersode ... 18 G 10
Osterspai ... 71 P 6
Osterstedt ... 8 D 12
Ostertimke ... 19 G 11
Ostervesede ... 30 G 12
Osterwaal ... 97 U 19
Osterwald (Kreis
  Grafschaft-Bentheim) ... 26 I 5
Osterwald (Kreis
  Hameln-Pyrmont) ... 40 J 12
Osterwald (Kreis
  Hannover Land) ... 39 J 12
Osterwald
  (Kreis Pirmasens) ... 50 M 9
Osterwald Oberende ... 39 I 12
Osterwanna ... 18 E 10
Osterwarngau ... 105 W 19

Osterweddingen .... 42 J 18
Osterwick .... 36 J 5
Osterwieck .... 41 K 16
Osterwohld .... 7 D 11
Osterwohle .... 31 H 17
Osterzell .... 104 W 16
Osterzhausen .... 96 U 16
Ostfildern .... 94 T 11
Ostfriesische Inseln ...... 16 E 4
Ostfriesland .... 17 F 5
Ostgroßefehn .... 17 F 6
Osthausen-Wülfershausen 65 N 17
Ostheim (Kreis Haßberge) . 76 P 15
Ostheim (Kreis Weißenburg-
  Gunzenhausen) .... 96 S 16
Ostheim
  (Main-Kinzig-Kreis) ... 74 P 10
Ostheim
  (Schwalm-Eder-Kreis) .... 63 M 12
Ostheim (Wetteraukreis) ... 74 O 10
Ostheim v. d. Rhön .... 76 O 14
Osthelden .... 61 N 7
Osthofen .... 84 Q 8
Ostingersleben .... 41 J 17
Ostinghausen .... 50 L 8
Ostland .... 16 F 4
Ostönnen .... 49 L 8
Ostpeene .... 24 F 22
Ostrach .... 102 W 12
Ostramondra .... 65 M 17
Ostrau (Kreis Döbeln) .... 55 M 23
Ostrau (Saalkreis) .... 54 L 20
Ostrauer Scheibe .... 69 N 26
Ostrhauderfehn .... 27 G 6
Ostritz .... 69 M 28
Ostro .... 68 M 26
Ostrohe .... 7 D 11
Ostsee-Bäderstraße .... 9 E 16
Oststeinbek .... 20 F 14
Osttünnen .... 49 L 7
Otersen .... 29 H 12
Othfresen .... 40 J 15
Otrang (Römische Villa) .. 70 P 3
Ottacker .... 111 X 16
Ottbergen .... 40 J 14
Ottbergen .... 51 K 11
Ottelmannshausen .... 76 O 15
Ottenau .... 93 T 9
Ottenbach .... 94 T 13
Ottenbüttel .... 8 E 12
Ottendorf (Kreis Mittweida) . 67 N 22
Ottendorf (Kreis
  Rendsburg-Eckernförde) ...9 C 14
Ottendorf (Kreis
  Sächsische Schweiz) .. 69 N 26
Ottendorf (Kreis
  Schwäbisch Hall) ...... 94 S 13
Ottendorf (Kreis Stade) .. 19 F 12
Ottendorf
  (Saale-Holzland-Kreis) .. 66 N 19
Ottendorf-Okrilla .... 68 M 25
Ottengrün .... 79 Q 21
Ottenhausen (Kreis Höxter) 50 K 11
Ottenhausen
  (Kreis Sömmerda) ..... 53 M 17
Ottenheim .... 100 U 7
Ottenhöfen .... 92 U 18
Ottenhof .... 87 Q 18
Ottenhofen .... 105 V 19
Ottensoos .... 87 R 18
Ottensen (Kreis Borken) . 36 J 4
Ottenstein
  (Kreis Holzminden) .... 39 K 12
Otter .... 19 G 13
Otterbach (Stadt) .... 83 R 7
Otterberg (Kaiserslautern) . 83 R 7
Otterfing .... 105 W 19
Otterloh .... 105 W 18
Otterndorf .... 18 E 10
Otternhagen .... 39 I 12
Ottersberg .... 29 G 11
Ottersberg (Kreis Rastatt) . 92 T 8
Ottersdorf (Kreis Roth) .. 87 S 17
Ottersheim .... 83 S 8
Otterskirchen .... 99 U 23
Ottersleben .... 42 J 18
Otterstadt .... 84 R 9
Otterstedt .... 29 G 11
Otterswang
  (Kreis Ravensburg) .... 102 W 12
Otterswang
  (Kreis Sigmaringen) .. 102 W 11
Ottersweier .... 92 T 8
Otterwisch .... 55 M 21
Ottfingen .... 61 N 7
Otting .... 106 W 22

Otting-Weilheim .... 96 T 16
Ottingen .... 30 H 12
Ottlar .... 50 M 10
Ottmannsdorf .... 66 N 19
Ottmaring (Kreis
  Aichach-Friedberg) ... 104 V 17
Ottmaring
  (Kreis Deggendorf) .... 98 T 22
Ottmarsbocholt .... 47 K 6
Ottobeuren .... 103 W 14
Ottobrunn .... 105 V 18
Ottorfszell .... 85 R 11
Ottoschwanden .... 100 V 7
Ottowind .... 77 O 16
Ottrau .... 63 N 12
Ottweiler .... 81 R 5
Otzberg .... 84 Q 10
Otze .... 40 I 14
Otzenhausen .... 81 R 4
Otzenrath .... 58 M 3
Otzing .... 98 T 22
Our .... 70 Q 2
Ovelgönne (Kreis Celle) . 30 I 13
Ovelgönne (Kreis Stade) .. 19 F 13
Ovelgönne
  (Kreis Wesermarsch) .. 18 F 9
Ovelgünne .... 41 J 17
Ovendorf .... 9 D 14
Ovenhausen .... 51 K 11
Ovenstädt .... 39 I 10
Over .... 20 F 14
Overath .... 59 N 5
Overwarfe .... 18 F 9
Owen .... 94 U 12
Owingen (Bodenseekreis) 102 W 11
Owingen (Zollernalbkreis) 101 U 10
Owschlag .... 8 C 12
Oxstedt .... 18 E 9
Oy .... 111 X 15
Oybin .... 69 N 28
Oyle .... 29 I 11
Oytal .... 111 X 14
Oyten .... 29 G 11
Oythe .... 28 H 8

P
Paar .... 96 U 17
Paaren .... 43 I 22
Paaren i. Glien .... 34 I 22
Paarsch .... 23 F 19
Paarsdorf .... 42 J 19
Pabstorf .... 41 J 16
Packebusch .... 32 H 18
Padenberg .... 50 L 10
Padenstedt .... 8 D 13
Paderborn .... 50 K 10
Paderborn-Lippstadt
  (Flughafen) .... 50 L 9
Padingbüttel .... 18 E 9
Padingbütteler Aldenteich . 18 E 9
Pähl .... 104 W 17
Päpinghausen .... 39 J 10
Pätow-Steegen .... 23 F 17
Pätz .... 44 J 24
Päwesin .... 43 I 22
Paffendorf .... 58 N 3
Paffrath .... 59 N 5
Pahlen .... 7 D 11
Pahren .... 66 O 19
Paimar .... 85 R 13
Painten .... 90 T 19
Paintener Forst .... 88 S 19
Paitzkofen .... 98 T 22
Palenberg .... 58 N 2
Palingen .... 21 E 16
Palitzsee .... 33 G 22
Palling .... 106 V 21
Palzem .... 80 R 3
Palzing .... 105 U 19
Pampin .... 23 G 19
Pampow
  (Kreis Ludwigslust) .... 21 F 18
Pampow (Kreis
  Uecker-Randow) .... 25 F 26
Pamsendorf .... 89 R 20
Pang .... 105 W 20
Panker .... 9 D 15
Pankofen .... 98 T 22
Pankow (Berlin) .... 34 I 24
Pannecke .... 32 G 17
Panorama-Park Sauerland 61 M 8
Panrod .... 73 P 8
Panschwitz-Kuckau ...... 68 M 26
Pansdorf .... 9 E 16
Pansfelde .... 53 L 17
Pantelitz .... 12 D 22

Panten .... 21 F 15
Papenburg .... 27 G 6
Papenburg Obenende ... 27 G 6
Papendorf
  (Kreis Bad Doberan) .... 11 D 20
Papendorf (Kreis
  Uecker-Randow) .... 25 F 25
Papenhagen .... 12 D 22
Papenhorst .... 40 I 14
Papenhusen .... 21 E 17
Papiermühle .... 72 Q 4
Paplitz (Kreis
  Jerichower Land) .... 42 J 20
Paplitz
  (Kreis Teltow-Fläming) .. 44 J 24
Pappelau .... 102 U 13
Pappendorf .... 67 N 23
Pappenheim .... 96 T 16
Papproth .... 57 L 26
Papsdorf .... 68 N 26
Paradies .... 111 X 13
Parchau .... 42 J 19
Parchen .... 42 I 20
Parchim .... 23 F 19
Parchtitz .... 13 C 24
Parensen .... 51 L 13
Paretz .... 43 I 22
Parey (Kreis Havelland) . 33 H 20
Parey (Kreis
  Jerichower Land) .... 42 I 19
Paring .... 97 T 20
Parkow .... 23 E 19
Parkstein .... 88 Q 20
Parkstetten .... 90 T 21
Parlow .... 34 G 25
Parlow-Glambeck .... 34 G 25
Parmen-Weggun .... 24 F 24
Parow .... 13 C 23
Parsau .... 41 I 16
Parsberg (Kreis Miesbach) 113 W 19
Parsberg (Kreis Neumarkt i. d.
  Oberpfalz) .... 97 S 19
Parsdorf .... 105 V 19
Parstein .... 35 H 26
Parsteiner See .... 35 H 25
Partenstein .... 75 P 12
Parthe .... 55 M 21
Parthenstein .... 55 M 21
Partnachklamm .... 112 X 17
Parum .... 21 F 17
Parumer See .... 23 E 20
Paschwitz .... 55 L 22
Pasenow .... 24 F 24
Pasewalk .... 25 F 25
Pasing .... 104 V 18
Paska .... 65 O 18
Passade .... 9 C 14
Passader See .... 9 C 14
Passau .... 99 U 24
Passee .... 11 E 19
Passow (Kreis Parchim) . 23 F 20
Passow (Kreis Uckermark) . 35 G 26
Pastetten .... 105 V 19
Pastin .... 23 E 19
Patersdorf .... 91 S 22
Pattendorf .... 97 T 20
Pattensen (Kreis Hannover) 40 J 13
Pattensen (Kreis Harburg) . 20 G 14
Patzetz .... 54 K 19
Patzig .... 13 C 24
Paulinenaue .... 33 H 22
Paulinzella .... 65 N 17
Paulsdorf .... 88 R 19
Paulushofen .... 97 S 18
Pauluszell .... 106 U 20
Paunzhausen .... 105 U 18
Pausa .... 66 O 20
Pausin .... 34 I 23
Paußnitz .... 55 L 23
Pavenstädt .... 38 K 9
Pech .... 60 O 5
Pechau .... 42 J 19
Pechbrunn .... 79 Q 20
Pechern .... 57 L 28
Peckatel .... 24 F 23
Peckeloh .... 37 J 8
Peckelsheim .... 51 L 11
Peckensen .... 31 H 16
Peckfitz .... 41 I 17
Peddenberg .... 47 K 4
Peene .... 24 E 23
Peene-Südkanal .... 24 E 24
Peenemünde .... 13 D 25
Peenestrom .... 15 D 25
Peetsch .... 24 G 22
Peetzsee .... 44 I 25
Peffingen .... 80 Q 3

Pegau .... 66 M 20
Pegestorf .... 39 K 12
Pegnitz .... 87 Q 18
Peheim .... 27 H 7
Pehritzsch .... 55 L 21
Peickwitz .... 56 L 25
Peine .... 40 J 14
Peissen .... 8 D 12
Peißen (Kreis Bernburg) . 54 K 19
Peißen (Saalkreis) .... 54 L 20
Peißenberg .... 104 W 17
Peiting .... 112 W 16
Peitz .... 45 K 27
Pelchenhofen .... 87 S 18
Pelham .... 106 W 21
Pelkum .... 49 L 7
Pellingen .... 80 Q 4
Pellworm .... 4 C 9
Pellworm (Insel) .... 4 C 9
Pelm .... 70 P 4
Pelsin .... 25 E 25
Pelzerhaken .... 10 D 16
Pemfling .... 89 S 21
Penig .... 67 N 22
Penkefitz .... 31 G 17
Penkow .... 23 F 21
Penkun .... 25 G 26
Pennewitt .... 22 E 19
Pennewitz .... 65 O 17
Pennigbüttel .... 18 G 10
Pennigsehl .... 29 I 11
Penting .... 89 S 21
Pentling .... 90 T 20
Penzberg .... 112 W 18
Penzin .... 11 E 19
Penzing .... 104 V 16
Penzlin (Kreis Müritz) ... 24 F 23
Penzlin (Kreis Parchim) . 23 F 20
Peppenhoven .... 60 O 4
Peppenkum .... 82 S 5
Perach .... 106 V 22
Perasdorf .... 91 T 22
Percha .... 104 W 18
Perchting .... 104 V 17
Perdöhl .... 21 F 17
Perdöl .... 9 D 14
Peritz .... 56 L 24
Perkam .... 98 T 21
Perl .... 80 R 3
Perlach .... 105 V 18
Perleberg .... 32 G 19
Perlesreut .... 99 T 24
Perlin .... 21 F 17
Perouse .... 93 T 10
Perscheid .... 73 P 7
Perschen .... 89 R 20
Pertoltzhofen .... 89 R 21
Perwenitz .... 34 I 23
Pesch .... 60 O 4
Pessin .... 33 I 21
Pestenacker .... 104 V 16
Pesterwitz (Dresden) .... 68 M 24
Pestrup .... 28 H 9
Petern .... 113 X 18
Petersau .... 84 R 9
Petersaurach .... 86 S 16
Petersberg (Kreis Fulda) . 63 O 13
Petersberg (Kreis
  Hersfeld-Rotenburg) .. 63 N 13
Petersberg (Kreis Neustadt a. d.
  A.-Bad W.) .... 86 R 15
Petersberg (Saalkreis) ... 54 L 19
Petersdorf .... 87 T 17
Petersdorf (Kreis
  Aichach-Friedberg) ... 96 U 17
Petersdorf
  (Kreis Cloppenburg) ... 27 G 8
Petersdorf (Kreis Mecklenburg-
  Strelitz) .... 24 F 24
Petersdorf
  (Kreis Nordhausen) ... 53 L 16
Petersdorf (Kreis Rostock) . 11 D 20
Petersdorf a. Fehmarn .. 10 C 17
Petersdorf b.
  Frankfurt (Oder) .... 45 I 27
Petersdorf b. Fürstenwalde 45 J 26
Petersfehn .... 27 G 8
Petersfeld
  (Kreis Ammerland) .... 17 G 8
Petersfeld
  (Kreis Cloppenburg) ... 27 H 7
Petershagen .... 25 G 26
Petershagen .... 39 I 10
Petershagen (b. Frankfurt) . 45 I 27
Petershagen
  (b. Strausberg) .... 44 I 25
Petershain .... 57 M 28

Petershausen .... 104 U 18
Peterskirchen .... 106 V 21
Peterskopf .... 83 R 8
Petersroda .... 54 L 20
Petersthal .... 111 X 15
Peterswald-Löffelscheid . 71 P 5
Peterswörth .... 95 U 15
Peterzell
  (Kreis Freudenstadt) .. 101 V 9
Peterzell (Schwarzwald-
  Baar-Kreis) .... 101 V 9
Petkum .... 16 F 5
Petkus .... 44 K 24
Pettendorf .... 90 S 20
Pettenhofen .... 87 R 18
Petterweil .... 74 P 10
Petting .... 106 W 22
Pettstadt .... 87 Q 16
Pettstädt .... 54 M 19
Peukendorf .... 52 M 15
Peulingen .... 32 I 19
Peutenhausen .... 96 U 17
Pevestorf .... 32 G 18
Pewsum .... 16 F 5
Pfaben .... 78 Q 20
Pfäfflingen .... 95 T 15
Pfäffingen .... 94 U 11
Pfälzer Wald .... 83 S 7
Pfälzer Wald (Naturpark) . 83 S 7
Pfändhausen .... 76 P 14
Pfaffenberg .... 75 Q 11
Pfaffenberg (Dorf) .... 97 T 20
Pfaffendorf .... 97 U 19
Pfaffendorf (Kreis Köthen) .. 54 K 19
Pfaffendorf
  (Kreis Oder-Spree) .... 45 J 26
Pfaffenhausen .... 103 V 15
Pfaffenhausen
  (Main-Kinzig-Kreis) ... 75 P 12
Pfaffenhausen
  (Schwalm-Eder-Kreis) ... 63 M 11
Pfaffenheck .... 71 P 6
Pfaffenhofen (Kreis
  Amberg-Sulzbach) .... 88 R 18
Pfaffenhofen
  (Kreis Heilbronn) ...... 93 S 10
Pfaffenhofen (Kreis Neustadt a. d.
  A.-Bad W.) .... 86 R 14
Pfaffenhofen (Kreis Roth) . 87 S 17
Pfaffenhofen a. d. Glonn . 104 V 17
Pfaffenhofen a. d. Ilm .... 97 U 18
Pfaffenhofen a. d. Roth .. 103 U 14
Pfaffenhofen a. d. Zusam . 96 U 16
Pfaffenreut .... 99 T 25
Pfaffenreuth .... 79 Q 20
Pfaffenrot .... 93 T 9
Pfaffenweiler (Kreis Breisgau-
  Hochschwarzwald) ... 100 W 7
Pfaffenweiler (Schwarzwald-
  Baar-Kreis) .... 101 V 9
Pfaffenwiesbach .... 74 P 9
Pfaffing .... 105 V 20
Pfaffroda .... 67 N 24
Pfahldorf .... 96 T 18
Pfahlhausen .... 28 G 9
Pfahlheim .... 95 T 14
Pfakofen .... 97 T 20
Pfalz .... 73 P 7
Pfalzdorf (Kreis Kleve) .. 46 K 2
Pfalzfeld .... 71 P 6
Pfalzgrafenweiler .... 93 U 9
Pfalzheim .... 33 G 22
Pfarrkirchen .... 106 U 22
Pfarrweisach .... 76 P 16
Pfatter .... 90 T 21
Pfaumheim .... 74 Q 11
Pfeddersheim .... 83 R 8
Pfedelbach .... 85 S 12
Pfeffelbach .... 81 R 5
Pfeffenhausen .... 97 U 19
Pfelling .... 98 T 22
Pfeppedlingsleben .... 65 N 16
Pferdsdorf .... 64 N 13
Pferdsdorf-Spichra .... 64 M 14
Pfersdorf .... 73 Q 6
Pferdskopf .... 74 P 9
Pfieffe .... 63 M 13
Pfiffelbach .... 65 M 18
Pfingstweid .... 110 W 12
Pfinz .... 84 S 9
Pfinztal .... 93 T 9
Pfitzingen .... 85 R 13
Pflochsbach .... 75 Q 12
Pflückuff .... 55 L 23
Pflummern .... 102 V 12
Pförring .... 97 T 19

Pfofeld .... 96 S 16
Pfohren .... 101 W 9
Pfordt .... 63 O 12
Pforzen .... 103 W 15
Pforzheim .... 93 T 10
Pfraundorf .... 96 S 18
Pfreimd .... 89 R 20
Pfrentsch .... 89 R 21
Pfrimm .... 83 R 8
Pfrondorf .... 94 U 11
Pfronstetten .... 102 V 12
Pfronten .... 111 X 15
Pfrungen .... 102 W 12
Pfünz .... 96 T 17
Pfuhl .... 103 U 14
Pfullendorf .... 102 W 11
Pfullingen .... 102 U 11
Pfungstadt .... 84 Q 9
Phantasialand (Brühl) ... 59 N 4
Philadelphia .... 44 J 25
Philippsburg .... 84 S 9
Philippsreut .... 99 T 25
Philippsthal .... 64 N 14
Philippsweiler .... 70 P 3
Phöben .... 43 I 22
Picher .... 21 F 18
Piding .... 114 W 21
Piegendorf .... 97 T 20
Pielenhofen .... 90 S 19
Pier .... 58 N 3
Piesau .... 77 O 17
Pieskow .... 45 J 26
Piesport .... 72 Q 4
Piesteritz .... 55 K 21
Pietenfeld .... 96 T 17
Piethen .... 54 K 19
Pietling .... 106 V 22
Pietzing .... 105 W 20
Pietzpuhl .... 42 J 19
Pilgerzell .... 75 O 13
Pilgramsberg .... 91 S 21
Pilgramsreuth .... 78 P 20
Pillgram .... 45 J 27
Pillig .... 71 P 5
Pillmersried .... 89 R 21
Pillnitz (Dresden) .... 68 M 24
Pilmersreuth a. d. Straße . 89 Q 20
Pilmersreuth a. Wald .... 79 Q 21
Pilsach .... 87 S 18
Pilsensee .... 104 V 17
Pilsting .... 98 T 21
Pilsum .... 16 F 5
Pingelshagen .... 21 E 18
Pingsheim .... 58 N 4
Pinnau .... 19 E 13
Pinneberg .... 19 F 13
Pinnow (b. Haßleben) ... 25 G 25
Pinnow (b. Malchin) ..... 24 E 22
Pinnow
  (b. Neu-Brandenburg) . 24 F 23
Pinnow (Kreis
  Ostvorpommern) .... 15 E 25
Pinnow (Kreis Parchim) . 22 F 18
Pinnow (Kreis Spree-Neiße) 45 K 27
Pinnow b. Angermünde . 35 G 26
Pinnower See .... 22 F 18
Pipinsried .... 104 U 17
Pirach .... 106 V 22
Pirk .... 89 R 20
Pirkach .... 87 R 16
Pirken .... 106 U 20
Pirkensee .... 88 S 20
Pirmasens .... 83 S 6
Pirna .... 68 N 25
Pirow .... 32 G 19
Piskowitz .... 56 M 26
Pitschen-Pickel .... 44 K 24
Pittenhart .... 106 W 21
Pittersberg .... 88 R 20
Pitzling (Kreis Cham) ... 89 S 21
Pitzling (Kreis
  Dingolfing-Landau) .... 98 U 22
Pivitsheide .... 39 K 10
Pixel .... 37 K 8
Plaaz .... 23 E 21
Plänitz-Leddin .... 33 H 21
Plaggenburg .... 17 F 6
Plaidt .... 71 O 6
Plane .... 43 J 22
Planegg .... 104 V 18
Planitz-Deila .... 67 M 24
Plankenfels .... 77 Q 18
Plankstadt .... 84 R 9
Plantlünne .... 37 I 6
Plate .... 22 F 18
Platendorf .... 41 I 15
Plath .... 24 F 24

A B C D E F G H I J K L M N O P Q R S T U V W X Y Z

Platkow .... 35 I 26
Platte .... 78 Q 20
Platte Heide .... 49 L 7
Platten .... 72 Q 4
Plattenhardt .... 94 U 11
Plattling .... 98 T 22
Platz .... 75 P 13
Platzer Kuppe .... 75 P 13
Plau a. See .... 23 F 20
Plaue (Ilm-Kreis) .... 65 N 16
Plaue (Kreis Brandenburg) . 43 I 21
Plauen .... 78 O 20
Plauer See .... 43 I 21
Plauerhagen .... 23 F 20
Plaußig (Leipzig) ..... 54 L 21
Ploch .... 87 R 18
Pleidelsheim .... 94 T 11
Plein .... 71 P 4
Pleinfeld .... 96 S 16
Pleinting .... 99 U 23
Pleiskirchen .... 106 V 21
Pleißa .... 67 N 22
Pleiße .... 66 M 21
Pleizenhausen .... 71 P 6
Plennin .... 11 D 21
Pleß (Kreis Unterallgäu) . 103 V 14
Plessa .... 56 L 24
Plessenburg .... 52 L 13
Plessow .... 43 I 22
Plettenberg .... 49 M 7
Pleystein .... 89 R 21
Pliening .... 105 V 19
Plieningen .... 94 T 11
Pliezhausen .... 94 U 11
Plittersdorf .... 72 T 8
Plochingen .... 94 T 12
Plön .... 9 D 15
Plönjeshausen .... 19 F 11
Plößberg .... 89 Q 20
Plötz (Kreis Demmin) . 24 E 23
Plötz (Saalkreis) .... 54 L 19
Plötzin .... 43 I 22
Plötzkau .... 54 K 19
Plötzky .... 42 J 19
Plöwen .... 25 F 26
Plohn .... 66 O 21
Plossig .... 55 K 22
Plothen .... 66 O 19
Plüderhausen .... 94 T 12
Plüschow .... 21 E 17
Plütscheid .... 70 P 3
Pluwig .... 80 Q 4
Pobenhausen .... 96 U 18
Pobershau .... 67 O 23
Pobzig .... 54 K 19
Pockau .... 67 N 23
Pocking .... 107 U 23
Podelwitz (Kreis Altenburger Land) . 66 N 21
Podelwitz (Kreis Leipziger Land) .. 54 L 21
Podelzig .... 45 I 27
Podrosche .... 57 L 28
Pöcking .... 104 W 17
Pödeldorf .... 77 Q 16
Pödinghausen .... 38 J 9
Pöhl .... 66 O 20
Pöhl (Stausee) ...... 66 O 20
Pöhla .... 79 O 22
Pöhlde .... 52 L 14
Pöhls .... 21 E 15
Poel (Insel) .... 10 D 18
Pölchow .... 11 D 20
Pölich .... 72 Q 4
Pölitz (Kreis Güstrow) 23 E 21
Pölitz (Kreis Stormarn) 20 E 15
Pölling .... 87 S 18
Pöllwitz .... 66 O 20
Pölsfeld .... 53 L 18
Poelvennsee .... 46 L 2
Pölzig .... 66 N 20
Pömbsen .... 51 K 11
Pömmelte .... 42 K 19
Pönitz .... 9 D 16
Pönning .... 98 T 21
Pöring .... 105 V 19
Pörnbach .... 96 U 18
Pösing .... 89 S 21
Pößneck .... 66 O 20
Pötenitz .... 10 E 16
Pötenitzer Wiek ..... 10 E 16
Pötrau .... 21 F 15
Pöttmes .... 96 U 17
Pötzschau .... 54 M 21
Pogeez .... 21 E 16
Poggelow .... 11 E 21
Poggendorf .... 14 D 23

Poggenhagen .... 39 I 12
Poggenort .... 37 I 6
Poggensee .... 21 F 15
Pogum .... 16 G 5
Pohl-Göns .... 74 O 9
Pohle .... 39 J 12
Pohlheim .... 74 O 10
Pohlitz .... 45 J 27
Pohnsdorf (Kreis Ostholstein) .. 9 E 15
Pohnsdorf (Kreis Plön) .. 9 D 14
Poign .... 90 T 20
Poing .... 105 V 19
Poitzen .... 30 H 14
Pokrent .... 21 F 17
Polau .... 31 G 16
Polch .... 71 P 5
Polchow (Kreis Güstrow) . 11 E 21
Polchow (Kreis Rügen) . 13 C 24
Polenz (Kreis Sächsische Schweiz) . 68 M 26
Polenz (Muldentalkreis) . 55 M 21
Polenz (Bach) .... 68 M 26
Poley .... 54 K 19
Polkenberg .... 67 M 22
Polle .... 39 K 12
Polleben .... 53 L 18
Pollenfeld .... 96 T 17
Pollhagen .... 39 I 11
Pollhöfen .... 31 I 15
Polling (Kreis Mühldorf a. Inn) . 106 V 21
Polling (Kreis Weilheim-Schongau) . 104 W 17
Pollitz .... 32 H 18
Polsingen .... 96 T 16
Polßen .... 35 G 25
Polsum .... 47 L 5
Polte .... 42 I 19
Polz .... 32 G 18
Polzen .... 55 K 23
Polzow .... 25 F 26
Pomellen .... 25 F 27
Pommelsbrunn .... 87 R 18
Pommerby .... 5 B 13
Pommersche Bucht ... 15 D 26
Pommersfelden ...... 87 Q 16
Pommertsweiler ..... 95 T 13
Pommoissel .... 31 G 16
Pomßen .... 55 M 21
Pondorf (Kreis Eichstätt) . 97 T 18
Pondorf (Kreis Straubing-Bogen) . 90 T 21
Ponickau .... 56 L 25
Ponitz .... 66 N 21
Pont .... 46 L 2
Poppberg .... 87 R 18
Poppeltal .... 93 U 9
Poppenbüll .... 7 C 10
Poppenbüttel .... 20 E 14
Poppendorf .... 11 D 20
Poppenhausen (Kreis Hildburghausen) . 76 P 16
Poppenhausen (Kreis Schweinfurt) . 76 P 14
Poppenhausen (Wasserkuppe) . 75 O 13
Poppenlauer .... 76 P 14
Poppenreuth .... 78 Q 20
Poppenreuth b. Tirschenreuth .. 79 Q 21
Poppenricht .... 88 R 19
Poppitz .... 55 M 23
Poratz .... 34 G 25
Porep .... 23 G 20
Poritz .... 32 I 18
Poserna .... 54 M 20
Posseck (Elstertalkreis) . 78 O 20
Posseck (Kreis Kronach) . 77 P 18
Possendorf .... 68 N 25
Posterstein .... 66 N 20
Postfeld .... 9 D 14
Posthausen .... 29 G 11

Postmünster .... 106 U 22
Postsee .... 9 D 14
Potsdam .... 43 I 23
Potshausen .... 27 G 6
Pottenhausen .... 38 J 10
Pottenstein .... 87 Q 18
Pottenstetten ...... 88 S 20
Potts Park .... 39 J 10
Pottum .... 61 O 8
Potzberg .... 81 R 6
Potzehne .... 41 I 18
Potzlow .... 25 G 25
Pouch .... 54 L 21
Poxdorf (Kreis Bamberg) . 77 Q 17
Poxdorf (Kreis Forchheim) . 87 R 17
Poyenberg .... 8 D 13
Pracht .... 61 N 6
Prackenbach .... 91 S 22
Prächting .... 77 P 16
Präg .... 100 W 7
Praest .... 46 K 3
Prag .... 99 T 24
Pragsdorf .... 24 F 24
Prappach .... 76 P 15
Prasdorf .... 9 C 14
Pratau .... 55 K 21
Pratjau .... 9 D 15
Prausitz .... 55 M 23
Prebberede .... 11 E 21
Prebitz .... 88 Q 19
Preddöhl .... 33 G 20
Predigtstuhl .... 114 W 22
Preetz (Kreis Nordvorpommern) . 12 C 22
Preetz (Kreis Plön) . 9 D 14
Prehnsfelde .... 8 D 13
Preilack .... 45 K 27
Preischeid .... 70 P 2
Preißach .... 88 Q 19
Preith .... 96 T 17
Prem .... 112 W 16
Premich .... 76 P 14
Premnitz .... 43 I 20
Premslin .... 32 G 19
Prenden .... 34 H 24
Prenzlau .... 25 G 25
Prerow .... 11 C 21
Presberg .... 73 P 7
Preschen .... 57 L 27
Pressath .... 88 Q 19
Presseck .... 77 P 18
Pressel .... 55 L 22
Pressen .... 55 L 21
Pressig .... 77 O 17
Preßnitz .... 67 O 23
Preten .... 21 G 16
Pretschen .... 45 J 25
Prettin .... 55 L 22
Pretzfeld .... 87 Q 17
Pretzien .... 42 J 19
Pretzier .... 32 H 17
Pretzsch .... 66 M 19
Pretzsch (Elbe) .... 55 K 22
Pretzschendorf ..... 68 M 24
Preunschen .... 85 R 11
Preußisch Oldendorf . 38 J 9
Preußisch Ströhen .. 38 I 9
Preußlitz .... 54 K 19
Prevorst .... 94 S 12
Prex .... 78 P 20
Prezelle .... 32 H 18
Priborn .... 23 G 21
Prichsenstadt ...... 86 Q 15
Priegendorf .... 77 P 16
Prien .... 106 W 21
Prienbach .... 106 V 23
Priener Hütte ...... 114 W 20
Priepert .... 34 G 23
Prieros .... 44 J 25
Prieschka .... 56 L 24
Priesendorf .... 76 Q 16
Prießen .... 56 L 24
Prießnitz (Burgenlandkreis) 66 M 19
Prießnitz (Kreis Leipziger Land) .... 67 M 21
Priestewitz .... 68 M 24
Prietitz .... 68 M 26
Prietzen .... 33 H 20
Prignitz .... 32 G 19
Prillwitz .... 24 F 23
Prims .... 81 R 4
Primstal .... 81 R 4
Prinz-Luitpold-Haus . 111 X 15
Prinzenbach (Biberach i. Kinzigtal) . 100 V 8
Prinzenmoor .... 8 D 12

Prinzhöfte .... 29 H 9
Priorei .... 49 M 6
Priort .... 43 I 22
Pripsleben .... 24 E 23
Prisannewitz .... 11 E 20
Prischwitz .... 69 M 26
Prisdorf .... 19 E 13
Prisser .... 31 G 17
Prislich .... 22 G 18
Prittitz .... 66 M 19
Prittriching .... 104 V 16
Pritzen .... 56 L 26
Pritzenow .... 24 E 24
Pritzerbe .... 43 I 21
Pritzier .... 21 F 17
Pritzwalk .... 33 G 20
Priwall .... 10 E 16
Prizier .... 61 O 8
Probst Jesar .... 21 G 17
Probstei .... 9 C 14
Probsteierhagen .... 9 C 14
Probstried .... 103 W 14
Probstzella .... 77 O 18
Prödel .... 42 J 19
Prödlitz .... 91 S 22
Prösen .... 76 Q 15
Prösitz .... 88 S 18
Pröttlin .... 32 G 18
Prötzel .... 35 I 25
Prövenholz .... 50 L 9
Profen .... 66 M 20
Prohn .... 13 C 23
Prohner Wiek .... 13 C 23
Proitze .... 31 H 16
Promnitztal .... 68 M 25
Promoisel .... 13 C 24
Pronsfeld .... 70 P 3
Pronstorf .... 9 E 15
Prora .... 13 C 24
Prorer Wiek .... 13 C 24
Proschim .... 56 L 26
Proseken .... 22 E 18
Prosselsheim .... 76 Q 14
Proßmarke .... 56 K 24
Protzen .... 33 H 22
Provinzialmoor ..... 26 H 5
Pruchten .... 12 C 22
Prüfening .... 90 S 20
Prühl .... 86 Q 15
Prüm .... 70 P 3
Prünst .... 24 E 23
Prützke .... 43 I 21
Prüzen .... 23 E 20
Prunn .... 97 T 19
Prutting .... 105 W 20
Puchheim .... 104 V 18
Puchhof .... 90 T 21
Puderbach (Kreis Neuwied) 61 O 6
Puderbach (Kreis Siegen-Wittgenstein) . 62 N 9
Püchau .... 55 L 21
Püchersreuth .... 89 Q 20
Püffingen .... 85 R 12
Pülsen .... 9 D 15
Pülzig .... 43 K 21
Pünderich .... 71 P 5
Pürgen .... 104 V 16
Pürten .... 106 V 21
Püsselbüren .... 37 J 6
Püssow .... 21 F 17
Püschendorf .... 87 R 16
Püschwitz .... 69 M 26
Puls .... 8 D 12
Pulsen .... 56 L 24
Pulsnitz .... 68 M 26
Pulspforde .... 42 K 20
Pulvermaar .... 71 P 4
Purnitz .... 31 H 17
Purschwitz .... 69 M 27
Purtscheller Haus .. 114 X 23
Purzien .... 55 K 23
Puschendorf .... 87 R 16
Puschwitz .... 69 M 26
Putbus .... 13 C 24
Putensen .... 30 G 14
Putgarten .... 13 B 24
Putlitz .... 23 G 20
Putnitzbach ....
Puttgarden .... 10 C 17

Prinzhöfte .... 29 H 9
Putzar .... 25 E 24
Putzbrunn .... 105 V 19
Putzkau .... 69 M 26
Pye .... 37 J 8
Pyras .... 96 S 17
Pyrbaum .... 87 S 17

Q
Quadenschönfeld ... 24 F 24
Quadrath Ichendorf . 58 N 4
Quakenbrück .... 27 H 7
Qualitz .... 22 E 19
Qualburg .... 46 K 2
Quanditten ....
Quappendorf .... 35 I 26
Quarmbeck .... 53 K 17
Quarnbek .... 9 D 13
Quarnebeck .... 31 I 17
Quarnstedt .... 8 E 13
Quarrendorf .... 20 G 14
Quassel .... 21 F 17
Quatitz .... 69 M 27
Quatzenheim ....
Queck .... 63 N 12
Queckborn .... 62 O 10
Quedlinburg .... 53 K 17
Queich .... 83 S 8
Queidersbach .... 81 R 6
Queienfeld .... 76 O 15
Queis .... 54 L 20
Quelkhorn .... 29 G 11
Quelle .... 38 K 9
Quellendorf .... 54 K 20
Quenhorn .... 37 K 8
Quenstedt .... 53 K 18
Querenbach .... 79 Q 21
Querenhorst .... 41 I 16
Querfurt .... 53 L 18
Quern .... 5 B 13
Quernheim .... 38 J 9
Quernheim .... 38 I 9
Quersa-Brockwitz ... 56 M 24
Querstedt .... 32 I 18
Querum .... 41 J 15
Quesitz .... 54 M 20
Questenberg .... 53 L 17
Quetzdölsdorf ...... 54 L 20
Quickborn (Kreis Dithmarschen) .. 7 D 11
Quickborn (Kreis Lüchow-Dannenberg) . 32 G 17
Quickborn (Kreis Pinneberg) .. 19 E 13
Quierschied .... 81 S 5
Quillow .... 25 F 25
Quint .... 72 Q 4
Quirla .... 66 N 19
Quitzdorf (Talsperre) . 57 M 28
Quitzdorf am See ... 57 M 28
Quitzerow .... 14 E 23
Quitzöbel .... 32 H 19
Quitzow .... 32 G 19
Quotshausen .... 62 N 9

R
Rabber .... 38 J 9
Rabel .... 5 B 13
Raben .... 43 J 21
Raben-Steinfeld .... 22 F 18
Rabenau .... 68 N 24
Rabenau .... 62 N 10
Rabenden .... 106 V 21
Rabenholz .... 5 B 13
Rabenkirchen-Faulück . 5 C 13
Rabenscheid .... 61 N 8
Rabenstein .... 67 N 22
Rabenstein .... 91 S 23
Raboldshausen ...... 63 N 12
Rachlau .... 69 M 27
Rackith .... 55 K 22
Rackwitz .... 54 L 21
Radbruch .... 20 G 14
Raddestorf .... 39 I 10
Raddusch .... 56 K 26
Rade .... 55 K 22
Rade (Kreis Gifhorn) . 31 H 16
Rade (Kreis Harburg) . 19 F 13
Rade (Kreis Osterholz) . 18 G 9
Rade (Kreis Steinburg) . 8 D 13
Rade b. Rendsburg .. 8 D 13
Radeberg .... 68 M 25
Radebeul (Dresden) . 68 M 24
Radeburg .... 68 M 25
Radefeld .... 54 L 20
Radegast (Fluß) .... 21 E 17
Radegast
   (Kreis Bad Doberan) . 11 E 19
Radegast (Kreis Köthen) . 54 L 20
Radegast (Kreis Lüneburg) 21 F 16

Radekow .... 25 G 27
Radeland .... 44 J 24
Rademin .... 32 H 18
Radenbeck (Kreis Gifhorn) . 31 I 16
Radenbeck (Kreis Lüneburg) . 31 G 15
Radensdorf .... 45 K 25
Radensleben .... 33 H 22
Raderhorst .... 39 I 11
Radevormwald .... 49 M 6
Radewege .... 43 I 21
Radheim .... 74 Q 11
Radibor .... 69 M 27
Radis .... 55 K 21
Radisleben .... 53 K 17
Radldorf .... 98 T 21
Radling .... 89 S 21
Radlinghausen ...... 50 L 10
Radmühl .... 75 O 12
Radolfzell .... 109 W 10
Raduhn .... 22 F 19
Räbel .... 32 H 20
Räber .... 31 H 15
Räckelwitz .... 69 M 26
Räder .... 43 J 22
Räderloh .... 31 H 15
Rädigke .... 43 J 21
Rägelin .... 33 G 21
Ränkam .... 89 S 22
Räpitz .... 54 M 20
Raesfeld .... 47 K 4
Raestrup .... 37 K 7
Rätzlingen (Kreis Uelzen) . 31 H 16
Rätzlingen (Ohrekreis) . 41 I 17
Rätzsee .... 24 G 22
Ragewitz .... 55 M 22
Ragösen (Kreis Anhalt-Zerbst) . 43 K 20
Ragösen (Kreis Potsdam-Mittelmark) . 43 J 21
Ragow (Kreis Dahme-Spreewald) .. 44 J 24
Ragow (Kreis Oberspreewald-Lausitz) .. 44 K 25
Ragow (Kreis Oder-Spree) . 45 J 26
Raguhn .... 54 K 20
Rahden .... 38 I 9
Rahlstedt .... 20 F 14
Rahm .... 46 L 3
Rahm (Duisburg-) ... 47 L 4
Rahnisdorf .... 55 K 23
Rahnsdorf .... 43 K 22
Rahrbach .... 61 M 7
Rahrdum .... 17 F 7
Rai-Breitenbach .... 84 Q 11
Raibach .... 74 Q 10
Raichberg .... 101 V 10
Raigering .... 88 R 19
Rain .... 98 T 21
Rain a. Lech .... 96 T 16
Rainau .... 95 T 14
Rainding .... 99 U 23
Rainrod .... 74 O 11
Raisdorf .... 9 D 14
Raisting .... 104 W 17
Raiten .... 114 W 21
Raitenbuch (Kreis Neumarkt i. d. Oberpfalz) . 88 S 19
Raitenbuch (Kreis Weißenburg-Gunzenhausen) . 96 S 17
Raitenhaslach ...... 106 V 22
Raithaslach .... 101 W 10
Rajen .... 27 G 6
Rakow
   (Kreis Bad Doberan) . 10 D 18
Rakow (Kreis Nordvorpommern) . 14 D 23
Ralbitz-Rosenthal .. 57 M 26
Ralingen .... 80 Q 3
Ralswiek .... 13 C 24
Rambach .... 64 M 14
Ramberg .... 83 S 8
Rambin .... 13 C 23
Ramelow .... 24 E 24
Ramelsloh .... 20 F 14
Ramerberg .... 105 V 20
Ramersbach .... 60 O 5
Ramhorst .... 40 I 14
Ramhusen .... 7 E 11
Ramin .... 25 F 26
Ramitz .... 13 C 24
Ramme .... 30 G 12
Rammelburg .... 53 L 17
Rammelsbach .... 81 R 6
Rammenau .... 68 M 25
Rammersweier .... 92 U 7

Rammert .... 101 U 10
Rammingen
(Alb-Donau-Kreis) .... 95 U 14
Rammingen
(Kreis Unterallgäu) .... 103 V 15
Rampe .... 22 E 18
Ramsach .... 104 V 16
Ramsau .... 105 V 20
Ramsau b.
Berchtesgaden .... 114 X 22
Ramsbeck .... 50 M 9
Ramsberg .... 96 S 16
Ramsdorf .... 66 M 21
Ramsdorf .... 36 K 4
Ramsel .... 36 I 16
Ramsen .... 83 R 8
Ramsenthal .... 77 P 18
Ramsla .... 65 M 17
Ramsloh .... 27 G 7
Ramspau .... 90 S 20
Ramsried .... 89 S 22
Ramstedt .... 7 C 11
Ramstein-Miesenbach ...... 81 R 6
Ramsthal .... 76 P 14
Randau .... 42 J 19
Randegg .... 109 W 10
Randenweiler .... 95 S 14
Randerath .... 58 M 2
Randersacker .... 86 Q 13
Randow .... 25 F 26
Randowbruch .... 25 G 26
Ranfels .... 99 T 23
Rangendingen .... 101 U 10
Rangsdorf .... 44 J 24
Ranies .... 42 J 19
Ranis .... 65 O 18
Rankendorf .... 10 E 17
Rankwitz .... 15 E 25
Ranna .... 87 R 18
Rannenberg .... 39 J 11
Rannstedt .... 65 M 18
Rannungen .... 76 P 14
Ranoldsberg .... 106 V 21
Ransbach .... 63 N 13
Ransbach-Baumbach .... 73 O 7
Ranschgraben .... 84 R 9
Ransel .... 73 P 7
Ranspach .... 66 O 19
Ranstadt .... 74 O 10
Ransweiler .... 83 R 7
Rantrum .... 4 C 11
Rantum .... 4 B 8
Rantumbecken .... 4 B 8
Ranzel .... 59 N 5
Ranzig .... 45 J 26
Ranzin .... 14 E 24
Rappbodestausee .... 53 K 16
Rappelsdorf .... 76 O 16
Rappenseehütte .... 111 Y 14
Rapperath .... 60 O 4
Rappershausen .... 76 O 15
Rapperszell .... 96 T 17
Rappin .... 13 C 24
Rappoltengrün .... 77 O 18
Rappweiler .... 80 R 4
Rapshagen .... 33 G 20
Rasch .... 87 R 18
Raschau .... 67 O 22
Rascheid .... 81 Q 4
Rasdorf .... 63 N 13
Raßberg .... 99 T 24
Raßnitz .... 54 L 20
Rassower Strom .... 13 C 23
Rast .... 102 W 11
Rastatt .... 93 T 8
Rastdorf .... 27 H 7
Rastede .... 17 G 8
Rastenberg .... 65 M 18
Rastorferpassau .... 9 D 15
Rastow .... 22 F 18
Ratekau .... 9 E 16
Rath .... 58 M 3
Rath (Köln-) .... 59 N 5
Rath-Anhoven .... 58 M 3
Rathebur .... 25 E 25
Ratheim .... 58 M 2
Rathen .... 68 N 26
Rathendorf .... 67 M 22
Rathenow .... 33 I 21
Rathewalde .... 68 N 26
Rathjensdorf .... 9 D 15
Rathlosen .... 29 H 10
Rathmannsdorf (Kreis
Aschersleben-Staßfurt) .. 53 K 18
Rathmannsdorf (Kreis
Sächsische Schweiz) .... 68 N 26
Rathmecke .... 49 M 6

Rathsmannsdorf .... 99 U 23
Rathstock .... 35 I 27
Ratingen .... 48 M 4
Ratscher .... 76 O 16
Ratshausen .... 101 V 10
Rattelsdorf .... 77 P 16
Rattenberg .... 91 S 22
Rattenkirchen .... 106 V 20
Rattey .... 24 F 24
Rattiszell .... 91 S 21
Ratzdorf .... 45 J 28
Ratzeburg .... 21 E 16
Ratzeburger See .... 21 E 16
Ratzel .... 26 I 4
Ratzenhofen .... 97 T 19
Ratzenried .... 111 W 13
Raubach (Kreis Neuwied) .. 61 O 6
Raubach (Odenwaldkreis) .. 84 R 10
Raubling .... 113 W 20
Rauchenberg .... 113 X 18
Rauda .... 66 N 19
Rauen .... 45 J 26
Rauenberg
(Main-Tauber-Kreis) ...... 85 Q 12
Rauenberg
(Rhein-Neckar-Kreis) .... 84 S 10
Rauenstein .... 77 O 17
Rauenthal .... 75 P 11
Rauenzell .... 86 S 15
Rauhe Ebrach .... 86 Q 16
Rauher Kulm .... 88 Q 19
Rauhkasten .... 100 U 7
Rauischholzhausen .... 62 N 10
Raum .... 67 O 22
Raumland .... 62 M 9
Raumünzach .... 93 U 9
Raunheim .... 74 P 9
Rauschbach .... 114 W 22
Rauschenberg .... 62 N 10
Rauschwitz
(Saale-Holzland-Kreis) .... 66 N 19
Rauschwitz
(Westlausitzkreis) .... 68 M 26
Rausdorf .... 20 F 14
Raußlitz .... 67 M 23
Rautberg-Kopf .... 112 X 18
Rautheim .... 41 J 15
Raven .... 30 G 14
Ravengiersburg .... 73 Q 6
Ravenhorst .... 12 D 22
Ravensberg .... 10 E 19
Ravensberg .... 52 L 15
Ravensbrück .... 34 G 23
Ravensburg .... 110 W 12
Ravenstein .... 85 R 12
Ravensbeuren .... 72 Q 5
Ravolzhausen .... 74 P 10
Rayen .... 46 L 3
Rebberlah .... 30 H 14
Rebelow .... 24 E 24
Rebenstorf .... 32 H 17
Rebesgrün .... 66 O 21
Reblin .... 61 M 7
Rech .... 60 O 5
Rechberg .... 94 T 13
Rechberghausen .... 94 T 12
Rechelkopf .... 113 W 18
Rechenberg .... 95 S 14
Rechenberg-Bienenmühle . 68 N 24
Rechertsried .... 91 S 22
Rechlin .... 24 F 22
Rechtenbach
(Kreis Main-Spessart) .... 75 Q 12
Rechtenbach
(Lahn-Dill-Kreis) .... 62 O 9
Rechtenfleth .... 18 F 9
Rechtenstein .... 102 V 12
Rechtenberg .... 28 H 9
Rechtmehring .... 105 V 20
Rechtsupweg .... 17 F 5
Recke .... 37 I 7
Reckendorf .... 77 P 16
Reckenfeld .... 37 J 6
Reckeneusig .... 77 P 16
Reckenroth .... 73 P 8
Reckenzin .... 32 G 19
Reckerode .... 63 N 12
Recklinghausen .... 47 L 5
Recknitz .... 23 E 20
Reckum .... 28 H 9
Reddeber .... 53 K 16
Reddelich .... 11 D 19
Reddern .... 56 K 26
Reddighausen .... 62 M 9
Redding .... 30 H 14
Redefin .... 21 F 17

Redekin .... 42 I 20
Redemoißel .... 31 G 16
Rederank .... 11 D 19
Rederstall .... 7 D 11
Reding .... 107 U 24
Redlin .... 23 F 20
Rednitz .... 87 R 17
Rednitzhembach .... 87 S 17
Redwitz .... 77 P 17
Reede Borkum .... 16 F 4
Reelkirchen .... 39 K 11
Reelsen .... 50 K 11
Reepsholt .... 17 F 7
Rees .... 46 K 3
Reesdorf (Kreis
Jerichower Land) .... 42 J 20
Reesdorf (Kreis
Potsdam-Mittelmark) ...... 43 J 22
Reesen .... 42 J 19
Reeßum .... 29 G 11
Reetz .... 70 O 4
Reetz (Kreis
Potsdam-Mittelmark) ...... 43 J 21
Reetz (Kreis Prignitz) .... 32 G 19
Referinghausen .... 50 M 10
Refrath .... 59 N 5
Regelsbach .... 87 R 16
Regen .... 91 T 23
Regenhütte .... 91 S 23
Regensburg .... 90 S 20
Regenstauf .... 90 S 20
Regenstein .... 53 K 16
Regesbostel .... 19 F 12
Reggisweiler .... 103 V 14
Regis-Breitingen .... 66 M 21
Regnitz .... 87 R 16
Regnitzlosau .... 78 P 20
Rehagen .... 44 J 24
Rehau .... 78 P 20
Rehbach .... 54 M 20
Rehbach .... 84 Q 10
Rehbeck .... 31 G 17
Rehberg .... 33 H 20
Rehberger Berge .... 33 H 20
Rehborn .... 83 Q 7
Rehbrücke .... 43 I 23
Rehburg-Loccum .... 39 I 11
Rehburger Berge .... 39 I 11
Rehden .... 28 I 9
Rehe .... 61 O 8
Rehefeld-Zaunhaus .... 68 N 25
Reher (Kreis
Hameln-Pyrmont) .... 39 J 11
Reher (Kreis Steinburg) ...... 8 D 12
Rehfeld .... 55 L 23
Rehfeld-Berlitt .... 33 H 20
Rehfelde .... 44 I 25
Rehfelsen .... 100 W 7
Rehhorst .... 21 E 15
Rehling .... 96 U 16
Rehlingen .... 30 G 14
Rehlingen .... 80 R 4
Rehm-Flehde-Bargen .... 7 D 11
Rehme .... 39 J 10
Rehmsdorf .... 66 M 20
Rehna .... 21 E 17
Rehren .... 39 J 11
Rehrhof .... 30 G 14
Rehsen .... 54 K 21
Rehungen .... 52 L 15
Reibitz .... 54 L 21
Reichartshausen
(Rhein-Neckar-Kreis) ...... 84 R 10
Reiche Ebrach .... 87 Q 16
Reichelsdorf .... 87 R 17
Reichelsheim (Odenwald) . 84 Q 10
Reichelsheim (Wetterau) .. 74 O 10
Reichelshofen .... 86 R 14
Reichenau .... 68 M 25
Reichenau .... 68 N 24
Reichenau .... 109 W 11
Reichenbach .... 68 M 25
Reichenbach
(b. Gengenbach) .... 100 U 8
Reichenbach (b. Lahr) .... 100 V 7
Reichenbach
(Kreis Ansbach) .... 86 S 14
Reichenbach
(Kreis Bad Kissingen) .... 76 P 14
Reichenbach
(Kreis Bergstraße) .... 84 Q 10
Reichenbach
(Kreis Birkenfeld) .... 81 R 5
Reichenbach (Kreis Cham) 89 S 21
Reichenbach (Kreis
Chemnitzer Land) .... 67 N 21

Reichenbach
(Kreis Freiberg) .... 67 N 23
Reichenbach
(Kreis Karlsruhe) .... 93 T 9
Reichenbach
(Kreis Kronach) .... 77 O 18
Reichenbach
(Kreis Kulmbach) .... 77 P 18
Reichenbach
(Kreis Mittweida) .... 67 M 23
Reichenbach (Kreis
Saalfeld-Rudolstadt) ...... 65 N 18
Reichenbach
(Saale-Holzland-Kreis) .... 66 N 19
Reichenbach
(Wartburgkreis) .... 64 M 15
Reichenbach
(Werra-Meißner-Kreis) .... 63 M 13
Reichenbach (Oberlausitz) 69 M 28
Reichenbach (Vogtland) .... 66 O 20
Reichenbach a. d. Fils ...... 94 T 12
Reichenbach a. Heuberg . 101 V 10
Reichenbach b.
Schussenried .... 102 V 12
Reichenbach i. Täle .... 94 U 13
Reichenbach-Reichenau .. 68 M 25
Reichenbach-Steegen ...... 81 R 6
Reichenbach u. Rechberg . 94 T 13
Reichenberg
Märkisch-Oderland) ...... 35 I 26
Reichenberg (Kreis
Meißen-Dresden) .... 68 M 25
Reichenberg
(Kreis Rottal-Inn) .... 106 U 22
Reichenberg
(Kreis Würzburg) .... 85 Q 13
Reichenbuch .... 84 R 11
Reicheneibach .... 106 U 21
Reichenhain .... 56 L 24
Reichenhausen .... 64 O 14
Reichenhofen .... 103 W 13
Reichenkirchen .... 105 U 19
Reichenow .... 35 I 26
Reichensachsen .... 64 M 13
Reichenschwand .... 87 R 18
Reichental .... 93 T 9
Reichenwalde .... 45 J 25
Reichersbeuern .... 113 W 18
Reicherskreuz .... 45 J 27
Reicherstein .... 96 U 17
Reichertshausen
(Kreis Freising) .... 97 U 19
Reichertshausen (Kreis
Pfaffenhofen a. d. Ilm) .. 105 U 18
Reichertsheim .... 105 V 20
Reichertshofen (Kreis Neumarkt
i. d. Oberpfalz) .... 87 S 18
Reichertshofen (Kreis
Pfaffenhofen a. d. Ilm) .. 96 U 18
Reichling .... 104 W 16
Reichmannsdorf .... 86 Q 16
Reichmannsdorf (Kreis
Saalfeld-Rudolstadt) ...... 65 O 17
Reichmannshausen .... 76 P 15
Reicholzheim .... 85 Q 12
Reichshof .... 61 N 7
Reichstädt (Kreis Greiz) .... 66 N 20
Reichstädt (Weißeritzkreis) 68 N 24
Reichstorf .... 98 U 22
Reichswald .... 46 K 2
Reichwalde (Kreis
Dahme-Spreewald) .... 44 K 25
Reichwalde (Niederschlesischer
Oberlausitzkr.) .... 57 L 27
Reichweiler .... 81 R 5
Reick (Dresden) .... 68 M 25
Reideburg .... 54 L 20
Reifenberg .... 83 S 6
Reifenstein .... 52 L 15
Reiffenhausen .... 52 L 13
Reifferscheid
(Kreis Ahrweiler) .... 71 O 4
Reifferscheid
(Kreis Euskirchen) .... 70 O 3
Reifland .... 67 N 23
Reihen .... 84 S 10
Reil .... 71 P 5
Reilingen .... 84 S 9
Reimersbude .... 7 C 11
Reimershagen .... 23 E 20
Reimlingen .... 95 T 15
Reimsbach .... 80 R 4
Reinberg (Kreis Demmin) .. 24 E 23
Reinberg (Kreis
Nordvorpommern) .... 13 D 23
Reine .... 39 J 11

Reinerbeck .... 39 J 11
Reinersdorf .... 68 M 24
Reinerzau .... 101 U 9
Reinfeld .... 21 E 15
Reinhardshagen .... 51 L 12
Reinhardshausen .... 63 M 11
Reinhardswald .... 51 L 12
Reinhardtsdorf .... 68 N 26
Reinhardtsdorf-Schöna .... 69 N 26
Reinhardtsgrimma .... 68 N 25
Reinhartshausen .... 104 V 16
Reinharz .... 55 K 22
Reinhausen .... 52 L 13
Reinheim (Kreis
Darmstadt-Dieburg) ...... 84 Q 10
Reinheim
(Saar-Pfalz-Kreis) .... 82 S 5
Reinholdshain .... 67 N 21
Reinickendorf (Berlin) ...... 34 I 24
Reiningen .... 30 H 14
Reinkenhagen .... 13 D 23
Reinsbüttel .... 7 D 10
Reinsdorf
(Burgenlandkreis) .... 53 M 18
Reinsdorf (Kreis Döbeln) .. 67 M 22
Reinsdorf
(Kreis Helmstedt) .... 41 J 17
Reinsdorf
(Kreis Schaumburg) ...... 39 J 11
Reinsdorf
(Kreis Teltow-Fläming) .. 44 K 23
Reinsdorf (Kreis Wittenberg) 43 K 21
Reinsdorf
(Kreis Zwickauer Land) .. 67 N 21
Reinsdorf Nord .... 43 K 21
Reinsfeld .... 65 N 16
Reinsfeld .... 81 Q 4
Reinshagen
(Kreis Bad Doberan) ...... 11 D 19
Reinshagen
(Kreis Güstrow) .... 23 E 20
Reinstädt .... 65 N 18
Reinstedt .... 53 K 18
Reinstetten .... 103 V 13
Reinstorf
(Kreis Lüneburg) .... 31 G 15
Reinstorf (Kreis
Nordwestmecklenburg) .. 22 E 18
Reinstorf (Kreis Uelzen) .... 31 H 15
Reintal .... 112 X 17
Reipoltskirchen .... 81 R 6
Reisbach .... 81 R 4
Reisbach .... 98 U 21
Reischach .... 106 V 22
Reischenhart .... 113 W 20
Reischstein .... 97 T 19
Reiselfingen .... 101 W 9
Reisenbach .... 84 R 11
Reiskirchen .... 62 O 10
Reislingen .... 41 I 16
Reißing (Kreis Freising) .... 97 T 19
Reißing (Kreis
Straubing-Bogen) .... 98 T 21
Reiste .... 50 M 8
Reistenhausen .... 85 Q 11
Reistingen .... 95 T 15
Reit i. Winkl .... 114 W 21
Reiter Alpe .... 114 X 22
Reiterswiesen .... 76 P 14
Reith .... 19 F 12
Reith .... 75 P 13
Reitham .... 105 W 19
Reitnau .... 110 X 13
Reitscheid .... 81 R 5
Reitwein .... 45 I 27
Reitzengeschwenda .... 65 O 18
Reitzenhain .... 67 O 23
Rekum .... 18 G 9
Relliehausen .... 51 K 13
Rellingen .... 19 F 13
Relsberg .... 81 R 7
Remagen .... 60 O 5
Remblinghausen .... 50 M 8
Remchingen .... 93 T 9
Remda .... 65 N 17
Remels .... 17 G 7
Remkersleben .... 41 J 18
Remlin .... 14 E 21
Remlingen .... 41 J 16
Remlingen .... 85 Q 13
Remmels .... 8 D 12
Remplin .... 23 E 22
Remptendorf .... 66 O 18
Rems .... 95 T 13
Remscheid .... 48 M 5
Remse .... 67 N 21

Remseck am Neckar .... 94 T 11
Remsfeld .... 63 M 12
Remshalden .... 94 T 12
Rench .... 92 U 8
Renchen .... 92 U 8
Renda .... 64 M 14
Rendel .... 74 P 10
Rendsburg .... 8 D 12
Renfrizhausen .... 101 U 10
Rengersbrunn .... 75 P 12
Rengershausen .... 62 M 10
Rengershausen .... 85 R 13
Rengsdorf .... 61 O 6
Rengshausen .... 63 M 12
Renhardsweiler .... 102 V 12
Renkenberge .... 27 H 6
Rennau .... 41 J 16
Rennerod .... 61 O 8
Rennersdorf .... 69 M 28
Rennertshofen
(Kreis Neu-Ulm) .... 103 V 14
Rennertshofen (Kreis Neuburg-
Schrobenhausen) .... 96 T 17
Renningen .... 93 T 10
Rennsteig .... 64 N 15
Rennsteiggarten .... 64 N 16
Renquishausen .... 101 V 10
Renshausen .... 52 L 14
Renslage .... 27 I 7
Renthendorf .... 66 N 19
Rentrup .... 27 I 6
Rentweinsdorf .... 77 P 16
Rentwertshausen .... 76 O 15
Renzel .... 19 E 13
Renzendorf .... 63 N 11
Renzow .... 21 F 17
Repelen .... 46 L 3
Repke .... 31 H 15
Reppelin .... 11 D 21
Reppenstedt .... 20 G 15
Reppichau .... 54 K 20
Reppinichen .... 43 J 20
Rerik .... 10 D 18
Rescheid .... 70 O 3
Resse .... 40 I 12
Resse (Gelsenkirchen-) .... 47 L 5
Ressen-Zaue .... 45 J 26
Resthausen .... 27 H 7
Restrup .... 27 I 7
Retgendorf .... 22 E 18
Rethem .... 29 H 12
Rethen .... 40 I 17
Rethen (Leine) .... 40 J 13
Rethmar .... 40 J 14
Rethwisch (Kreis Plön) ...... 9 D 14
Rethwisch (Kreis Stormarn) 20 E 15
Rethwisch (Börgerende-) .. 11 D 19
Retscheroth .... 59 N 6
Retschow .... 11 D 19
Rettenbach
(b. St. Englmar) .... 90 T 22
Rettenbach (Kreis Cham) .. 91 S 21
Rettenbach
(Kreis Günzburg) .... 103 U 15
Rettenbach a. Auerberg .. 112 W 16
Rettenberg .... 111 X 14
Retterode .... 63 M 13
Rettert .... 73 P 7
Rettin .... 10 D 16
Rettmer .... 31 G 15
Retzau .... 54 K 20
Retzbach .... 75 Q 13
Retzen .... 39 J 10
Retzin (Kreis Prignitz) ...... 32 G 19
Retzin (Kreis
Uecker-Randow) .... 25 F 26
Retzow (Kreis Havelland) .. 33 I 22
Retzow (Kreis Müritz) ...... 24 G 22
Retzow (Kreis Parchim) .... 23 F 20
Retzow (Kreis Uckermark) . 24 G 23
Retzstadt .... 75 Q 13
Reuden (Burgenlandkreis) . 66 M 20
Reuden
(Kreis Anhalt-Zerbst) ...... 43 J 20
Reudnitz .... 66 N 20
Reumtengrün .... 79 O 21
Reupelsdorf .... 86 Q 14
Reupzig .... 54 K 20
Reurieth .... 76 O 15
Reusch .... 86 R 14
Reusrath .... 59 M 4
Reußen .... 54 L 20
Reußenköge .... 4 C 10
Reußenstein .... 94 U 12
Reusten .... 93 U 10
Reut .... 106 V 22

A B C D E F G H I J K L M N O P Q R S T U V W X Y Z

A B C D E F G H I J K L M N O P Q R S T U V W X Y Z

Reute (Kreis
  Biberach a. d. Riß) ...102 V 13
Reute
  (Kreis Emmendingen) ...100 V 7
Reute (Kreis Ravensburg) 102 W 13
Reutern ...99 U 23
Reuth ...70 P 3
Reuth (Elstertalkreis) ...78 O 19
Reuth (Göltzschtalkreis) ...66 N 20
Reuth (Kreis Ansbach) ...87 S 16
Reuth (Kreis Forchheim) ...87 Q 17
Reuth a. Wald ...96 S 17
Reuth b. Erbendorf ...88 Q 20
Reuthen ...57 L 27
Reutlingen ...94 U 11
Reutlingendorf ...102 V 12
Reutlinger Alb ...102 U 11
Reutti (Alb-Donau-Kreis) ...95 U 13
Reutti (Kreis Neu-Ulm) ...103 U 14
Revenahe ...19 F 12
Revensdorf ...9 C 13
Rexingen ...101 U 9
Reyershausen ...52 L 13
Rezelsdorf ...86 R 16
Rhade ...18 G 11
Rhade ...47 K 4
Rhadereistedt ...19 G 11
Rhauderfehn ...27 G 6
Rhaudermoor ...27 G 6
Rhaunen ...72 Q 6
Rheda ...38 K 8
Rhede ...26 G 5
Rhede ...36 K 4
Rhedebrügge ...36 K 4
Rheden ...40 J 13
Rheder ...51 K 11
Rhederfeld ...26 G 5
Rheidt ...59 N 5
Rhein ...84 R 9
Rhein-Taunus (Naturpark) .73 P 8
Rhein-Weser-Turm ...61 M 8
Rhein-Westerwald
  (Naturpark) ...61 O 6
Rheinau (Ortenaukreis) ...92 U 7
Rheinau
  (Stadtkreis Mannheim) ...84 R 9
Rheinbach ...60 O 4
Rheinberg ...46 L 3
Rheinbischofsheim ...92 U 7
Rheinböllen ...73 P 7
Rheinbreitbach ...60 O 5
Rheinbrohl ...60 O 6
Rheindahlen ...58 M 3
Rheindorf ...59 M 4
Rheindürkheim ...84 Q 9
Rheine ...37 J 6
Rheineck ...60 O 5
Rheinfelden ...108 X 7
Rheinfels ...73 P 7
Rheingaugebirge ...73 P 7
Rheingönheim ...84 R 9
Rheingoldstraße ...71 P 6
Rheinhausen ...100 V 7
Rheinhausen (Duisburg-) ..47 L 4
Rheinhausen
  (Oberhausen-) ...84 S 9
Rheinheim ...109 X 8
Rheinisches
  Freilichtmuseum ...60 O 3
Rheinmünster ...92 T 8
Rheinsberg ...33 G 22
Rheinsberger See ...33 G 22
Rheinsheim ...84 S 9
Rheinstein ...73 Q 7
Rheinstetten ...93 T 8
Rheintal ...73 P 7
Rheinweiler ...108 W 6
Rheinzabern ...93 S 8
Rhen ...19 E 13
Rhena ...50 M 10
Rhens ...71 P 6
Rheurdt ...46 L 3
Rheydt ...58 M 3
Rheydt (Dorf) ...58 M 3
Rhin ...33 G 22
Rhina ...63 N 13
Rhinkanal ...33 H 21
Rhinluch ...33 H 21
Rhinow ...33 H 21
Rhode ...41 J 16
Rhode ...61 M 7
Rhoden ...41 J 16
Rhoden ...50 L 11
Rhodt ...83 S 8
Rhön ...75 O 13
Rhüden ...40 K 14

Rhünda ...63 M 12
Rhume ...52 L 14
Rhumspringe ...52 L 14
Rhynern ...49 L 7
Ribbeck (Kreis Havelland) ...33 I 22
Ribbeck (Kreis Oberhavel) .34 G 23
Ribbenstedt ...41 J 17
Ribbesbüttel ...41 I 15
Ribnitz-Damgarten ...11 D 21
Richelbach ...85 Q 12
Richelsdorf ...64 N 14
Richen (Kreis
  Darmstadt-Dieburg) ...74 Q 10
Richen (Kreis Heilbronn) ...84 S 10
Richrath ...59 M 4
Richstein ...62 N 9
Richterich ...58 N 2
Rickelrath ...58 M 2
Rickenbach ...108 X 7
Rickensdorf ...41 I 16
Rickling ...9 D 14
Riddagshausen ...41 J 15
Ridders ...8 D 12
Riebau ...32 H 17
Riebelsdorf ...63 N 11
Rieben ...43 J 23
Rieblingen ...96 U 16
Riebrau ...31 G 16
Ried (Kreis
  Aichach-Friedberg) ...104 V 17
Ried (Kreis Bad Tölz-
  Wolfratshausen) ...112 W 18
Ried (Kreis Günzburg) ...103 U 15
Ried (Kreis
  Weilheim-Schongau) ...104 W 16
Rieda ...54 L 20
Rieda ...29 H 11
Riedbach (Kreis Haßberge) 76 P 15
Riedbach (Kreis
  Schwäbisch-Hall) ...85 R 13
Riedberghorn ...111 X 14
Riedbergpaß ...111 X 14
Riedböhringen ...101 W 9
Riede ...29 H 10
Riede ...51 M 11
Riedelberg ...82 S 6
Rieden ...71 O 5
Rieden (Kreis
  Amberg-Sulzbach) ...88 S 19
Rieden (Kreis Ostallgäu) ..103 W 15
Rieden (Kreis Würzburg) ...76 Q 14
Rieden a. Ammersee ...104 W 17
Rieden a. d. Kötz ...103 U 14
Rieden a. Forggensee ...112 X 16
Riedenburg ...97 T 19
Riedenheim ...86 R 13
Riedensheim ...96 T 17
Riedenz ...53 K 17
Riederau ...104 W 17
Riederich ...94 U 11
Riedering ...105 W 20
Riedern ...85 Q 12
Riedern a. Wald ...109 W 8
Riedhausen ...102 W 12
Riedhausen b. Günzburg ..95 U 14
Riedheim
  (Kreis Günzburg) ...103 U 14
Riedheim
  (Kreis Konstanz) ...109 W 10
Riedlingen (Kreis
  Biberach a. d. Riß) ...102 V 12
Riedlingen
  (Kreis Donau-Ries) ...96 T 16
Riedlingen (Kreis Lörrach) 108 W 6
Riedöschingen ...101 W 9
Riedstadt ...74 Q 9
Riefensbeek ...52 K 15
Riegel ...100 V 7
Riegelsberg ...81 S 4
Riegelstein ...87 R 18
Riegsee ...112 W 17
Riekenbostel ...30 G 12
Riekofen ...98 T 21
Rielasingen (Singen) ...109 W 10
Rielasingen-Worblingen ...109 W 10
Riem ...105 V 19
Riemsdorf ...68 M 24
Riemsloh ...38 J 9
Rieneck ...75 P 12
Riepe (Kreis Aurich) ...17 F 6
Riepe (Kreis Rotenburg) ...30 G 12
Riepe (Kreis
  Soltau-Fallingbostel) ...30 H 13
Rieplos ...44 J 25

Rieps ...21 E 16
Riepsdorf ...10 D 16
Ries ...95 T 15
Riesbriek ...4 B 11
Riesbürg ...95 T 15
Rieschweiler-Mühlbach ...83 S 6
Riesdorf ...54 K 20
Rieseberg ...41 J 16
Rieseby ...5 C 13
Riesel ...51 K 11
Riesenbeck ...37 J 6
Riesenbach (Kreis
  Uecker-Randow) ...25 E 26
Rietheim ...101 V 9
Rietheim-Weilheim ...101 V 10
Riethnordhausen (Kreis
  Sangerhausen) ...53 L 17
Riethnordhausen
  (Kreis Sömmerda) ...65 M 17
Rietschen ...57 L 28
Rietz ...43 I 21
Rietz Neuendorf ...45 J 26
Rietze ...40 I 15
Rietzel ...42 J 20
Rietzmeck ...54 K 20
Rietzneuendorf-
  Friedrichshof ...44 J 24
Riewend ...43 I 22
Riggerding ...99 T 23
Riglasreuth ...78 Q 19
Rilchingen-Hanweiler ...82 S 5
Rimbach ...84 R 10
Rimbach (Kreis Cham) ...89 S 22
Rimbach (Kreis Kitzingen) ..76 Q 14
Rimbach (Kreis Rottal-Inn) 106 U 21
Rimbeck ...50 L 11
Rimberg ...50 N 12
Rimhorn ...84 Q 11
Rimpar ...76 Q 13
Rimschweiler ...82 S 6
Rimsting ...106 W 21
Rinchnach ...91 T 23
Rinchnachmündt ...91 T 23
Rindelbach ...95 T 14
Rindenmoos ...102 V 13
Rinderfeld ...86 R 13
Rindern ...46 K 2
Ringe ...26 I 4
Ringelai ...99 T 24
Ringelbach ...92 U 8
Ringelheim ...40 J 14
Ringelsheim ...100 O 5
Ringenberg ...46 K 3
Ringenhain ...69 M 27
Ringenwalde ...34 G 25
Ringfurth ...42 I 19
Ringgau ...64 M 14
Ringgenbach ...102 W 11
Ringingen
  (Alb-Donau-Kreis) ...102 U 13
Ringingen
  (Zollernalbkreis) ...102 V 11
Ringleben ...53 L 17
Ringsberg ...5 B 12
Ringschnait ...103 V 13
Ringsheim ...100 V 7
Ringstedt ...18 F 10
Ringwall ...83 R 8
Rinkerode ...37 K 7
Rinnenthal ...104 U 17
Rinnthal ...83 S 7
Rinschheim ...85 R 12
Rinteln ...39 J 11
Rippach ...54 M 20
Rippberg ...85 R 11
Rippenweier ...84 R 10
Rippershausen ...64 O 15
Rippien ...68 N 25
Rippolingen ...108 X 7
Rippoltsberg ...70 O 3
Rischenau ...39 K 11
Rispel ...17 F 7
Rißegg ...102 V 13
Rissen ...19 F 13

Rissenthal ...80 R 4
Risserkogel ...113 X 19
Rißtissen ...102 V 13
Ristedt (Kreis Diepholz) ...29 H 10
Ristedt (Kreis
  Westliche Altmark) ...31 I 17
Risum-Lindholm ...4 B 10
Ritschenhausen ...76 O 15
Ritschermoor ...19 E 12
Ritterhude ...29 G 10
Rittersbach (Kreis Roth) ...87 S 17
Rittersdorf (Neckar-
  Odenwald-Kreis) ...85 R 11
Rittersdorf ...65 N 17
Rittersdorf ...70 Q 3
Rittersgrün ...79 O 22
Rittershausen ...62 N 8
Ritterode ...54 K 19
Rittmannshausen ...64 M 14
Rittsteig ...91 S 23
Ritzerow ...24 F 22
Ritzleben ...32 H 18
Riveris-Stausee ...80 Q 4
Rixen ...50 L 9
Rixfeld ...63 O 12
Roben ...66 N 20
Robern ...85 R 11
Robringhausen ...50 L 8
Rochau ...32 H 19
Rochlitz ...67 M 22
Rochsburg ...67 N 22
Rockenberg ...74 O 10
Rockenhausen ...83 R 7
Rockensüß ...63 M 13
Rockeskyll ...70 P 4
Rocksdorf ...87 S 18
Rockstedt ...19 G 11
Rod a. d. Weil ...74 O 9
Roda ...62 N 10
Roda (Bach) ...66 N 19
Roda (Kreis Leipziger Land) 67 M 21
Roda (Muldentalkreis) ...55 M 22
Rodacherbrunn ...77 O 18
Rodalben ...83 S 6
Rodau ...4 B 11
Rodau ...78 O 19
Rodau (Kreis Bergstraße) ..84 Q 9
Rodau (Kreis
  Darmstadt-Dieburg) ...84 Q 10
Roddahn ...33 H 20
Roddan ...32 H 20
Roden ...75 Q 12
Rodenäs ...4 B 10
Rodenbach
  (Kreis Kaiserslautern) ...81 R 6
Rodenbach
  (Kreis Main-Spessart) ...75 Q 12
Rodenbach
  (Lahn-Dill-Kreis) ...61 N 8
Rodenbek ...9 D 14
Rodenberg ...39 J 12
Rodenhausen ...62 N 9
Rodenkirchen ...18 F 9
Rodenkirchen (Köln) ...59 N 4
Rodenkircherwurp ...18 F 9
Rodenwalde ...21 F 16
Rodenzenreuth ...78 Q 20
Roderath ...60 O 4
Rodersdorf (Elstertalkreis) ..78 O 20
Rodersdorf
  (Kreis Halberstadt) ...53 K 17
Rodershausen ...70 Q 2
Rodewald ...30 I 12
Rodewisch ...66 O 21
Rodgau ...74 P 10
Rodheim ...74 O 10
Rodheim-Bieber ...62 O 9
Rodheim v. d. Höhe ...74 P 10
Roding ...89 S 21
Rodleben ...42 K 20
Rodt (Oberbergischer Kreis) 59 M 6
Rodt (Schleidweiler-) ...72 Q 4
Roduchelstorf ...21 E 16
Röbel (Kreis Müritz) ...23 F 21
Röbel (Kreis Ostholstein) ...9 D 16
Röbersdorf ...87 Q 16
Röblingen a. See ...54 L 19
Röcke ...39 J 11
Röckenhofen ...96 S 18
Röckersbühl ...87 S 18
Röckingen ...95 S 15
Röcknitz ...55 L 22
Röckwitz ...24 E 23
Röddelin ...34 G 24
Röddenau ...62 M 10
Röddensen ....
Rödelhausen ...72 Q 5

Rödelmaier ...76 P 14
Rödelsee ...86 Q 14
Röden ...77 P 17
Rödental ...77 P 17
Röderau ...55 M 23
Röderaue ...56 L 24
Röderhof ...41 K 17
Rödermark ...74 Q 10
Rödern ...68 M 25
Rödern ....
Rödern (Kreis
  Mecklenburg-Strelitz) ...24 F 22
Rödgen ...62 O 10
Rödinghausen ...38 J 9
Rödlin-Thurow ...24 F 23
Rödlitz ...67 N 21
Röfingen ...103 U 15
Röggellner See ...21 E 16
Röggelin ...96 T 16
Rögnitz ...21 F 17
Röhe ...58 N 2
Röhl ...80 Q 3
Röhlingen ...95 T 14
Röhrda ...64 M 14
Röhre ...49 M 8
Röhrenfurth ...63 M 12
Röhringsberg ...52 L 14
Röhrmoos ...104 V 18
Röhrnbach ...99 T 24
Röhrsdorf (Kreis
  Chemnitzer Land) ...67 N 22
Röhrsdorf (Kreis
  Meißen-Dresden) ...68 M 24
Röhrsdorf (Kreis
  Sächsische Schweiz) ...68 N 25
Röhrsen ...31 H 15
Röllbach ...85 Q 11
Röllfeld ...85 Q 11
Röllshausen ...63 N 11
Rölsdorf ...58 N 3
Rössing ...40 J 13
Röst ...7 D 11
Röt ...93 U 9
Rötenbach (Kreis Breisgau-
  Hochschwarzwald) ...101 W 8
Rötenbach
  (Kreis Freudenstadt) ...101 V 9
Roetgen ...58 O 2
Rötgesbüttel ...41 I 15
Rötha ...54 M 21
Röthen ...31 G 16
Röthenbach
  (Kreis Halberstadt) ...68 N 24
Röthenbach ...70 P 20
Röthenbach (Allgäu) ...111 X 13
Röthenbach a. d. Pegnitz ..87 R 17
Röthenbach b.
  St. Wolfgang ...87 R 17
Röthges ...62 O 10
Röthlein ...76 Q 14
Röttbach ...75 Q 12
Rötteln ...108 X 6
Röttenbach (Kreis
  Erlangen-Höchstadt) ...87 Q 16
Röttenbach (Kreis Rott) ...96 S 17
Röttgen (Bonn) ...59 N 5
Röttingen (Kreis Würzburg) 86 R 13
Röttingen (Ostalbkreis) ...95 T 14
Rötz ...89 R 21
Röversdorf ...11 D 20
Röwitz ...41 I 17
Roffhausen ...17 F 8
Roga ...24 F 24
Rogätz ...42 J 19
Rogeez ...23 F 21
Roggenburg ...103 U 14
Roggendorf ...21 E 17

Roggendorf ...60 O 3
Roggendorf (Köln-) ...59 M 4
Roggenhagen ...24 F 24
Roggenstede ...17 F 6
Roggenstein ...89 R 21
Roggenstorf ...10 E 17
Roggentin
  (Kreis Bad Doberan) ...11 D 20
Roggentin (Kreis
  Mecklenburg-Strelitz) ...24 F 22
Rogglfing ...106 U 22
Roggosen ...57 K 27
Roggow
  (Kreis Bad Doberan) ...10 D 18
Roggow (Kreis Güstrow) ...23 E 21
Rohdenhaus ...48 M 5
Rohloff ...33 G 20
Rohlstorf ...9 E 15
Rohne ...57 L 27
Rohnstedt ...53 M 16
Rohr ...49 L 7
Rohr ...70 O 4
Rohr (Kreis Roth) ...87 R 16
Rohr (Kreis Schmalkalden-
  Meiningen) ...64 O 15
Rohr (Stuttgart) ...94 T 11
Rohr i. Niederbayern ...97 T 19
Rohrbach (Elstertalkreis) ...79 P 20
Rohrbach (Kreis Coburg) ...77 P 17
Rohrbach
  (Kreis Heilbronn) ...93 S 10
Rohrbach (Kreis Hersfeld-
  Rotenburg) ...63 N 13
Rohrbach (Kreis
  Mühldorf a. Inn) ...106 V 21
Rohrbach (Kreis Pfaffenhofen a. d.
  Ilm) ...97 U 18
Rohrbach
  (Kreis Ravensburg) ...102 W 13
Rohrbach
  (Kreis Regensburg) ...88 S 19
Rohrbach (Kreis
  Südliche Weinstraße) ...83 S 8
Rohrbach
  (Saar-Pfalz-Kreis) ...82 S 5
Rohrbach i. Schwarzwald ...101 V 8
Rohrbeck ...43 K 23
Rohrberg ...31 H 17
Rohrbrunn ...75 Q 12
Rohrdorf (Kreis Calw) ...93 U 10
Rohrdorf
  (Kreis Ravensburg) ...111 W 14
Rohrdorf
  (Kreis Rosenheim) ...105 W 20
Rohrdorf
  (Kreis Sigmaringen) ...102 V 11
Rohren ...70 O 2
Rohrenfels ...96 T 17
Rohrhardts-Berg ...100 V 8
Rohrlack ...33 H 21
Rohrmoos ...111 X 14
Rohrsee ...102 W 13
Rohrsen ...29 H 11
Rohrsheim ...41 J 16
Roidin ...24 E 23
Roigheim ...85 R 12
Roisdorf ...59 N 5
Roitzsch (Kreis Bitterfeld) ..54 L 20
Roitzsch
  (Kreis Torgau-Oschatz) ...55 L 22
Roitzschjora ...54 L 21
Roklum ...41 J 16
Roland ...49 K 8
Rolandsbogen ...60 O 5
Rolfsbüttel ...40 I 15
Rolfshagen ...39 J 11
Rolfzen ...51 K 11
Rollesbroich ...70 O 2
Rollhausen ...52 L 14
Rollshausen ...62 N 9
Rollwitz ...25 F 25
Rolofshagen ...21 E 17
Romansthal ...77 P 17
Romkerhalle ...52 K 15
Rommelhausen ...74 P 10
Rommelried ...104 U 16
Rommelsbach ...94 U 11
Rommelshausen ...94 T 11
Rommers ...75 O 13
Rommersheim ...70 P 3
Rommerskirchen ...58 M 4
Rommerz ...75 O 12
Romrod ...63 N 11

Romsthal .... 75 P 12
Rondeshagen .... 21 E 15
Ronhausen .... 62 N 10
Ronhof .... 87 R 17
Ronneburg .... 74 P 11
Ronneburg .... 66 N 20
Ronnenberg .... 40 J 12
Ronsberg .... 103 W 15
Ronsdorf .... 48 M 5
Ronshausen .... 63 N 13
Ronsolden .... 88 S 19
Rorup .... 36 K 5
Rosa .... 64 N 14
Rosall .... 79 Q 21
Rosbach .... 61 N 6
Rosbach v. d. Höhe .... 74 P 10
Rosche .... 31 H 16
Roschwitz .... 54 K 19
Rosdorf .... 51 L 13
Rosdorf (Holstein) ..... 8 E 13
Rosebruch .... 30 G 12
Roseburg .... 21 F 15
Rosenbach .... 69 M 28
Rosenberg (Neckar-
   Odenwald-Kreis) .... 85 R 12
Rosenberg (Ostalbkreis) 95 S 14
Rosendahl .... 36 J 5
Rosenfeld .... 55 L 23
Rosenfeld .... 101 V 10
Rosenfelde .... 10 D 17
Rosengarten .... 94 S 13
Rosengarten
   (Kreis Harburg) .... 19 F 13
Rosengarten (Kreis Rügen) 13 D 24
Rosengarten
   (Stadtkreis Frankfurt) 45 I 27
Rosenhagen .... 39 I 11
Rosenhagen (Kreis
   Nordwestmecklenburg) 21 F 17
Rosenhagen (Kreis
   Ostvorpommern) .... 25 E 25
Rosenhain .... 69 M 28
Rosenheim .... 61 N 7
Rosenheim .... 105 W 20
Rosenkopf .... 81 R 6
Rosenkranz .... 4 B 10
Rosenow (Kreis Demmin) 24 F 23
Rosenow (Kreis Uckermark) 24 G 24
Rosenthal .... 62 N 10
Rosenthal (Kreis Lüneburg) 21 G 15
Rosenthal (Kreis Peine) 40 J 14
Rosenthal
   (Kreis Teltow-Fläming) 44 K 24
Rosenthal
   (Westlausitzkreis) .. 57 M 26
Rosenthal-Bielatal .... 68 N 26
Rosenwinkel .... 33 G 21
Rosian .... 42 J 20
Rosien .... 21 G 16
Rositz .... 66 M 21
Roskow .... 43 I 22
Rosow .... 25 G 27
Rossau (Kreis Mittweida) 67 M 23
Rossau (Kreis Stendal) 32 H 18
Roßbach
   (Kreis Bad Kissingen) 75 P 13
Roßbach (Kreis Fulda) 63 N 13
Roßbach (Kreis
   Merseburg-Querfurt) 54 M 19
Roßbach (Kreis Miltenberg) 75 Q 11
Roßbach (Kreis
   Mühldorf a. Inn) ... 106 U 21
Roßbach (Kreis Neuwied) 61 O 6
Roßbach (Kreis Rottal-Inn) 98 U 22
Roßbach
   (Werra-Meißner-Kreis) 51 M 13
Roßbach (Westerwaldkreis) 61 O 7
Roßbach-Wald .... 90 S 21
Roßberg .... 102 U 11
Roßberg (Stadt) ...... 102 W 13
Roßdorf (Kreis
   Darmstadt-Dieburg) 74 Q 10
Roßdorf (Kreis
   Jerichower Land) ... 42 I 20
Roßdorf (Kreis
   Marburg-Biedenkopf) 62 N 10
Roßdorf (Kreis Schmalkalden-
   Meiningen) .... 64 N 14
Roßdorf-Dunkelforth .. 42 I 20
Roßdort .... 74 P 10
Roßfeld (Kreis Coburg) 76 O 16
Roßfeld (Kreis
   Schwäbisch-Hall) ... 95 S 14
Roßfeld-Ringstraße ... 114 X 23
Roßhaupten .... 112 X 16
Roßholzen .... 113 W 20
Rossin .... 25 E 25

Roßla .... 53 L 17
Roßlau .... 43 K 20
Roßleben .... 53 M 18
Rossow (Kreis
   Mecklenburg-Strelitz) 24 F 24
Rossow (Kreis
   Ostprignitz-Ruppin) . 33 G 21
Rossow (Kreis
   Uecker-Randow) .... 25 F 26
Roßstein .... 113 X 19
Roßtal .... 87 R 16
Roßtrappe .... 53 K 17
Roßwälden .... 94 T 12
Roßwag .... 93 T 10
Roßwein .... 67 M 23
Rostock .... 11 D 20
Rostocker Heide .... 11 D 20
Rostrup .... 27 G 7
Rot (Donau) .... 103 W 13
Rot (Kocher) .... 94 T 13
Rot (Main-Tauber-Kreis) 85 R 13
Rot (St. Leon-) .... 84 S 9
Rot a. d. Rot .... 103 V 14
Rot a. See .... 86 S 14
Rot b. Laupheim ...... 103 V 13
Rotbach .... 59 N 4
Rotberg .... 44 I 24
Rote Lache .... 93 T 8
Rotenberg .... 94 L 14
Rotenburg .... 29 G 12
Rotenburg .... 63 N 13
Rotenhain .... 61 O 7
Rotenhar .... 94 T 13
Rotenhuse .... 10 D 16
Rotenkirchen .... 51 K 13
Roter Main .... 77 P 18
Rotes Kliff (Sylt) ..... 4 B 8
Rotfelden .... 93 U 10
Roth .... 87 S 17
Roth (Kreis Altenkirchen) 61 N 7
Roth
   (Kreis Hildburghausen) 76 O 15
Roth
   (Kreis Lichtenfels) . 77 P 17
Roth (Kreis Neu-Ulm) 103 U 14
Roth (Kreis Rhön-Grabfeld) 76 O 14
Roth (Lahn-Dill-Kreis) 61 O 8
Roth a. d. Our .... 80 Q 2
Roth b. Prüm .... 70 P 3
Rotha .... 53 L 17
Rothaargebirge .... 62 N 8
Rothaargebirge (Naturpark) 62 M 8
Rothau .... 99 T 24
Rothaus .... 100 W 8
Rothemann .... 75 O 13
Rothemühl .... 25 F 25
Rothemühle .... 61 N 7
Rothenbach
   (Kreis Heinsberg) .. 58 M 2
Rothenbach
   (Westerwaldkreis) .. 61 O 7
Rothenberg .... 77 P 16
Rothenberg .... 84 R 10
Rothenbergen .... 75 P 11
Rothenbuch .... 75 Q 12
Rothenburg (Oberlausitz) 57 L 28
Rothenburg o. d. Tauber 86 R 14
Rothenfels .... 75 Q 12
Rothenkirchen
   (Göltzschtalkreis) .. 67 O 21
Rothenkirchen (Kreis Fulda) 63 N 13
Rothenkirchen
   (Kreis Kronach) .... 77 O 17
Rothenklempenow ...... 25 F 26
Rothenschirmbach ..... 53 L 18
Rothensee .... 42 J 19
Rothenstadt .... 88 R 20
Rothenstein .... 65 N 18
Rothenstein .... 96 T 17
Rothenthai .... 68 O 24
Rothenuffeln .... 39 J 10
Rother Kuppe .... 76 O 14
Rothesütte .... 52 L 16
Rothhausen .... 76 P 14
Rothhelmshausen ...... 63 M 11
Rothmannsthal .... 77 P 17
Rothsee .... 87 S 17
Rothselberg .... 81 R 6
Rothwesten .... 51 L 12
Rott .... 5 C 11
Rott .... 58 N 2
Rott .... 104 W 16
Rott (Fluß) .... 106 U 21
Rott a. Inn .... 105 W 20
Rotta .... 55 K 21
Rottach .... 111 X 14

Rottach-Egern .... 113 W 19
Rottau .... 106 W 21
Rottenacker .... 102 V 13
Rottenbach (Kreis Coburg) 77 O 16
Rottenbach (Kreis
   Saalfeld-Rudolstadt) 65 N 17
Rottenberg .... 75 P 11
Rottenbuch .... 112 W 16
Rottenburg a. d. Laaber 97 T 20
Rottenburg a. Neckar 93 U 10
Rottendorf
   (Kreis Schwandorf) . 88 R 20
Rottendorf
   (Kreis Würzburg) ... 86 Q 14
Rottenegg .... 97 U 19
Rotterode .... 64 N 15
Rottershausen .... 76 P 14
Rotterterode .... 63 N 12
Rotthalmünster ...... 107 U 23
Rottleben .... 53 L 17
Rottleberode .... 53 L 16
Rottmersleben .... 42 J 18
Rottorf .... 20 F 14
Rottorf a. Klei .... 41 J 16
Rottstock (b. Brück) .. 43 J 22
Rottstock (b. Görzke) 43 J 21
Rottum .... 103 V 13
Rottweil .... 101 V 9
Rotwand .... 113 X 19
Roxel .... 37 K 6
Roxförde .... 42 I 18
Roxheim .... 73 Q 7
Roxheim (Pfalz) .... 84 R 9
Rubbelrath .... 48 M 3
Rubenow .... 13 D 25
Rubkow .... 15 E 25
Rubow .... 22 E 18
Ruchow .... 23 E 19
Ruckersfeld .... 61 N 8
Rudelstetten .... 95 T 15
Rudelzhausen .... 97 U 19
Ruden .... 13 D 25
Rudendorf .... 76 P 16
Ruderatshofen .... 103 W 15
Rudersberg .... 94 T 12
Rudersdorf .... 61 N 8
Ruderting .... 99 U 24
Rudingshain .... 63 O 11
Rudisleben .... 65 N 16
Rudlos .... 63 O 12
Rudolphshan .... 63 O 13
Rudolphstein .... 78 O 19
Rudolstadt .... 65 N 18
Rudower See .... 32 G 18
Rübehorst .... 33 H 20
Rübeland .... 53 K 16
Rübenach .... 71 O 6
Rübenau .... 67 O 23
Rüber .... 71 P 6
Rübke .... 19 F 13
Rück .... 85 Q 11
Rückers .... 75 O 12
Rückersdorf .... 87 R 17
Rückersdorf
   (Kreis Elbe-Elster) 56 L 24
Rückersdorf (Kreis Greiz) 66 N 20
Rückersdorf (Kreis
   Sächsische Schweiz) 68 M 26
Rückershausen .... 73 P 7
Rückholz .... 111 X 15
Rückingen .... 74 P 10
Rückmarsdorf .... 54 L 20
Rüddingshausen .... 62 N 10
Rüde .... 5 B 12
Rüdenau .... 85 Q 11
Rüdenhausen .... 86 Q 15
Rüdersdorf (Kreis Greiz) 66 N 19
Rüdersdorf (Kreis
   Märkisch-Oderland) 44 I 25
Rüdershausen
   (Kreis Göttingen) .. 52 L 14
Rüdershausen
   (Kreis Wesermarsch) 18 G 8
Rüdesheim .... 73 Q 7
Rüdesheim a. Rhein ... 73 Q 7
Rüdigershagen .... 52 L 15
Rüdigheim .... 74 P 10
Rüdinghausen .... 47 L 6
Rüdisbronn .... 86 R 15
Rüdnitz .... 34 H 24
Rügen (Insel) .... 13 C 23
Rügge .... 5 B 13
Rügischer Bodden .... 13 D 24
Rügland .... 86 R 15

Rühen .... 41 I 16
Rühle (Kreis Emsland) 26 H 5
Rühle (Kreis Holzminden) 39 K 12
Rühlerfeld .... 26 H 5
Rühlermoor .... 26 I 5
Rühlertwist .... 26 I 5
Rühlingstetten .... 95 T 15
Rühlow .... 24 F 24
Rühn .... 23 E 19
Rühstädt .... 32 H 19
Rülzheim .... 83 S 8
Rümmingen .... 108 X 6
Rümpel .... 20 E 15
Ründeroth .... 59 N 6
Ründte .... 49 L 6
Rüper .... 40 I 17
Rüppershausen .... 62 N 8
Rüscheid .... 61 O 6
Rüschendorf
   (Kreis Steinfurt) .. 37 I 6
Rüschendorf (Kreis Vechta) 37 I 8
Rüschhaus .... 37 K 6
Rüsfort .... 27 I 8
Rüspel .... 19 G 12
Rüspel .... 22 I 7
Rüssel .... 89 S 20
Rüsselhausen .... 85 R 13
Rüsselsheim .... 74 Q 9
Rüssen .... 28 H 9
Rüssenbach .... 87 Q 17
Rüssingen .... 83 R 8
Rüstungen .... 52 M 14
Rütenbrock .... 26 H 5
Rütenmoor .... 26 H 5
Rüterberg .... 31 G 17
Rüthen .... 50 L 9
Rüthnick .... 34 H 22
Rüting .... 21 E 17
Rütschdorf .... 85 R 12
Rugendorf .... 77 P 18
Rugenort .... 7 D 10
Rugensee .... 22 E 18
Ruhestein .... 93 U 8
Ruhla .... 64 N 15
Ruhland .... 56 L 25
Ruhlkirchen .... 63 N 11
Ruhlsdorf (Kreis Barnim) 34 H 24
Ruhlsdorf (Kreis
   Potsdam-Mittelmark) 44 I 23
Ruhlsdorf
   (Kreis Teltow-Fläming) 44 J 23
Ruhlsdorf
   (Kreis Wittenberg) . 55 K 22
Ruhmannsfelden .... 91 T 22
Ruhner Berge .... 23 G 19
Ruhpolding .... 114 W 21
Ruhr .... 50 M 9
Ruhrgebiet .... 47 L 4
Ruhstorf .... 98 U 22
Ruhstorf a. d. Rott .. 107 U 24
Ruhwarden .... 18 F 8
Ruhwinkel .... 9 D 14
Ruit (Kreis Karlsruhe) 93 S 10
Ruit (Stuttgart) ..... 94 T 11
Rulfingen .... 102 V 11
Rulle .... 37 I 8
Rullstorf .... 21 G 15
Rumbach .... 92 S 7
Rumbeck
   (Hochsauerlandkreis) 49 L 8
Rumbeck
   Hameln-Pyrmont) ... 39 J 11
Rumeln .... 46 L 3
Rummelloch .... 4 C 9
Rummenohl .... 49 M 6
Rumohr .... 9 D 14
Rumpshagen .... 24 F 22
Runding .... 89 S 22
Runkel .... 73 O 8
Runow .... 23 F 19
Runzhausen .... 62 N 9
Rupboden .... 75 P 13
Ruppach-Goldhausen .. 73 O 7
Ruppendorf .... 68 N 24
Ruppersdorf .... 77 O 18
Ruppersdorf (Oberlausitz) 69 N 28
Ruppertenrod .... 62 O 10
Ruppertsberg .... 62 O 10
Ruppertsgrün
   (Elstertalkreis) ... 66 O 20
Ruppertsgrün
   (Kreis Zwickauer Land) 66 N 21
Ruppertshain .... 74 P 9
Ruppertshofen (Kreis
   Schwäbisch-Hall) .. 85 S 13
Ruppertshofen (Ostalbkreis) 94 T 13
Ruppertshütten .... 75 P 12
Ruppertsweiler .... 83 S 7

Ruppertszell .... 104 U 17
Ruppichteroth .... 59 N 6
Ruppiner Kanal .... 34 H 23
Ruppiner Schweiz ..... 33 G 22
Ruppiner See .... 33 H 22
Rupprechtstegen ...... 87 R 18
Rupsroth .... 63 O 13
Rur .... 70 O 2
Rur-Stausee .... 58 O 3
Rurberg .... 70 O 3
Rurdorf .... 58 N 2
Rurtalsperre .... 70 O 3
Rusch .... 111 X 14
Ruschberg .... 81 R 5
Ruschwedel .... 19 F 12
Rusel .... 98 T 23
Rushend .... 39 J 11
Russee .... 9 D 14
Rußheim .... 84 S 9
Rust .... 100 V 7
Rustenfelde .... 52 L 14
Rustow .... 14 E 23
Rutenberg .... 24 G 23
Rutesheim .... 93 T 10
Ruthe .... 40 J 13
Ruthenbeck .... 22 F 19
Ruwer .... 72 Q 4
Ryck .... 13 D 23
Ryckgraben .... 13 D 23
Rysum .... 16 F 5

S

Saal .... 11 D 21
Saal .... 76 P 18
Saal a. d. Donau ..... 97 T 19
Saalach .... 114 W 22
Saalbach .... 84 S 9
Saalburg .... 78 O 19
Saalburg .... 74 P 9
Saaldorf (Kreis Berchtesgadener
   Land) .... 106 W 22
Saaldorf (Saale-Orla-Kreis) 78 O 19
Saale .... 65 O 18
Saale .... 78 P 19
Saaler Bodden .... 11 C 21
Saalfeld (Schwarzkreis) 65 O 18
Saalfeld
   (Unstrut-Hainich-Kreis) 52 M 15
Saalhaupt .... 97 T 20
Saalhausen .... 56 L 25
Saalhausen .... 61 M 8
Saalow .... 44 J 24
Saalsdorf .... 41 I 17
Saalstadt .... 81 S 6
Saar .... 82 S 4
Saar-Hunsrück .... 80 R 4
Saarbach .... 92 S 7
Saarbrücken .... 82 S 5
Saarbrücken-
   Ensheim (Flughafen) 82 S 5
Saarburg .... 80 R 3
Saarkölzbach .... 80 R 3
Saarlouis .... 80 R 3
Saarmund .... 44 J 23
Saarwellingen .... 80 R 4
Saasen .... 62 O 10
Saathain .... 56 L 24
Sababurg .... 51 L 12
Sabbenhausen .... 39 K 11
Sabel .... 11 D 21
Sabershausen .... 71 P 6
Sabrodt .... 57 L 26
Sachau .... 41 I 17
Sachrang .... 113 W 20
Sachsbach .... 86 S 15
Sachsdorf .... 68 M 24
Sachsen .... 86 S 15
Sachsenberg .... 79 O 21
Sachsenberg .... 62 M 10
Sachsenbrunn .... 77 O 16
Sachsenburg
   (Kreis Mittweida) . 67 N 23
Sachsenburg
   (Kyffhäuserkreis) . 53 M 17
Sachsendorf (Kreis
   Märkisch-Oderland) 45 I 27
Sachsendorf
   (Muldentalkreis) .. 55 M 22
Sachsengrund .... 79 O 21
Sachsenhagen .... 39 I 11
Sachsenhausen (Frankfurt) 74 P 9
Sachsenhausen
   (Kreis Heidenheim) 95 U 14
Sachsenhausen
   (Kreis Oberhavel) . 34 H 23

Sachsenhausen (Kreis
   Waldeck-Frankenberg) 50 M 11
Sachsenhausen
   (Kreis Weimarer Land) 65 M 18
Sachsenhausen
   (Main-Tauber-Kreis) 85 Q 12
Sachsenheim .... 94 T 11
Sachsenkam .... 105 W 18
Sachsenried .... 104 W 16
Sachsenwald .... 20 F 15
Sachsgrün .... 78 O 20
Sack .... 40 J 13
Sacka .... 56 M 25
Sackpfeife .... 62 N 9
Sacro .... 43 I 23
Sacrow-Waldow .... 45 K 26
Sadelkow .... 24 F 24
Sadenbeck .... 33 G 20
Sadersdorf .... 19 F 11
Sadisdorf .... 68 N 24
Sächsische Schweiz ... 69 N 26
Sächsische Weinstraße 68 M 24
Saeffelen .... 58 M 1
Saerbeck .... 37 J 6
Säuling .... 112 X 16
Saffig .... 71 O 6
Sagar .... 57 L 28
Sagard .... 13 C 24
Sagast .... 23 G 19
Sagehorn .... 29 G 11
Sahlenburg .... 18 E 9
Sahms .... 21 F 15
Sahrendorf .... 30 G 14
Saidenbach Stausee ... 67 N 23
Saig .... 100 W 8
Sailauf .... 75 P 11
Sailershausen .... 76 P 15
Salach .... 94 T 13
Salbke .... 42 J 19
Salem .... 21 F 16
Salem .... 110 W 11
Salgen .... 103 V 15
Sallach .... 98 T 21
Sallahn .... 31 G 16
Sallgast .... 56 L 25
Sallneck .... 108 W 7
Salm .... 70 P 4
Salmanskirchen ..... 106 V 21
Salmendingen .... 102 U 11
Salmsdorf .... 76 P 16
Salmtal .... 72 Q 4
Salmünster .... 75 P 12
Salow .... 24 E 24
Saltendorf .... 88 R 20
Salz .... 76 P 14
Salz (Fluß) .... 75 O 12
Salz (Vogelsbergkreis) 75 O 12
Salz (Westerwaldkreis) 61 N 8
Salzach .... 106 V 22
Salzau .... 9 D 15
Salzberg .... 63 N 12
Salzbergen .... 36 J 6
Salzbergwerk .... 85 S 11
Salzbrunn .... 43 J 22
Salzburg .... 61 N 8
Salzdahlum .... 41 J 15
Salzderhelden .... 51 K 13
Salzenforst-Bolbritz 69 M 27
Salzfurtkapelle ..... 54 K 20
Salzgitter .... 40 J 15
Salzgitter-Bad ...... 40 J 15
Salzhaff .... 10 D 18
Salzhausen .... 30 G 14
Salzhemmendorf ...... 39 J 12
Salzkotten .... 50 K 9
Salzmünde .... 54 L 19
Salzstetten .... 93 U 9
Salzwedel .... 31 H 17
Salzweg .... 99 U 24
Salzwoog .... 83 S 7
Sambach .... 87 Q 16
Sambachshof .... 76 P 15
Sambleben .... 41 J 16
Sameister .... 112 W 16
Samerberg .... 113 W 20
Samern .... 36 J 5
Sammarei .... 99 U 23

A B C D E F G H I J K L M N O P Q R S T U V W X Y Z

Samswegen .... 42 J 18
Samtens .... 13 C 23
Sand (Kreis Kassel) .... 51 M 11
Sand (Kreis Rastatt) .... 93 U 8
Sand (Ortenaukreis) .... 92 U 7
Sand (Rhein-Sieg-Kreis) .... 59 N 5
Sand a. Main .... 76 Q 15
Sandau .... 32 H 20
Sandauerholz .... 32 H 20
Sandbach .... 84 Q 11
Sandbach .... 99 U 23
Sandbeiendorf .... 42 I 19
Sandbek .... 5 B 13
Sandberg (Kreis Fulda) .... 76 O 13
Sandberg (Kreis Rhön-Grabfeld) .... 76 O 14
Sandbostel .... 19 F 11
Sande .... 17 F 8
Sande .... 50 K 9
Sande (Enge-) .... 4 B 10
Sandebeck .... 50 K 10
Sandel .... 17 F 7
Sandelzhausen .... 97 U 19
Sandersdorf .... 54 L 20
Sandersdorf .... 97 T 18
Sandershausen .... 51 M 12
Sandersleben .... 53 K 18
Sandesneben .... 21 E 15
Sandforth .... 38 J 9
Sandfurth .... 42 I 19
Sandhagen (Kreis Bad Doberan) .... 10 D 19
Sandhagen (Kreis Mecklenburg-Strelitz) .... 25 E 24
Sandharlanden .... 97 T 19
Sandhatten .... 28 G 8
Sandhausen .... 18 G 10
Sandhausen .... 84 R 9
Sandhof .... 95 S 14
Sandhorst .... 17 F 6
Sanding .... 97 T 20
Sandizell .... 96 U 17
Sandkaten .... 9 D 15
Sandkrug .... 35 H 25
Sandkrug .... 28 G 8
Sandlofs .... 63 N 12
Sandsbach .... 97 T 20
Sandstedt .... 18 F 9
Sandtorf .... 84 R 9
Sangerhausen .... 53 L 17
Sanitz .... 11 D 21
Sankelmark .... 5 B 12
St. Andreasberg .... 52 K 15
St. Annen .... 7 C 11
St. Arnold .... 36 J 6
St. Augustin .... 59 N 5
St. Bartholomä .... 114 X 22
St. Bernhard .... 76 O 15
St. Blasien .... 108 W 8
St. Candidus .... 93 T 10
St. Dionys .... 20 F 15
St. Egidien .... 67 N 21
St. Englmar .... 91 S 22
St. Gangloff .... 66 N 19
St. Georgen .... 101 V 9
St. Georgsberg .... 21 E 16
St. Germanshof .... 92 S 7
St. Gertrud .... 21 E 16
St. Goar .... 73 P 7
St. Goarshausen .... 73 P 7
St. Heinrich .... 104 W 18
St. Hubert .... 46 L 3
St. Hubertus .... 21 E 16
St. Hülfe .... 28 I 9
St. Ilgen .... 84 R 10
St. Ingbert .... 82 S 5
St. Jakob .... 106 W 21
St. Johann (b. Hohe Warte) .... 94 U 11
St. Johann (Gemeinde) .... 102 U 12
St. Johann (Kreis Kelheim) .... 97 T 19
St. Johannis .... 77 Q 18
St. Joost .... 17 F 7
St. Jürgen .... 21 E 16
St. Jürgensland .... 29 G 10
St. Julian .... 81 R 6
St. Katharinen .... 60 O 4
St. Leon-Rot .... 84 S 9
St. Leonhard .... 106 V 21
St. Leonhard a. Wonneberg .... 106 W 22
St. Leonhard i. Forst .... 104 W 17
St. Lorenz .... 21 E 16
St. Märgen .... 100 V 8
St. Margarethen .... 19 E 11
St. Martin .... 83 S 8
St. Michaelis .... 67 N 23
St. Michaelisdonn .... 7 E 11

St. Oswald-Riedlhütte .... 91 T 24
St. Pauli (Hamburg) .... 19 F 13
St. Peter .... 100 V 8
St. Peter-Ording .... 7 D 9
St. Quirin .... 113 W 19
St. Roman .... 101 V 8
St. Salvator .... 99 U 23
St. Servatius .... 114 W 21
St. Thomas .... 70 P 3
St. Tönis .... 48 M 3
St. Trudpert .... 100 W 7
St. Ulrich .... 100 W 7
St. Vit .... 50 K 8
St. Wendel .... 81 R 5
St. Wilhelm .... 100 W 7
St. Wolfgang .... 105 V 20
Sanne (Altmarkkreis Salzwedel) .... 32 H 18
Sanne (Kreis Stendal) .... 32 I 19
Sannerz .... 75 P 12
Sanssouci (Potsdam) .... 43 I 23
Sanzkow .... 24 E 23
Sapelloh .... 39 I 10
Sarching .... 90 S 20
Sargenroth .... 73 Q 6
Sargstedt .... 41 K 16
Sarkwitz .... 9 E 16
Sarlhusen .... 8 D 13
Sarmstorf .... 23 E 20
Sarnow .... 24 E 24
Sarnstall .... 83 S 7
Sarow .... 24 E 23
Sarre .... 42 J 18
Sarrod .... 75 O 12
Sarstedt .... 40 J 13
Sarzbüttel .... 7 D 11
Sasbach (Kreis Emmendingen) .... 100 V 6
Sasbach (Ortenaukreis) .... 92 U 8
Sasbachwalden .... 92 U 8
Sasel .... 20 F 14
Sassanfahrt .... 87 Q 16
Sassen .... 14 D 23
Sassenberg .... 37 K 8
Sassenburg .... 41 I 15
Sassendorf .... 77 Q 16
Sassenhausen .... 62 N 9
Sassenholz .... 19 F 11
Saßleben .... 56 K 25
Saßmannshausen .... 62 N 9
Saßnitz .... 13 C 24
Satemin .... 31 H 17
Saterland .... 27 G 7
Satjendorf .... 9 C 15
Satow (Kreis Bad Doberan) .... 11 E 19
Satow (Kreis Müritz) .... 23 F 21
Satrup .... 5 B 12
Sattelbogen .... 91 S 21
Satteldorf .... 86 S 14
Sattelpeilstein .... 91 S 22
Satzkorn .... 43 I 22
Satzung .... 67 O 23
Satzvey .... 60 O 4
Saubach .... 53 M 18
Sauen .... 45 J 26
Sauensiek .... 19 F 12
Sauer .... 80 Q 2
Sauerlach .... 105 W 18
Sauerland .... 49 M 6
Sauerthal .... 73 P 7
Sauggart .... 102 V 12
Sauldorf .... 102 W 11
Saulgrub .... 112 W 17
Saulheim .... 73 Q 8
Saupersdorf .... 67 O 21
Saupsdorf .... 69 N 26
Sausedlitz .... 54 L 21
Saustrup .... 5 B 13
Sauzin .... 15 D 25
Saxdorf .... 55 L 23
Sayda .... 68 N 24
Sayn .... 71 O 6
Saynbach .... 71 O 6
Schaafheim .... 74 Q 11
Schaag .... 58 M 2
Schaalby .... 5 C 12
Schaale .... 21 F 16
Schaalsee (Naturpark) .... 21 E 16
Schachdorf-Ströbeck .... 41 K 16
Schacht-Audorf .... 8 D 13
Schachten .... 51 L 12

Schachten .... 89 S 22
Schachtrup .... 49 K 8
Schackendorf .... 9 E 14
Schackensleben .... 42 J 18
Schackenthal .... 53 K 18
Schacksdorf .... 56 L 25
Schackstedt .... 53 K 18
Schadehorn .... 20 E 15
Schadeleben .... 53 K 18
Schadewitz .... 56 L 24
Schäftersheim .... 85 R 13
Schäftlarn .... 104 W 18
Schaephuysen .... 46 L 3
Schäplitz .... 32 I 18
Schafberg .... 37 J 7
Schafberg .... 89 R 22
Schaffhausen .... 82 S 4
Schaffhausen .... 95 T 15
Schafflund .... 5 B 11
Schafreuter .... 113 X 18
Schafshill .... 97 T 18
Schafstädt .... 54 L 19
Schafstedt .... 7 D 11
Schaftlach .... 113 W 19
Schafwedel .... 31 H 16
Schafwinkel .... 30 H 12
Schaibing .... 99 U 24
Schaidt .... 92 S 8
Schaippach .... 75 P 12
Schale .... 37 I 6
Schalkau .... 77 O 17
Schalkenbach .... 60 O 5
Schalkenmehren .... 71 P 4
Schalkham .... 98 U 21
Schalkhausen .... 86 S 15
Schalkholz .... 7 D 11
Schalksmühle .... 49 M 6
Schalkstetten .... 95 U 13
Schallbach .... 108 X 6
Schallfeld .... 76 Q 15
Schallodenbach .... 83 R 7
Schallstadt .... 100 W 7
Schambach (Kreis Straubing-Bogen) .... 98 T 22
Schambach (Kreis Weißenburg-Gunzenhausen) .... 96 T 16
Schameder .... 62 M 8
Schamhaupten .... 97 T 18
Schanbach .... 94 T 12
Schandelah .... 41 J 16
Schanze .... 62 M 9
Schanzendorf .... 29 G 11
Schapbach .... 101 U 9
Schapdetten .... 36 K 6
Schapen .... 37 I 6
Schapow .... 25 F 25
Schaprode .... 13 C 23
Schaproder Bodden .... 13 C 23
Scharbeutz .... 9 D 16
Scharbow .... 21 F 17
Scharenstetten .... 95 U 13
Scharfenberg .... 68 M 24
Scharfenberg .... 50 L 9
Scharfenbrück .... 44 J 23
Scharfenstein .... 67 N 23
Scharfoldendorf .... 40 K 12
Scharhörn (Insel) .... 6 E 9
Scharlibbe .... 32 H 20
Scharling .... 113 X 19
Scharmbeck .... 20 F 14
Scharmbeckstotel .... 29 G 10
Scharmede .... 50 K 9
Scharmützelsee .... 45 J 26
Scharnebeck .... 21 G 15
Scharnhorst (Kreis Celle) .... 30 H 14
Scharnhorst (Kreis Verden) .... 29 H 11
Scharrel (Kreis Cloppenburg) .... 27 G 7
Scharrel (Kreis Diepholz) .... 29 H 9
Scharrel (Kreis Hannover) .... 39 I 12
Scharringhausen .... 29 I 10
Scharrl .... 30 G 13
Schartau .... 42 J 19
Scharzfeld .... 52 L 15
Schashagen .... 10 D 16
Schatensen .... 30 G 14
Schatthausen .... 84 S 10
Schattin .... 21 E 16
Schaudel .... 56 M 26
Schauder .... 54 K 20
Schauen .... 41 K 16
Schauenburg .... 51 M 12
Schauenburg .... 92 U 8
Schauenstein .... 78 P 19
Schauernheim .... 84 R 8
Schaufling .... 98 T 23
Schauinsland .... 100 W 7
Schaumberg .... 81 R 5

Schaumburg .... 39 J 11
Schaumburg .... 73 O 7
Schaumburger Wald .... 39 I 11
Schechen .... 105 W 20
Schechingen .... 95 T 13
Scheddebrock .... 37 J 6
Scheden .... 51 L 13
Scheer .... 102 V 11
Scheerenberg .... 52 K 14
Scheersberg .... 5 B 13
Scheeßel .... 30 G 12
Scheffau .... 110 X 13
Schefflenz .... 85 R 11
Scheibe-Alsbach .... 77 O 17
Scheibenberg .... 67 O 22
Scheibenhardt .... 92 T 8
Scheid .... 62 M 11
Scheidegg .... 110 X 13
Scheiden .... 54 M 20
Scheidental .... 85 R 11
Scheidewang Alp .... 111 X 14
Scheidingen .... 49 L 7
Scheinfeld .... 86 Q 15
Schelenburg .... 37 J 8
Schelklingen .... 102 U 13
Schellbach .... 66 N 20
Schellbronn .... 93 T 10
Schelldorf .... 42 I 19
Schelldorf .... 96 T 18
Schellenbach .... 103 V 15
Schellerhau .... 68 N 25
Schellert .... 86 R 15
Schellerten .... 40 J 14
Schellhorn .... 9 D 14
Schellweiler .... 81 R 6
Schemmerberg .... 102 V 13
Schemmerhofen .... 102 V 13
Schemmern .... 63 M 13
Schenefeld (Kreis Pinneberg) .... 19 F 13
Schenefeld (Kreis Steinburg) .... 8 D 12
Schenkelberg .... 61 O 7
Schenkenberg (Kreis Delitzsch) .... 54 L 20
Schenkenberg (Kreis Uckermark) .... 25 F 25
Schenkendöbern .... 45 K 27
Schenkendorf .... 44 K 24
Schenkenhorst (Altmarkkreis Salzwedel) .... 32 I 18
Schenkenhorst (Kreis Potsdam-Mittelmark) .... 44 I 23
Schenkenzell .... 101 V 9
Schenklengsfeld .... 63 N 13
Scheppach .... 103 U 15
Scheppau .... 41 J 16
Schepsdorf .... 36 I 5
Scherbda .... 64 M 14
Scherenbostel .... 40 I 13
Scherfede .... 50 L 11
Scherlebeck .... 47 L 5
Schermbeck .... 47 K 4
Schermcke .... 41 J 17
Schermen .... 42 J 19
Schernebeck .... 42 I 19
Scherneck .... 77 P 16
Schernfeld .... 96 T 17
Schernikau .... 32 I 19
Schernsdorf .... 45 J 27
Scherpenseel .... 58 N 2
Scherstetten .... 103 V 15
Scherzheim .... 92 T 8
Schessinghausen .... 29 I 11
Scheßlitz .... 77 Q 17
Scheuder .... 54 K 20
Scheuen .... 30 H 14
Scheuerfeld .... 61 N 7
Scheuerfeld .... 77 P 16
Scheuerheck .... 60 O 4
Scheuren .... 60 O 4
Scheuring .... 104 V 16
Scheven .... 60 O 3
Schevenhütte .... 58 N 2
Scheyern .... 96 U 18
Schiebsdorf .... 44 K 25
Schiedel .... 56 M 26
Schieder .... 39 K 11
Schiedungen .... 52 L 15
Schießbahn .... 48 M 3
Schielberg .... 93 T 9
Schielo .... 53 L 17
Schienen .... 109 W 10
Schiener Berg .... 109 W 10
Schierau .... 54 K 20
Schierbrok .... 29 G 9

Schieren .... 9 E 15
Schierensee .... 9 D 13
Schierhorn .... 19 G 13
Schierke .... 52 K 15
Schierling .... 97 T 20
Schiersfeld .... 83 Q 7
Schierstein .... 73 P 8
Schießen .... 103 V 14
Schießhaus .... 51 K 12
Schiffdorf .... 18 F 9
Schiffelbach .... 62 N 10
Schiffenberg .... 62 O 10
Schifferstadt .... 84 R 9
Schiffmühle .... 35 H 26
Schilbach (Elstertalkreis) .... 79 O 20
Schilbach (Saale-Orla-Kreis) .... 78 O 19
Schilda .... 56 L 24
Schilde .... 21 F 16
Schildesche .... 38 J 9
Schildgen .... 59 M 5
Schildow .... 34 I 24
Schildthurn .... 106 V 22
Schilksee .... 9 C 14
Schillersdorf .... 24 F 22
Schillerslage .... 40 I 13
Schillertswiesen .... 90 S 21
Schillig .... 17 F 7
Schillingen .... 80 R 4
Schillingsfürst .... 86 S 14
Schillingstadt .... 85 R 12
Schillingstedt .... 53 M 17
Schilldsdorf .... 9 D 14
Schiltach .... 101 V 9
Schiltberg .... 104 U 17
Schimborn .... 75 P 11
Schimm .... 22 E 18
Schimmendorf .... 77 P 18
Schinder .... 113 X 19
Schinkel .... 9 C 13
Schinna .... 39 I 11
Schinne .... 32 I 19
Schiphorst .... 20 E 15
Schipkau .... 56 L 25
Schippach .... 85 Q 11
Schipphorst .... 9 D 14
Schirgiswalde .... 69 M 27
Schirmenitz .... 55 L 23
Schirmitz .... 89 R 20
Schirnau .... 8 C 13
Schirnding .... 79 P 20
Schirnrod .... 77 O 16
Schirradorf .... 77 P 17
Schirum .... 17 F 6
Schkeuditz .... 54 L 19
Schkölen .... 66 M 19
Schköna .... 55 K 21
Schkopau .... 54 L 19
Schkortitz .... 55 M 22
Schkortleben .... 54 M 20
Schladebach .... 54 M 20
Schladen .... 41 J 15
Schladern .... 61 N 6
Schladt .... 71 P 4
Schlächtenhaus .... 108 W 7
Schlag .... 91 T 23
Schlagbrügge .... 21 E 16
Schlagenthin (Kreis Jerichower Land) .... 43 I 20
Schlagenthin (Kreis Märkisch-Oderland) .... 45 I 26
Schlagsdorf (Kreis Nordwestmecklenburg) .... 21 E 16
Schlagsdorf (Kreis Ostholstein) .... 10 C 17
Schlaitdorf .... 94 U 11
Schlaitz .... 54 L 21
Schlalach .... 43 J 22
Schlamau .... 43 J 21
Schlamersdorf .... 9 D 15
Schlammersdorf (Kreis Forchheim) .... 87 Q 17
Schlammersdorf (Kreis Neustadt a. d. Waldnaab) .... 88 Q 19
Schlangen .... 50 K 10
Schlangenbad .... 73 P 8
Schlanstedt .... 41 J 17
Schlarpe .... 51 L 13
Schlat .... 94 U 13
Schlatt (Kreis Breisgau-Hochschwarzwald) .... 100 W 7
Schlatt (Zollernalbkreis) .... 101 W 11
Schlatt a. Randen .... 109 W 10
Schlaube .... 45 J 27

Schlaubetal .... 45 J 27
Schlauersbach .... 86 S 16
Schlausenbach .... 70 P 3
Schlebusch .... 59 M 5
Schleching .... 114 W 21
Schledehausen .... 37 J 8
Schleesen .... 54 K 21
Schleeßel .... 29 G 11
Schlegel (Kreis Löbau-Zittau) .... 69 N 28
Schlegel (Saale-Orla-Kreis) .... 77 O 18
Schlehdorf .... 112 X 17
Schlei .... 5 C 13
Schleibnitz .... 42 J 18
Schleid .... 64 N 13
Schleiden .... 70 O 3
Schleiden (Forst) .... 70 O 3
Schleidweiler-Rodt .... 72 Q 3
Schleife .... 57 L 27
Schleinitz .... 67 M 23
Schleiz .... 66 O 19
Schlema .... 67 O 19
Schlemmin (Kreis Güstrow) .... 23 E 19
Schlemmin (Kreis Nordvorpommern) .... 12 D 22
Schlemmin (Kreis Parchim) .... 23 F 20
Schlenzer .... 44 K 23
Schlepkow .... 25 F 25
Schlepzig .... 44 J 25
Schlesen .... 9 D 15
Schleswig .... 5 C 12
Schleswig-Holsteinisches Freilichtmuseum (Kiel) .... 9 D 14
Schleswig-Holsteinisches Wattenmeer .... 4 B 9
Schlettau (Kreis Annaberg) .... 67 O 22
Schlettau (Saalkreis) .... 54 L 19
Schleuse .... 76 O 15
Schleusegrund .... 77 O 16
Schleusingerneundorf .... 65 O 16
Schlewecke .... 40 J 14
Schlich .... 58 N 3
Schlicht .... 24 F 24
Schlicht .... 88 R 19
Schlichten .... 94 T 12
Schlichting .... 7 D 11
Schlickelde .... 37 I 7
Schlieben .... 56 K 24
Schlieffenberg .... 23 E 21
Schliengen .... 100 W 6
Schlier .... 110 W 13
Schlierbach (Kreis Bergstraße) .... 84 Q 10
Schlierbach (Main-Kinzig-Kreis) .... 75 P 11
Schlierbach (Schwalm-Eder-Kreis) .... 63 N 11
Schlierbachswald .... 64 M 14
Schliersee .... 113 W 19
Schliersee (Dorf) .... 113 W 19
Schlierstadt .... 85 R 12
Schliffkopf .... 93 U 8
Schlingen .... 103 W 15
Schliprüthen .... 49 M 8
Schlitz .... 63 N 12
Schlitzerländer Tierfreiheit .... 63 N 12
Schlöben .... 66 N 19
Schloen .... 24 F 22
Schloß Holte-Stukenbrock .... 38 K 9
Schloß Landsberg .... 64 O 15
Schloß Neuhaus .... 50 K 10
Schloß Ricklingen .... 39 I 12
Schlossau .... 85 R 11
Schloßberghöhlen .... 81 R 5
Schloßböckelheim .... 83 Q 7
Schloßborn .... 74 P 9
Schloßkulm .... 65 N 18
Schloßvippach .... 65 M 18
Schlotheim .... 52 M 15
Schlottwitz .... 68 N 25
Schlotzau .... 63 N 12
Schluchsee (Gemeinde) .... 100 W 8
Schlucht .... 109 W 8
Schlüchtern .... 75 O 12
Schlüsselburg .... 39 I 11
Schlüsselfeld .... 86 Q 15
Schlüttsiel .... 4 B 10
Schluft .... 34 H 24
Schlunkendorf .... 43 J 23
Schlutup .... 21 E 16
Schmachtendorf .... 47 L 4

Schmachtenhagen .... 34 H 23
Schmadebeck .... 11 D 19
Schmalegg .... 102 W 12
Schmalenbeck
 (Kreis Osterholz) .... 29 G 11
Schmalenbeck
 (Kreis Stormarn) .... 20 F 14
Schmalenberg .... 83 R 7
Schmalensee .... 9 D 14
Schmalfeld .... 19 E 13
Schmalfelden .... 86 S 14
Schmalkalden .... 64 N 15
Schmallenberg .... 62 M 8
Schmalnau .... 75 O 13
Schmalstede .... 9 D 14
Schmalwasser .... 76 O 14
Schmalwasser (Talsperre) . 64 N 15
Schmannewitz .... 55 L 22
Schmarbeck .... 30 H 14
Schmargendorf .... 35 H 25
Schmarren .... 18 E 9
Schmarsau .... 32 H 18
Schmarsow .... 24 E 23
Schmatzfeld .... 41 K 16
Schmatzhausen .... 97 U 20
Schmatzin .... 15 E 24
Schmechten .... 51 K 11
Schmedehausen .... 37 J 7
Schmedenstedt .... 40 J 14
Schmeie .... 102 V 11
Schmellwitz .... 57 K 26
Schmelz .... 80 R 4
Schmergow .... 43 I 22
Schmerkendorf .... 55 L 23
Schmerlecke .... 50 L 8
Schmerlitz .... 56 M 26
Schmerwitz .... 43 J 21
Schmerzke .... 43 I 21
Schmetzdorf .... 42 I 20
Schmiden .... 94 T 11
Schmidgaden .... 88 R 20
Schmidham .... 99 U 23
Schmidmühlen .... 88 S 19
Schmidsfelden .... 111 W 14
Schmidt .... 58 O 3
Schmidtheim .... 70 O 3
Schmiechen
 (Alb-Donau-Kreis) .... 102 U 13
Schmiechen (Kreis
 Aichach-Friedberg) ...... 104 V 16
Schmiedeberg
 (Kreis Uckermark) .... 35 G 25
Schmiedeberg
 (Weißeritzkreis) .... 68 N 25
Schmiedefeld .... 65 O 17
Schmiedefeld a.
 Rennsteig .... 65 O 16
Schmiedehausen .... 66 M 19
Schmieheim .... 100 V 7
Schmilau .... 21 F 16
Schmilka .... 69 N 26
Schmilkendorf .... 43 K 21
Schmillinghausen .... 50 L 11
Schmira .... 65 N 16
Schmirma .... 54 M 19
Schmitten .... 74 P 9
Schmittlotheim .... 62 M 10
Schmitzhöhe .... 59 N 5
Schmöckwitz .... 44 I 24
Schmölau
 (Kreis Dannenberg) .... 31 G 16
Schmölau (Kreis
 Westliche Altmark) .... 31 H 16
Schmölln (Kreis
 Altenburger Land) .... 66 N 21
Schmölln (Kreis Uckermark) 25 G 26
Schmölln-Putzkau .... 69 M 26
Schmölz .... 77 P 17
Schmogrow .... 45 K 26
Schmolde .... 23 G 20
Schmoldow .... 14 E 24
Schmollensee .... 15 E 26
Schmorda .... 65 O 18
Schmorkau .... 56 M 25
Schmücke (Dorf) .... 64 O 16
Schmutter .... 96 U 16
Schnabelwaid .... 87 Q 18
Schnackenburg .... 32 G 18
Schnackenwerth .... 76 P 14
Schnaditz .... 55 L 21
Schnaid .... 87 Q 16
Schnait .... 94 T 12
Schnaitheim .... 95 T 14
Schnaitsee .... 106 V 21
Schnaittach .... 87 R 18
Schnaittenbach .... 88 R 20
Schnakenbek .... 21 F 15

Schnarchenreuth .... 78 O 19
Schnarrtanne .... 79 O 21
Schnarup-Thumby .... 5 C 12
Schnathorst .... 38 J 10
Schnaupping .... 105 V 20
Schneckenhausen .... 83 R 7
Schneckenlohe .... 77 P 17
Schneeberg (Kreis Aue-
 Schwarzenberg) .... 67 O 21
Schneeberg
 (Kreis Miltenberg) .... 85 R 11
Schneeberg
 (Kreis Oder-Spree) .... 45 J 26
Schneeberg
 (Kreis Schwandorf) .... 89 R 21
Schneeren .... 39 I 12
Schneerener Moor .... 39 I 11
Schneflingen .... 31 I 16
Schnega .... 31 H 16
Schneidenbach .... 66 O 20
Schneiderkrug .... 27 H 8
Schneidlingen .... 42 K 18
Schneifel (Forsthaus) .... 70 P 3
Schneifel .... 70 P 3
Schneizlreuth .... 114 W 22
Schnellbach .... 64 N 15
Schnelldorf .... 86 S 14
Schnellin .... 55 K 22
Schnellmannshausen .... 64 M 14
Schnellroda .... 54 M 19
Schnellrode .... 63 M 13
Schnepke .... 29 H 10
Schnett .... 77 O 16
Schnetzenhausen .... 110 W 12
Schneverdingen .... 30 G 13
Schney .... 77 P 17
Schnürpflingen .... 103 V 13
Schnuttenbach .... 103 U 15
Schobüll
 (Kreis Nordfriesland) .... 4 C 11
Schobüll (Kreis
 Schleswig-Flensburg) .... 5 B 11
Schochwitz .... 54 L 19
Schöbendorf .... 44 J 24
Schöffau .... 112 W 17
Schöffelding .... 104 V 16
Schöffengrund .... 74 O 9
Schöfweg .... 99 T 23
Schöllang .... 111 X 14
Schöllbronn .... 93 T 9
Schöllenbach .... 84 R 11
Schöllkrippen .... 75 P 11
Schöllnach .... 99 T 23
Schömbach Stausee .... 67 N 21
Schömberg (Kreis Calw) ...... 93 T 9
Schömberg
 (Kreis Freudenstadt) ...... 101 U 9
Schömberg
 (Zollernalbkreis) .... 101 V 10
Schöna .... 69 N 26
Schöna (b. Eilenburg) .... 55 L 22
Schöna (b. Sörnewitz) .... 55 L 22
Schöna-Kolpien .... 56 K 24
Schönach .... 98 T 21
Schönach
 (Kreis Sigmaringen) ...... 102 W 11
Schönaich
 (Kreis Böblingen) .... 94 U 11
Schönaich
 (Kreis Schweinfurt) .... 86 Q 15
Schönanger .... 99 T 24
Schönau .... 64 O 15
Schönau (Kreis Cham) .... 89 R 21
Schönau
 (Kreis Ebersberg) .... 105 W 19
Schönau
 (Kreis Euskirchen) .... 60 O 4
Schönau (Kreis Lörrach) .... 100 W 7
Schönau
 (Kreis Main-Spessart) ..... 75 P 13
Schönau (Kreis Olpe) .... 61 N 7
Schönau (Kreis Passau) ...... 99 U 23
Schönau (Kreis Regen) .... 91 S 22
Schönau (Kreis Rottal-Inn) . 98 U 22
Schönau
 (Rhein-Neckar-Kreis) ...... 84 R 10
Schönau (Pfalz) .... 92 S 7
Schönau a. Brend .... 76 O 14
Schönau a. Königssee ...... 114 X 22
Schönau-Berzdorf .... 69 M 28
Schönau v. d. Walde .... 61 N 8
Schönbach
 (Göltzschtalkreis) .... 66 O 20
Schönbach
 (Kreis Löbau-Zittau) ...... 69 M 27

Schönbach (Sermuth-) .... 67 M 22
Schönbeck .... 24 F 24
Schönbek .... 9 D 13
Schönberg
 (b. Bad Brambach) .... 79 P 20
Schönberg (b. Lindow) .... 33 H 22
Schönberg (b. Rodau) .... 66 O 19
Schönberg (b.Tamnitz) .... 33 H 21
Schönberg (Kreis
 Freyung-Grafenau) .... 99 T 24
Schönberg (Kreis
 Herzogtum Lauenburg) .... 20 E 15
Schönberg (Kreis
 Mühldorf a. Inn) .... 106 U 21
Schönberg (Kreis
 Nordwestmecklenburg) ... 21 E 16
Schönberg (Kreis
 Nürnberger Land) .... 87 R 17
Schönberg (Kreis Plön) .... 9 C 15
Schönberg (Kreis Stendal) . 32 H 19
Schönberg (Kreis
 Weilheim-Schongau) .... 112 W 16
Schönbergerstrand .... 9 C 15
Schönborn
 (Donnersbergkreis) .... 83 R 7
Schönborn
 (Kreis Elbe-Elster) .... 56 L 24
Schönborn (Kreis
 Riesa-Großenhain) .... 56 M 25
Schönborn
 (Rhein-Lahn-Kreis) .... 73 P 7
Schönborn-Dreiwerden ...... 67 N 23
Schönbronn .... 86 S 14
Schönbronn
 (Kreis Dachau) .... 104 V 18
Schönbrunn
 (Kreis Hildburghausen) ... 77 O 16
Schönbrunn
 (Kreis Landshut) .... 97 U 20
Schönbrunn
 (Kreis Wunsiedel i. F.) .... 78 P 19
Schönbrunn
 (Rhein-Neckar-Kreis) ...... 84 R 10
Schönbrunn
 (Saale-Orla-Kreis) .... 78 O 18
Schönbrunn (Lausitz) .... 68 M 26
Schönbrunn a. Lusen .... 99 T 24
Schönbrunn i. Steigerwald .. 76 Q 16
Schönbuch .... 93 U 10
Schönbuch (Naturpark) ...... 94 U 11
Schönburg .... 66 M 19
Schönburg .... 107 U 23
Schönburg (Oberwesel) .... 73 P 7
Schönderling .... 75 P 13
Schöndorf .... 80 Q 4
Schönebeck .... 42 J 19
Schönebeck (Kreis Prignitz) 33 G 20
Schöneberg .... 35 G 26
Schöneberg
 (Kreis Altenkirchen) .... 61 O 6
Schöneberg
 (Kreis Bad Kreuznach) .... 73 Q 7
Schönebürg .... 103 V 13
Schöneck .... 74 P 10
Schöneck .... 79 O 21
Schönecken .... 70 P 3
Schönefeld
 (b. Luckenwalde) .... 44 J 23
Schönefeld (b. Marzahna) . 43 K 22
Schönegründ .... 93 U 9
Schöneiche
 (Kreis Oder-Spree) .... 44 I 25
Schöneiche
 (Kreis Teltow-Fläming) .... 44 J 24
Schönemark .... 39 K 10
Schönemoor .... 29 G 9
Schönenbach (Kreis Breisgau-
 Hochschwarzwald) .... 100 W 8
Schönenbach (Schwarzwald-
 Baar-Kreis) .... 100 V 8
Schönenberg .... 95 T 14
Schönenberg-Kübelberg .. 81 R 6
Schönerlinde .... 34 I 24
Schönermark (b. Grünow) .. 35 G 26
Schönermark (b. Prenzlau) 25 G 25
Schönermark
 (Kreis Oberhavel) .... 34 G 23
Schönermark (Kreis
 Ostprignitz-Ruppin) .... 33 H 20
Schönerstadt .... 67 N 23
Schöneseiffen .... 70 O 3
Schönewalde
 (b. Finsterwalde) .... 56 K 24
Schönewalde (b. Weißen) .. 55 K 23

Schönewerda .... 53 M 18
Schönewörde .... 31 I 15
Schönfeld .... 70 P 3
Schönfeld (b. Gartz) .... 25 G 26
Schönfeld (b. Prenzlau) ... 25 F 25
Schönfeld
 (Kreis Annaberg) .... 67 O 22
Schönfeld (Kreis Barnim) .. 34 H 25
Schönfeld (Kreis Demmin) . 24 E 22
Schönfeld
 (Kreis Bayreuth) .... 77 Q 18
Schönfeld (Kreis Demmin) . 24 E 22
Schönfeld
 (Kreis Eichstätt) .... 96 T 17
Schönfeld (Kreis
 Potsdam-Mittelmark) ...... 43 J 23
Schönfeld (Kreis
 Riesa-Großenhain) .... 56 M 25
Schönfeld (Kreis Stendal) .. 32 H 20
Schönfeld
 (Main-Tauber-Kreis) ...... 85 Q 13
Schönfeld-Weißig .... 68 M 25
Schönfels .... 45 I 26
Schönfels .... 66 N 21
Schönficht .... 89 Q 20
Schönfließ .... 34 I 24
Schöngeising .... 104 V 17
Schöngleina .... 66 N 19
Schönhagen (b. Gumtow) .. 33 H 20
Schönhagen (b. Pritzwalk) . 33 G 20
Schönhagen
 (Kreis Northeim) .... 51 K 12
Schönhagen (Kreis
 Rendsburg-Eckernförde) ...5 C 14
Schönhagen
 (Kreis Teltow-Fläming) .... 44 J 23
Schönhaid .... 79 Q 20
Schönhausen (Kreis
 Mecklenburg-Strelitz) .... 25 F 25
Schönhausen
 (Kreis Stendal) .... 32 I 20
Schönhauser Damm .... 33 I 20
Schönheide .... 79 O 21
Schönhof .... 21 E 17
Schönholthausen .... 49 M 8
Schönholz-Neuwerder .... 33 H 21
Schöning .... 50 K 9
Schöningen .... 41 J 16
Schöninger Aue .... 41 J 16
Schöninghausdorf .... 26 H 5
Schönkirchen .... 9 C 14
Schönlind .... 79 P 20
Schönlind (Kreis
 Amberg-Sulzbach) .... 88 R 19
Schönmünz .... 93 U 8
Schönmünzach .... 93 U 9
Schönningstedt .... 20 F 14
Schönow (Kreis Barnim) .... 34 H 24
Schönow
 (Kreis Uckermark) .... 35 G 26
Schönrain .... 112 W 18
Schönram .... 106 W 22
Schönreuth .... 78 Q 19
Schönsee .... 89 R 21
Schönstadt .... 62 N 10
Schönstedt .... 64 M 15
Schöntal .... 85 S 12
Schönteichen .... 56 M 26
Schönthal .... 89 R 21
Schönwald
 (Kreis Wunsiedel i. F.) .... 78 P 20
Schönwald (Ortenaukreis) 100 U 8
Schönwald i.
 Schwarzwald .... 100 V 8
Schönwalde (Kreis Barnim) 34 H 24
Schönwalde (Kreis
 Dahme-Spreewald) .... 44 K 25
Schönwalde
 (Kreis Havelland) .... 34 I 23
Schönwalde (Kreis
 Uecker-Randow) .... 25 F 25
Schönwalde (Altmark) ...... 42 I 19
Schönwalde
 am Bungsberg .... 9 D 16
Schönwerder .... 25 F 25
Schönwohld .... 8 D 13
Schönwolkau .... 54 L 21
Schöppenstedt .... 41 J 16
Schöppingen .... 36 J 5
Schöpstal .... 69 M 28
Schörzingen .... 101 V 10
Scholderup .... 5 C 13
Scholen .... 29 H 10
Schollach .... 100 W 8
Schollbrunn
 (Kreis Main-Spessart) .... 85 Q 12

Schollbrunn (Neckar-
 Odenwald-Kreis) .... 84 R 11
Schollene .... 33 H 20
Scholven .... 47 L 5
Schomberg .... 49 M 8
Schomburg .... 110 W 13
Schonach .... 100 V 8
Schonau .... 62 N 11
Schonderfeld .... 75 P 13
Schondorf .... 104 V 17
Schondra .... 75 P 13
Schongau .... 104 W 16
Schongau .... 51 L 12
Schonstett .... 105 W 20
Schonungen .... 76 P 14
Schopfheim .... 108 X 7
Schopfloch (Kreis Ansbach) 95 S 14
Schopfloch
 (Kreis Esslingen) .... 94 U 12
Schopfloch
 (Kreis Freudenstadt) ..... 101 U 9
Schopp .... 81 R 7
Schora .... 42 J 20
Schorba .... 65 N 18
Schorborn .... 51 K 12
Schorbus .... 57 K 26
Schorfheide .... 34 H 24
Schorndorf (Kreis Cham) .. 89 S 21
Schorndorf
 (Rems-Murr-Kreis) .... 94 T 12
Schornsheim .... 73 Q 8
Schornweisach (Kreis
 Rendsburg-Eckernförde) ...5 C 13
Schorrentin .... 24 E 22
Schorssow .... 23 E 21
Schorstedt .... 32 H 18
Schortens .... 17 F 7
Schortewitz .... 54 L 20
Schossin .... 21 F 17
Schott .... 16 F 5
Schotten .... 7 E 11
Schotten .... 75 O 11
Schottenstein .... 77 P 16
Schraden .... 56 L 25
Schramberg (Stadt) .... 101 V 9
Schrampe .... 32 H 18
Schraplau .... 54 L 19
Schrauchenbach .... 76 Q 14
Schrebitz .... 55 M 23
Schrecksbach .... 63 N 11
Schreiersgrün .... 66 O 20
Schrenz .... 54 L 20
Schretstaken .... 21 F 15
Schreufa .... 62 M 10
Schriesheim .... 84 R 9
Schrobenhausen .... 96 U 17
Schröck .... 62 N 10
Schröding .... 105 U 20
Schröttinghausen .... 38 J 9
Schrozberg .... 86 R 13
Schuby (Kreis
 Rendsburg-Eckernförde) ...5 C 13
Schuby (Kreis
 Schleswig-Flensburg) .... 5 C 12
Schuckenbaum .... 38 J 10
Schüler .... 30 G 13
Schüller .... 70 O 3
Schülp .... 7 D 10
Schülp b. Nortorf .... 8 D 13
Schülp b. Rendsburg .... 8 D 12
Schünhagen .... 12 D 22
Schünow .... 44 J 24
Schürdt .... 61 O 6
Schüren .... 50 M 8
Schüttdamm .... 19 E 11
Schüttorf .... 36 J 5
Schützingen .... 93 T 10
Schuhlen-Wiese .... 45 J 26
Schuld .... 71 O 4
Schulenberg .... 11 D 21
Schulenberg .... 29 H 9
Schulenberg i. Oberharz .. 52 K 15
Schulenburg .... 40 J 13
Schulendorf .... 21 F 15
Schulzendorf (Kreis
 Dahme-Spreewald) .... 44 I 24
Schulzendorf (Kreis
 Märkisch-Oderland) .... 35 H 26
Schulzendorf
 (Kreis Oberhavel) .... 34 G 23
Schunter .... 41 J 16
Schupf .... 87 R 18
Schura .... 101 V 9
Schurwald .... 94 T 12
Schussen .... 102 W 12
Schuttertal .... 100 U 7
Schutterwald .... 92 U 7

Schutterzell .... 100 U 7
Schutzbach .... 61 N 7
Schwaan .... 11 E 20
Schwabach .... 87 R 17
Schwabbach .... 85 S 12
Schwabe .... 8 D 13
Schwabegg .... 104 V 16
Schwaben .... 97 T 19
Schwaben Park .... 94 T 12
Schwabenheim a. d. Selz .. 73 Q 8
Schwabenrod .... 63 N 11
Schwaberwegen .... 105 V 19
Schwabhausen
 (Kreis Dachau) .... 104 V 18
Schwabhausen
 Landsberg a. Lech) ...... 104 V 16
Schwabhausen
 (Main-Tauber-Kreis) ...... 85 R 12
Schwabing .... 105 V 18
Schwabmühlhausen .... 104 V 16
Schwabmünchen .... 104 V 16
Schwabsberg .... 95 T 14
Schwabsburg .... 74 Q 8
Schwabsoien .... 104 W 16
Schwabstedt .... 7 C 11
Schwabthal .... 77 P 17
Schwackenreute .... 101 W 11
Schwäbisch-Fränkischer Wald
 (Naturpark) .... 94 S 12
Schwäbisch-Gmünd .... 94 T 13
Schwäbisch-Hall .... 94 T 13
Schwäbische Alb .... 101 V 10
Schwäbische Rezat .... 96 S 17
Schwafheim .... 46 L 3
Schwaförden .... 29 H 10
Schwagstorf
 (b. Bad Essen) .... 37 I 8
Schwagstorf (b. Fürstenau) 37 I 7
Schwaig (Kreis Bad Tölz-
 Wolfratshausen) .... 112 W 18
Schwaig (Kreis Erding) ... 105 U 19
Schwaig (Nürnberg) .... 87 R 17
Schwaiganger .... 112 X 17
Schwaigen .... 112 X 17
Schwaigern .... 94 S 11
Schwaikheim .... 94 T 12
Schwaim .... 107 U 23
Schwalbach (Saar) .... 80 S 4
Schwalbach a. Taunus ...... 74 P 9
Schwalefeld .... 50 M 9
Schwalingen .... 30 G 13
Schwalmtal .... 64 N 15
Schwalm (Fluß b. Brüggen) . 58 M 2
Schwalm
 (Fluß b. Schwalmstadt) ... 63 N 11
Schwalmstadt .... 63 N 11
Schwalmstadt-Treysa .... 63 N 11
Schwalmstadt-Ziegenhain . 63 N 11
Schwalmtal
 (Vogelsbergkreis) .... 63 N 11
Schwanau .... 100 U 7
Schwanbeck (Kreis
 Mecklenburg-Strelitz) .... 24 E 24
Schwanbeck (Kreis
 Nordwestmecklenburg) ...21 E 16
Schwanberg .... 86 Q 14
Schwand (Elstertalkreis) ... 78 O 20
Schwand (Kreis Neustadt
 a. d. Waldnaab) .... 88 Q 20
Schwand (Kreis Roth) .... 87 S 17
Schwandorf .... 88 S 20
Schwandorf
 (Kreis Tuttlingen) .... 101 W 10
Schwandt .... 24 F 23
Schwanebeck
 (Kreis Barnim) .... 34 I 24
Schwanebeck
 (Kreis Halberstadt) .... 41 K 17
Schwanebeck
 (Kreis Havelland) .... 33 I 22
Schwanebeck (Kreis
 Potsdam-Mittelmark) ..... 43 J 21
Schwanebeck (Bördekreis) . 42 K 18
Schwaneberg
 (Kreis Uckermark) .... 25 G 26
Schwaneburgermoor .... 27 G 7
Schwanefeld .... 41 J 17
Schwanenberg .... 58 M 2
Schwanenkirchen .... 98 T 23
Schwanewede .... 18 G 9
Schwaney .... 50 K 10
Schwangau .... 112 X 16
Schwanheide .... 21 F 16

A B C D E F G H I J K L M N O P Q R S T U V W X Y Z

A B C D E F G H I J K L M N O P Q R S T U V W X Y Z

Schwanheim (Kreis Bergstraße) .... 84 Q 9
Schwanheim (Rhein-Neckar-Kreis) .. 84 R 10
Schwaningen .... 101 W 9
Schwann .... 93 T 9
Schwansen .... 5 C 13
Schwansener See .... 5 C 14
Schwanstetten .... 87 S 17
Schwante .... 34 H 23
Schwarme .... 29 H 11
Schwarmstedt .... 30 H 12
Schwartbuck .... 9 C 15
Schwartenberg .... 68 O 24
Schwarz .... 63 N 12
Schwarz (Kreis Müritz) .. 33 G 22
Schwarz (Kreis Schönebeck) .. 42 K 19
Schwarza .... 108 W 8
Schwarza (Bach) .... 65 O 17
Schwarza (Kreis Schmalkalden-Meiningen) ... 64 O 15
Schwarza (Schwarzakreis) . 65 N 17
Schwarzach (b. Schönsee) 89 R 21
Schwarzach (Fluß) .... 89 R 20
Schwarzach (Kreis Rastatt) ... 92 T 8
Schwarzach (Kreis Straubing-Bogen) .. 91 T 22
Schwarzach (Neckar-Odenwald-Kreis) .. 84 R 10
Schwarzach a. Main ...... 86 Q 14
Schwarzach b. Kulmbach .. 77 P 18
Schwarzach b. Nabburg .. 89 R 20
Schwarzbach (Kreis Fulda) 63 O 13
Schwarzbach (Kreis Mittweida) .. 67 M 22
Schwarzbach (Kreis Oberspreewald-Lausitz) ..56 L 25
Schwarzbach (Kreis Schmalkalden-Meiningen) ... 64 O 14
Schwarzbachwachtsattel .. 114 X 22
Schwarzburg .... 65 O 17
Schwarze Berge .... 19 F 13
Schwarze Elster .... 55 K 23
Schwarze Laaber .... 90 S 19
Schwarze Pumpe .... 57 L 27
Schwarzeck .... 114 X 22
Schwarzenacker .... 82 S 5
Schwarzenau .... 62 M 9
Schwarzenbach (Kreis Neustadt a. d. Waldnaab) .. 88 Q 19
Schwarzenbach (Kreis Tirschenreuth) .. 89 Q 21
Schwarzenbach (Saarpfalz-Kreis) .... 82 S 5
Schwarzenbach a. d. Saale 78 P 19
Schwarzenbach a. Wald .. 77 P 18
Schwarzenbach Stausee ... 93 U 8
Schwarzenbek .... 21 F 15
Schwarzenberg .... 68 M 26
Schwarzenberg (Kreis Cham) .... 89 S 22
Schwarzenberg (Kreis Freudenstadt) .. 93 U 9
Schwarzenberg (Erzgebirge) .... 67 O 22
Schwarzenborn .... 63 N 12
Schwarzenbruck .... 87 R 17
Schwarzenburg .... 56 K 24
Schwarzenfeld .... 88 R 20
Schwarzenhammer .... 78 P 20
Schwarzenholz .... 80 R 4
Schwarzenraben .... 50 L 9
Schwarzenstein .... 77 P 18
Schwarzenthonhausen .... 90 S 19
Schwarzer Graben .... 55 L 22
Schwarzer Grat .... 111 W 14
Schwarzer Mann .... 70 P 3
Schwarzer Regen .... 91 S 23
Schwarzhausen .... 64 N 15
Schwarzheide .... 56 L 25
Schwarzhofen .... 89 R 21
Schwarzkollm .... 56 L 26
Schwarzriegel .... 89 S 22
Schwarzwälder Hochwald . 80 R 4
Schwarzwald .... 100 W 8
Schwarzwald-Hochstraße . 92 U 8
Schwarzwasser .... 31 I 15
Schwasdorf .... 23 E 21
Schwebda .... 64 M 14
Schweben .... 75 O 12
Schwebenried .... 76 P 14
Schwebheim (Kreis Ansbach) ...... 86 R 15
Schwebheim (Kreis Schweinfurt) ..... 76 Q 14

Schweckhausen .... 51 L 11
Schwedelbach .... 81 R 6
Schwedeneck .... 5 C 14
Schwedt .... 35 G 26
Schweegenheim .... 84 S 8
Schwegenmoor .... 37 I 8
Schwei .... 18 F 9
Schweiburg .... 18 F 8
Schweich .... 72 Q 4
Schweicheln .... 38 J 9
Schweicheln-Bermbeck .. 38 J 9
Schweigen-Rechtenbach .. 92 S 7
Schweigern .... 85 R 12
Schweighausen .... 73 P 7
Schweighausen .... 100 V 7
Schweighof .... 100 W 7
Schweighofen .... 92 S 7
Schweikershain .... 67 M 22
Schweikershausen .... 76 P 15
Schweimke .... 31 H 15
Schweina .... 64 N 15
Schweinbach .... 65 O 18
Schweinberg .... 85 R 12
Schweindorf .... 95 T 15
Schweinfurt .... 76 P 14
Schweinhausen .... 102 V 13
Schweinhütt .... 91 T 23
Schweinitz (Kreis Anhalt-Zerbst) .. 42 J 20
Schweinitz (Kreis Wittenberg) ... 55 K 23
Schweinitzer Fließ .... 55 K 23
Schweinrich .... 33 G 21
Schweinsberg .... 62 N 10
Schweinsbühl .... 50 M 10
Schweinschied .... 81 Q 6
Schweinsdorf .... 86 R 14
Schweinshaupten .... 76 P 15
Schweisdorf .... 77 P 17
Schweitenkirchen .... 97 U 18
Schweix .... 83 S 6
Schwelm .... 48 M 5
Schwemlingen .... 80 R 3
Schwemsal .... 55 L 21
Schwend .... 88 R 18
Schwenda .... 53 L 17
Schwenke .... 49 M 6
Schwennenbach .... 95 U 15
Schwenningen (Kreis Dillingen a. d. Donau) ... 95 U 15
Schwenningen (Kreis Sigmaringen) ...101 V 10
Schwenningen (Villingen-) 101 V 9
Schwentine .... 9 D 14
Schwepnitz .... 56 L 25
Schweppenhausen .... 73 Q 7
Schwerborn .... 65 M 17
Schwerfen .... 60 O 3
Schwerin .... 22 F 18
Schwerin (Kreis Dahme-Spreewald) .. 44 J 24
Schwerin (Kreis Oder-Spree) .. 44 J 25
Schweriner See .... 22 E 18
Schweringen .... 29 H 11
Schweringhausen .... 29 H 10
Schwerinsburg .... 25 E 25
Schwerinsdorf .... 17 G 6
Schwerstedt (Kreis Sömmerda) .. 65 M 16
Schwerstedt (Kreis Weimarer Land) .. 65 M 17
Schwerte .... 49 L 6
Schwerz .... 54 L 20
Schwesing .... 4 C 11
Schweskau .... 32 H 17
Schwetzingen .... 84 R 9
Schwicheldt .... 40 J 14
Schwichteler .... 27 H 8
Schwichtenberg .... 25 E 25
Schwickershausen .... 74 P 8
Schwieberdingen .... 94 T 11
Schwiegershausen .... 52 K 14
Schwielochsee .... 45 J 26
Schwielowsee .... 43 I 22
Schwienau .... 31 H 15
Schwienhusen .... 7 D 11
Schwienskopp .... 7 D 10
Schwiesau .... 32 I 17
Schwiessel .... 23 E 21
Schwifting .... 104 V 16
Schwimmbach .... 98 T 21
Schwindebeck .... 30 G 14

Schwindegg .... 105 V 20
Schwindkirchen .... 105 V 20
Schwinge .... 19 F 12
Schwinkendorf .... 23 F 22
Schwinzer Heide .... 23 F 20
Schwirzheim .... 70 P 3
Schwitten .... 49 L 7
Schwittersdorf .... 54 L 19
Schwörstadt .... 108 X 7
Schwollen .... 81 Q 5
Schwüblingsen .... 40 I 14
Schwülper .... 40 I 15
Schwürbitz .... 77 P 17
Sebalder Reichswald ..... 87 R 17
Sebbeterode .... 63 N 11
Sebexen .... 52 K 14
Sebnitz .... 69 N 26
Secantsgraben .... 32 I 18
Sechselberg .... 94 T 12
Sechshelden .... 62 N 8
Sechtem .... 59 N 4
Seck .... 61 O 8
Seckach .... 85 R 12
Seckenhausen .... 29 H 10
Secklendorf .... 31 G 15
Seckmauern .... 85 Q 11
Seddin .... 43 J 23
Seddinsee .... 44 I 25
Sedelsberg .... 27 G 7
Sedlitz .... 56 L 26
See .... 97 S 19
Seebach (Kreis Deggendorf) .. 98 T 23
Seebach (Ortenaukreis) .. 92 U 8
Seebach (Unstrut-Hainich-Kreis) .. 64 M 15
Seebach (Wartburgkreis) .. 64 N 15
Seebarn .... 89 S 21
Seebeck-Strubensee .... 34 H 23
Seebenau .... 31 H 17
Seebergen .... 65 N 16
Seebergen .... 29 G 10
Seebronn .... 93 U 10
Seebruck .... 106 W 21
Seebrugg .... 100 W 8
Seeburg .... 102 U 12
Seeburg (Kreis Göttingen) .. 52 L 14
Seeburg (Kreis Mansfelder Land) . 54 L 19
Seeburg (Kreis Potsdam-Mittelmark) .. 43 I 23
Seeburger See .... 52 L 14
Seedorf .... 101 V 9
Seedorf (Kreis Demmin) .. 14 E 23
Seedorf (Kreis Herzogtum Lauenburg) ... 21 F 16
Seedorf (Kreis Rotenburg) . 19 F 11
Seedorf (Kreis Segeberg) ... 9 D 15
Seedorf (Kreis Uelzen) ... 31 G 15
Seedorfer See .... 9 D 15
Seefeld .... 34 I 25
Seefeld .... 104 V 17
Seefeld (Kreis Rendsburg-Eckernförde) ..8 D 12
Seefeld (Kreis Wesermarsch) .. 18 F 9
Seefelderaußendeich ..... 18 F 9
Seeg .... 111 X 15
Seega .... 53 M 17
Seegatterl .... 114 X 21
Seege .... 32 G 18
Seegrehna .... 55 K 21
Seehausen .... 29 G 10
Seehausen .... 112 W 17
Seehausen (Bördekreis) ..... 41 J 17
Seehausen (Kreis Teltow-Fläming) .. 43 K 22
Seehausen (Kreis Uckermark) ... 35 G 25
Seehausen (Kyffhäuserkreis) ... 53 M 17
Seehausen (Leipzig) ..... 54 L 21
Seehausen (Altmark) .... 32 H 19
Seehausen (Bremen-) ... 29 G 10
Seeheim-Jugenheim .... 84 Q 9
Seehof .... 77 Q 16
Seekamp .... 9 D 15
Seekirch .... 102 V 12
Seeklause .... 79 P 20
Seelbach (Kreis Limburg-Weilburg) .. 73 O 8
Seelbach (Kreis Siegen-Wittgenstein) ..... 61 N 7
Seelbach (Lahn-Dill-Kreis) ... 62 N 9
Seelenfeld .... 39 I 11

Seelensdorf .... 43 I 21
Seeligstadt .... 68 M 26
Seelingstädt .... 66 N 20
Seelinstädt .... 55 M 22
Seelitz .... 67 M 22
Seelow .... 35 I 27
Seelscheid .... 59 N 5
Seelübbe .... 25 G 25
Seelze .... 39 I 12
Seeon-Seebruck .... 106 W 21
Seershausen .... 55 M 23
Seershausen .... 40 I 14
Seesen .... 52 K 15
Seeshaupt .... 104 W 17
Seeste .... 37 I 7
Seester .... 19 E 12
Seestermühe .... 19 E 12
Seeth .... 7 C 11
Seethen .... 32 I 18
Seeve .... 19 G 13
Seevetal .... 19 F 14
Seewald .... 93 U 9
Seffern .... 70 P 3
Segeberg (Forst) .... 9 E 14
Segeletz .... 33 H 21
Segendorf .... 71 O 6
Segeten .... 108 X 8
Seggerde .... 41 I 17
Seghorn .... 17 F 8
Segringen .... 95 S 14
Sehestedt (Kreis Rendsburg-Eckernförde) ...8 C 13
Sehestedt (Kreis Wesermarsch) .... 18 F 8
Sehlde (Kreis Hildesheim) .. 40 J 13
Sehlde (Kreis Wolfenbüttel) 40 J 14
Sehlem (Kreis Bernkastel-Wittlich) .. 72 Q 4
Sehlem (Kreis Hildesheim) . 40 J 13
Sehlen .... 13 C 24
Sehlen .... 62 M 10
Sehlendorf .... 9 D 16
Sehlingen .... 29 H 12
Sehma .... 67 O 22
Sehnde .... 40 J 13
Sehnsen .... 39 I 11
Seibelsdorf .... 77 P 18
Seibersbach .... 73 Q 7
Seibersdorf .... 106 V 22
Seiboldsried .... 98 T 23
Seibranz .... 103 W 13
Seidenbuch .... 84 Q 10
Seidenroth .... 75 P 12
Seidewinkel .... 57 L 26
Seidingstadt .... 76 O 16
Seidmannsdorf .... 77 P 17
Seidwitz .... 78 Q 19
Seifersbach .... 67 N 23
Seifersdorf (Kreis Torgau-Oschatz) ... 67 M 22
Seifersdorf (Weißeritzkreis) ..... 68 N 24
Seifersdorf b. Radeberg .. 68 M 25
Seiferts .... 76 O 14
Seifertshausen .... 63 M 13
Seiffen .... 68 O 24
Seiffhennersdorf .... 69 N 27
Seifriedsburg .... 75 P 13
Seigendorf .... 87 Q 17
Seigertshausen .... 63 N 12
Seilershof .... 34 G 23
Seinsheim .... 86 R 14
Seinstedt .... 41 J 15
Seißen .... 102 U 13
Seitenroda .... 65 N 18
Seitingen-Oberflacht ... 101 V 10
Selb .... 78 P 20
Selb-Plößberg .... 78 P 20
Selbach .... 81 R 5
Selbeck (Kreis Lippe) .... 39 K 11
Selbeck (Stadtkreis Mülheim a. d. Ruhr) ... 47 L 4
Selbecke .... 49 M 6
Selben .... 54 L 21
Selbitz (Fluß) .... 78 O 19
Selbitz (Kreis Hof) .... 78 P 19
Selbitz (Kreis Wittenberg) .. 55 K 21
Selchow (Kreis Dahme-Spreewald) .. 44 I 24
Selchow (Kreis Oder-Spree) 44 J 25
Selent .... 9 D 15
Selenter See .... 9 D 15
Selfkant .... 58 M 1
Selgersdorf .... 58 N 3
Selgersweiler .... 102 W 11
Seligenporten .... 87 S 17
Seligenstadt .... 74 P 10

Seligenthal .... 64 N 15
Selk .... 5 C 12
Selke .... 53 K 17
Sellendorf .... 44 K 24
Sellerich .... 70 P 3
Sellessen .... 57 L 27
Sellin .... 13 C 25
Sellnrod .... 63 O 11
Sellstedt .... 18 F 10
Selm .... 47 K 6
Selmsdorf .... 21 E 16
Selow .... 23 E 19
Selpin .... 11 E 21
Selsingen .... 19 F 11
Selter .... 40 K 13
Selters .... 74 O 11
Selters (Taunus) .... 74 O 8
Selters (Westerwald) .... 61 O 7
Seltz .... 24 E 23
Selz .... 83 Q 8
Selzen .... 73 Q 8
Sembach .... 83 R 7
Sembten .... 45 J 27
Sembzin .... 23 F 21
Semd .... 74 Q 10
Semlin .... 33 I 21
Semlow .... 12 D 21
Semmenstedt .... 41 J 16
Sempt .... 38 K 9
Sende .... 38 K 9
Senden .... 37 K 6
Senden .... 103 V 14
Sendenhorst .... 49 K 7
Senftenberg .... 56 L 25
Senftenberg West .... 56 L 25
Senftenberger See ...... 56 L 26
Senfthütte .... 34 H 25
Sengenthal .... 87 S 18
Sengwarden .... 17 F 8
Senheim .... 71 P 5
Senne (Dorf) .... 38 K 9
Sennelager .... 50 K 10
Sennestadt .... 38 K 9
Sennewitz .... 54 L 19
Sennfeld .... 76 P 14
Sennighöhe .... 77 O 16
Sensbachtal .... 84 R 11
Senst .... 43 K 21
Sensweiler .... 81 Q 5
Sentenhart .... 102 W 11
Senzig .... 44 J 25
Senzke .... 33 I 21
Seppenrade .... 47 K 6
Seppensen .... 19 G 13
Sereetz .... 9 E 16
Serengeti-Park .... 30 H 12
Sergen .... 57 K 27
Serkenrode .... 49 M 8
Sermuth-Schönbach .... 67 M 22
Serno .... 43 J 21
Sernow .... 44 K 23
Serrahn .... 23 F 21
Serrfeld .... 76 P 15
Serrig .... 80 R 3
Sersheim .... 94 T 11
Serwest .... 35 H 25
Seßlach .... 77 P 16
Sessenhausen .... 61 O 7
Seth .... 20 E 14
Setlage .... 37 I 6
Setterich .... 58 N 2
Settinchen .... 56 K 25
Settmarshausen .... 51 L 13
Setzelbach .... 63 N 13
Setzin .... 21 F 17
Seubersdorf .... 97 S 18
Seubersdorf i. d. Oberpfalz 88 R 19
Seugast .... 88 R 19
Seukendorf .... 87 R 16
Seulbitz .... 78 P 19
Seulingen .... 52 L 14
Seulingswald .... 63 N 13
Seußen .... 78 P 20
Seußling .... 68 M 24
Seuversholz .... 96 T 17
Sevelen .... 46 L 3
Sevelten .... 27 H 8
Severin .... 22 F 19
Sewekow .... 23 G 21
Sexau .... 100 V 7
Seybothenreuth .... 78 Q 19
Seyda .... 43 K 22
Sibbesse .... 40 J 13
Siblin .... 9 D 15
Sibratshofen .... 111 X 14
Sichau .... 41 I 17
Sichtigvor .... 50 L 8
Sick .... 29 G 11

Sickendorf .... 63 O 12
Sickte .... 41 J 15
Siddessen .... 51 L 11
Siddinghausen .... 50 L 9
Siebeldingen .... 83 S 8
Sieben Berge .... 40 J 13
Siebenbäumen .... 21 E 15
Siebeneichen .... 21 F 15
Siebengebirge .... 59 N 5
Siebenlehn .... 67 M 23
Siebenstern .... 50 K 11
Sieber .... 52 K 15
Siebigerode .... 53 L 18
Siebleben .... 64 N 16
Siebnach .... 103 V 15
Siede .... 29 H 10
Siedelsbrunn .... 84 R 10
Sieden .... 29 H 10
Siedenbollentin .... 24 E 24
Siedenbrünzow .... 24 E 23
Siedenburg .... 29 H 10
Siedenlangenbeck .... 31 H 17
Siedlinghausen .... 50 M 9
Siedlung .... 26 H 5
Siedlung Hipstedt .... 18 F 10
Siedlung Niederlangen .. 26 H 5
Siedlung Sinningen ...... 37 J 6
Sief .... 58 N 2
Sieg .... 61 N 8
Siegbach .... 62 N 9
Siegburg .... 59 N 5
Siegelau .... 100 V 7
Siegelbach .... 65 N 16
Siegelbach .... 83 R 7
Siegelsbach .... 84 S 11
Siegen .... 61 N 8
Siegenburg .... 97 T 19
Siegenhofen .... 87 S 18
Siegerland .... 61 N 8
Siegersleben .... 41 J 17
Siegertsbrunn .... 105 V 19
Sieglar .... 59 N 5
Siegsdorf .... 106 W 21
Siek .... 20 F 14
Siekholz .... 39 K 11
Sielbeck .... 9 D 15
Sielen .... 51 L 12
Sielenbach .... 104 U 17
Sielhorst .... 38 J 9
Sielow .... 57 K 26
Siemen .... 32 G 17
Siemerode .... 52 L 14
Siemersdorf .... 14 D 22
Siemitz .... 23 E 20
Sien .... 81 Q 6
Sieperting .... 49 M 8
Sierhagen .... 9 D 16
Sierksdorf .... 9 D 16
Siersburg .... 80 R 3
Siersdorf .... 58 N 2
Siershahn .... 73 O 7
Siersleben .... 53 L 18
Sierße .... 40 J 15
Sieseby .... 5 C 13
Sießen .... 102 V 12
Siethen .... 44 J 23
Siethwende .... 19 E 12
Sietow .... 23 F 21
Sietzsch .... 54 L 20
Sieverdingen .... 30 H 12
Sievern .... 18 F 9
Sievershagen (Kreis Bad Doberan) ..... 11 D 20
Sievershagen (Kreis Nordwestmecklenburg) .. 21 E 17
Sievershausen (Kreis Hannover) ..... 40 I 14
Sievershausen (Kreis Northeim) ..... 51 K 12
Sievershütten .... 20 E 14
Sieverstedt .... 5 C 12
Sievertshagen .... 12 D 22
Siewisch .... 56 K 26
Siggelkow .... 23 F 19
Siggen .... 10 D 17
Siggen .... 111 W 13
Siglingen .... 85 S 13
Sigmaringen .... 102 V 11

Sigmaringendorf .... 102 V 11
Sigmarszell .... 110 X 13
Sigmertshausen .... 104 V 18
Sigras .... 88 R 19
Silbach .... 50 M 9
Silberbach .... 79 P 20
Silberberg .... 45 J 26
Silberbergwer Samson ...... 52 K 15
Silberborn .... 51 K 12
Silberg .... 61 M 8
Silberhausen .... 52 M 15
Silberhütte .... 53 L 17
Silbersee .... 57 L 27
Silberstedt .... 5 C 12
Silberstraße .... 67 O 21
Silixen .... 39 J 11
Sillenbuch .... 94 T 11
Sillens .... 18 F 9
Sillenstede .... 17 F 7
Sillertshausen .... 97 U 19
Sillerup .... 5 B 11
Sillium .... 40 J 14
Silmenitz .... 13 D 24
Silmersdorf .... 23 G 20
Silstedt .... 53 K 16
Silz .... 23 F 21
Silz .... 83 S 7
Silzen .... 8 D 12
Simander .... 32 H 17
Simbach .... 98 U 22
Simbach a. Inn .... 106 V 23
Simmelsdorf .... 87 R 18
Simmerath .... 70 O 2
Simmerbach .... 73 Q 6
Simmerberg .... 111 X 13
Simmern .... 73 O 7
Simmern (Hunsrück) .... 73 Q 6
Simmersbach .... 62 N 9
Simmersfeld .... 93 U 9
Simmershausen
   (Kreis Fulda) .... 64 O 14
Simmershausen
   (Kreis Hildburghausen) ... 76 O 15
Simmershausen
   (Kreis Kassel) .... 51 L 12
Simmershofen .... 86 R 14
Simmertal .... 73 Q 6
Simmozheim .... 93 T 10
Simonsberg .... 4 C 10
Simonshofen .... 87 R 17
Simonskall .... 58 N 3
Simonswald .... 100 V 8
Simonswolde .... 17 F 6
Simssee .... 105 W 20
Simtshausen .... 62 N 10
Sinbronn .... 95 S 15
Sindelfingen .... 93 T 11
Sindelsdorf .... 112 W 18
Sindfeld .... 50 L 10
Sindolsheim .... 85 R 12
Sindorf .... 58 N 4
Sindringen .... 85 S 12
Singen .... 93 T 9
Singen (Hohentwiel) .... 109 W 10
Singerberg .... 65 N 17
Singhofen .... 73 P 7
Singlis .... 63 M 11
Singold .... 104 V 16
Sinkershausen .... 62 N 9
Sinn .... 62 O 8
Sinnersdorf .... 59 M 4
Sinning .... 96 T 17
Sinntal .... 75 P 12
Sinsen .... 47 K 5
Sinsheim .... 84 S 10
Sinspelt .... 70 Q 2
Sinspert .... 61 N 7
Sinz .... 80 R 3
Sinzenich .... 58 O 3
Sinzheim .... 92 T 8
Sinzig .... 60 O 5
Sinzing .... 90 T 20
Sippersfeld .... 83 R 7
Sipplingen .... 102 W 11
Siptenfelde .... 53 L 17
Sirchingen .... 102 U 12
Sirksfelde .... 21 E 15
Sistig .... 70 O 3
Sittenbach .... 104 V 17
Sittendorf .... 53 L 17
Sittensen .... 19 G 12
Sitzendorf .... 65 O 17
Sitzenkirch .... 108 W 7
Sitzenroda .... 55 L 22
Skäßchen .... 56 L 24
Skaska-Döbra .... 56 L 26
Skassa .... 56 M 24

Skerbersdorf .... 57 L 28
Slate .... 23 F 19
Soden .... 75 Q 11
Soderstorf .... 30 G 14
Sodingen .... 47 L 5
Söby .... 5 C 13
Söchtenau .... 105 W 20
Söcking .... 104 V 17
Södel .... 74 O 10
Söderstedt .... 40 J 14
Söflingen .... 103 U 13
Söften .... 27 H 6
Sögeln .... 37 I 8
Söhlde .... 40 J 14
Söhnstetten .... 95 T 13
Söhre .... 40 J 13
Söhren .... 9 D 15
Söhrewald .... 51 M 12
Sölde .... 49 L 6
Sölden .... 100 W 7
Söldenau .... 99 U 23
Söllenthin .... 33 H 20
Söllhuben .... 105 W 20
Söllichau .... 55 L 21
Söllingen .... 41 J 16
Söllingen
   (Kreis Karlsruhe) .... 93 T 9
Söllingen (Kreis Rastatt) ... 92 T 8
Söllitz .... 89 R 20
Söllnitz .... 66 N 20
Sölten .... 47 K 4
Sömmerda .... 65 M 17
Sömmern .... 49 L 7
Sörgenloch .... 73 Q 8
Sörnewitz .... 55 L 23
Sörup .... 5 B 13
Sösestausee .... 52 K 14
Söst .... 80 R 3
Soest .... 49 L 8
Soeste .... 27 H 7
Sötenich .... 60 O 3
Sötern .... 81 R 5
Söven .... 59 N 5
Sohl .... 102 W 11
Sohland a. d. Spree .... 69 M 27
Sohland a. Rotstein .... 69 M 28
Sohlingen .... 51 K 12
Soholm .... 4 B 11
Sohlmer Au .... 4 B 10
Sohren .... 72 Q 5
Soisdorf .... 63 N 13
Solingen .... 48 M 5
Solitude .... 94 T 11
Solla .... 99 T 23
Sollbrück .... 5 C 12
Soller .... 58 N 3
Sollerup .... 5 C 11
Solling .... 51 K 12
Solling-Vogler (Naturpark) . 51 K 12
Solln .... 105 V 18
Sollnitz .... 54 K 20
Sollschwitz .... 56 L 26
Sollstedt
   (Kreis Nordhausen) .... 52 L 15
Sollstedt
   (Unstrut-Hainich-Kreis) ... 52 M 15
Sollwitt .... 5 C 11
Solms (Kreis
   Hersfeld-Rotenburg) .... 63 N 12
Solms (Lahn-Dill-Kreis) ...... 62 O 9
Solnhofen .... 96 T 16
Solpke .... 41 I 17
Solschen .... 40 J 14
Solsdorf .... 65 N 17
Soltau .... 30 H 13
Soltendieck .... 31 H 16
Solz .... 63 M 13
Somborn .... 75 P 11
Sommerach .... 86 Q 14
Sommerau .... 91 S 23
Sommerberg .... 47 T 9
Sommerfeld .... 34 H 23
Sommerfelde .... 35 H 25
Sommerhausen .... 59 N 6
Sommerhausen .... 86 Q 14
Sommerkahl .... 75 P 11
Sommerland .... 19 E 12
Sommersdorf (Böderkreis) . 41 J 17
Sommersdorf
   (Kreis Demmin) .... 24 E 22
Sommersdorf (Kreis
   Uecker-Randow) .... 25 G 26
Sommersell .... 51 K 11
Sommerstorf .... 23 F 21
Somplar .... 62 M 10
Sondelfingen .... 94 U 11

Sonderbuch
   (Alb-Donau-Kreis) .... 102 U 13
Sonderbuch
   (Kreis Reutlingen) .... 102 V 12
Sonderhofen .... 86 R 13
Sondermoning .... 106 W 21
Sondermühlen .... 38 J 9
Sondern .... 61 M 7
Sondernau .... 76 O 14
Sondernheim .... 84 S 9
Sonderried .... 85 Q 12
Sondershausen .... 53 L 16
Sondheim .... 76 O 15
Sondheim v. d. Rhön .... 76 O 14
Sonneberg .... 77 O 17
Sonneborn .... 64 N 15
Sonnen .... 39 J 11
Sonnefeld .... 77 P 17
Sonnen .... 99 T 25
Sonnenberg .... 52 K 15
Sonnenberg .... 73 P 8
Sonnenberg
   (Kreis Oberhavel) .... 34 G 23
Sonnenberg (Kreis
   Uecker-Randow) .... 25 F 26
Sonnenberg-Winnenberg . 81 Q 5
Sonnenborstel .... 29 H 11
Sonnenbühl .... 102 U 11
Sonnewalde .... 56 K 24
Sonntagshorn .... 114 W 22
Sonsbeck .... 46 L 3
Sontheim
   (Alb-Donau-Kreis) .... 102 U 13
Sontheim
   (Kreis Unterallgäu) .... 103 V 15
Sontheim
   (Stadtkreis Heilbronn) .... 94 S 11
Sontheim a. d. Brenz .... 95 U 14
Sonthofen .... 111 X 14
Sontra .... 64 M 13
Soonwald .... 73 Q 6
Sophienhöhle .... 87 Q 18
Sophienhof (Kreis Demmin) 14 E 23
Sophienhof (Kreis Plön) .... 9 D 15
Sophienstädt .... 34 H 24
Sophienthal (Kreis
   Herzogtum Lauenburg) .. 21 F 16
Sophienthal (Kreis
   Märkisch-Oderland) .... 35 I 27
Sora .... 68 M 24
Sorga .... 63 N 13
Sorge .... 52 K 16
Sorghof .... 88 R 19
Sorno .... 56 L 25
Sornzig-Ablaß .... 55 M 23
Sorpesee .... 49 L 7
Sorsum (b. Elze) .... 40 J 14
Sorsum (b. Hildesheim) ...... 40 J 13
Sosa .... 79 O 21
Sosa Stausee .... 79 O 21
Soßmar .... 40 J 14
Sothel .... 30 G 12
Sottorf .... 19 F 13
Sottrum
   (Kreis Hildesheim) .... 40 J 14
Sottrum
   (Kreis Rotenburg) .... 29 G 11
Sotzweiler .... 81 R 5
Soven .... 31 G 17
Soyen .... 105 V 20
Spaatz .... 33 H 20
Spabrücken .... 73 Q 7
Spachbrücken .... 74 Q 10
Spaden .... 18 F 9
Späningen .... 32 H 18
Spahl .... 64 O 13
Spahnharrenstätte .... 27 H 6
Spaichingen .... 101 V 10
Spalt .... 87 S 16
Spandau (Berlin) .... 44 I 23
Spandowerhagen .... 13 D 25
Spangdahlem .... 70 Q 4
Spangenberg .... 63 M 12
Spansberg .... 56 L 24
Spantekow .... 24 E 24
Sparneck .... 78 P 19
Sparrieshoop .... 19 E 13
Spatzenhausen .... 112 W 17
Spay .... 71 P 6
Spechthausen .... 34 H 25
Spechtsbrunn .... 77 O 17
Spechtshorn .... 31 I 15
Speck .... 24 F 22
Specker See .... 24 F 22
Speckswinkel .... 62 N 11
Speele .... 51 L 12
Speicher .... 72 Q 3

Speichersdorf .... 78 Q 19
Speichersee .... 105 V 19
Speicherz .... 75 O 13
Speichrow .... 45 J 26
Speinshart .... 88 Q 19
Spekendorf .... 17 F 6
Speldorf .... 47 L 4
Spellen .... 46 L 3
Spenge .... 38 J 9
Sperberslohe .... 87 S 17
Sperenberg .... 44 J 24
Spergau .... 54 M 20
Spessart .... 75 Q 11
Spessart-Höhenstraße .... 75 P 12
Spetzerfehn .... 17 F 6
Speyer .... 84 S 9
Speyerbach
   (Fluß b. Edesheim) .... 83 S 8
Speyerbach
   (Fluß b. Elmstein) .... 83 R 7
Speyerdorf .... 83 R 8
Spich .... 59 N 5
Spichra .... 64 M 14
Spiegelau .... 91 T 24
Spiegelberg .... 33 H 21
Spiegelberg .... 94 S 12
Spiegelhagen .... 32 G 19
Spiegelhütte .... 91 S 23
Spieka .... 18 E 9
Spieka-Neufeld .... 18 E 9
Spiekeroog .... 17 E 7
Spiekeroog (Insel) .... 17 E 7
Spiel .... 58 N 3
Spielbach .... 86 R 14
Spielberg .... 93 T 9
Spielberg .... 75 P 11
Spielberg (Kreis Cham) ...... 89 R 21
Spielberg
   (Kreis Wunsiedel i. F.) ... 78 P 20
Spielmannsau .... 111 X 14
Spiesen-Elversberg .... 81 S 5
Spiesheim .... 83 Q 8
Spithal .... 31 H 16
Spitzing-Sattel .... 113 W 19
Spitzingsee .... 113 X 19
Spitzkunnersdorf .... 69 N 28
Spitzstein .... 113 W 20
Splietsdorf .... 12 D 22
Spöck .... 93 S 9
Spören .... 54 L 20
Spohla .... 57 L 26
Spohle .... 17 G 8
Spoldershagen .... 11 D 21
Sponheim .... 73 Q 7
Spora .... 66 M 20
Spork .... 46 K 3
Spork-Eichholz .... 39 K 10
Spornitz .... 22 F 19
Spraitbach .... 94 T 13
Sprakebüll .... 4 B 11
Sprakel .... 27 H 6
Spraken .... 29 H 11
Sprakensehl .... 31 H 15
Spreckens .... 18 F 11
Spreda .... 27 H 8
Spree .... 57 J 26
Spreeau .... 44 I 25
Spreenhagen .... 44 I 25
Spreewald .... 45 K 25
Spreewitz .... 57 L 27
Spremberg .... 57 L 27
Spremberg (Talsperre) .... 57 L 27
Sprendlingen
   (Kreis Mainz-Bingen) ..... 73 Q 7
Sprendlingen
   (Kreis Offenbach) .... 74 P 10
Sprenge .... 9 C 14
Sprengel .... 30 G 13
Sprey .... 57 L 27
Springbiel .... 36 J 5
Springe .... 39 J 12
Springen .... 64 N 14
Springen .... 73 P 7
Springstille .... 64 N 15
Sprockhövel .... 47 L 5
Sprötze .... 19 G 13
Sproitz .... 57 M 28
Sprollenhaus .... 93 T 9
Sputendorf .... 44 I 23
Staaken .... 44 I 23
Staaken .... 44 I 23
Staats .... 42 I 18
Staatsbad Brückenau .... 75 P 13
Staberdorf .... 10 C 17

Staberhuk .... 10 C 17
Stacha .... 69 M 26
Stachenhausen .... 85 S 13
Stackelitz .... 43 J 21
Stadecken Elsheim .... 73 Q 8
Stadelhofen
   (Kreis Bamberg) .... 77 P 17
Stadelhofen
   (Kreis Main-Spessart) .... 75 Q 13
Stadelhorn .... 114 X 22
Stadeln .... 87 R 16
Staden .... 74 P 10
Stadensen .... 31 H 15
Stadersand .... 19 F 12
Stadl .... 104 W 16
Stadland .... 18 F 9
Stadlern .... 89 R 21
Stadt Blankenberg .... 59 N 6
Stadt Wehlen .... 68 M 26
Stadtallendorf .... 62 N 11
Stadtbek .... 9 D 15
Stadtbergen .... 104 U 16
Stadthagen .... 39 J 11
Stadthosbach .... 63 M 13
Stadtilm .... 65 N 17
Stadtkyll .... 70 O 3
Stadtlauringen .... 76 P 15
Stadtlengsfeld .... 64 N 14
Stadtlohn .... 36 K 4
Stadtoldendorf .... 40 K 12
Stadtprozelten .... 85 Q 12
Stadtroda .... 66 N 19
Stadtsteinach .... 77 P 18
Städtebek .... 11 D 20
Stäbelow .... 11 D 20
Stätzling .... 104 U 16
Staffelbach .... 76 Q 16
Staffelberg .... 77 P 17
Staffelde (Kreis Oberhavel) 34 H 22
Staffelde (Kreis Stendal) .... 32 I 19
Staffelsee .... 112 W 17
Staffelstein .... 70 P 3
Staffelstein .... 77 P 17
Staffhorst .... 29 H 10
Stafflangen .... 102 V 13
Staffort .... 93 S 9
Stafstedt .... 8 D 12
Stahlbrode .... 13 D 23
Stahle .... 51 K 12
Stahleck (Bacharach) .... 73 P 7
Stahlsdorf .... 44 I 23
Stahnsdorf .... 44 I 23
Stahringen .... 101 W 10
Staig .... 103 V 14
Staitz .... 66 N 19
Stakendorf .... 9 C 15
Stalförden .... 27 H 7
Stalldorf .... 85 R 13
Stallwang .... 91 S 21
Stammham
   (Kreis Altötting) .... 106 V 22
Stammham
   (Kreis Eichstätt) .... 96 T 18
Stammheim (Kreis Calw) ... 93 T 10
Stammheim
   (Kreis Schweinfurt) .... 76 Q 14
Stammheim
   (Wetteraukreis) .... 74 P 10
Stamsried .... 89 S 21
Standorf .... 86 R 13
Stangengrün .... 66 O 21
Stangenhagen .... 43 J 23
Stangenrod .... 62 O 10
Stangenroth .... 76 P 13
Stangerode .... 53 L 18
Stangheck .... 5 B 13
Stannewisch .... 57 L 28
Stapel (Kreis Leer) .... 17 G 7
Stapel (Kreis Lüneburg) ..... 21 G 16
Stapel (Kreis Rotenburg) ... 29 G 11
Stapelburg .... 41 K 16
Stapelfeld
   (Kreis Cloppenburg) ...... 27 H 7
Stapelfeld
   (Kreis Stormarn) .... 20 F 14
Stapelholm .... 7 C 11
Stapelmoor .... 26 G 5
Starkenberg .... 66 N 20
Starkenburg .... 72 Q 5
Starkshorn .... 30 H 14
Starnberg .... 104 V 18
Starnberger See .... 104 W 17
Starsiedel .... 54 M 20

Starzach .... 101 U 10
Staßfurt .... 53 K 18
Staubecken .... 101 W 9
Staucha .... 55 M 23
Stauchitz .... 55 M 23
Staudach .... 106 U 21
Staudach-Egerndach .... 114 W 21
Staudernheim .... 83 Q 7
Staufen .... 108 W 8
Staufen i. Breisgau .... 100 W 7
Staufenberg (Kreis Gießen) 62 O 10
Staufenberg
   (Kreis Göttingen) .... 51 M 12
Staumühle .... 50 K 10
Staupitz (Kreis Elbe-Elster) 56 L 25
Staupitz
   (Kreis Torgau-Oschatz) ... 55 L 22
Staven .... 24 F 24
Stavenhagen Reuterstadt .. 24 E 22
Stavern .... 27 H 6
Stebbach .... 93 S 10
Stechau .... 56 K 24
Stechow .... 33 I 21
Steckby .... 42 K 20
Steckelsdorf .... 33 I 20
Steckenborn .... 70 O 3
Stecklenberg .... 53 K 17
Stedden .... 30 I 13
Steddorf .... 19 F 12
Stedebergen .... 29 H 11
Steden .... 18 F 10
Stederdorf (Kreis Peine) .... 40 I 14
Stederdorf (Kreis Uelzen) .. 31 H 15
Stedesand .... 4 B 10
Stedesdorf .... 17 F 6
Stedten .... 54 L 19
Stedtfeld .... 64 N 14
Stedtlingen .... 76 O 14
Steeg .... 61 N 7
Steegen .... 81 R 6
Steele .... 47 L 5
Steenfeld .... 8 D 12
Steenodde .... 27 G 6
Steenkrütz .... 9 D 15
Steenodde .... 4 C 9
Steesow .... 32 G 18
Stefansfeld .... 110 W 11
Steffeln .... 70 P 3
Steffenberg .... 62 N 9
Steffenshagen .... 11 D 19
Stefling .... 89 S 20
Stegaurach .... 77 Q 16
Stegelitz (Kreis
   Jerichower Land) .... 42 J 19
Stegelitz (Kreis Stendal) .... 42 I 19
Stegelitz (Kreis Uckermark) 34 G 25
Stegen .... 100 W 7
Steglitz (Berlin) .... 44 I 23
Steibis .... 111 X 14
Steide .... 36 J 5
Steigerthal .... 53 L 16
Steigerwald .... 86 Q 15
Steigerwald (Naturpark) ..... 86 Q 15
Steigra .... 54 M 19
Steimbke .... 29 I 12
Steimel .... 61 O 6
Steimke (Kreis Diepholz) ... 29 H 10
Steimke (Kreis Gifhorn) ..... 31 H 15
Steimke (Kreis
   Westliche Altmark) .... 31 I 16
Stein .... 9 C 14
Stein (Enzkreis) .... 93 T 9
Stein (Kreis Schwandorf) ... 89 R 20
Stein (Zollernalbkreis) ..... 101 U 10
Stein a. d. Traun .... 106 W 21
Stein a. Kocher .... 85 S 11
Stein i. Allgäu .... 111 X 14
Stein-Neukirch .... 61 N 8
Steina (Kreis
   Osterode a. Harz) .... 52 L 15
Steina (Westlausitzkreis) ... 68 M 26
Steinach (Fluß) .... 78 Q 19
Steinach (Kreis Ostallgäu) 111 X 15
Steinach (Kreis Sonneberg) 77 O 17
Steinach (Kreis
   Straubing-Bogen) .... 91 T 21
Steinach (Ortenaukreis) .... 100 V 8
Steinach (Rems-Murr-Kreis) 94 T 12
Steinach a. d. Saale .... 76 P 14
Steinalben .... 83 S 6
Steinau .... 18 E 10
Steinau .... 63 O 13
Steinau a. d. Straße .... 75 P 12
Steinbach .... 84 Q 10
Steinbach (Kreis Annaberg) 79 O 23

A B C D E F G H I J K L M N O P Q R S T U V W X Y Z

Steinbach (Kreis Eichsfeld) 52 L 14
Steinbach (Kreis Fürstenfeldbrück) 104 V 17
Steinbach (Kreis Fürth) 87 R 16
Steinbach (Kreis Fulda) 63 N 13
Steinbach (Kreis Gießen) 62 O 10
Steinbach (Kreis Haßberge) 76 Q 15
Steinbach (Kreis Hildburghausen) 77 O 16
Steinbach (Kreis Limburg-Weilburg) 73 O 8
Steinbach (Kreis Main-Spessart) 75 P 12
Steinbach (Kreis Meißen-Dresden) 68 M 24
Steinbach (Kreis Rastatt) 92 T 8
Steinbach (Kreis Saarlouis) 81 R 4
Steinbach (Muldentalkreis) 67 M 21
Steinbach (Neckar-Odenwald-Kreis) 85 R 11
Steinbach (Niederschlesischer Oberlausitzkr.) 57 L 28
Steinbach (Rems-Murr-Kreis) 94 T 12
Steinbach (Taunus) 74 P 9
Steinbach a. d. Haide 77 O 18
Steinbach a. Donnersberg 83 R 7
Steinbach a. Glan 81 R 6
Steinbach a. Wald 77 O 18
Steinbach b. Geroldsgrün 77 O 18
Steinbach b. Ottweiler 81 R 5
Steinbach-Hallenberg 64 N 15
Steinbach-Stausee 60 O 4
Steinbeck (Kreis Harburg) 19 F 13
Steinbeck (Kreis Märkisch-Oderland) 35 H 25
Steinbeck (Kreis Steinfurt) 37 I 7
Steinbeck (Luhe) 30 G 14
Steinberg 5 B 13
Steinberg 74 P 10
Steinberg (Göltzschtalkreis) 67 O 21
Steinberg (Kreis Dingolfing-Landau) 98 U 21
Steinberg (Kreis Kronach) 77 P 18
Steinberg (Kreis Potsdam-Mittelmark) 43 J 21
Steinberg (Kreis Schwandorf) 89 S 20
Steinberg (Staig-) 103 V 14
Steinbergen 39 J 11
Steinberghaff 5 B 13
Steinbergkirche 5 B 13
Steinbild 26 H 5
Steinborn 70 P 3
Steinbrink 39 I 10
Steinbrück 40 J 14
Steinburg 91 T 22
Steinburg (Kreis Steinburg) 19 E 12
Steinburg (Kreis Stormarn) 20 E 15
Steindorf 104 V 17
Steinebach (Kreis Altenkirchen) 61 N 7
Steinebach a. d. Wied 61 O 7
Steinegg 93 T 10
Steinekirch 103 U 15
Steinen 61 O 7
Steinen 108 X 7
Steinenbronn 94 T 12
Steinenstadt 100 W 6
Steineroth 61 N 7
Steinfeld (Kreis Bad Doberan) 11 D 20
Steinfeld (Kreis Bamberg) 77 Q 17
Steinfeld (Kreis Euskirchen) 60 O 3
Steinfeld (Kreis Hildburghausen) 76 O 16
Steinfeld (Kreis Main-Spessart) 75 Q 13
Steinfeld (Kreis Rotenburg) 29 G 11
Steinfeld (Kreis Schleswig-Flensburg) 5 C 13
Steinfeld (Kreis Stendal) 32 I 19
Steinfeld (Kreis Stormarn) 20 E 15
Steinfeld (Kreis Südliche Weinstraße) 92 S 8
Steinfeld (Oldenburg) 27 I 8
Steinfischbach 74 P 9
Steinförde 34 G 23
Steinfurt 36 J 6
Steinfurt 85 R 12
Steinfurth 15 E 24
Steinfurth 74 O 10
Steingaden 112 W 16

Steingau 105 W 18
Steinhagen 12 D 22
Steinhagen 38 J 9
Steinhagen (Kreis Güstrow) 23 E 19
Steinhausen 50 L 9
Steinhausen 102 V 13
Steinhausen (Kreis Friesland) 17 F 8
Steinhausen (Kreis Nordwestmecklenburg) 10 E 18
Steinhausen a. d. Rottum 103 V 13
Steinheid 77 O 17
Steinheim (Kreis Dillingen a. d. Donau) 95 U 15
Steinheim (Kreis Gießen) 74 O 10
Steinheim (Kreis Höxter) 51 K 11
Steinheim (Kreis Neu-Ulm) 103 U 14
Steinheim (Kreis Unterallgäu) 103 V 14
Steinheim a. d. Murr 94 T 11
Steinheim am Albuch 95 T 14
Steinhilben 102 V 11
Steinhöfel 45 I 26
Steinhöring 105 V 20
Steinhötel 35 G 25
Steinhorst 50 K 9
Steinhorst (Kreis Gifhorn) 31 H 15
Steinhorst (Kreis Herzogtum Lauenburg) 21 E 15
Steinhude 39 I 12
Steinhuder Meer 39 I 11
Steinhuder Meer (Naturpark) 39 I 11
Steinigtwolmsdorf 69 M 27
Steiningen 71 P 4
Steiningloh 88 R 19
Steinitz 57 L 27
Steinkimmen 28 G 9
Steinkirchen (Kreis Erding) 105 U 20
Steinkirchen (Kreis Pfaffenhofen a. d. Ilm) 104 U 18
Steinloge 28 H 8
Steinlohe 89 R 21
Steinmauern 93 T 8
Steinmocker 24 E 24
Steinölsa 57 M 28
Steinpleis 66 N 21
Steinrode 52 L 15
Steinsberg 84 S 10
Steinsdorf 76 Q 16
Steinsdorf (Elstertalkreis) 66 O 20
Steinsdorf (Kreis Greiz) 66 N 20
Steinsdorf (Kreis Oder-Spree) 45 J 28
Steinsdorf-Dixförda 55 K 23
Steinsfeld (Kreis Ansbach) 86 R 14
Steinsfeld (Kreis Haßberge) 76 P 15
Steinsfeld-Hartershofen 86 R 14
Steinsfurt 84 S 10
Steinthaleben 53 L 17
Steintoch 35 I 27
Steinwald 78 Q 20
Steinwald (Naturpark) 78 Q 20
Steinwand 75 O 13
Steinwedel 40 I 13
Steinweiler (Kreis Germersheim) 92 S 8
Steinweiler (Kreis Heidenheim) 95 T 14
Steinwenden 81 R 6
Steinwiesen 77 P 18
Steißlingen 101 W 10
Stellau 20 F 14
Stelle 7 D 11
Stelle 20 F 14
Stelle-Wittenwurth 7 D 11
Stellenfelde 29 G 11
Stellichte 30 H 12
Stelzenberg 83 R 7
Stemel 49 L 7
Stemmen (Kreis Hannover) 39 I 12
Stemmen (Kreis Lippe) 39 J 11
Stemmen (Kreis Rotenburg) 30 G 12
Stemmer 39 I 10
Stemmer Moor 38 I 9
Stemshorn 38 I 9
Stemwarde 20 F 14
Stemwede 38 I 9
Stendal 32 I 19
Stendell 35 G 26
Stenden 46 L 3
Stenderup 5 B 13

Stendorf 9 D 16
Stenern 36 K 3
Stengelheim 96 T 17
Stenn 66 N 21
Stennweiler 81 R 5
Stenum 29 G 9
Stepenitz (Stadt) 23 G 20
Stepfershausen 64 O 14
Stephanopel 49 L 7
Stephanshausen 73 P 7
Stephanskirchen (b. Rosenheim) 105 W 20
Stephanskirchen (b. Wasserburg) 106 V 20
Stephansposching 98 T 22
Steppach (Kreis Augsburg) 104 U 16
Steppach (Kreis Bamberg) 87 Q 16
Stepperg 96 T 17
Sterbfritz 75 P 12
Sterdebüll 4 C 10
Sterkelshausen 63 M 12
Sterkrade 47 L 4
Sterley 21 F 16
Sternberg 22 E 19
Sternberg 76 P 15
Sternebeck-Harnekop 35 H 25
Sternenfels 93 S 10
Sternhagen 25 G 25
Sterpersdorf 86 Q 16
Sterup 5 B 13
Sterzhausen 62 N 10
Stettbach 76 P 14
Stetten (b. Echingen) 101 U 10
Stetten (b. Egerloch) 101 U 10
Stetten (Bodenseekreis) 110 W 11
Stetten (Donnersbergkreis) 83 Q 8
Stetten (Kreis Biberach a. d. Riß) 103 V 13
Stetten (Kreis Dachau) 104 V 18
Stetten (Kreis Konstanz) 101 W 10
Stetten (Kreis Main-Spessart) 75 Q 13
Stetten (Kreis Rhön-Grabfeld) 76 O 14
Stetten (Kreis Unterallgäu) 103 V 15
Stetten (Kreis Waldshut) 109 X 9
Stetten (Leinfelden-Echterdingen) 94 T 11
Stetten (Ostalbkreis) 95 T 14
Stetten a. Heuchelberg 94 S 11
Stetten a. Kalten Markt 102 V 11
Stetten i. Remstal (Kernen) 94 T 12
Stetten u. Lontal 95 U 14
Stetten u. Holstein 102 V 11
Stettenhofen 104 U 16
Stetternich 58 N 3
Stettfeld (Kreis Haßberge) 76 Q 16
Stettfeld (Kreis Karlsruhe) 84 S 9
Stettiner Haff 25 E 26
Steuden 54 L 19
Steudnitz 66 M 19
Steutz 54 K 20
Stevede 36 K 5
Stevern 36 K 6
Steyerberg 29 I 11
Stickhausen 17 G 6
Stiefenhofen 111 X 14
Stiege 53 L 16
Stieglund 5 C 11
Stieldorf (Königswinter) 59 N 5
Stiepel 47 L 5
Stierhöfstetten 86 Q 15
Stimpfach 95 S 14
Stinstedt (b. Bederkesa) 18 F 10
Stinstedt (b. Loxstedt) 18 F 10
Stinteck 7 D 10
Stipshausen 72 Q 5
Stirn 96 S 16
Stirpe 50 L 8
Stobber 45 I 26
Stock 106 W 21
Stockach 101 W 11
Stockelsdorf 21 E 15
Stockem 80 Q 3
Stockhausen (Kreis Minden-Lübbecke) 38 J 9
Stockhausen (Vogelsbergkreis) 63 O 12
Stockheim (Kreis Düren) 58 N 3
Stockheim (Kreis Kronach) 77 P 17
Stockheim (Kreis Rhön-Grabfeld) 76 O 14
Stockheim (Kreis Unterallgäu) 103 V 15
Stockheim (Wetteraukreis) 74 P 11
Stocksdorf 29 H 10

Stocksee 9 D 15
Stockstadt a. Main 74 Q 11
Stockstadt a. Rhein 84 Q 9
Stockum (Hochsauerlandkreis) 49 M 7
Stockum (Kreis Unna) 49 K 7
Stockum (Möhnesee) 49 L 8
Stockum (Witten-) 47 L 6
Stöben 66 M 19
Stöbritz 56 K 25
Stöckach 76 P 15
Stöcken 66 N 20
Stöcken (Kreis Gifhorn) 31 H 16
Stöcken (Kreis Uelzen) 31 G 16
Stöcken (Hannover-) 40 I 13
Stöckenhof 94 T 12
Stöckey 52 L 15
Stöckheim (Altmarkkreis Salzwedel) 31 H 16
Stöckheim (Stadtkreis Northeim) 52 K 13
Stöckheim (b. Braunschweig) 41 J 15
Stöckigt 79 O 20
Stöckse 29 I 12
Stödtlen 95 S 14
Stöffin 33 H 22
Stöfs 9 D 15
Stölln 33 H 21
Stöllnitz 21 F 17
Stölpchen 56 M 25
Stör 8 D 13
Störkathen 8 E 13
Störmede 50 L 9
Störmthal 54 M 21
Störnstein 89 Q 20
Störtewerkerkoog 4 B 10
Störwasserstraße 22 F 18
Stößen 66 M 19
Stößnitz 95 U 13
Stötten a. Auerberg 112 W 16
Stoetze 31 G 16
Stoffelsried 103 V 14
Stoffenried 103 V 14
Stohl 9 C 14
Stolberg 53 L 16
Stolberg 58 N 2
Stolk 5 C 12
Stolkerfeld 5 C 12
Stollberg 4 C 10
Stollberg 67 N 22
Stollhamm 18 F 9
Stollhofen 92 T 8
Stolpe (b. Anklam) 25 E 24
Stolpe (b. Usedom) 24 E 25
Stolpe (Kreis Plön) 9 D 14
Stolpe (Oder) 35 H 26
Stolpen 68 M 26
Stolper See 9 D 14
Stoltebüll 5 B 13
Stoltenberg 9 C 15
Stoltenhagen 13 D 23
Stolzenau 39 I 11
Stolzenburg 25 F 25
Stolzenfels 71 P 6
Stolzenhagen (b. Angermünde) 35 H 26
Stolzenhagen (b. Wandlitz) 34 H 24
Stolzenhain 55 K 23
Stolzenhain a. d. Röder 56 L 24
Stommeln 59 M 4
Stopfenheim 96 S 16
Storbeck 33 H 22
Storkau 32 I 20
Storkow (Kreis Uckermark) 34 G 24
Storkow (Kreis Uecker-Randow) 25 G 26
Storkow (Mark) 44 J 25
Storndorf 63 O 11
Stornfels 74 O 11
Stornheim 65 M 17
Stotternheim 65 M 17
Stotzheim 60 O 4
Stove 21 E 16
Straach 43 K 21
Straberg 59 M 4
Strackholt 17 F 6
Stracko 56 K 26
Stradow 56 K 26
Straelen 46 L 2
Strahlfeld 89 S 21
Strahlungen 76 P 14
Strahwalde 69 M 28
Stralendorf (Kreis Ludwigslust) 21 F 17
Stralendorf (Kreis Parchim) 23 F 19
Stralsund 13 D 23
Strande 9 C 14

Strasburg 25 F 25
Strasen-Priepert 34 G 22
Straß (Kreis Berchtesgadener Land) 106 W 22
Straß (Kreis Neu-Ulm) 103 U 14
Straß (Kreis Neuburg-Schrobenhausen) 96 T 17
Straßberg (Elstertalkreis) 78 O 20
Straßberg (Kreis Augsburg) 104 V 16
Straßberg (Kreis Quedlinburg) 53 L 17
Straßberg (Zollernalbkreis) 102 V 11
Straßbessenbach 75 Q 11
Straßdorf 94 T 13
Straße der Residenzen 74 Q 11
Straße der Staufer 94 T 12
Straßenhaus 61 O 6
Straßfeld 59 N 4
Straßgiech 77 Q 17
Straßgräbchen 56 L 26
Straßkirchen (Kreis Passau) 99 U 24
Straßkirchen (Kreis Straubing-Bogen) 98 T 22
Straßlach 105 V 18
Straubenhardt 93 T 9
Straubing 98 T 21
Strauch 56 L 24
Strauch 70 O 3
Straupitz 45 K 26
Strausberg 35 I 25
Strausberg 52 L 16
Straußdorf 105 V 19
Straußfurt 65 M 16
Strebendorf 63 N 11
Streek 17 F 7
Streetz 42 K 20
Streetz 31 G 17
Streganz 44 J 25
Stregda 64 M 14
Strehla 55 L 23
Streitau 78 P 19
Streitberg 77 P 11
Streitberg 87 Q 17
Strelasund 13 C 23
Strelitz Alt 24 F 23
Strelln 55 L 22
Strelow 14 D 22
Stremme 43 I 20
Stremmen 45 J 26
Strenglin 9 E 15
Strenz 23 E 20
Strenzfeld 54 K 19
Strenznaundorf 54 K 19
Stresdorf 21 E 17
Stresow 42 J 20
Stressenhausen 76 O 16
Streu 76 O 14
Streufdorf 76 O 16
Streumen 56 L 24
Striegistal 67 M 23
Striegnitz 55 M 23
Striepe 36 I 4
Striesdorf 11 E 20
Strinz Margarethä 73 P 8
Strittmatt 108 W 8
Strobenried 96 U 18
Strodehne 33 H 20
Ströbeck 41 K 16
Ströhen 38 I 10
Ströhen 21 F 17
Strohkirchen 21 F 17
Strohn 71 P 4
Stroit 40 K 13
Stromberg 93 S 10
Stromberg (Kreis Bad Kreuznach) 73 Q 7
Stromberg (Kreis Neuwied) 71 O 6
Stromberg (Kreis Warendorf) 50 K 8
Stromberg-Heuchelberg (Naturpark) 93 S 10
Strothe 31 G 16
Strothe 50 M 10
Strotzbüsch 71 P 4
Strubensee 34 H 23
Struck 13 D 25
Struckum 4 C 10
Strudden 17 F 7
Strübbel 7 D 10
Strücklingen 27 G 7
Strümp 48 M 3
Strümpfelbrunn 84 R 11
Strüth 85 R 13
Strukdorf 9 E 15
Strullendorf 87 Q 16
Struppen 68 N 26

Struth 52 M 14
Struth-Helmershof 64 N 15
Struvenhütten 20 E 14
Struxdorf 5 C 12
Stryck 50 M 9
Stubben (Kreis Cuxhaven) 18 F 10
Stubben (Kreis Herzogtum Lauenburg) 20 E 15
Stubben (Kreis Segeberg) 20 E 15
Stubbendorf (Kreis Bad Doberan) 11 D 21
Stubbendorf (Kreis Demmin) 14 E 22
Stubbenkammer 13 C 24
Stubenberg 106 V 23
Stubersheim 95 U 13
Stublang 77 P 17
Stuckenborstel 29 G 11
Stübig 77 P 17
Stücken 43 J 23
Stüde 41 I 16
Stüdenitz 33 H 20
Stühlingen 109 W 9
Stühren 29 H 10
Stülpe 44 J 23
Stuer 23 F 21
Stürza 68 M 26
Stürzelberg 48 M 4
Stürzenhardt 85 R 11
Stützengrün 67 O 21
Stützerbach 65 O 16
Stützkow 35 H 26
Stuhr 29 G 10
Stukenbrock (Schloß Holte-) 38 K 9
Stukenbrock-Senne 38 K 10
Stulln 88 R 20
Stumpf 59 M 5
Stumsdorf 54 L 20
Stupferich 93 T 9
Stuppach 85 R 13
Stutensee 93 S 9
Stuttgart 94 T 11
Stuttgart-Echterdingen (Flughafen) 94 T 11
Stuvenborn 20 E 14
Suchsdorf 9 C 14
Suckow (Kreis Güstrow) 23 E 20
Suckow (Kreis Ostvorpommern) 15 E 23
Suckow (Kreis Parchim) 32 G 19
Suckwitz 23 F 20
Suddendorf 36 J 5
Sude 21 F 17
Sudelfeld 113 W 20
Suderbruch 31 H 15
Suderburg 31 H 15
Sudershausen 52 L 14
Suderwich 47 L 5
Suderwick 46 K 3
Suderwittingen 31 H 16
Sudheide 38 I 10
Sudheim 52 K 13
Sudwalde 29 H 10
Sudweyhe 29 H 10
Süchteln 58 M 3
Sückau 21 G 16
Süd Edewecht 27 G 7
Südaue 39 I 12
Südbrookmerland 17 F 6
Süddinker 49 L 7
Süddorf 27 G 7
Süden 4 C 10
Südende 17 G 8
Südensee 5 B 12
Süderau 19 E 12
Süderaue 4 C 9
Süderbrarup 5 C 13
Süderdeich (Kreis Dithmarschen) 7 D 10
Süderdeich (Kreis Stade) 19 E 11
Süderdorf 8 D 12
Süderende (Kreis Cuxhaven) 18 F 10
Süderende (Kreis Nordfriesland) 4 B 9
Süderfahrenstedt 5 C 12
Südergellersen 30 G 14
Süderhackstedt 5 C 11
Süderhafen 4 C 10
Süderhastedt 7 D 11
Süderheistedt 7 D 11
Süderhöft 7 C 11
Süderholm 7 D 11
Süderleda 18 E 10
Süderlügum 4 B 10
Südermarsch 4 C 11

Süderoog (Insel) ....4 C 9
Süderoogsand (Insel) ....4 C 9
Süderschmedeby ....5 C 12
Süderstapel ....7 C 11
Süderwalsede ....29 G 12
Südfall (Insel) ....4 C 10
Südheide (Naturpark) ......30 H 14
Südhemmern ....39 J 10
Südkampen ....30 H 12
Südkirchen ....49 K 6
Südlohn ....36 K 4
Südlohne ....36 I 5
Südperd ....13 D 25
Südwinsen ....30 H 13
Süggerath ....58 N 2
Sühlen ....20 E 14
Sükow ....23 G 19
Sülbeck ....21 G 15
Sülfeld (Kreis Segeberg) ..20 E 14
Sülfeld
(Stadtkreis Wolfsburg) ....41 I 16
Sülldorf ....42 J 18
Sülldorf ....19 F 13
Süllwarden ....18 F 8
Sülstorf ....22 F 18
Sülz ....59 M 6
Sülze ....30 H 14
Sülzfeld ....76 O 15
Sülzhayn ....52 L 16
Sümmern ....49 L 7
Sünching ....98 T 21
Sünna ....64 N 14
Sünninghausen ....49 K 8
Sünzhausen
(Kreis Freising) ....97 U 18
Sünzhausen (Kreis
Pfaffenhofen a. d. Ilm) ..105 U 18
Süplingen ....41 J 17
Süpplingen ....41 J 16
Süpplingenburg ....41 J 16
Süptitz ....55 L 22
Sürth ....59 N 5
Sürzerhof ....71 P 6
Süsel ....9 D 16
Süß ....64 N 13
Süssau ....10 D 17
Süßen ....94 T 13
Süssenbach ....90 S 21
Süßer See ....54 L 18
Süßkofen ....98 T 21
Süstedt ....29 H 10
Süsterseel ....58 N 1
Sütel ....10 C 17
Süttorf ....21 G 15
Süffersheim ....96 T 17
Sugenheim ....86 R 15
Suhl ....64 O 16
Suhle ....27 H 7
Suhlendorf ....31 H 16
Sukow ....22 F 18
Sukow Marienhof ....23 E 21
Sulgen ....101 V 9
Sulingen ....29 H 10
Sulsdorf ....10 C 17
Sulz (Kreis Donau-Ries) ..96 U 16
Sulz (Ortenaukreis) ....100 V 7
Sulz a. Eck ....93 U 9
Sulz a. Neckar ....101 U 9
Sulzach ....95 S 15
Sulzbach ....98 U 22
Sulzbach (Neckar-
Odenwald-Kreis) ....85 R 11
Sulzbach
(Rhein-Neckar-Kreis) ....84 R 9
Sulzbach (Saar) ....82 S 5
Sulzbach (Taunus) ....74 P 9
Sulzbach a. d. Donau ......90 S 20
Sulzbach a. d. Murr ....94 S 12
Sulzbach a. Inn ....99 U 24
Sulzbach a. Main ....75 Q 11
Sulzbach-Laufen ....95 T 13
Sulzbach-Rosenberg ....88 R 19
Sulzberg ....111 X 15
Sulzburg ....100 W 7
Sulzdorf (Kreis Donau-Ries) 96 T 16
Sulzdorf (Kreis
Schwäbisch-Hall) ....95 S 13
Sulzdorf (Kreis Schweinfurt) 76 P 15
Sulzdorf a. d. Lederhecke ..76 P 15
Sulzemoos ....104 V 17
Sulzfeld (Kreis Karlsruhe) ..93 S 10
Sulzfeld (Kreis Schweinfurt) 76 P 15
Sulzfeld a. Main ....86 Q 14
Sulzheim ....76 Q 15
Sulzkirchen ....87 S 18
Sulzschneid ....111 W 15
Sulzthal ....76 P 14

Summt ....34 H 24
Sumpfsee ....23 E 20
Sumte ....21 G 16
Sundern (Kreis
Minden-Lübbecke) ....38 I 9
Sundern (Gütersloh-) ......38 K 9
Sundern (Sauerland) ....49 M 8
Sundhausen (Kreis Gotha) 64 N 16
Sundhausen
(Kreis Nordhausen) ....53 L 16
Sundhausen
(Unstrut-Hainich-Kreis) ..64 M 16
Sunthausen ....101 V 9
Sunzendorf ....88 R 18
Suppingen ....102 U 13
Surberg ....106 W 22
Surendorf ....5 C 14
Surheim ....106 W 22
Suroide ....30 H 13
Surwold ....27 H 6
Sustrum ....26 H 5
Sustrumermoor ....26 H 5
Suterode ....52 K 14
Sutthausen ....37 J 8
Suttorf (Kreis Hannover) ..39 I 12
Suttorf (Kreis Steinfurt) ....37 J 6
Suttrop ....50 L 9
Swisttal ....59 N 4
Syburg ....47 L 6
Sydow ....42 I 20
Syhra ....67 M 21
Syke ....29 H 10
Sylda ....53 K 18
Sylt (Insel) ....4 B 8
Sylvenstein-Stausee ......113 X 18
Syrau ....66 O 20
Syrgenstein ....95 U 14
Sythen ....47 K 5

T

Taaken ....29 G 11
Taarstedt ....5 C 13
Tabarz ....64 N 15
Taben-Rodt ....80 R 3
Tabertshausen ....98 T 22
Tacherting ....106 V 21
Taching ....106 W 22
Tachinger See ....106 W 22
Tacken ....32 G 20
Täferrot ....95 T 13
Täfertingen ....104 U 16
Tännesberg ....89 R 20
Tätendorf ....31 G 15
Tätzschwitz ....56 L 26
Tafertshofen ....103 V 14
Tafertsweiler ....102 W 12
Tagmersheim ....96 T 16
Tailfingen ....101 V 11
Taimering ....98 T 20
Tairnbach ....84 S 10
Taiting ....104 U 17
Taldorf ....110 W 12
Talge ....27 I 7
Talheim (Kreis Heilbronn) 94 S 11
Talheim (Kreis Tübingen) 102 U 11
Talheim (Kreis Tuttlingen) 101 V 9
Talkau ....21 F 15
Talle ....39 J 10
Tallensen ....39 J 11
Talling ....81 Q 4
Taltitz ....78 O 20
Tambach ....77 P 16
Tambach-Dietharz ....64 N 15
Tamm ....94 T 11
Tammensiel ....4 C 10
Tandern ....104 U 17
Tangeln ....31 H 17
Tangendorf (Kreis Harburg) 20 G 14
Tangendorf (Kreis Prignitz) 32 G 19
Tanger ....42 I 19
Tangerhütte ....42 I 19
Tangermünde ....42 I 19
Tangersdorf ....34 G 23
Tangrim ....14 D 22
Tangstedt
(Kreis Pinneberg) ....19 E 13
Tangstedt (Kreis Stormarn) 20 E 14
Tankenrade ....9 E 15
Tankumsee ....41 I 15
Tann ....64 O 14
Tann ....106 V 22
Tanna ....78 O 19
Tannau ....110 X 12
Tanndorf ....67 M 22
Tanne ....52 K 16
Tanneberg (Kreis
Meißen-Dresden) ....68 M 24

Tanneberg
(Kreis Mittweida) ....67 M 22
Tannenbergsthal ....79 O 21
Tannenhausen ....17 F 6
Tannenkirch ....108 W 6
Tannern ....113 X 18
Tannhausen
(Kreis Ravensburg) ......102 W 12
Tannhausen (Ostalbkreis) ..95 T 15
Tannheim (Kreis
Biberach a. d. Riß) ....103 V 14
Tannheim (Schwarzwald-
Baar-Kreis) ....101 V 9
Tannroda ....65 N 17
Tantow ....25 G 27
Tapfheim ....96 T 16
Tappenbeck ....41 I 16
Tappendorf ....8 D 13
Tarbarg ....17 F 7
Tarbek ....9 D 14
Tarmow ....33 H 22
Tarmstedt ....29 G 11
Tarnewitz ....10 E 17
Tarnow ....23 E 20
Tarp ....5 C 12
Tarthun ....42 K 18
Tasdorf ....9 D 14
Tassdorf ....44 I 25
Tastrup ....5 B 12
Tating ....7 D 10
Tatzelwurm ....113 W 20
Taube ....54 K 20
Taubenbach ....106 V 22
Taubenheim ....68 M 24
Taubenheim (Spree) ....69 M 27
Taubensuhl ....83 S 7
Tauber ....86 S 14
Tauberbischofsheim ....85 R 12
Tauberfeld ....96 T 17
Tauberrettersheim ....85 R 13
Tauberzell ....86 R 14
Taucha (Leipzig) ....54 L 21
Tauche ....45 J 26
Tauer ....45 K 27
Taufkirchen (Kreis Erding) 105 U 20
Taufkirchen (Kreis
Mühldorf a. Inn) ....106 V 21
Taufkirchen
(Kreis München) ....105 V 18
Taufkirchen
(Kreis Rottal-Inn) ....106 U 22
Taufstein ....75 O 11
Taugwitz ....66 M 18
Taunus ....74 P 9
Taunusstein-Neuhof ....73 P 8
Tauperlitz ....78 P 19
Taura ....55 L 23
Taura b. Burgstädt ....67 M 22
Tauscha (Kreis Mittweida) 67 N 22
Tauscha (Kreis
Riesa-Großenhain) ....68 M 25
Tauschenberg ....62 N 10
Tautenburg ....66 N 19
Tautenhain
(Kreis Leipziger Land) ....67 M 22
Tautenhain
(Saale-Holzland-Kreis) ..66 N 19
Tawern ....80 Q 3
Taxöldern ....89 S 20
Taxölderner Forst ....89 S 20
Techelsdorf ....9 D 14
Techentin ....23 F 19
Teck ....94 U 12
Tecklenburg ....37 J 7
Teetz ....33 G 21
Tegau ....66 O 19
Tegeler See ....44 I 23
Tegelrieden ....27 H 8
Tegernau ....108 W 7
Tegernbach (Kreis Freising) 97 U 19
Tegernbach (Kreis
Pfaffenhofen a. d. Ilm) ..96 U 18
Tegernheim ....90 S 20
Tegernsee (Stadt) ....113 W 19
Teglingen ....26 I 6
Teicha ....54 L 19
Teichel ....65 N 17
Teichröda ....65 N 17
Teichweiden ....65 N 18
Teichwolframsdorf ....66 N 20
Teisbach ....98 U 21
Teisenberg ....106 W 22
Teisendorf ....106 W 22
Teising ....106 V 21
Teisnach ....91 S 22
Teistungen ....52 L 14

Telbrake ....28 H 8
Teldau ....21 G 16
Telgte ....37 K 7
Tellerhäuser ....79 O 22
Tellig ....71 P 5
Tellingstedt ....7 D 11
Tellmer ....30 G 14
Telschow-Weitgendorf ......23 G 20
Teltow (Berlin) ....44 I 23
Telz ....44 J 24
Temmels ....80 Q 3
Temmen ....34 G 25
Temmenhausen ....95 U 13
Tempelberg ....45 I 26
Tempelfelde ....34 H 25
Templin ....34 G 24
Tengen ....101 W 9
Tengern ....38 J 10
Tengling ....106 W 22
Teningen ....100 V 7
Tennenbronn ....101 V 9
Tennenlohe ....87 R 17
Tennstedt ....27 H 8
Tensbüttel ....7 D 11
Tensbüttel-Röst ....7 D 11
Tensfeld ....9 D 14
Tenstedt ....27 H 8
Teplitz ....10 E 19
Terborg ....17 G 6
Tergast ....17 F 6
Terpt ....44 K 25
Tertius (Insel) ....7 D 10
Teschendorf (Kreis
Mecklenburg-Strelitz) ....24 F 24
Teschendorf
(Kreis Oberhavel) ....34 H 23
Teschow
(Kreis Bad Doberan) ......10 E 18
Teschow (Kreis Güstrow) ..23 E 21
Tespe ....20 F 15
Tessenow ....23 F 19
Tessin ....11 D 21
Tessin b. Boizenburg ....21 F 16
Tessin b. Wittenburg ....21 F 16
Testorf (Kreis Ludwigslust) 21 F 16
Testorf (Kreis
Nordwestmecklenburg) ..21 E 17
Testorf (Kreis Ostholstein) ..9 D 16
Testorf (Kreis Uelzen) ......31 G 16
Tetenbüll ....7 C 10
Tetenbüllspieker ....7 C 10
Tetenhusen ....8 C 12
Teterow ....23 E 21
Teterower See ....23 E 21
Tetschendorf ....23 G 21
Tettau (Kreis Kronach) ......77 O 17
Tettau (Kreis Oberspreewald-
Lausitz) ....56 L 25
Tettenborn ....52 L 15
Tettenhausen ....106 W 22
Tettens (Kreis Friesland) ..17 F 7
Tettens
(Kreis Wesermarsch) ......18 F 9
Tettenweis ....107 U 23
Tettnang ....110 W 12
Tetz ....58 N 3
Tetzitzer See ....13 C 24
Teublitz ....88 S 20
Teuchatz ....77 Q 17
Teuchern ....66 M 20
Teufelshöhle ....87 Q 18
Teufelskopf ....80 R 4
Teufelsmoor (Dorf) ....18 G 10
Teugn ....97 T 20
Teunz ....89 R 21
Teupitz ....44 J 24
Teuschnitz ....77 O 18
Teutleben ....64 N 15
Teutoburger Wald ....37 J 7
Teutschenthal ....54 L 19
Teveren ....58 N 2
Tewel ....30 G 13
Tewswoos ....32 G 17
Thaden ....8 D 12
Thailen ....80 R 4
Thaining ....104 W 16
Thal ....64 N 15
Thalau ....75 O 13
Thalberg ....56 L 24
Thalberg ....99 U 25
Thaldorf ....97 T 19
Thale ....53 K 17
Thaleischweiler-Fröschen ..83 S 6
Thalexweiler ....81 R 4
Thalfang ....81 Q 4
Thalfingen ....103 U 14
Thalham ....105 W 19

Thalhausen
(Kreis Dachau) ....104 U 17
Thalhausen
(Kreis Freising) ....105 U 19
Thalheim (Kreis Bitterfeld) 54 L 20
Thalheim (Kreis Erding) ..105 U 20
Thalheim (Kreis
Nürnberger Land) ....87 R 18
Thalheim
(Kreis Sigmaringen) ......101 V 11
Thalheim (Kreis
Torgau-Oschatz) ....55 M 23
Thalheim (Erzgebirge) ......67 N 22
Thalhofen ....104 W 16
Thalitter ....50 M 10
Thalkirchdorf ....111 X 14
Thallichtenberg ....81 R 6
Thallwitz ....55 L 22
Thalmässing ....96 S 17
Thalmannsfeld ....96 S 17
Thalmassing ....97 T 20
Thambach ....106 U 21
Thammenhain ....55 L 22
Thamsbrück ....64 M 15
Thandorf ....21 E 16
Thangelstedt ....65 N 17
Thanhausen
(Kreis Regensburg) ....90 S 20
Thanhausen (Kreis Weißenburg-
Gunzenhausen) ....96 S 16
Thanheim
(Kreis Amberg-Sulzbach) 88 R 19
Thanheim
(Zollernalbkreis) ....101 V 10
Thann (Kreis Ansbach) ....86 S 15
Thann (Kreis Kelheim) ......97 T 18
Thann (Kreis Landshut) ..105 U 20
Thanndorf ....98 U 22
Thannhausen ....103 W 15
Thanning ....105 W 18
Thanstein ....89 R 21
Tharandt ....68 N 24
Thebing ....47 K 4
Thedinghausen ....29 H 11
Theenhausen ....38 J 9
Theesen ....38 J 9
Theeßen ....42 J 20
Theilenhofen ....96 S 16
Theilheim
(Kreis Schweinfurt) ....76 Q 14
Theilheim (Kreis Würzburg) 86 Q 14
Theisa ....56 L 24
Theisbergstegen ....81 R 6
Theisseil ....89 Q 20
Theißen ....66 M 20
Theißing ....97 T 18
Thekla (Leipzig) ....54 L 21
Thelkow ....11 D 21
Theley ....81 R 5
Themar ....76 O 15
Thenried ....89 S 22
Theobaldshof ....64 N 14
Theres ....76 P 15
Theuern (Kreis
Amberg-Sulzbach) ....88 R 19
Theuma ....79 O 20
Thiede ....40 J 15
Thielbeer ....32 H 18
Thielitz ....31 H 16
Thiendorf ....56 M 25
Thier ....59 M 6
Thierbach (Elstertalkreis) 66 O 19
Thierbach
(Kreis Leipziger Land) ....67 M 21
Thiergarten ....73 Q 6
Thiergarten ....102 V 11
Thierhaupten ....96 U 16
Thieringhausen ....61 M 7
Thiersheim ....78 P 20
Thierstein ....78 P 20
Thieshope ....20 G 14
Thießen ....43 K 20
Thiessow ....13 D 25
Thimmendorf ....65 O 18
Thölau ....78 P 20
Thölstedt ....28 H 9
Thönse ....40 I 13
Thören ....30 H 13
Thörnich ....72 Q 4
Tholey ....81 R 5
Thomasburg ....31 G 15
Thomm ....80 Q 4
Thomsdorf ....24 G 24
Thonhausen ....66 N 20
Thonhopsberg ....30 H 14
Thonlohe ....97 S 19

Thorr ....58 N 3
Thoßfell ....66 O 20
Thräna ....66 M 21
Threna ....55 M 21
Thüle ....27 H 7
Thüle ....50 K 9
Thüle ....50 L 9
Thülsfelde ....27 H 7
Thülsfelder Stausee ....27 H 7
Thümmlitzwalde ....67 M 22
Thüngen ....75 Q 13
Thüngersheim ....75 Q 13
Thür ....71 O 5
Thürheim ....96 V 16
Thüringer Wald ....64 N 14
Thürkow ....23 E 21
Thürnhofen ....86 S 15
Thürnthenning ....98 T 21
Thüste ....40 J 12
Thuine ....37 I 6
Thulba ....75 P 13
Thum ....67 N 22
Thum ....58 N 3
Thumby ....5 C 13
Thumhausen ....90 S 19
Thumsee ....114 W 22
Thumsenreuth ....78 Q 20
Thundorf ....76 P 14
Thundorf i. Unterfranken ..98 T 22
Thunum ....17 F 6
Thurland ....54 K 20
Thurm ....67 N 21
Thurmansbang ....99 T 23
Thurn ....87 Q 17
Thurnau ....77 P 18
Thurndorf ....88 Q 18
Thurow ....24 F 23
Thyrnau ....99 U 24
Thyrow ....44 J 23
Tiddische ....41 I 16
Tiebensee ....7 D 11
Tiefenbach (Kreis Cham) ..89 R 21
Tiefenbach
(Kreis Heilbronn) ....85 S 11
Tiefenbach
(Kreis Landshut) ....97 U 20
Tiefenbach
(Kreis Neu-Ulm) ....103 V 14
Tiefenbach
(Kreis Passau) ....99 U 24
Tiefenbach (Rhein-
Hunsrück-Kreis) ....73 Q 6
Tiefenbach b. Oberstdorf 111 X 14
Tiefenberg ....111 X 14
Tiefenbroich ....48 M 4
Tiefenbronn ....93 T 10
Tiefenbrunn ....78 O 19
Tiefenellern ....77 Q 17
Tiefenhäusern ....108 W 8
Tiefenhöchstadt ....77 Q 17
Tiefenhöhle ....94 U 13
Tiefenhülen ....102 U 12
Tiefenort ....64 N 14
Tiefenpölz ....77 Q 17
Tiefenried ....103 V 15
Tiefensee ....34 H 25
Tiefenstein ....81 Q 5
Tiefenstein ....108 X 8
Tiefthal ....65 M 16
Tiefurt (Weimar) ....65 N 18
Tielen ....8 D 12
Tielenhemme ....8 D 12
Tielge ....38 I 9
Tiengen ....100 W 7
Tiengen (Waldshut-) ......109 X 8
Tieringen ....101 V 10
Tießau ....31 G 16
Tietelsen ....51 L 11
Tietlingen ....30 H 13
Tietzow ....33 H 22
Tigerfeld ....102 V 12
Tilbeck ....37 K 6
Till ....46 K 2
Tilleda ....53 L 17
Tilzow ....13 C 24
Timmaspe ....8 D 13
Timmdorf ....9 D 15
Timmel ....17 F 7
Timmendorf ....10 E 18
Timmendorfer Strand ....9 E 16
Timmenrode ....53 K 17
Timmerhorn ....20 E 14
Tinnen ....26 H 5
Tinningstedt ....4 B 10
Tinnum ....4 B 8
Tiroler Ache ....114 W 21
Tirpersdorf ....79 O 20

Tirschendorf ... 79 O 20
Tirschenreuth ... 79 Q 21
Tiste ... 19 G 12
Titisee ... 100 W 8
Titmaringhausen ... 50 M 9
Titschendorf ... 77 O 18
Titting ... 96 T 17
Tittling ... 99 T 24
Tittmoning ... 106 V 22
Titz ... 58 M 3
Toba ... 52 M 16
Tobertitz ... 78 O 20
Toddin ... 21 F 17
Todenbüttel ... 8 D 12
Todendorf (Kreis Plön) ... 20 E 15
Todendorf (Kreis Stormarn) ... 9 C 15
Todenfeld ... 60 O 4
Todesfelde ... 20 E 14
Todtenhausen ... 39 I 10
Todtenweis ... 96 U 16
Todtglüsingen ... 19 G 13
Todtmoos ... 108 W 7
Todtmoos-Au ... 108 W 7
Todtnau ... 100 W 7
Todtnauberg ... 100 W 7
Todtshorn ... 30 G 13
Tödtenried ... 104 U 17
Töging ... 106 V 21
Tökendorf ... 9 D 14
Tönisberg ... 46 L 3
Tönisheide ... 48 M 5
Tönisvorst ... 58 M 3
Tönnhausen ... 20 F 14
Tönning ... 7 D 10
Tönningstedt ... 20 E 14
Tönnishäuschen ... 49 K 7
Töpchin ... 44 J 24
Töpen ... 78 O 19
Töpingen ... 30 G 13
Töplitz ... 43 I 22
Törpin ... 24 E 23
Törwang ... 113 W 20
Tötensen ... 19 F 13
Töttelstädt ... 65 M 16
Toitz ... 14 E 22
Tolk ... 5 C 12
Tolkewitz ... 68 M 25
Tollense ... 24 E 23
Tollensesee ... 24 F 23
Tolzin ... 23 E 21
Tomerdingen ... 95 U 13
Tonau ... 101 V 10
Tondorf ... 60 O 4
Tonndorf ... 65 N 16
Tonnenheide ... 38 I 9
Topfseifersdorf ... 67 N 22
Toppenstedt ... 20 G 14
Torfhaus ... 52 K 15
Torgau ... 55 L 23
Torgelow (Kreis Müritz) ... 24 F 22
Torgelow (Kreis Uecker-Randow) ... 25 F 26
Torgelow-Holländerei ... 25 E 26
Torgelower See ... 24 F 22
Tornau (Kreis Anhalt-Zerbst) ... 42 K 20
Tornau (Kreis Wittenberg) ... 55 L 21
Tornau v. d. Heide ... 54 K 20
Tornesch ... 19 E 13
Tornitz ... 42 K 19
Tornow (Kreis Barnim) ... 35 H 25
Tornow (Kreis Dahme-Spreewald) ... 44 J 24
Tornow (Kreis Uckermark) ... 25 F 25
Torsholt ... 17 G 7
Tossens ... 18 F 8
Tostedt ... 19 G 13
Tosterglope ... 31 G 16
Totenmaar ... 71 P 4
Toter Mann ... 100 W 7
Traar (Krefeld) ... 46 L 3
Trabelsdorf ... 76 Q 16
Traben-Trarbach ... 72 Q 5
Trabitz ... 42 K 19
Trabitz ... 88 Q 19
Traidersdorf ... 89 S 22
Trailfingen ... 102 U 12
Train ... 97 T 19
Trainsjoch ... 113 X 20
Trais-Münzenberg ... 74 O 10
Traisa ... 74 Q 10
Traisbach ... 63 O 13
Traitsching ... 91 S 21
Tralau ... 20 E 14
Tramm (Kreis Herzogtum Lauenburg) ... 21 F 15
Tramm (Kreis Parchim) ... 22 F 18

Tramnitz ... 33 H 21
Trampe ... 34 H 25
Transvaal ... 31 I 16
Trantow ... 14 E 23
Trappenkamp ... 9 D 14
Trappstadt ... 76 P 15
Trasching ... 90 S 21
Traßdorf ... 65 N 17
Trassem ... 80 R 3
Trassenheide ... 13 D 25
Trattendorf ... 57 L 27
Traubing ... 104 W 17
Trauchgau ... 112 X 16
Trauen ... 30 H 14
Traun ... 106 W 21
Traunfeld ... 87 R 18
Traunreut ... 106 W 21
Traunstein ... 106 W 21
Traunsteinerhaus ... 114 X 22
Traunwalchen ... 106 W 21
Trausnitz ... 89 R 20
Trautenstein ... 53 K 16
Trautmannshofen ... 87 R 18
Trautskirchen ... 86 R 15
Trave ... 9 D 15
Travemünde ... 10 E 16
Travenbrück ... 20 E 14
Trebatsch ... 45 J 26
Trebbin ... 44 J 23
Trebbus ... 56 K 24
Trebel (Kreis Luchow-Dannenberg) ... 32 H 17
Treben ... 66 M 21
Trebendorf ... 57 L 27
Trebenow ... 25 F 25
Trebgast ... 77 P 18
Trebitz (Kreis Dahme-Spreewald) ... 45 J 26
Trebitz (Kreis Wittenberg) ... 55 K 22
Trebnitz (Kreis Bernburg) ... 54 K 19
Trebnitz (Kreis Märkisch-Oderland) ... 35 I 26
Trebnitz (Kreis Weißenfels) ... 66 M 20
Trebra (Kreis Nordhausen) ... 52 L 15
Trebra (Kyffhäuserkreis) ... 53 M 16
Trebs ... 21 G 17
Trebsen ... 55 M 22
Trebur ... 74 Q 9
Trebus (Kreis Oder-Spree) ... 45 I 26
Trebus (Niederschlesischer Oberlausitzkr.) ... 57 L 28
Trechtingshausen ... 73 P 7
Trechwitz ... 43 I 22
Treene ... 5 C 12
Treenemarsch ... 7 C 11
Treffelhausen ... 95 T 13
Treffelstein ... 89 R 21
Treffensbuch ... 94 U 13
Treffurt ... 64 M 14
Treherz ... 103 W 14
Treia ... 5 C 11
Treis ... 62 O 10
Treis-Karden ... 71 P 5
Treisbach ... 62 N 9
Trelde ... 19 G 13
Tremmen ... 43 I 22
Tremmersdorf ... 88 Q 19
Tremsbüttel ... 20 E 14
Tremsdorf ... 44 J 23
Trendelburg ... 51 L 12
Trennewurth ... 7 E 11
Trennfeld ... 85 Q 12
Trennfurt ... 85 Q 11
Trent ... 13 C 23
Treplin ... 45 I 27
Treppeln ... 45 J 27
Treppendorf ... 44 K 25
Treptow (Berlin) ... 44 I 24
Treseburg ... 53 K 16
Tressau ... 78 Q 19
Treuchtlingen ... 96 T 16
Treuen ... 66 O 20
Treuenbrietzen ... 43 J 22
Treugeböhla ... 56 L 24
Treunitz ... 77 Q 17
Trevesen ... 78 Q 19
Treysa ... 63 N 11
Triangel ... 41 I 15
Triberg ... 100 V 8
Trichenricht ... 89 R 20
Trichtingen ... 101 V 9
Trieb (Göltzschtalkreis) ... 79 O 20
Trieb (Kreis Lichtenfels) ... 77 P 17
Triebel ... 78 O 20
Triebendorf ... 79 Q 20

Triebes ... 66 N 20
Triebischtal ... 68 M 24
Trieching ... 98 T 21
Triefenstein ... 85 Q 12
Triensbach ... 86 S 13
Triepkendorf ... 24 G 24
Trieplatz ... 33 H 21
Trier ... 80 Q 3
Trierweiler ... 80 Q 3
Triesbach ... 68 M 24
Trifels ... 83 S 7
Triftern ... 106 U 23
Triglitz ... 33 G 20
Trillfingen ... 101 U 10
Trimberg ... 76 P 13
Trimbs ... 71 P 5
Tringenstein ... 62 N 9
Trinkwasserspeicher Frauenau ... 91 S 24
Trinum ... 54 K 19
Trinwillershagen ... 11 D 21
Tripkau ... 31 G 17
Trippigleben ... 41 I 17
Trippstadt ... 83 R 7
Tripsdrill ... 94 S 11
Tripsrath ... 58 N 2
Triptis ... 66 N 19
Trischen (Insel) ... 7 D 10
Trisching ... 88 R 20
Trischlberg ... 90 S 20
Trittau ... 20 F 15
Trittenheim ... 72 Q 4
Trochtelfingen ... 41 J 16
Trochtelfingen (Kreis Reutlingen) ... 102 V 11
Trochtelfingen (Ostalbkreis) ... 95 T 15
Trockau ... 87 Q 18
Trockenborn-Wolfersdorf ... 66 N 19
Trockenerfurth ... 63 M 11
Tröbes ... 89 R 21
Tröbitz ... 56 L 24
Tröbnitz ... 66 N 19
Tröbsdorf ... 53 M 18
Trögen ... 51 K 13
Tröglitz ... 66 M 20
Tröstau ... 78 P 19
Trogen ... 78 O 19
Troisdorf ... 59 N 5
Troistedt ... 65 N 17
Trollenhagen ... 24 F 23
Tromlitz ... 65 N 18
Tromm ... 84 R 10
Trommetsheim ... 96 S 16
Tromper Wiek ... 13 C 24
Tromsdorf ... 65 M 18
Tropfsteinhöhle ... 85 R 12
Troschenreuth ... 87 Q 18
Trossenfurt ... 76 Q 15
Trossin ... 55 L 22
Trossingen ... 101 V 9
Trostberg ... 106 V 21
Trubenhausen ... 51 M 13
Truchtelfingen ... 101 V 11
Truchtlaching ... 106 W 21
Trügleben ... 64 N 15
Trünzig ... 66 N 20
Trüstedt ... 42 I 18
Trugenhofen ... 96 T 17
Trulben ... 83 S 6
Trunstadt ... 76 Q 16
Trupermoor ... 29 G 10
Truppach ... 77 Q 18
Trusetal ... 64 N 15
Tryppehna ... 42 J 19
Tschernitz ... 57 L 27
Tschirn ... 77 O 18
Tucheim ... 42 J 20
Tuchen-Klobbicke ... 34 H 25
Tuchenbach ... 87 R 16
Tübingen ... 94 U 11
Tüchen ... 33 G 20
Tüchersfeld ... 87 Q 18
Tückelhausen ... 86 R 14
Tüddern ... 58 M 1
Tülau ... 31 I 16
Tümlauer Bucht ... 7 C 9
Tümlauer Koog ... 7 C 10
Tündern ... 39 J 12
Tüngeda ... 64 M 15
Tüngental ... 94 S 13
Tünsdorf ... 80 R 3
Tüntenhausen ... 105 U 19
Türkenfeld (Kreis Fürstenfeldbruck) ... 104 V 17
Türkenfeld (Kreis Landshut) ... 97 T 20
Türkheim (Kreis Göppingen) ... 94 U 13

Türkheim (Kreis Unterallgäu) ... 103 V 15
Türkismühle ... 81 R 5
Türnich ... 59 N 4
Tüschenbroich ... 58 M 2
Tüschendorf ... 29 G 11
Tüßling ... 106 V 21
Tütschengereuth ... 76 Q 16
Tüttendorf ... 9 C 13
Tüttleben ... 65 N 16
Tützpatz ... 24 E 23
Tunau ... 100 W 7
Tunding ... 98 T 21
Tungeln ... 27 G 8
Tungendorf ... 9 D 13
Tungerloh-Capellen ... 36 K 5
Tungerloh-Pröbsting ... 36 K 5
Tuniberg ... 100 V 7
Tuningen ... 101 V 9
Tunsel ... 100 W 6
Tuntenhausen ... 105 W 20
Tunxdorf ... 26 G 5
Turnow ... 45 K 27
Tussenhausen ... 103 V 15
Tutow ... 14 E 23
Tutting ... 107 U 23
Tuttlingen ... 101 W 10
Tutzing ... 104 W 17
Tutzinger-Hütte ... 112 X 18
Twedt ... 5 C 13
Tweel ... 27 H 7
Twenhusen ... 37 I 7
Twielfingen ... 41 J 16
Twieflingen ... 38 I 9
Twielenfleth ... 19 F 12
Twist ... 26 I 5
Twiste ... 50 L 10
Twisteden ... 46 L 2
Twistestausee ... 51 L 11
Twistetal ... 50 M 10
Twistringen ... 29 H 9
Tyrlaching ... 106 V 22
Tyrolsberg ... 87 S 18

U

Ubach ... 58 N 2
Ubstadt-Weiher ... 84 S 9
Uchenhofen ... 76 P 15
Uchtdorf ... 42 I 19
Uchte ... 39 I 10
Uchtspringe ... 42 I 18
Uckendorf ... 59 N 5
Uckerath ... 59 N 6
Uckermark ... 34 G 24
Uckersdorf ... 62 N 8
Uckro ... 56 K 24
Udenborn ... 63 M 11
Udenbreth ... 70 O 3
Udenhausen (Kreis Kassel) ... 51 L 12
Udenhausen (Vogelsbergkreis) ... 63 N 12
Uder ... 52 L 14
Udersleben ... 53 L 17
Udestedt ... 65 M 17
Udorf ... 50 L 10
Übach-Palenberg ... 58 N 2
Überacker ... 104 V 17
Überauchen ... 101 V 9
Übereisenbach ... 70 P 2
Überherrn ... 82 S 4
Überlingen ... 110 W 11
Überlingen a. Ried ... 109 W 10
Überlinger See ... 110 W 11
Überruhr ... 47 L 5
Übersberg ... 102 U 11
Übersee ... 106 W 21
Uebigau (Kreis Elbe-Elster) ... 55 L 23
Uebigau (Kreis Riesa-Großenhain) ... 56 L 24
Uchtelhausen ... 76 P 14
Ückendorf ... 47 L 5
Ücker ... 25 F 25
Uckeritz ... 15 D 26
Ueckermünde ... 25 E 26
Ückermünder Heide ... 25 E 25
Uedelhoven ... 70 O 4
Uedemerbruch ... 46 L 2
Uedersdorf ... 70 P 4
Uedesheim ... 48 M 4
Ueffeln ... 37 I 7
Üfingen ... 40 J 15
Uehlfeld ... 86 Q 16
Ühlingen-Birkendorf ... 109 W 8
Uehrde ... 41 J 16
Uelde ... 50 L 8

Uelitz ... 22 F 18
Uelleben ... 64 N 16
Uellendahl ... 48 M 5
Üllnitz ... 42 K 19
Ülpenich ... 58 N 4
Ülsby ... 5 C 12
Uelsen ... 36 I 4
Uelvesbüll ... 7 C 10
Uelzen ... 31 H 15
Uenglingen ... 32 I 19
Uentrop ... 49 K 7
Uenzen ... 29 H 10
Üplingen ... 41 J 17
Uepsen ... 29 H 10
Uerdingen ... 46 L 3
Uersfeld ... 71 P 5
Ürzell ... 75 O 12
Ürzig ... 72 Q 5
Üselitz ... 13 D 23
Ueßbach ... 71 P 4
Ueterlande ... 18 F 9
Uetersen ... 19 E 13
Uetterath ... 58 M 2
Uetteroda ... 64 M 14
Üttfeld ... 70 P 2
Uettingen ... 85 Q 13
Uetz-Paaren ... 43 I 22
Uetze ... 40 I 14
Uetzing ... 77 P 17
Uffeln ... 39 J 10
Uffenheim ... 86 R 14
Uffing ... 112 W 17
Uhingen ... 94 T 12
Uhlberg ... 96 T 16
Uhldingen ... 110 W 11
Uhlstädt ... 65 N 18
Uhrsleben ... 41 J 17
Uhsmannsdorf ... 57 M 28
Uhyst ... 57 L 27
Uhyst a. Taucher ... 69 M 26
Uichteritz ... 54 M 19
Uiffingen ... 85 R 12
Uissigheim ... 85 Q 12
Ulbering ... 106 U 23
Ulbersdorf ... 69 N 26
Ulfa ... 74 O 11
Ulfen ... 64 M 14
Ullersdorf ... 45 J 27
Ullstadt ... 86 R 15
Ulm (Kreis Rastatt) ... 92 T 8
Ulm (Ortenaukreis) ... 92 U 8
Ulm (Donau) ... 103 U 13
Ulmbach ... 75 O 12
Ulmet ... 81 R 6
Ulrichstein ... 63 O 11
Ulsenheim ... 86 R 14
Ulsnis ... 5 C 13
Ulzburg ... 19 E 13
Umflutkanal ... 42 J 19
Umkirch ... 100 V 7
Ummanz (Insel) ... 13 C 23
Ummeln ... 38 K 9
Ummendorf ... 41 J 17
Ummendorf ... 102 V 13
Ummern ... 31 I 15
Ummerstadt ... 77 P 16
Unadingen ... 101 W 9
Undeloh ... 30 G 13
Undenheim ... 73 Q 8
Undingen ... 102 U 11
Unering ... 104 V 17
Ungedanken ... 63 M 11
Ungerhausen ... 103 V 14
Ungstein ... 83 R 8
Unkel ... 60 O 5
Unlingen ... 102 V 12
Unnau ... 49 L 7
Unnau ... 61 O 7
Unnerstdorf ... 77 P 16
Unseburg ... 42 K 18
Unsen ... 39 J 12
Unsleben ... 76 O 14
Unstrut ... 64 M 15
Unter Abtsteinach ... 84 R 10
Unter Biberalpe ... 111 Y 14
Unter-Flockenbach ... 84 R 10
Unter-Ostern ... 84 Q 10
Unter Rammingen ... 103 V 15
Unter-Schönmattenwag ... 84 R 10
Unter schwärzenbach ... 107 U 23
Unter Sensbach ... 84 R 11

Unteraich ... 89 R 20
Unteralpfen ... 108 X 8
Unteraltenbernheim ... 86 R 15
Unteraltertheim ... 85 Q 13
Unterammergau ... 112 X 17
Unterankenreute ... 102 W 13
Unterasbach ... 96 S 16
Unteraspach ... 95 S 13
Unterauerbach ... 89 R 20
Unterbaar ... 96 U 16
Unterbalbach ... 85 R 13
Unterbalzheim ... 103 V 13
Unterbergen ... 104 V 16
Unterbernbach ... 96 U 17
Unterbleichen ... 103 V 14
Unterböhringen ... 94 U 13
Unterbränd ... 101 W 9
Unterbreizbach ... 64 N 13
Unterbruch (Heinsberg) ... 58 M 2
Unterbrüden ... 94 T 12
Unterbrunn ... 104 V 17
Unterbuchen ... 113 W 18
Unterdarching ... 105 W 19
Unterdeufstetten ... 95 S 14
Unterdießen ... 104 W 16
Unterdietfurt ... 106 U 21
Unterdigisheim ... 101 V 10
Unterebersbach ... 76 P 14
Unteregg ... 103 W 15
Untereichen ... 103 U 14
Unterellen ... 64 N 14
Unterelsbach ... 76 O 14
Unterensingen ... 94 U 12
Untereschenbach ... 75 P 13
Unteressendorf ... 102 V 13
Untereßfeld ... 76 P 15
Unterfelden ... 86 R 15
Unterflossing ... 106 V 21
Unterfrohnstetten ... 98 T 23
Untergermaringen ... 104 W 16
Unterglaim ... 97 U 20
Unterglottertal ... 100 V 7
Untergriesbach ... 99 U 25
Untergriesheim ... 85 S 11
Untergröningen ... 95 T 13
Untergrombach ... 93 S 9
Untergrüne ... 49 L 7
Untergruppenbach ... 94 S 11
Unterhaching ... 105 V 18
Unterhaun ... 63 N 13
Unterheimbach ... 94 S 12
Unterheinriet ... 94 S 11
Unterhöft ... 98 U 22
Unterhütte ... 89 R 22
Unterjeckenbach ... 81 R 6
Unterjettenberg ... 114 W 22
Unterjettingen ... 93 U 10
Unterjoch ... 111 X 15
Unterkatz ... 64 O 14
Unterkessach ... 85 R 12
Unterkirchberg ... 103 U 13
Unterkirnach ... 101 V 9
Unterknöringen ... 103 U 15
Unterkochen ... 95 T 14
Unterköblitz ... 88 R 20
Unterkoskau ... 78 O 19
Unterkotzau ... 78 O 19
Unterlaimbach ... 86 R 15
Unterlauchringen ... 109 X 8
Unterlauter ... 77 P 16
Unterleichtersbach ... 75 P 13
Unterleinach ... 75 Q 13
Unterleinleiter ... 87 Q 17
Unterleiterbach ... 77 P 16
Unterlenningen ... 94 U 12
Unterliezheim ... 95 T 15
Unterloquitz ... 65 O 18
Unterlosa ... 78 O 20
Unterlüß ... 30 H 14
Untermässing ... 96 S 17
Untermagerbein ... 95 T 15
Untermarchtal ... 102 V 12
Untermarxgrün ... 79 O 20
Untermaubach ... 58 N 3
Untermeitingen ... 104 V 16
Untermerzbach ... 77 P 16
Untermitterdorf ... 99 T 23
Untermünkheim ... 94 S 13

Untermünstertal ... 100 W 7
Untermusbach ... 93 U 9
Unternesselbach ... 86 R 15
Unterneukirchen ... 106 V 21
Unterneuses ... 86 Q 16
Unteröwisheim ... 93 S 10
Unterpfaffenhofen ... 104 V 18
Unterpindhart ... 97 T 19
Unterpleichfeld ... 76 Q 14
Unterpörlitz ... 65 N 16
Unterprechtal ... 100 V 8
Unterpreppach ... 76 P 16
Unterregenbach ... 85 S 13
Unterreichenbach ... 75 O 11
Unterreichenbach ... 93 T 10
Unterreit ... 106 V 21
Unterreithen ... 112 X 16
Unterrieden ... 51 L 13
Unterrieden ... 87 R 18
Unterriffingen ... 95 T 14
Unterrißdorf ... 53 L 18
Unterrödel ... 96 S 17
Unterrohrbach ... 98 U 22
Unterrot ... 94 T 13
Unterroth ... 103 V 14
Untersberg ... 114 W 22
Unterschefflenz ... 85 R 11
Unterschleichach ... 76 Q 15
Unterschleißheim ... 105 V 18
Unterschneidheim ... 95 T 15
Unterschönau ... 64 N 15
Unterschöneberg ... 103 U 15
Unterschüpf ... 85 R 13
Unterschwaningen ... 95 S 15
Unterschwarzach ... 103 W 13
Unterschweinbach ... 104 V 17
Untersee ... 33 H 21
Untersee ... 109 X 10
Untersiemau ... 77 P 16
Untersiggingen ... 110 W 12
Untersimonswald ... 100 V 8
Untersontheim ... 95 S 13
Untersotzbach ... 75 O 11
Unterspiesheim ... 76 Q 14
Unterstadion ... 102 V 13
Unterstall ... 96 T 17
Unterstedt ... 29 G 12
Untersteinach ... 86 Q 15
Untersteinach
  (Kreis Bayreuth) ... 78 Q 19
Untersteinach
  (Kreis Kulmbach) ... 77 P 18
Untersteinbach
  (Hohenlohekreis) ... 94 S 12
Untersteinbach
  (Kreis Haßberge) ... 76 Q 15
Untersteinbach
  (Rauhenebrach-) ... 76 Q 15
Untersteinbach a. d. Haide 87 S 17
Untersuhl ... 64 N 14
Untersulmetingen ... 102 V 13
Untertal ... 101 U 8
Untertal (Biederbach-) ... 100 V 8
Untertheres ... 76 P 15
Unterthingau ... 111 W 15
Untertraubenbach ... 89 S 21
Untertürken ... 106 V 22
Unterückersee ... 25 G 25
Unteruhldingen ... 110 W 11
Unterwaldbehrungen ... 76 O 14
Unterweid ... 64 O 14
Unterweikertshofen ... 104 V 17
Unterweilenbach ... 96 U 17
Unterweiler ... 103 V 13
Unterweisenborn ... 63 N 13
Unterweißbach ... 65 O 17
Unterwellenborn ... 65 O 17
Unterwiesenbach ... 103 V 14
Unterwittelsbach ... 104 U 17
Unterwittighausen ... 85 R 13
Unterwössen ... 114 W 21
Unterwürschnitz ... 79 O 20
Unterwurmbach ... 96 S 16
Unterzeil ... 103 W 13
Unterzeitlarn ... 98 U 22
Unterzell ... 90 S 21
Untrasried ... 103 W 15
Untreusee ... 78 P 19
Unzhurst ... 92 T 8
Upahl ... 21 E 17
Upen ... 40 J 15
Upfkofen ... 97 T 20
Upgant-Schott ... 16 F 5
Uphusen (Kreis Verden) ... 29 G 10
Uphusen
  (Stadtkreis Emden) ... 16 F 5
Uphusum ... 4 B 10

Uplengen ... 17 G 7
Upleward ... 16 F 5
Upost ... 24 E 22
Uppenberg ... 37 K 6
Upschört ... 17 F 7
Ursprunge ... 50 L 9
Urach ... 101 V 8
Uracher Wasserfall ... 94 U 12
Urbach ... 94 T 12
Urbach (Kreis Neuwied) ... 61 O 6
Urbach
  (Kreis Nordhausen) ... 53 L 16
Urbach
  (Unstrut-Hainich-Kreis) ... 52 M 15
Urbach (Köln-) ... 59 N 5
Urbar ... 71 O 6
Urberach ... 74 Q 10
Urdenbach ... 48 M 4
Urexweiler ... 81 R 5
Urfeld ... 112 X 18
Urft ... 60 O 3
Urft-Stausee ... 70 O 3
Urlau ... 111 W 14
Urleben ... 64 M 16
Urloffen ... 92 U 7
Urmersbach ... 71 P 5
Urmitz ... 71 O 6
Urnau ... 110 W 12
Urnshausen ... 64 N 14
Urphar ... 85 Q 12
Ursberg ... 103 V 15
Ursensollen ... 88 R 19
Ursheim ... 96 T 16
Ursprung (Alb-Donau-Kreis) 95 U 13
Ursprung (Kreis
  Weilheim-Schongau) ... 112 W 16
Urspringen ... 75 Q 13
Ursprungtal ... 113 X 20
Ursulapoppenricht ... 88 R 19
Usadel ... 24 F 23
Uschlag ... 51 M 12
Usedom ... 25 E 25
Usedom-Oderhaff
  (Naturpark) ... 15 E 25
Usenborn ... 75 O 11
Userin ... 24 F 22
Useriner See ... 24 F 22
Usingen ... 74 O 9
Uslar ... 51 L 12
Usseln ... 50 M 10
Ustersbach ... 103 V 15
Utarp ... 17 F 6
Utecht ... 21 E 16
Utenbach ... 65 M 18
Utendorf ... 64 O 15
Utersum ... 4 B 9
Utgast ... 17 F 6
Uthleben ... 53 L 16
Uthlede ... 18 G 9
Uthmöden ... 41 I 18
Uthörn (Insel) ... 4 A 9
Uthwerdum ... 17 F 6
Uttenhofen ... 103 V 15
Uttenhofen (Rosengarten-) 94 S 13
Uttenreuth ... 87 R 17
Uttenweiler ... 102 V 12
Uttershausen ... 63 M 12
Utting ... 104 V 17
Uttlau ... 99 U 23
Uttrichshausen ... 75 O 13
Uttum ... 16 F 5
Utzedel ... 24 E 23
Utzenfeld ... 100 W 7
Utzenhofen ... 88 R 19
Utzmemmingen ... 95 T 15

V

Vaake ... 51 L 12
Vaale ... 8 D 12
Vaalermoor ... 7 E 11
Vach ... 87 R 16
Vachdorf ... 76 O 15
Vachendorf ... 106 W 21
Vadenrod ... 63 O 11
Vadrup ... 37 J 7
Vaerloh ... 19 G 12
Vagen ... 105 W 19
Vahlbruch ... 39 K 12
Vahlde ... 30 G 12
Vahldorf ... 42 J 18
Vahren ... 27 H 7
Vahrendorf ... 19 F 13
Vaihingen ... 94 T 11
Vaihingen a. d. Enz ... 93 T 10
Valbert ... 61 M 7
Valdorf ... 39 J 10

Valepp ... 113 X 19
Valfitz ... 31 H 17
Vallendar ... 71 O 6
Valley ... 105 W 19
Vallstedt ... 40 J 15
Valluhn ... 21 F 16
Valwig ... 71 P 5
Vanselow ... 24 E 23
Varbitz ... 31 H 16
Varchentin ... 24 F 22
Vardeilsen ... 51 K 13
Vardingholt ... 36 K 4
Varel ... 17 F 8
Varendorf ... 31 G 15
Varenesch ... 28 H 9
Varenholz ... 39 J 10
Varenrode ... 37 I 6
Varensell ... 50 K 9
Varl ... 38 I 9
Varloh ... 26 I 5
Varlosen ... 51 L 13
Varnhorn ... 28 H 8
Varnkevitz ... 13 B 24
Varrel (Kreis Cuxhaven) ... 18 E 11
Varrel (Kreis Diepholz) ... 29 I 10
Varrelbusch ... 27 H 8
Vasbeck ... 50 L 10
Vasbühl ... 76 P 14
Vastorf ... 31 G 15
Vaterstetten ... 105 V 19
Vatterode ... 53 L 18
Vechelde ... 40 J 15
Vechta ... 28 H 8
Vechte ... 26 I 4
Vechte ... 36 J 5
Vechtel ... 27 I 6
Veckenstedt ... 41 K 16
Veckerhagen ... 51 L 12
Veelböken ... 21 E 17
Veen ... 46 L 3
Veenhusen ... 17 G 6
Veerse ... 30 G 12
Veert ... 46 L 2
Vegesack ... 29 G 9
Vehlefanz ... 34 H 23
Vehlen ... 43 I 20
Vehlen ... 39 J 11
Vehlgast-Kümmernitz ... 33 H 20
Vehlinge ... 46 K 3
Vehlitz ... 42 J 19
Vehlow ... 33 G 20
Vehne ... 27 G 8
Vehnemoor ... 27 G 7
Vehrte ... 37 I 8
Veilbronn ... 87 Q 17
Veilsdorf ... 77 O 16
Veitlahm ... 77 P 18
Veitsaurach ... 87 S 16
Veitsbronn ... 87 R 16
Veitshöchheim ... 85 Q 13
Veitsrodt ... 81 Q 5
Veitsteinbach ... 75 O 12
Velbert ... 48 L 5
Velburg ... 88 S 19
Velden (Kreis Landshut) ... 105 U 20
Velden (Kreis
  Nürnberger Land) ... 87 R 18
Veldensteiner Forst ... 87 Q 18
Veldenz ... 72 Q 5
Veldhausen ... 26 I 4
Veldrom ... 50 K 10
Velen ... 36 K 4
Velgast ... 12 D 22
Velgen ... 31 G 15
Vellage ... 26 G 6
Vellahn ... 21 F 16
Vellberg ... 95 S 13
Vellern ... 49 K 8
Vellinghausen ... 49 L 7
Vellmar ... 51 L 12
Velmede ... 50 L 9
Velmeden ... 51 M 13
Velpe ... 37 J 7
Velpke ... 41 I 16
Velsdorf ... 41 I 17
Velstove ... 41 I 16
Velten ... 34 H 23
Veltheim ... 41 J 16
Veltheim ... 39 J 10
Veltheim (Ohe) ... 41 J 16
Vendersheim ... 73 Q 8
Venhaus ... 37 I 6
Venne ... 37 I 8
Vennermoor ... 37 I 8
Venrath ... 58 M 3
Ventschau ... 31 G 16
Ventschow ... 22 E 18

Venusberg ... 67 N 23
Venwegen ... 58 N 2
Venzkow ... 22 F 19
Venzvitz ... 13 D 23
Verchen ... 24 E 22
Verden ... 29 H 11
Veringendorf ... 102 V 11
Veringenstadt ... 102 V 11
Verl ... 38 K 9
Verlar ... 50 K 9
Verliehausen ... 51 L 13
Verlüßmoor ... 18 G 10
Verna ... 63 N 11
Vernawahlshausen ... 51 L 12
Verne ... 50 K 9
Vernich ... 59 N 4
Versbach ... 86 Q 13
Verse-Stausee ... 49 M 7
Versen ... 26 H 5
Versmold ... 37 J 8
Versdorf ... 30 I 12
Vesbeck ... 30 I 12
Vesser ... 65 O 16
Vestenbergsgreuth ... 86 Q 15
Vestrup ... 27 H 8
Vethem ... 30 H 12
Vetschau ... 56 K 26
Vettelhoven ... 60 O 5
Vettelschoß ... 60 O 6
Vettin ... 33 G 20
Vettweiß ... 58 N 3
Vicht ... 58 N 2
Victorbur ... 17 F 6
Viecheln ... 14 D 21
Viecht ... 97 U 20
Viechtach ... 91 S 22
Viehhausen ... 90 T 19
Viehle ... 21 G 16
Vielank ... 31 G 17
Vielbrunn ... 84 Q 11
Vielist ... 23 F 21
Vielitz ... 34 H 23
Vielstedt ... 28 G 9
Vienau ... 32 H 18
Vienenburg ... 41 K 15
Vierbach ... 64 M 13
Vierden ... 19 G 12
Viereck ... 25 F 26
Vieregge ... 13 C 23
Viereichen ... 57 L 28
Viereth ... 76 Q 16
Vierhöfen ... 20 G 14
Vieritz ... 43 I 20
Vierkirchen ... 69 M 28
Vierkirchen ... 104 U 18
Vierlande ... 20 F 14
Viermünden ... 62 M 10
Viernau ... 64 N 15
Viernheim ... 84 R 9
Vierraden ... 35 G 26
Viersen ... 58 M 3
Vierzehnheiligen ... 77 P 17
Viesebeck ... 51 L 11
Vieselbach ... 65 N 17
Vietgest ... 23 E 21
Vieth ... 96 U 18
Vietlübbe ... 23 F 20
Vietmannsdorf ... 34 G 24
Vietschow ... 23 E 21
Vietze ... 32 G 18
Vietznitz ... 33 H 21
Viez ... 21 F 17
Vilchband ... 85 R 13
Vilgertshofen ... 104 W 16
Vilkerath ... 59 N 5
Villenbach ... 95 U 15
Villigst ... 49 L 6
Villingen ... 101 V 9
Villingen ... 74 O 10
Villingendorf ... 101 V 9
Villip ... 60 O 5
Villmar ... 73 O 8
Vilm ... 13 D 24
Vilmnitz ... 13 C 24
Vils (Donau) ... 98 U 22
Vilsbiburg ... 106 U 21
Vilseck ... 88 R 19
Vilsen ... 29 H 10
Vilshofen (Kreis
  Amberg-Sulzbach) ... 88 S 19
Vilshofen (Kreis Passau) 99 U 23
Vilsingen ... 102 V 11
Vilslern ... 105 U 20
Vilzing ... 89 S 22
Vinnbrück ... 46 L 3
Vinnen ... 27 H 7
Vinningen ... 83 S 6

Vinnum ... 47 K 6
Vinsebeck ... 50 K 11
Vinstedt ... 31 G 15
Vinte ... 37 I 7
Vinzelberg ... 42 I 18
Vinzier ... 20 E 14
Viöl ... 5 C 11
Violau ... 103 U 15
Vippachedelhausen ... 65 M 17
Vipperow ... 23 G 22
Virneburg ... 71 O 5
Virnsberg ... 86 R 15
Visbek ... 28 H 8
Visbeker Steindenkmäler .. 28 H 8
Vischering (Lüdinghausen) . 47 K 6
Visquard ... 16 F 5
Visselhövede ... 30 H 12
Vissum ... 32 H 18
Vitense ... 21 E 17
Vitte ... 13 C 23
Vitzdorf ... 10 C 17
Vitzenburg ... 53 M 18
Vitzeroda ... 64 N 14
Vluyn ... 46 L 3
Vochem ... 59 N 4
Vockerode
  (Kreis Anhalt-Zerbst) ... 54 K 21
Vockerode
  (Werra-Meißner-Kreis) .... 51 M 13
Vockfey ... 31 G 16
Vögelsen ... 20 G 15
Vöhl ... 50 M 10
Vöhrenbach ... 101 V 8
Vöhringen
  (Kreis Neu-Ulm) ... 103 V 14
Vöhringen
  (Kreis Rottweil) ... 101 U 9
Vöhrum ... 40 I 14
Völkenroth ... 71 P 6
Völkersbach ... 93 T 9
Völkersen ... 29 G 11
Völkershausen
  (Wartburgkreis) ... 64 N 14
Völkershausen
  (Werra-Meißner-Kreis) ... 64 N 14
Völkersweiler ... 83 S 7
Völklingen ... 82 S 4
Völksen ... 40 J 12
Völlen ... 27 G 6
Völlenerfehn ... 27 G 6
Völlinghausen ... 49 L 8
Völpke ... 41 J 17
Völschow ... 24 E 24
Voerde (Ennepetal-) ... 49 M 6
Voerde (Niederrhein) ... 47 L 4
Vörden ... 37 I 8
Vörden ... 51 K 11
Vörstetten ... 100 V 7
Voesch ... 46 L 3
Vötting ... 105 U 19
Vogelbeck ... 52 K 13
Vogelsang
  (Kreis Oder-Spree) ... 45 J 28
Vogelsang (Kreis
  Uecker-Randow) ... 25 E 26
Vogelsberg ... 65 O 11
Vogelsdorf
  (Kreis Halberstadt) ... 41 J 16
Vogelsdorf (Kreis
  Märkisch-Oderland) ... 44 I 25
Vogler ... 39 K 12
Vogling ... 106 W 22
Vogt ... 110 W 13
Vogtareuth ... 105 W 20
Vogtendorf ... 77 P 18
Vogtland ... 79 O 20
Vogtsbauernhof ... 100 V 8
Vogtsburg ... 100 V 6
Vohburg ... 97 T 18
Vohenstrauß ... 89 R 21
Vohren ... 37 K 8
Vohwinkel ... 48 M 5
Voitenthan ... 78 Q 20
Voitsumra ... 78 P 19
Voitze ... 31 I 16
Volgfelde ... 42 I 18
Volkach (Stadt) ... 76 Q 14
Volkenroda ... 52 M 15
Volkenschwand ... 97 U 19
Volkenshagen ... 11 D 20
Volkerode (Kreis Eichsfeld) 52 M 14
Volkerode (Kreis Göttingen) 51 L 13
Volkers ... 75 P 13

Volkersbrunn ... 75 Q 11
Volkersdorf ... 68 M 25
Volkershausen ... 76 P 14
Volkersheim ... 40 J 14
Volkertshausen ... 101 W 10
Volkholz ... 62 N 8
Volkmannsdorf ... 66 O 19
Volkmannsgrün ... 78 P 19
Volkmarsberg ... 95 T 14
Volkmarsdorf ... 41 I 16
Volkmarsen ... 51 L 11
Volkmarshausen ... 51 L 12
Volkmarst ... 18 F 10
Volkratshofen ... 103 W 14
Volkringhausen ... 49 L 7
Volksdorf (Hamburg) ... 20 F 14
Volksdorf (Kreis Demmin) ... 14 E 22
Volkstedt ... 53 L 18
Volkwardingen ... 30 G 14
Vollenschier ... 42 I 18
Vollersode ... 18 G 10
Vollerwiek ... 7 D 10
Vollmaringen ... 93 U 10
Vollmarshausen ... 51 M 12
Vollmerhausen ... 59 N 6
Vollmershain ... 66 N 20
Vollmerz ... 75 O 12
Vollrathsruhe ... 23 F 21
Vollmarstein ... 47 L 6
Volme ... 49 M 6
Volmerdingsen ... 39 J 10
Volperhausen ... 61 N 7
Volpertshausen ... 74 O 9
Volpriehausen ... 51 L 13
Volsbach ... 77 Q 18
Volsemenhusen ... 7 E 11
Voltlage ... 37 I 7
Volzendorf ... 32 H 17
Vonhausen ... 74 P 11
Vorbach ... 88 Q 19
Vorbachzimmern ... 85 R 13
Vorbein ... 14 E 23
Vorderburg ... 111 X 15
Vorderfreundorf ... 99 T 25
Vorderkleebach ... 87 Q 18
Vorderreute ... 110 W 12
Vorderriß ... 112 X 18
Vorderweidenthal ... 83 S 7
Vorderwestermurr ... 94 T 12
Vordesten Thüle ... 27 H 7
Vordorf ... 41 I 15
Vordorf ... 78 P 19
Voremberg ... 39 J 12
Vorhalle ... 47 L 6
Vorhelm ... 49 K 7
Vorhop ... 31 I 15
Vormwald
  (Kreis Aschaffenburg) ... 75 P 11
Vormwald (Kreis
  Siegen-Wittgenstein) ... 61 N 8
Vornbach ... 99 U 23
Vornholz (Ostenfelde) ... 37 K 8
Vorpommersche
  Boddenlandschaft ... 12 C 22
Vorra ... 87 Q 16
Vorra (Pegnitz) ... 87 R 18
Vorsfelde ... 41 I 16
Vorst (Kreis Kleve) ... 46 L 3
Vorst (Kreis Viersen) ... 58 M 3
Vortal ... 101 V 9
Vorwerck ... 31 G 15
Vorwerk (Kreis Celle) ... 30 I 14
Vorwerk (Kreis Rotenburg) . 29 G 11
Vorwohle ... 40 K 13
Voslapp ... 17 F 8
Voßberg ... 19 E 13
Voßberg ... 17 F 7
Vossenack ... 58 N 3
Voßheide ... 39 J 10
Voßhöhlen ... 20 E 14
Vosskanal ... 34 H 24
Vossum ... 46 L 2
Voßwinkel ... 49 L 7
Vrasselt ... 46 K 2
Vreden ... 36 J 4
Vrees ... 27 H 7
Vülzburg ... 96 S 17
Vynen ... 46 K 3

W

Waabs ... 5 C 13
Waake ... 52 L 14
Waakirchen ... 113 W 19
Waal ... 104 W 16
Waalhaupten ... 104 W 16
Waase ... 13 C 23
Wabern ... 63 M 12

A B C D E F G H I J K L M N O P Q R S T U V W X Y Z

Wachau 54 M 21
Wachau b. Radeberg 68 M 25
Wachbach 85 R 13
Wachenbrunn 76 O 15
Wachenburg 84 R 10
Wachendorf 29 H 10
Wachendorf 60 O 4
Wachendorf 101 U 10
Wachenheim 83 R 8
Wachenhofen 96 S 16
Wachenroth 86 Q 16
Wachenzell 96 T 17
Wachow 43 I 22
Wachsenburg 65 N 16
Wachstedt 52 M 14
Wachtberg 60 O 5
Wachtendonk 46 L 3
Wachtküppel 75 O 13
Wachtnitz 68 M 24
Wachtum 27 H 7
Wacken 8 D 12
Wackernheim 73 Q 8
Wackersberg 113 W 18
Wackersdorf 89 S 20
Wackersleben 41 J 17
Waddekath 31 H 16
Waddenhausen 39 J 10
Waddens 18 F 9
Waddewarden 17 F 7
Waddeweitz 31 H 16
Wadelsdorf 57 L 27
Wadern 81 R 4
Wadersloh 50 K 8
Wadgassen 82 S 4
Wadrill 81 R 4
Wächtersbach 75 P 11
Wälde 101 U 9
Wäschenbeuren 94 T 13
Wässerndorf 86 R 14
Waffenbrunn 89 S 21
Waffenrod 77 O 16
Waffensen 29 G 11
Wagenfeld 29 I 9
Wagenhofen 96 T 17
Wagenhoff 41 I 15
Wagenitz 33 H 21
Wagenschwend 85 R 11
Wagenstadt 100 V 7
Wagensteig 100 W 8
Wagersrott 5 C 13
Waggum 41 J 15
Waghäusel 84 S 9
Waging a. See 106 W 22
Waginger See 106 W 22
Wagrien 9 D 15
Wagshurst 92 U 7
Wagun 24 E 22
Wahlbach (*Kreis Siegen-Wittgenstein*) 61 N 8
Wahlbach (*Rhein-Hunsrück-Kreis*) 73 P 6
Wahlen (*Kreis Bergstraße*) 84 R 10
Wahlen (*Kreis Euskirchen*) 60 O 3
Wahlen (*Kreis Merzig-Wadern*) 80 R 4
Wahlen (*Vogelsbergkreis*) 63 N 11
Wahlendow 15 E 25
Wahlerscheid 70 O 2
Wahlhausen 52 M 13
Wahlitz 42 J 19
Wahlrod 61 O 7
Wahlsburg 51 L 12
Wahlscheid 59 N 5
Wahlsdorf 44 K 23
Wahlstedt 9 E 14
Wahlwies 101 W 10
Wahmbeck 51 L 12
Wahmbeckerheide 39 K 10
Wahn 26 H 6
Wahn 59 N 5
Wahnbach-Stausee 59 N 5
Wahnbek 28 G 8
Wahnebergen 29 H 11
Wahns 64 O 14
Wahrenberg 32 H 19
Wahrenbrück 55 L 24
Wahrendorf 9 D 16
Wahrenholz 31 I 15
Wahrstedt 41 I 16
Waibling 98 T 21
Waiblingen 94 T 11
Waibstadt 84 S 10
Waich 114 W 21
Waidhaus 89 R 21
Waidhofen 96 U 18
Waigolshausen 76 Q 14
Wain 103 V 14
Wainsdorf 56 L 24
Waischenfeld 87 Q 18
Waizenbach 75 P 13
Waizenhofen 96 S 17
Wakendorf I 20 E 15
Wakendorf II 20 E 14
Walbeck 46 L 2
Walbeck (*Kreis Mansfelder Land*) 53 L 18
Walbeck (*Ohrekreis*) 41 J 17
Walberberg 59 N 4
Walbertsweiler 102 W 11
Walburg 63 M 13
Walburgskirchen 106 U 22
Walchensee (*Dorf*) 112 X 17
Walchsing 98 U 23
Walchum 26 H 5
Wald 48 M 5
Wald (*Kreis Cham*) 90 S 21
Wald (*Kreis Ostallgäu*) 111 W 15
Wald (*Kreis Sigmaringen*) 102 W 11
Wald (*Kreis Weißenburg-Gunzenhausen*) 96 S 16
Wald-Amorbach 74 Q 11
Wald an der Alz 106 V 21
Wald-Erlenbach 84 R 10
Wald-Michelbach 84 R 10
Walda 96 U 17
Walda-Kleinthiemig 56 M 24
Waldachtal 93 U 9
Waldacker 74 P 10
Waldalgesheim 73 Q 7
Waldangelloch 84 S 10
Waldaschaff 75 Q 11
Waldau 77 O 16
Waldau 100 W 8
Waldberg (*Kreis Augsburg*) 104 V 16
Waldberg (*Kreis Rhön-Grabfeld*) 76 O 14
Waldböckelheim 73 Q 7
Waldbreitbach 61 O 6
Waldbröl 61 N 6
Waldbronn 93 T 9
Waldbrunn (*Kreis Würzburg*) 85 Q 13
Waldbrunn (*Neckar-Odenwald-Kreis*) 84 R 11
Waldbrunn (Westerwald) 61 O 8
Waldbüttelbrunn 85 Q 13
Waldburg 110 W 13
Walddorf 69 N 27
Walddorf 93 U 9
Walddorfhäslach 94 U 11
Walddrehna 56 K 24
Waldeck 78 Q 19
Waldeck (*Stadt*) 50 M 11
Waldems 74 P 9
Waldenau-Datum 19 F 13
Waldenbuch 94 U 11
Waldenburg 67 N 21
Waldenburg 85 S 12
Waldenrath 58 M 2
Walderbach 89 S 21
Waldersee 54 K 20
Waldershof 78 Q 20
Waldesch 71 P 6
Waldeshöhe 25 F 25
Waldfeucht 58 M 1
Waldfisch 64 N 14
Waldfischbach-Burgalben 83 S 6
Waldfrieden 42 J 19
Waldgirmes 62 O 9
Waldgrehweiler 83 Q 7
Waldhäuser 99 T 24
Waldhausen (*b. Aalen*) 95 T 14
Waldhausen (*b. Lorch*) 94 T 12
Waldhausen (*Kreis Göppingen*) 95 U 13
Waldhausen (*Kreis Traunstein*) 106 V 21
Waldhausen (*Neckar-Odenwald-Kreis*) 85 R 11
Waldhausen (Warstein-) 50 L 8
Waldheim 67 M 23
Waldhölzbach 80 R 4
Waldhof (*Kreis Rottal-Inn*) 98 U 22
Waldhof (*Stadtkreis Mannheim*) 84 R 9
Waldhufen 69 M 28
Waldkappel 63 M 13
Waldkatzenbach 84 R 11
Waldkirch (*Kreis Emmendingen*) 100 V 7
Waldkirch (*Kreis Günzburg*) 103 U 15
Waldkirch (*Kreis Neustadt a. d. Waldnaab*) 89 Q 21
Waldkirch (*Kreis Waldshut*) 108 X 8
Waldkirchen (*Göltzschtalkreis*) 66 O 21
Waldkirchen (*Kreis Freyung-Grafenau*) 99 T 24
Waldkirchen (Erzgebirge) 67 N 23
Waldkraiburg 106 V 21
Waldleiningen 83 R 7
Waldmannshofen 86 R 14
Waldmössingen 101 V 9
Waldmohr 81 R 6
Waldmühlbach 85 R 11
Waldmühlen 61 O 8
Waldmünchen 89 R 22
Waldnaab 89 Q 20
Waldniel 58 M 2
Waldorf (*Kreis Ahrweiler*) 60 O 5
Waldorf (*Rhein-Sieg-Kreis*) 59 N 4
Waldow 44 K 25
Waldprechtsweier 93 T 9
Waldrach 80 Q 4
Waldram 104 W 18
Waldrems 94 T 12
Waldrohrbach 83 S 7
Waldsassen 79 P 20
Waldsee 74 P 9
Waldsee (*Stadt*) 84 R 9
Waldshut 108 X 8
Waldsiedlung 47 K 5
Waldsieversdorf 35 I 26
Waldsolms 74 O 9
Waldstadt 93 S 9
Waldstetten (*Kreis Günzburg*) 103 U 14
Waldstetten (*Neckar-Odenwald-Kreis*) 85 R 12
Waldstetten (*Ostalbkreis*) 94 T 13
Waldtann 95 S 14
Waldthurn 89 Q 20
Waldtrudering 105 V 19
Waldulm 92 U 8
Waldweiler 80 R 4
Waldwimmersbach 84 R 10
Waldzell 75 Q 12
Walhalla 90 S 20
Walheim 58 N 2
Walheim 94 S 11
Walke 100 U 8
Walkendorf 11 E 21
Walkenried 52 L 15
Walkersbach (*Kreis Pfaffenhofen a. d. Ilm*) 97 U 18
Walkersbach (*Rems-Murr-Kreis*) 94 T 12
Walkersbrunn 87 R 17
Walkertshofen (*Kreis Augsburg*) 103 V 15
Walkertshofen (*Kreis Kelheim*) 97 T 19
Wall (*Kreis Miesbach*) 113 W 19
Wall (*Kreis Rosenheim*) 113 X 20
Wallach 46 L 3
Wallau 74 P 9
Wallau (Lahn) 62 N 9
Wallbach 108 X 7
Wallberg 113 W 19
Walldorf 64 O 15
Walldorf (*Rhein-Neckar-Kreis*) 84 S 9
Walldorf (Mörfelden-) 74 P 9
Walldürn 85 R 12
Walle (*Kreis Celle*) 30 H 13
Walle (*Kreis Gifhorn*) 40 I 15
Walle (*Kreis Verden*) 29 H 11
Wallenborn 70 P 4
Wallenbrück 38 J 9
Wallendorf 54 L 20
Wallendorf 80 Q 2
Wallenfels 77 P 18
Wallenhausen 103 U 14
Wallenhorst 37 I 8
Wallenrod 63 O 11
Wallensen 40 J 12
Wallerdorf (*Kreis Deggendorf*) 98 U 23
Wallerdorf (*Kreis Donau-Ries*) 96 U 17
Wallerfangen 80 S 4
Wallerfing 98 T 22
Wallerhausen 61 N 7
Wallernhausen 74 O 11
Wallersdorf 98 T 22
Wallersheim 70 P 3
Wallerstädten 74 Q 9
Wallerstein 95 T 15
Wallertheim 73 Q 8
Wallesau 87 S 17
Walleshausen 104 V 16
Wallgau 112 X 17
Wallhalben 81 S 6
Wallhausen 53 L 17
Wallhausen 73 Q 7
Wallhausen 86 S 14
Wallhöfen 18 G 10
Wallinghausen 17 F 6
Wallitz 33 G 22
Wallmenroth 61 N 7
Wallmerod 73 O 7
Wallmow 25 F 26
Wallnsdorf 96 S 18
Wallrabenstein 73 P 8
Wallroth 75 O 12
Wallsbüll 5 B 11
Wallstadt 84 R 9
Wallstawe 31 H 17
Walluf 73 P 8
Wallwitz (*Kreis Jerichower Land*) 42 J 19
Wallwitz (*Saalkreis*) 54 L 19
Walmsburg 31 G 16
Walow 23 F 21
Walpernhain 66 M 19
Walpersdorf 61 N 8
Walpertskirchen 105 V 19
Walschleben 65 M 16
Walsdorf 74 P 8
Walsdorf 76 Q 16
Walsheim 82 S 5
Walsleben (*Kreis Ostprignitz-Ruppin*) 33 H 21
Walsleben (*Kreis Stendal*) 32 H 19
Walsmühlen 21 F 17
Walsrode 30 H 12
Walstedde 49 K 7
Walsum 47 L 4
Walsumer Mark 47 L 4
Waltenhausen 103 V 15
Waltenhofen (*Kreis Oberallgäu*) 111 W 14
Waltenhofen (*Kreis Ostallgäu*) 112 X 16
Waltenweiler 110 W 12
Walternienburg 42 K 19
Waltersberg 87 S 18
Waltersbrück 63 N 11
Waltersdorf (*b. Berlin*) 44 I 24
Waltersdorf (*b. Lückau*) 56 K 24
Waltersdorf (*Kreis Löbau-Zittau*) 69 N 27
Waltersdorf (Sächsische Schweiz) 68 N 26
Waltersdorf b. Berga 66 N 20
Waltershausen (*Kreis Gotha*) 64 N 15
Waltershausen (*Kreis Rhön-Grabfeld*) 76 O 15
Waltershofen (*Kreis Ravensburg*) 111 W 13
Waltershofen (*Stadtkreis Freiburg i. B.*) 100 V 7
Waltersleben 65 N 17
Walting (*Kreis Cham*) 89 S 22
Walting (*Kreis Eichstätt*) 96 T 17
Walting (*Kreis Weißenburg-Gunzenhausen*) 96 S 17
Waltringen 49 L 7
Waltringhausen 39 I 12
Waltrop 47 L 6
Walxheim 95 T 14
Walzbachtal 93 S 9
Walzlings 111 W 14
Wambach 73 P 8
Wambeln 49 L 7
Wamckow 23 F 19
Wamel 49 L 8
Wampen 13 D 24
Wandersleben 65 N 16
Wanderup 5 B 12
Wandlitz 34 H 24
Wandsbek (*Hamburg*) 20 F 14
Wanfried 64 M 14
Wang 97 U 19
Wangelau 21 F 15
Wangelnstedt 51 K 13
Wangels 9 D 16
Wangen (*Kreis Göppingen*) 94 T 12
Wangen (*Kreis Konstanz*) 109 X 10
Wangen (*Kreis Starnberg*) 104 V 18
Wangen i. Allgäu 110 W 13
Wangenheim 64 M 15
Wangerland 17 F 7
Wangerland-Hooksiel 17 F 8
Wangerooge 17 E 7
Wangerooge (*Insel*) 17 E 7
Wangersen 19 F 12
Wanheimerort 47 L 4
Wanhöden 18 E 10
Wank 111 X 17
Wankendorf 9 D 14
Wankum 46 L 2
Wanna 18 E 10
Wannbach 87 Q 17
Wanne-Eickel 47 L 5
Wannsee (Berlin-) 44 I 23
Wannweil 94 U 11
Wansdorf 34 I 23
Wansleben a. See 54 L 19
Wanzleben 42 J 18
Wanzlitz 22 G 18
Wapeldorf 17 G 8
Wapelfeld 8 D 12
Warbel 11 E 21
Warbende 24 F 23
Warberg 41 J 16
Warbeyen 46 K 2
Warburg 51 L 11
Warchau 43 I 21
Warching 96 T 16
Wardböhmen 30 H 13
Wardenburg 27 G 8
Warder (*Kreis Rendsburg-Eckernförde*) 8 D 13
Warder (*Kreis Segeberg*) 9 E 15
Wardersee 9 E 15
Wardow 11 E 21
Wardt 46 K 3
Waren 23 F 22
Warendorf 37 K 7
Warin 22 E 19
Warle 41 J 16
Warlitz 21 F 17
Warlow 22 F 18
Warmbronn 93 T 10
Warme 51 L 11
Warme Bode 52 K 16
Warmensteinach 78 Q 19
Warmisried 103 W 15
Warmsen 39 I 10
Warnau (*Kreis Plön*) 9 D 14
Warnau (*Kreis Stendal*) 33 H 20
Warnemünde 11 D 20
Warnitz (*Kreis Uckermark*) 35 G 25
Warnitz (*Stadtkreis Schwerin*) 21 F 18
Warnkenhagen (*Kreis Güstrow*) 23 E 21
Warnkenhagen (*Kreis Nordwestmecklenburg*) 10 D 17
Warnow (*Fluß*) 23 F 19
Warnow (*Kreis Güstrow*) 23 E 19
Warnow (*Kreis Nordwestmecklenburg*) 21 E 17
Warnstedt 53 K 17
Warnstedt 27 H 8
Warpe 29 H 11
Warpke 31 H 16
Warringholz 8 D 12
Warsingsfehn 17 G 6
Warsleben 41 J 17
Warsow (*Kreis Demmin*) 24 E 22
Warsow (*Kreis Ludwigslust*) 21 F 17
Warstade 19 E 11
Warstein 50 L 9
Warsteinkopf 114 X 22
Wart 93 U 9
Wartburg 64 N 14
Wartenberg 105 U 19
Wartenberg 63 O 12
Wartenberg-Rohrbach 83 R 7
Wartenburg 55 K 22
Wartenfels 77 P 18
Wartha (*Wartburgkreis*) 64 M 14
Wartha (*Westlausitzkreis*) 57 L 26
Warthausen 102 V 13
Warthe (*Kreis Ostvorpommern*) 15 E 25
Warthe (*Kreis Uckermark*) 34 G 24
Wartin 25 G 26
Wartmannsroth 75 P 13
Warwerort 7 D 10
Warza 64 N 16
Warzenbach 62 N 9
Warzenried 89 S 22
Wasbek 8 D 13
Wasbüttel 41 I 15
Wascheid 70 P 3
Waschleithe 67 O 22
Waschow 21 F 17
Wasdow 14 E 22
Wasenbach 73 P 7
Wasenberg 63 N 11
Wasenweiler 100 V 7
Wasgau 83 S 7
Wasmuthhausen 76 P 16
Wassel 40 J 13
Wassenach 71 O 5
Wassenberg 58 M 2
Wassensdorf 41 I 17
Wasseralfingen 95 T 14
Wasserberg 62 N 10
Wasserburg 110 X 12
Wasserburg a. Inn 105 V 20
Wasserkuppe 75 O 13
Wasserleben 41 K 16
Wasserlos 74 P 11
Wasserlosen 76 P 14
Wassermungenau 87 S 16
Wassersleben 5 B 12
Wasserstraße 39 I 11
Wassersuppe 33 H 21
Wasserthaleben 53 M 16
Wassertrüdingen 95 S 15
Wasserzell 96 T 17
Waßmannsdorf 44 I 24
Wasungen 64 O 15
Watenbüttel 40 J 15
Watenstedt 41 J 16
Watenstedt (Salzgitter-) 40 J 15
Waterfall 36 I 4
Wathlingen 40 I 14
Wattenbach 51 M 12
Wattenbach 86 S 16
Wattenbek 9 D 14
Wattendorf 77 P 17
Wattenheim 83 R 8
Wattenscheid 47 L 5
Wattenweiler 103 V 15
Watterbach 85 R 11
Watterdingen 101 W 10
Wattmannshagen 23 E 21
Wattweiler 82 S 5
Watzenborn-Steinberg 62 O 10
Watzmann 114 X 22
Watzum 41 J 16
Waxenstein 112 X 17
Waxweiler 70 P 3
Waygaard 4 B 10
Webau 66 M 20
Weberin 22 F 18
Webershausen 17 F 6
Weberstedt 64 M 15
Wechingen 95 T 15
Wechmar 64 N 16
Wechold 29 H 11
Wechselburg 67 M 22
Weckbach 85 Q 11
Weckersdorf 66 O 19
Weckesheim 74 O 10
Wedau 47 L 4
Weddel 41 J 15
Weddelbrook 19 E 13
Wedderien 31 G 16
Weddersleben 53 K 17
Wedderstedt 53 K 17
Weddewarden 18 F 9
Weddingen 40 K 15
Weddingstedt 7 D 11
Wedehorn 29 H 10
Wedel 19 F 12
Wedel (Holstein) 19 F 13
Wedemark 30 I 13
Wedendorf 21 E 17
Wedesbüttel 41 I 15
Weding 5 B 12
Wedlitz 54 K 19
Wedringen 42 J 18
Weede 9 E 15
Weende 52 L 13
Weener 27 G 6
Weenzen 40 J 13
Weertzen 19 G 12
Wees 5 B 12
Weesby 4 B 11
Weese 37 I 7
Weesen 30 H 14
Weesenstein 68 N 25
Weesow 34 I 25
Weetzen 40 J 12
Weeze 46 L 2
Wefensleben 41 J 17
Weferlingen 41 J 17

A B C D E F G H I J K L M N O P Q R S T U V W X Y Z

Weg ....108 W 7
Wega ....63 M 11
Wegberg ....58 M 2
Wegeleben ....53 K 17
Wegendorf ....34 I 25
Wegenstedt ....41 I 17
Wegeringhausen ....61 M 7
Wegfurt ....76 O 14
Weggun ....24 G 24
Wegholm ....39 I 10
Wegscheid (Kreis Bad Tölz-Wolfratshausen) ....113 X 18
Wegscheid (Kreis Passau) . 99 U 25
Wehbach ....61 N 7
Wehdel (Kreis Cuxhaven) .. 18 F 10
Wehdel (Kreis Osnabrück) . 27 I 8
Wehdem ....38 I 9
Wehden ....18 F 10
Wehe ....38 I 9
Wehebach-Stausee ....58 N 3
Wehen ....73 P 8
Wehingen ....101 V 10
Wehlen ....30 G 13
Wehlen ....72 Q 5
Wehm ....27 H 6
Wehnde ....52 L 14
Wehningen ....31 G 17
Wehnsdorf ....56 K 24
Wehnsen ....40 I 14
Wehr ....108 X 7
Wehr (Kreis Ahrweiler) ... 71 O 5
Wehr (Kreis Heinsberg) .. 58 N 1
Wehr (Kreis Trier-Saarburg) ....80 R 3
Wehra ....108 W 7
Wehratal ....108 W 7
Wehrbleck ....29 I 10
Wehrda (Kreis Hersfeld-Rotenburg) .. 63 N 13
Wehrda (Kreis Marburg-Biedenkopf) .. 62 N 12
Wehrden ....51 K 12
Wehre ....41 J 14
Wehren ....39 K 10
Wehrenberg ....29 I 10
Wehrendorf (Kreis Herford) 39 J 10
Wehrendorf (Kreis Osnabrück) ....38 J 8
Wehretal ....64 M 14
Wehrhain ....56 K 24
Wehrheim ....74 P 9
Wehringen ....104 V 16
Wehrland ....15 E 25
Wehrsdorf ....69 M 27
Wehrshausen ....63 N 13
Wehrstedt ....40 J 14
Weiberg ....50 L 9
Weibern ....71 O 5
Weibersbrunn ....75 Q 12
Weichenried ....96 U 18
Weichensdorf ....45 J 27
Weichering ....96 T 17
Weichs ....104 U 18
Weichshofen ....98 T 21
Weicht ....104 W 16
Weichtungen ....76 P 14
Weickersgrüben ....75 P 13
Weida ....66 N 20
Weidach ....77 P 16
Weide ....9 E 14
Weidelbach ....62 N 8
Weidelbach ....95 S 14
Weiden ....43 K 21
Weiden ....101 V 9
Weiden i. d. Oberpfalz ... 89 Q 20
Weidenau ....75 O 12
Weidenau (Siegen-) ....61 N 8
Weidenbach ....70 P 4
Weidenbach (Kreis Ansbach) ....86 S 15
Weidenbach (Kreis Mühldorf a. Inn) ......106 V 21
Weidenberg ....78 Q 19
Weidenhahn ....61 O 7
Weidenhain ....55 L 22
Weidenhausen (Kreis Marburg-Biedenkopf) .. 62 N 9
Weidenhausen (Kreis Siegen-Wittgenstein) .. 62 N 9
Weidenhausen (Werra-Meißner-Kreis) .. 52 M 13
Weidensdorf ....67 N 21
Weidensees ....87 Q 18
Weidenstetten ....95 U 13
Weidenthal ....83 R 7
Weidhausen ....77 R 17
Weiding (Kreis Cham) .... 89 S 22

Weiding (Kreis Mühldorf a. Inn) ....106 V 21
Weiding (Kreis Schwandorf) ....89 R 21
Weidingen ....70 P 3
Weiersbach ....81 R 5
Weiersdorf (Kreis Amberg-Sulzbach) .. 87 R 18
Weigendorf (Kreis Dingolfing-Landau) .. 98 U 21
Weigenheim ....86 R 14
Weigersdorf ....69 M 27
Weigheim ....101 V 9
Weigmannsdorf-Müdisdorf .. 68 N 24
Weigsdorf-Köblitz ....69 M 27
Weihenstephan ....97 U 20
Weihenzell ....86 R 15
Weiher ....88 R 19
Weiher (Kreis Bergstraße) .. 84 R 10
Weiher (Ubstadt-) ....84 S 9
Weiherhammer ....88 R 20
Weihern ....90 S 21
Weihmichl ....97 U 20
Weihmörting ....107 U 23
Weihungszell ....103 V 14
Weikersheim ....85 R 13
Weil ....104 V 16
Weil a. Rhein ....108 X 6
Weil der Stadt ....93 T 10
Weil i. Schönbuch ....94 U 11
Weilach ....96 U 17
Weilar ....64 N 14
Weilbach (Kreis Miltenberg) .. 85 Q 11
Weilbach (Main-Taunus-Kreis) .. 74 P 9
Weilburg ....74 O 8
Weildorf (Bodenseekreis) . 102 W 11
Weildorf (Kreis Berchtesgadener Land) ....106 W 22
Weildorf (Zollernalbkreis) . 101 U 10
Weilen ....101 V 10
Weiler ....58 N 4
Weiler (Enzkreis) ....93 T 9
Weiler (Kreis Ravensburg) . 102 W 12
Weiler (Rhein-Neckar-Kreis) .. 84 S 10
Weiler (Schwarzwald-Baar-Kreis) ....101 V 9
Weiler i. d. Bergen ....95 T 13
Weiler o. Helfenstein .. 95 U 13
Weiler-Simmerberg ....111 X 13
Weiler z. Stein ....94 T 12
Weilerbach ....81 R 6
Weilersbach (Kreis Forchheim) .. 87 Q 17
Weilersbach (Schwarzwald-Baar-Kreis) ....101 V 9
Weilerswist ....59 N 4
Weilheim (Kreis Waldshut) ....108 X 8
Weilheim (Zollernalbkreis) .. 101 U 10
Weilheim (Otting-) ....96 T 16
Weilheim (Rietheim-) .. 101 V 10
Weilheim a. d. Teck ....94 U 12
Weilheim i. Oberbayern .. 104 W 17
Weilimdorf ....94 T 11
Weilmünster ....74 O 9
Weilrod ....74 P 9
Weilrode ....74 O 8
Weilstetten ....101 V 10
Weiltingen ....95 S 15
Weimar ....65 N 18
Weimar (Kreis Kassel) .. 51 L 12
Weimar (Kreis Marburg-Biedenkopf) .. 62 N 10
Weimarschmieden ....64 O 14
Weimersheim ....96 S 16
Weinähr ....73 P 7
Weinbach ....74 O 8
Weinberg ....86 S 15
Weinbiet ....83 R 8
Weinböhla ....68 M 24
Weine ....50 L 9
Weingarten ....64 N 15
Weingarten (Kreis Karlsruhe) .. 93 S 9
Weingarten (Kreis Ravensburg) ......102 W 12
Weingarten (Pfalz) ....83 S 8
Weinheim ....84 R 10
Weinolsheim ....83 Q 8
Weinried ....103 V 14
Weinsberg ....94 S 11
Weinsfeld ....70 P 3

Weinsheim (Kreis Bad Kreuznach) .... 73 Q 7
Weinsheim (Kreis Bitburg-Prüm) ....70 P 3
Weinsheim (Worms-) ....84 R 8
Weinstadt ....94 T 12
Weinzierlein ....87 R 16
Weiperath ....72 Q 5
Weiperfelden ....74 O 9
Weipertshofen ....95 S 14
Weira ....66 N 19
Weisbach (Kreis Rhön-Grabfeld) .. 76 O 14
Weisbach (Saale-Orla-Kreis) ....65 O 18
Weisbach (Waldbrunn-) .. 84 R 11
Weischlitz ....78 O 20
Weisdin ....24 F 23
Weisel ....73 P 7
Weisen ....32 G 19
Weisenau ....74 Q 8
Weisenbach ....93 T 9
Weisendorf ....87 R 16
Weisenheim a. Berg ....83 R 8
Weisenheim a. Sand ....83 R 8
Weisin ....23 F 20
Weiskirchen (Kreis Merzig-Wadern) .. 80 R 4
Weiskirchen (Kreis Offenbach) .. 74 P 10
Weismain ....77 P 17
Weiß (Köln) ....59 N 5
Weissach ....93 T 10
Weißbach ....111 X 14
Weissach i. Tal ....94 T 12
Weißack ....56 K 25
Weißandt-Gölzau ....54 K 20
Weißbach (Hohenlohekreis) ....85 S 12
Weißbach (Kreis Altenburger Land) .. 66 N 20
Weißbach (Kreis Ostallgäu) 111 X 15
Weißbach (Kreis Zwickauer Land) .. 67 O 21
Weißbach (Mittlerer Erzgebirgskreis) .. 67 N 23
Weißbach a. d. Alpenstraße ....114 W 22
Weißdorf ....78 P 19
Weiße Elster ....66 O 20
Weißen ....55 K 23
Weißenau ....110 W 12
Weißenbach (Kreis Bad Kissingen) .... 75 P 13
Weißenbach (Werra-Meißner-Kreis) .. 51 M 13
Weißenbachsattel ....100 W 7
Weißenberg ....69 M 27
Weißenberg ....88 R 19
Weißenberg ....83 S 7
Weißenberge ....31 I 15
Weißenborn (Kreis Göttingen) ....52 L 14
Weißenborn (Saale-Holzland-Kreis) .. 66 N 19
Weißenborn (Schwalm-Eder-Kreis) .. 63 N 12
Weißenborn (Werra-Meißner-Kreis) .... 64 M 14
Weißenborn (Erzgebirge) .. 68 N 24
Weißenborn-Lüderode .. 52 L 15
Weißenbronn ....87 S 16
Weißenbrunn (Kreis Haßberge) .. 76 P 16
Weißenbrunn (Kreis Kronach) .... 77 P 18
Weißenbrunn (Kreis Nürnberger Land) .. 87 R 18
Weißenbrunn v. Wald .. 77 O 17
Weißenburg ....96 S 16
Weißenburger Wald ....96 T 16
Weißenfels ....66 M 19
Weißenhäuser Strand .... 9 D 16
Weißenhasel ....64 M 13
Weißenhaus ....9 D 16
Weißenhorn ....103 V 14
Weißenohe ....87 R 17
Weißensand ....110 X 13
Weißensee ....111 X 15
Weißensee (Berlin) ....34 I 24
Weißensee (Kreis Sömmerda) ....65 M 17
Weißenstadt ....78 P 19
Weißenstein ....95 T 13
Weißenthurm ....71 O 6
Weißer Main ....77 P 18

Weißer Regen ....89 S 22
Weißer Schöps ....57 L 28
Weißer Stein ....70 O 3
Weißewarte ....42 I 19
Weißig (Kreis Sächsische Schweiz) .. 68 M 25
Weißig (Westlausitzkreis) .. 56 L 26
Weißig a. Raschütz .. 56 L 24
Weißkeißel ....57 L 28
Weißkollm ....57 L 27
Weißenreuth ....78 P 19
Weißtannenhöhe ....100 W 8
Weißwasser ....57 L 27
Weistropp ....68 M 24
Weisweil (Kreis Emmendingen) ...100 V 7
Weisweil (Kreis Waldshut) 109 X 9
Weisweiler ....58 N 3
Weitefeld ....61 N 7
Weiten ....80 R 3
Weiten-Gesäß ....84 Q 11
Weitenau ....108 W 7
Weitendorf ....23 E 20
Weitendorf b. Brüel ....22 E 19
Weitenhagen (Kreis Nordvorpommern) .. 12 D 22
Weitenhagen (Kreis Ostvorpommern) .. 14 D 24
Weitenung ....92 T 8
Weiterode ....63 N 13
Weitersburg ....73 Q 6
Weitershain ....62 O 10
Weitershausen ....62 N 9
Weiterstadt ....74 Q 9
Weitin ....24 F 23
Weitingen ....101 U 10
Weitmar ....47 L 5
Weitnau ....111 X 14
Weitramsdorf ....77 P 16
Weitsee ....114 W 21
Weitzgrund ....43 J 21
Weitzmühlen ....29 H 11
Weixdorf ....68 M 25
Weizen ....101 W 9
Welbergen ....36 J 5
Welbhausen ....86 R 14
Welbsleben ....53 K 18
Welchenberg ....98 T 22
Welcherath ....71 P 4
Welchweiler ....81 R 6
Welda ....51 L 11
Welden ....103 U 16
Welferode ....63 M 12
Welfesholz ....53 L 18
Wellaune ....55 L 21
Welldorf ....58 N 3
Welle (Kreis Harburg) ... 19 G 13
Welle (Kreis Stendal) ... 42 I 19
Wellen ....42 J 18
Wellen ....18 F 10
Wellen (Kreis Trier-Saarburg) ..... 80 Q 3
Wellen (Kreis Waldeck-Frankenberg) ... 63 M 11
Wellendingen (Kreis Rottweil) ....101 V 10
Wellendingen (Kreis Waldshut) ....101 W 9
Wellendorf (Kreis Osnabrück) ....37 J 8
Wellendorf (Kreis Uelzen) .. 31 H 16
Wellenkamp ....8 E 12
Wellerode ....51 M 12
Wellerswalde ....55 L 23
Wellheim ....96 T 17
Wellie ....29 I 11
Wellingen ....80 R 3
Wellingholzhausen ....37 J 8
Wellmich ....73 P 7
Wellmitz ....45 J 28
Wellsdorf ....66 O 20
Welmbüttel ....7 D 11
Welmlingen ....108 W 6
Welschbillig ....80 Q 3
Welschen-Ennest ....61 M 8
Welschenbach ....71 O 5
Welschensteinach ....100 V 8
Welschingen ....101 W 10
Welschneudorf ....73 O 7
Welse ....35 G 26
Welsede ....39 J 11
Welsenbruch ....35 G 26
Welsickendorf ....44 K 23
Welsleben ....42 J 18
Welsow ....35 G 26
Welt ....7 D 10

Welte ....36 K 5
Weltenburg ....97 T 19
Welterod ....73 P 7
Weltin ....24 E 23
Welver ....49 L 7
Welze ....30 I 12
Welzheim ....94 T 12
Welzin (Kreis Nordwestmecklenburg) .. 10 E 17
Welzin (Kreis Ostvorpommern) .. 25 E 25
Welzow ....56 L 26
Wemb ....46 L 2
Wembach ....100 W 7
Wemding ....96 T 16
Wemlighausen ....62 M 9
Wemmetsweiler ....81 R 5
Wendeburg ....40 J 15
Wendefurth ....53 K 16
Wendehausen ....64 M 14
Wendelsheim ....83 Q 7
Wendelskirchen ....98 U 21
Wendelstein ....53 M 18
Wendelstein (Stadt) ....87 R 17
Wendemark ....32 H 19
Wenden (Kreis Gifhorn) .. 41 J 15
Wenden (Kreis Nienburg) .. 29 I 12
Wenden (Kreis Olpe) .... 61 N 7
Wendenborstel ....30 I 12
Wendershausen ....51 M 13
Wendessen ....41 J 15
Wendewisch ....21 F 15
Wendhausen (Kreis Helmstedt) .. 41 J 15
Wendhausen (Kreis Hildesheim) .. 40 J 14
Wendhausen (Kreis Lüneburg) .. 21 G 15
Wendisch Baggendorf .. 14 D 22
Wendisch Evern ....31 G 15
Wendisch Priborn ....23 F 20
Wendisch-Rietz ....45 J 26
Wendisch Waren ....23 F 20
Wendischbrome ....31 I 16
Wendishain ....67 M 22
Wendland ....31 G 17
Wendling ....105 V 20
Wendlingen ....94 T 12
Wendlinghausen ....39 J 11
Wendorf (Kreis Müritz) .. 24 F 22
Wendorf (Kreis Nordvorpommern) .. 13 D 23
Wendorf (Kreis Parchim) .. 22 E 18
Wendorf (Stadtkreis Wismar) .. 22 E 18
Wendthagen ....39 J 11
Wendtorf ....9 C 14
Weng (Kreis Dingolfing-Landau) ....98 U 21
Weng (Kreis Passau) ... 107 U 23
Wengen (Kreis Oberallgäu) ..111 W 14
Wengen (Kreis Weißenburg-Gunzenhausen) .. 96 S 17
Wengern ....47 L 6
Wengerohr ....72 Q 4
Wenholthausen ....49 M 8
Wenigelupnitz ....64 N 15
Wenigumstadt ....74 Q 11
Wenings ....75 O 11
Wenkheim ....85 Q 13
Wennbüttel ....7 D 11
Wenne ....49 M 8
Wennemen ....49 L 8
Wennigloh ....49 L 8
Wennigsen ....39 J 12
Wenningstedt ....4 B 8
Wenschdorf ....85 Q 11
Wense (Kreis Peine) ... 40 I 15
Wense (Kreis Rotenburg) . 19 F 12
Wensickendorf ....34 H 24
Wensin ....9 E 15
Wentorf (Amt Sandesneben) 21 E 15
Wentorf b. Hamburg ....20 F 14
Wenze ....41 I 17
Wenze ....51 K 13
Wenzenbach ....90 S 20
Wenzendorf ....19 F 13
Wenzigerode ....63 M 11
Wenzlow ....43 J 21
Werbach ....85 Q 12
Werbellinsee ....34 H 25
Werbelow ....25 F 25
Werben (Kreis Leipziger Land) .. 66 M 20

Werben (Kreis Spree-Neiße) .. 56 K 26
Werben (Elbe) ....32 H 19
Werbig (Kreis Märkisch-Oderland) .. 35 I 27
Werbig (Kreis Potsdam-Mittelmark) .. 43 J 21
Werbig (Kreis Teltow-Fläming) ,.. 44 K 23
Werchau ....55 K 23
Werchow ....56 K 25
Werda ....79 O 20
Werdau ....66 N 21
Werden (Essen) ....47 L 5
Werder (Kreis Demmin) .. 24 E 24
Werder (Kreis Märkisch-Oderland) .. 44 I 25
Werder (Kreis Oder-Spree) .. 45 J 26
Werder (Kreis Ostprignitz-Ruppin) .. 33 H 22
Werder (Kreis Parchim) .. 23 F 20
Werder (Der) ....24 F 24
Werder (Havel) ....43 I 22
Werdohl ....49 M 7
Werdorf ....62 O 9
Werdum ....17 F 7
Werenzhain ....56 L 24
Wergzahna ....43 K 22
Werkel ....63 M 11
Werkleitz ....42 K 19
Werl ....49 L 7
Werlaburgdorf ....41 J 15
Werleshausen ....51 M 13
Werlte ....27 H 7
Wermelskirchen ....59 M 5
Wermsdorf ....55 M 22
Wermutshausen ....85 R 13
Wern ....75 Q 13
Werna ....52 L 16
Wernarz ....75 P 13
Wernau ....94 T 12
Wernberg-Köblitz ....89 R 20
Wernborn ....74 O 9
Wernburg ....65 N 18
Werne ....49 K 6
Werne (Bochum-) ....47 L 5
Werneck ....76 Q 14
Wernersreuth ....79 Q 19
Wernesgrün ....66 O 21
Werneuchen ....34 I 25
Wernfeld ....75 P 13
Wernfels ....87 S 16
Wernges ....63 N 12
Wernigerode ....53 K 16
Wernikow ....33 G 21
Werningshausen ....65 M 17
Werningsleben ....65 N 17
Wernitz ....33 I 22
Wernitzgrün ....79 P 21
Wernsbach ....87 S 17
Wernsbach b. Ansbach .. 86 R 15
Wernsdorf ....77 Q 17
Wernsdorf (Kreis Chemnitzer Land) .. 67 N 21
Wernsdorf (Kreis Dahme-Spreewald) .. 44 I 25
Wernsdorf (Mittlerer Erzgebirgskreis) .. 67 N 23
Wernsdorf (Saale-Orla-Kreis) .. 78 O 19
Wernshausen ....64 N 15
Wernstedt ....32 I 18
Wernswig ....63 N 12
Weroth ....73 O 7
Werpeloh ....27 H 6
Werra (Fluß) ....77 O 16
Wersabe ....18 G 9
Wersau ....84 Q 10
Werschau ....73 O 8
Werschen ....66 M 20
Werschweiler ....81 R 5
Werse ....49 K 7
Wersen ....37 J 7
Wershofen ....71 O 4
Werste ....39 J 14
Wertach (Stadt) ....111 X 15
Wertacher Hörnle ....111 X 15
Werth ....46 K 3
Wertheim ....85 Q 12
Werther ....52 L 16
Werther ....38 J 9
Wertherbruch ....46 K 3
Werthhoven ....60 O 5
Wertingen ....96 U 16
Werxhausen ....52 L 14
Weschnitz ....84 R 10

A
B
C
D
E
F
G
H
I
J
K
L
M
N
O
P
Q
R
S
T
U
V
W
X
Y
Z

A B C D E F G H I J K L M N O P Q R S T U V W X Y Z

Weseke .... 36 K 4
Wesel .... 30 G 13
Wesel .... 46 L 3
Wesel-Datteln-Kanal .... 47 K 5
Weselberg .... 81 R 6
Weseloh .... 29 H 10
Weselsdorf .... 22 F 18
Wesenberg .... 24 G 22
Wesendahl .... 34 I 25
Wesendorf (Kreis Gifhorn) .. 31 I 15
Wesendorf
  (Kreis Oberhavel) .... 34 H 24
Weser .... 51 L 12
Weseram .... 43 I 22
Weserbergland Schaumburg-
  Hameln (Naturpark) 39 J 11
Wesergebirge .... 39 J 10
Wesertal .... 51 L 12
Weslarn .... 49 L 8
Wespen .... 42 K 19
Wessel .... 49 K 7
Wesselburen .... 7 D 10
Wesselburener-Deichhausen 7 D 10
Wesselburenerkoog .... 7 D 10
Wesseling .... 59 N 4
Wesseln
  (Kreis Dithmarschen) ...... 7 D 11
Wesseln (Kreis Hildesheim) 40 J 14
Wesseloh .... 30 G 13
Wessenstedt .... 31 G 15
Wessin .... 22 F 19
Weßling .... 104 V 17
Weßnig .... 55 L 23
Wessobrunn .... 104 W 17
Wessum .... 36 J 4
West-Langenhorn .... 4 B 10
Westaue .... 39 I 12
Westbevern .... 37 J 7
Westdorf .... 53 K 18
Westdorf .... 17 F 5
Weste .... 31 G 16
Westen .... 29 H 11
Westenbrügge .... 10 D 19
Westendorf
  (Kreis Augsburg) .... 96 U 16
Westendorf
  (Kreis Ostallgäu) .... 104 W 16
Westenfeld .... 76 O 15
Westenfeld .... 49 M 8
Westenholz .... 30 H 13
Westenholz (Gemeinde) ....8 D 13
Westensee (Gemeinde) ......8 D 13
Wester-Ohrstedt .... 4 C 11
Wester Wanna .... 18 E 10
Westerau .... 21 E 15
Westerbauer .... 49 L 6
Westerbeck .... 41 I 15
Westerbeck .... 37 J 7
Westerberg .... 18 E 11
Westerbeverstedt .... 18 F 10
Westerbur .... 17 F 6
Westerburg .... 27 G 8
Westerburg .... 61 O 7
Westerdeichstrich .... 7 D 10
Westeregeln .... 42 K 18
Westerems .... 16 F 3
Westerende .... 17 F 6
Westerende Kirchloog .... 17 F 6
Westerengel .... 53 M 16
Westeresch .... 30 G 12
Westerfeld .... 74 P 9
Westergellersen .... 30 G 14
Westerhausen .... 53 K 17
Westerhausen .... 59 N 5
Westerhausen (Kreis
  Osnabrück-Land) .... 37 J 8
Westerheide .... 4 A 9
Westerheim
  (Alb-Donau-Kreis) .... 94 U 12
Westerheim
  (Kreis Unterallgäu) ....103 V 14
Westerhever .... 7 C 10
Westerhof .... 52 K 14
Westerholt .... 17 F 6
Westerholt .... 47 L 5
Westerholz
  (Kreis Rotenburg) .... 29 G 12
Westerholz (Kreis
  Schleswig-Flensburg) ....5 B 13
Westerhorn .... 19 E 13
Westerhüsen .... 42 J 19
Westerkappeln .... 37 J 7
Westerland .... 4 B 8
Westerland (Flughafen) ......4 B 9
Westerloh .... 27 H 6
Westerloh .... 50 K 9
Westerlohmühlen .... 27 H 6

Westerloy .... 17 G 7
Westermarkelsdorf .... 10 C 17
Westermoor (Gemeinde) ......8 E 12
Westermühle .... 4 C 9
Westermühlen .... 8 D 12
Westernach .... 103 V 15
Westernbödefeld .... 50 M 9
Westerngrund .... 75 P 11
Westernhausen .... 85 R 12
Westerode
  (Kreis Göttingen) .... 52 L 14
Westerode (Kreis Goslar) .. 41 K 15
Westerrade .... 9 E 15
Westerrönfeld .... 8 D 12
Westersander .... 17 F 6
Westerscheps .... 27 G 7
Westerschütting .... 4 C 9
Westersode .... 19 E 11
Westerstede .... 17 G 7
Westerstetten .... 95 U 13
Westertilli .... 4 C 9
Westertimke .... 19 G 11
Westervesede .... 30 G 12
Westerwald .... 61 O 6
Westerwalsede .... 29 G 12
Westerweyhe .... 31 G 15
Westerwiehe .... 50 K 9
Westerwinkel (Herbern) .... 49 K 6
Westewitz .... 67 M 23
Westfälisches Freilichtmuseum
  (Detmold) .... 50 K 10
Westfeld
  (Hochsauerlandkreis) .... 62 M 9
Westfeld
  (Kreis Hildesheim) .... 40 J 13
Westgartshausen .... 95 S 14
Westgroßefehn .... 17 F 6
Westhausen (Kreis Gotha) . 64 M 16
Westhausen
  (Kreis Hildburghausen) ... 76 P 15
Westhausen (Ostalbkreis) .. 95 T 14
Westheim
  (Hochsauerlandkreis) .... 50 L 10
Westheim
  (Kreis Germersheim) .... 84 S 8
Westheim (Kreis Kitzingen) 86 Q 14
Westheim (Kreis Neustadt a. d.
  A.-Bad W.) .... 86 R 15
Westheim (Kreis Weißenburg-
  Gunzenhausen) .... 96 S 15
Westheim (Rosengarten-) . 94 S 13
Westheim b. Haßfurt .... 76 Q 15
Westhofen .... 83 Q 8
Westkilver .... 38 J 9
Westkirchen .... 37 K 8
Westladbergen .... 37 J 7
Westliche
  Karwendelspitze .... 112 X 17
Westönnen .... 49 L 7
Westoverledingen .... 27 G 6
Westre .... 4 B 10
Westrhauderfehn .... 27 G 6
Westrich .... 82 S 6
Westrittrum .... 28 H 8
Westrum (Kreis Emsland) ... 27 H 6
Westrum (Kreis Friesland) .. 17 F 7
Westrup .... 38 I 9
Westuffeln .... 51 L 11
Wesuwe .... 26 H 5
Wesuwermoor .... 26 H 5
Wethau .... 66 M 19
Wethen .... 51 L 11
Wetschen .... 28 I 9
Wettelrode .... 53 L 17
Wettenberg .... 62 O 9
Wetten .... 46 L 2
Wettenbostel .... 30 G 14
Wettenhausen .... 103 U 15
Wetter (Hessen) .... 62 N 10
Wetter (Ruhr) .... 47 L 6
Wetterau .... 74 O 10
Wetterburg .... 50 L 11
Wetterfeld .... 62 O 10
Wetterfeld
  (Kreis Hildburghausen) ... 77 O 16
Wetterfeld .... 89 S 21
Wettersteingebirge .... 112 X 17
Wettersteinkopf .... 112 X 17
Wetterzeube .... 66 M 20
Wettesingen .... 51 L 11
Wettin .... 54 L 19
Wettmar .... 40 I 13
Wettmershagen .... 41 I 15
Wettringen (Kreis Ansbach) 86 S 14
Wettringen
  (Kreis Schweinfurt) .... 76 P 15

Wettrup .... 27 I 6
Wettstetten .... 96 T 18
Wettzell .... 91 S 22
Wetzdorf .... 66 M 19
Wetzen .... 30 G 14
Wetzenow .... 25 F 26
Wetzerdorf .... 54 M 18
Wetzhausen .... 76 P 15
Wetzlar .... 62 O 9
Weuspert .... 49 M 8
Wevelinghoven .... 58 M 3
Wewelsburg .... 50 L 9
Wewelsfleth .... 19 E 12
Wewer .... 50 K 10
Wey .... 48 M 3
Weyarn .... 105 W 19
Weyer (Kreis Euskirchen) .. 60 O 3
Weyer (Kreis
  Limburg-Weilburg) .... 73 O 8
Weyer (Rhein-Lahn-Kreis) .. 73 P 7
Weyerbusch .... 59 N 6
Weyhausen (Kreis Celle) .. 31 H 15
Weyhausen (Kreis Gifhorn) 41 I 16
Weyhe .... 29 H 10
Weyhers .... 75 O 13
Wibbecke .... 51 L 13
Wiblingen .... 103 U 13
Wiblingwerde .... 49 M 6
Wichdorf .... 51 M 11
Wichmannsdorf .... 25 G 24
Wichmannshausen .... 64 M 13
Wichsenstein .... 87 Q 17
Wichte .... 63 M 12
Wichtenbeck .... 31 H 14
Wichterich .... 58 N 4
Wickede (Dortmund-) .... 49 L 6
Wickede (Ruhr) .... 49 L 7
Wickendorf .... 22 E 18
Wickendorf .... 77 O 18
Wickenrode .... 51 M 13
Wicker .... 74 P 9
Wickerode .... 53 L 17
Wickersrode .... 63 M 13
Wickerstedt .... 65 M 18
Wicklesgreuth .... 86 S 16
Wickrath .... 58 M 3
Widdern .... 85 S 12
Widdersdorf .... 59 N 4
Widdershausen .... 64 N 14
Widdig .... 59 N 5
Wiebeler .... 50 K 9
Wiebelsbach .... 84 Q 10
Wiebelsheim .... 71 P 6
Wiebelskirchen .... 81 R 5
Wieblingen .... 84 R 9
Wieblitz-Eversdorf .... 31 H 17
Wiechendorf .... 40 I 13
Wiechs .... 101 W 9
Wieck .... 13 D 24
Wieck a. Darß .... 11 C 21
Wieckenberg .... 30 I 13
Wied .... 61 N 7
Wieda .... 52 L 15
Wiedau .... 30 G 12
Wiedelah .... 41 K 15
Wiedemar .... 54 L 20
Wieden .... 100 W 7
Wiedenbrück .... 50 K 8
Wiedenbrügge .... 39 I 11
Wiedener Eck .... 100 W 7
Wiedenest .... 61 M 7
Wiedenrode .... 40 I 14
Wiedensahl .... 39 I 11
Wiedenzhausen .... 104 V 17
Wiederau
  (Kreis Elbe-Elster) .... 55 L 23
Wiederau
  (Kreis Leipziger Land) ..... 66 M 20
Wiederau
  (Kreis Mittweida) .... 67 N 22
Wiederitzsch (Leipzig) .... 54 L 21
Wiedersbach .... 86 S 15
Wiedersbach
  (Kreis Hildburghausen) ... 77 O 16
Wiederstedt .... 53 K 18
Wiednitz .... 56 L 26
Wiefels .... 17 F 7
Wiefelstede .... 17 G 8
Wiegersen .... 19 F 12
Wiegleben .... 64 M 15
Wieglitz .... 41 I 17
Wiehe .... 53 M 18
Wiehengebirge .... 37 J 8
Wiehl .... 59 N 6
Wiehltal-Stausee .... 61 N 7

Wiehre .... 100 W 7
Wiek .... 13 C 23
Wieker Bodden .... 13 C 23
Wielen (Kreis
  Grafschaft-Bentheim) .... 26 I 4
Wielen (Kreis Plön) ....9 D 15
Wielenbach .... 104 W 17
Wiemersdorf .... 8 E 13
Wiemeringhausen .... 50 M 9
Wiemerstedt .... 7 D 11
Wienbergen .... 29 H 11
Wiendorf .... 11 E 20
Wienhausen .... 30 I 14
Wienrode .... 53 K 16
Wiensen .... 51 L 12
Wiepenkathen .... 19 F 12
Wiepersdorf
  (Kreis Elbe-Elster) .... 55 K 23
Wiepersdorf
  (Kreis Teltow-Fläming) .. 44 K 23
Wiepke .... 32 I 17
Wiepkenhagen .... 11 D 21
Wiera .... 63 N 11
Wieren .... 31 H 15
Wiernsheim .... 93 T 10
Wiersdorf .... 19 G 11
Wieren .... 39 J 11
Wiershausen
  (Kreis Göttingen) .... 51 L 13
Wiershausen
  (Kreis Northeim) .... 52 K 14
Wiershop .... 20 F 15
Wierstorf .... 31 H 15
Wies .... 112 W 16
Wies (Stadt) .... 108 W 7
Wiesa (Kreis Annaberg) .. 67 O 23
Wiesa (Niederschlesischer
  Oberlausitzkr) .... 69 M 28
Wiesau .... 79 Q 20
Wiesbach
  (Kreis Neunkirchen) .... 81 R 4
Wiesbach
  (Kreis Pirmasens) .... 81 R 6
Wiesbaden .... 73 P 8
Wiesbaum .... 70 O 4
Wiescherhöfen .... 49 L 7
Wiese .... 100 W 7
Wiese .... 17 F 7
Wiesederfehn .... 17 F 7
Wiesedermeer .... 17 F 7
Wiesemscheid .... 71 O 4
Wiesen
  (Kreis Aschaffenburg) .. 75 P 12
Wiesen (Kreis Lichtenfels) .. 77 P 16
Wiesen (Kreis
  Potsdam-Mittelmark) .... 43 J 21
Wiesenburg
  (Kreis Zwickauer Land) .. 67 O 21
Wiesenena .... 54 L 20
Wiesenfeld
  (Kreis Frankenberg) .... 62 M 10
Wiesenfeld
  (Kreis Main-Spessart) ... 75 Q 13
Wiesenfeld b. Coburg .... 77 P 16
Wiesenhagen .... 44 J 23
Wiesens .... 17 F 6
Wiesensteig .... 94 U 12
Wiesenstetten .... 101 U 10
Wiesent .... 90 S 21
Wiesental .... 84 S 9
Wiesenthal .... 64 N 14
Wiesenthau .... 87 Q 17
Wiesentheid .... 86 Q 15
Wiesenttal (Gemeinde) .... 87 Q 17
Wieserode .... 53 K 18
Wieseth .... 95 S 15
Wiesing .... 91 S 22
Wieskau .... 54 L 19
Wieslautern .... 92 S 7
Wieslet .... 108 W 7
Wiesloch .... 84 S 10
Wiesmoor (Stadt) .... 17 F 7
Wiesmühl .... 106 V 21
Wiesmühl b. Tittmoning .106 V 22
Wieste .... 27 H 6

Wiesthal .... 75 P 12
Wietersheim .... 39 I 10
Wietingsmoor .... 29 H 9
Wietmarschen .... 26 I 5
Wietmarscher Twist .... 26 I 5
Wietstock (Kreis
  Ostvorpommern) .... 25 E 25
Wietstock
  (Kreis Teltow-Fläming) .. 44 J 23
Wietze .... 30 I 13
Wietzen .... 29 H 11
Wietzenbruch (Dorf) .... 30 I 14
Wietzendorf .... 30 H 13
Wietzetze .... 31 G 16
Wiggensbach .... 111 W 14
Wilberhofen .... 59 N 6
Wilbrenning .... 37 K 6
Wilburgstetten .... 95 S 15
Wildau .... 44 J 24
Wildau-Wentdorf .... 44 K 24
Wildbad i. Schwarzwald .. 93 T 9
Wildbad-Kreuth .... 113 X 19
Wildberg (Kreis Demmin) .. 24 F 23
Wildberg .... 93 U 10
Wildberg (Kreis
  Ostprignitz-Ruppin) .... 33 H 21
Wildberghütte .... 61 N 7
Wilde Weißeritz .... 68 N 24
Wildeck .... 64 N 13
Wildemann .... 52 K 14
Wilden .... 61 N 8
Wildenau (Göltzschtalkreis) 66 O 21
Wildenau
  (Kreis Elbe-Elster) .... 55 K 23
Wildenau
  (Kreis Tirschenreuth) .. 89 Q 20
Wildenberg .... 97 T 19
Wildenbörten .... 66 N 20
Wildenbruch .... 43 J 23
Wildenfels .... 67 N 21
Wildenfels .... 87 R 18
Wildenhain (Kreis
  Riesa-Großenhain) .... 56 M 24
Wildenhain
  (Kreis Torgau-Oschatz) ... 55 L 22
Wildenheid .... 77 O 17
Wildenranna .... 99 U 25
Wildenrath .... 58 M 2
Wildenreuth .... 88 Q 20
Wildensee .... 85 Q 12
Wildensorg .... 77 Q 16
Wildenstein .... 95 S 14
Wildenstein (Burg) .... 101 V 10
Wildenthal .... 79 O 21
Wildentierbach .... 86 R 13
Wildenwart .... 106 W 20
Wildeshausen .... 28 H 9
Wildeshauser Geeste
  (Naturpark) .... 29 H 9
Wildetaube .... 66 N 20
Wildewiese .... 49 M 7
Wildflecken .... 75 O 13
Wildgehege Hundshaupten 87 Q 17
Wildgrube .... 56 L 24
Wildpark Schloß Tambach . 77 P 16
Wildpoldsried .... 111 W 14
Wildschütz .... 55 L 22
Wildstein .... 93 T 9
Wildsteig .... 112 W 16
Wildstein .... 89 R 21
Wildthurn .... 98 U 23
Wilferdingen .... 93 T 9
Wilflingen (Kreis
  Biberach a. d. Riß) .... 102 V 12
Wilflingen (Kreis Rottweil) 101 V 10
Wilgartswiesen .... 83 S 7
Wilgersdorf .... 61 N 8
Wilhams .... 111 X 14
Wilhelmsburg .... 25 F 25
Wilhelmsdorf .... 74 O 9
Wilhelmsdorf (Kreis Fürth) . 86 R 16
Wilhelmsdorf
  (Kreis Ravensburg) .... 102 W 12
Wilhelmsfeld II .... 17 F 7
Wilhelmsfeld .... 84 R 10
Wilhelmshagen .... 44 I 25
Wilhelmshausen .... 51 L 12
Wilhelmshaven .... 17 F 8
Wilhelmshöhe (Kassel) .. 51 M 12
Wilhelmshof .... 25 E 25
Wilhelmshorst .... 43 J 23
Wilhelmstein (Steinhude) .. 39 I 11
Wilhelmsthal .... 77 P 18
Wilhelmsthal (Calden) .. 51 L 12
Wilhelmsburg (Hamburg) .. 19 F 13
Wilhermsdorf .... 86 R 16

Willanzheim .... 86 Q 14
Willebadessen .... 50 L 11
Willen .... 17 F 7
Willenhofen .... 97 S 19
Willenscharen .... 8 D 13
Willersdorf .... 62 M 10
Willersdorf .... 87 Q 16
Willersdorf
  (Saale-Orla-Kreis) .... 78 O 19
Willershausen
  (Kreis Northeim) .... 52 K 14
Willershausen
  (Werra-Meißner-Kreis) .. 64 M 14
Willershusen .... 13 D 23
Willerstedt .... 65 M 18
Willhof .... 89 R 20
Willich .... 48 M 3
Willing .... 105 W 19
Willingen .... 50 M 9
Willingrade .... 9 D 14
Willingshausen .... 63 N 11
Willmars .... 76 O 14
Willmering .... 89 S 22
Willmersdorf (Kreis Barnim) 45 I 25
Willmersdorf
  (Stadtkreis Cottbus) .... 57 K 27
Willmersdorf-Ströbitz .... 57 K 26
Willmsfeld .... 17 F 6
Willofs .... 63 N 12
Willofs .... 103 W 15
Willroth .... 61 O 6
Willsbach .... 94 S 12
Willstätt .... 92 U 7
Willwerath .... 70 P 3
Wilmersdorf (b. Bad Saarow-
  Pieskow) .... 45 J 26
Wilmersdorf (b. Frankfurt) .. 34 I 26
Wilmersdorf
  (Kreis Prignitz) .... 33 G 20
Wilmersdorf
  (Kreis Uckermark) .... 35 G 25
Wilnsdorf .... 61 N 8
Wils (Naab) .... 88 R 19
Wilschdorf .... 68 M 26
Wilsche .... 40 I 15
Wilsdruff .... 68 M 24
Wilsede .... 30 G 14
Wilseder Berg .... 30 G 13
Wilsen .... 23 F 20
Wilsickow .... 25 F 25
Wilsingen .... 102 V 11
Wilsleben .... 53 K 18
Wilstedt (Kreis Rotenburg) . 29 G 11
Wilstedt (Kreis Stormarn) .. 20 E 14
Wilster .... 7 E 12
Wilsum .... 26 I 4
Wilthen .... 69 M 27
Wilting .... 89 S 21
Wiltingen .... 80 R 3
Wimmelburg .... 53 L 18
Wimmer .... 38 J 9
Wimmersbüll .... 4 B 10
Wimsheim .... 93 T 10
Wincheringen .... 80 R 3
Windach .... 104 V 17
Windach-Speicher .... 104 V 17
Windberge .... 42 I 19
Windbergen .... 7 D 11
Windeberg .... 52 M 15
Windeck .... 59 N 6
Windecken .... 74 P 10
Windelsbach .... 86 R 14
Winden (Hochtaunuskreis) . 74 O 9
Winden (Kreis Ansbach) .. 86 S 15
Winden (Kreis Düren) .... 58 N 3
Winden (Kreis Eichstätt) .. 97 T 18
Winden
  (Kreis Germersheim) .... 92 S 8
Winden (Rhein-Lahn-Kreis) 73 O 7
Winden i. Elztal .... 100 V 8
Windflöte .... 38 K 9
Windhagen (Kreis Neuwied) 60 O 5
Windhagen
  (Oberbergischer Kreis) .. 59 M 6
Windhausen .... 52 K 14
Windhausen (Kreis Olpe) .. 61 M 7
Windhausen
  (Vogelsbergkreis) .... 63 O 11
Windheim .... 39 I 11
Windheim .... 77 O 18
Windischbergerdorf .... 89 S 22
Windischbuch .... 85 R 12
Windischbuchen .... 85 R 12
Windischeschenbach .... 88 Q 20
Windischlaibach .... 78 Q 19

Windischhausen ...... 96 T 16
Windischholzhausen ...... 65 N 17
Windischletten ...... 77 Q 16
Windischleuba ...... 66 M 21
Windorf ...... 99 U 23
Windsbach ...... 87 S 16
Windschläg ...... 92 U 7
Windshausen (Kreis Rhön-Grabfeld) ...... 76 O 14
Windshausen (Kreis Rosenheim) ...... 113 W 20
Windten ...... 105 U 20
Wingerode ...... 52 L 14
Wingeshausen ...... 62 M 8
Wingst ...... 18 E 11
Winhöring ...... 106 V 21
Winkel ...... 113 X 18
Winkel ...... 84 Q 10
Winkel (Kreis Gifhorn) ...... 41 I 15
Winkel (Kreis Sangerhausen) ..... 53 L 18
Winkeldorf ...... 29 G 11
Winkelhaid ...... 87 R 17
Winkels ...... 76 P 14
Winkelsett ...... 28 H 9
Winkelsetten ...... 37 J 8
Winkelshütten ...... 38 J 8
Winkelstedt ...... 32 H 17
Winkhausen ...... 62 M 9
Winkl ...... 114 W 22
Winklarn ...... 89 R 21
Winklmoos ...... 114 X 21
Winklsaß ...... 97 T 20
Winkum ...... 27 H 7
Winnefeld ...... 51 K 12
Winnekendonk ...... 46 L 2
Winnemark ...... 5 C 13
Winnenden ...... 94 T 12
Winnert ...... 5 C 11
Winnigstedt ...... 41 J 16
Winningen ...... 53 K 18
Winningen ...... 71 P 6
Winnweiler ...... 83 R 7
Winseldorf ...... 8 E 12
Winsen ...... 20 F 14
Winsen (Aller) ...... 30 H 13
Winsener Marsch ...... 20 F 14
Winterbach ...... 81 R 5
Winterbach (Kreis Günzburg) ...... 103 U 15
Winterbach (Rems-Murr-Kreis) ...... 94 T 12
Winterberg ...... 50 M 9
Winterborn (Donnersbergkreis) ...... 83 Q 7
Winterborn (Oberbergischer Kreis) ...... 61 N 6
Winterburg ...... 73 Q 6
Winterfeld ...... 32 H 17
Winterhausen ...... 86 Q 14
Winterkasten ...... 84 Q 10
Winterlingen ...... 102 V 11
Wintermoor ...... 30 G 13
Winternam ...... 46 L 3
Winterrieden ...... 103 V 14
Wintersbach ...... 75 Q 11
Winterscheid (Kreis Bitburg-Prüm) ...... 70 P 2
Winterscheid (Rhein-Sieg-Kreis) ...... 59 N 6
Wintersdorf ...... 66 M 21
Wintersdorf ...... 80 Q 3
Wintersdorf ...... 92 T 8
Winterspelt ...... 70 P 2
Winterspüren ...... 101 W 11
Winterstein ...... 64 N 15
Winterstettendorf ...... 102 W 13
Wintrich ...... 72 Q 4
Wintzingerode ...... 52 L 14
Winzeln ...... 83 S 6
Winzeln ...... 101 U 9
Winzenburg ...... 40 K 13
Winzenheim ...... 73 Q 7
Winzer ...... 98 T 23
Winzerhausen ...... 94 S 11
Winzingen ...... 94 T 13
Winzlar ...... 39 I 11
Wipfeld ...... 76 Q 14
Wipfra ...... 65 N 17
Wipfratal ...... 65 N 17
Wippenhausen ...... 105 U 19
Wipper ...... 59 M 6
Wipper (Bach z. Saale) ...... 53 L 17
Wipper (Bach z. Unstrut) ...... 52 L 16
Wipperdorf ...... 52 L 16
Wipperfeld ...... 59 M 5
Wipperfürth ...... 59 M 6

Wippershain ...... 63 N 13
Wippingen ...... 27 H 6
Wippingen ...... 103 U 13
Wippra ...... 53 L 17
Wipshausen ...... 40 I 17
Wirbelau ...... 73 O 8
Wirbenz ...... 78 Q 19
Wirdum ...... 16 F 5
Wirfus ...... 71 P 5
Wirges ...... 73 O 7
Wirl ...... 32 H 18
Wirme ...... 61 M 8
Wirmighausen ...... 50 L 10
Wirmsthal ...... 76 P 14
Wirsberg ...... 77 P 18
Wirtheim ...... 75 P 11
Wirzenborn ...... 73 O 7
Wisch ...... 9 C 15
Wischhafen ...... 19 E 11
Wischroda ...... 78 O 19
Wismar ...... 22 E 18
Wismarbucht ...... 10 E 18
Wisper ...... 73 P 7
Wissel ...... 46 K 2
Wisselsdorf ...... 98 T 22
Wisselsheim ...... 74 O 10
Wisselsing ...... 98 T 22
Wissen ...... 61 N 7
Wissenbach ...... 62 N 8
Wissersheim ...... 58 N 4
Wissingen ...... 37 J 8
Wißmar ...... 62 O 10
Wistedt (Kreis Harburg) ...... 19 G 13
Wistedt (Kreis Rotenburg) ...... 19 G 11
Wiswedel ...... 31 I 16
Witsum ...... 4 B 9
Wittbek ...... 5 C 11
Wittbrietzen ...... 43 J 22
Wittdün ...... 4 C 9
Wittelshofen ...... 95 S 15
Witten ...... 47 L 6
Wittenbeck ...... 11 D 19
Wittenberg ...... 55 K 21
Wittenberg ...... 37 I 8
Wittenberge ...... 32 G 19
Wittenberge ...... 27 G 7
Wittenbergen ...... 8 E 13
Wittenbergerpassau ...... 9 D 15
Wittenborn (Kreis Bad Segeberg) ...... 9 E 14
Wittenborn (Kreis Mecklenburg-Strelitz) ...... 25 F 24
Wittenburg ...... 21 F 17
Wittendorf ...... 101 U 9
Wittenförden ...... 21 F 17
Wittenhofen ...... 110 W 12
Wittenmoor ...... 42 I 19
Wittenschwand ...... 108 W 8
Wittensee ...... 8 C 13
Wittenweier ...... 100 V 7
Wittenwurth ...... 7 D 11
Witterda ...... 65 M 16
Witterschlick (Bonn) ...... 59 N 5
Wittershausen (Kreis Bad Kissingen) ...... 76 P 13
Wittershausen (Kreis Rottweil) ...... 101 V 9
Wittesheim ...... 96 T 16
Wittgenborn ...... 75 P 11
Wittgendorf (Kreis Löbau-Zittau) ...... 69 N 28
Wittgendorf (Kreis Saalfeld-Rudolstadt) ...... 65 O 17
Wittgensdorf ...... 67 N 22
Wittgensteiner Land ...... 62 N 9
Wittibreut ...... 106 V 22
Wittichenau ...... 57 L 26
Wittighausen ...... 85 R 13
Wittingen ...... 31 H 16
Wittislingen ...... 95 U 15
Wittlaer ...... 48 M 4
Wittloge ...... 39 I 10
Wittlich ...... 72 Q 4
Wittlingen (Kreis Lörrach) ..108 X 6
Wittlingen (Kreis Reutlingen) ...... 102 U 12
Wittlohe ...... 29 H 12
Wittmannsdorf-Bückchen ...45 J 26
Wittmar ...... 41 J 15
Wittmund ...... 17 F 7
Wittnau ...... 100 W 7
Wittorf (Kreis Lüneburg) ..20 F 15
Wittorf (Kreis Rotenburg) ..30 G 12
Wittorf (Neumünster-) .....9 D 13
Wittow ...... 13 C 23

Wittstedt ...... 18 F 10
Wittstock ...... 33 G 21
Wittstocker Heide ...... 23 G 21
Witzeeze ...... 21 F 15
Witzenhausen ...... 51 L 13
Witzhave ...... 20 F 15
Witzhelden ...... 59 M 5
Witzighausen ...... 103 V 14
Witzin ...... 23 E 19
Witzke ...... 33 H 21
Witzlarner Forst ...... 88 S 20
Witzleben ...... 65 N 17
Witzmannsberg (Kreis Coburg) ...... 77 P 16
Witzmannsberg (Kreis Passau) ...... 99 T 24
Witznau ...... 108 W 8
Witzwort ...... 7 C 10
Wixhausen ...... 74 Q 9
Wobbenbüll ...... 4 C 10
Woblitzsee ...... 24 G 23
Wochern ...... 80 R 3
Woddow ...... 25 F 26
Wodenhof ...... 21 F 17
Wöbbel ...... 39 K 11
Wöbbelin ...... 22 F 18
Wöbs ...... 9 D 15
Wöhle ...... 40 J 14
Wöhlsdorf ...... 66 N 19
Wöhrden ...... 7 D 11
Wölbattendorf ...... 78 P 19
Wölferode ...... 62 N 10
Wölfershausen ...... 64 N 13
Wölfersheim ...... 74 O 10
Wölfis ...... 65 N 16
Wölkau ...... 54 L 21
Wölkendorf ...... 77 P 17
Wölkisch ...... 68 M 24
Wöllmarshausen ...... 52 L 14
Wöllnau ...... 55 L 22
Wöllstadt ...... 74 P 10
Wöllstein ...... 73 Q 7
Wölpinghausen ...... 39 I 11
Wölsickendorf-Wollenberg 35 H 25
Wöltingerode ...... 41 K 15
Wörblitz ...... 55 L 22
Wörbzig ...... 54 K 19
Wörderfeld ...... 39 K 11
Wörleschwang ...... 103 U 15
Wörlitz ...... 54 K 21
Wörmlitz ...... 42 J 19
Wörnitz ...... 86 S 14
Wörnitzstein ...... 96 T 16
Wörnsmühl ...... 113 W 19
Wörpe ...... 29 G 11
Wörrstadt ...... 73 Q 8
Wörsdorf ...... 73 P 8
Wörth ...... 95 S 14
Wörth (Kreis Erding) ...... 105 V 19
Wörth (Kreis Weilheim-Schongau) ...112 W 17
Wörth a. d. Donau ...... 90 S 21
Wörth a. Main ...... 85 Q 11
Wörth a. Rhein ...... 93 S 8
Wörth an der Isar ...... 98 U 21
Wörthsee (Gemeinde) ...104 V 17
Wöschbach ...... 93 S 9
Wössingen ...... 93 S 9
Wöstendöllen ...... 28 H 9
Wötzelsdorf ...... 77 P 18
Woez ...... 21 F 17
Woffelsbach ...... 70 O 3
Woffleben ...... 52 L 16
Woggersin ...... 24 F 23
Wohlau ...... 55 L 23
Wohld ...... 27 I 8
Wohlde ...... 7 C 11
Wohldorf-Ohlstedt ...... 20 E 14
Wohlenbeck ...... 19 F 11
Wohlenberg (Kreis Nordwest Mecklenburg) ...... 10 E 17
Wohlenberg (Kreis Stendal) 32 H 18
Wohlenberger Wiek ...... 10 E 17
Wohlenrode ...... 31 I 15
Wohlerst ...... 19 F 12
Wohlfahrt ...... 59 N 6
Wohlmirstedt ...... 53 M 18
Wohlmuthausen ...... 85 S 12
Wohlstreck ...... 29 H 9
Wohnbach ...... 74 O 10
Wohnfeld ...... 63 O 11
Wohnsgehaig ...... 77 Q 18
Wohnste ...... 19 F 12
Wohra ...... 62 N 10
Wohratal ...... 62 N 10

Wokuhl ...... 24 G 23
Wolbeck ...... 37 K 7
Wolde ...... 24 E 23
Woldegk ...... 24 F 24
Wolfach ...... 100 V 8
Wolfartsweier ...... 93 T 9
Wolfegg ...... 102 W 13
Wolfen ...... 54 L 20
Wolfenbüttel ...... 41 J 15
Wolfenhausen ...... 74 O 8
Wolferborn ...... 75 P 11
Wolferding ...... 106 U 21
Wolferode ...... 53 L 18
Wolfersdorf (Kreis Cham) .. 91 S 22
Wolfersdorf (Kreis Freising) ...... 105 U 19
Wolfersdorf (Kreis Greiz) ..66 N 20
Wolfersdorf (Kreis Regensburg) ...... 90 S 20
Wolfersdorf (Saale-Holzland-Kreis) ..66 N 19
Wolfersgrün (Kreis Kronach) 77 P 18
Wolfersgrün (Kreis Zwickauer Land) ..67 O 21
Wolferstadt ...... 96 T 16
Wolfersweiler ...... 81 R 5
Wolfertschwenden ...... 103 W 14
Wolfgang ...... 74 P 10
Wolfhagen ...... 51 M 11
Wolfmannshausen ...... 76 O 15
Wolframs-Eschenbach ...... 86 S 16
Wolfratshausen ...... 104 W 18
Wolfring ...... 88 R 20
Wolfsbach (Kreis Amberg-Sulzbach) ...... 88 R 19
Wolfsbach (Kreis Landshut) 97 U 20
Wolfsbach (Stadtkreis Bayreuth) ...... 77 Q 18
Wolfsbehringen ...... 64 M 15
Wolfsberg ...... 87 Q 17
Wolfsberg (Ilm-Kreis) ...... 65 N 17
Wolfsberg (Kreis Sangerhausen) ...... 53 L 17
Wolfsburg ...... 41 I 16
Wolfsburg-Unkeroda ...... 64 N 14
Wolfschlugen ...... 94 U 11
Wolfsegg ...... 90 S 19
Wolfsfeld ...... 88 R 19
Wolfshagen (Kreis Nordvorpommern) ...... 12 D 22
Wolfshagen (Kreis Prignitz) ...... 32 G 20
Wolfshagen (Kreis Uckermark) ...... 25 F 24
Wolfsheim ...... 73 Q 8
Wolfskehlen ...... 74 Q 9
Wolfskrug ...... 5 C 12
Wolfsruh ...... 34 G 23
Wolfstein ...... 81 R 6
Wolfsteiner Ohe ...... 99 T 24
Wolfterode ...... 64 N 14
Wolgast ...... 15 D 25
Wolkenburg-Kaufungen ...67 N 22
Wolkenstein ...... 67 O 23
Wolkersdorf ...... 87 R 17
Wolketsweiler ...... 110 W 12
Wolkramshausen ...... 52 L 16
Wollbach ...... 76 O 14
Wollbrandshausen ...... 52 L 14
Wollenberg ...... 35 H 26
Wollenhagen ...... 32 I 18
Wollenberg (Kreis Potsdam-Mittelmark) ...43 J 21
Wollin (Kreis Uckermark) ..25 G 26
Wollin b. Penkum ...... 25 G 26
Wollingst ...... 18 F 10
Wollmar ...... 62 N 10
Wollmatingen ...... 110 W 11
Wollmerath ...... 71 P 4
Wollmoos ...... 104 U 17
Wollrode ...... 51 M 12
Wollschow ...... 25 F 26
Wolmersdorf ...... 7 D 11
Wolmirsleben ...... 42 K 18
Wolmirstedt ...... 42 J 19
Wolnzach ...... 97 U 18
Wolpadingen ...... 108 W 8
Wolpertshausen ...... 85 S 13

Wolpertswende ...... 102 W 12
Wolpersdorf ...... 41 J 16
Wolsfeld ...... 80 Q 3
Wolsier ...... 33 H 20
Wolterdingen ...... 30 G 13
Wolterdingen ...... 101 W 9
Wolteritz ...... 54 L 20
Woltersdorf (Kreis Herzogtum Lauenburg) ..21 F 15
Woltersdorf (Kreis Jerichower Land) ..42 J 19
Woltersdorf (Lüchow-Dannenberg) ..32 H 17
Woltersdorf (Kreis Oder-Spree) ...... 44 I 25
Woltersdorf (Kreis Teltow-Fläming) ..44 J 23
Woltersdorf (Kreis Uckermark) ...... 35 G 26
Woltershausen ...... 40 K 13
Wolterslage ...... 32 H 19
Wolthausen ...... 30 H 13
Woltorf ...... 40 J 14
Woltow ...... 11 E 21
Woltringhausen ...... 29 I 10
Woltrup ...... 27 I 7
Woltwiesche ...... 40 J 14
Woltzeten ...... 16 F 5
Wolzig ...... 44 J 25
Wolziger See ...... 44 J 25
Wondreb ...... 79 Q 21
Wonfurt ...... 76 P 15
Wonneberg ...... 106 W 22
Wonsees ...... 77 Q 17
Wonsheim ...... 83 Q 7
Woosmer ...... 31 G 17
Wootz ...... 32 G 18
Woppenroth ...... 72 Q 6
Woppmannsdorf ...... 90 S 21
Worbis ...... 52 L 15
Worblingen ...... 109 W 10
Worfelden ...... 74 Q 9
Worin ...... 45 I 26
Woringen ...... 103 W 14
Workerszell ...... 96 T 17
Wormbach ...... 62 M 8
Wormeln ...... 51 L 11
Wormersdorf ...... 60 O 4
Wormlage ...... 56 L 25
Worms ...... 84 R 9
Wormsdorf ...... 41 J 17
Wormstedt ...... 65 M 18
Worphausen ...... 29 G 10
Worpswede ...... 29 G 10
Worringen ...... 59 M 4
Worth ...... 20 F 15
Woserin ...... 23 E 20
Woseriner See ...... 23 E 20
Wotenick ...... 14 E 22
Wotenitz ...... 21 E 17
Woterfitzsee ...... 24 F 22
Wrangelsburg ...... 15 D 24
Wredenhagen ...... 23 G 21
Wremen ...... 18 F 9
Wrestedt ...... 31 H 15
Wrexen ...... 50 L 10
Wriedel ...... 30 G 14
Wriezen ...... 35 H 26
Wrisbergholzen ...... 40 J 13
Wrisser Hammrich ...... 17 F 6
Wrist ...... 8 E 13
Wrixum ...... 4 B 9
Wrohe ...... 9 D 13
Wuchzenhofen ...... 103 W 14
Wülfershausen ...... 76 P 13
Wülfershausen (Ilm-Kreis) ..65 N 17
Wülfershausen a. d. Saale ...... 76 P 15
Wülfinghausen ...... 40 J 13
Wülfrath ...... 48 M 5
Wülflingen ...... 40 J 12
Wülknitz (Kreis Köthen) ..54 K 19
Wülknitz (Kreis Riesa-Großenhain) 56 L 24
Wüllen ...... 36 J 4
Wüllersleben ...... 65 N 17
Wülperode ...... 41 K 15
Wümme ...... 19 G 13
Wünnenberg ...... 50 L 10
Wünschendorf ...... 68 M 25
Wünschendorf (Elster) ...66 N 20
Wünschensuhl ...... 64 N 14

Wünsdorf ...... 44 J 24
Würchwitz ...... 66 M 20
Würding ...... 107 U 24
Würdinghausen ...... 61 M 8
Würgassen ...... 51 L 12
Würgau ...... 77 Q 17
Würgendorf ...... 61 N 8
Würges ...... 74 P 8
Würm (Stadt) ...... 93 T 10
Würrich ...... 72 Q 5
Würselen ...... 58 N 2
Würtingen ...... 102 U 12
Würzbach ...... 93 T 9
Würzberg ...... 84 R 11
Würzburg ...... 85 Q 13
Wüschheim ...... 71 P 6
Wüst Eldena ...... 13 D 23
Wüstegarten ...... 63 M 11
Wüsten ...... 39 J 10
Wüstenbrand ...... 67 N 22
Wüsteney ...... 14 D 23
Wüstenfelde ...... 14 E 23
Wüstenjerichow ...... 42 J 20
Wüstenrot ...... 94 S 12
Wüstensachsen ...... 76 O 14
Wüstenselbitz ...... 78 P 19
Wüstenzell ...... 85 Q 12
Wüstermarke ...... 56 K 24
Wüstfeld ...... 63 N 13
Wüstheuterode ...... 52 M 14
Wüsting ...... 28 G 9
Wüstmark ...... 22 F 18
Wuhnitz ...... 55 M 23
Wulfelade ...... 30 I 12
Wulfen ...... 54 K 19
Wulfen ...... 47 K 5
Wulferdingsen ...... 39 J 10
Wulfersdorf ...... 23 G 21
Wulferstedt ...... 41 J 17
Wulfhorst ...... 50 K 9
Wulfsdorf (Lübeck-) ...... 21 E 16
Wulfsen ...... 20 G 14
Wulfskuhl ...... 21 F 17
Wulfsmoor ...... 8 E 13
Wulfsode ...... 30 G 14
Wulfstorf ...... 31 G 15
Wulften ...... 52 L 14
Wulften ...... 37 J 8
Wulkau ...... 32 H 20
Wulkenzin ...... 24 F 23
Wulkow (b. Frankfurt) ...45 I 27
Wulkow (b. Kyritz) ...... 33 H 21
Wulkow (b. Neuruppin) ...33 H 21
Wulkow (b. Seelow) ...... 35 I 26
Wulmeringhausen ...... 50 M 9
Wulmstorf ...... 29 H 11
Wulsbüttel ...... 18 F 9
Wulsdorf ...... 18 F 9
Wunderbüttel ...... 31 H 16
Wunderthausen ...... 62 M 9
Wunsiedel ...... 78 P 20
Wunstorf ...... 39 I 11
Wupper-Stausee ...... 48 M 5
Wuppertal ...... 48 M 5
Wurgwitz ...... 68 M 24
Wurlitz ...... 78 P 19
Wurmannsquick ...... 106 U 22
Wurmberg ...... 52 K 15
Wurmberg ...... 93 T 10
Wurmlingen (Kreis Tübingen) ...... 93 U 10
Wurmlingen (Kreis Tuttlingen) ...... 101 V 10
Wurmsham ...... 106 U 21
Wurz ...... 89 Q 20
Wurzacher Ried ...... 103 W 13
Wurzbach ...... 77 O 18
Wurzeldeich ...... 16 F 5
Wurzen ...... 55 L 22
Wusse ...... 13 C 23
Wussentin ...... 24 E 24
Wust ...... 42 I 20
Wusterhausen ...... 33 H 21
Wusterhusen ...... 13 D 24
Wustermark ...... 43 I 22
Wusterwitz ...... 43 I 21
Wustrau-Altfriesack ...... 33 H 22
Wustrow (Kreis Bad Doberan) ...... 10 D 18
Wustrow (Kreis Lüchow-Dannenberg) ..31 H 17
Wustrow (Kreis Mecklenburg-Strelitz) ..24 G 22

A B C D E F G H I J K L M N O P Q R S T U V W X Y Z

A

Wustrow (Kreis
  Nordvorpommern) ....11 C 21
Wustweiler ....81 R 5
Wutach ....101 W 9
Wutha-Farnroda ....64 N 15
Wuthenow ....33 H 22
Wutike ....33 G 21
Wutöschingen ....109 X 9
Wybelsum ....16 F 5
Wyhl ....100 V 6
Wyk a. Föhr ....4 B 9
Wyler ....46 K 2
Wymeer ....26 G 5

X-Y

Xanten ....46 L 3
Yach ....100 V 8
Yburg ....92 T 8

Z

Zaasch ....54 L 20
Zaatzke ....33 G 21
Zabakuck ....42 I 20
Zabelsdorf ....34 G 23
Zabeltitz ....56 L 24
Zabenstedt ....54 L 19
Zaberfeld ....93 S 10
Zabitz ....54 K 19
Zachenberg ....91 T 23
Zachow ....43 I 22
Zadelsdorf ....66 N 19
Zadrau ....31 G 17
Zähringen ....100 V 7
Zahmen ....75 O 12
Zahna ....43 K 22
Zahren ....23 F 20
Zahrenholz ....31 I 15
Zahrensdorf
  (Kreis Ludwigslust) ....21 F 16
Zahrensdorf
  (Kreis Parchim) ....22 E 19
Zahrensen ....30 G 13
Zainingen ....94 U 12
Zaisenhausen
  (Hohenlohekreis) ....85 R 13
Zaisenhausen
  (Kreis Karlsruhe) ....93 S 10
Zaisersweiher ....93 S 10
Zaisertshofen ....103 V 15
Zaitzkofen ....97 T 20
Zallmsdorf ....43 K 22
Zandt (Kreis Cham) ....89 S 22
Zandt (Kreis Eichstätt) ....97 T 18
Zang ....95 T 14
Zangberg ....106 V 21
Zangenstein ....89 R 20
Zankenhausen ....104 V 17
Zapel (Kreis Ludwigslust) ....21 F 17
Zapel (Kreis Parchim) ....22 F 19
Zapfendorf ....77 P 16
Zappendorf ....54 L 19
Zarchlin ....23 F 20
Zarenthien ....31 G 16
Zarnekau ....9 D 16
Zarnekow ....14 E 22
Zarnewanz ....11 D 21
Zarow ....25 E 25
Zarpen ....21 E 15
Zarrendorf ....13 D 23
Zarrentin ....21 F 16

Zaschwitz ....54 L 19
Zasenbeck ....31 H 16
Zastler ....100 W 7
Zauche ....43 J 22
Zauchwitz ....43 J 23
Zaue ....45 J 26
Zavelstein ....93 T 10
Zebelin ....31 H 17
Zecherin ....25 E 25
Zechin ....35 I 27
Zechlinerhütte ....33 G 22
Zeckendorf ....77 Q 17
Zeckerin ....56 K 24
Zedlitz ....66 N 20
Zedtwitz ....67 M 21
Zedtwitz ....78 O 19
Zeesen ....44 J 24
Zeestow ....34 I 22
Zeetze ....31 G 16
Zehbitz ....54 K 20
Zehdenick ....34 H 24
Zehlendorf (Berlin) ....44 I 23
Zehlendorf
  (Kreis Oberhavel) ....34 H 24
Zehma ....66 N 21
Zehna ....23 E 20
Zeholfing ....98 T 22
Zehren ....68 M 24
Zehrengraben ....32 H 18
Zeil am Main ....76 P 15
Zeilarn ....106 V 22
Zeilfeld ....76 O 15
Zeilitzheim ....76 Q 14
Zeilsheim ....74 P 9
Zeiskam ....83 S 8
Zeißholz ....56 L 26
Zeißig ....57 L 26
Zeithain ....55 M 24
Zeitlarn ....90 S 20
Zeitlofs ....75 P 13
Zeitz ....66 M 20
Zell (Kreis Bergstraße) ....84 Q 9
Zell (Kreis
  Biberach a. d. Riß) ....102 V 12
Zell (Kreis Hof) ....78 P 19
Zell (Kreis Neuburg-
  Schrobenhausen) ....96 T 17
Zell (Kreis Neumarkt i. d.
  Oberpfalz) ....97 T 18
Zell (Kreis
  Pfaffenhofen a. d. Ilm) ....97 T 18
Zell (Kreis Regen) ....99 T 23
Zell (Kreis Rottal-Inn) ....98 U 22
Zell (Kreis Schweinfurt) ....76 P 14
Zell (Kreis Unterallgäu) ....103 W 14
Zell (Odenwaldkreis) ....84 Q 10
Zell
  (Vogelsbergkreis) ....63 N 11
Zell (Mosel) ....71 P 5
Zell a. Ebersberg ....76 Q 15
Zell a. Harmersbach ....100 U 8
Zell am Main ....85 Q 13
Zell i. Wiesental ....108 W 7
Zell-Weierbach ....92 U 7
Zella ....64 N 14
Zella-Mehlis ....64 O 16
Zellendorf ....43 K 23
Zellerfeld ....52 K 15
Zellersee ....109 W 10
Zellertal ....83 R 8

Zellhausen ....74 P 10
Zellingen ....75 Q 13
Zeltingen-Rachtig ....72 Q 5
Zelz ....57 L 28
Zembschen ....66 M 20
Zemitz ....15 E 25
Zemmer ....72 Q 4
Zemnick ....55 K 22
Zempin ....15 D 25
Zempow ....33 G 22
Zenching ....89 S 22
Zendscheid ....70 P 3
Zenn ....86 R 15
Zennern ....63 N 11
Zentbechhofen ....87 Q 16
Zenting ....99 T 23
Zepelin ....23 E 20
Zepernick ....34 I 24
Zepfenhan ....101 V 10
Zepkow ....23 G 21
Zeppelinheim (Frankfurt) ....74 P 9
Zeppenfeld ....61 N 8
Zeppernick ....42 J 20
Zerben ....42 I 19
Zerbst ....42 K 20
Zerf ....80 R 4
Zermützel ....33 G 22
Zernien ....31 G 16
Zernikow ....34 G 23
Zernin ....23 E 19
Zernitz
  (Kreis Anhalt-Zerbst) ....42 J 20
Zernitz (Kreis
  Ostprignitz-Ruppin) ....33 H 21
Zernsdorf ....44 J 25
Zerpenschleuse ....34 H 24
Zerrenthin ....25 F 26
Zesch ....44 J 24
Zetel ....17 F 7
Zethau ....68 N 24
Zethlingen ....32 H 17
Zettemin ....24 F 22
Zetteritz ....67 M 22
Zettlitz
  (b. Gefrees) ....78 P 19
Zettlitz
  (b. Rugendorf) ....77 P 18
Zettlitz
  (Kreis Mittweida) ....67 M 22
Zeuchfeld ....54 M 19
Zeuden ....43 J 22
Zeulenroda ....66 O 19
Zeutern ....84 S 10
Zeuthen ....44 I 24
Zeutsch ....65 N 18
Zeuzleben ....76 Q 14
Zeven ....19 G 11
Zewen ....80 Q 3
Zeyern ....77 P 18
Zicherie ....31 I 16
Zichow ....35 G 26
Zichtau ....32 I 17
Zichtauer Forst ....41 I 17
Zicker ....13 D 24
Zickeritz ....54 L 19
Zickhusen ....22 E 18
Zidderich ....23 F 20
Zieckau ....44 K 24
Ziegelbach ....102 W 13

Ziegelhausen ....84 R 10
Ziegelheim ....67 N 21
Ziegelroda ....53 M 18
Ziegendorf ....22 G 19
Ziegenhagen ....51 L 13
Ziegenhagen
  (Kreis Stendal) ....32 H 19
Ziegenhain ....67 M 23
Ziegenhardt ....59 N 6
Ziegenhelle ....62 M 9
Ziegenrück ....66 O 18
Ziegra-Knobelsdorf ....67 M 23
Zieko ....43 K 21
Zielitz ....42 J 19
Zielow ....23 F 22
Ziemendorf ....32 H 18
Ziemetshausen ....103 V 15
Zienitz ....31 G 16
Zienken ....100 W 6
Ziepel (Altmarkkreis
  Salzwedel) ....41 I 18
Ziepel (Kreis
  Jerichower Land) ....42 J 19
Zierau ....32 H 17
Zierenberg ....51 L 11
Zierke ....24 F 23
Zierker See ....24 F 23
Zierolshofen ....92 U 7
Zierow ....10 E 18
Ziertheim ....95 U 15
Zierzow ....22 G 19
Ziesar ....43 J 20
Ziese ....15 D 24
Ziesendorf ....11 E 20
Zieslübbe ....22 F 19
Ziethe (Kreis
  Herzogtum Lauenburg) ....21 E 16
Ziethen (Kreis
  Ostvorpommern) ....15 E 25
Zillbach ....64 N 14
Zillhausen ....101 V 10
Zilly ....41 K 16
Zilsdorf ....70 P 4
Ziltendorf ....45 J 27
Zimmerau ....76 P 15
Zimmern
  (Kreis Rottal-Inn) ....106 U 22
Zimmern
  (Kreis Tuttlingen) ....101 W 10
Zimmern
  (Main-Tauber-Kreis) ....85 R 13
Zimmern (Neckar-
  Odenwald-Kreis) ....85 R 12
Zimmern
  (Saale-Holzland-Kreis) ....65 M 18
Zimmern
  (Unstrut-Hainich-Kreis) ....64 M 15
Zimmern ob Rottweil ....101 V 9
Zimmern u. d. Burg ....101 V 10
Zimmernsupra ....65 N 16
Zimmersrode ....63 M 11
Zingsheim ....60 O 4
Zingst (Gemeinde) ....12 C 22
Zinna ....55 L 22
Zinndorf ....44 I 25
Zinnitz ....56 K 25
Zinnkopf ....114 W 22
Zinnowitz ....15 D 25
Zinnwald-Georgenfeld ....68 N 25

Zinst ....78 Q 19
Zinzenzell ....90 S 21
Zinzow ....24 E 24
Zipplingen ....95 T 15
Zips ....87 Q 18
Zirchow ....15 E 26
Zirgesheim ....96 T 16
Zirkow ....13 C 24
Zirndorf ....87 R 16
Zirtow ....24 G 22
Zirzow ....24 F 23
Zislow ....23 F 20
Zittau ....69 N 28
Zittauer Gebirge ....69 N 27
Zitz ....43 J 20
Zixdorf ....43 J 22
Zizenhausen ....101 W 11
Zobbenitz ....42 I 18
Zobersdorf ....56 L 24
Zodel ....69 M 29
Zöbingen ....95 T 15
Zöblitz ....67 O 23
Zöchen ....54 L 20
Zöschen ....54 L 20
Zöschingen ....95 T 14
Zöschlingsweiler ....95 U 15
Zogenweiler ....102 W 12
Zoghaus ....66 O 20
Zolkendorf ....24 E 23
Zollchow
  (Kreis Havelland) ....42 I 20
Zollchow
  (Kreis Uckermark) ....25 G 25
Zollgrün ....78 O 19
Zollhaus ....73 P 8
Zollhaus ....101 W 9
Zolling ....105 U 19
Zons ....59 M 4
Zootzen
  (Kreis Havelland) ....33 H 21
Zootzen (Kreis
  Ostprignitz-Ruppin) ....33 G 21
Zorbau ....66 M 20
Zorge ....52 L 15
Zorn ....73 P 7
Zorneding ....105 V 19
Zornheim ....73 Q 8
Zossen ....44 J 24
Zotzenbach ....84 R 10
Zoznegg ....101 W 11
Zschadraß ....67 M 22
Zschaitz-Ottewig ....67 M 23
Zschepplin ....55 L 21
Zscherben ....54 L 20
Zscherndorf ....54 L 20
Zschernitz ....54 L 20
Zschertnitz (Dresden) ....68 M 25
Zschochau ....55 M 23
Zschocken ....67 N 22
Zschopau ....67 N 23
Zschoppach ....55 M 22
Zschorlau ....67 O 21
Zschornau-Schiedel ....56 M 26
Zschornewitz ....54 K 21
Zschortau ....54 L 21
Zuchau ....54 K 19
Zuchering ....96 T 18
Zudar ....13 D 24

Zühlen ....33 G 22
Zühlsdorf ....34 H 24
Zülichendorf ....43 J 23
Züllsdorf ....55 L 23
Zülpich ....58 N 3
Zündorf (Köln) ....59 N 5
Züntersbach ....75 P 13
Züschen
  (Hochsauerlandkreis) ....62 M 9
Züschen
  (Schwalm-Eder-Kreis) ....63 M 11
Züsedom ....25 F 26
Züsow ....10 E 19
Züssow ....14 E 24
Züttlingen ....85 S 11
Zützen (Kreis
  Dahme-Spreewald) ....44 K 24
Zützen
  (Kreis Uckermark) ....35 G 26
Zuffenhausen ....94 T 11
Zug ....68 N 24
Zugspitze ....112 X 16
Zumhof ....90 S 21
Zunsweiler ....100 U 7
Zurow ....22 E 18
Zurstraße ....49 M 6
Zusam ....103 V 15
Zusamaltheim ....95 U 15
Zusamzell ....95 U 15
Zusmarshausen ....103 U 15
Zußdorf ....102 W 12
Zuzenhausen ....84 S 10
Zwackau ....66 N 19
Zweckel ....47 L 4
Zweedorf
  (Kreis Bad Doberan) ....10 D 19
Zweedorf
  (Kreis Ludwigslust) ....21 F 15
Zwehren ....51 M 12
Zweibrücken ....82 S 6
Zweifall ....58 N 2
Zweiflingen ....85 S 12
Zweigkanal Hildesheim ....40 J 13
Zweimen ....54 L 20
Zwenkau ....54 M 20
Zwerenberg ....93 U 9
Zwergen ....51 L 11
Zwesten ....63 M 11
Zwethau ....55 L 23
Zwickau ....67 N 21
Zwickauer Mulde ....67 O 21
Zwickgabel ....93 U 8
Zwiefalten ....102 V 12
Zwiefaltendorf ....102 V 12
Zwiesel ....91 S 23
Zwieselberg (Dorf) ....101 U 9
Zwieselerwaldhaus ....91 S 23
Zwillbrock ....36 J 4
Zwinge ....52 L 15
Zwingenberg
  (Kreis Bergstraße) ....84 Q 9
Zwingenberg (Neckar-
  Odenwald-Kreis) ....84 R 11
Zwischenahner
  Meer ....27 G 7
Zwochau ....54 L 20
Zwönitz ....67 O 22
Zwota ....79 O 21
Zyfflich ....46 K 2

A B C D E F G H I J K L M N O P Q R S T U V W X Y Z

A

Aaigem ....131 F 9
Aalbeke ....130 D 9
Aalst (=Alost) ....127 G 9
Aalter ....126 E 8
Aarschot ....128 I 9
Aarsele ....126 E 9
Aartrijke ....126 D 8
Aartselaar ....127 H 8
Abeek ....110 K 8
Abeele (L') ....130 C 9
Achel ....128 K 8
Achêne ....135 J 11
Achterbos ....128 J 8
Achterbroek ....127 H 7
Acoz ....131 H 10
Adegem ....127 E 8
Adinkerke ....126 B 8
Affligem ....131 G 9
Agimont ....135 I 11
Aische ....132 I 10
Aisne ....133 K 11
Aisne ....133 K 10
Albert Kanaal / Canal Albert .127 I 8
Albertstrand ....126 D 7
Alden-Biesen ....132 K 9
Alken ....132 J 9
Alle ....135 I 12
Alsemberg ....131 H 9
Alveringem ....126 C 8
Amay ....132 J 10
Ambly ....135 J 11
Amel (=Amblève) ......133 M 10
Amonines ....137 K 11
Amougies ....131 E 9
Ampsin ....132 J 10
Andenne ....132 J 10
Anderlecht ....131 G 9
Anderlues ....131 G 10
Andler ....133 M 11
Andrimont ....133 L 10
Angre ....131 F 10
Anhée ....135 I 11
Anlier ....137 K 12
Anlier (Forêt d') ....137 L 12
Anloy ....135 J 12
Annevoie-Rouillon .....132 I 10
Ans ....132 K 10
Anseremme ....135 I 11
Anserœul ....131 E 9
Anthée ....135 I 11
Anthisnes ....132 K 10
Antoing ....130 E 10
Antwerpen (=Anvers) .127 H 8
Antwerpen Provincie ..110 I 8
Antwerpen-Deurne Aéroport 127 H 8
Antwerpen naar Turnhout
   (Kanaal van) ....127 H 8
Anvaing ....131 E 9
Anzegem ....131 E 9
Arbre ....132 I 10
Arbrefontaine ....137 L 11
Arc ....131 E 9
Archennes (=Eerken) ..132 I 9
Ardenne ....113 I 11
Ardooie ....126 D 9
Arendonk ....128 J 8
Argenteau ....133 L 9
Arlon (=Aarlen) ....137 L 12
Arquennes ....131 G 10
Arville ....135 J 11
As ....128 K 8
Aspelare ....131 F 9
Asper ....131 E 9
Asquillies ....131 F 10
Asse ....131 G 9
Assebroek ....126 D 8
Assenede ....127 F 8
Assenois ....136 K 12
Assent ....128 J 9
Assesse ....132 J 10
Astenet ....133 M 9
Ath (=Aat) ....131 F 10
Athus ....137 L 13
Attert ....137 L 12
Attre ....131 F 10
Aubange ....137 L 13
Aubechies ....131 F 10
Aubel ....133 L 9
Aublain ....135 H 11
Auby-sur-Semois ....135 J 12
Audregnies ....131 F 10
Aulne (Abbaye d') ......131 G 10
Autelbas ....137 L 13
Autre-Église ....132 I 10
Auvelais ....132 H 10
Ave-et-Auffe ....135 J 11

Avelgem ....130 E 9
Averbode ....128 I 8
Avins (Les) ....132 J 10
Awans ....132 K 10
Awenne ....135 J 11
Awirs ....132 K 10
Aye ....135 J 11
Ayeneux ....133 L 10
Aywaille ....133 L 10

B

Baaigem ....131 F 9
Baal ....128 I 8
Baardegem ....127 G 9
Baarle-Hertog ....128 I 7
Baarle-Nassau ....128 I 7
Baasrode ....127 G 8
Bachte-Maria-Leerne ..127 E 8
Baelen ....133 L 10
Baileux ....135 H 11
Baillonville ....135 K 11
Baisieux ....131 F 10
Baisy-Thy ....131 H 10
Balegem ....131 F 9
Balen ....128 J 8
Bambois ....132 I 10
Ban d'Alle ....135 I 12
Bande ....136 K 11
Banneux-Notre-Dame ..114 L 10
Baranzy ....137 L 13
Baraque de Fraiture ....137 L 11
Baraque Michel ....133 M 10
Barbençon ....134 G 11
Barchon ....133 L 9
Barrière de Champlon ..136 K 11
Barry ....131 E 10
Barvaux-Condroz ....132 J 11
Bas-Oha ....132 J 10
Basècles ....131 E 10
Basse-Bodeux ....133 L 10
Bassenge ....133 K 9
Bassevelde ....127 F 8
Bassilly ....131 F 9
Bastogne (=Bastenaken) .137 L 11
Battice ....133 L 10
Baudour ....131 F 10
Bauffe ....131 F 10
Baugnies ....131 E 10
Baulers ....131 H 10
Bavegem ....127 F 9
Bayard (Rocher) ....135 I 11
Bazel ....127 G 8
Beaufays ....133 K 10
Beaumont Hainaut ......134 G 11
Beaumont Liège ....133 L 10
Beauraing ....135 I 11
Beausaint ....137 K 11
Beauvechain (=Bevekom) .132 I 9
Beauwelz ....134 G 11
Beclers ....131 E 10
Beernem ....126 E 8
Beerse ....128 I 8
Beersel ....131 G 9
Beerst ....126 C 8
Beervelde ....127 F 8
Beerzel ....128 I 8
Beffe ....136 K 11
Begijnendijk ....128 I 8
Beho ....137 L 11
Bekkevoort ....128 I 9
Belgrade ....132 I 10
Belle Maison ....132 J 10
Bellefontaine ....136 K 13
Bellegem ....130 D 9
Bellem ....127 E 8
Bellevaux ....133 M 10
Bellevaux (Luxembourg) .135 J 12
Bellewaerde Park ....130 C 9
Belœil ....131 F 10
Belsele ....127 G 8
Belvaux ....135 J 11
Ben ....132 J 10
Berchem ....127 H 8
Bercheux ....137 K 12
Berendrecht ....127 G 7
Beringen ....128 J 8
Berinsenne ....114 L 10
Berlaar ....128 H 8
Berlare ....127 G 8
Berloz ....132 J 9
Berneau ....133 L 9
Bernissart ....131 E 10
Bersillies-l'Abbaye .....134 G 11
Bertem ....132 H 9
Berterath ....133 N 10
Bertogne ....137 K 11
Bertrix ....135 J 12

Berzée ....135 H 11
Beselare ....130 D 9
Betâne ....133 L 10
Betekom ....128 I 9
Beuzet ....132 I 10
Bevel ....128 I 8
Bever (=Biévéne) ....131 F 9
Béverçé ....133 M 10
Beveren Oost-Vlaanderen .127 G 8
Beveren West-Vlaanderen 126 D 9
Beveren-Leie ....130 D 9
Beverlo ....128 J 8
Beverst ....132 K 9
Beyne-Heusay ....133 K 10
Bierbeek ....132 I 9
Biercée ....134 G 11
Bierset ....132 K 10
Bierwart ....132 J 10
Biesme ....135 H 10
Biesmerée ....135 I 11
Bièvre ....135 J 12
Bihain ....137 L 11
Bilstain ....133 L 10
Bilzen ....132 K 9
Binche ....131 G 10
Binkom ....132 I 9
Bioul ....135 I 11
Bizet (Le) ....130 C 9
Blaasveld ....127 H 8
Blandain ....130 D 10
Blankaart ....126 C 9
Blankenberge ....126 D 8
Blaregnies ....131 F 10
Blaton ....131 E 10
Blaugies ....131 F 10
Bléharies ....130 E 10
Bleid ....137 K 13
Blicquy ....131 F 10
Bocholt ....128 K 8
Bocq ....113 I 11
Bodange ....137 L 12
Bodegnée ....132 J 10
Boechout Antwerpen ...127 H 8
Boekhoute ....127 F 8
Boezinge ....130 C 9
Bohan ....135 I 12
Bois-de-Lessines
   (=Lessenbos) ....131 F 9
Bois-de-Villers ....132 I 10
Bois-et-Borsu ....132 K 10
Bois-Seigneur-Isaac ....131 G 10
Bokrijk ....128 K 9
Bolderberg ....128 J 9
Bomal-sur-Ourthe ....132 K 10
Bon-Secours ....131 E 10
Boncelles ....132 K 10
Bonheiden ....127 H 8
Bonlez ....132 I 9
Bonne Espérance
   (Abbaye de) ....131 G 10
Bonnert ....137 L 12
Bonneville ....132 J 10
Bons Villers (Les) ....131 H 10
Booischot ....128 I 8
Boom ....127 H 8
Boorsem ....128 L 9
Boortmeerbeek ....127 H 9
Borchtlombeek ....131 G 9
Borgerhout ....127 H 8
Borgloon (=Looz) ....132 K 9
Borlo ....132 J 9
Borlon ....132 K 10
Born ....133 M 10
Bornem ....127 G 8
Bornival ....131 G 10
Borsbeek ....131 G 9
Bosbeek ....110 K 8
Botassart ....135 J 12
Bottelare ....127 F 9
Boudewijn Kanaal ....108 D 8
Bouge ....132 I 10
Bouillon ....135 J 12
Bourcy ....137 L 11
Bourdon ....135 K 11
Bourlers ....135 H 11
Bourseigne-Neuve ....135 I 11
Bourseigne-Vieille ....135 I 11
Boussu ....131 F 10
Boussu-en-Fagne ....135 H 11
Boussu-lez-Walcourt ....135 H 11
Bousval ....131 H 10
Boutersem ....132 I 9
Bouvignes-sur-Meuse ..135 I 11
Bouvignies ....131 F 10
Bouwel ....128 I 8
Bovigny ....137 L 11
Bra ....133 L 11

Brabant-Wallon Province ...109 I 9
Brabant ....131 J 11
Braine-l'Alleud (=Eigenbrakel) 131 H 9
Braine-le-Château
   (=Kasteelbrakel) ......131 G 9
Braine-le-Comte ....131 G 10
Braives ....132 J 10
Brakel ....131 F 9
Braken ....127 H 7
Branchon ....132 I 10
Bras ....136 K 12
Brasmenil ....131 E 10
Brasschaat ....127 H 8
Bray ....131 G 10
Bredene ....126 C 8
Bredene-aan-Zee ....126 C 8
Bree ....128 K 8
Breendonk ....109 G 8
Broechem ....127 H 8
Broekom ....132 J 9
Brugelette ....131 F 10
Brugge (=Bruges) ....126 D 8
Brûly ....135 H 12
Brûly-de-Pesche ....135 H 11
Brunehaut ....130 E 10
Brussegem ....131 G 9
Bruxelles / Brussel ....131 H 9
Bruxelles-Brussel-National
   Aéroport ....131 H 9
Bruyelle ....130 E 10
Bruyère (La) ....132 I 10
Budingen ....132 J 9
Buggenhout ....127 G 8
Buissenal ....131 E 10
Buissonville ....135 J 11
Buizingen ....131 G 9
Buken ....132 H 9
Bulles (Les) ....136 K 12
Büllingen (=Bullange) ..133 M 10
Bunsbeek ....132 I 9
Burdinne ....132 J 10
Bure ....135 J 11
Burg-Reuland ....137 M 11
Burst ....131 F 9
Bury ....131 E 10
Bütgenbach ....133 M 10
Buvrinnes ....131 G 10
Buzenol ....137 K 13

C

Caillou (Musée du) ......131 H 10
Callenelle ....131 E 10
Cambron-Casteau ....131 F 10
Cambron-St. Vincent ...131 F 10
Carlsbourg ....135 J 12
Casteau ....131 G 10
Cedrogne (Bois de) .....137 L 11
Celles Gendron ....135 J 11
Celles lez Tournai ......130 E 9
Celles lez Waremme ...132 J 10
Cerfontaine ....135 H 11
Céroux-Mousty ....131 H 10
Chaineux ....133 L 10
Champion ....132 I 10
Champion ....136 K 11
Chantemelle ....137 L 13
Chapelle-lez-Herlaimont .131 G 10
Chapon-Seraing ....132 J 10
Charleroi ....131 H 10
Charneux ....133 L 9
Chassepierre ....136 J 12
Chastre ....132 H 10
Chastrès ....135 H 11
Châtelet ....131 H 10
Châtillon ....137 L 13
Chaudfontaine ....133 K 10
Chaumont-Gistoux .....132 I 9
Chaussée-Notre-Dame .131 G 10
Chenogne ....137 K 12
Cherain ....137 L 11
Chevetogne ....135 J 11
Chevron ....133 L 10
Chièvres ....131 F 10
Chimay ....135 G 11
Chimay (Bois de) ....135 G 11
Chiny ....135 K 12
Chiny (Forêt de) ....136 K 12
Ciergnon ....135 J 11
Ciney ....135 J 11
Ciplet ....132 J 10
Ciply ....131 F 10
Clavier ....132 K 10
Clermont ....133 L 10
Clermont sur Meuse ...133 L 10
Clermont Walcourt .....135 G 11
Cobreville ....137 K 12

Colfontaine ....131 F 10
Comblain-au-Pont ......133 K 10
Comblain-Fairon ....132 K 10
Comblain-la-Tour ....133 K 10
Comines-Warneton
   (=Komen-Waasten) ..130 D 9
Commanster ....137 M 11
Condroz ....113 J 10
Coo ....133 L 10
Corbion ....135 J 12
Cordes ....131 E 9
Corenne ....135 I 11
Corroy-le-Château ......132 H 10
Corroy-le-Grand ....132 I 10
Cortil-Noirmont ....132 I 10
Cortil-Wodon ....132 I 10
Cour ....135 H 11
Courcelles ....131 H 10
Courrière ....132 I 10
Court-St. Etienne ....131 H 10
Couthuin ....132 J 10
Coutisse ....132 J 10
Couvin ....135 H 11
Couvin (Bois de) ....135 H 11
Crèvecœur (Château de) .135 I 11
Crisnée ....132 K 9
Crombach ....137 M 11
Crupet ....132 I 10
Cuesmes ....131 F 10
Cugnon ....135 J 12
Cul-des-Sarts ....135 H 12
Custinne ....135 J 11

D

Dadizele ....130 D 9
Dailly ....135 H 11
Dalhem ....133 L 9
Damme ....126 D 8
Dampicourt ....136 K 13
Daussois ....135 H 11
Dave ....132 I 10
Daverdisse ....135 J 11
Deerlijk ....130 E 9
Deftinge ....131 F 9
Deiffelt ....137 M 11
Deinze ....127 E 9
Demer ....128 K 9
Denderhoutem ....131 G 9
Denderleeuw ....131 G 9
Dendermonde (=Termonde) .127 G 8
Denderwindeke ....131 G 9
Dendre / Dender ....131 F 10
Denée ....135 I 11
Dentergem ....126 E 9
Dergneau ....131 E 9
Dessel ....128 J 8
Desselgem ....130 E 9
Destelbergen ....127 F 8
Deurle ....127 E 8
Deurne Vlaams-Brabant .128 J 8
Deurne Antwerpen .....127 H 8
Deutsch-Belgischer
   Naturpark ....137 M 10
Deux-Acren ....131 F 9
Dhuy ....132 I 10
Diegem ....131 H 9
Diepenbeek ....132 K 9
Diest ....128 J 9
Dijle / Dyle ....128 H 10
Dikkebus ....130 C 9
Diksmuide (=Dixmude) .126 C 8
Dilbeek ....131 G 9
Dilsen ....128 L 8
Dinant ....135 I 11
Dion-le-Mont ....132 H 9
Dion-le-Val ....132 H 9
Dison ....133 L 10
Dochamps ....137 K 11
Doel ....127 G 8
Doest (Ter) ....126 D 8
Dohan ....135 J 12
Doische ....135 I 11
Dolembreux ....133 K 10
Dommel ....110 K 8
Donceel ....132 J 10
Dongelberg ....132 I 9
Donkmeer ....127 F 8
Dorinne ....135 I 11
Dottignies (=Dottenijs) .130 D 9
Dour ....131 F 10
Dourbes ....135 H 11
Drongen ....127 E 8
Dudzele ....126 D 8
Duffel ....127 H 8
Duinbergen ....126 D 7
Duisburg ....131 H 9
Durbuy ....132 K 10

Durme ....127 G 8
Durnal ....132 I 10
Dworp ....131 G 9

E

Eau Blanche ....113 H 11
Eau d'Heure ....113 H 11
Eau d'Heure (Barrages de l') 135 H 11
Eau Noire ....113 H 11
Ebly ....137 K 12
Ecaussinnes-d'Enghien .131 G 10
Ecaussinnes-Lalaing ....131 G 10
Edegem ....127 H 8
Eeklo ....127 E 8
Eel ....128 J 7
Eernegem ....126 D 8
Egem ....126 D 8
Éghezée ....132 I 10
Einde ....132 I 9
Eindhout ....128 I 8
Eine ....127 E 9
Eisden ....128 L 9
Eisderbos ....110 L 9
Eke ....127 E 9
Ekeren ....127 H 8
Eksaarde ....127 F 8
Eksel ....128 K 8
Elen ....129 L 8
Elewijt ....127 H 9
Ellemelle ....132 K 10
Ellezelles (=Elzele) .....131 F 9
Ellignies-Ste. Anne .....131 F 10
Elouges ....131 F 10
Elsenborn ....133 M 10
Elverdinge ....130 C 9
Elversele ....127 G 8
Emael ....133 K 9
Emblem ....127 H 8
Emines ....132 I 10
Emptinne ....135 J 11
Enclus (Mont de l') .....109 E 9
Enghien (=Edingen) ....131 G 9
Engis ....132 K 10
Ensival ....133 L 10
Eppegem ....127 H 9
Eprave ....135 J 11
Erbisœul ....131 F 10
Erembodegem ....131 G 9
Erezée ....137 K 11
Ermeton-sur-Biert ......135 I 11
Erneuville ....137 K 11
Ernonheid ....133 L 10
Erpe-Mere ....131 F 9
Erpion ....135 H 11
Erps-Kwerps ....131 H 9
Erquelinnes ....134 G 11
Ertvelde ....127 F 8
Escaillère (L') ....135 H 12
Escanaffles ....130 E 9
Escaut / Schelde ....130 E 10
Esen ....126 C 8
Esneux ....132 K 10
Esplechin ....130 D 10
Essen ....127 H 7
Essene ....131 G 9
Estaimbourg ....130 D 9
Estaimpuis ....130 D 9
Estinnes-au-Mont ......131 G 10
Etalle ....137 K 12
Éthe ....137 K 13
Etikhove ....131 E 9
Eugies ....131 F 10
Eupen ....133 M 10
Euro Space Center ......135 J 12
Evelette ....132 J 10
Everbeek ....131 F 9
Evergem ....127 F 8
Eynatten ....133 M 9

F

Fagne ....112 G 11
Fagnolle ....135 H 11
Faimes ....132 J 10
Falaën ....135 I 11
Falemprise ....135 H 11
Falisolle ....132 H 10
Fallais ....132 J 10
Falmagne ....135 I 11
Falmignoul ....135 I 11
Famenne ....113 J 11
Familleureux ....131 G 10
Fanzel ....133 K 11
Farciennes ....131 H 10
Faulx-les-Tombes ....132 J 10
Fauvillers ....137 K 12
Faymonville ....133 M 10
Fays-les-Veneurs ....135 J 12

A B C D E F G H I J K L M N O P Q R S T U V W X Y Z

Fayt-le-Franc 131 F 10
Felenne 135 I 11
Feluy 131 G 10
Fernelmont 132 I 10
Ferrières 133 K 10
Feschaux 135 I 11
Fexhe-le-Haut-Clocher 132 K 9
Fexhe-Slins 132 K 9
Flamierge 137 K 11
Flavion 135 I 11
Flawinne 132 I 10
Flémalle 132 K 10
Fléron 133 L 10
Fleurus 131 H 10
Flobecq (=Vloesberg) 131 F 9
Flône 132 K 9
Florée 132 J 10
Floreffe 132 I 10
Florennes 135 H 11
Florenville 136 J 12
Focant 135 J 11
Fontaine-l'Évêque 131 G 10
Fontaine-Valmont 134 G 11
Fontenelle 135 H 11
Fontenoille 136 J 12
Forchies-la-Marche 131 G 10
Forge-Philippe 134 G 12
Forges 135 G 11
Forges Jean Petit 135 H 12
Forrières 135 J 11
Forville 132 J 10
Fosse 133 L 10
Fossés (Les) 136 K 12
Fosses-la-Ville 132 I 10
Fouches 137 L 12
Fourneau-St. Michel 135 K 11
Foy-Notre-Dame 135 I 11
Frahan 135 J 12
Fraipont 133 L 10
Fraire 135 H 11
Fraiture 132 K 10
Frameries 131 F 10
Framont 135 J 12
Franc-Waret 132 I 10
Franchimont 135 H 11
Franchimont (Ruines de) 133 L 10
Francorchamps 133 L 10
Franière 132 I 10
Frasnes 135 H 11
Frasnes-lez-Gosselies 131 H 10
Frasnes-lez-Anvaing 131 E 9
Frênes (Rochers de) 132 I 10
Freux-Suzeran 136 K 12
Freyir (Forêt de) 136 K 11
Freÿr 135 I 11
Froidchapelle 135 G 11
Fronville 136 K 11
Fumal 132 J 10
Furfooz 135 I 11
Furnaux 135 I 11

G
Gaasbeek 131 G 9
Galmaarden 131 F 9
Ganshoren 131 G 9
Gaume 115 K 13
Gaurain-Ramecroix 131 E 10
Gavere 131 E 9
Gedinne 135 I 12
Geel 128 I 8
Geer 132 J 9
Geer Rivière 110 K 9
Geet 132 J 9
Geetbets 132 J 9
Gelbressée 132 I 10
Gellik 133 K 9
Gelmen 132 J 9
Gelrode 128 I 9
Geluveld 130 D 9
Geluwe 130 D 9
Gembes 135 J 12
Gembloux 132 I 10
Gemmenich 133 M 9
Genappe 131 H 10
Genk 128 K 9
Genly 131 F 10
Gent (=Gand) 127 F 8
Gentinnes 132 H 10
Genval 131 H 9
Geraardsbergen (=Grammont) 131 F 9
Gérompont 132 I 10
Gérouville 136 K 13
Gerpinnes 135 H 10
Gesves 132 J 10
Getzbach 111 M 9
Ghislenghien 131 F 10
Ghlin 131 F 10

Gierle 128 I 8
Gijverinkhove 126 C 9
Gijzegem 127 G 9
Gileppe (Barrage de la) 133 L 10
Gimnée 135 I 11
Gingelom 132 J 9
Ginste 126 E 9
Gistel 126 C 8
Gits 126 D 9
Givroulle 137 K 11
Givry 131 G 10
Glabais 131 H 10
Glabbeek 132 I 9
Glanerie (La) 130 D 10
Gleize (La) 133 L 10
Glimes 132 I 9
Glons (=Glaaien) 132 K 9
Gochenée 135 I 11
Godarville 131 G 10
Godinne 132 I 10
Goé 133 L 10
Gœgnies-Chaussée 134 F 10
Goesnes 132 J 10
Gomzé 133 L 10
Gondregnies 131 F 10
Gonrieux 135 H 11
Gooik 131 G 9
Gosselies 131 H 10
Gougnies 131 H 10
Gouvy 137 L 11
Gouy-lez-Piéton 131 G 10
Gozée 135 H 10
Grâce-Hollogne 132 K 10
Graide 135 J 12
Grand-Halleux 133 L 11
Grand-Leez 132 I 10
Grand-Reng 134 G 11
Grand-Rosière-Hottomont 132 I 10
Grandcourt 137 K 13
Grande Gette / Grote Gete 132 I 9
Grand-Hallet 132 J 9
Grandhan 132 K 11
Grandmenil 137 K 11
Grandrieu 134 G 11
Grandvoir 135 K 12
Grapfontaine 136 K 12
Graty 131 F 10
Gravenvoeren ('s) (=Fouron-le-Comte) 133 L 9
Grembergen 127 G 8
Grez-Doiceau (=Graven) 132 I 9
Grimbergen 127 H 9
Grobbendonk 128 I 8
Groenendaal (=Groenendael) 132 H 9
Grootbos 110 J 8
Grosage 131 F 10
Grote-Barreel (De) 128 K 8
Grote-Brogel 128 K 8
Grote Geule 109 G 8
Grote Nete 110 J 8
Grüfflingen 137 M 11
Gruitrode 128 K 8
Grune 135 K 11
Grupont 135 J 11
Guigoven 132 K 9
Gullegem 130 D 9

H
Haacht 128 H 9
Haaltert 131 G 9
Haan (De) 126 D 8
Haasdonk 127 G 8
Haasrode 132 I 9
Habay-la-Neuve 137 K 12
Habay-la-Vieille 137 K 12
Habergy 137 L 13
Haccourt 133 L 9
Hageland 110 I 9
Haillot 132 J 10
Hainaut Province 112 E 10
Haine-St. Paul 131 G 10
Hakendover 132 I 9
Halanzy 137 L 13
Halen 128 J 9
Hallaar 128 I 8
Halle Antwerpen 128 H 8
Halle (=Hal Brabant) 131 G 9
Halle-Booienhoven 132 J 9
Halleux 136 K 11
Halma 135 J 11
Haltinne 132 J 10
Ham 128 J 8
Ham-sur-Heure 135 H 11
Hamipré 135 J 12
Hamme Oost-Vlaanderen 127 G 8
Hamme-Mille 132 I 9
Hamoir 132 K 10

Hamois 132 J 10
Hamont 128 K 8
Hampteau 136 K 11
Ham-sur-Sambre 132 I 10
Han (Grotte de) 135 J 11
Han-sur-Lesse 135 J 11
Handzame 126 D 8
Haneffe 132 J 10
Hannêche 132 J 10
Hannut 132 J 9
Hanret 132 I 10
Hansbeke 127 E 8
Hantes-Wihéries 134 G 11
Hanzinelle 135 H 11
Hanzinne 135 H 11
Harelbeke 130 D 9
Hargimont 135 J 11
Harmignies 131 G 10
Harnoncourt 136 K 13
Harre 133 K 10
Harsin 135 K 11
Harzé 133 L 10
Hasselt 128 J 9
Hastière-Lavaux 135 I 11
Hastière-par-delà 135 I 11
Hatrival 135 K 11
Haulchin 131 G 10
Hauset 133 M 9
Haut-Fays 135 J 11
Haut-le-Wastia 135 I 11
Haut-Bodeux 133 L 10
Haute Desnié 133 L 10
Hautes Fagnes 133 M 10
Hautes Fagnes Eifel (Parc naturel) 133 M 10
Hautrage 131 F 10
Havay 131 F 10
Havelange 132 J 10
Haversin 135 J 11
Havré 131 G 10
Hayons (Les) 135 J 12
Hechtel 128 K 8
Heer 135 I 11
Heers 132 J 9
Heestert 130 E 9
Heikruis 131 G 9
Heinsch 137 L 12
Heinstert 137 L 12
Heist 126 D 7
Heist-op-den-Berg 128 I 8
Hekelgem 131 G 9
Heks 132 K 9
Helchteren 128 K 8
Heldergem 131 F 9
Hélécine 132 I 9
Hemiksem 127 H 8
Hemptinne 132 I 10
Hennuyères 131 G 10
Henri-Chapelle 133 L 9
Henripont 131 G 10
Hensies 131 F 10
Heppen 128 J 8
Heppenbach 133 M 10
Herbaimont 137 K 11
Herbesthal 133 L 10
Herbeumont 135 J 12
Herbeumont (Forêt d') 135 J 12
Herchies 131 F 10
Herderen 132 K 9
Herenelderen ('s) 132 K 9
Herent 132 I 9
Herentals 128 I 8
Herenthout 128 I 8
Herfelingen 131 G 9
Hergenrath 133 M 9
Herinnes 130 E 9
Herk 110 J 9
Herk-de-Stad 128 J 9
Herlinval 137 K 11
Hermalle-sous-Argenteau 133 L 9
Hermalle-sous-Huy 132 K 10
Hermeton 113 H 11
Herne 131 G 9
Héron 132 J 10
Herresbach 133 M 11
Herseaux 130 D 9
Herselt 128 I 8
Herstal 133 K 9
Herstappe 132 K 9
Hertogenwald 133 M 10
Hertsberge 126 D 8
Herve 133 L 10
Herzele 131 F 9
Hesbaye 113 J 10
Heultje 128 I 8
Heure 135 J 11
Heusden 128 J 8
Heusy 133 L 10

Heuvelland 130 C 9
Hever 127 H 9
Heverlee 132 I 9
Heyd 133 K 10
Hingene 127 G 8
Hingeon 132 J 10
Hives 137 K 11
Hoboken 127 H 8
Hockai 133 L 10
Hodeige 132 K 9
Hodinfosse (Bois de) 114 L 11
Hodister 136 K 11
Hody 132 K 10
Hoëgne 114 L 10
Hoeilaart 131 H 9
Hoepertingen 132 J 9
Hoeselt 132 K 9
Hoevenen 127 H 8
Höfen (Forêt de) 114 M 10
Hofstade Oost-Vlaanderen 127 G 9
Hofstade Vlaams-Brabant 127 H 9
Hogne 135 J 11
Hohes Venn 114 M 11
Hollain 130 E 10
Hollange 137 L 12
Hollebeke 130 C 9
Hollogne 132 J 9
Holsbeek 132 I 9
Hombeek 127 H 8
Hombourg 133 L 9
Hompré 137 L 12
Hondelange 137 L 13
Honnay 135 J 11
Honnelles 134 F 10
Honsfeld 133 M 10
Hoogledge 126 D 9
Hoogstade 126 C 9
Hoogstraten 128 I 7
Horion 132 K 10
Hornu 131 F 10
Horrues 131 G 10
Horst 132 J 9
Hotton 136 K 11
Hotton (Grottes de) 136 K 11
Houdeng-Aimeries 131 G 10
Houdremont 135 I 12
Houffalize 137 L 11
Houille 113 I 11
Houppe (La) 131 F 9
Hour 135 J 11
Houtain-le-Val 131 H 10
Houtain-St. Siméon 133 K 9
Houtaing 131 F 10
Houtem 126 B 8
Houthalen-Helchteren 128 K 8
Houthem 130 C 9
Houthulst 126 C 9
Houtvenne 128 I 8
Houwaart 128 I 9
Houyet 135 J 11
Hoves 131 G 9
Huccorgne 132 J 10
Huise 131 E 9
Huissignies 131 F 10
Huizingen 131 G 9
Huldenberg 131 H 9
Hulpe (La) (=Terhulpen) 131 H 9
Hulshout 128 I 8
Hulsonniaux 135 I 11
Humain 135 J 11
Humbeek 127 H 9
Hundelgem 131 F 9
Huppaye 132 I 9
Huy (=Hoei) 132 J 10

I - J
Ichtegem 126 D 8
Ieper (=Ypres) 130 C 9
Ijse 109 H 9
Ijzer 126 C 9
Incourt 132 I 9
Ingelmunster 130 D 9
Ingooigem 130 E 9
Isières 131 F 10
Itegem 128 I 8
Ittre 131 G 10
Ivoz-Ramet 132 K 10
Izegem 130 D 9
Izel 136 K 12
Izenberge 126 B 8
Izier 133 K 10
Jabbeke 126 D 8
Jalhay 133 L 10
Jamagne 135 H 11
Jambes 132 I 10
Jamioulx 131 H 10

Jamoigne 136 K 12
Jandrain 132 I 9
Jannée 135 J 11
Jauche 132 I 9
Jehanster 133 L 10
Jehay 132 J 10
Jehonville 135 J 12
Jemappes 131 F 10
Jemelle 135 J 11
Jemeppe sur Meuse 132 K 10
Jemeppe-sur-Sambre 132 I 10
Jeneffe en Condroz 132 J 10
Jeneffe en Hesbaye 132 K 10
Jenneret 132 K 10
Jeuk (=Goyer) 132 J 9
Jezus-Eik (=Notre-Dame-au-Bois) 131 H 9
Jodoigne (=Geldenaken) 132 I 9
Jonkershove 126 C 9
Julémont 133 L 9
Jupille 133 K 10
Juprelle 132 K 9
Jurbise 131 F 10
Juseret 137 K 12

K
Kaaskerke 126 C 8
Kachtem 130 D 9
Kalken 127 F 8
Kallo 127 G 8
Kalmthout 127 H 7
Kampenhout 127 H 9
Kanegem 126 E 8
Kanne 133 L 9
Kapelle-op-den-Bos 127 H 8
Kapellen 127 H 8
Kaprijke 127 E 8
Kaster 131 E 9
Kasterlee 128 I 8
Kaulille 128 K 8
Keerbergen 128 I 8
Kelmis (=La Calamine) 133 M 9
Kemmel 130 C 9
Kemmelbeek 108 C 9
Kemmelberg 130 C 9
Kemzeke 127 G 8
Kerkbrugge 127 F 8
Kerkhoven 128 J 8
Kermt 128 J 9
Kerniel 132 K 9
Kessel 135 J 11
Kessel-Lo 132 I 9
Kessenich 129 L 8
Kettenis 133 M 10
Kieldrecht 127 G 8
Kinrooi 128 L 8
Klein Vorst 128 I 8
Kleine-Brogel 128 K 8
Kleine Gete / Petite Gette 132 I 9
Kleine Nete 110 I 8
Klemskerke 126 D 8
Klerken 126 C 9
Klinge (De) 127 G 8
Kluisberg 131 E 9
Kluisbergen 131 E 9
Kluizen 127 F 8
Knesselare 126 E 8
Knokke-Heist 126 D 7
Koekelare 126 D 8
Koersel 128 J 8
Koewacht 127 F 8
Koksijde 126 B 8
Koksijde-Bad 126 B 8
Koloniën (De) 128 K 8
Koningshooikt 131 H 8
Kontich 127 H 8
Koolskamp 126 D 8
Korbeek-Lo 132 I 9
Kortemark 126 D 8
Kortenaken 132 J 9
Kortenberg 127 H 9
Kortenbos 132 J 9
Kortessem 132 K 9
Kortrijk (=Courtrai) 130 D 9
Kortrijk-Dutsel 128 I 9
Kozen 132 J 9
Kraainem 131 H 9
Krombeke 130 C 9
Kruibeke 127 G 8
Kruishoutem 131 E 9
Kruisstraat 132 I 9
Kumtich 132 I 9
Kuringen 128 J 9
Kuurne 130 D 9
Kwaadmechelen 128 J 8
Kwatrecht 127 F 9

L
Laakdal 128 I 8
Laarne 127 F 8
Lacuisine 136 J 12
Lahamaide 131 F 9
Lambermont 136 J 12
Lambermont Liège 133 L 10
Lambusart 131 H 10
Lamorteau 136 K 13
Lampernisse 126 C 8
Lanaken 133 K 9
Lanaye (=Ternaaien) 133 L 9
Landelies 131 H 10
Landen 132 J 9
Laneffe 135 H 11
Laneuville 136 K 12
Langdorp 128 I 9
Langemark-Poelkapelle 130 C 9
Langlire 137 L 11
Lapscheure 126 E 8
Lasne 131 H 9
Lasne / Laan (Rivière) 131 H 9
Latour 137 K 13
Lauw (=Lowaige) 132 K 9
Lauwe 130 D 9
Lavacherie 136 K 11
Lavaux-Ste. Anne 135 J 11
Lebbeke 127 G 9
Lede 127 F 9
Ledegem 130 D 9
Leefdaal 131 H 9
Leerbeek 131 G 9
Leernes 131 H 10
Leers-et-Fosteau 134 G 11
Leers-Nord 130 D 9
Leest 127 H 8
Leffinge 126 C 8
Léglise 137 K 12
Leie / Lys 130 C 9
Leignon 135 J 11
Leisele 126 B 9
Leke 126 C 8
Lembeek 131 G 9
Lembeke 127 E 8
Lendelede 130 D 9
Lennik 131 G 9
Lens 131 F 10
Lens-St. Servais 132 J 10
Leopold Kanaal 109 E 8
Leopoldsburg 128 J 8
Lesse 135 I 11
Lesse et Lomme (Parc Naturel de) 135 J 11
Lessines (=Lessen) 131 F 9
Lessive 135 J 11
Lesterny 135 J 11
Leugnies 134 G 11
Leut 128 L 9
Leuven (=Louvain) 132 I 9
Leuze 132 I 10
Leuze-en-Hainaut 131 E 10
Leval-Chaudeville 134 G 11
Leval-Trahegnies 131 G 10
Libin 135 J 12
Libramont 135 K 12
Lichtaart 128 I 8
Lichtenbusch 111 M 9
Lichtervelde 126 D 8
Liedekerke 131 G 9
Liège (=Luik) 132 K 10
Liège Province 114 K 10
Liège-Bierset Aéroport 132 K 10
Lienne 137 L 11
Lier (=Lierre) 127 H 8
Lierde 131 F 9
Lierneux 137 L 11
Liernu 132 I 10
Liers 132 K 9
Ligne 131 F 10
Ligneuville 133 M 10
Ligny 131 H 10
Lille 128 I 8
Lillois-Witterzée 131 H 10
Limal 131 H 9
Limbourg 133 L 10
Limburg Province 110 K 8
Limelette 131 H 9
Limerlé 137 L 11
Limes 136 K 13
Limont 132 J 10
Lincent (=Lijsem) 132 J 9
Linkebeek 131 H 9
Linkhout 128 J 9
Lint 127 H 8
Linter 132 J 9
Lion (Butte du) 131 H 9

Lisogne .... 135 I 11
Lissewege .... 126 D 8
Lo .... 126 C 9
Lobbes .... 131 G 10
Lochristi .... 127 F 8
Loenhout .... 128 H 7
Logbiermé .... 133 L 10
Loker .... 130 C 9
Lokeren .... 127 F 8
Loksbergen .... 128 J 9
Lomme .... 135 J 11
Lommel .... 128 J 8
Lommersweiler .... 137 M 11
Lompret .... 135 H 11
Lomprez .... 135 J 11
Londerzeel .... 127 G 8
Longchamps *lez-Bastogne* 137 L 11
Longchamps *lez-Dhuy* .. 132 I 10
Longlier .... 136 K 12
Longueville .... 132 I 9
Longvilly .... 137 L 11
Lontzen .... 133 M 9
Loppem .... 126 D 8
Lorcé .... 133 L 10
Losheimergraben .... 133 N 10
Lot .... 131 G 9
Lotenhulle .... 126 E 8
Louette-St. Denis .... 135 I 12
Louette-St. Pierre ...... 135 I 12
Louise-Marie .... 131 E 9
Louvain-la-Neuve .... 132 H 9
Louveigné .... 133 L 10
Louvière (La) .... 131 G 10
Lovendegem .... 127 E 8
Loyers .... 132 I 10
Lozen .... 128 K 8
Lubbeek .... 132 I 9
Luchi (Forêt de) .... 135 J 12
Lummen .... 128 J 8
Lustin .... 132 I 10
Luttre .... 131 H 10
Luxembourg *Province* ... 113 J 12

M

Maarkedal .... 131 E 9
Maaseik .... 129 L 8
Maasmechelen .... 129 L 8
Mabompré .... 137 L 11
Machelen .... 131 E 9
Machelen
  Oost Vlaanderen ..... 127 H 9
Macon .... 134 G 11
Macquenoise .... 134 G 12
Maffe .... 132 J 10
Mageret .... 137 L 11
Maillen .... 132 I 10
Mainvault .... 131 F 10
Maisières .... 131 F 10
Maissin .... 135 J 12
Maizeret .... 132 I 10
Malchamps .... 133 L 10
Maldegem .... 126 E 8
Malderen .... 127 G 8
Malempré .... 137 L 11
Malle .... 128 I 8
Malmédy .... 133 M 10
Malonne .... 132 I 10
Manage .... 131 G 10
Manderfeld .... 133 N 10
Manhay .... 137 L 11
Marbais .... 131 H 10
Marbehan .... 137 K 12
Marche-en-Famenne ... 135 K 11
Marche-les-Dames ..... 132 I 10
Marche-lez-Ecaussinnes 131 G 10
Marchin .... 132 J 10
Marcinelle .... 131 H 10
Marcourt .... 136 K 11
Marèdret .... 135 I 11
Maredsous (Abbaye de) 135 I 11
Marenne .... 136 K 11
Maria-Aalter .... 126 E 8
Maria-ter-Heide .... 127 H 8
Mariakerke .... 126 C 8
Mariekerke .... 127 G 8
Mariembourg .... 135 H 11
Mariemont .... 112 G 10
Marilles .... 132 I 9
Marloie .... 135 J 11
Marquain .... 130 D 10
Martelange .... 137 L 12
Masbourg .... 135 J 11
Masnuy-St.Jean .... 131 F 10
Massemen .... 127 F 9
Massenhoven .... 128 H 8
Matagne-la-Grande ..... 135 H 11
Matagne-la-Petite .... 135 H 11

Maten (De) .... 128 K 9
Maubray .... 131 E 10
Maulde .... 131 E 10
Maurage .... 131 G 10
Mazée .... 135 I 11
Mazenzele .... 127 G 9
Mazy .... 132 I 10
Méan .... 132 K 10
Mechelen (=*Malines*) .. 127 H 8
Mechelen-Bovelingen .. 132 J 9
Mechelse Heide .... 128 K 9
Meeffe .... 132 J 10
Meensel .... 132 I 9
Meer .... 128 I 7
Meerbeke .... 131 G 9
Meerdonk .... 127 G 8
Meerhout .... 128 J 8
Meerle .... 128 I 7
Meeuwen .... 128 K 8
Mehaigne .... 132 I 10
Meise .... 127 G 9
Meix-devant-Virton ..... 136 K 13
Meix-le-Tige .... 137 L 13
Meldert *Limburg* ...... 128 J 8
Meldert *Oost-Vlaanderen* 131 G 9
Melen .... 133 L 10
Mélin .... 132 I 9
Melle .... 127 F 8
Mellet .... 131 H 10
Mellier .... 136 K 12
Mello .... 128 J 9
Melsele .... 127 G 8
Melsen .... 127 F 9
Membre .... 135 I 12
Menen (=*Menin*) .... 130 D 9
Menuchenet .... 135 J 12
Merbes-le-Château ..... 134 G 11
Merbes-Ste. Marie ..... 131 G 10
Merchtem .... 127 G 9
Merdorp .... 132 J 10
Mere .... 131 F 9
Merelbeke .... 127 F 9
Merendree .... 127 E 8
Merkem .... 126 C 9
Merksplas .... 128 I 7
Merlanvaux (Forêt de) .. 136 K 13
Merlemont .... 135 H 11
Mesen (=*Messines*) ... 130 C 9
Meslin-l'Évêque .... 131 F 10
Mesnil-St. Blaise .... 135 I 11
Messancy .... 137 L 13
Mettet .... 135 H 11
Meulebeke .... 126 D 9
Meuse / Maas .... 135 I 11
Meux .... 132 I 10
Meyerode .... 133 M 11
Michelbeke .... 131 F 9
Micheroux .... 133 L 10
Middelburg .... 126 E 8
Middelkerke .... 126 C 8
Middelkerke-Bad .... 126 C 8
Miécret .... 132 J 10
Mielmont .... 132 I 10
Mignault .... 131 G 10
Millen .... 132 K 9
Minderhout .... 128 I 7
Mirwart .... 135 J 11
Modave .... 132 J 10
Moelingen .... 133 L 9
Moen .... 130 E 9
Moerbeke *Aalst* .... 131 F 9
Moerbeke *Waas* .... 127 F 8
Moerbrugge .... 126 D 8
Moere .... 126 C 8
Moeren (De) .... 126 B 8
Moerkerke .... 126 E 8
Moervaart .... 109 F 8
Moerzeke .... 127 G 8
Moha .... 132 J 10
Mohiville .... 132 J 10
Moircy .... 136 K 12
Mol .... 128 J 8
Molenbeek .... 110 I 8
Molenbeersel .... 128 L 8
Molenstede .... 128 J 8
Molinfaing .... 136 K 12
Momalle .... 132 K 9
Mombeek .... 110 K 9
Momignies .... 134 G 11
Monceau-en-Ardenne .. 135 I 12
Monceau-Imbrechies ... 134 G 11
Mons (=*Bergen*) .... 131 F 10
Mont *lez-Houffalize* ... 137 L 11
Mont *sur-Meuse* .... 132 I 10
Mont-de-l'Enclus .... 131 E 9
Mont-Gauthier .... 135 J 11
Mont-St. Guibert .... 132 H 10

Mont-Ste. Geneviève ... 131 G 10
Montaigle (Château de) .. 135 I 11
Montauban .... 137 K 13
Montbliart .... 134 G 11
Montenaken .... 132 J 9
Montignies-lez-Lens .... 131 F 10
Montignies-St-Christophe . 134 G 11
Montignies-sur-Roc .... 131 F 10
Montigny-le-Tilleul ..... 131 H 10
Montleban .... 137 L 11
Montquintin .... 136 K 13
Montrœul-au-Bois .... 131 E 10
Montzen .... 133 L 9
Moorsel *Oost-Vlaanderen* 127 G 9
Moorsele .... 130 D 9
Moorslede .... 130 D 9
Moortsele .... 127 F 9
Mopertingen .... 132 K 9
Moresnet .... 133 L 9
Morhet .... 137 K 12
Morialmé .... 135 H 11
Morkhoven .... 128 I 8
Morlanwelz .... 131 G 10
Mormont *près d'Erezée* 133 K 11
Mormont *près d'Houffalize* 137 L 11
Mortehan .... 135 J 12
Mortsel .... 127 H 8
Morville .... 135 I 11
Moulbaix .... 131 F 10
Mourcourt .... 130 E 10
Mouscron (=*Moeskroen*) .. 130 D 9
Moustier .... 131 E 10
Moxhe .... 132 J 10
Munkzwalm .... 131 F 9
Muno .... 136 J 12
Muno (Forêt de) .... 135 J 12
Munsterbilzen .... 132 K 9
Musson .... 137 L 13
Mussy-la-Ville .... 137 K 13
My .... 133 K 10

N

Naast .... 131 G 10
Nadrin .... 137 L 11
Nafraiture .... 135 I 12
Nalinnes .... 135 H 11
Namêche .... 132 I 10
Namur (=*Namen*) .... 132 I 10
Namur *Province* .... 113 I 10
Nandrin .... 132 K 10
Naninne .... 132 I 10
Naomé .... 135 J 12
Nassogne .... 135 K 11
Natoye .... 132 I 10
Nazareth .... 127 E 9
Néchin .... 130 D 9
Nederzwalm .... 131 F 9
Neerharen .... 133 L 9
Neerheylissem .... 132 I 9
Neerijse .... 132 H 9
Neerlinter .... 132 I 9
Neeroeteren .... 128 L 8
Neerpelt .... 128 K 8
Neerwinden .... 132 I 9
Neigem .... 131 G 9
Nete .... 127 H 8
Nethen .... 132 I 9
Neudort .... 133 M 9
Neufchâteau *Liège* ... 133 L 9
Neufchâteau *Luxembourg* . 136 K 12
Neufchâteau (Forêt de) . 136 K 12
Neufmaison .... 131 F 10
Neufvilles .... 131 G 10
Neupré .... 132 K 10
Neuville .... 135 H 11
Neuville-en-Condroz ... 132 K 10
Nevele .... 127 E 8
Niel .... 127 G 8
Nieuwenhove .... 131 F 9
Nieuwenrode .... 127 G 8
Nieuwerkerken .... 132 J 9
Nieuwkerke
  (=*Neuve-Église*) .... 130 C 9
Nieuwkerken-Waas ..... 127 G 8
Nieuwmoer .... 127 H 7
Nieuwmunster .... 126 D 8
Nieuwpoort .... 126 C 8
Nieuwpoort-Bad .... 126 C 8
Nijlen .... 128 I 8
Nil-St. Vincent-St. Martin .. 132 I 10
Nimy .... 131 F 10
Nismes *Viroinval* ...... 135 H 11
Nismes (Forêt de) ...... 135 H 11
Nisramont .... 137 L 11
Nivelles (=*Nijvel*) ..... 131 H 10
Nobressart .... 137 L 12

Noduwez .... 132 I 9
Noirefontaine .... 135 J 12
Noiseux .... 135 K 11
Nokere .... 131 E 9
Nollevaux .... 135 J 12
Noncèveux .... 133 L 10
Noorderwijk .... 128 I 8
Nossegem .... 131 H 9
Notre-Dame de Scourmont 135 H 12
Noville *Liège* .... 132 K 10
Noville *Luxembourg* ... 137 L 11
Noville-les-Bois .... 132 I 10
Nukerke .... 131 E 9
Ny .... 136 K 11

O

Obourg .... 131 G 10
Ochamps .... 135 J 12
Ocquier .... 132 K 10
Odeigne .... 137 L 11
Oedelem .... 126 E 8
Oekene .... 130 D 9
Oelegem .... 127 H 8
Oeselgem .... 130 E 9
Oetingen .... 131 G 9
Œudeghien .... 131 F 9
Offagne .... 135 J 12
Ogy .... 131 F 9
Ohain .... 131 H 9
Ohey .... 132 J 10
Oignies-en-Thiérache .. 135 H 11
Oizy .... 135 J 12
Olen .... 128 I 8
Ollignies (=*Woelingen*) .. 131 F 9
Olloy .... 135 H 11
Olmen .... 128 J 8
Olne .... 133 L 10
Olsene .... 130 E 9
Ombret-Rawsa .... 132 K 10
Ommer Wald .... 114 M 11
Onhaye .... 135 I 11
Onkerzele .... 131 F 9
O.L.V. Lombeek .... 131 G 9
O.L.V. Olen .... 128 I 8
Ooidonk .... 127 E 8
Ooigem .... 130 E 9
Oombergen .... 131 F 9
Oordegem .... 127 F 9
Oost-Vlaanderen
  Provincie .... 109 E 8
Oostakker .... 127 F 8
Oostduinkerke .... 126 C 8
Oostduinkerke-Bad ..... 126 C 8
Oosteeklo .... 127 F 8
Oosterlo .... 128 I 8
Oosterzele .... 127 F 9
Oostham .... 128 J 8
Oostkamp .... 126 D 8
Oostkerke .... 126 D 8
Oostmalle .... 130 D 9
Oostnieuwkerke .... 130 D 9
Oostrozebeke .... 130 E 9
Oostvleteren .... 130 D 9
Oostwinkel .... 127 E 8
Opglabbeek .... 128 K 8
Opgrimbie .... 133 L 9
Ophain .... 131 H 9
Ophasselt .... 131 F 9
Opheylissem .... 132 I 9
Ophoven .... 129 L 8
Opitter .... 128 K 8
Oplinter .... 132 I 9
Opoeteren .... 128 K 8
Opont .... 135 J 12
Opvelp .... 132 I 9
Opwijk .... 127 G 8
Orchimont .... 135 I 12
Oret .... 135 H 11
Oreye (=*Oerle*) .... 132 K 9
Orgeo .... 135 J 12
Orp-Jauche .... 132 I 9
Orp-le-Grand .... 132 I 9
Orroir .... 131 E 9
Orsmaal-Gussenhoven . 132 J 9
Ortheuville .... 136 K 11
Ortho .... 137 K 11
Orval (Abbaye d') .... 136 K 13
Orval (Forêt d') .... 136 K 12
Ossogne .... 132 J 10
Ostiches .... 131 F 9
Oteppe .... 132 J 10
Othée (=*Elch*) .... 132 K 9
Ottenburg .... 132 H 9
Ottignies .... 132 H 9
Oud-Heverlee .... 132 H 9
Oud-Turnhout .... 128 I 8

Oudegem .... 127 G 8
Oudekapelle .... 126 C 8
Oudenaarde (=*Audenarde*) . 131 E 9
Oudenburg .... 126 D 8
Oudler .... 137 M 11
Ouffet .... 132 K 10
Oupeye .... 133 K 9
Our .... 113 J 12
Ouren .... 137 M 11
Ourt .... 136 K 12
Ourthe .... 137 K 11
Ourthe Occidentale .... 137 K 11
Ourthe Orientale .... 137 L 11
Outgaarden .... 132 I 9
Ouwegem .... 127 F 9
Overboelare .... 131 F 9
Overijse .... 131 H 9
Overmere .... 127 F 8
Overpelt .... 128 K 8
Overrepen .... 132 K 9

P

Paal *Limburg* .... 128 J 8
Paal *Oost-Vlaanderen* . 127 G 8
Pailhe .... 132 J 10
Paliseul .... 135 J 12
Panne (De) .... 126 B 8
Papignies *Papegem* .. 131 F 9
Paradis (Défilé du) ..... 136 J 12
Parike .... 131 F 9
Passendale .... 130 D 9
Pâturages .... 131 F 10
Pays (Bois du) .... 137 K 11
Pecq .... 130 E 9
Peer .... 128 K 8
Peissant .... 131 G 10
Pepingen .... 131 G 9
Pepinster .... 133 L 10
Péronnes .... 131 G 10
Péruwelz .... 131 E 10
Pervijze .... 126 C 8
Perwez *en-Condroz* .. 132 J 10
Perwez *en-Hesbaye* .. 132 I 10
Pesche .... 135 H 11
Pessoux .... 135 J 11
Petegem .... 131 E 9
Petegem-aan-de-Leie .. 127 E 9
Petigny .... 135 H 11
Petit Rechain .... 133 L 10
Petit-Rœulx-lez-Braine . 131 G 10
Petit-Rœulx-lez-Nivelles . 131 G 10
Petit-Thier .... 137 L 11
Petite Chapelle .... 135 H 12
Petite Dendre .... 131 E 10
Petithan .... 132 K 10
Philippeville .... 135 H 11
Piéton .... 131 G 10
Pilarde .... 134 G 11
Pin .... 136 K 12
Pinte (De) .... 127 E 9
Pipaix .... 131 E 10
Pittem .... 126 D 9
Plainevaux .... 132 K 10
Plancenoit .... 131 H 10
Plein Fayi .... 133 L 10
Ploegsteert .... 130 C 9
Plombières .... 133 L 9
Poederlee .... 128 I 8
Poelkapelle .... 130 C 9
Poilvache (Château de) . 135 I 11
Poix-St-Hubert .... 135 J 11
Polleur .... 133 L 10
Pollinkhove .... 126 C 9
Pommerœul .... 131 F 10
Pondrôme .... 135 J 11
Pont de Bonne .... 132 J 10
Pont-à-Celles .... 131 H 10
Pont-de-Loup .... 131 H 10
Poperinge .... 130 C 9
Poppel .... 128 J 7
Porcheresse en Ardenne . 135 J 12
Porcheresse en Condroz . 132 J 10
Postel (Abdij) .... 128 J 8
Pottes .... 130 E 9
Poulseur .... 133 K 10
Poupehan .... 135 J 12
Pousset .... 132 J 9
Prayon .... 133 L 10
Presgaux .... 135 H 11
Presles .... 131 H 10
Profondeville .... 132 I 10
Prosper .... 127 G 8
Proven .... 130 B 9
Pulle .... 128 I 8
Purnode .... 135 I 11
Pussemange .... 135 I 12
Putkapel .... 132 I 9

Putte *bij Mechelen* .... 128 H 8
Putte *bij Stabroek* .... 127 H 7
Putte (Ten) .... 126 C 8
Puurs .... 127 G 8

Q

Quaregnon .... 131 F 10
Quartes .... 131 E 10
Quatre Bras (Les) ...... 131 H 10
4 Chemins (Les) .... 113 J 12
Quenast .... 131 G 9
Quevaucamps .... 131 F 10
Quévy .... 131 G 10
Quévy-le-Grand .... 131 F 10
Quiévrain .... 131 F 10

R

Rachecourt .... 137 L 13
Raeren .... 133 M 9
Raerenerwald .... 114 M 10
Ragnies .... 134 G 11
Rahier .... 133 L 10
Ramegnies-Chin .... 130 E 10
Ramillies .... 132 I 10
Ramsel .... 128 I 8
Ramskapelle .... 126 C 8
Rance .... 134 G 11
Rance (Forêt de) .... 112 G 11
Ransberg .... 132 J 9
Ranst .... 127 H 8
Rauw .... 128 J 8
Ravels .... 128 I 7
Rebecq .... 131 G 10
Recht .... 133 M 10
Recogne .... 135 K 12
Redu .... 135 J 11
Reet .... 127 H 8
Regniessart .... 135 H 11
Reid (La) .... 133 L 10
Reinhardstein .... 133 M 10
Rekem .... 128 L 9
Rekkem .... 130 D 9
Remagne .... 136 K 12
Remersdaal .... 133 L 9
Remicourt .... 132 J 9
Rendeux .... 136 K 11
Reninge .... 126 C 9
Reningelst .... 130 C 9
Renlies .... 134 G 11
Ressaix .... 131 G 10
Resteigne .... 135 J 11
Retie .... 128 J 8
Rettigny .... 137 L 11
Rhisnes .... 132 I 10
Riemst .... 133 K 9
Rienne .... 135 I 12
Rièzes .... 135 H 12
Rijkevorsel .... 128 I 7
Rijkhoven .... 132 K 9
Rijmenam .... 127 H 8
Rillaar .... 128 I 9
Rivière .... 132 I 10
Rixensart .... 131 H 9
Robechies .... 134 G 11
Robelmont .... 136 K 13
Robertville .... 133 M 10
Roche-en-Ardenne (La) . 137 K 11
Rochefort .... 135 J 11
Rochefort (Grotte de) .. 135 J 11
Rochehaut .... 135 J 12
Rocherath .... 133 M 10
Rocherather Wald ...... 114 M 10
Rocourt .... 132 K 9
Rodt .... 137 M 11
Roesbrugge-Haringe ... 130 B 9
Roeselare (=*Roulers*) . 130 D 9
Rœulx (Le) .... 131 G 10
Rogery .... 137 L 11
Roisin .... 134 F 10
Roksem .... 126 D 8
Rollegem-Kapelle ...... 130 D 9
Roly .... 135 H 11
Romedenne .... 135 I 11
Romerée .... 135 I 11
Ronchamp .... 136 K 11
Rongy .... 130 E 10
Ronquières .... 131 G 10
Ronse (=*Renaix*) ...... 131 E 9
Roosdaal .... 131 G 9
Rosée .... 135 I 11
Rosières .... 131 H 9
Rosoux-Crenwick .... 132 J 9
Rosseignies .... 131 G 10
Rossignol .... 136 K 12
Rossmont .... 128 L 8
Rotheux-Rimière .... 132 K 10
Rotselaar .... 128 I 9

B C D E F G H I J K L M N O P Q R S T U V W X Y Z

A B C D E F G H I J K L M N O P Q R S T U V W X Y Z

Rouveroy .... 131 G 10
Rouvroy .... 136 K 13
Roy .... 136 K 11
Ruddervoorde .... 126 D 8
Ruette .... 137 K 13
Ruisbroek .... 130 E 9
Ruisbroek .... 131 G 8
Ruiselede .... 126 E 8
Rulles .... 137 K 12
Rulles (Forêt de) .... 114 K 12
Rulles (Rivière) .... 114 L 12
Rumbeke .... 130 D 9
Rumes .... 130 D 10
Rumillies .... 130 E 10
Rummen .... 132 J 9
Rumst .... 127 H 8
Rupel .... 127 H 8
Rupelmonde .... 127 G 8
Rutten (=Russon) .... 132 K 9

S
St. Aubert (Mont) .... 112 E 10
St. Aubin .... 135 H 11
St. Denis Namur .... 132 I 10
St. Georges-sur-Meuse . 132 K 10
St. Gérard .... 132 I 10
St. Ghislain .... 131 F 10
St. Hubert .... 135 K 11
St. Léger .... 137 K 13
St. Marc .... 132 I 10
St. Mard .... 137 K 13
St. Maur .... 130 E 10
St. Médard .... 135 K 12
St. Remacle (Bois de) .. 113 J 11
St. Sauveur .... 131 E 9
St. Séverin .... 132 K 10
St. Symphorien .... 131 G 10
St. Vincent .... 136 K 12
Ste. Cécile .... 136 J 12
Ste. Marie .... 137 K 12
Ste. Marie-Chevigny ... 136 K 12
Ste. Ode .... 136 K 11
Saintes (=St.-Renelde) . 131 G 9
Saive .... 133 L 10
Salles .... 134 G 11
Salm .... 133 L 10
Salmchâteau .... 137 L 11
Sambreville .... 132 H 10
Samrée .... 137 K 11
Samson .... 113 J 10
Sankt Vith .... 137 M 11
Sars-la-Bruyère .... 131 F 10
Sart (près de Lierneux) 133 L 11
Sart (près de Spa) ...... 133 L 11
Sart-Bernard .... 132 I 10
Sart-Custinne .... 135 I 11
Sart-Dames-Avelines ... 131 H 10
Sart-Eustache .... 132 H 10
Sart-Risbart .... 132 I 9
Sart-St. Laurent .... 132 I 10
Sautin .... 134 G 11
Sautour .... 135 H 11
Schaltin .... 132 J 10
Scheldewindeke .... 131 F 9
Schelle .... 127 G 8
Schellebelle .... 127 F 8
Schendelbeke .... 131 F 9
Schepdaal .... 131 G 9
Scherpenheuvel (=Montaigu). 128 I 9
Schilde .... 127 H 8
Schoenberg .... 137 M 11
Schoonaarde .... 127 G 8
Schorisse .... 131 F 9
Schoten .... 127 H 8
Schriek .... 128 I 8
Schuiferskapelle .... 126 E 8
Schulen .... 128 J 9
Sclayn .... 132 J 10
Scy .... 135 J 11
Seilles .... 132 J 10
Selange .... 137 L 13
Seloignes .... 134 G 11
Semois .... 135 K 13
Seneffe .... 131 G 10
Sensenruth .... 135 J 12
Seny .... 132 K 10
Senzeille .... 135 H 11
Seraing .... 132 K 10
Seraing-le-Château ..... 132 J 10
Serinchamps .... 135 J 11
Serskamp .... 127 F 9
Sevri (Bois de) .... 113 I 11
Sibret .... 137 K 12
Sijsele .... 126 D 8
Silenrieux .... 135 H 11
Silly .... 131 F 10
Sinaai .... 127 G 8

Sinsin .... 135 J 11
St.-Agatha-Rode .... 132 H 9
St.-Amands .... 127 G 8
St.-Andries .... 126 D 8
St.-Antelinks .... 131 F 9
St.-Denijs .... 130 E 9
St.-Denijs-Boekel .... 131 F 9
St.-Denijs-Westrem .... 127 E 8
St.-Eloois-Vijve .... 130 E 9
St.-Eloois-Winkel .... 130 E 9
St.-Genesius-Rode
  (=Rhode St. Genèse) ... 131 H 9
St.-Gillis bij Dendermonde. 127 G 8
St.-Gillis-Waas .... 127 G 8
St.-Huibrechts-Lille ..... 128 K 8
St.-Idesbald .... 108 B 8
St.-Jan-in-Eremo .... 127 E 8
St.-Job-in-'t-Goor .... 127 H 8
St.-Joris .... 126 E 8
St.-Joris-Weert .... 132 H 9
St.-Joris-Winge .... 132 I 9
St.-Katelijne-Waver ..... 127 H 8
St.-Katherina-Lombeek . 131 G 9
St.-Kruis .... 126 D 8
St.-Kwintens-Lennik .... 131 G 9
St.-Lambrechts-Herk ... 132 J 9
St.-Laureins .... 127 E 8
St.-Lenaarts .... 128 I 7
St.-Lievens-Esse .... 131 F 9
St.-Lievens-Houtem .... 131 F 9
St.-Margriete .... 127 E 8
St.-Maria-Horebeke .... 131 F 9
St.-Maria-Lierde .... 131 F 9
St.-Maria-Oudenhove .. 131 F 9
St.-Martens-Latem ..... 127 E 8
St.-Martens-Lennik ..... 131 G 9
St.-Martens-Lierde ..... 131 F 9
St.-Martens-Voeren
  (=Fouron-St. Martin) ... 133 L 9
St.-Michiels .... 126 D 8
St.-Niklaas (=St. Nicolas) . 127 G 8
St.-Pauwels .... 127 G 8
St.-Pieters-Kapelle
  aan-den-Ijzer .... 126 C 8
St.-Pieters-Kapelle
  bij-Edingen .... 131 F 9
St.-Pieters-Leeuw ...... 131 G 9
St.-Truiden (=St. Trond) 132 J 9
Sirault .... 131 F 10
Sivry .... 137 G 11
6 Ourthes (Belvédère des) 137 K 11
Sleddderlo .... 128 K 9
Sleidinge .... 127 F 8
Slijpe .... 126 C 8
Sluis .... 128 J 8
Smeermaas .... 133 L 9
Smuid .... 135 J 11
Snaaskerke .... 126 C 8
Snellegem .... 126 D 8
Soheit-Tinlot .... 132 K 10
Soignes (Forêt de) /
  Zoniënwoud .... 109 H 9
Soignies (=Zinnik) ...... 131 G 10
Soiron .... 133 L 10
Solre-St. Géry .... 134 G 11
Solre-sur-Sambre .... 134 G 11
Solwaster .... 133 L 10
Sombreffe .... 132 H 10
Somme-Leuze .... 132 K 10
Sommethonne .... 136 K 13
Sommière .... 135 I 11
Somzée .... 135 H 11
Sorée .... 132 J 10
Sorinne-la-Longue ...... 132 J 10
Sorinnes .... 135 I 11
Sosoye .... 135 I 11
Sougné-Remouchamps . 133 L 10
Soumagne .... 133 L 10
Soumoy .... 135 H 11
Sovet .... 132 J 10
Soy .... 136 K 11
Spa .... 133 L 10
Spa-Francorchamps
  Circuit de .... 133 L 10
Spiennes .... 131 F 10
Spiere (=Espierres) ..... 130 E 9
Spontin .... 135 J 11
Spouwen .... 132 K 9
Sprimont .... 132 J 10
Spy .... 132 I 10
Stabroek .... 127 H 8
Staden .... 126 D 9
Stalhille .... 126 D 8
Stambruges .... 131 F 10
Stave .... 135 H 11
Stavele .... 130 C 9
Stavelot .... 133 L 10

Steendorp .... 127 G 8
Steenhuffel .... 127 G 9
Steenkerque .... 131 G 10
Steenokkerzeel .... 131 H 9
Steinebrück .... 137 M 11
Stekene .... 127 G 8
Stembert .... 133 L 10
Ster .... 133 L 10
Sterrebeek .... 131 H 9
Stevoort .... 132 J 9
Stokkem .... 128 L 8
Stoumont .... 133 L 10
Straimont .... 136 K 12
Strée en Condroz .... 132 J 10
Strée sous Thuin .... 135 G 11
Strépy-Bracquegnies ... 131 G 10
Strombeek-Bever .... 131 H 9
Suarlée .... 132 I 10
Sugny .... 135 I 12
Sûre .... 137 K 12
Surice .... 135 I 11
Suxy .... 136 K 12
Sy .... 114 K 10

T
Tailles .... 137 L 11
Taintignies .... 130 E 10
Tamines .... 132 H 10
Tarcienne .... 135 H 11
Tavier .... 132 K 10
Taviers .... 132 I 10
Tavigny .... 137 L 11
Tellin .... 135 J 11
Templeuve .... 130 D 10
Temse (=Tamise) .... 127 G 8
Ten Aard .... 128 I 8
Tenneville .... 136 K 11
Ternat .... 131 G 9
Tertre .... 131 F 10
Tervuren .... 131 H 9
Terwagne .... 132 K 10
Tessenderlo .... 128 J 8
Teuven .... 133 L 9
Theux .... 133 L 10
Thieu .... 131 G 10
Thieusies .... 131 G 10
Thiméon .... 131 H 10
Thimister-Clermont .... 133 L 10
Thirimont .... 134 G 11
Thisnes .... 132 J 9
Thommen .... 137 M 11
Thon .... 132 J 10
Thorembais-St. Trond .. 132 I 10
Thoricourt .... 131 F 10
Thuillies .... 135 H 11
Thulin .... 130 E 10
Thulin .... 131 F 10
Thy-le-Château .... 135 H 11
Tiège .... 133 L 10
Tiegem .... 130 E 9
Tielen .... 128 I 8
Tielrode .... 127 G 8
Tielt Brabant .... 110 I 9
Tielt West-Vlaanderen . 126 E 8
Tielt-Winge .... 128 I 9
Tienen (=Tirlemont) .... 132 I 9
Tihange .... 132 J 10
Tildonk .... 128 H 9
Tilff .... 133 K 10
Tillet .... 136 K 11
Tillier .... 132 I 10
Tilly .... 131 H 10
Tinlot .... 132 K 10
Tintange .... 137 L 12
Tintigny .... 136 K 12
Tisselt .... 127 H 8
Tohogne .... 132 K 10
Tollembeek .... 131 G 9
Tombeau du Géant ...... 135 J 12
Tombeek .... 131 H 9
Tongeren (=Tongres) ... 132 K 9
Tongerlo .... 128 I 8
Tongre-Notre-Dame .... 131 F 10
Tongrinne .... 132 H 10
Tontelange .... 137 L 12
Torgny .... 136 K 13
Torhout .... 126 D 8
Tourinnes-St. Lambert . 132 I 10
Tournai (=Doornik) ...... 130 E 10
Tournay .... 136 K 12
Tourpes .... 131 E 10
Trazegnies .... 131 H 10
Treignes .... 135 H 11
Tremelo .... 128 I 9
Trimbleu (Le) .... 133 L 9
Trognée .... 132 J 9

Trois-Ponts .... 133 L 10
Trooz .... 133 L 10
Tubize (=Tubeke) .... 131 G 9
Turnhout .... 128 I 8

U - V
Uccle / Ukkel .... 131 H 9
Udange .... 137 L 13
Uitbergen .... 127 F 8
Ulbeek .... 132 J 9
Ursel .... 127 E 8
Vance .... 137 K 12
Velaine .... 132 H 10
Velaines .... 131 E 9
Veldegem .... 126 D 8
Veldwezelt .... 133 K 9
Vellereille-les-Brayeux . 131 G 10
Velm .... 132 J 9
Veltem-Beisem .... 132 H 9
Vencimont .... 135 I 11
Vergnies .... 135 G 11
Verlaine .... 132 J 10
Verlée .... 132 J 10
Verrebroek .... 127 G 8
Verviers .... 133 L 10
Vesdre .... 133 M 10
Vesdre (Barrage de la) . 133 M 10
Vesqueville .... 136 K 11
Veurne (=Furnes) .... 126 C 8
Vèves .... 135 I 11
Vezin .... 132 J 10
Vezon .... 131 E 10
Viane .... 131 F 9
Vichte .... 130 E 9
Vielsalm .... 137 L 11
Viemme .... 132 J 9
Vierre .... 113 K 12
Vierset-Barse .... 132 J 10
Vierves-sur-Viroin ...... 135 H 11
Viesville .... 131 H 10
Vieux-Waleffe .... 132 J 10
Vieux-Genappe .... 131 H 10
Vieuxville .... 132 K 10
Villance .... 135 J 12
Ville-sur-Haine .... 131 G 10
Villers-Deux-Églises ... 135 H 11
Villers-devant-Orval .... 136 J 13
Villers-en-Fagne .... 135 H 11
Villers-la-Bonne-Eau ... 137 L 12
Villers-la-Loue .... 136 K 13
Villers-la-Ville .... 131 H 10
Villers-le-Bouillet ...... 132 J 10
Villers-le-Gambon ...... 135 H 11
Villers-le-Temple .... 132 K 10
Villers-Perwin .... 131 H 10
Villers-St. Amand .... 131 F 10
Villers-St. Ghislain ..... 131 G 10
Villers-sur-Lesse .... 135 J 11
Villers-sur-Semois ..... 137 K 12
Villers-l'Évêque .... 132 K 9
Vilvoorde (=Vilvorde) .. 131 H 9
Vinalmont .... 132 J 10
Vinkt .... 127 E 8
Virelles .... 135 G 11
Virelles (Étang de) ..... 135 H 11
Virginal-Samme .... 131 G 10
Viroin .... 113 I 11
Viroinval .... 135 H 11
Virton .... 137 K 13
Visé (=Wezet) .... 133 L 9
Vitrival .... 132 H 10
Vivy .... 135 J 12
Vlaams-Brabant Provincie. 109 G 9
Vladslo .... 126 C 8
Vlamertinge .... 130 C 9
Vlasmeer .... 128 K 8
Vlessart .... 137 K 12
Vleteren .... 130 C 9
Vlezenbeek .... 131 G 9
Vlierbeek .... 132 K 9
Vliermaal .... 132 K 9
Vliermaalroot .... 133 K 9
Vlierzele .... 131 F 9
Vlijtingen .... 132 K 9
Vlissegem .... 126 D 8
Vodecée .... 135 H 11
Vodelée .... 135 I 11
Voer .... 109 H 9
Voeren (=Fourons) ...... 133 L 9

Vollezele .... 131 G 9
Vonêche .... 135 I 11
Voorde .... 131 F 9
Voorheide .... 128 J 7
Vorselaar .... 128 I 8
Vorst .... 128 J 8
Vosselaar .... 128 I 8
Vrasene .... 127 G 8
Vreren .... 132 K 9
Vresse-sur-Semois ..... 135 I 12
Vroenhoven .... 133 K 9
Vyle-et-Tharoul .... 132 J 10

W
Waanrode .... 132 J 9
Waardamme .... 126 D 8
Waarloos .... 127 H 8
Waarmaarde .... 131 E 9
Waarschoot .... 127 E 8
Waasmunster .... 127 G 8
Wachtebeke .... 127 F 8
Waha .... 135 K 11
Wahlerscheid .... 114 M 10
Waillet .... 135 J 11
Waimes .... 133 M 10
Wakken .... 130 E 9
Walcourt .... 135 H 11
Walhain .... 132 I 10
Walhorn .... 133 M 9
Walshoutem
  (=Houtain-l'Évêque) ... 132 J 9
Walzin .... 135 I 11
Wandre .... 133 L 10
Wanfercée-Baulet ...... 131 H 10
Wanlin .... 135 J 11
Wanne .... 133 L 10
Wannegem-Lede .... 131 E 9
Wanze .... 132 J 10
Waransart (Bois de) ... 135 K 12
Warche .... 114 M 10
Warcoing .... 130 E 9
Wardin .... 137 L 12
Waregem .... 130 E 9
Waremme (=Borgworm) . 132 J 9
Warnant .... 132 J 10
Warneton (=Waasten) .. 130 C 9
Warsage (=Weerst) ..... 133 L 9
Warzée .... 132 K 10
Wasmes .... 131 F 10
Wasseiges .... 132 J 10
Waterland Oudeman ... 127 E 8
Waterloo .... 131 H 9
Waterschei .... 128 K 8
Watervliet .... 127 F 8
Watou .... 130 B 9
Wattripont .... 131 E 9
Waulsort .... 135 I 11
Wavre (=Waver) .... 132 I 9
Wavreille .... 135 J 11
Wechelderzande .... 128 I 8
Weelde .... 128 I 7
Weelde Station .... 128 I 7
Weerde .... 127 H 9
Weert .... 127 H 8
Weillen .... 135 I 11
Welkenraedt .... 133 L 10
Welle .... 131 F 9
Wellen .... 132 K 9
Wellin .... 135 J 11
Wemmel .... 131 G 9
Wenduine .... 126 D 8
Wépion .... 132 I 10
Werbomont .... 133 L 10
Werchter .... 128 I 9
Wéris .... 132 K 11
Werken .... 126 C 8
Wervik .... 130 D 9
Wespelaar .... 128 H 9
West-Vlaanderen
  Provincie .... 108 C 8
Westende .... 126 C 8
Westende-Bad .... 126 C 8
Westerlo .... 128 I 8
Westkapelle .... 126 D 8
Westkerke .... 126 D 8
Westmalle .... 128 I 8
Westmeerbeek .... 128 I 8
Westouter .... 130 C 9
Westrozebeke .... 130 C 9
Wetteren .... 127 F 8
Wevelgem .... 130 D 9
Weweler .... 137 M 11
Wez-Velvain .... 130 E 10
Wezel .... 128 J 8
Wezembeek-Oppem ... 131 H 9

Wibrin .... 137 L 11
Wichelen .... 127 F 8
Wiekevorst .... 128 I 8
Wielsbeke .... 130 E 9
Wiemesmeer .... 128 K 9
Wierde .... 132 J 10
Wiers .... 131 E 10
Wiesme .... 135 I 11
Wieze .... 127 G 9
Wihéries .... 137 F 10
Wijchmaal .... 128 K 8
Wijer .... 132 J 9
Wijnegem .... 127 H 8
Wijtschate .... 130 C 9
Wildort .... 127 H 7
Willebroek .... 135 I 12
Willerzie .... 135 I 12
Wilogne .... 137 L 11
Wilrijk .... 127 H 8
Wilsele .... 132 I 9
Wimmertingen .... 132 K 9
Wingene .... 135 I 11
Wingene .... 126 D 8
Wintam .... 127 G 8
Winterslag .... 128 K 9
Wirtzfeld .... 133 M 10
Witry .... 137 K 12
Wodecq .... 131 F 9
Woesten .... 130 C 9
Wolkrange .... 137 L 13
Woluwe-St. Lambert /
  St.-Lambrechts-Woluwe 131 H 9
Wolvenhoek .... 131 F 9
Wolvertem .... 127 G 9
Wommelgem .... 127 H 8
Wontergem .... 126 E 8
Wortegem .... 131 E 9
Wortel .... 128 I 7
Woumen .... 126 C 8
Wulveringem .... 126 B 8
Wuustwezel .... 127 H 7

X - Y
Xhoffraix .... 133 M 10
Xhoris .... 133 K 10
Yernée .... 132 K 10
Yves-Gomezée .... 135 H 11
Yvoir .... 135 I 11

Z
Zaffelare .... 127 F 8
Zandbergen .... 131 F 9
Zandhoven .... 128 H 8
Zandvliet .... 127 G 7
Zandvoorde bij-Ieper ... 130 C 9
Zandvoorde bij-Oostende. 126 C 8
Zarren .... 126 C 8
Zaventem .... 131 H 9
Zedelgem .... 126 D 8
Zeebrugge .... 126 D 7
Zele .... 127 F 8
Zellik .... 131 G 9
Zelzate .... 127 F 8
Zemst .... 127 H 9
Zenne .... 127 H 8
Zepperen .... 132 J 9
Zevekote .... 126 C 8
Zeveneken .... 127 F 8
Zevenkerken .... 126 D 8
Zichem .... 128 I 8
Zichen .... 133 K 9
Zillebeke .... 130 C 9
Zingem .... 131 E 9
Zittaart .... 128 J 8
Zoerle-Parwijs .... 128 I 8
Zoersel .... 128 I 8
Zolder Circuit de .... 128 J 9
Zomergem .... 127 E 8
Zonhoven .... 128 K 9
Zonnebeke .... 130 C 9
Zottegem .... 131 F 9
Zoute (Het) .... 126 D 7
Zoutleeuw (=Léau) ..... 132 J 9
Zuid-Willemsvaart ...... 128 K 8
Zuidschote .... 130 C 9
Zuienkerke .... 126 D 8
Zulte .... 130 E 9
Zutendaal .... 128 K 9
Zwaanaarde .... 127 G 8
Zwalm .... 131 F 9
Zwartberg .... 128 K 9
Zwarte Beek .... 110 J 8
Zwevegem .... 130 D 9
Zwevezele .... 126 D 8
Zwijnaarde .... 127 F 8
Zwijndrecht .... 127 H 8
Zwin (Het) .... 126 E 7

A

Ahn .... 137 N 13
Altlinster .... 137 M 12
Alzette
   (Rivière) .... 137 M 13
Ansembourg .... 137 M 12
Arsdorf .... 137 L 12
Asselborn .... 137 L 11

B

Bascharage .... 137 L 13
Bastendorf .... 137 M 12
Bavigne .... 137 L 12
Beaufort .... 137 M 12
Bech .... 137 N 12
Bech-Kleinmacher .... 137 N 13
Beckerich .... 137 L 12
Belvaux .... 137 L 13
Berbourg .... 137 N 12
Berdorf .... 137 N 12
Berg .... 137 M 12
Bertrange .... 137 M 13
Bettborn .... 137 L 12
Bettembourg .... 137 M 13
Bettendorf .... 137 M 12
Beyren .... 137 N 13
Bigonville .... 137 L 12
Binsfeld .... 137 M 11
Bissen .... 137 M 12
Bivels .... 137 M 11
Biwer .... 137 N 12
Bœvange .... 137 L 11
Bœvange-sur-Attert .... 137 M 12
Bollendorf-Pont .... 137 N 12
Born-sur-Sûre .... 137 N 12
Boulaide .... 137 L 12
Bour .... 137 M 12
Bourglinster .... 137 M 12
Bourscheid .... 137 M 12
Bous .... 137 M 13
Brandenbourg .... 137 M 12

Brouch .... 137 M 12
Büderscheid .... 137 L 12
Burmerange .... 137 M 13

C

Canach .... 137 M 13
Capellen .... 137 L 13
Christnach .... 137 M 12
Clémency .... 137 L 13
Clervaux .... 137 M 11
Clervé (Rivière) .... 137 L 11
Consdorf .... 137 N 12
Consthum .... 137 M 12
Contern .... 137 M 13
Cruchten .... 137 M 12

D

Dalheim .... 137 M 13
Deutsch-Luxemb.
   Naturpark .... 137 M 11
Diekirch .... 137 M 12
Differdange .... 137 L 13
Dillingen .... 137 M 12
Dippach .... 137 L 13
Drauffelt .... 137 M 11
Dudelange .... 137 M 13

E

Echternach .... 137 N 12
Ehnen .... 137 N 13
Eisch (Rivière) .... 137 M 12
Eischen .... 137 L 12
Ell .... 137 L 12
Ermsdorf .... 137 M 12
Erpeldange .... 137 M 12
Esch-
   sur-Alzette .... 137 L 13
Esch-sur-Sûre .... 137 L 12
Eschdorf .... 137 L 12
Eschweiler .... 137 L 12
Ettelbruck .... 137 M 12

F

Feulen .... 137 M 12
Fischbach .... 137 M 12
Flaxweiler .... 137 N 13
Folschette .... 137 L 12
Fouhren .... 137 M 12
Frisange .... 137 M 13

G

Gaichel .... 137 L 12
Garnich .... 137 L 13
Göbelsmühle .... 137 M 12
Godbrange .... 137 M 12
Gonderange .... 137 M 12
Greiveldange .... 137 N 13
Grëngewald .... 137 M 12
Grenglay .... 137 M 12
Grevenmacher .... 137 N 12
Grosbous .... 137 L 12
Grundhof .... 137 M 12
Gutland .... 137 M 13

H

Hachiville .... 137 L 11
Haller .... 137 M 12
Hamm .... 137 M 13
Harlange .... 137 L 12
Haut-
   Martelange .... 137 L 12
Hautbellain .... 137 L 11
Heffingen .... 137 M 12
Heiderscheid .... 137 L 12
Heinerscheid .... 137 M 11
Herborn .... 137 N 12
Herrenberg .... 137 M 12
Hespérange .... 137 M 13
Hobscheid .... 137 L 12
Hochfels .... 137 L 12
Hollenfels .... 137 M 12
Hoscheid .... 137 M 12
Hosingen .... 137 M 11

Huldange .... 137 M 11

I - J - K

Insenborn .... 137 L 12
Junglinster .... 137 M 12
Kaundorf .... 137 L 12
Kautenbach .... 137 M 12
Kayl .... 137 M 13
Kehlen .... 137 M 12
Kleinbettingen .... 137 L 13
Kœrich .... 137 L 12
Kopstal .... 137 M 13

L

Larochette .... 137 M 12
Leudelange .... 137 M 13
Lintgen .... 137 M 12
Lipperscheid .... 137 M 12
Lorentzweiler .... 137 M 12
Loup (Gorge du) .... 137 N 12
Luxembourg .... 137 M 13
Luxembourg-Findel
   (Aéroport) .... 137 M 13

M

Machtum .... 137 N 13
Mamer .... 137 M 13
Manternach .... 137 N 12
Marnach .... 137 M 11
Medernach .... 137 M 12
Mersch .... 137 M 12
Mertert .... 137 N 12
Mertzig .... 137 M 12
Mompach .... 137 N 12
Mondercange .... 137 L 13
Mondorf-
   les-Bains .... 137 M 13
Moselle (Rivière) .... 137 N 13
Moutfort .... 137 M 13
Mullerthal .... 137 M 12
Mullerthal (Localité) ...... 137 M 12

N - O

Neunhausen .... 137 L 12
Niederanven .... 137 M 13
Noerdange .... 137 L 12
Nommern .... 137 M 12
Oberdonven .... 137 N 13
Oberpallen .... 137 L 12
Oberwampach .... 137 L 11
Oesling .... 137 L 12
Osweiler .... 137 N 12

P

Perlé .... 137 L 12
Pétange .... 137 L 13
Petite Suisse
   Luxembourgeoise .... 137 M 12
Pommerloch .... 137 L 12
Putscheid .... 137 M 12

R

Rambrouch .... 137 L 12
Reckange-sur-Mess .... 137 M 13
Redange .... 137 L 12
Reisdorf .... 137 M 12
Remerschen .... 137 N 13
Remich .... 137 N 13
Reuland .... 137 M 12
Rodange .... 137 L 13
Rodenbourg .... 137 M 12
Rodershausen .... 137 M 11
Roeser .... 137 M 13
Roodt-sur-Syre .... 137 M 13
Rosport .... 137 N 12
Rumelange .... 137 M 13

S

Saeul .... 137 L 12
St. Nicolas (Mont) .... 137 M 12
Sandweiler .... 137 M 13
Sanem .... 137 L 13
Scheidgen .... 137 N 12

Schengen .... 137 N 13
Schieren .... 137 M 12
Schifflange .... 137 M 13
Schouweiler .... 137 L 13
Schuttrange .... 137 M 13
Schwebsange .... 137 N 13
Septfontaines .... 137 L 12
Soleuvre (Mont) .... 137 L 13
Stadtbredimus .... 137 N 13
Steinfort .... 137 L 13
Steinsel .... 137 M 12
Stolzembourg .... 137 M 12
Sûre
   (Rivière) .... 137 L 12

T

Troine .... 137 L 11
Troisvierges .... 137 M 11
Tuntange .... 137 M 12

U - V - W

Useldange .... 137 L 12
Vianden .... 137 M 12
Vichten .... 137 L 12
Walferdange .... 137 M 13
Wasserbillig .... 137 N 12
Wecker .... 137 N 12
Weicherdange .... 137 L 11
Weiler-la-Tour .... 137 M 13
Weilerbach .... 137 N 12
Weiswampach .... 137 M 11
Wellenstein .... 137 N 13
Welscheid .... 137 M 12
Wemperhaardt .... 137 M 11
Wiltz .... 137 L 12
Wiltz (Rivière) .... 137 L 12
Wilwerdange .... 137 M 11
Wilwerwiltz .... 137 M 12
Winseler .... 137 L 12
Woltz (Rivière) .... 137 M 11
Wormeldange .... 137 N 13

A

Name	Page	Grid
Aa	128	K7
Aa of Weerijs	128	I7
Aagtekerke	127	E7
Aalburg	128	J6
Aalden	119	O3
Aalsmeer	122	I5
Aalst (Gelderland)	128	J6
Aalst (Noord-Brabant)	128	K7
Aalten	124	N6
Aar (Ter)	122	I5
Aardenburg	126	E8
Aarkanaal	122	I5
Aarle-Rixtel	128	K7
Abbekerk	118	J3
Abbenes	122	H5
Abcoude	123	I5
Absdale	127	G8
Achlum	118	K2
Achterveld	123	K5
Achthuizen	127	G6
Achtkarspelen	119	M2
Achtmaal	127	H7
Adorp	119	N2
Aduard	119	N2
Aerdenhout	122	H4
Afferden (Gelderland)	123	K6
Afferden (Limburg)	129	M7
Afsluitdijk	118	J3
Akersloot	122	I4
Akkrum	119	L2
Akmarijp	119	L2
Albergen	125	O4
Alblasserdam	122	I6
Alblasserwaard	123	I6
Aldeboarn	119	L2
Aldtsjerk (Oudkerk)	119	L2
Alem	128	K6
Alkmaar	122	I4
Alkmaardermeer	122	H4
Allingawier	118	K2
Almelo	125	N4
Almelo-Nordhorn (Kanaal)	125	O4
Almen	124	M5
Almere	123	J4
Almere-Buiten	123	J4
Almere-Hout	123	J4
Almere-Haven	123	J4
Almere-Stad	123	J4
Almkerk	128	I6
Alphen	123	K6
Alphen aan den Rijn	122	I5
Alphen en Riel	128	I7
Alphen-Oosterwijk	128	I7
Altena (Land van)	128	I6
Alteveer (Drenthe)	120	N3
Alteveer (Groningen)	121	O2
Altforst	123	K6
Altweerterheide	128	L8
Alverna	128	L6
Ameide	123	I6
Ameland	119	L1
Amer	128	I6
America	129	L7
Amerongen	123	K5
Amersfoort	123	K5
Ammerstol	123	I6
Ammerzoden	128	J6
Amstel	123	I5
Amstelmeer	118	I3
Amstelveen	123	I5
Amstenrade	129	L9
Amsterdam	123	J4
Amsterdam Rijnkanaal	123	J4
Amsterdam-Schiphol (Luchthaven)	122	I5
Amsterdam Zuidoost	123	I5
Andel	128	J6
Andel (Den)	119	N1
Andelst	123	L6
Anderen	119	O2
Andijk	118	J3
Ane	125	N4
Angeren	124	L6
Angerlo	124	M6
Anjum	119	M1
Anloo	119	O2
Anna Jacobapolder	127	G7
Anna Paulowna	118	I3
Annen	119	O2
Ansen	119	N3
Apel (Ter)	121	P3
Apeldoorn	124	L5
Apeldoornskanaal	124	M5
Apelkanaal (Ter)	121	P3
Appelscha	119	N3
Appeltern	123	K6
Appingedam	121	O2
Arcen	129	M7
Archemerberg	124	N4
Arkel	123	I6
Arnemuiden	127	F7
Arnhem	123	L6
Arum	118	K2
Asch	123	J6
Asperen	123	J6
Asselt	129	M8
Assen	119	N3
Assendelft	122	I4
Asten	128	L7
Augustinusga	119	M2
Avenhorn	123	I4
Axel	127	F8
Azewijn	124	M6

B

Name	Page	Grid
Baak	124	M5
Baambrugge	123	I5
Baard	119	L2
Baarland	127	F7
Baarlo	129	M8
Baarn	123	J5
Babberich	124	M6
Bad Nieuweschans	121	P2
Badhoevedorp	122	I4
Baexem	129	L8
Baflo	119	N1
Bakel	128	L7
Bakhuizen	118	K3
Bakkeveen	119	M2
Balgoij	128	L6
Balinge	119	N3
Balk	118	K3
Balkbrug	124	N4
Ballum	119	L1
Bant	119	L3
Barchem	124	N5
Barendrecht	122	H6
Barger-Compascuum	121	P3
Barger-Oosterveld	121	O3
Barneveld	123	K5
Barsingerhorn	118	I3
Batenburg	123	K6
Bath	127	G7
Bathmen	124	M5
Beckum	125	O5
Bedum	119	N2
Beegden	129	L8
Beek (bij 's-Heerenberg)	124	M6
Beek (bij Nijmegen)	124	L6
Beek (Limburg)	129	L9
Beek en Donk	128	K7
Beekbergen	124	L5
Beemster	123	I4
Beerta	121	P2
Beerze	124	J7
Beesd	123	J6
Beesel	129	M8
Beetgumermolen	119	L2
Beetsterzwaag	119	M2
Beijerland	127	G6
Beilen	119	N3
Belfeld	129	M8
Bellingwedde	121	P2
Bellingwolde	121	P2
Belt Schutsloot	120	M3
Belterwijde	120	M3
Beltrum	124	N5
Bemelen	133	L9
Bemmel	123	L6
Beneden Merwede	128	I6
Beneden-Leeuwen	123	K6
Bennebroek	122	H5
Bennekom	123	L5
Bentelo	125	O5
Benthuizen	122	H5
Benschop	123	I5
Bentelo	125	O5
Berg	129	L8
Berg en Terblijt	133	L9
Berg en Dal	123	L6
Bergambacht	123	I6
Bergeijk	128	K8
Bergen (Limburg)	129	M7
Bergen (Noord-Holland)	122	I3
Bergen aan Zee	122	H4
Bergen op Zoom	127	G7
Bergentheim	124	N4
Bergh	124	M6
Bergharen	123	L6
Berghem	128	K6
Bergschenhoek	122	H6
Bergse Maas	128	I6
Beringe	129	L7
Berkel	122	N5
Berkel en Rodenrijs	122	H6
Berkel-Enschot	128	J7
Berkenwoude	122	I6
Berkhout	123	J4
Berkum	124	M4
Berlicum	128	K7
Berlikum	118	K2
Best	128	K7
Beugen	129	L6
Beulakerwijde	120	M3
Beuningen	123	L6
Beusichem	123	J6
Beverwijk	122	H4
Biddinghuizen	123	L4
Bierum	121	O1
Biervliet	127	F8
Biesbosch (Nat. Park De)	128	I6
Biezelinge	127	F7
Biggekerke	127	E7
Bildt (Het)	120	K2
Bilt (De)	123	J5
Bilthoven	123	J5
Bingelrade	129	L9
Bladel	128	J7
Blankenham	119	L3
Blaricum	123	J5
Blauwe Hand	124	M3
Blauwhuis	118	K2
Bleiswijk	122	H5
Blerick	129	M7
Bleskensgraaf	123	I6
Blesse (De)	119	M3
Blije	119	L1
Blijham	121	P2
Blitterswijck	129	M7
Bloemendaal	122	H4
Bloemendaal aan Zee	122	H4
Blokzijl	119	L3
Boarnsterhim	119	L2
Boazum	119	L2
Bocholtz	133	M9
Bodegraven	122	I5
Boekel	128	L7
Boekelo	125	O5
Boelenslaan	119	M2
Boer (Ten)	119	O2
Boerakker	119	M2
Boerdonk	128	K7
Boijl	119	M3
Boksum	119	L2
Bolsward	118	K2
Bommel (Den)	127	G6
Bommelerwaard	128	J6
Boornbergum	119	M2
Borculo	124	N5
Borger	119	O3
Borkel	128	K8
Born	129	L8
Borndiep	118	K1
Borne	125	O5
Bornerbroek	125	N5
Borssele	127	F7
Bosch en Duin	123	J5
Boschplaat (De)	118	K1
Boskamp	124	M4
Boskoop	122	I5
Bosschenhoofd	127	H7
Boterdiep	119	N2
Boukoul	129	M8
Bourtange	121	P2
Boven-Hardinxveld	128	I6
Boven-Leeuwen	123	K6
Boven Pekela	121	O2
Bovenkarspel	123	J3
Bovensmilde	119	N3
Boxmeer	129	L7
Boxtel	128	J7
Braassemermeer	122	H5
Brakel	128	J6
Brantgum	119	L1
Breda	128	I7
Bredevoort	125	N6
Bredeweg	129	L6
Breezand	118	I3
Breezanddijk	118	J2
Breskens	127	E7
Breugel	128	K7
Breukelen	123	J5
Breukeleveen	123	J5
Brielle	122	G6
Brielse Meer	122	G6
Broek in Waterland	123	I4
Broek op Langedijk	122	I3
Broekhuizen	129	M7
Broekhuizenvorst	129	M7
Broekland	124	M4
Bronkhorst	124	M5
Brouwersdam	127	F6
Brouwershaven	127	F6
Brouwershavense Gat	127	F6
Brouwhuis	128	L7
Bruinisse	127	G7
Brummen	124	M5
Brunssum	129	L9
Bruntinge	119	N3
Buchten	129	L8
Budel	128	K8
Budel-Schoot	128	K8
Buinen	121	O3
Buinerveen	121	O3
Buitenpost	119	M2
Bunde	133	L9
Bunnik	123	J5
Bunschoten	123	K5
Burdaard	119	L2
Buren (Fryslân)	119	L1
Buren (Gelderland)	123	K6
Burg (Den)	118	I2
Burgervlotbrug	118	I3
Burgh	127	F6
Burgum	119	L2
Burgumer Mar	119	M2
Burum	119	M2
Bussum	123	J5
Buurmalsen	123	J6
Buurse	125	O5
Buurserbeek	125	O5

C

Name	Page	Grid
Cabauw	123	I6
Cadier en Keer	133	L9
Cadzand	126	E7
Cadzand-Bad	126	E7
Callantsoog	118	I3
Camperduin	122	H3
Capelle aan den IJssel	122	H6
Castenray	129	M7
Casteren	128	J7
Castricum	122	H4
Castricum aan Zee	122	H4
Chaam	128	I7
Circuit van Zandvoort	122	H4
Clinge	127	G8
Cocksdorp (De)	118	I2
Coentunnel	123	I4
Coevorden	121	O4
Colijnsplaat	127	F7
Cothen	123	J6
Creil	119	K3
Cromstrijen	127	H6
Cromvoirt	128	J7
Cruquius	122	H5
Cuijk	129	L6
Culemborg	123	J6

D

Name	Page	Grid
Daarle	124	N4
Daarlerveen	124	N4
Dalen	119	O3
Dalerpeel	121	N3
Dalfsen	124	M4
Damsterdiep	119	O2
Damwâld	119	L2
Dantumadiel	120	M2
Dedemsvaart	124	N4
Deelen	123	L5
Deest	123	L6
Deil	123	J6
Deinum	119	L2
Delden	125	O5
Delfstrahuizen	119	L3
Delft	122	H5
Delftse Schie	122	H6
Delfzijl	121	O1
Denekamp	125	P4
Deurne	129	L7
Deurningen	125	O5
Deursen-Dennenburg	128	K6
Deventer	124	M5
Didam	124	M6
Diemen	123	I4
Diepenheim	124	N5
Diepenveen	124	M5
Dieren	124	M5
Diessen	128	J7
Diever	119	M3
Dieverbrug	119	N3
Diffelen	124	N4
Dinkel	125	P4
Dintel	127	H7
Dinteloord	127	H7
Dinxperlo	124	N6
Dirkshorn	118	I3
Dirksland	127	G6
Dodewaard	123	K6
Doesburg	124	M5
Doetinchem	124	M6
Doezum	119	M2
Dokkum	119	L2
Dokkumer Djip	119	L2
Dokkumer Ie	119	M2
Dolder (Den)	123	J5
Dollard	121	P2
Domburg	127	E7
Dommel	128	K7
Dommelen	128	K7
Donderen	119	N2
Dongen	128	I7
Dongeradeel	119	M2
Dongjum	118	K2
Donkerbroek	119	M2
Doorn	123	K5
Doornenburg	124	M6
Doornspijk	123	L4
Doorwerth	123	L6
Dordrecht	128	I6
Dordtse Kil	127	H6
Dorst	128	I7
Drachten	119	M2
Drachtstercompagnie	119	M2
Drechterland	123	J3
Dreischor	127	F6
Drempt	124	M5
Drenthe (Provincie)	120	N3
Drentse Hoofdvaart	119	N3
Dreumel	123	K6
Driebergen-Rijsenburg	123	J5
Drieborg	121	P2
Driebruggen	123	I5
Driehuis	122	H4
Driel	123	L6
Drielandenpunt	133	M9
Driewegen	127	F7
Driezum	119	L2
Drijber	119	N3
Drimmelen	128	I6
Drogeham	119	M2
Drongelen	128	J6
Dronrijp	118	K2
Dronten	123	L4
Drontermeer	123	L4
Drouwen	121	O3
Drunen	128	J6
Druten	123	K6
Dubbeldam	128	I6
Duiveland	127	F7
Duiven	124	M6
Duivendrecht	123	I5
Duizel	128	J7
Dungen (Den)	128	K7
Durgerdam	123	I4
Dussen	128	I6
Dwingeloo	119	N3

E

Name	Page	Grid
Earnewâld (Eernewoude)	119	L2
Eastermar	119	M2
Easterwierrum	119	L2
Echt	129	L8
Echteld	123	K6
Echten	119	N3
Echtenerbrug	119	L3
Eck en Wiel	123	K6
Edam	123	J4
Ede	123	L5
Ederveen	123	L5
Ee	119	M2
Eede	126	E8
Eefde	124	M5
Eelde	119	N2
Eem	123	J5
Eembrugge	123	J5
Eemmeer	123	J5
Eemnes	123	J5
Eems	121	O1
Eemshaven	119	O1
Eemskanaal	119	O2
Eemsmond	120	N1
Eenrum	119	N1
Eerbeek	124	M5
Eersel	128	J7
Eethen	128	J6
Eext	119	O2
Egmond aan den Hoef	122	H4
Egmond aan Zee	122	H4
Egmond-Binnen	122	H4
Eibergen	125	N5
Eijerlandse Gat	118	I2
Eijerlandse Polder	118	I2
Eijerlandse Duinen (De)	118	I2
Eijs	133	L9
Eijsden	133	L9
Eindhoven	128	K7
Eindhoven (Luchthaven)	128	K7
Ekehaar	119	N3
Elahuizen	118	K3
Elburg	123	L4
Elden	123	L6
Elim	120	N3
Ell	129	L8
Ellecom	124	M6
Ellewoutsdijk	127	F7
Elp	119	N3
Elshout	128	J6
Elsloo (Fryslân)	119	M3
Elsloo (Limburg)	129	L9
Elspeet	123	L5
Elst (Gelderland)	123	L6
Elst (Utrecht)	123	K6
Emmeloord	120	L3
Emmen	121	O3
Emmer-Compascuum	121	P3
Emmer-Erfscheidenveen	121	O3
Empe	124	M5
Empel	128	K6
Emst	124	L5
Engelbert	119	N2
Engelen	128	J6
Engelsmanplaat	119	M1
Engwierum	119	M2
Enkhuizen	123	J3
Ens	123	L4
Enschede	125	O5
Enter	124	N5
Enumatil	119	N2
Epe	124	L4
Epen	133	L9
Epse	124	M5
Erica	121	O3
Erm	121	O3
Ermelo	123	K5
Erp	128	K7
Esbeek	128	J7
Esch	128	J7
Escharen	128	L6
Espel	119	K3
Est	123	J6
Etten-Leur	127	H7
Europoort	122	G6
Eursinge	119	N3
Everdingen	123	J6
Ewijk	123	L6
Exloo	121	O3
Exmorra	118	K2
Eygelshoven	133	M9
Ezinge	119	N2

F

Name	Page	Grid
Farmsum	121	O2
Feanwâlden	119	L2
Ferwerderadell	120	L1
Ferwert	119	L1
Ferwoude	118	K2
Fijnaart	127	H7
Finsterwolde	121	P2
Fleringen	125	O4
Flevoland (Provincie)	123	K4
Fluezen (De)	118	K3
Fluitenberg	119	N3
Foxhol	119	O2
Franeker	118	K2
Frederiksoord	119	M3
Frieschepalen	119	M2
Friesewad	119	L1
Friese Zeegat	119	M1
Fryslân (Provincie)	119	L2

G

Name	Page	Grid
Gaanderen	124	N6
Gaast	118	K2
Gaasterlân-Sleat	120	K3
Gaasterland	118	K3
Gaastmeer	118	K3
Gameren	128	J6
Garderen	123	L5
Garmerwolde	119	N2
Garnwerd	119	N2
Garrelsweer	119	N2
Garsthuizen	119	O1
Garyp	119	L2
Gassel	128	L6
Gasselte	119	O3
Gasselternijveen	121	O3
Gasteren	119	N2

Geerdijk 124 N4
Geersdijk 127 F7
Geertruidenberg 128 I6
Geervliet 122 G6
Gees 119 O3
Geesteren (Gelderland) . 124 N5
Geesteren (Overijssel) . 125 O4
Geffen 128 K6
Gelderland (Provincie) . 124 L5
Geldermalsen 123 J6
Gelderse Buurt 118 I3
Geldrop 128 K7
Geleen 129 L9
Gellicum 123 J6
Gelselaar 124 N5
Gemert 128 L7
Gemonde 128 K7
Genderen 128 J6
Gendringen 124 N6
Gendt 124 L6
Genemuiden 124 M4
Gennep 129 L6
Ginnum 119 L2
Gerkesklooster 119 M2
Gerwen 128 K7
Geul (De) 118 I2
Geulle 128 L9
Geysteren 129 M7
Giesbeek 124 M6
Giessen 128 J6
Giessenburg 123 I6
Giessenlanden 123 I6
Gieten 119 O2
Gieterveen 121 O2
Giethoorn 119 M3
Gilze 128 I7
Gilze en Rijen 128 I7
Ginneken 128 I7
Glane 125 P5
Glanerbrug 125 O5
Glimmen 119 N2
Godlinze 119 O1
Goedereede 127 F6
Goeree 127 F6
Goes 127 F7
Goirle 128 J7
Gooi ('t) 123 J5
Gooimeer 123 J5
Goor 124 N5
Gorinchem 123 I6
Gorishoek 127 G7
Gorredijk 119 M3
Gorssel 124 M5
Gouda 122 I5
Gouderak 122 I6
Goudriaan 123 I6
Goudswaard 127 G6
Goutum 119 L2
Gouwe 118 I5
Gouwzee 123 J4
Graafschap 124 N5
Graafstroom 123 I6
Graauw 127 G8
Grafhorst 123 L4
Graft 123 I4
Gramsbergen 125 O4
Grashoek 129 L7
Grathem 129 L8
Grave 128 L6
Graveland ('s-) 123 J5
Gravendeel ('s-) 127 H6
Gravenhage ('s-) =
  Den Haag 122 G5
Gravenmoer ('s-) 128 I7
Gravenpolder ('s-) 127 F7
Gravenzande ('s-) 122 G5
Grevelingendam 127 G6
Grevelingenmeer 127 F6
Grevenbicht 129 L8
Griend 118 J2
Griendtsveen 129 L7
Grijpskerk 119 M2
Grijpskerke 127 E7
Groede 127 E7
Groenlo 125 N5
Groesbeek 129 L6
Groet 122 I3
Grolloo 119 O3
Groningen 119 N2
Groningen (Provincie) .. 119 O2
Gronsveld 133 L9
Groot Ammers 123 I6
Groote Keeten 118 I3
Groote Peel (Nat. Park De) 129 L7
Grootebroek 123 J3
Grootegast 119 M2

Grootschermer 123 I4
Grou 119 L3
Grubbenvorst 129 L2
Grutte Brekken 119 M7
Gulpen 133 L9
Gytsjerk 119 L2

H

Haaften 128 J6
Haag (Den) =
  's-Gravenhage 122 G5
Haaksbergen 125 O5
Haalderen 124 L6
Haamstede 127 F6
Haar (Kasteel De) 123 I5
Haaren 128 J7
Haarle 124 N4
Haarlem 122 H4
Haarlemmerliede 122 I4
Haarlemmermeerpolder ... 122 H5
Haarlemmermeerpolder
  (Ringvaart van de) ... 122 I5
Haarlerberg 124 N4
Haarlo 124 N5
Haarsteeg 128 J6
Haarzuilens 123 I5
Haastrecht 122 I6
Haelen 129 L8
Hagestein 123 J6
Hall 124 M5
Hallum 119 L2
Halsteren 127 G7
Ham (Den) (Groningen) .. 119 N2
Ham (Den) (Overijssel) . 124 N4
Handel 128 L7
Hank 128 I6
Hansweert 127 G7
Hantumhuizen 119 L1
Hapert 128 J7
Haps 129 L6
Harde ('t) 123 L4
Hardenberg 124 N4
Hardersluis 123 K4
Harderwijk 123 K4
Hardinxveld-Giessendam . 128 I6
Haren (Groningen) 119 N2
Haren (Noord-Brabant) .. 128 K6
Harenkarspel 118 I3
Harfsen 124 M5
Haringvliet 127 G6
Haringvlietbrug 127 H6
Haringvlietdam 122 G6
Harkema 119 M2
Harkstede 119 O2
Harlingen 118 K2
Harmelen 123 I5
Harreveld 124 N6
Harskamp 123 L5
Hasselt 124 M4
Hattem 124 M4
Haule 119 M2
Haulerwijk 119 N2
Havelte 119 M3
Havelterberg 119 M3
Hazerswoude-Rijndijk ... 122 H5
Hazerswoude-Dorp 122 H5
Hedel 128 J6
Heeg 118 K3
Heelsum 123 L6
Heemse 124 N4
Heemskerk 122 I4
Heemstede 122 H4
Heen (De) 127 G7
Heenvliet 122 G6
Heer Arendskerke ('s-) . 127 F7
Heer Hendrikskinderen ('s-) 127 F7
Heerde 124 M4
Heerenberg ('s-) 124 M6
Heerenhoek ('s-) 127 F7
Heerenveen 119 L3
Heerewaarden 123 K6
Heerhugowaard 123 I3
Heerjansdam 122 H6
Heerle 129 L6
Heesch 128 K6
Heeswijk-Dinther 128 K7
Heeten 124 M4
Heeze 128 K7
Hegebeintum 119 L1
Hei-en Boeicop 123 J6
Heibloem 129 L8
Heijen 129 L6
Heikant 127 G8
Heiligerlee 121 P2
Heiloo 122 I4

Heinenoord 127 H6
Heinkenszand 127 F7
Heino 124 M4
Hekelingen 127 H6
Helden 129 L8
Helder (Den) 118 I3
Helenaveen 129 L7
Hellendoorn 124 N4
Hellendoornseberg 124 N4
Hellevoetsluis 127 G6
Helmond 128 L7
Helvoirt 128 J7
Hemelum 118 K3
Hendrik-Ido-Ambacht 122 H6
Hengelo (Gelderland) ... 124 M5
Hengelo (Overijssel) ... 125 O5
Hengeveld 125 N5
Hengstdijk 127 G7
Hensbroek 123 I4
Herikerberg 124 N5
Herkenbosch 129 M8
Herkingen 127 G6
Herpen 128 K6
Herten 129 L8
Hertogenbosch ('s-) 128 K6
Herwen 124 M6
Herwijnen 123 J6
Heteren 123 L6
Heukelum 123 J6
Heumen 129 L6
Heusden (bij Asten) 128 L7
Heusden (bij Drunen) ... 128 J6
Heythuysen 129 L8
Hierden 123 L4
Hijken 119 N3
Hijkersmilde 119 N3
Hillegersberg 122 H6
Hillegom 122 H5
Hilvarenbeek 128 J7
Hilversum 123 J5
Hindeloopen 118 K3
Hippolytushoef 118 I3
Hitzum 118 K2
Hoedekenskerke 127 F7
Hoek 127 F8
Hoek van Holland 122 G6
Hoekse Waard 127 H6
Hoenderloo 123 L5
Hoensbroek 129 L9
Hoevelaken 123 K5
Hoeven 127 H7
Hoge Vaart 123 L4
Hoge Veluwe
  (Nationaal Park De) .. 123 L5
Hole (Ter) 127 G8
Hollands Diep 127 H6
Hollandsche Rading 123 J5
Hollandscheveld 119 N3
Hollandse Brug 123 J5
Hollandse IJssel 123 H6
Hollum 118 K1
Holten 124 N5
Holterberg 124 N5
Holtum 129 L8
Holwerd 119 L1
Holwierde 119 O1
Hommerts 119 K3
Hondsbosse Zeewering ... 118 H3
Hondshaltermeer 121 O2
Hondsrug 121 O2
Honselersdijk 122 G5
Hoofddorp 122 I5
Hoofdplaat 127 F7
Hoog Soeren 123 L5
Hooge Hexel 124 N4
Hooge Mierde 128 J7
Hooge Zwaluwe 128 I6
Hoogeloon 128 J7
Hoogerheide 127 G7
Hoogersmilde 119 N3
Hoogeveen 119 N3
Hoogeveense Vaart
  (Verlengde) 121 O3
Hoogezand Sappemeer 119 O2
Hooghalen 119 N3
Hoogkarspel 123 J3
Hoogkerk 119 N2
Hoogland 123 K5
Hoogmade 122 H5
Hoogvliet 122 H6
Hoogwoud 123 I3
Hoorn (Fryslân) 118 K1
Hoorn (Noord-Holland) .. 123 J4
Hoorn (Den) 118 I2
Hoornaar 123 I6
Hoornsterzwaag 119 M3

Horn 129 L8
Horn (Den) 119 N2
Hornhuizen 119 N1
Horntje ('t) 118 I2
Horssen 123 K6
Horst (Gelderland) 123 K5
Horst (Limburg) 129 M7
Hout ('t) 128 K7
Houtakker 128 J7
Houten 123 J5
Houtribsluizen 123 K4
Houwerzijl 119 N1
Huijbergen 127 H7
Huisduinen 118 I3
Huissen 124 L6
Huizen 123 J5
Hulsberg 133 L9
Hulsel 128 J7
Hulst 127 G8
Hulten 128 I7
Hummelo 124 M5
Hunsel 129 L8
Hunze 119 O2
Hurdegaryp 119 L2

I - J - K

Idskenhuizen 119 L3
IJ-Tunnel 123 I4
IJhorst 120 M4
IJlst 118 K2
IJmeer 123 J4
IJmuiden 122 H4
IJssel 124 M5
IJsselmeer 118 J3
IJsselmuiden 123 L4
IJsselstein 123 J5
IJzendijke 127 E8
Ilpendam 123 J4
Itens 118 K2
Itteren 133 L9
Ittersum 124 M4
Ittervoort 129 L8
Jaarsveld 123 I6
Jelsum 119 L2
Jipsinghuizen 121 P3
Jirnsum 119 L2
Jisp 123 I4
Jistrum 119 M2
Jorwert 119 L2
Joure 119 L3
Jubbega 119 M3
Jubbega Derde-Sluis 120 M2
Julianadorp 118 I3
Julianakanaal 129 L9
Kaag 122 H5
Kaart 118 J1
Kaatsheuvel 128 J7
Kagerplassen 122 H5
Kamerik 123 I5
Kampen 123 L4
Kamperland 127 F7
Kantens 119 N1
Kapelle 127 F7
Kats 127 F7
Kattendijke 127 F7
Katwijk 129 L6
Katwijk aan den Rijn ... 122 H5
Katwijk aan Zee 122 H5
Kedichem 123 J6
Keeten =
  Mastgat 127 G7
Keijenborg 124 M5
Kekerdom 124 M6
Kerkdriel 128 K6
Kerkenveld 120 N3
Kerkwerve 127 F6
Kerkwijk 128 J6
Kessel 129 M8
Kesteren 123 K6
Ketelbrug 123 K4
Ketelhaven 123 L4
Ketelmeer 123 L4
Keukenhof 122 H5
Kiel (De) 119 O3
Kiel-Windeweer 119 O2
Kijkduin 122 G5
Kilder 124 M6
Klaaswaal 127 H6
Klarenbeek 124 M5
Klazienaveen 121 O3
Klijndijk 121 O3
Klimmen 133 L9
Klomp (De) 123 K5
Kloosterburen 119 N1
Kloosterhaar 125 O4

Kloosterzande 127 G7
Klundert 127 H7
Knegsel 128 K7
Knijpe (De) 119 L3
Kockengen 123 I5
Koedijk 122 I3
Koekange 120 M3
Koewacht 127 F8
Kolham 119 O2
Kolhorn 118 I3
Kollum 119 M2
Kollumerland c.a. 120 M2
Kollumerpomp 127 H7
Kollumerzwaag 119 M2
Kommerzijl 119 M2
Koningsbosch 129 L8
Koog aan de Zaan 122 I4
Koog (De) 118 I2
Kootwijk 123 L5
Kootwijkerbroek 123 L5
Kop van 't Land 128 I6
Kopstukken 121 P3
Korendijk 127 G6
Kornhorn 119 M2
Kortenhoef 123 J5
Kortgene 127 F7
Kotten 125 O6
Koudekerk aan den Rijn . 122 H5
Koudekerke 127 E7
Koudum 118 K3
Krabbendijke 127 G7
Kraggenburg 120 L4
Krammer 127 G7
Krewerd 121 O1
Krim (De) 120 N4
Krimpen aan de Lek 122 H6
Krimpen aan de IJssel .. 122 H6
Krimpenerwaard 122 I6
Kröller-Müller-Museum .. 123 L5
Kromme Mijdrecht 123 I5
Kromme Rijn 123 J5
Krommenie 122 I4
Kropswolde 119 O2
Kruiningen 127 G7
Kruisland 127 H7
Kudelstaart 122 I5
Küfurd (De) 119 L3
Kuinre 119 L3
Kwadendamme 127 F7

L

Laag-Keppel 124 M6
Laag-Soeren 124 M5
Lage Mierde 128 J7
Lage Vaart 123 K4
Lage Vuursche 123 J5
Lage Zwaluwe 128 I6
Lamswaarde 127 G7
Landgraaf 129 M9
Landsmeer 123 I4
Langbroek 123 J5
Langedijk 122 I3
Langelo 119 N2
Langeraar 122 I5
Langerak 123 I6
Langeveen 125 O4
Langezwaag 119 M3
Langweer 119 L3
Laren (Gelderland) 124 N5
Laren (Noord-Holland) .. 123 J5
Lattrop 125 O4
Lauwersmeer 119 M1
Lauwersoog 119 M1
Leek 119 N2
Leende 128 K7
Leens 119 N1
Leerbroek 123 J6
Leerdam 123 J6
Leermens 119 O1
Leersum 123 K5
Leeuwarden 119 L2
Leeuwarderadeel 120 L2
Leeuwte 120 L3
Leiden 122 H5
Leiderdorp 122 H5
Leidschendam 122 H5
Leien (De) 119 M2
Leimuiden 122 H5
Lek 122 I6
Lekkerkerk 122 I6
Lekkum 119 L2
Lelystad 123 K4
Lelystad Haven 123 K4
Lemele 124 N4
Lemelerberg 124 N4
Lemelerveld 124 N4
Lemmer 119 L3

Lemsterland 119 K3
Lent 123 L6
Lepelstraat 127 G7
Lettele 124 M5
Leunen 129 L7
Leusden 123 K5
Leusden-Zuid 123 K5
Leuth 124 L6
Leuvenum 123 L5
Lewedorp 127 F7
Lexmond 123 J6
Lhee 119 N3
Lichtenvoorde 124 N6
Liempde 128 K7
Lienden 123 K6
Lier (De) 122 G6
Lierop 128 L7
Lies 118 J1
Lieshout 128 K7
Liessel 128 L7
Lievelde 124 N5
Lieveren 119 N2
Lijmers 124 M6
Limbricht 129 L8
Limburg
  (Provincie) 129 L8
Limmen 122 I4
Linge 123 L6
Lingewaal 123 J6
Linne 129 L8
Linschoten 123 I5
Lippenhuizen 119 M2
Lisse 122 H5
Lith 128 K6
Lithoijen 128 K6
Littenseradiel 118 K2
Lobith 124 M6
Lochem 124 N5
Lochemseberg 124 N5
Loenen (Gelderland) 124 M5
Loenen (Utrecht) 123 J5
Loil 124 M6
Lollum 118 K2
Lomm 129 M7
Loo 124 L6
Loo (Het) 123 L5
Loon 119 N2
Loon op Zand 128 J7
Loonse en Drunense
  Duinen 128 J7
Loosdrecht 123 J5
Loosdrechtse Plassen ... 123 J5
Loosduinen 122 G5
Lopik 123 I6
Lopikerkapel 123 J6
Loppersum 119 O2
Lorentzsluizen 118 J2
Losser 125 P5
Lottum 129 M7
Lunteren 123 K5
Lutjegast 119 M2
Lutte (De) 125 O5
Luttelgeest 119 L3
Luttenberg 124 N4
Luyksgestel 128 J8

M

Maarheeze 128 K8
Maarn 123 K5
Maarsbergen 123 K5
Maarssen 123 J5
Maartensdijk 123 J5
Maas 133 J6
Maas en Waal (Land van) 123 K6
Maas Land 128 K6
Maas-Schwalm-Nette
  (Grenspark) 129 L8
Maas-Waalkanaal 129 L6
Maasbommel 123 K6
Maasbracht 129 L8
Maasbree 129 M7
Maasdam 127 H6
Maasdijk 122 G6
Maasdriel 128 K6
Maashees 129 M7
Maasland 122 G6
Maassluis 122 G6
Maastricht 133 L9
Maastricht (Luchthaven) 129 L9
Maasvlakte 122 G6
Made 128 I6
Makkinga 119 M3
Makkum 118 K2
Malden 129 L6
Mantgum 119 L2
Mantinge 119 N3

A B C D E F G H I J K L M N O P Q R S T U V W X Y Z

244 Nederland

Maren 128 K6
Margraten 133 L9
Mariaheide 128 K7
Mariahoop 129 L8
Mariahout 128 K7
Mariaparochie 125 O4
Mariënberg 124 N4
Mariënvelde 124 N5
Mark 128 H7
Markelo 124 N5
Marken 123 J4
Markermeer 123 J4
Markerwaarddijk 123 K4
Marknesse 120 L3
Marrum 119 L2
Marsdiep 118 I3
Marssum 119 L2
Marum 119 M2
Mastenbroek 124 M4
Mastenbroek (Polder) 124 M4
Maurik 123 K6
Mechelen 133 L9
Medemblik 118 J3
Meeden 121 O2
Meedhuizen 121 O2
Meerkerk 123 I6
Meerlo 129 M7
Meern (De) 123 J5
Meerssen 133 L9
Meeuwen 128 J6
Megchelen 124 N6
Megen 123 K6
Meije 123 I5
Meijel 129 L7
Melderslo 129 M7
Melick 129 M8
Meliskerke 127 E7
Melissant 127 G6
Menaldum 119 K2
Menaldumadeel 118 K2
Menkemaborg 119 O1
Mensingeweer 119 N1
Meppel 120 M3
Meppelerdiep 120 M4
Meppen 119 O3
Merselo 129 L7
Merwedekanaal 123 J6
Meteren 123 J6
Meterik 129 M7
Metslawier 119 M1
Middachten 124 M5
Middelaar 129 L6
Middelbeers 128 J7
Middelburg 127 E7
Middelharnis 127 G6
Middelstum 119 N1
Middenbeemster 123 I4
Middenmeer 118 I3
Midlaren 119 O2
Midlum 118 K2
Midsland 118 J1
Midwolda 121 P2
Midwolde 119 N2
Midwoud 123 J3
Mierlo 128 K7
Mijdrecht 123 I5
Mijnsheerenland 127 H6
Mildam 119 L3
Milheeze 128 L7
Mill 128 L6
Millingen aan de Rijn 124 M6
Milsbeek 129 L6
Minnertsga 118 K2
Moddergat 119 M1
Moerdijk 127 H6
Moerdijkbruggen 127 H6
Moergestel 128 J7
Moerkapelle 122 H5
Moermond 127 F6
Molenaarsgraaf 123 I6
Molenhoek 129 L6
Molenschot 128 I7
Molkwerum 118 K3
Monnickendam 123 J4
Monster 122 G5
Montferland 124 M6
Montfoort 123 I5
Montfort 129 L8
Mook 129 L6
Mookhoek 127 H6
Moordrecht 122 I6
Mortel 128 L7
Muiden 123 J5
Muiderberg 123 J5
Munnekeburen 119 L3
Munnekezijl 119 M2
Muntendam 121 O2
Mussel 121 P3
Musselkanaal 121 O3
Musselkanaal *(Plaats)* 121 P3
Muy (De) 118 I2

N

Naaldwijk 122 G6
Naarden 123 J5
Nagele 120 L4
Neder Rijn 123 K6
Nederasselt 128 L6
Nederhemert 128 J6
Nederhorst den Berg 123 J5
Nederweert 128 L8
Nederwetten 128 K7
Neede 125 N5
Neer 129 L8
Neerijnen 123 J6
Neeritter 129 L8
Neerkant 129 L7
Nes *(bij Dokkum)* 119 M1
Nes *(op Ameland)* 119 L1
Netersel 128 J7
Netterden 124 M6
Nibbixwoud 123 J3
Niekerk 119 N2
Nienoord 119 N2
Nieuw Amsterdam 121 O3
Nieuw Balinge 119 N3
Nieuw-Beerta 121 P2
Nieuw-Beijerland 127 H6
Nieuw-Bergen 129 M7
Nieuw Buinen 121 O3
Nieuw Den Helder 118 I3
Nieuw Dordrecht 121 O3
Nieuw en St.Joosland 127 E7
Nieuw Heeten 124 N5
Nieuw Lekkerland 122 I6
Nieuw Milligen 123 L5
Nieuw-Namen 127 G8
Nieuw-Roden 119 N2
Nieuw-Scheemda 121 O2
Nieuw-Schoonebeek 121 O4
Nieuw-Vennep 122 H5
Nieuw-Vossemeer 127 G7
Nieuw Weerdinge 121 O3
Nieuwdorp 127 F7
Nieuwe Maas 122 H6
Nieuwe Merwede 128 I6
Nieuwe-Niedorp 118 I3
Nieuwe Pekela 121 O2
Nieuwe Tonge 127 G6
Nieuwe Waterweg 122 G6
Nieuwegein 123 J5
Nieuwendijk 128 I6
Nieuwenhoorn 122 G6
Nieuwer-ter-Aa 123 I5
Nieuwerbrug 123 I5
Nieuwerkerk 127 G7
Nieuwerkerk aan den IJssel 122 H6
Nieuweroord 119 N3
Nieuwkoop 122 I5
Nieuwkoopse Plassen 123 I5
Nieuwkuijk 128 J6
Nieuwland *(Zuid-Holland)* 123 J6
Nieuwlande 120 N3
Nieuwleusen 124 M4
Nieuwolda 121 O2
Nieuwpoort 123 I6
Nieuwstadt 129 L8
Nieuwveen 122 I5
Nieuwvliet 126 E7
New-Loosdrecht 123 J5
Niezijl 119 N2
Niftrik 128 L6
Nigtevecht 123 J5
Nij Beets 119 M2
Nijbroek 124 M5
Nijega 119 M2
Nijemirdum 118 K3
Nijeveen 119 M3
Nijkerk 123 K5
Nijland 118 K2
Nijmegen 123 L6
Nijnsel 128 K7
Nijswiller 133 L9
Nijverdal 124 N4
Nispen 127 H7
Nisse 127 F7
Nistelrode 128 K6
Noardburgum 119 M2
Noorbeek 133 L9
Noord 122 H6
Noord Beveland 127 F7
Noord-Brabant *(Provincie)* 128 H7
Noord-Holland *(Provincie)* 122 I4
Noord-Oost-Polder 119 L3
Noord Willemskanaal 119 N2
Noordbroek 121 O2
Noordeinde *(Overijssel)* 119 M3
Noordeinde *(Zuid-Holland)* 122 I5
Noordeinde *(Gelderland)* 123 L4
Noordeloos 123 I6
Noorden 123 I5
Noorder-Koggenland 123 J3
Noorderhaaks 118 H3
Noordervaart 129 L8
Noordgouwe 127 F6
Noordhollandskanaal 118 I4
Noordhorn 119 N2
Noordlaren 119 O2
Noordscheschut 119 N3
Noordsleen 121 O3
Noordwijk 119 M2
Noordwijk aan Zee 122 H5
Noordwijk-Binnen 122 H5
Noordwijkerhout 122 H5
Noordwolde 119 M3
Noordzeekanaal 122 I4
Nootdorp 122 H5
Norg 119 N2
Nuenen 128 K7
Nul (Den) 124 M4
Nuland 128 K6
Numansdorp 127 H6
Nunspeet 123 L4
Nuth 129 L9

O

Obdam 123 I3
Ochten 123 K6
Odijk 123 J5
Odiliapeel 128 L7
Odoorn 121 O3
Oeffelt 129 L6
Oegstgeest 122 H5
Oene 124 M4
Oerle 128 K7
Oesterdam 127 G7
Oever (Den) 118 J3
Ohé en Laak 129 L8
Oijen 123 K6
Oirsbeek 129 L9
Oirschot 128 J7
Oisterwijk 128 J7
Olburgen 124 M5
Oldeberkoop 119 M3
Oldebroek 123 L4
Oldeholtpade 119 M3
Oldehove 119 N2
Oldemarkt 119 L3
Oldenzaal 125 O5
Oldenzijl 119 O1
Olland 128 K7
Olst 124 M4
Ommel 128 L7
Ommelanderwijk 121 O2
Ommen 124 N4
Ommeren 123 K6
Ommerkanaal 120 N4
Onderbanken 129 L9
Onderdendam 119 N1
Onderdijk 118 J3
Onnen 119 N2
Onstwedde 121 P2
Ooij 124 L6
Ooltgensplaat 127 H6
Oost-Graftdijk 123 I4
Oost-Souburg 127 E7
Oost-Vlieland 118 J2
Oostburg 127 E8
Oosteind 128 I7
Oosteinde 119 M3
Oostelbeers 128 J7
Oostelijk-Flevoland 123 K4
Oostendorp 123 L4
Oosterbeek 123 L6
Oosterbierum 118 K2
Oosterbroek 121 O2
Oosterend *(bij Wommels)* 118 K2
Oosterend *(op Terschelling)* 118 K1
Oosterend *(op Texel)* 118 I2
Oosterhesselen 119 O3
Oosterhout *(Noord-Brabant)* 128 I7
Oosterhout-Nijmegen *(Gelderland)* 123 L6
Oosterkwelder 119 M1
Oosterland *(Duiveland)* 127 G7
Oosterland *(Noord-Holland)* 118 J3
Oosterleek 123 J4
Oosternijkerk 119 M1
Oosterschelde 127 F7
Oosterscheldedam (Stormvloedkering) 127 F7
Oosterwierum 119 L2
Oosterwolde *(Fryslân)* 119 M3
Oosterwolde *(Gelderland)* 123 L4
Oosthem 118 K2
Oosthuizen 123 J4
Oostkapelle 127 E7
Oostmahorn 119 M1
Oostrum 129 M7
Ooststellingwerf 119 M3
Oostvaardersdijk 123 J4
Oostvaardersplassen 123 J4
Oostvoorne 122 G6
Oostwold *(bij Hoogkerk)* 119 N2
Oostwold *(bij Winschofen)* 121 P2
Oostzaan 123 I4
Ootmarsum 125 O4
Opeinde 119 M2
Opende 119 M2
Ophemert 123 K6
Opheusden 123 K6
Oploo 129 L7
Opmeer 123 I3
Oppenhuizen 119 L2
Opperdoes 118 J3
Opsterland 119 M2
Oranjekanaal 121 N3
Oranjewoud 119 L3
Orvelte 119 N3
Osdorp 123 I4
Ospel 129 L8
Ospeldijk 129 L8
Oss 128 K6
Osse (Den) 127 F6
Ossendrecht 127 H7
Ossenisse 127 F7
Ossenzijl 119 L3
Oterleek 123 I4
Otterlo 123 L5
Ottersum 129 L6
Oud-Beijerland 127 H6
Oud Gastel 127 H7
Oud-Loosdrecht 123 J5
Oud-Reemst 123 L5
Oud-Sabbinge 127 F7
Oud-Vossemeer 127 G7
Oud-Wassenaar 122 H5
Oud-Zuilen 123 J5
Ouddorp 127 F6
Oude IJssel 124 M6
Oude Maas H6
Oude Pekela 121 P2
Oude Rijn 122 I5
Oude-Tonge 127 G6
Oude Venen 119 L2
Oude-Wetering 122 H5
Oudebildtzijl 119 L2
Oudega *(bij Drachten)* 119 M2
Oudega *(bij Koudum)* 118 K3
Oudega *(bij Sneek)* 118 K3
Oudehaske 119 L3
Oudehorne 119 M3
Oudemirdum 118 K3
Oudemolen *(Drenthe)* 119 N2
Oudemolen *(Noord-Brabant)* 127 H7
Oudenbosch 127 H7
Oudenhoorn 127 G6
Ouderkerk 122 H6
Ouderkerk aan de Amstel 123 I5
Oudeschans 121 P2
Oudeschild 118 I2
Oudewater 123 I5
Oudkarspel 122 I3
Oudleusen 124 M4
Oudorp 122 I4
Oudwoude 119 M2
Ouwerkerk 127 F7
Overberg 123 K5
Overdinkel 125 P5
Overflakkee 127 G6
Overijssel *(Provincie)* 124 N4
Overijssels Kanaal 124 N4
Overlangel 128 L6
Overloon 129 L7
Overschie 122 H6
Overschild 119 O2
Overslag 127 F8
Overveen 122 H4
Ovezande 127 F7

P

Pannerden 124 M6
Pannerdens Kanaal 124 L5
Panningen 129 L8
Papendrecht 128 I6
Papenvoort 119 O3
Parrega 118 K2
Paterswolde 119 N2
Peelland 128 K7
Peij 129 L8
Peize 119 N2
Pekel-Aa 121 O2
Pernis 122 H6
Pesse 119 N3
Petten 118 I3
Philippine 127 F8
Philipsdam 127 G6
Piaam 118 K2
Piershil 127 G6
Pieterburen 119 N1
Pijnacker 122 H5
Pikmar 119 L2
Pingjum 118 K2
Poeldijk 122 G5
Polsbroek 123 I6
Polsbroekerdam 123 I6
Poortugaal 122 H6
Poortvliet 127 G7
Poppenwier 119 L2
Popta 119 L2
Port Zélande 127 F6
Posbank 124 M5
Post (Ten) 119 O2
Posterholt 129 M8
Posthoorn 123 L4
Princenhage 128 I7
Prinsenbeek 128 I7
Prinses Margrietkanaal 119 L2
Punt (De) 119 N2
Punthorst 124 M4
Purmerend 123 I4
Purmerland 123 I4
Putte 127 H7
Putten *(Gelderland)* 123 K5
Putten *(Zuid-Holland)* 123 G6
Puttershoek 127 H6

R

Raalte 124 M4
Raam 128 L6
Raamsdonk 128 I6
Raamsdonksveer 128 I6
Raerd 119 L2
Randwijk 123 L6
Ravenstein 128 K6
Rechteren 124 M4
Reduzum 119 L2
Reek 128 L6
Reest 120 N4
Reeuwijk 122 I5
Reeuwijk Dorp 122 I5
Reeuwijkse Plassen 122 I5
Regge 124 N5
Reimerswaal 127 G7
Reitdiep 119 N2
Rekken 125 O5
Renesse 127 F6
Renkum 123 L6
Renswoude 123 K5
Retranchement 126 E7
Reusel 128 J7
Reusel (Rivier) 128 J7
Reutum 125 O4
Reuver 129 M8
Rheden 124 M5
Rheeze 124 N4
Rhenen 123 K6
Rhoon 122 H6
Richel 118 J2
Ridderkerk 122 H6
Ried 118 K2
Riel 128 J7
Riethoven 128 K7
Rif (Het) 119 M1
Rijen 128 I7
Rijkevoort 129 L7
Rijnsburg 122 H5
Rijnwaarden 124 M6
Rijp (De) 123 I4
Rijs 118 K3
Rijsbergen 128 I7
Rijsenhout 122 I5
Rijsoord 122 H6
Rijssen 124 N5
Rijswijk *(Gelderland)* 123 K6
Rijswijk *(Zuid-Holland)* 122 G5
Rilland 127 G7
Rimburg 129 M9
Rinsumageast 119 L2
Rips 129 L7
Ritthem 127 E7
Rockanje 122 G6
Roden 119 N2
Roderwolde 119 N2
Roelofarendsveen 122 H5
Roer 129 L8
Roermond 129 L8
Roggebotsluis 124 L4
Roggel 129 L8
Rolde 119 N3
Ronde Venen (De) 123 I5
Ronduite 120 M3
Roodeschool 119 O1
Roompot 127 F7
Roosendaal 127 H7
Roosteren 129 L8
Rosmalen 128 K6
Rossum *(Gelderland)* 128 K6
Rossum *(Overijssel)* 125 O4
Roswinkel 121 P3
Rottemeren 122 H5
Rotterdam 122 H6
Rotterdam *(Luchthaven)* 122 H6
Rottevalle 119 M2
Rottum *(Fryslân)* 119 L3
Rottum *(Groningen)* 119 N1
Rottumeroog 119 N1
Rouveen 124 M4
Rozenburg 122 G6
Rozendaal 124 L5
Rucphen 127 H7
Ruinen 119 N3
Ruinerwold 119 M3
Ruiten-Aa 121 P3
Ruiten-Aa Kanaal 121 P3
Ruitenveen 124 M4
Rutten 119 L3
Ruurlo 124 N5

S

Saaksum 119 N2
Saasveld 125 O5
Sambeek 129 L7
Santpoort 122 H4
Sas-van-Gent 127 F8
Sassenheim 122 H5
Sauwerd 119 N2
Schaarsbergen 123 L5
Schaft 128 K8
Schagen 118 I3
Schagerbrug 118 I3
Schaijk 128 K6
Schalkhaar 124 M5
Schalkwijk 123 J6
Scharendijke 127 F6
Scharnegoutum 119 L2
Scharsterbrug 119 L3
Scharwoude 123 J4
Scheemda 121 O2
Schelde 127 G7
Schelde-Rijnverbinding 127 G7
Schellingwoude 123 I4
Schellinkhout 123 J4
Schelluinen 123 I6
Schermer 122 I4
Schermerhorn 123 I4
Scherpenisse 127 G7
Scherpenzeel *(Fryslân)* 119 L3
Scherpenzeel *(Gelderland)* 123 K5
Scheveningen 122 G5
Schiedam 122 H6
Schiermonnikoog 119 M1
Schiermonnikoog (Eiland) 119 M1
Schijf 127 H7
Schijndel 128 K7
Schildmeer 119 O2
Schildwolde 119 O2
Schimmert 129 L9
Schin op Geul 133 L9
Schinnen 129 L9
Schinveld 129 L9
Schipbeek 124 N5
Schipborg 119 O2
Schipluiden 122 G6
Schokland 120 L4
Schoondijke 127 E7
Schoonebeek 121 O4
Schoonebeekerdiep 121 O4
Schoonhoven 123 I6
Schoonloo 119 O3
Schoonoord 119 O3
Schoonrewoerd 123 J6
Schoorl 122 I3
Schooten (De) 118 I3
Schouwen 127 F6
Schouwerzijl 119 N2
Schuddebeurs 127 F6
Schutsluis 119 M1

A B C D E F G H I J K L M N O P Q R S T U V W X Y Z

Sebaldeburen 119 M2
Sellingen 121 P3
Serooskerke (Veere) 127 E7
Serooskerke (Westerchouwen) 127 F6
Sevenum 129 M7
Sexbierum 118 K2
Sibculo 125 N4
Sibrandabuorren 119 L2
Siddeburen 121 O2
Siebengewald 129 M7
Sijbekarspel 123 I3
Silvolde 124 N6
Simpelveld 133 L9
Sinderen 124 N6
St. Anna ter Muiden 126 E8
St. Annaland 127 G7
St. Hubertus (Jachtslot) 123 L5
St. Kruis 127 E8
St. Maartensdijk 127 G7
St. Philipsland 127 G7
St. Willebrord 127 H7
St.-Annaparochie 119 K2
St.-Annen 119 O2
St.-Anthonis 129 L7
St.-Geertruid 133 L9
St.-Hubert 129 L6
St.-Isidorushoeve 125 O5
St.-Jacobiparochie 118 K2
St.-Jansklooster 120 M3
St.-Jansteen 127 G8
St.-Laurens 127 E7
St.-Maarten 118 I3
St.-Maartensvlotbrug 118 I3
St.-Michielsgestel 128 K7
St.-Nicolaasga 119 L3
St.-Odiliënberg 129 L9
St.-Oedenrode 128 K7
St.-Pancras 122 I4
St.-Pietersberg 133 L9
Sittard 129 L8
Six Flags (Park) 123 L4
Skarsterlân 119 L3
Slagharen 120 N4
Slagharen (Attractiepark) 124 N4
Sleen 121 O3
Sleeuwijk 128 I6
Slenaken 133 L9
Sliedrecht 128 I6
Slinge 125 O5
Slochteren 119 O2
Sloehaven 127 F7
Slootdorp 118 I3
Sloten (Friesland) 119 K3
Slotermeer 123 K3
Slufter (De) 118 I2
Sluis 126 E8
Sluiskil 127 F8
Smilde 119 N3
Sneek 119 L2
Snitser Mar 119 L2
Soerendonk 128 K8
Soest 123 J5
Soestdijk 123 J5
Soestduinen 123 J5
Soesterberg 123 J5
Someren 128 L7
Someren-Eind 128 L7
Someren-Heide 128 L7
Sommelsdijk 127 G6
Son 128 K7
Sondel 118 K3
Spaarndam 122 I4
Spakenburg 123 K5
Spanbroek 123 I3
Sparjebird 119 M2
Spaubeek 129 L9
Spekholzerheide 133 M9
Spier 119 N3
Spierdijk 123 I4
Spijk (Gelderland) 124 M6
Spijk (Groningen) 121 O1
Spijkenisse 122 G6
Spijkerboor 119 O2
Spoordonk 128 J7
Sprang-Capelle 128 J6
Sprundel 127 H7
Spui (Zeeland) 127 F8
Spui (Zuid-Holland) 127 G6
Stad aan 't Haringvliet 127 G6
Stade Broek 123 J3
Stadskanaal 121 O3
Stampersgat 127 H7
Standdaarbuiten 127 H7
Staphorst 120 M4
Stavenisse 127 G7
Stavoren 118 K3

Stedum 119 O2
Steeg (De) 124 M5
Steenbergen 127 G7
Steenbergse Vliet 127 G7
Steendam 121 O2
Steenderen 124 M5
Steensel 128 K7
Steenwijk 119 M3
Steenwijkerwold 119 M3
Steenwijksmoer 121 O3
Steggerda 119 M3
Stein 129 L9
Stellendam 127 G6
Sterksel 128 K7
Stevensbeek 129 L7
Stevensweert 129 L8
Stevinsluizen 118 J3
Steyl 129 M8
Stichtse Brug 123 J5
Stiens 119 L2
Stiphout 128 K7
Stolwijk 122 I6
Stompwijk 122 H5
Stramproy 128 L8
Streefkerk 122 I6
Streek (De) 123 J3
Strijbeek 128 I7
Strijen 127 H6
Strijensham 127 G7
Strijensas 127 H6
Stroe 123 L5
Stuifzand 119 N3
Sumar 119 M2
Surhuisterveen 119 M2
Susteren 129 L8
Swalmen 129 M8
Swartbroek 129 L8
Swifterbant 123 K4

T

Tankenberg 125 O5
Tegelen 129 M7
Terband 119 L3
Terborg 124 N6
Terheijden 128 I7
Terherne 119 L2
Terkaple 119 L2
Terlet 123 L5
Termunten 121 P2
Ternaard 119 L1
Terneuzen 127 F7
Terneuzen (Pas van) 127 F7
Terschelling 118 K1
Terschellingerwad 118 J2
Terschuur 123 K5
Terwolde 124 M5
Teteringen 128 I7
Teuge 124 M5
Texel 118 I2
Thesinge 119 N2
Tholen 127 G7
Tholen (Plaats) 127 G7
Thorn 129 L8
Tiel 123 K6
Tiengemeten 127 G6
Tienhoven 123 J5
Tienray 129 M7
Tijnje 119 L2
Tilburg 128 J7
Tilligte 125 O4
Tjalleberd 119 L3
Tjerkwerd 118 K2
Tjongerkanaal 119 M3
Tolbert 119 N2
Toldijk 124 M5
Tolkamer 124 M6
Tollebeek 120 L3
Tongelre 128 K7
Tongelreep 133 L9
Trekkersveld 123 K4
Tricht 123 J6
Tsjonger of De Kuunder (De) 119 L3
Tsjukemar 119 L3
Tubbergen 125 O4
Tuk 119 M3
Tungelroy 128 L8
Turfvaart 127 H7
Tweede-Exloërmond 121 O3
Twello 124 M5
Twentekanaal 124 N5
Twickel 125 O5
Twijzel 119 M2
Twijzelerheide 119 M2
Twisk 118 J3
Tynaarlo 119 N2
Tytsjerksteradiel 119 M2

Tzum 118 K2
Tzummarum 118 K2

U - V

Ubachsberg 133 L9
Ubbergen 124 L6
Uddel 123 L5
Uden 128 K7
Udenhout 128 J7
Uffelte 119 M3
Ugchelen 123 L5
Uitdam 123 J4
Uitgeest 122 I4
Uithoorn 123 I5
Uithuizen 119 O1
Uithuizermeeden 119 O1
Uithuizerwad 119 N1
Ulestraten 129 L9
Ulft 124 N6
Ulicoten 128 I7
Ulrum 119 N1
Ulvenhout 128 I7
Ureterp 119 M2
Urk 120 L4
Urmond 129 L9
Ursem 123 I4
Usquert 119 N1
Usselo 125 O5
Utrecht 123 J5
Utrecht (Provincie) 123 J5
Vaals 133 M9
Vaart (De) 123 J4
Vaassen 124 L5
Valburg 123 L6
Valkenburg 122 H5
Valkenburg aan de Geul 133 L9
Valkenswaard 128 K7
Valthe 121 O3
Valthermond 121 O3
Van Harinxmakanaal 119 K2
Van Starkenborghkanaal 119 M2
Varik 123 K6
Varsen 124 N4
Varsseveld 124 N6
Vasse 125 O4
Veelerveen 121 P2
Veen 128 J6
Veendam 121 O2
Veenendaal 123 K5
Veenhuizen 119 N2
Veenhuizen 120 N3
Veenoord 121 O3
Veere 127 F7
Veerse Gatdam 127 E7
Veerse Meer 127 F7
Veessen 124 M4
Veghel 128 K7
Velddriel 128 J6
Velden 129 M7
Veldhoven 128 K7
Velp (Gelderland) 128 L6
Velp (Noord-Brabant) 124 L6
Velsen 122 H4
Velsertunnel 122 H4
Veluwe 123 L5
Veluwemeer 123 K5
Veluwezoom (Nationaal Park De) 124 L5
Venhorst 128 L7
Venhuizen 123 J3
Venlo 129 M7
Venray 129 L7
Vessem 128 J7
Veulen 129 L7
Vianen 123 J6
Vierhouten 123 L5
Vierlingsbeek 129 M7
Vijfhuizen 122 I4
Vijlen 133 L9
Vilsteren 124 N4
Vinkel 128 K6
Vinkeveen 123 I5
Vinkeveense Plassen 123 I5
Visvliet 119 M2
Vlaardingen 122 H6
Vlagtwedde 121 P2
Vledder 119 M3
Vleut 128 K7
Vleuten 123 J5
Vlieland 118 J2
Vlierden 128 L7
Vliestroom 118 J2
Vlijmen 128 J6
Vlissingen 127 E7
Vlist 123 I6

Vlist (Rivier) 123 I6
Vlodrop 129 M8
Voerendaal 133 L9
Vogelenzang 122 H5
Vogelwaarde 127 F8
Volendam 123 J4
Volkel 128 K7
Volkerak 127 G7
Volkerakdam 127 H6
Vollenhove 120 L3
Vollenhovermeer 120 L3
Voorburg 122 H5
Voorhout 122 H5
Voorne 122 G6
Voorne (Kanaal door) 122 G6
Voorschoten 122 H5
Voorst 124 M5
Voorthuizen 123 K5
Vorden 124 M5
Vorstenbosch 128 K7
Vragender 125 N6
Vreeland 123 J5
Vries 121 N2
Vriescheloo 121 P2
Vriezenveen 124 N4
Vroomshoop 124 N4
Vrouwenparochie 119 L2
Vrouwenpolder 127 E7
Vught 128 J7

W

Waal 128 L6
Waal (De) 118 I2
Waalre 128 K7
Waalwijk 128 J6
Waarde 127 G7
Waardenburg 123 J6
Waarder 123 I5
Waardgronden 128 J2
Waardhuizen 128 J6
Wachtum 119 O3
Waddeneilanden 118 J1
Waddenzee 118 J2
Waddinxveen 122 H5
Wadenoijen 123 K6
Wadway 123 I3
Wagenberg 128 I7
Wagenborgen 121 O2
Wageningen 123 K6
Walcheren 127 E7
Walsoorden 127 G7
Wamel 123 K6
Wanneperveen 120 M3
Wanroij 129 L7
Wanssum 129 M7
Wapenveld 124 M4
Wapserveen 119 M3
Warffum 119 N1
Warfstermolen 119 M2
Warmenhuizen 122 I3
Warmond 122 H5
Warns 118 K3
Warnsveld 124 M5
Warten 119 L2
Waskemeer 119 M2
Waspik 128 I6
Wassenaar 122 H5
Wateren 119 M3
Wateringen 122 G5
WaterLand Neeltje Jans 127 E8
Waterlandkerkje 127 E8
Wedde 121 P2
Weebosch 128 J8
Weerselo 125 O4
Weert 128 L7
Weesp 123 J5
Wehe-Den Hoorn 119 N1
Wehl 124 M6
Weidum 119 L2
Weiteveen 121 O3
Weiwerd 121 O2
Wekerom 123 L5
Welberg 127 H7
Well (Gelderland) 123 J6
Well (Limburg) 129 M7
Wellerlooi 129 M7
Wemeldinge 127 F7
Wenum 124 L5
Wergea 119 L2
Werkendam 128 I6
Werkhoven 123 J5
Wernhout 128 H7
Wervershoof 118 J3
Wesepe 124 M5
Wessem 129 L8
Wessem Nederweert (Kanaal) 129 L8

West-Graftdijk 122 I4
West-Souburg 127 E7
West-Terschelling 118 J1
Westbeemster 123 I4
Westbroek 123 J5
Westdorpe 127 F8
Westeinder Plassen 122 I5
Westendorp 124 N6
Westenholte 124 M4
Wester-Koggenland 123 J4
Westerbeek 129 L7
Westerbork 119 N3
Westerbroek 119 O2
Westerduinen (De) 118 I2
Westereems 119 O1
Westereen (De) 119 M2
Westeremden 119 O1
Westerhaar-Vriezenveensewijk 124 N4
Westerhoven 128 K7
Westerland 118 I3
Westerlee (Groningen) 121 O2
Westerlee (Zuid-Holland) 122 G6
Westerschelde 127 F7
Westervoort 124 L6
Westerwoldse Aa 121 P2
Westkapelle 126 E7
Westmaas 127 H6
Weststellingwerf 119 L3
Westvoorne 122 G6
Westwoud 123 J3
Weurt 123 L6
Wezep 124 L4
Wezup 119 O3
Wezuperbrug 119 O3
Wichmond 124 M5
Wielingen 127 E7
Wierden 124 N4
Wieringen 118 I3
Wieringermeer Polder 118 J3
Wieringerwaard 118 I3
Wieringerwerf 118 J3
Wierum 119 M1
Wiesel 123 L5
Wijchen 123 L6
Wijckel 118 K3
Wijdenes 123 J4
Wijhe 124 M4
Wijk (De) 120 M3
Wijk aan Zee 122 H4
Wijk bij Duurstede 123 J5
Wijk en Aalsburg 128 J6
Wijster 124 N3
Wijthmen 124 M4
Wildervank 119 N1
Wildervank 121 O2
Wilgen (De) 119 M2
Wilhelminadorp 127 F7
Wilhelminaoord 119 M3
Willemsoord 119 M3
Willemstad 127 H6
Wilnis 123 I5
Wilp 124 M5
Wilp (De) 119 M2
Windesheim 124 M4
Winkel 118 I3
Winschoten 121 P2
Winschoterdiep 119 O2
Winssen 123 L6
Winsum (Fryslân) 118 K2
Winsum (Groningen) 119 N2
Wintelre 128 K7
Winterswijk 125 O6
Wirdum 119 L2
Wissenkerke 127 F7
Wittem 133 L9
Wiuwert 119 L2
Woensdrecht 127 G7
Woerden 123 I5
Wognum 123 J3
Woldberg 123 L4
Woldendorp 121 P2
Wolfheze 123 L5
Wolphaartsdijk 127 F7
Woltersum 119 O2
Wolvega 119 M3
Wommels 118 K2
Wons 118 K2
Workum 118 K3
Wormer 123 I4
Wormerveer 122 I4
Woubrugge 122 H5

Woudenberg 123 K5
Woudrichem 128 J6
Woudsend 118 K3
Wouw 127 H7
Wouwse Plantage 127 H7
Wijns 119 L2
Wytgaard 119 L2

Y - Z

Yerseke 127 G7
Ysselsteyn 129 L7
Zaamslag 127 F8
Zaan 122 I4
Zaandam 123 I4
Zaandijk 123 I4
Zaanstad 122 I4
Zalk 124 M4
Zaltbommel 128 J6
Zand ('t) 118 I3
Zandkreekdam 127 F7
Zandloper (De) 118 I3
Zandt ('t) 119 O1
Zandvoort 122 H4
Zeddam 124 M6
Zederik 123 J6
Zeegse 119 N2
Zeeland 128 L6
Zeeland (Provincie) 127 E7
Zeelandbrug 127 F7
Zeerijp 119 O1
Zeewang 123 J4
Zeewolde 123 K5
Zegge 127 H7
Zegveld 123 I5
Zeijen 119 N2
Zeilberg 129 L7
Zeist 123 J5
Zelhem 124 N5
Zenderen 125 O5
Zetten 123 L6
Zevenaar 124 M6
Zevenbergen 127 H7
Zevenbergschen Hoek 128 I6
Zevenhuizen (Groningen) 119 N2
Zevenhuizen (Zuid-Holland) 122 H5
Zierikzee 127 F7
Zieuwent 124 N5
Zijderveld 123 J6
Zijdewind 118 I3
Zijpe 118 I3
Zijtaart 128 K7
Zilk (De) 122 H5
Zoetermeer 122 H5
Zoeterwoude-Rijndijk 122 H5
Zonnemaire 127 F6
Zoutelande 127 E7
Zoutkamp 119 M1
Zuid-Beijerland 127 H6
Zuid Beveland 127 F7
Zuid-Holland (Provincie) 122 H5
Zuid-Kennemerland (Nationaal Park) 122 H4
Zuid-Willemsvaart 128 K8
Zuidbarge 121 O3
Zuidbroek 121 O2
Zuiddorpe 127 F8
Zuidelijk-Flevoland 123 K4
Zuideropgaande 120 N3
Zuiderwoude 123 J4
Zuidhorn 119 N2
Zuidlaardermeer 119 O2
Zuidland 127 G6
Zuidlaren 119 O2
Zuidveen 119 M3
Zuidwolde (Drenthe) 120 N3
Zuidwolde (Groningen) 119 N2
Zuidzande 126 E7
Zuilichem 128 J6
Zundert 128 H7
Zurich 118 K2
Zutphen 124 M5
Zwaag 123 J3
Zwaagdijk 123 J3
Zwammerdam 122 I5
Zwanenburg 122 I4
Zwanenwater ('t) 118 I3
Zwartemeer (Drenthe) 121 P3
Zwartemeer (Overijssel) 121 L4
Zwartewaal 122 G6
Zwartewater 124 M4
Zwartsluis 120 M4
Zweeloo 119 O3
Zwijndrecht 127 H6
Zwinderen 119 O3
Zwolle 124 M4

A B C D E F G H I J K L M N O P Q R S T U V W X Y Z

A B C D E F G H I J K L M N O P Q R S T U V W X Y Z

A

Aabach 141 I3
Aadorf 142 K3
Aarau 141 I3
Aarberg 140 F4
Aarburg 141 H4
Aare 141 I3
Aarekanal 140 F4
Aareschlucht 146 I5
Aargau (Kanton) 117 I3
Aarwangen 141 H4
Abbaye (L') 144 C6
Abländschen 145 F6
Abtwil 141 J4
Ächerlipass 141 J5
Aclens 144 D6
Acquarossa 147 K6
Adelboden 145 G6
Adligenswil 141 J4
Adlikon 142 J3
Adliswil 142 J4
Aesch (Basel-Land) 141 G3
Aesch (Luzern) 142 I4
Aeschi bei Spiez 145 H6
Affeltrangen 142 L3
Affoltern a. Albis 141 J4
Affoltern bei Zürich 142 J3
Affoltern i. Emmental 141 H4
Agarn 145 G7
Agarone 147 K7
Ägerisee 142 J4
Agno 147 K7
Aigle 145 E7
Aire-la-Ville 144 C7
Airolo 146 J6
Alberswil 141 H4
Albeuve 145 F6
Albis 142 J4
Albristhorn 145 G6
Albrunpass 146 I6
Albula/Alvra 147 M6
Albulapass 147 N6
Aletschhorn 146 I6
Allalinhorn 146 H7
Allaman 144 D6
Alle 140 F3
Allschwil 141 G3
Allweg 141 I5
Alp Grüm 149 O6
Alperschällihorn 147 L6
Alpes *(Vue des) 140 E4
Alphubel 146 H7
Alpnach 141 I5
Alpnachstad 141 I5
Alpstein 142 M4
Alptal 142 K4
Alt St. Johann 142 L4
Altanca 146 K6
Altbüron 141 H4
Altdorf 148 J5
Altendorf 142 K4
Altenrhein 143 M3
Alter Spittel 146 I7
Alterswil 145 F5
Altnau 142 L3
Altstätten 142 M3
Altstetten 141 J3
Alvaneu 147 M5
Alvra (Val d') 147 N6
Ambri 146 K6
Amburnex (Combe des) 144 C6
Amden 142 L4
Aminona 145 G6
Amlikon 142 L3
Amriswil 142 L3
Amsoldingen 145 G5
Amsteg 146 J5
Andeer 147 M6
Andelfingen 142 K3
Andermatt 146 J6
Anières 144 C7
Anniviers (Val d') 145 G7
Anzère 145 G7
Appenzell 142 M4
Appenzell Ausserrhoden (Kanton) 118 L3
Appenzell Innerrhoden (Kanton) 118 M3
Apples 144 D6
Aquila 147 K6
Aran 144 C6
Arbedo-Castione 147 L7
Arbon 143 M3
Arch 141 G4
Arconciel 145 F5
Ardez 149 O5
Ardon 145 F7
Arenenberg 142 L2

Areuse 140 E5
Areuse (Gorges de l') 116 E5
Argentière (Aiguille d') 145 F8
Argovie = Aargau 141 I3
Arisdorf 141 H3
Arlesheim 141 G3
Arnegg 142 L3
Arnex-sur-Orbe 144 D5
Arni 141 J4
Arogno 147 K8
Arolla 145 G7
Arosa 147 N5
Aroser Rothorn 147 M5
Arth 142 J4
Arvigo 147 L7
Arzier-Le Muids 144 C6
Arzo 152 K8
Ascona 146 K7
Assens 144 D6
Astano 146 K7
Asuel 140 F3
Attalens 145 E6
Attinghausen 148 J5
Attiswil 141 G4
Au 143 M3
Auberson (L') 140 D5
Aubonne 144 D6
Auboranges 145 E6
Aubrig 142 K4
Auenstein 141 I3
Augio 147 L6
Augst 141 H3
Augstbordhorn 145 H7
Augstenberg 149 O5
Aumont 140 E5
Ausserberg 146 H7
Ausserferrera 147 M6
Auvernier 140 E5
Auw 141 J4
Avants (Les) 145 E6
Avegno Gordevio 146 K7
Avenches 140 F5
Averserrhein 147 M6
Avry 145 F5
Avry-devant-Pont 145 F5
Avully 144 C7
Axalp 122 I5
Axenstrasse 148 J5
Ayent 145 G7
Ayer 145 G7
Azmoos 142 M4

B

Baar 142 J4
Bäch 142 K4
Bachsee 146 I5
Bad Zurzach 141 I3
Baden 141 I3
Badus 146 J6
Bagnes (Vallée de) 145 F7
Baldegger See 141 I4
Bâle = Basel 141 G3
Balerna 152 L8
Balfrin 146 H7
Balgach 143 M3
Ballaigues 144 D5
Ballens 144 D6
Ballwil 141 I4
Balmhorn 145 H6
Balsthal 141 H4
Balterswil 142 K3
Bannwil 141 H4
Bärau 141 H5
Bärentritt 147 N5
Bäretswil 142 K3
Bargen 142 J2
Bäriswil 141 G4
Barrhorn 145 H7
Bärschwil 141 G3
Basel 141 G3
Basel-Land (Kanton) 117 H3
Basel-Stadt (Kanton) 117 G3
Bassecourt 140 F3
Bassersdorf 142 J3
Bassins 144 C6
Bätterkinden 141 G4
Bättlihorn 122 I7
Bauen 148 J5
Baulmes 140 D5
Baulmes (Mont de) 140 D5
Bauma 142 K3
Bavois 144 D5
Bavona (Val) 146 J6
Bayards (Les) 140 D5
Bazenheid 142 L3
Beatenberg 146 H5
Beckenried 141 J5
Bedano 147 K7

Bedigliora 146 K7
Bedretto 146 J6
Bedretto (Val) 146 J6
Beggingen 142 J2
Begnins 144 C6
Beinwil 141 J4
Beinwil a. See 141 I4
Belfaux 140 F5
Bella Lui 145 G6
Bellavista 152 L8
Bellelay 140 F4
Bellinzona 147 L7
Bellwald 146 I6
Belp 141 G5
Benken (Basel-Land) 141 G3
Benken (St. Gallen) 142 L4
Benken (Zürich) 142 J3
Bercher 144 E5
Berg 142 L3
Bergdietikon 141 J3
Berglistock 146 I6
Bergün / Bravuogn 147 N6
Bergüner Stein 147 N6
Berikon 141 J3
Beringen 142 J2
Bern 141 G5
Bern-Belp (Aéroport) 141 G5
Bern (Kanton) 121 H6
Berne = Bern 141 G5
Berneck 143 M3
Bernex 144 C7
Bernina (Passo del) 149 O6
Bernina (Piz) 149 N6
Beromünster 141 I4
Berra (La) 145 F5
Berschis 142 M4
Betten 146 I6
Bettens 144 D6
Bettlach 140 G4
Bettmeralp 146 I6
Beurnevésin 140 F3
Bevaix 140 E5
Bever 147 N6
Bévilard 140 F4
Bex 145 F7
Biasca 147 K6
Biaufond 140 E4
Biberbrugg 142 K4
Biberist 141 G4
Bidogno 147 K7
Biel / Bienne 140 F4
Bieler See 140 F4
Bière 144 C6
Bietschhorn 146 H6
Bifertenstock 147 K5
Bigenthal 141 G5
Biglen 141 G5
Bignasco 146 J6
Bilten 142 L4
Binn 146 I6
Binningen 141 G3
Bioggio 147 K7
Bioux (Les) 144 C6
Birchli 142 K4
Birmensdorf 141 J3
Bironico 147 K7
Birr 141 I3
Birri 141 J4
Birs 117 G3
Birse 140 F4
Birsfelden 141 G3
Bischofszell 142 L3
Bisistal 148 K5
Bissone 147 K8
Bivio 147 M6
Blanc de Cheilon (Mont) 145 G8
Blas (Piz) 146 K6
Blatten 146 H6
Blatten bei Naters 146 H6
Blausee 145 G6
Blenio (Val) 147 K6
Bleis (Piz) 147 M6
Blinnenhorn 146 I6
Blitzingen 146 I6
Blonay 145 E6
Blumenstein 145 G5
Bodio 147 K6
Bogno 147 L7
Bois (Les) 140 E4
Boll 141 G5
Bolligen 141 G5
Boltigen 145 G6
Bonaduz 147 M5
Boncourt 140 F3
Bonfol 140 F3
Bönigen 146 H5
Boniswil 141 I4
Bonmont (Abbaye de) 144 C6

Bordier 146 H7
Bosco Luganese 147 K7
Bosco / Gurin 146 J7
Bösingen 140 F5
Bosson (Becs de) 145 G7
Bossonnens 145 E6
Boswil 141 I4
Bottens 144 E6
Bottenwil 141 I4
Bottighofen 142 L3
Böttstein 141 I3
Boudevilliers 140 E4
Boudry 140 E5
Bougy (Signal de) 144 D6
Bouloz 145 E6
Bourg-St. Pierre 145 F8
Boussens 144 D6
Bouveret 145 E6
Bovernier 145 F7
Bowil 141 H5
Bözen 141 I3
Bözingen 140 F4
Brail 149 O6
Bramois 145 G7
Brassus (Le) 144 C6
Brassus-Carroz 144 C6
Braunau 142 L3
Braunwald 148 K5
Bré (Monte) 147 K7
Bregaglia (Val) 147 M6
Breil / Brigels 147 L5
Breitenbach 141 G3
Breithorn (Lauterbrunner) 146 H6
Breithorn (Lötschentaler) 146 H6
Breithorn (Zermatter) 145 H8
Bremgarten (Aargau) 141 J3
Brenets (Les) 140 E4
Brenleire (Dent de) 145 F6
Brenles 145 E5
Brenno 147 K6
Breno 146 K7
Bretaye 145 F7
Bretzwil 141 G3
Breuleux (Les) 140 F4
Brévine (La) 140 D5
Breya (La) 145 F7
Brienz (Bern) 146 I5
Brienz (Graubünden) 147 M5
Brienzer Rothorn 146 I5
Brienzer See 146 H5
Brienzwiler 146 I5
Brig 146 H7
Brione 146 K7
Brione Sopra Minusio 146 K7
Brissago 146 K7
Brittnau 141 H4
Broc 145 F6
Bronschhofen 142 L3
Brot-Dessous 140 E5
Brot-Dessus 140 E5
Broye 145 E5
Brugg 141 I3
Brügg 140 F4
Bruggen 142 L3
Brülisau 142 M4
Brunegg 141 I3
Brünigpass 146 I5
Brunnadern 142 L3
Brunnen 148 J5
Brunni 142 K4
Bruson 145 F7
Brusino-Arsizio 152 K8
Brusio 149 O7
Brüttelen 140 F4
Brütten 142 J3
Bubendorf 141 H3
Bubikon 142 K4
Buch 142 K4
Buch a. Irchel 142 J3
Buch bei Frauenfeld 142 K3
Buchegg 140 G4
Buchen im Prättigau 149 N5
Buchrain 141 J4
Buchs (Aargau) 141 I3
Buchs (St. Gallen) 142 M4
Buchs (Zürich) 141 J3
Büetigen 116 G4
Bühl 140 F4
Bühler 142 M3
Büin (Piz) 149 O5
Bülach 142 J3
Bulle 145 F6
Bümpliz 140 G5
Bundtels 140 F5
Buochs 141 J5
Bürchen 146 H7
Bure 140 F3
Büren a. A. 140 G4

Büren zum Hof 141 G4
Burg im Leimental 141 G3
Burgdorf 141 G4
Bürglen (Thurgau) 142 L3
Bürglen (Uri) 148 K5
Büron 141 I4
Bursins 144 C6
Burtigny 144 C6
Büsserach 141 G3
Bussigny 144 D6
Bussy (Neuchâtel) 140 E5
Bussy (Vaud) 144 D6
Bütschwil 142 L3
Buttes 140 D5
Buttisholz 141 I4
Buus 141 H3

C

Cadeina dil Sighina 147 L5
Cademario 147 K7
Cadenazzo 147 K7
Cadlimo 146 K6
Cagiallo 147 K7
Calanca (Val) 147 L7
Calanda 148 M5
Calanda (Refuge) 148 M5
Calfeisen 147 L5
Calonico 146 K6
Cama 147 L7
Camedo 146 J7
Camoghè 147 L7
Campo 146 J7
Campo Blenio 147 K6
Campo Tencia (Refuge) 146 K6
Campo Tencia (Piz) 146 K6
Campo (Valle di) 146 J7
Campocologno 149 O7
Campsut 147 M6
Canfinal (Pass da) 149 N7
Canobbio 147 K7
Caprino 147 K8
Carena 147 L7
Carouge 144 C7
Carrouge 145 E6
Casaccia 147 M6
Caslano 147 K8
Cassimoi 147 L6
Cassonsgrat 148 L5
Castasegna 147 M6
Castello (Cima di) 147 N7
Castiel 147 M5
Castrisch 147 L5
Cavardiras (Refuge) 146 K5
Cavistrau 147 K5
Cazis 147 M5
Celerina / Schlarigna 147 N6
Ceneri (Monte) 147 K7
Cengalo (Piz) 147 M7
Centovalli 146 J7
Centrale (Piz) 146 J6
Cerentino 146 J7
Ceresio 122 L7
Cerneux-Péquignot (Le) 140 E4
Cernier 140 E4
Certoux 144 C7
Cervin / Cervino (Monte) / Matterhorn 145 G8
Cevio 146 J7
Châble (Le) 145 F7
Châbles 140 E5
Chabrey 140 E5
Chaillexon (Lac de) 116 E4
Chaiserstock 148 K5
Chalais 145 G7
Cham 141 J4
Chamoson 145 F7
Chamossaire (Le) 145 F7
Champagne 140 E5
Champéry 145 E7
Champex 145 F7
Champsec 145 F7
Champtauroz 145 E5
Champvent 145 E5
Chancy 144 B7
Chandolin 145 G7
Charbonnières (Les) 144 C6
Chardonne 145 E6
Charmey 145 F6
Charmoille 140 F3
Charrat 145 F7
Le Chasseral 140 F4
Le Chasseron 140 D5
Château-d'Oex 145 F6
Châtel-St. Denis 145 E6
Châtelard (Le) 145 E7
Châtillon 140 G4
Châtonnaye 145 E5

Chaumont 140 E4
Chaux-de-Fonds (La) 140 E4
Chaux-du-Milieu (La) 140 E4
Chavalatsch (Piz) 149 P6
Chavannes-de-Bogis 144 C6
Chavannes-des-Bois 144 C7
Chavannes-les-Forts 145 E6
Chavornay 144 D5
Chenalette (La) 150 F8
Chêne-Bourg 144 C7
Chénens 145 E5
Chermignon 145 G7
Cheseaux-sur-Lausanne 144 D6
Chesières 145 F7
Chessel 145 E6
Chevenoz 140 E7
Cheville (Pas de) 145 F7
Chevroux 140 E5
Chexbres 145 E6
Cheyres 140 E5
Chiasso 152 L8
Chiggiogna 146 K6
Chiggiona 146 K6
Chillon 145 E6
Chippis 145 G7
Chrüzegg 142 L4
Chünetta 149 N6
Churfirsten 142 L4
Churwalden 147 M5
Cimetta 146 K7
Clarens 145 E6
Clariden (Refuge) 147 K5
Clariden 148 K5
Claro 147 L7
Cleuson (Lac de) 145 G7
Coaz 147 N6
Coffrane 140 E7
Coglio 146 K7
Coinsins 144 C6
Coire = Chur 147 M5
Collombey 145 E7
Collon (Mont) 145 G8
Collonge-Bellerive 144 C7
Collonges 145 F7
Colombier (Neuchâtel) 140 E5
Colombier (Vaud) 144 D6
Comballaz (La) 145 F6
Combremont 145 E5
Concise 140 E5
Constance (Lac de) / Bodensee 142 M3
Conthey 145 F7
Coppet 144 C7
Corbassière (Glacier de) 145 F8
Corbeyrier 145 E6
Corbières 145 F6
Corcelles-le-Jorat 144 E6
Corcelles-près-Payerne 116 E5
Corcelles-s-Chavornay 144 D5
Corgémont 140 F4
Corno-Gries (Refuge) 146 J6
Cornol 140 F3
Corpataux 145 F5
Corserey 145 E5
Corsier 144 C7
Cortaillod 140 E5
Corvatsch (Piz) 147 N6
Cossonay 144 D6
Cottens (Fribourg) 145 F5
Cottens (Vaud) 144 D6
Courchapoix 141 G3
Courfaivre 140 F3
Courgenay 140 F3
Courgevaux 140 F5
Courrendlin 140 G3
Courroux 140 G3
Court 140 G4
Courtelary 140 F4
Courtemaîche 140 F3
Courtepin 140 F5
Courtételle 140 F3
Courtion 140 F5
Couvet 140 D5
Coux (Col de) 145 E7
Cramalina (Piz) 146 J7
Crans-près-Céligny 144 C6
Crans-sur-Sierre 145 G7
Crassier 144 C6
Crémines 141 G4
Cresciano 147 L7
Cressier 140 F4
Cresta 147 M6
Cresuz 145 F6
Crêt (Le) 145 E6
Creux du Van 140 E5
Crissier 144 D6
Cristallina (Refuge) 146 J6

Suisse, Schweiz, Svizzera 247

Cristallina 146 J6
Croix (La) 120 E6
Croix (Col de la) 145 F7
Croix-de-Rozon 120 C7
Croy 144 D5
Cuarnens 144 D6
Cudrefin 140 F5
Cufercal(Refuge) 147 M6
Cugnasco-Gerra 147 K7
Cugy 144 D6
Culet (Croix de) 145 E7
Cully 144 E6
Cumbel 147 L5
Cunter 147 M6
Curaglia 147 K5
Cure (La) 144 C6
Cureglia 147 K7
Curnera (Lac da) 122 K6
Curtilles 145 E5

D

Dachsen 142 J2
Dagmersellen 141 H4
Dallenwil 141 J5
Dalpe 146 K6
Dammastock 146 J6
Damvant 140 E3
Dangio 147 K6
Dardagny 144 B7
Därligen 146 H6
Därstetten 145 G6
Daubensee 145 G6
Davos 147 N5
Degersheim 142 L3
Delémont 140 G3
Denezy 145 E5
Dent Blanche (Refuge) 145 G7
Dent de Lys 145 F6
Dent de Vaulion 116 D5
Dent Blanche 145 G7
Dent d'Hérens 145 G8
Dents Blanches (Les) 145 E7
Dents du Midi 145 E7
Derborence 145 F7
Derendingen 141 G4
Develier 140 F3
Diablerets (Refuge) 145 F6
Diablerets (Les) 145 F6
Diablerets (Les) *(Massif)* 145 F7
Diablons (Les) 145 H7
Diavolezza 149 N6
Diegten 141 H3
Dielsdorf 141 J3
Diemtigen 145 G6
Diemtigtal 145 G6
Diepoldsau 143 M3
Diessenhofen 142 K2
Diesse (Plateau de) 140 F4
Dietikon 141 J3
Dietwil 141 J4
Dirinella 146 K7
Disentis / Mustér 147 K5
Dix (Refuge) 145 G7
Dix (Lac des) 145 G7
Doldenhorn 145 H6
La Dôle 144 C6
Dolent (Mont) 145 F8
Dom 146 H7
Domat / Ems 147 M5
Dombresson 140 E4
Dombidier 140 F5
Domhütte 145 H7
Domleschg 123 M5
Dompierre 140 F5
Donath 147 M6
Dongio 147 K6
Donneloye 144 E5
Doppleschwand 141 I4
Dorénaz 145 F7
Dorf 119 N5
Dorf bei Andelfingen 142 J3
Dornach 141 G3
Dossen (Refuge) 146 I6
Dottikon 141 I3
Döttingen 141 I3
Doubs 140 E4
Dranse 121 F7
Dreibündenstein 147 M5
Droit (Montagne du) 116 E4
Drusenfluh 149 N4
Duan (Piz) 147 M6
Dübendorf 142 J3
Düdingen 140 F5
Dufourspitze 146 H8
Dulliken 141 H3
Dully 144 C6
Dündenhorn 145 H6
Dürnten 142 K4
Dürrboden 149 N5
Dürrenboden 148 K5
Dürrenroth 141 H4
Düssi 146 K5
Dussnang 142 K3

E

Ebenalp 142 M4
Ebikon 141 J4
Ebnat-Kappel 142 L4
Echallens 144 D6
Echandens 144 D6
Ecrenaz (L') 140 D5
Ecublens 144 D6
Effingen 141 I3
Effretikon 142 K3
Egerkingen 141 H4
Egg bei Zürich 142 K4
Eggenwil 141 J3
Eggerstanden 142 M4
Eggishorn 146 I6
Eggiwil 141 H5
Eglisau 142 J3
Egnach 142 M3
Eich 141 I4
Eichberg 142 M3
Eigenthal 141 I4
Eiger 146 I6
Eiken 141 H3
Einigen 145 G5
Einsiedeln 142 K4
Eischoll 145 H7
Eisten 146 H7
Ela (Piz) 147 N6
Elgg 142 K3
Elikon 118 J3
Elikon a. d. Thur 142 K3
Elm 148 L5
Embrach 142 J3
Emme 141 G4
Emme (Kleine) 141 I4
Emmen 141 I4
Emmenbrücke 141 I4
Emmental 141 H5
Emmetten 148 J5
Emosson (Barrage d') 145 E7
Endingen 141 I3
Engelberg 146 J5
Engelburg 142 M3
Engelhorn 146 I5
Enges 140 F4
Engi 148 L5
Engstlenalp 146 I5
Engstlensee 146 J5
Engstligenfälle 145 G6
Engstligental 145 G6
Engwilen 142 L3
Enhaut (Pays d') 121 F6
En / Inn 119 O5
Ennenda 148 L4
Ennetbühl 142 L4
Ennetbürgen 141 J5
Enney 145 F6
Entlebuch 141 I5
Entremont (Vallée d') 145 F7
Envelier 141 G4
Epagny 145 F6
Epauvillers 140 F3
Ependes 144 D5
Epesses 144 E6
Eptingen 141 H3
Ergolz 141 H3
Eriswil 141 H4
Eriz 146 H5
Erlach 140 F4
Erlen 142 L3
Erlenbach 142 J4
Erlenbach im Simmental 145 G6
Ermatingen 142 L2
Ermensee 141 I4
Ernen 146 I6
Err (Piz d') 147 N6
Erschwil 141 G3
Erstfeld 146 J5
Eschenbach *(Luzern)* 141 I4
Eschenbach *(St. Gallen)* 142 K4
Eschenz 142 K3
Eschlikon 142 L3
Escholzmatt 141 H5
Essertes 145 E6
Essertines 144 D5
Estavayer-le-Lac 140 E5
Etivaz (L') 145 F6
Ettingen 141 G3
Ettiswil 141 I4
Etzel 142 K4
Etzgen 141 I3
Etziken 141 G4
Etzli (Refuge) 146 K5
Etzwilen 142 K3
Euseigne 145 G7
Euthal 142 K4
Evionnaz 145 E7
Evolène 145 G7
Evouettes (Les) 145 E6

F

Fahrwangen 141 I4
Fahy 140 E3
Faido 146 K6
Falera 147 L5
Fällanden 142 J3
Fanellahorn 147 L6
Fankhaus 141 H5
Faoug 140 F5
Färnigen 146 J5
Farvagny 145 F5
Faulensee 145 H5
Faulhorn 146 H5
Fehraltorf 142 K3
Felben 142 K3
Feldis / Veulden 147 M5
Felsberg 147 M5
Fenêtre de Durand 145 G8
Ferpècle 145 G7
Ferrera (Val) 147 M6
Ferret 145 F8
Ferret (Mont) 145 F8
Ferret (Val) 145 F8
Ferrière (La) 140 E4
Fétigny 145 E5
Feusisberg 142 K4
Feutersoey 145 F6
Fey 144 E5
Fideris 149 N5
Fiesch 146 I6
Fiescherhörner 146 I6
Figino 147 K8
Filisur 147 N5
Filzbach 142 L4
Findeln 145 H7
Finhaut 145 E7
Finsteraarhorn 146 I6
Finsterwald 141 I5
Fionnay 145 F7
First 146 I5
Fischenthal 142 K4
Fischingen 142 K3
Fislisbach 141 I3
Flaach 142 J3
Fläsch 148 M4
Flamatt 140 F5
Flawil 142 L3
Fleckistock 146 J5
Fletschhorn 146 I7
Fleurier 140 D5
Flims-Dorf 147 L5
Flims-Waldhaus 147 L5
Fluchthorn 149 O5
Flüelapass 149 N5
Flüelatal 149 N5
Flüelen 148 J5
Flüeli-Ranft 141 I5
Flüh 141 G3
Flühli 141 I5
Flums 142 L4
Flumserberg 142 L4
Fontaines 140 E4
Fontaines-s-Grandson 140 D5
Fontana *(Val Bavona)* 146 J6
Fontana *(Val Bedretto)* 146 J6
Fontenais 140 F3
Foopass 148 L5
Forch 142 J4
Forclaz (Col de la) 145 F7
Forel 145 E6
Fornasette 146 K8
Forno (Monte del) 147 N6
Fort (Mont) 145 F7
Fosano 146 K7
Fouly (La) 145 F8
Franches Montagnes 140 E4
Fräschels 140 F4
Frasco 146 K6
Fraubrunnen 141 G4
Frauenfeld 142 K3
Frauenkappelen 140 G5
Frauenkirch 147 N5
Freiburg = Fribourg 145 F5
Frenkendorf 141 H3
Fribourg 145 F5
Fribourg *(Canton)* 121 F5
Frick 141 I3
Fridolins 147 K5
Friedlisberg 141 J3
Frieswil 140 F5
Froideville 144 E6
Fronalpstock 148 J5
Fründen 145 H6
Fruthwilen 142 L3
Frutigen 145 G6
Frutt 146 I5
Ftan 149 O5
Fuldera 149 P6
Fully 145 F7
Furkapass 146 J6
Fusio 146 J6

G

Gadmen 146 J5
Gadmental 146 I5
Gaggiolo 152 K8
Gähwil 142 L3
Gais 142 M3
Galenstock 146 J6
Gallina (Pizzo) 146 J6
Galmiz 140 F5
Gampel 145 H7
Gampelen 140 F4
Gams 142 M4
Gandria 147 L7
Gannaretsch (Piz) 146 K6
Gänsbrunnen 141 G4
Gansingen 141 I3
Ganterschwil 142 L3
Gantrisch 145 G5
Garschina 149 N4
Gattikon 142 J4
Gelé (Mont) 145 F7
Gelfingen 141 I4
Gelgia 147 M6
Gelgia 123 M6
Gelmer 146 J6
Gelmersee 146 I6
Geltenalp 145 G6
Gelterkinden 141 H3
Gemmipass 145 G6
Gempenach 140 F5
Generoso (Monte) 152 L8
Genève *(Aéroport)* 144 C7
Genève *(Canton)* 120 C7
Genevez (Les) 140 F4
Genève 144 C7
Genf = Genève 144 C7
Genolier 144 C6
Genthod 144 C7
Gerlafingen 141 G4
Geroldswil 141 J3
Gerolfingen 140 F4
Gerra Gambarogno 146 K7
Gersau 148 J5
Gerzensee 141 G5
Geschinen 146 I6
Gettnau 141 H4
Giessbach 146 I5
Giessbachfälle 146 I5
Gifferhorn 145 G6
Giffers 145 F5
Gigerwald 148 M5
Gilly 144 C6
Gimel 144 C6
Gingins 144 C6
Giornico 147 K6
Gipf-Oberfrick 141 H3
Gisenhard 142 K3
Gisikon 141 J4
Giswil 146 I5
Giubiasco 147 L7
Giuv (Piz) 146 K5
Givrine (Col de la) 144 C6
Gland 144 C6
Glâne 145 F5
Glaris 147 N5
Glaris = Glarus 142 L4
Glarus 142 L4
Glarus *(Kanton)* 118 L4
Glattalp 148 K5
Glattbrugg 142 J3
Glattfelden 142 J3
Glaubenbergpass 141 I5
Glaubenbüelenpass 146 I5
Gleckstein 146 I6
Gletsch 146 J6
Gletscher Ducan 147 N5
Gletscherhorn 146 H6
Glion 145 E6
Glishorn 146 H7
Glogghüs 146 I5
Glovelier 140 F3
Gnosca 147 L7
Gœtheanum 141 G3
Goldau 142 J4
Goldiwil 145 H5
Golino 146 K7
Gollion 144 D6
Gommiswald 142 L4
Goms 122 I6
Gondo 146 I7
Gondoschlucht 146 I7
Gonten 142 M4
Goppenstein 145 H6
Gordevio 146 K7
Gordola 146 K7
Gorduno 147 L7
Gornergletscher 145 H8
Gornergrat 145 H8
Göschenen 146 J6
Göscheneralpsee 146 J6
Göschenertal 146 J6
Gossau *(St. Gallen)* 142 L3
Gossau *(Zürich)* 142 K4
Gossliwil 141 G4
Gotthardtunnel 146 J6
Gottlieben 142 L3
Goumoens-la-Ville 144 D6
Gr. Windgällen 146 K5
Graben 145 G5
Grabs 142 M4
Grächen 146 H7
Grafenort 141 J5
Grand Combin 145 F8
Grand Saint-Bernard
(Col du) 150 F8
Grand Sidelhorn 146 I6
Grandcour 140 E5
Grande Dixence
(Barrage de la) 145 G7
Grand-Saconnex (Le) 144 C7
Grandson 140 D5
Granges 145 E5
Grangettes 145 E5
Gränichen 141 I3
Graue Hörner 148 M5
Gravesano 147 K7
Greifensee 142 J3
Greina (Passo della) 147 K6
Grellingen 141 G3
Grenchen 140 G4
Greppen 141 J4
Griesalp 145 H6
Griespass 146 J6
Grimentz 145 G7
Grimisuat 145 G7
Grimmialp 145 G6
Grimselpass 146 I6
Grimselsee 146 I6
Grindelwald 146 I6
Graubünden *(Kanton)* 118 L5
Grisons = Graubünden 118 L5
Grolley 140 F5
Grône 145 G7
Grono 147 L7
Gross 142 K4
Gross Litzner 149 O5
Gross-Spannort 146 J5
Grossaffoltern 140 G4
Grossdietwil 141 H4
Grosser Aletschfirn 146 H6
Grosser Aletschgletscher 146 I6
Grosser Mythen 142 K4
Grosse Scheidegg 146 I6
Grosshöchstetten 141 G5
Grossteil 141 I5
Grosswangen 141 I4
Grub 142 M3
Gruben 145 H7
Grünhorn 146 I6
Grüningen 142 K4
Grüsch 149 M5
Gruyère (Lac de la) 145 F5
Gruyères 145 F6
Gryon 145 F7
Gspaltenhorn 146 H6
Gspon 146 H7
Gstaad 145 F6
Gsteig 145 F6
Gstein-Gabi 146 I7
Guarda 149 O5
Gudo 147 K7
Gueuroz (Pont du) 145 F7
Güferhorn 147 L6
Guggisberg 145 F5
Güglia / Julier 123 N6
Gümligen 141 G5
Gümmenen 140 F5
Gummfluh 145 F6
Günsberg 141 G4
Gunten 145 H5
Gurbrü 140 F5
Gurmels 140 F5
Gurten 140 G5
Gurtnellen 146 J5
Gutenswil 142 K3
Guttannen 146 I6
Güttingen 142 L3
Gwatt 145 G5
Gypsera 145 F5

H

Haag 142 M4
Habkern 146 H5
Hägendorf 141 H3
Hägglingen 141 I3
Hahnenmoos 145 G6
Haldenstein 148 M5
Hallau 141 J2
Hallwiler See 141 I4
Hämikon 141 I4
Handegg 146 I6
Handeggfall 146 I6
Härkingen 141 H4
Hasle 141 I5
Hasle bei Burgdorf 141 G4
Haslen *(Appenzell)* 142 M3
Haslen *(Glarus)* 148 L5
Hasliberg 146 I5
Haslital 146 I5
Hätzingen 148 L5
Haudères (Les) 145 G7
Hauenstein (Oberer) 141 H3
Hauenstein (Unterer) 141 H3
Hauptwil 142 L3
Hausen 142 J4
Häusernmoos 141 H4
Hausstock 148 L5
Haute-Nendaz 145 F7
Hauterive *(Fribourg)* 145 F5
Hauterive *(Neuchâtel)* 140 E4
Hauteville 145 F5
Hauts-Geneveys (Les) 140 E4
Hedingen 141 J4
Hefenhausen 142 L3
Hegnau 142 K3
Heidelberger H. 149 O5
Heiden 142 M3
Heiligenschwendi 145 H5
Heiligkreuz 141 I5
Heimberg 145 G5
Heimiswil 141 G4
Heinzenberg 123 M5
Heitenried 140 F5
Hellbühl 141 I4
Helsenhorn 146 I7
Hemberg 142 L4
Hemmental 142 J2
Henggart 142 K3
Henniez 145 E5
Herbetswil 141 G4
Herblingen 142 J2
Herdern 142 K3
Hérémence 145 G7
Hérémence (Val d') 145 G7
Hérens (Val d') 145 G7
Hergiswil 141 I5
Hergiswil b. Willisau 141 H4
Herisau 142 L3
Hermance 144 C7
Herrliberg 142 J4
Herznach 141 I3
Herzogenbuchsee 141 H4
Hessigkofen 141 G4
Hettlingen 142 K3
Hildisrieden 141 I4
Hilferenpass 141 H5
Hilterfingen 145 G5
Hindelbank 141 G4
Hinterberg 149 M5
Hinterrhein 147 L6
Hinterthal 148 K5
Hinwil 142 K4
Hittnau 142 K3
Hoch Ducan 147 N5
Hochdorf 141 I4
Hochwald 141 G3
Hochwang 149 M5
Hochybrig 148 K4
Hofen 142 K2
Hofstetten 141 G3
Hohenrain 141 I4
Hoher Kasten 142 M4
Hohfluh 146 I5
Hohgant 146 H5
Hohtürli 145 H6
Hollandia 146 H6
Höllochgrotte 148 K5
Hölstein 141 H3
Holzhäusern 141 J4
Hombrechtikon 142 K4
Homburg 142 L3
Honegg 146 H5

A B C D E F G H I J K L M N O P Q R S T U V W X Y Z

Hongrin (Lac de l') .... 145 F 6
Horboden .... 145 G 6
Horgen .... 142 J 4
Hörhausen .... 142 K 3
Horn .... 142 M 3
Hörnli .... 142 L 4
Hornussen .... 141 I 3
Horw .... 141 I 4
Hospental .... 146 J 6
Hottwil .... 141 I 3
Huémoz .... 145 F 7
Huetstock .... 146 I 5
Hüfi .... 146 K 5
Hugelshofen .... 142 L 3
Hulftegg .... 142 K 3
Hundwil .... 142 L 3
Hunzenschwil .... 141 I 3
Hurden .... 142 K 4
Hütten .... 142 K 4
Hüttlingen .... 142 K 3
Huttwil .... 141 H 4
Hüttwilen .... 142 K 3

I - J - K

Ibach .... 148 J 4
Ibergeregg .... 148 K 4
Iffigenalp .... 121 G 6
Iffwil .... 141 G 4
Ifwil .... 142 K 3
Ilanz/Glion .... 147 L 5
Illgau .... 148 K 5
Illiez (Val d') .... 145 E 7
Illnau .... 142 K 3
Im Fang .... 145 F 6
Immensee .... 141 J 4
Indemini .... 146 K 7
Inden .... 145 G 6
Inn .... 119 P 5
Innereriz .... 121 H 5
Innerferrera .... 147 M 6
Innerthal .... 142 K 4
Innertkirchen .... 146 I 5
Ins .... 140 F 4
Interlaken .... 146 H 5
Intragna .... 146 K 7
Inwil .... 141 J 4
Iragna .... 147 K 7
Iseltwald .... 146 H 5
Isenthal .... 148 J 5
Isérables .... 145 F 7
Isle (L') .... 144 D 6
Isleten .... 148 J 5
Islikon .... 142 K 3
Isone .... 147 K 7
Jassbach .... 141 H 5
Jaun .... 145 F 6
Jaunpass .... 145 F 6
Javroz (Pont du) .... 145 F 6
Jegenstorf .... 141 G 4
Jenins .... 149 M 4
Jochpass .... 146 J 5
Jogne .... 145 F 6
Jona .... 142 K 4
Jorat (Mont) .... 144 E 6
Joux (La) .... 145 E 6
Joux (Lac de) .... 144 C 6
Joux (Vallée de) .... 144 C 6
Juf .... 147 M 6
Julier (Piz) .... 147 N 6
Julierpass .... 147 N 6
Jungfrau .... 146 H 6
Jungfraujoch .... 146 H 6
Jürg. Jenatsch .... 147 N 6
Jussy .... 144 C 7
Kägiswil .... 141 I 5
Kaiseraugst .... 141 H 3
Kaiseregg .... 145 F 6
Kaiserstuhl (Aargau) .... 141 J 3
Kaiserstuhl (Unterwalden) .. 146 I 5
Kaisten .... 141 I 3
Kallnach .... 140 F 4
Kaltbrunn .... 142 K 4
Kander .... 145 H 6
Kandergrund .... 145 G 6
Kandersteg .... 145 G 6
Kandertal .... 145 G 6
Kappel .... 142 J 4
Kappelen .... 140 F 4
Kärpf .... 148 L 5
Kastanienbaum .... 141 I 4
Kehlenalp .... 146 J 5
Kehrsatz .... 141 G 5
Kempten .... 142 K 3
Kemptthal .... 142 K 3
Kerenzerberg .... 142 L 4
Kerns .... 141 I 5
Kerzers .... 140 F 5
Kesch .... 147 N 6

Kesch (Piz) .... 147 N 6
Kesswil .... 142 L 3
Kestenholz .... 141 H 3
Kienberg .... 141 H 3
Kiental .... 145 H 6
Kiesen .... 141 G 5
Kilchberg .... 142 J 4
Kippel .... 145 H 6
Kirchberg (Bern) .... 141 G 4
Kirchberg (St. Gallen) .... 142 L 3
Krchbühl .... 141 I 4
Kirchdorf .... 141 G 5
Kirchenthurnen .... 141 G 5
Kirchlindach .... 140 G 4
Kistenpass .... 147 L 5
Klausenpass .... 148 K 5
Kleine Scheidegg .... 146 H 6
Klcinlützcl .... 141 G 3
Kleinteil .... 146 I 5
Klöntal .... 148 K 4
Klöntaler See .... 148 K 4
Klosters .... 149 N 5
Klosters-Dorf .... 149 N 5
Kloten .... 142 J 3
Knutwil .... 141 I 4
Koblenz .... 141 I 3
Kollbrunn .... 142 K 3
Kölliken .... 141 I 3
Köniz .... 140 G 5
Konkordia .... 146 I 6
Konolfingen .... 141 G 5
Koppigen .... 141 G 4
Kradolf .... 142 L 3
Krattigen .... 145 H 6
Krauchthal .... 141 G 4
Kreuzlingen .... 142 L 3
Kreuzweg .... 145 H 5
Kriegstetten .... 141 G 4
Kriens .... 141 I 4
Kriessern .... 143 M 3
Kronberg .... 142 L 3
Kronbühl .... 142 M 3
Krönten .... 122 J 5
Krummenau .... 142 L 4
Küblis .... 149 N 5
Kulm .... 141 J 4
Kunkelspass .... 148 M 5
Künten .... 141 J 3
Küsnacht .... 142 J 4
Küssnacht .... 141 J 4
Küttigen .... 141 I 3
Kyburg .... 142 K 3

L

Laax .... 147 L 5
Lachen .... 142 K 4
Laconnex .... 144 C 7
Lad (Piz) .... 149 P 5
Lämmern .... 145 G 6
Lägeren .... 141 J 3
Lagginhorn .... 146 I 7
Lagrev (Piz) .... 147 N 6
Lajoux .... 140 F 4
Lalden .... 146 H 7
Lamboing .... 140 F 4
Lancy .... 144 C 7
Landeron (Le) .... 140 F 4
Landquart .... 149 N 5
Landwasser .... 147 N 5
Langenbruck .... 141 H 3
Langendorf .... 141 G 4
Langenthal .... 141 H 4
Langnau am Albis .... 142 J 4
Langnau bei Reiden .... 141 H 4
Langnau im Emmental .... 141 H 5
Langrickenbach .... 142 L 3
Langnau (Piz) .... 149 N 6
Langwies .... 147 N 5
Lantsch / Lenz .... 147 M 5
Larmont (Montagne du) .... 140 D 5
Latterbach .... 145 G 5
Lauenen .... 145 G 6
Lauerz .... 142 J 4
Lauerzer See .... 142 J 4
Läufelfingen .... 141 H 3
Laufen .... 141 G 3
Laufenburg .... 141 I 3
Laupen .... 140 F 5
Laupersdorf .... 141 G 4
Lauperswil .... 141 H 4
Lausanne .... 144 D 6
Lausen .... 141 H 3
Lauteraar .... 146 I 6
Lauteraarhorn .... 146 I 6
Lauterbrunnen .... 146 H 6
Lavertezzo .... 146 K 7
Lavey-Village .... 145 F 7
Lavin .... 149 O 5

Lavizzara (Val) .... 146 J 6
Lavorgo .... 146 K 6
Lax .... 146 I 6
Leberen .... 141 G 4
Léchelles .... 140 F 5
Lécherette (La) .... 145 F 6
Legler .... 148 L 5
Leibstadt .... 141 I 3
Leissigen .... 145 H 6
Léman (Lac) .... 144 C 6
Lengnau .... 141 I 3
Lengnau bei Biel .... 140 G 4
Lenk .... 145 G 6
Lenzburg .... 141 I 3
Lenzerheide / Lai .... 147 M 5
Lenzerheidepass .... 147 M 5
Leontica .... 147 K 6
Leuggern .... 141 I 3
Leuk .... 145 G 7
Leukerbad .... 145 G 6
Leutschach .... 146 J 5
Leuzigen .... 141 G 4
Leventina (Valle) .... 146 J 6
Levron (Le) .... 145 F 7
Leysin .... 145 F 6
Leytron .... 145 F 7
Lichtensteig .... 142 L 4
Liddes .... 145 F 8
Liebewil .... 140 G 5
Liebistorf .... 140 F 5
Lienz .... 142 M 4
Liestal .... 141 H 3
Lieu (Le) .... 144 C 6
Lignerolle .... 144 D 5
Lignières .... 140 F 4
Limmat .... 141 J 3
Limmernsee .... 147 L 5
Limpach .... 141 G 4
Linard (Piz) .... 149 O 5
Lindau .... 142 K 3
Linth .... 148 L 4
Linthkanal .... 142 L 4
Lischana (Piz) .... 149 P 5
Littau .... 141 I 4
Litzenberg .... 143 M 3
Litziruti .... 147 N 5
Livigno (Forcola di) .... 149 O 6
Löbbia .... 147 N 6
Locarno .... 146 K 7
Locle (Le) .... 140 E 4
Loco .... 146 K 7
Lodano .... 146 K 7
Lodrino .... 147 K 7
Loèche-les-B. = Leukerbad 145 G 6
Lohn (Graubünden) .... 147 M 6
Lohn (Schaffhausen) .... 142 K 2
Lohner .... 145 G 6
Löhningen .... 142 J 2
Lömmenschwil .... 142 M 3
Lommis .... 142 K 3
Lonza .... 146 H 6
Losone .... 146 K 7
Lostallo .... 147 L 7
Lostorf .... 141 H 3
Lötschbergtunnel .... 145 H 6
Lötschenpass .... 145 H 6
Lötschental .... 146 H 6
Lotzwil .... 141 H 4
Lourtier .... 145 F 7
Lucelle .... 140 F 3
Lucens .... 145 E 5
Lucerne = Luzern .... 141 I 4
Lucomagno (Passo del) /
  Lukmanierpass .... 146 K 6
Lüderenalp .... 141 H 4
Ludiano .... 147 K 6
Lueg .... 141 H 4
Lugano .... 147 K 7
Lugano (Lago di) .... 122 K 8
Lugano-Agno (Aéroport) .... 147 K 7
Lugnez .... 140 F 3
Lugnorre .... 140 F 5
Lully .... 144 C 7
Lumbrein .... 147 L 5
Lumnezia .... 152 L 8
Lunschania .... 147 L 6
Lungern .... 146 I 5
Lungernsee .... 146 I 5
Lurengo .... 146 K 6
Lüscherz .... 140 F 4
Luterbach .... 141 G 4
Lüterkofen .... 141 G 4
Luthern .... 141 H 4
Lütisburg .... 142 L 3
Lutry .... 144 E 6
Lützelflüh .... 141 H 4

Luzein .... 149 N 5
Luzern .... 141 I 4
Luzern (Kanton) .... 117 H 4
Luzzone (Lago di) .... 147 K 6
Lyss .... 140 F 4

M

Maderanertal .... 146 K 5
Madiswil .... 141 H 4
Madra .... 147 L 6
Madrisahorn .... 149 N 5
Madulain .... 149 N 6
Magadino .... 146 K 7
Magden .... 141 H 3
Magenwil .... 141 I 3
Maggia .... 146 J 6
Maggia (Valle) .... 146 J 7
Magglingen / Macolin .... 140 F 4
Maienfeld .... 148 M 4
Maira .... 147 M 6
Maisprach .... 141 H 3
Maladers .... 147 M 5
Malans (St. Gallen) .... 142 M 4
Malbun (St. Gallen) .... 149 M 5
Malix .... 147 M 5
Malleray .... 140 F 4
Maloja .... 147 N 6
Maloja (Passo del) .... 147 N 6
Malters .... 141 I 4
Malvaglia .... 147 K 6
Mammern .... 142 K 3
Männedorf .... 142 K 4
Mannenbach .... 142 L 2
Mannens .... 145 E 5
Männlichen .... 146 H 6
Männlifluh .... 145 G 6
Maran .... 147 N 5
Marbach .... 141 H 5
Marchairuz (Col du) .... 144 C 6
Marchissy .... 144 C 6
Marécottes (Les) .... 145 F 7
Mariahilf .... 140 F 5
Marly .... 145 F 5
Marmorera .... 147 M 6
Marmorera (Lago da) .... 147 M 6
Marnand .... 145 E 5
Maroggia .... 152 K 8
Märstetten .... 142 L 3
Martigny .... 145 F 7
Martina .... 149 P 5
Martinsmad .... 148 L 5
Märwil .... 142 L 3
Maschwanden .... 141 J 4
Mase .... 145 G 7
Mastrils .... 148 M 5
Mathod .... 144 D 5
Matran .... 145 F 5
Matt .... 148 L 5
Matten .... 145 G 6
Mattertal .... 145 H 7
Mattmarksee .... 146 H 7
Mattwil .... 142 L 3
Matzendorf .... 141 G 4
Matzingen .... 142 K 3
Mauensee .... 141 I 4
Maur .... 142 K 3
Mauvoisin (Barrage de) .... 145 G 7
Mayens-de-Riddes .... 145 F 7
Medel (Piz) .... 147 K 6
Medel (Val) .... 146 K 6
Medels i. Rheinwald .... 147 L 6
Medelserschlucht .... 147 K 5
Meggen .... 141 J 4
Meiendörfli .... 146 J 5
Meiental .... 140 G 4
Meikirch .... 140 G 4
Meilen .... 142 J 4
Meiringen .... 146 I 5
Meisterschwanden .... 141 I 4
Melchnau .... 141 H 4
Melchsee .... 146 I 5
Melchtal .... 146 I 5
Melide .... 147 K 8
Mellingen .... 141 I 3
Mels .... 142 M 4
Mendrisio .... 152 L 8
Ménières .... 145 E 5
Menzberg .... 141 I 4
Menzingen .... 141 J 4
Menznau .... 141 I 4
Merenschwand .... 141 J 4
Mergoscia .... 146 K 7
Meride .... 152 K 8
Merishausen .... 142 J 2
Merligen .... 145 H 5
Mervelier .... 141 G 3

Mesocco .... 147 L 6
Mesolcina (Valle) .... 147 L 7
Messen .... 141 G 4
Mettlen .... 142 L 3
Mettmenstetten .... 141 J 4
Metzerlen .... 141 G 3
Meudon .... 140 D 5
Mex .... 145 E 7
Meyrin .... 144 C 7
Mézières .... 145 E 6
Mezzovico .... 147 K 7
Miécourt .... 140 F 3
Mies .... 144 C 7
Miglieglia .... 146 K 7
Minusio .... 146 K 7
Miralago .... 149 O 7
Misery .... 140 F 5
Misox .... 147 L 6
Mitholz .... 145 H 6
Moesa .... 123 L 6
Mogelsberg .... 142 L 3
Möhlin .... 141 H 3
Moiry (Vaud) .... 144 D 6
Moiry (Lac de) .... 145 G 7
Molare .... 146 K 6
Moléson (le) .... 145 F 6
Moléson-sur-Gruyères .... 145 F 6
Mollendruz (Col du) .... 144 D 6
Mollens .... 145 G 7
Mollis .... 142 L 4
Molondin .... 145 E 5
Monbiel .... 149 N 5
Mönch .... 146 I 6
Mönchaltorf .... 142 K 4
Mont-Fort .... 145 F 7
Mont-la-Ville .... 144 D 6
Mont-Pélerin .... 145 E 6
Mont Raimeux .... 141 G 4
Mont-s-Lausanne (Le) .... 144 D 6
Mont-s-Rolle .... 144 D 6
Montagny .... 140 E 5
Montagny-la-Ville .... 140 F 5
Montagny-près-Yverdon .... 140 D 5
Montana .... 145 G 7
Montbovon .... 145 F 6
Montcherand .... 144 D 5
Monte Carasso .... 147 K 7
Monte Laura .... 147 L 7
Monte Leone .... 146 I 7
Monte Moro-Pass .... 146 H 8
Monte Rosa .... 145 H 8
Monteggio .... 146 K 8
Montet .... 140 E 5
Montezillon .... 140 E 5
Montfaucon .... 140 F 4
Monthal .... 141 I 3
Monthey .... 145 E 7
Montlingen .... 143 M 3
Montmollin .... 140 E 5
Montpreveyres .... 144 E 6
Montreux .... 145 E 6
Montsalvens (Lac de) .... 145 F 6
Montsevelier .... 141 G 3
Morcles .... 145 F 7
Morcote .... 152 K 8
Mörel .... 146 I 6
Morges .... 144 D 6
Morgins .... 145 E 7
Morlon .... 145 F 6
Morschach .... 148 J 5
Morteratsch (Piz) .... 147 N 6
Mosen .... 141 I 4
Mosnang .... 142 L 3
Mosses (Col des) .... 145 F 6
Mosses (Les) .... 145 F 6
Môtier .... 140 F 5
Môtiers .... 140 D 5
Motte (La) .... 140 F 3
Moudon .... 144 E 5
Moulin-Neuf .... 140 F 3
Mountet .... 145 G 7
Mouret (Le) .... 145 F 5
Moutier .... 140 G 4
Muggio .... 152 L 8
Muhen .... 141 I 3
Mühleberg .... 140 F 4
Mühlehorn .... 142 L 4
Mühlethurnen .... 145 G 5
Mühlrüti .... 142 K 3
Mulegns .... 147 M 6
Mülenen .... 145 H 6
Mülital .... 140 F 5
Müllheim .... 142 L 3
Mülligen .... 141 I 3

Mümliswil .... 141 H 3
Mumpf .... 141 H 3
Münchenbuchsee .... 141 G 4
Münchenstein .... 141 G 3
Münchwilen .... 142 K 3
Mundin (Piz) .... 149 P 5
Münsingen .... 141 G 5
Münster .... 146 I 6
Münsterlingen .... 142 L 3
Müntschemier .... 140 F 5
Muolen .... 142 L 3
Muotathal .... 148 K 5
Muottas Muragl .... 147 N 6
Muraz (Collombey) .... 145 E 7
Muretto (Passo del) .... 147 N 6
Murg .... 142 L 4
Murgenthal .... 141 H 4
Murgsee .... 142 L 4
Muri (Aargau) .... 141 J 4
Muri bei Bern .... 141 G 5
Mürren .... 146 H 6
Murtaröl (Piz) .... 149 O 6
Murten .... 140 F 5
Murtensee .... 116 F 5
Mürtschenstock .... 142 L 4
Müstair .... 149 P 6
Müstair (Val) .... 149 P 6
Muttenz .... 141 G 3
Mutteristock .... 142 K 4
Muttler .... 149 P 5
Muttsee .... 148 L 5
Muveran (Grand) .... 145 F 7
Muzzano-Piodella .... 147 K 7

N

Näfels .... 142 L 4
Nair (Piz) .... 147 N 6
Nalps (Lac da) .... 146 K 6
Naters .... 146 H 7
Nax .... 145 G 7
Naye (Rochers de) .... 145 E 6
Nebikon .... 141 H 4
Neftenbach .... 142 K 3
Nendaz (Val de) .... 145 F 7
Nennigkofen .... 141 G 4
Nessental .... 146 I 5
Nesslau .... 142 L 4
Nesthorn .... 146 H 6
Netstal .... 142 L 4
Neu St. Johann .... 142 L 4
Neuchâtel (Canton) .... 116 E 4
Neuchâtel (Lac de) .... 140 E 5
Neudorf .... 141 I 4
Neuchâtel .... 140 E 5
Neuenburg = Neuchâtel .... 140 E 5
Neuendorf .... 141 H 4
Neuenhof .... 141 I 3
Neuenkirch .... 141 I 4
Neuhausen .... 142 J 2
Neukirch (Egnach) .... 142 M 3
Neukirch a.d. Thur .... 142 L 3
Neunkirch .... 142 J 2
Neuveville (La) .... 140 F 4
Neuwilen .... 142 L 3
Neyruz .... 145 F 5
Nidau .... 140 F 4
Niederbipp .... 141 H 4
Niederbüren .... 142 L 3
Niederglatt .... 142 J 3
Niedergösgen .... 141 H 3
Niederhelfenschwil .... 142 L 3
Niederhorn .... 145 H 5
Niedermuhlern .... 141 G 5
Niederrickenbach .... 141 J 5
Niederried .... 146 H 5
Niederscherli .... 140 G 5
Niederurnen .... 142 L 4
Niederwangen .... 140 G 5
Niederweningen .... 141 J 3
Niesen .... 145 G 6
Nods .... 140 F 4
Noirmont (Le) .... 120 C 6
Noirmont (Le) (Bern) .... 140 E 4
Noréaz .... 145 F 5
Nottwil .... 141 I 4
Novazzano .... 152 K 8
Nufenen .... 147 L 6
Nufenenpass .... 146 J 6
Nuglar-St. Pantaleon .... 141 H 3
Nunningen .... 141 G 3
Nürensdorf .... 142 J 3
Nyon .... 144 C 6

O

Oberaach .... 142 L 3
Oberaarhorn .... 146 I 6
Oberaarsee .... 146 I 6
Oberägeri .... 142 J 4
Oberalppass .... 146 K 6

Oberalpstock 146 K5
Oberbalm 140 G5
Oberbüren 142 L3
Oberburg 141 G4
Oberdiessbach 141 G5
Oberdorf (Basel-Land) 141 H3
Oberdorf (Solothurn) 141 G4
Oberegg 143 M3
Oberehrendingen 141 J3
Oberei 145 H5
Oberembrach 142 J3
Oberems 145 H7
Oberentfelden 141 I3
Oberer Hauenstein 117 H3
Obergesteln 146 I6
Oberhalbstein 147 M6
Oberhofen 145 H5
Oberiberg 142 K4
Oberneunforn 142 K3
Oberönz 141 H4
Oberrickenbach 141 J5
Oberried (Bern) 145 G6
Oberried am Brienzer See 121 H5
Oberrieden 142 J4
Oberriet 143 M4
Obersaxen Meierhof 147 L5
Oberschan 142 M4
Obersee 142 K4
Obersiggenthal 141 I3
Oberstammheim 142 K3
Oberstocken 145 G5
Oberterzen 142 L4
Oberuzwil 142 L3
Obervaz / Vaz 123 M5
Oberwald 146 J6
Oberwil (Basel-Land) 141 G3
Oberwil bei Zug 142 J4
Oberwil i. Simmental 145 G6
Obstalden 142 L4
Ochlenberg 141 H4
Oensingen 141 H4
Öeschinensee 145 H6
Oetwil 145 H6
Ofenpass / Pass dal Fuorn 149 O6
Oftringen 141 H4
Ogens 144 E5
Oldenhorn 145 F7
Olivone 147 K6
Ollon 145 E7
Olten 141 H3
Oltigen 140 F5
Oltschibachfall 146 I5
Onex 144 C7
Onnens 140 E5
Onsernone (Valle) 146 J7
Orbe 144 D5
Orbe (L') 144 C6
Orient (L') 144 C6
Origlio 147 K7
Ormalingen 141 H3
Oron-le-Châtel 145 E6
Oron-la-Ville 145 F7
Orpund 140 F4
Orsalietta (Piz) 146 J6
Orsières 145 F7
Ortstock 148 K5
Orvin 140 F4
Orzens 144 E5
Osco 146 K6
Osogna 147 K7
Otelfingen 141 J3
Otemma (Glacier d') 145 G6
Ottenbach 141 J4
Ouchy 144 D6
Oulens 144 E5
Ovronnaz 145 F7

P

Paccots (Les) 145 E6
Paglia (Piz) 147 L7
Palagnedra 146 J7
Palézieux 145 E6
Palü (Piz) 149 N6
Pampigny 144 D6
Panixerpass 148 L5
Panossière 145 F8
Pâquier (Le) 116 E4
Paradisin (Piz) 149 O6
Parpan 147 M5
Parsenn 147 N5
Pass Umbrail 149 P6
Passwang 141 G3
Payerne 140 E5
Peccia 146 J6
Pedrinate 152 L8
Peist 147 N5
Pélerin (Mont) 145 E6
Peney (Genève) 144 C7

Peney-le-Jorat 144 E6
Penthaz 144 D6
Perroy 144 D6
Péry-La Heutte 140 F4
Peseux 140 E5
Petersgrat 146 H6
Petit Combin 145 F8
Pfäffiker See 142 K3
Pfäffikon (Schwyz) 142 K4
Pfäffikon (Zürich) 142 K3
Pfaffnau 141 H4
Pfungen 142 J3
Pfyffe 145 G5
Pfyn 142 K3
Pia San Giacomo 147 L6
Pianezzo 147 L7
Piano 146 J7
Piano di Peccia 146 J6
Piansecco 146 J6
Pichoux (Le) 140 F4
Pichoux (Gorges du) 140 F4
Pierre Avoi 145 F7
Pierre Pertuis 140 F4
Pieterlen 140 G4
Pigniu/Panix 147 L5
Pilatus 141 I5
Pillon (Col du) 145 F6
Piotta 146 K6
Pischahorn 149 N5
Pisoc (Piz) 149 O5
Pitasch 147 L5
Piz Curver 147 M6
Piz Ot 147 N6
Plaffeien 145 F5
Plagne 140 F4
Plaine (La) 144 B7
Plan-Névé 145 F7
Planchettes (Les) 140 E4
Plans (Les) 145 F7
Planura 147 K5
Plasselb 145 F5
Platta 147 K6
Platta (Piz) 147 M6
Plavna Dadaint (Piz) 149 O5
Pléiades (Les) 145 E6
Pleigne (La) 140 F3
Pohlern 145 G5
Poliez 144 D6
Pomy 144 E5
Pont (Le) 144 D5
Pont-la-Ville 145 F5
Ponte Brolla 146 K7
Ponte Capriasca 147 K7
Ponte Tresa 146 K8
Pontirone 147 L6
Pontresina 147 N6
Ponts-de-Martel (Les) 140 E5
Porrentruy 140 F3
Porsel 140 E6
Portalban 140 E5
Portels 142 L4
Poschiavo 149 O7
Poschiavo (Val) 149 O7
Posieux 145 F5
Possens 144 E6
Pra-Combère 145 G6
Pragelpass 148 K5
Pragg-Jenaz 149 N5
Prahins 145 E5
Pralong 145 G7
Prangins 144 C6
Prato-Sornico 146 J6
Pratteln 141 H3
Prättigau 149 N5
Praz (La) 144 D5
Praz-de-Fort 145 F8
Preda 147 N6
Prêles 140 F4
Preonzo 147 K7
Prese (Le) 149 O7
Préverenges 144 D6
Prévonloup 145 E5
Prez 145 F5
Prilly 144 D6
Prosito 147 K7
Provence 140 E5
Pso. del Maloja 123 N6
Puidoux 144 D6
Pully 144 D6
Punt-Chamues-ch. (La) 147 N6
Punteglias 147 K5

Q - R

Quarten 142 L4
Quartino 147 K7
Quatre-Cantons (Lac des) = Vierwaldstätter See 141 J4
Quattervals (Piz) 149 O6

Quinto 146 K6
Rabius 147 K5
Radelfingen 140 F4
Rafz 142 J3
Ragaz, Bad 148 M4
Rain 141 I4
Rambert 145 F7
Ramosch 149 P5
Ramsei 141 H4
Ramsen 142 K2
Rances 144 D5
Randa 145 H7
Randen 142 J2
Rangiers (Les) 142 F3
Rapperswil (St. Gallen) 142 K4
Rapperswil (Bern) 140 G4
Raron 145 H7
Rasses (Les) 140 D5
Räterschen 118 K3
Rätikon 149 M4
Rawilpass 145 G6
Realp 146 J6
Rebstein 143 M3
Rechthalten 145 F5
Reckingen 146 I6
Réclère 140 E3
Reconvilier 140 F4
Regensberg 141 J3
Regensdorf 141 J3
Rehetobel 142 M3
Reichenau 147 M5
Reichenbach 145 H6
Reichenbachfälle 146 I5
Reichenburg 142 K4
Reiden 141 H4
Reidenbach 145 G6
Reigoldswil 141 H3
Reinach (Aargau) 141 I4
Reinach (Basel-Land) 141 G3
Reitnau 141 I4
Rekingen 141 I3
Remetschwil 141 I3
Remigen 141 I3
Renan 140 E4
Renens 144 D6
Rengg 141 I4
Rennaz 145 E6
Reuchenette 140 F4
Reuss 117 I3
Reute 143 M3
Reuti 146 I5
Reutigen 145 G5
Rhäzüns 147 M5
Rheinau 142 J3
Rheineck 143 M3
Rheinfall 142 J3
Rheinfelden 141 H3
Rheinheim 117 I3
Rheinwald 123 L6
Rheinwaldhorn 147 L6
Rhône 146 I6
Rhonegletscher 146 J6
Riaz 145 F6
Richisau 148 K4
Richterswil 142 J4
Ricken 142 L4
Rickenbach 142 L3
Rickenbach (Luzern) 141 I4
Riddes 145 F7
Riederalp 146 I6
Riederen 142 L4
Riedholz 141 G4
Riehen 141 G3
Riemenstalden 148 K5
Rietbad 142 L4
Rietheim 141 I3
Riffenmatt 145 G5
Riggisberg 145 G5
Rigi 141 J4
Rigi Kaltbad 141 I5
Rimpfischhorn 146 H7
Rinderberg 145 G6
Ringelspitz 148 M5
Ringgenberg 146 H5
Rippe (La) 144 C6
Risch 141 J4
Risoux (Mont) 144 C6
Ritom (Lago) 146 K6
Ritterpass 146 I7
Ritzlihorn 146 I6
Riva S. Vitale 152 K8
Rivera 147 K7
Roche 145 F5
Roche (Vaud) 145 E6
Rochefort 140 E5
Roches (Bern) 140 G4
Roches (Col de) 140 E4
Rodels 147 M5

Rodersdorf 141 G3
Rodi 122 K6
Rodond (Graubünden) 147 L6
Rofflaschlucht 147 M6
Roggenburg 140 G3
Roggwil 142 M3
Rohr 141 H3
Rohrbach 145 H4
Rohrbach bei Huttwil 141 G5
Rolle 144 D6
Romainmôtier 144 D5
Romanel-sur-Morges 144 D6
Romanens 120 E6
Romanshorn 142 M3
Romont 145 E5
Romoos 141 I4
Rona 146 M6
Ronco 146 K7
Root 141 J4
Rorbas 142 J3
Rorschach 142 M3
Rösa (La) 149 O6
Röschenz 141 G3
Roseg (Piz) 147 N6
Rosenlaui 146 I5
Rosenlauital 146 I5
Rossa 147 L6
Rossa (Cima) 147 L6
Rossberg 142 J4
Rossens 145 F5
Rossinière 145 F6
Rosso (Poncione) 147 K7
Röthenbach 141 H5
Rothenbrunnen 147 M5
Rothenburg 141 I4
Rothenfluh 117 H3
Rothenthurm 142 K4
Rothorn 145 H7
Rothrist 141 H4
Rotkreuz 141 J4
Rotondo 146 J6
Rotondo (Piz) 146 J6
Rougemont 145 F6
Rouges (Aiguilles) 145 G7
Roveredo 147 L7
Rovio 152 K8
Rovray 145 E5
Ruan (Grand Mont) 120 E7
Rubigen 141 G5
Rue 145 E6
Rüeggisberg 140 G5
Rüegsau 141 H4
Rüegsegg 141 H5
Rueun 147 L5
Rugghubel 141 J5
Rümlang 142 J3
Rümlingen 141 H3
Rupperswil 141 I3
Rüschegg-Gambach 145 G5
Rüschlikon 142 J4
Russein (Piz) 147 L5
Russikon 142 K3
Russo 146 J7
Ruswil 141 I4
Ruth (Dent de) 145 F6
Rüti (Glarus) 148 L5
Rüti (Zürich) 142 K4
Rüti bei Riggisberg 145 G5

S

Saane / Sarine 145 F6
Saanen 145 F6
Saanenmöser 145 F6
Saas 149 N5
Saas Almagell 146 H7
Saas-Balen 146 H7
Saas-Fee 146 H7
Saas-Grund 146 H7
Saastal 146 H7
Sachseln 141 I5
Safien-Platz 147 L5
Safiental 147 L6
Safierberg 147 L6
La Sagne 116 E4
Saignelégier 140 E4
Saillon 145 F7
St-Aubin-Sauges 140 E5
St-Blaise 140 E5
St-Brais 140 F4
St-Cergue 144 C6
St-Cierges 144 E5
St-George 144 C6
St-Gingolph 145 E6
St-Imier 140 E4
St-Légier 145 E6
St-Léonard 145 F7
St-Livres 144 D6
St-Luc 145 G7

St-Martin 145 E6
St-Maurice 145 F7
St-Pélagiberg 142 L3
St-Pierre-de-Clages 145 F7
St-Prex 144 D6
St-Sulpice 144 D6
St-Triphon 145 E7
St-Ursanne 140 F3
Ste Croix 140 D5
S-chalambert (Piz) 149 P5
S-chanf 149 N6
S-charl 149 P5
Saland 142 K3
Salanfe (Lac de) 145 E7
Salavaux 140 F5
Salbit 141 J5
Saleina 145 F8
Salez 142 M4
Salgesch 145 G7
Salins 145 G7
Salouf 147 M6
Salvan 145 F7
Salvenach 140 F5
Sambuco (Lago) 146 J6
Samedan 147 N6
Samnaun 149 P5
San Bernardino 147 L6
S. Bernardino (Passo del) 147 L6
S. Bernardo 146 K7
S. Carlo (Poschiavo) 149 O6
S. Carlo (Val Bavona) 146 J6
S. Giacomo (Passo di) 146 J6
S. Jorio (Passo di) 147 L7
S. Nazzaro 146 K7
S. Salvatore 147 K8
S. Vittore 147 L7
Sandhubel 147 N5
Sandpass 147 N5
Sanetsch (Col du) 145 F7
Sangernboden 145 G5
St. Antoni 140 F5
St. Antönien 149 N5
St. Gallen 142 M3
St. Gall = St. Gallen 142 M3
St. Gallen (Kanton) 118 L4
St. Gallen-Kappel 142 K4
St. Gotthardpass / S. Gottardo (Passo del) 146 J6
St. Jakob-Gitschenen 148 J5
St. Luzisteig 148 M4
St. Margrethen 143 M3
St. Moritz 147 N6
St. Moritz-Bad 147 N6
St. Niklaus bei Koppigen 141 G4
St. Niklaus (Valais) 145 H7
St. Petersinsel 140 F4
St. Peterzell 142 L4
St. Stephan 145 G6
St. Urban 141 H4
St. Ursen 145 F5
Sta Domenica 147 L6
Sta Maria (Giogo di) 119 P6
Sta Maria (Valle) 147 K6
Sta Maria im M. 149 P6
Sta Maria in Calanca 147 L7
Säntis 143 M4
Saoseo (Scima di) 149 O6
Sapün 147 N5
Sardona (Refuge) 148 L5
Sardona (Piz) 148 L5
Sargans 142 M4
Sarmenstorf 141 I4
Sarner See 141 I5
Sarraz (Château de la) 144 D6
Sarraz (La) 144 D6
Satigny 144 C7
Sattel 142 J4
Sattelegg 142 K4
Sattelhorn 146 H6
Sauge (La) 140 F5
Saulcy 145 F7
Savagnier 140 E4
Savièse 145 G7
Savigny 144 D6
Savognin 147 M6
Sax 142 M4
Saxeten 146 H6
Saxon 145 F7
Says 149 M5
Scalettapass 149 N5
Scalottas (Piz) 147 M6
Schachen 141 I4
Schaffhausen 142 J2
Schaffhausen (Kanton) 118 J2
Schallenberg 141 H5
Schanfigg 123 M5

Schangnau 141 H5
Schänis 142 L4
Schärhorn 146 K5
Schattdorf 148 K5
Scheidegg 118 J4
Scheltenpass 141 G3
Schesaplana 143 N4
Scheunenberg 140 G4
Schiers 149 N5
Schiffenensee 140 F5
Schilthorn 146 H6
Schin 147 M5
Schinznach Bad 141 I3
Schinznach Dorf 141 I3
Schlappin 149 N5
Schlatt 142 K3
Schleitheim 142 J2
Schleuis 147 L5
Schlieren 141 J3
Schmerikon 142 K4
Schmiedrued 141 I4
Schneisingen 141 J3
Schnottwil 140 G4
Schöftland 141 I4
Schöllenen Schlucht 146 J6
Schönbühl 141 G4
Schönenberg a.d. Thur 142 L3
Schönenberg (Zürich) 142 J4
Schönengrund 142 L4
Schönenwerd 141 I3
Schönried 145 F6
Schons 147 M6
Schötz 141 H4
Schrattenflue 141 H5
Schreckhorn 146 I6
Schuders 149 N5
Schüpbach 141 H5
Schupfart 141 H3
Schüpfheim 141 I5
Schutt 142 K4
Schwägalp 142 L4
Schwalmern 146 H6
Schwanden i. Emmental 141 H5
Schwanden (Glarus) 148 L5
Schwarenbach 145 G6
Schwarzenberg 141 I4
Schwarzenburg 140 G5
Schwarzenegg 145 H5
Schwarzhorn (Graubünden) 149 N5
Schwarzhorn (Valais) 145 H7
Schwarzsee 147 K6
Schwarzsee (Fribourg) 145 F6
Schwarzsee (Valais) 145 H8
Schwefelbergbad 145 G5
Schwellbrunn 142 L3
Schwyz 148 J4
Schwyz (Kanton) 118 K4
Schynige Platte 146 H6
Sciora 147 M7
Scopi 146 K6
Scuol / Schuls 149 O5
Sedrun 146 K5
Seeberg 141 H4
Seedorf (Bern) 140 F4
Seedorf (Uri) 148 J5
Seelisberg 148 J5
Seen 142 K3
Seengen 141 I4
Seewen (Schwyz) 148 J4
Seewen (Solothurn) 141 G3
Seewis 149 M5
Seez 142 M4
Seftigen 145 G5
Segl (Lago da) 147 N6
Segnas (Piz) 148 L5
Segnaspass 148 L5
Selbsanft 147 K5
Selibüel 145 G5
Selma 147 L7
Selzach 141 G4
Sembrancher 145 F7
Sementina 147 K7
Semione 147 K6
Sempach 141 I4
Sempach-Station 141 I4
Sempacher See 141 I4
Sempione = Simplon 146 H7
Semsales 145 F6
Sennwald 142 M4
Sense 121 F5
Sent 149 P5
Sentier (Le) 144 C6
Seon 141 I3
Sépey (Le) 145 F6
Septimerpass 147 M6
Sernftal 148 L5
Sertig-Dörfli 147 N5

Sesvenna (Piz) 149 P5
Seuzach 142 K3
Sevelen 142 M4
Sewen 146 J5
Sezegnin 144 C7
Sezner (Piz) 147 L5
Siblingen 142 J2
Siders = Sierre 145 G7
Siebnen 142 K4
Siegershausen 142 L3
Sierre 145 G7
Sigigen 141 I4
Siglistorf 141 J3
Signau 141 H5
Sigriswil 145 H5
Sihl 142 J3
Sihlbrugg 142 J4
Sihlsee 142 K4
Silenen 146 K5
Sils 147 M5
Sils / Segl Baselgia 147 N6
Sils / Segl Maria 147 N6
Silvaplana 147 N6
Silvaplauna (Lago da) 149 N6
Silvrettagruppe 149 N5
Simme 145 G6
Simmental (Nieder- Ober-) 145 G6
Simplon 146 I7
Simplonpass 146 I7
Simplontunnel 146 I7
Sins 141 J4
Sirnach 142 L3
Siselen 140 F4
Sisikon 148 J5
Sissach 141 H3
Sion 145 G7
Sitten = Sion 145 G7
Sitter 142 M3
Siviriez 145 E6
Soazza 147 L6
Sobrio 147 K6
Soglio 147 M6
Sogn Gions 146 K6
Soleure = Solothurn 141 G4
Solothurn 141 G4
Solothurn (Kanton) 117 G4
Someo 146 J7
Somvix 147 K5
Sonceboz 140 F4
Sonlerto 146 J6
Sonloup (Col de) 145 E6
Sonnenhorn 146 J7
Sonogno 146 K6
Sontga Maria (Lago da) 122 K6
Sonvico 147 L7
Sonvilier 140 E4
Soral 144 C7
Sörenberg 146 I5
Sorens 145 E6
Sorne 116 F3
Sottens 145 E6
Soubey 140 F4
Soyhières 140 G3
Spannort 146 J5
Speer 142 L4
Speicher 142 M3
Spiez 145 H5
Spiringen 148 K5
Spittelrüti 118 K5
Spluga (Passo dello) / Splügenpass 147 L6
Splügen 147 M6
Spöl (Val dal) 149 O5
Spruga 146 J7
Staad 142 M3
Stabio 152 K8
Stadel 141 J3
Stäfa 142 K4
Stalden (Unterwalden) 117 I5
Stalden (Valais) 146 H7
Stallikon 141 J3
Stampa 147 M6
Stans 141 J5
Stanserhorn 141 J5
Stansstad 141 J5
Starkenbach 142 L4
Stätzerhorn 147 M5
Stechelberg 146 H6
Steckborn 142 K3
Steffisburg 145 G5
Steg 142 K3
Stein 142 M3
Stein (Aargau) 141 H3
Stein (St. Gallen) 142 L4
Stein am Rhein 142 K3
Steinen 142 J4
Steinhausen 141 J4
Steinhüshorn 146 I5

Steinibach 148 L5
Steinmaur 141 J3
Sternenberg 142 K3
Stettenbach 141 I4
Stierva 147 M6
Stilli 141 I3
Stöckalp 146 I5
Stocken-Höfen 145 G5
Stockhorn (Bern) 145 G5
Stockhorn (Valais) 146 H8
Stoos 148 K5
Strada 149 P5
Strengelbach 141 H4
Studen bei Brügg 116 F4
Studen (Schwyz) 118 K4
Stüsslingen 141 H3
Suchet (Le) 144 D5
Sufers 147 M6
Sugiez 140 F5
Sugnens 144 E6
Suhr 141 I3
Suhre 141 I4
Sulgen 142 L3
Sullens 144 D6
Sulz 141 I3
Sulzfluh 149 N4
Sumiswald 141 H4
Sumvitg (Val) 147 K5
Sunnenberg 141 G3
Super Nendaz 145 F7
Surava 147 M6
Surenenpass 146 J5
Surettahorn 147 M6
Surlej 147 N6
Sursee 141 I4
Surselva 147 K5
Sursanfe 145 E7
Susasca (Val) 149 N5
Susch 149 O5
Susten-Leuk 145 G7
Sustenhorn 146 J5
Sustenpass 146 J5
Sutz-Lattrigen 140 F4
Suze 140 F4

T
Tafers 140 F5
Tägerschen 142 L3
Tägerwilen 142 L3
Tälli 146 J5
Tamaro (Monte) 147 K7
Tambo (Piz) 147 L6
Taminaschlucht 148 M5
Taminatal 148 M5
Tamins 147 M5
Tannenbodenalp 142 L4
Tarasp 149 O5
Tasna (Piz) 149 O5
Täsch 147 H7
Täsch (Refuge de) 146 H7
Täuffelen 140 F4
Tavanasa 147 L5
Tavannes 140 F4
Taverne 147 K7
Tavetsch (Val) 146 K6
Tavrü (Piz) 149 O5
Tegerfelden 141 I3
Tegna 146 K7
Tellskapelle 148 J5
Tendre (Mont) 144 C6
Tenigerbad 147 L6
Tenna 147 M5
Tentlingen 145 F5
Terre di Pedemonte 148 K7
Terri (Refuge) 147 L6
Terri (Piz) 147 L6
Territet 120 E6
Tesserete 147 K7
Tête Noire (Défilé de) 145 E7
Tête Blanche 145 G8
Tête de Ran 140 E4
Teufen (Appenzell) 142 M3
Teufen (Zürich) 142 J3
Teufenthal 141 I4
Thal 143 M3
Thalheim (Aargau) 141 I3
Thalheim an der Thur 142 K3
Thalkirch 147 L6
Thalwil 142 J4
Thayngen 142 K2
Theodulpass 145 H8
Thielle 140 F4
Thierachern 145 G5
Thierrens 145 E5
Thörigen 141 H4
Thoune = Thun 145 G5
Thun 145 G5

Thundorf 142 K3
Thuner See 145 G5
Thur 142 J3
Thurgau (Kanton) 118 K3
Thurgovie = Thurgau 118 K3
Thusis 147 M5
Thyon-Les Collons 145 G7
Tessin = Ticino 122 K7
Ticino 122 K7
Ticino (Cantone) 122 K7
Tiefencastel 147 M6
Tiejerflue 147 N5
Tieralplistock 146 J6
Tierberg 146 J5
Tierbergli 146 J5
Tierfehd 148 K5
Timun (Piz) 147 M6
Tinizong 147 M6
Titlis 146 J5
Tödi 147 K5
Toffen 141 G5
Toggenburg 142 L3
Tomils / Tumegl 147 M5
Tornette (La) 145 F6
Torrone Alto 147 L6
Töss 142 K3
Tour (Aiguille du) 145 F8
Tour d'Aï 145 E6
Tour de Peilz (La) 120 E6
Tour-de-Trême (La) 145 F6
Tourne (La) 140 E5
Tracuit 145 H7
Trachselwald 141 H4
Tramelan 140 F4
Trasadingen 141 J2
Travers 140 E5
Travers (Val de) 140 D5
Treiten 140 F4
Trélex 144 C6
Tremola (Val) 146 J6
Trey 145 E5
Treyvaux 145 F5
Triengen 141 I4
Trient 145 E7
Trift 146 J5
Trimbach 141 H3
Trimmis 149 M5
Trin 147 M5
Trogen 142 M3
Troistorrents 145 E7
Trub 141 H5
Trübbach 142 M4
Trubschachen 141 H5
Trübsee 146 J5
Trüllikon 142 K3
Trümmelbachfälle 146 H6
Trun 147 K5
Trütlisbergpass 145 G6
Tschierva 147 N6
Tschamut 146 K6
Tschappina 147 M5
Tscheischhorn 147 M6
Tschiertschen 147 M5
Tschierv 149 P6
Tschlin 149 P5
Tschuggen 149 N5
Tseuzier (Lac de) 145 G6
Tüback 142 M3
Tuggen 142 K4
Turbenthal 142 K3
Turtmann (Refuge) 145 H7
Turtmanntal 145 H7
Twann 140 F4

U
Udligenswil 141 J4
Uerkheim 141 H4
Uesslingen 142 K3
Uetendorf 145 G5
Uetikon am See 142 K4
Uetliberg 141 J3
Uetliburg 142 L4
Uitikon 141 J3
Ulisbach 142 L4
Ulmiz 140 F5
Ulrichen 146 I6
Umiken 141 I3
Undervelier 140 F4
Unter-Engadin 149 O5
Unterägeri 141 J4
Unterbäch 145 H7
Unterengstringen 141 J3
Unterer Hauenstein 117 H3
Unteriberg 142 K4
Unterkulm 141 I4
Unterlunkhofen 141 J4
Unterschächen 148 K5
Unterseen 145 F6

Unterschlatt 142 K3
Unterseen 146 H5
Untersiggenthal 141 I3
Unterstammheim 142 K3
Unterstock 146 I5
Untervaz 148 M5
Unterwalden (Nidwalden Kanton) 122 J5
Unterwalden (Obwalden Kanton) 117 I5
Unterwasser 142 L4
Urdorf 141 J3
Uri (Kanton) 122 J5
Uri-Rotstock 148 J5
Urnäsch 142 L4
Urnerboden 148 K5
Urner See 148 J5
Ursenbach 141 H4
Urseren 146 J6
Ursy 145 E6
Uster 142 K3
Uttwil 142 M3
Utzenstorf 141 G4
Utzigen 141 G5
Uznach 142 K4
Uzwil 142 L3

V
Vacallo 152 L8
Vadret da Morteratsch 149 N6
Vadret (Piz) 149 N5
Vadura 148 M5
Val Bernina 149 N6
Val-de-Charmey 145 F6
Val Müstair 123 O6
Val Poschiavo 123 O6
Val Susasca 119 N5
Valangin 140 E4
Valbella 147 M5
Valbella (Val Calanca) 147 L6
Valbirse 140 F4
Valchava 149 P6
Valendas 147 L5
Valens 148 M5
Vallamand 140 F5
Vallamand-Dessous 140 F5
Valle Leventina 122 J6
Vallorbe 144 D5
Valmara 122 K7
Vals 147 L6
Valsainte (La) 145 F6
Valsertal 147 L6
Valsorey 145 F8
Valsot 149 P5
Vandoeuvres 144 C7
Vanil Noir 145 F6
Varuna (Piz) 149 N6
Vättis 148 M5
Vaud (Canton) 120 D6
Vaulion 144 D5
Vaulion (Dent de) 144 D5
Vaulruz 145 E6
Vélan 145 F8
Vélan (Mont) 150 F8
Vendlincourt 140 F3
Vens 145 F7
Verbier 145 F7
Vercorin 145 G7
Vergeletto 146 J7
Vermala 145 G7
Vermes 141 G4
Vernamiège 145 G7
Vernayaz 145 F7
Vernier 144 C7
Vérossaz 145 E7
Verrières (Les) 140 D5
Vers l'Église 145 F6
Versam 147 L5
Versoix 144 C7
Verstanklahorn 149 O5
Verzasca (Val) 146 K7
Vétroz 145 F7
Vevey 145 E6
Vex 145 G7
Veysonnaz 145 G7
Veyrier 144 C7
Vial (Piz) 147 K6
Vicques 140 G3
Via Mala 147 M6
Vierwaldstätter See 141 J4
Vigezzo Centovalli 122 J7
Vignettes 145 G8
Villa 123 L5
Villarepos 145 F5
Villarlod 145 F5
Villars-Burquin 140 D5
Villars-le-Grand 140 E5
Villars-sous-Mont 145 F6

Villars-sur-Ollon 145 F7
Villaz-St-Pierre 145 E5
Villeneuve 145 E6
Villigen 141 I3
Villmergen 141 I3
Vilters 148 M4
Vinadi 149 P5
Vinelz 140 F4
Vionnaz 145 E7
Vira (Gambarogno) 146 K7
Visp 146 H7
Vispa 146 H7
Visperterminen 146 H7
Vissoie 145 G7
Vitznau 141 J4
Vogelsang 141 I4
Vogorno 146 K7
Vogorno (Piz di) 147 K7
Volléges 145 F7
Vorab 148 L5
Voralp 146 J5
Voralp (St. Gallen) 142 M4
Vorderrhein 147 K5
Vouvry 145 E6
Vrin 147 L6
Vuadens 145 E6
Vuarrens 144 D5
Vufflens-le-Château 144 D6
Vuippens 145 F6
Vuisternens-devant-Romont 145 E6
Vuisternens-en-Ogoz 145 F5
Vuitbœuf 140 D5
Vulpera 149 O5

W
Waadt / Vaud 120 D6
Wädenswil 142 K4
Wägitaler See 142 K4
Wägital 142 K4
Wald 142 K4
Waldenburg 141 H3
Waldkirch 142 L3
Waldstatt 142 L3
Walensee 142 L4
Walenstadt 142 L4
Walenstadtberg 142 L4
Walkringen 141 G5
Wallbach 141 H3
Wallis (Canton) 121 G7
Wallis = Valais 121 G7
Wallisellen 142 J3
Walperswil 140 F4
Waltensburg / Vuorz 147 L5
Waltenschwil 141 I4
Walzenhausen 143 M3
Wangen 142 K4
Wangen a. d. Aare 141 G4
Wängi 142 K3
Wangs 148 M4
Wannenhorn 146 I6
Wasen 141 H4
Wasenhorn 146 I7
Wassen 146 J5
Wasserauen 142 M4
Wattenwil 145 G5
Wattwil 142 L4
Wauwil 141 I4
Weesen 142 L4
Wegenstetten 141 H3
Weggis 141 J4
Weglosen 148 K4
Weiach 141 J3
Weier 141 H4
Weinfelden 142 L3
Weiningen 141 J3
Weissenbach 145 G6
Weissenstein 141 G4
Weissfluhgipfel 147 N5
Weissgrat 146 H8
Weisshorn 141 G4
Weisshorn (Graubünden) 147 M5
Weisshorn (Refuge) 145 H7
Weissmies 146 I7
Weisstannental 148 L5
Weite 142 M4
Welschenrohr 141 G4
Wengen 146 H6
Wengi 140 G4
Werdenberg 142 M4
Werthenstein 141 I4
Wetterhorn 146 I6
Wettingen 141 I3
Wetzikon 142 K3

Wiesendangen 142 K3
Wiggen 141 H5
Wigoltingen 142 L3
Wil 142 L3
Wila 142 K3
Wilchingen 142 J3
Wildberg 142 K3
Wildegg 141 I3
Wilderswil 146 H6
Wildhaus 142 M4
Wildhorn 145 G6
Wildstrubel 145 G6
Wildstrubel (Refuge de) 145 G6
Willerzell 142 K4
Willisau 141 H4
Wimmis 145 G5
Windgällen 146 K5
Windisch 141 I3
Winikon 141 I4
Winterthur 142 K3
Winznau 141 H3
Wisshorn 149 N5
Wittnau 141 H3
Wohlen (Aargau) 141 I3
Wohlen bei Bern 140 G5
Wohlensee 140 F5
Wolfenschiessen 141 J5
Wolfgang 147 N5
Wolfwil 141 H4
Wolhusen 141 I4
Worb 141 G5
Worben 140 F4
Wuppenau 142 L3
Würenlingen 141 I3
Würenlos 141 J3
Wynigen 141 G4

Y - Z
Yens 144 D6
Yverdon-les-Bains 144 D5
Yvonand 140 E5
Yvorne 145 E6
Zapport 147 L6
Zapporthorn 147 L6
Zäziwil 141 G5
Zeglingen 141 H3
Zeiningen 141 H3
Zell 141 H4
Zermatt 145 H7
Zernez 149 O5
Zervreila See 147 L6
Zetzwil 141 I4
Ziefen 141 H3
Zihlkanal 140 F4
Zihlschlacht 142 L3
Zillis 147 M6
Zinal 145 G7
Zinalrothorn 145 H7
Zizers 149 M5
Zmutt 145 H7
Zofingen 141 H4
Zollbrück 141 H5
Zollhaus 145 F5
Zollikofen 141 G4
Zollikon 142 J3
Zoug = Zug 142 J4
Zucchero (Monte) 146 K6
Zuchwil 141 G4
Zug 142 J4
Zug (Kanton) 118 J4
Zügen 147 N5
Zuger See 141 J4
Zugerberg 142 J4
Zumikon 142 J3
Zuoz 149 N6
Zupo (Piz) 149 N6
Zürich 142 J3
Zürich (Kanton) 118 J3
Zurich-Kloten (Aéroport) 142 J3
Zürichsee 142 J4
Zuzwil (Bern) 141 G4
Zuzwil (St. Gallen) 142 L3
Zweilütschinen 146 H6
Zweisimmen 145 G6
Zwingen 141 G3
Zwischbergen 146 I7

LIECHTENSTEIN
Balzers 142 M4
Bendern 142 M4
Malbun 143 M4
Nendeln 142 M4
Pfälzer-H. 143 M4
Ruggell 142 M4
Schaan 142 M4
Schaanwald 143 M4
Triesen 142 M4
Triesenberg 142 M4
Vaduz 142 M4

A

Abern 161 K4
Abfaltersbach 170 J8
Absam 167 G7
Absdorf 158 T3
Abtei 171 P9
Abtenau 162 M6
Abtissendorf 172 S8
Abtsdorf 162 M5
Ach 161 K4
Ach 162 L4
Achau 165 V4
Achenbach 160 H6
Achenkirch 160 H6
Achenpaß 160 G6
Achensee 160 H6
Achental 160 H6
Achenwald 160 H6
Adameck-H. 162 M6
Aderklaa 159 V4
Adlwang 163 O5
Admont 163 P6
Adnet 161 L5
Aflenzer Seeberg 164 R6
Aflenz Kurort 164 R6
Afling 172 R7
Afritz 171 N8
Aggsbach 158 S4
Aggsbach Markt 158 S4
Aggstein 158 S4
Ahorn 157 O3
Ahornspitze 169 H7
Aich 162 N6
Aich 172 Q9
Aichdorf 172 Q7
Aigen 158 S2
Aigen 165 U6
Aigen im Ennstal 163 O6
Aigen im Mühlkreis 156 N3
Ainet 170 K8
Aist 157 P4
Aistersheim 162 N4
Alberndorf in der Riedmark 157 P3
Alberschwende 166 B6
Albrechtsberg an der Großen Krems 158 S3
Aldrans 167 G7
Alfenz 166 B7
Alkoven 157 O4
Alkus 170 K8
Alland 164 U4
Allentsgschwendt 158 S3
Allentsteig 158 R2
Allerheiligen 164 S6
Allerheiligen b. Wildon 172 S8
Allerheiligen im Mühlkreis 157 P4
Allgäuer Alpen 166 C6
Allhaming 163 O4
Allhartsberg 163 Q4
Alm 162 N5
Almsee 163 N5
Almwirt 164 R7
Alpbach 160 H6
Alpl 164 S6
Altach 166 A6
Altaussee 162 N6
Altausseersee 162 N6
Altenberg 164 S5
Altenberg bei Linz 157 P3
Altenburg 158 S3
Altenfelden 156 N3
Altenhof 156 N3
Altenmarkt 162 M6
Altenmarkt 173 U7
Altenmarkt an der Triesting 164 T4
Altenmarkt bei St. Gallen 163 P5
Altenmarkt i. Yspertal 158 R4
Altenwörth 158 T3
Altersberg 171 M8
Altheim 156 L4
Althofen 171 P8
Althofen 171 O7
Altlengbach 158 T4
Altlichtenwarth 159 W3
Altmanns 159 V3
Altmanns 158 R2
Altmelon 157 Q3
Altmünster 162 N5
Altprerau 159 V2
Altschwendt 156 N4
Am See 167 E8
Amagmach 166 B6
Amaliendorf 158 R2
Am Alpsteig 164 S6
Ameis 159 V2
Amesreith 157 P3
Amlach 170 K8
Ammer Sattel 167 E6
Ampflwang 162 M4
Amstetten 163 Q4
Andau 165 W5
Andelsbuch 166 B6
Andorf 156 M3
Andrichsfurth 156 M4
Angath 160 I6
Anger 164 T7
Angern 163 O6
Angern a. d. March 159 W3
Anif 161 L5
Ankogel 170 L7
Annaberg 164 S5
Annaberg im Lammertal 164 M6
Annenheim 171 N9
Anras 170 J8
Ansfelden 157 O4
Antau 165 V5
Anthering 161 L5
Antiesen 156 M4
Antiesenhofen 156 M3
Anton-Karg-H. 161 I6
Anzenbach 163 P5
Anzendorf 158 S4
Apetlon 165 W5
Arbesbach 157 Q3
Arbesthal 165 W4
Arbing 157 Q4
Ardagger Markt 157 Q4
Ardagger Stift 163 Q4
Ardning 163 P6
Arlbergpaß 166 C7
Arlbergtunnel 166 C7
Arnbach 169 J8
Arnfels 172 S8
Arnoldstein 171 N9
Arnreit 157 O3
Arriach 171 N8
Artstetten 158 R4
Arzberg 164 S7
Arzl 167 E7
Aschach 156 N3
Aschach an der Donau 157 O3
Aschach a. d. Steyr 163 P4
Aschach (Talsperre) 157 O3
Aschau 160 H6
Aschau (*Kitzbühel*) 161 I6
Aschau (*Mayrhofen*) 169 H7
Aschau (*Oberösterr.*) 162 M5
Aschau im Burgenland 165 U6
Aschbach 164 S5
Aschbach-Markt 163 Q4
Asitz-Kogel 161 K6
Aspach 161 L4
Aspang Markt 165 U6
Asparn 159 V3
Asperhofen 158 T4
Aspern 159 V4
Aspersdorf 158 U3
Assling 170 J8
Asten 157 P4
Attersee 162 M5
Attnang-Puchheim 162 N4
Atzbach 162 N4
Atzenbrugg 158 T4
Au 164 R6
Au 163 P6
Au (*Oberösterr.*) 162 M5
Au (*Tirol*) 167 E7
Au (*Vorarlberg*) 166 B7
Au am Leithagebirge 165 V5
Auerbach 161 K4
Auersthal 159 V3
Auf dem Hals 164 U5
Auf dem Straßegg 164 S6
Auf der Schanz 164 S6
Auffach 160 I6
Aurach 161 J6
Aurach am Hongar 162 N5
Aurachkirchen 162 N5
Aurolzmünster 156 M4
Äußere Einöde 171 N8
Äußere Kainisch 162 N6
Außerfern 167 E6
Außerfragant 170 L8
Außervillgraten 170 J8
Austria-H. 162 M6
Axamer Lizum 167 F7
Axams 167 F7

B

Baad 166 C7
Bach 166 D7
Bachmanning 162 N4
Bad Aussee 162 N6
Bad Bleiberg 171 N9
Bad Deutsch Altenburg 159 W4
Bad Dürrnberg 161 L6
Bad Fischau 165 U5
Bad Fusch 170 K7
Bad Gams 172 R8
Bad Gleichenberg 173 T8
Bad Goisern 162 M6
Bad Großpertholz 157 Q3
Bad Hall 163 O4
Bad Häring 160 I6
Bad Hofgastein 170 L7
Bad Innerlaterns 166 B7
Bad Ischl 162 M5
Bad Kleinkirchheim 171 N8
Bad-Kreuzen 157 Q4
Bad Leonfelden 157 O3
Bad Mitterndorf 163 N6
Bad Pirawarth 159 V3
Bad Radkersburg 173 T8
Bad St. Leonhard 171 O8
Bad St. Leonhard im Lavanttal 172 Q8
Bad Schallerbach 156 N4
Bad Schönau 165 U6
Bad Tatzmannsdorf 165 U6
Bad Vellach 172 P9
Bad Vöslau 165 U5
Bad Waltersdorf 173 U7
Bad Weißenbach 172 Q8
Bad Wimsbach-Neydharting 162 N4
Bad Zell 157 P3
Baden 165 U4
Badenthein 171 N8
Bad Gastein 170 L7
Bärenbad 169 I7
Bärenriß Sattel 164 R5
Bärental 171 O9
Bärnbach 172 R7
Bärndorf 163 P6
Bärnkopf 157 R3
Baierdorf 171 O7
Baierdorf bei Anger 164 T7
Bairisch Kölldorf 173 T8
Baldramsdorf 170 M8
Bangs 166 A7
Bannberg 170 K8
Bartholomäberg 166 B7
Barwies 167 E7
Baumgart 164 S5
Baumgarten an der March 159 W4
Baumgarten im Burgenland 165 V5
Baumgartenberg 157 Q4
Behamberg 163 P4
Berg (*Kärnten*) 170 L8
Berg (*Niederösterr.*) 159 X4
Berg bei Rohrnbach 157 N3
Bergheim 161 L5
Berndorf 165 U5
Berndorf 172 R7
Berndorf bei Salzburg 161 K5
Bernhardsthal 159 W2
Bernkogel 170 L7
Bernstein 165 U6
Berwang 167 E6
Bettelwurfspitze 160 G6
Bezau 166 B6
Biberbach 163 Q4
Biberwier 167 E6
Bichlbach 167 E6
Bielerhöhe 166 C8
Bierbaum 173 U7
Bierbaum a. Kleebigl 158 T3
Bigerbach 167 E7
Bildstein 166 B6
Birkfeld 164 T6
Birkkarspitze 160 G6
Birnbaum 170 K8
Birnhorn 161 K6
Birnlücke 169 I7
Bisamberg 159 V4
Bischofeld 163 Q7
Bischofshofen 161 L6
Bischofstetten 164 S4
Bizau 166 B6
Blattberg 167 E6
Bleiberg-Kreuth 171 M9
Bleiburg 172 Q9
Bleikogel 161 L6
Blindenmarkt 163 Q4
Blons 166 B7
Blosen 163 O6
Bludenz 166 B7
Blumau 165 U6
Blumau an der Wild 158 S2
Blumau i. Steiermark 173 U7
Bochumer H. 161 J6
Bockfließ 159 V3
Bocksdorf 173 U7
Boden 171 M8
Bodensdorf 171 N8
Bodensee 166 A6
Bodental 171 O9
Böckstein 170 L7
Bödele 166 B6
Bödmen 166 C7
Böheimkirchen 158 T4
Bonisdorf 173 U8
Bramberg 169 J7
Brand 164 T4
Brand (*Niederösterr.*) 157 R2
Brand (*Vorarlberg*) 166 B7
Brandberg 169 H7
Brandenberg 160 H6
Brandhof 164 R6
Brandnertal 166 B7
Brandwald 163 N6
Braunarlspitze 166 C7
Braunau 156 L4
Braz 166 B7
Bregenz 166 B6
Bregenzerach 166 B6
Bregenzerwald 166 B7
Breiteckkoppe 163 O6
Breitegg 160 I6
Breitenaich 157 N4
Breitenau (*Niederösterr.*) 165 U5
Breitenau (*Oberösterr.*) 163 O5
Breitenbach am Inn 160 H6
Breitenbrunn 164 T6
Breitenbrunn 165 W5
Breitenfurt 159 U4
Breitenhilm 172 S7
Breitenlee 159 V4
Breitenstein 164 T6
Breitenwaida 158 U3
Breitenwang 167 E6
Breitfuß 169 I7
Breithorn 161 K6
Breitsetten 159 W4
Brennerpaß 167 G7
Bretstein 163 P6
Bretsteingraben 163 O6
Brixen 160 I6
Brixlegg 160 H6
Bromberg 165 U5
Bruck am Ziller 160 H6
Bruck an der Großglocknerstraße 170 K7
Bruck an der Leitha 165 W4
Bruck an der Mur 164 R6
Brückl 172 P8
Bruckneudorf 165 W4
Bruderkogel 163 P6
Brunn 164 R6
Brunnalm 164 S6
Brunn am Gebirge 165 U4
Brunn an der Wild 158 S2
Brunnbach 163 P5
Brunnenthal 156 M3
Bschlabs 167 D7
Buch 166 B6
Buch in Tirol 160 H6
Buchboden 166 B7
Bucheben 170 K7
Buchkirchen 157 O4
Buchschachen 165 U7
Bucklige Welt 165 U6
Bürgeralpe 164 S5
Bürs 166 B7
Bürserberg 166 B7
Bundschuh 171 N7
Burg 165 V7
Burgau (*Salzburg*) 162 M5
Burgau (*Steiermark*) 173 U7
Burgauberg-Neudauberg 173 U7
Burgenland (*Land*) 165 U6
Burggrabenklamm 162 M5
Burgkirchen 161 L4
Burgschleinitz 158 T3

C

Carl von Stahl-Hs. 161 L6
Christkindl 163 P4
Coburger H. 167 E6
Cumberland 163 N5

D

Dachstein-Rieseneishöhle 162 N6
Dachsteingruppe 162 M6
Dalaas 166 B7
Damüls 166 B7
Damülser Mittagspitze 166 B7
Dechantskirchen 164 U6
Defereggental 169 I8
Defereggeralpen 170 I8
Defreggerhaus 169 J7
Dellach 170 L9
Dellach 171 M8
Dellach im Drautal 170 L8
Demeljoch 160 G6
Deutsch Hörschlag 157 P3
Deutsch Brodersdorf 165 V5
Deutsch Ehrensdorf 173 V7
Deutsch Feistritz 172 R7
Deutsch Goritz 173 T8
Deutsch Griffen 171 O8
Deutsch Haslau 165 W4
Deutsch Jahrndorf 165 W4
Deutsch Kaltenbrunn 173 U7
Deutschkreutz 165 V6
Deutschlandsberg 172 R8
Deutsch Schützen 173 V7
Deutsch Wagram 159 V4
Diedamskopf 166 C6
Dienten 161 L6
Dientner Sattel 161 L6
Diersbach 156 M3
Dietachdorf 163 P4
Dietersdorf am Gnasbach 173 T8
Dietmanns (*bei Gmünd*) 157 Q2
Dietmanns (*bei Waidhofen a.d.T.*) 158 S2
Dietmannsdorf b. Trieben 163 P6
Diex 172 P8
Dimbach 157 Q4
Dobermannsdorf 159 W3
Dobersberg 158 R2
Dobersdorf 173 U7
Dobl 172 S8
Döbling 159 U4
Dobra Stausee 158 S3
Dobratsch 171 M9
Döbriach 171 M8
Dölach 170 J8
Döllach 163 O6
Döllach 170 K8
Dolomiten H. 170 K8
Dölsach 170 K8
Donau 156 M3
Donaustadt 159 V4
Donawitz 164 R6
Donnersbach 163 O6
Donnersbachwald 163 O6
Donnerskirchen 165 V5
Doren 166 B6
Dorf 156 M4
Dorfgastein 170 L7
Dörfl im Burgenland 165 V6
Dorfstetten 157 Q4
Dornach 157 Q4
Dornbirn 166 B6
Douglass-H. 166 B7
Drasenhofen 159 V2
Draßburg 165 V5
Draßmarkt 165 V6
Dreiherrnspitze 172 I7
Dreistetten 165 U5
Dr. H. Hackel-H. 161 L6
Drobollach 171 N9
Drösing 159 W3
Drosendorf Stadt 158 S2
Droß 158 S3
Drossensperre 170 K7
Düns 166 B7
Dürnbach 165 V7
Dürnkrut 159 W3
Dürnstein (*Niederösterr.*) 158 S3
Dürnstein (*Steiermark*) 171 P7
Dürradmer 164 R5
Dürre Wand 164 T5
Dunkelsteinerwald 158 S4
Durchholzen 161 I6

E

Ebbs 160 I6
Ebelsberg 157 P4
Eben 160 H6
Eben im Pongau 162 M6
Ebenau 161 L5
Ebene 167 E7
Ebene Reichenau 171 N8
Ebenfurth 165 V5
Ebensee 162 N5
Ebenthal (*Kärnten*) 171 P9
Ebenthal (*Niederösterr.*) 159 W3
Eberau 173 V7
Ebergassing 165 V4
Eberndorf 172 P9
Eberschwang 162 M4
Ebersdorf (*Niederösterr.*) 158 R4
Ebersdorf (*Steiermark*) 173 T7
Eberstallzell 163 N4
Eberstein 172 P8
Ebnerhof 164 S5
Ebnit 166 B6
Ebreichsdorf 165 V5
Echsenbach 158 R2
Eckartsau 159 W4
Edel-H. 169 H7
Edelsbach 173 T8
Edelschrott 172 R7
Edelstal 159 W4
Edelweißspitze 170 K7
Edlach 164 T5
Edling 164 Q6
Edlitz 173 V7
Edlitz Markt 165 U6
Edmund-Graf-H. 166 D7
Eferding 157 O4
Egg 170 M9
Egg (*Vorarlberg*) 166 B6
Egg am Faakersee 171 N9
Eggelsberg 161 K4
Eggenberg 172 S7
Eggenburg 158 T3
Eggendorf 165 U5
Eggendorf am Walde 158 T3
Eggeralm 170 M9
Eggerding 156 M3
Eggern 158 R2
Eggersdorf 172 S7
Ehrenberger Klause 167 E6
Ehrenhausen 173 S8
Ehrenschachen 165 U6
Ehrwald 167 E6
Eibenstein 158 S2
Eibesbrunn 159 V3
Eibesthal 159 V3
Eibiswald 172 R8
Eichberg 164 T6
Eichenberg 166 B6
Eichenbrunn 159 V3
Eichgraben 158 T4
Eidenberg 157 O3
Eingenheimsiedlung 159 U4
Eisenberg 173 V7
Eisenerz 163 Q6
Eisenerzer Alpen 163 P6
Eisenhüttl 173 U7
Eisenkappel 172 P9
Eisenstadt 165 V5
Eisentratten 171 M8
Eisenwurzen 163 Q5
Eisgarn 158 R2
Eisriesenwelt 161 L6
Eitweg 172 Q8
Eitzing 156 M4
Eizendorf 157 Q4
Elbigenalp 166 D7
Elixhausen 161 L5
Ellbögen 167 G7
Ellmau 161 I6
Ellmauer Halt 161 I6
Elmen 167 D6
Els 158 S3
Elsbethen 161 L5
Elsenreith 158 R3
Eltendorf 173 U7
Embach 170 L7
Emmersdorf an der Donau 158 S4
Empersdorf 172 S8
Eng 160 G6
Engelhartstetten 159 W4
Engelhartszell 156 N3
Engelmannsbrunn 158 T3
Engelstein 157 Q3

A B C D E F G H I J K L M N O P Q R S T U V W X Y Z

Engerwitzdorf 157 P3
Enns 157 P4
Enns (Bach) 170 M7
Ennsdorf 157 P4
Ennstal 163 O6
Ennstaler Alpen 163 P6
Enzenkirchen 156 M3
Enzersdorf a. d. Fischa 165 V4
Enzersdorf im Thale 159 U3
Enzersfeld 159 V3
Enzesfeld 165 U5
Enzingerboden 170 J7
Erb 163 Q6
Erdberg 159 V3
Erdleiten 157 P3
Erfurtor H. 160 H6
Erl 160 I5
Erlach 165 U5
Erlauf 158 R4
Erlaufsee 164 R5
Erlsbach 169 I8
Ernstbrunn 159 V3
Ernsthofen 163 P4
Erpfendorf 161 J6
Ertl 163 P5
Erzberg 163 Q6
Erzhrzrog Johann-Klause 160 H6
Eschelberg 157 O3
Eschenau 164 S4
Eschenau 158 R2
Eschenau im Hausrukkreis 156 M3
Eßling 159 V4
Esternberg 156 M3
Etmiß 164 R6
Etsdorf am Kamp 158 T3
Ettendorf 172 Q8
Etzen 157 R3
Etzersdorf 173 T7
Eugendorf 161 L5
Euratsfeld 163 Q4
Europabrücke 167 G7

F

Faak 171 N9
Faakersee 171 N9
Fachwerk 163 Q5
Faggenbach 167 E8
Faistenau 161 L5
Falken-H. 160 G6
Falkenstein 159 V2
Falkert 171 N8
Fallegg 172 R8
Farrenau-Bühel 163 N5
Faschina 166 B7
Favoriten 159 V4
Fehring 173 U8
Feichsen 164 R4
Feichten 167 E7
Feichten 164 T6
Feistritz (bei Bleiburg) 172 Q9
Feistritz (bei Friesach) 171 O8
Feistritz am Wechsel 164 U6
Feistritz an der Drau 171 M8
Feistritz an der Gail 171 M9
Feistritz b. Knittelfeld 163 Q7
Feistritzer Stausee 171 O9
Feistritz im Rosental 171 N9
Feistritz Sattel 164 T6
Felbertal 170 J7
Felbertauerntunnel 170 J7
Feldaist 157 P3
Feld am See 171 N8
Feldbach 173 T8
Feldkirch 166 A7
Feldkirchen 172 S7
Feldkirchen an der Donau .157 O3
Feldkirchen bei Mattighofen 161 L4
Feldkirchen in Kärnten 171 O8
Felixdorf 165 U5
Fell 171 M7
Fellach 171 N9
Fellbach 170 L8
Fellhorn 161 J6
Fels 158 T3
Fendels 167 E7
Ferlach 171 O9
Ferlacher Stausee 170 K7
Ferleiten 170 K7
Ferndorf 171 M8
Fernitz 172 S8
Fernpaß 167 E6
Fernstein 167 E6
Fernsteinsee 167 E6
Ferschnitz 163 Q4
Feßnach 171 P7
Festenburg 164 T6

Feuerkogel 162 N5
F.Fischer-H. 170 M7
Fieberbrunn 161 J6
Filzmoos 162 M6
Fimbertal 166 C8
Finkenberg 169 H7
Finkenstein 171 N9
Finstermünzpaß 166 D8
Finstertal Stausee 167 F7
Fischa 165 V5
Fischamend Markt 159 V4
Fischbach 164 S6
Fischbacheralpe 164 S6
Fisching 172 Q7
Fischlham 162 N4
Fiß 167 D7
Flachau 162 M6
Fladnitz 173 T8
Fladnitz an der Teichalm 164 S7
Flaschberg 170 K8
Flatschach 172 Q7
Flattach 170 L8
Flattnitz 171 O8
Flattnitzer Höhe 171 O8
Flaurling 167 F7
Flexenpaß 166 C7
Fließ 167 D7
Flirsch 166 D7
Floing 164 T7
Floridsdorf 159 V4
Fluchthorn 166 C8
Fluttendorf 172 R8
Föllim 159 V2
Fohnsdorf 172 Q7
Fontanella 166 B7
Forchach 167 D6
Forchtenau 165 V5
Forchtenstein 165 U5
Fornach 162 M4
Forst 172 Q8
Forstau 162 M6
Frättingsdorf 159 V3
Fraham 157 O4
Frankenau 165 V6
Frankenburg 162 M4
Frankenfels 164 R5
Frankenmarkt 162 M5
Franking 161 K4
Frantschach-St. Gertraud 172 Q8
Franzen 158 S3
Franzensdorf 159 V4
Franz Josephs-Höhe 170 K7
Franz Senn H. 167 F7
Frastanz 166 A7
Fratres 158 S2
Frauenberg (bei Bruck a. d. Mur) 164 S6
Frauenberg (bei Liezen) 163 P6
Frauenburg 171 P7
Frauendorf 158 T3
Frauenkirchen 165 W5
Frauenstein (Kärnten) 171 P8
Frauenstein (Oberösterr.) 163 O5
Frauental 172 R8
Frauschereck 161 L4
Fraxern 166 A7
Freiburger H. 166 B7
Freiland 164 S5
Freiland bei Deutschlandsberg 172 R8
Frein 164 S5
Freinberg 156 M3
Freistadt 157 P3
Fresach 171 N8
Fresing 172 S8
Friedauwerk 164 Q6
Friedberg 165 U6
Friedburg 161 L4
Friedersbach 158 R3
Friesach 171 P8
Fritzens 169 G7
Frohnleiten 164 R7
Frojach-Katsch 171 O7
Fügen 160 H6
Fügenberg 160 H6
Fürnsteinfeld 173 U7
Fuglau 158 S2
Fulpmes 167 G7
Furkajoch 166 B7
Furth 158 T4
Furth an der Triesting 164 T5
Furth bei Göttweig 158 S3

Fusch a. d. Großglocknerstraße 170 K7
Fuschertal 170 K7
Fuscher Törl 170 K7
Fuschl 161 L5
Fuschlsee 161 L5
Fußach 166 A6
Futschölpaß 166 C8

G

Gaaden 165 U4
Gaadorf 163 P7
Gaas 173 V7
Gaberl 172 Q7
Gabersdorf 173 S8
Gablitz 159 U4
Gablonzer H. 162 M6
Gaflenz 163 Q5
Gaichtpaß 167 D6
Gail 170 J8
Gailberg Sattel 170 K8
Gailtal 170 K8
Gailtaler Alpen 170 K8
Gaimberg 170 K8
Gainfarn 165 U5
Gaisbach 157 P4
Gaisbach 161 L5
Gaisfeld 172 R7
Gaishorn 163 P6
Gaislacher Kogel 167 E8
Gaisruck 158 U3
Gaißau 166 A6
Gajach 170 L8
Galinakopf 166 A7
Gallbrunn 165 V4
Gallizien 172 Q9
Gallneukirchen 157 P3
Gallsbach 156 N4
Gallspach 156 N4
Galtür 166 C8
Gaming 164 R5
Gamlitz 172 S8
Gamperdonatal 166 B7
Gampern 162 M5
Gams bei Hieflau 163 Q6
Gamsfeld 162 M6
Gamskarkogel 170 L7
Gamsnbach 158 S4
Ganser 171 O7
Gänserndorf 159 W3
Gargellen 166 B8
Garnei 161 L6
Gars am Kamp 158 T3
Garsten 163 P4
Gaschurn 166 C8
Gasen 164 S6
Gaspoltshofen 162 N4
Gasteiner Ache 170 L7
Gasteinertal 170 L7
Gastern 158 R2
Gattendorf 165 W4
Gaubitsh 159 V3
Gaweinstal 159 V3
Geboltskirchen 162 M4
Gedersdorf 158 S4
Geiersberg 156 M4
Geigen 156 L4
Geisenheim 156 N4
Geistthal 172 R7
Gemeindealpe 164 R5
Gemeinlebarn 158 T4
Geras 158 T2
Gerasdorf 159 V4
Gerersdorf (Niederösterr.) 158 S4
Gerersdorf-Sulz 173 U7
Geretsberg 161 K4
Gerhaus 165 W4
Gerlitzen 171 N8
Gerlos 169 I7
Gerlosberg 169 H7
Gerlospaß 169 I7
Gerlostal 169 H7
Gerotten 158 R3
Gerzkopf 162 M6
Gesäuse 163 P6
Gettsdorf 158 T3
Gföhl 158 S3
Gföhlerwald 158 S3
Gilfertberg 169 H7
Gilgenberg am Weilhart 161 K4
Gimpel H. 167 D6
Ginzling 169 H7
Gitschtal 170 L8
Glanegg 171 O8
Glanhofen 171 O8
Glasenbach 161 L5

Glashütten 165 V6
Glashütten 172 R8
Glattjoch 163 O7
Glatzau 173 T8
Glaubendorf 158 T3
Glein 172 Q7
Gleinalmtunnel 164 R7
Gleinalpe 164 R7
Gleinstätten 172 S8
Gleisdorf 173 T7
Gleißenfeld 165 U5
Gleiwitzer H. 170 K7
Glemmtal 161 J6
Globasnitz 172 Q9
Glockturm 167 E8
Glödnitz 171 O8
Gloggnitz 164 T5
Gmund 169 I7
Gmünd (Kärnten) 171 M8
Gmünd (Niederösterr.) 157 Q2
Gmunden 162 N5
Gmundnerberg 162 N5
Gnadendorf 159 V3
Gnadenfall 171 M7
Gnadenwald 160 G7
Gnas 173 T8
Gnesau 171 N8
Gniebing 173 T8
Gnigl 161 L5
Göblberg 162 M4
Göfis 166 A7
Göll 170 J8
Göllersbach 159 U3
Göllersdorf 158 U3
Göriach 171 N7
Görtschach 171 M9
Gösing 158 T3
Göß 164 R6
Gößeck 163 Q6
Gösselsdorf 172 P9
Göstling 163 Q5
Göstlingeralpen 163 Q5
Göttlesbrunn 165 W4
Götzendorf 171 P7
Götzendorf an der Leitha 165 V4
Götzens 167 F7
Götzis 166 A7
Going 161 I6
Goldeck 170 M8
Goldegg 161 L7
Goldwörth 157 O4
Golling 161 L6
Gollinger Wasserfall 161 L6
Gollrad 164 R6
Gols 165 W5
Gortipohl 166 C7
Gosau 162 M6
Gosaumühle 162 M6
Gosauschmied 162 M6
Gosdorf 173 T8
Gr. Galtenberg 160 H6
Gr. Höllkogel 162 N5
Gr. Ochsenhorn 161 J6
Gr. Schwarzkogel 162 M6
Gr. Teufelshorn 161 L6
Graben-Prebl 172 Q8
Grabern 158 U3
Grades 171 O8
Grän 167 D6
Grafenbach St. Valentin 164 U5
Grafenberg 158 T3
Grafendorf 164 T6
Grafenegg 158 T3
Grafengschaien 165 U6
Grafenschachen 165 U6
Grafenschlag 158 R3
Grafenstein 171 P9
Grafenwörth 158 T3
Grainbrunn 158 R3
Gralla 172 S8
Gramais 167 D7
Gramastetten 157 O3
Gramatneusiedl 165 V4
Grambach 172 S7
Grametten 158 R2
Grän 167 D6
Gratnitz 164 R6
Gratendorf 171 P8
Gratkorn 172 S7
Gratwein 172 R7

Graukogel 170 L7
Graz 172 S7
Graz (Flughafen) 172 S8
Greifenburg 170 L8
Greifenstein 159 U3
Greillenstein 158 S3
Grein 157 Q4
Greith 164 R5
Gresten 163 R5
Greutschach 172 Q8
Gries 167 F7
Gries am Brenner 167 G7
Griesbach 157 Q3
Griesenau 161 J6
Gries im Sellrain 167 F7
Grieskirchen 156 N4
Grießbach 161 K6
Grießenkareck 162 M7
Grießenpaß 161 K6
Griffen 172 Q8
Grillenberg 164 U5
Grimmenstein 165 U6
Grimming 163 O6
Grimsing 158 S4
Grins 167 D7
Grinzens 167 F7
Gröbming 162 N6
Grödig 161 L5
Großenbrunn 159 W4
Groß Engersdorf 159 V3
Groß Gerungs 157 Q3
Groß Litzner 166 C8
Groß St. Florian 172 R8
Groß-Siegharts 158 S2
Groß Teufelshorn 161 L6
Großalm 162 M5
Großarl 170 L7
Großarltal 170 L7
Großau 158 S2
Grossau 165 U5
Großburgstall 158 S2
Große Mühl 157 O3
Große Sandspitze 170 K8
Große Schlenkerspitze 167 D7
Große Tulln 158 T4
Großebersdorf 159 V3
Großenzersdorf 159 V4
Großer Ahornboden 160 G6
Großer Bösenstein 163 P6
Großer Buchstein 163 P6
Großer Königstuhl 171 N8
Großer Krottenkopf 166 D7
Großer Ötscher 164 R5
Großer Priel 163 O5
Großer Pyhrgas 163 P6
Großer Rettenstein 161 I6
Großer Rosennock 171 N8
Großer Scheiben Berg 164 T6
Großer Speikkogel 172 Q8
Großes Mösele / Mesule 169 H8
Großes Walsertal 166 B7
Großfeistritz 172 Q7
Großglobnitz 158 R2
Großglockner 170 K7
Großglockner-Hochalpenstraße 170 K7
Großgmain 161 K5
Großgöttfritz 158 R3
Großharras 159 U3
Großhartmannsdorf 173 T7
Großhaselbach 158 R2
Großheinrichschlag 158 S3
Großhöflein 165 V5
Großinzersdorf 159 W3
Großjedlersdorf 159 V4
Großklein 172 S8
Großkrut 159 W3
Großlobming 172 Q7
Großmeiseldorf 158 T3
Großmugl 159 U3
Großmürbisch 173 U7
Großnondorf 158 T3
Großpesendorf 173 T7
Großpetersdorf 165 U7
Großraming 163 P5
Großreifling 163 Q6
Großreinprechts 158 R3
Großriedenthal 158 T3
Großrußbach 159 V3
Großschweinbarth 159 V3
Großsölk 163 N6
Großsteinbach 173 T7
Großstelzendorf 158 U3
Großstübing 172 S7
Großtraberg 157 O3
Großveitsch 164 S6

Großvenediger 169 J7
Großwarasdorf 165 V6
Großweikersdorf 158 T3
Großweißenbach 158 R3
Großwilfersdorf 173 U7
Grub 165 U4
Grubigstein 167 E6
Grünau im Almtal 163 N5
Grünbach 157 P3
Grünbach am Schneeberg 164 T5
Grund 158 U3
Grundlsee 162 N6
Grutten-H. 161 I6
Gschaidt 165 U6
Gscheid 164 S5
Gschnitz 167 G7
Gschnitztal 167 F7
Gschwand 164 S5
Gschwandt 162 N5
Gstatterboden 163 P6
Gstoder 171 O7
Gündorf 172 S8
Güns 165 V6
Günselsdorf 165 U5
Günser-Gebirge 165 V6
Güssing 173 U7
Güttenbach 173 U7
Guffertspitze 160 H6
Guglwald 157 O3
Gumpoldskirchen 165 U4
Gundersdorf 172 R8
Gundersheim 170 L9
Gundertshausen 161 L4
Gunskirchen 162 N4
Guntendorf 158 U3
Guntramsdorf 165 U4
Gurgltal 167 F8
Gurk 171 O8
Gurktal 171 O8
Gurktaleralpen 171 N8
Gurten 156 M4
Gurtis 166 A7
Gusen 157 P4
Gußwerk 164 R5
Gut 158 S3
Gutau 157 P3
Gutenbrunn (bei Melk) 158 R3
Gutenbrunn (bei St. Pölten) 158 T4
Gutenstein 164 T5
Guttaring 171 P8

H

Haag 163 P4
Haag am Hausruck 162 M4
Habernau 163 N5
Habicht 167 F7
Hadersdorf 159 U4
Hadersdorf am Kamp 158 T3
Hadres 158 U2
Hafelekar 167 F7
Hafendorf 164 R6
Hafner 170 M7
Hafnerbach 158 S4
Hafning 164 R6
Hagen 164 R5
Hagenberg 159 V3
Hagenberg im Mühlkreis 157 P3
Hagenbrunn 159 V3
Hagengebirge 161 L6
Hahnbaum 161 L6
Hahnenkamm 161 J6
Hahntennjoch 167 D7
Haibach ob der Donau 156 N3
Haid 157 O4
Haidboden 165 X5
Haidershofen 163 P4
Haiming 167 E7
Hain 158 S4
Hainburg a. d. Donau 159 W4
Haindlkarbrücke 163 P6
Haindorf 158 S4
Hainersdorf 173 T7
Hainfeld 164 T4
Hainzen 162 M5
Hainzenberg 169 H7
Hainzl 163 O6
Haitzendorf 158 T3
Halbenrain 173 T8
Halbturn 165 W5
Hall 163 P6
Hallein 161 L5
Haller Mauern 163 P6
Hall in Tirol 167 G7

Hallstätter See ....162 M 6
Hallstatt ....162 M 6
Hallwang ....161 L 5
Handalpe ....172 R 8
Hanfthal ....159 V 2
Hanging ....156 N 3
Hannersdorf ....165 V 7
Hansl im Reith ....164 T 6
Harbach ....170 L 7
Harbach ....157 Q 2
Hard ....166 B 6
Hardegg ....158 T 2
Hargelsberg ....163 P 4
Harham ....161 K 6
Haringsee ....159 W 4
Harland ....158 S 4
Harmannsdorf ....158 T 3
Harmanschlag ....157 Q 3
Harrachsthal ....157 Q 3
Hart ....160 H 6
Hart ....163 Q 5
Hartberg ....164 T 7
Harth ....158 S 2
Hartkirchen ....157 N 3
Hartmannsdorf ....173 T 7
Häselgehr ....166 D 7
Haslach an der Mühl ....157 O 3
Haslau ....161 M 5
Haslau ....159 W 4
Haßbach ....164 U 6
Hatting ....167 F 7
Hatzendorf ....173 U 8
Haugschlag ....157 R 2
Haugsdorf ....158 U 2
Haunsberg ....161 L 5
Haus ....162 N 6
Hausbrunn ....159 W 3
Hauskirchen ....159 W 3
Hausleiten ....158 U 3
Hausmannstätten ....172 S 8
Hebenkas ....163 O 6
Heckenau ....163 N 5
Hegerberg ....164 S 5
Heidenreichstein ....158 R 2
Heilbrunn ....164 S 6
Heiligenblut ....170 K 7
Heiligenbrunn ....173 V 7
Heiligengeist ....171 N 9
Heiligenkreuz ....167 E 8
Heiligenkreuz *(bei Baden)* ..165 U 4
Heiligenkreuz
    am Waasen ....172 S 8
Heiligenkreuz
    im Lafnitztal ....173 U 8
Heimschuh ....172 S 8
Heinreichs ....158 R 2
Heinrichs ....157 Q 2
Heinrichsbrunn ....157 P 4
Heiterwand ....167 E 7
Heiterwang ....167 E 6
Helenental ....165 U 4
Helfenberg ....157 O 3
Hellbrunn ....161 L 5
Hellmonsödt ....157 O 3
Hengstpaß ....163 P 5
Henndorf ....161 L 5
Herberstein ....164 T 7
Hermagor ....170 M 9
Hernals ....159 U 4
Hernstein ....165 U 5
Herrenhauser ....160 G 7
Herrnbaumgarten ....159 W 2
Herzogbirbaum ....159 U 3
Herzogenburg ....158 T 4
Herzogsdorf ....157 O 3
Hetzmannsdorf ....159 V 3
Heufurth ....158 T 2
Heutal ....161 K 6
Hieflau ....163 Q 6
Hietzing ....159 U 4
Himberg ....165 V 4
Himmelberg ....171 O 8
Hinteranger ....156 N 2
Hinterautal ....160 F 6
Hinterbichl ....169 J 7
Hinterbrühl ....165 U 4
Hintere Gosausee ....162 M 6
Hinterglemm ....161 J 6
Hinterhornbach ....166 D 6
Hintermoos ....161 K 6
Hinternaßwald ....164 T 5
Hinterriß ....160 G 6
Hintersdorf ....159 U 4
Hintersee ....170 J 7
Hintersee ....161 L 5
Hintersteinersee ....160 I 6
Hinterstoder ....163 O 5

Hinterthal ....161 K 6
Hintertux ....169 H 7
Hinterweißenbach ....157 O 3
Hinterwildalpen ....163 Q 6
Hippach ....169 H 7
Hippersdorf ....158 T 3
Hirm ....165 V 5
Hirschbach ....158 R 2
Hirschbach im Mühlkreis ...157 P 3
Hirschegg ....166 C 6
Hirschegger Sattel ....172 Q 7
Hirschegg-Rein ....172 Q 7
Hirschenwies ....157 Q 2
Hirschguntdal ....166 C 6
Hirschwang ....164 T 5
Hirtenberg ....165 U 5
Hirzberg ....162 N 6
Hirzmann-Stausee ....172 R 7
Hittisau ....166 B 6
Hitzendorf ....172 R 7
Hoadl ....167 F 7
Höbach ....163 O 5
Hochalmsattel ....160 G 6
Hochalmspitze ....170 L 7
Hochalpe ....164 R 6
Hochburg ....161 K 4
Hocheck ....164 T 5
Hochegg ....165 U 6
Hochfeiler /
    Gran Pilastro ....169 H 8
Hochfeind ....171 M 7
Hochfilzen ....161 J 6
Hochfügen ....169 H 7
Hochgolling ....171 N 7
Hochgurgl ....167 F 8
Hochiß ....160 H 6
Hochjoch ....166 B 7
Hochkar ....163 Q 5
Hochkeil ....161 L 6
Hochkönig ....161 L 6
Hochkogel
    (Eisenerzeralpen) ....163 Q 6
Hochkogel
    (Joglland) ....164 T 6
Hochkreuz ....170 L 8
Hochlantsch ....164 S 6
Hochlecken-Hs. ....162 M 5
Hochneukirchen ....165 U 6
Hochosterwitz ....171 P 8
Hochplattig ....167 E 6
Hochrindlütte ....171 N 8
Hochschober ....170 K 8
Hochschwab ....164 R 6
Hochsölden ....167 E 8
Hochstein ....170 K 8
Hochstraß ....157 V 6
Hochstraß ....158 T 4
Hochstuhl ....171 O 9
Hochtannbergpaß ....166 C 7
Hochtor
    (Eisenerzeralpen) ....170 P 6
Hochtor
    (Hohe Tauern) ....170 K 7
Hochvogel ....166 D 6
Hochwildstelle ....171 N 7
Hochwolkersdorf ....165 U 6
Hochwurzen ....162 M 6
Höchst ....166 A 6
Höfen ....167 E 6
Höflein ....165 W 4
Höhenberg ....157 Q 2
Höhnhart ....161 L 4
Höllengebirge ....162 M 5
Höllental ....164 T 5
Hönigsberg ....164 S 6
Hönigthal ....172 S 7
Hörbranz ....166 B 6
Hörgasgraben ....157 O 4
Hörsching ....157 O 4
Hörzendorf ....171 P 8
Hörzelsdorf ....158 T 2
Hof ....161 L 5
Hof am Leithagebirge ..165 V 5
Hofkirchen
    an der Trattbach ..156 N 4
Hofkirchen im Mühlkreis ..156 N 3
Hofkirchen im Traunkreis ..163 P 4
Hofpürgl.H. ....162 M 6
Hofstätten a. d. Raab ..173 T 7
Hofstetten-Grünau ....158 S 4
Hohe Geige ....167 E 7
Hohe Kugel ....166 B 6
Hohe Mut ....167 F 8
Hohe Nock ....163 O 5
Hohe Salve ....160 I 6

Hohe-Tauern ....170 I 7
Hohe Wand ....164 U 5
Hohe Warte ....161 K 9
Hohenau ....159 W 3
Hohenberg ....164 S 5
Hohenbrugg ....173 U 8
Hohenbrunn ....157 P 4
Hoheneich ....157 R 2
Hohenems ....166 B 6
Hohenruppersdorf ....159 V 3
Hohentauern ....163 P 6
Hohenwart ....163 O 6
Hohenwarth ....158 T 3
Hohenweiler ....166 B 6
Hohenwerfen ....161 L 6
Hohenzell ....162 M 4
Hoher Riffler ....166 D 7
Hoher Dachstein ....162 M 6
Hoher Freschen ....166 B 7
Hoher Göll ....162 L 6
Hoher Ifen ....166 C 6
Hoher Sarstein ....162 N 6
Hoher Sonnblick ....170 K 7
Hoher Zinken ....162 M 5
Hohes Licht ....166 C 7
Hollabrunn ....158 U 3
Hollbruck ....170 J 8
Hollenbach ....158 S 2
Hollenburg
    (Kärntern) ....171 O 9
Hollenburg
    (Niederösterr.) ....158 T 3
Hollenstein an der Ybbs ....163 Q 5
Hollenthon ....165 U 6
Hollersbach ....169 J 7
Holzgau ....166 D 7
Holzhausen ....157 O 4
Holzleithen ....162 M 4
Holzleitner Sattel ....167 E 7
Holzschlag ....156 N 2
Hopfgarten ....160 I 6
Hopfgarten
    in Defereggen ....170 J 8
Hopfreben ....166 C 7
Hörersdorf ....159 V 3
Horitschon ....165 V 6
Horn ....158 S 2
Hornbachtal ....166 D 6
Hornstein ....165 V 5
Ht. Sonnwendjoch ....160 H 6
Ht.-Thiersee ....160 I 6
Huben
    (Osttirol) ....170 J 8
Huben
    (Tirol) ....167 E 7
Hütten ....161 K 6
Hundskehljoch ....169 I 7
Hundstein ....161 K 6
Hunerkogel ....162 M 6
Hürm ....158 S 4
Hüttau ....161 L 6
Hutteltalkopf ....169 I 7
Hüttenberg ....172 P 8
Huttererhöß ....163 O 5
Hüttschlag ....170 L 7

I

I-Mattis-Hütte ....171 M 7
Ibm ....161 K 4
Idolsberg ....158 S 3
Igls ....167 G 7
Ill ....166 A 7
Illmitz ....165 W 5
Ilz ....173 T 7
Imbach ....158 S 3
Imbachhorn ....170 K 7
Imlau ....161 L 6
Immendorf ....158 U 3
Imnerkrems ....171 N 8
Imst ....167 E 7
Imsterberg ....167 E 7
Ingolstädter Hs. ....161 K 6
Ingolsthal ....171 O 8
Innerlabach ....160 H 6
Innerbraz ....166 B 7
Innerfragant ....170 L 8
Innergschloß ....170 J 7
Innerkrems ....171 N 8
Innerlaterns ....166 B 7
Innernöring ....171 M 8
Innervillgraten ....169 J 8
Innsbruck ....167 G 7
Innsbruck
    (Flughafen) ....167 G 7
Inntal ....167 D 8
Innviertel ....161 L 4

Inzersdorf ....163 O 5
Inzing ....167 F 7
Irdning ....163 O 6
Irnfritz ....158 S 2
Irnharting ....162 N 4
Irrsdorf ....161 L 5
Irschen ....170 L 8
Isar ....160 F 6
Ischgl ....166 C 7
Ischl ....169 I 7
Isel ....169 I 7
Iselsberg ....170 K 8
Iselsbergpaß ....170 K 8
Ispersdorf ....157 R 4
Itter ....160 I 6
Itzling
    (Salzburg) ....161 L 5

J

Jagenbach ....157 R 3
Jagerberg ....173 T 8
Jaidhof ....158 S 3
Jakling ....172 Q 8
Jakobsberg ....171 P 7
Japons ....158 S 2
Jedenspeigen ....159 W 3
Jenbach ....160 H 6
Jenig ....170 L 9
Jennersdorf ....173 U 8
Jerzens ....167 E 7
Jetzelsdorf ....158 U 2
Jöbach ....161 J 6
Jochenstein
    (Talsperre) ....156 N 3
Joglland ....164 T 6
Johnsbach ....163 P 6
Jois ....165 W 5
Josefsberg ....164 R 5
Judenau ....158 U 4
Judenburg ....172 P 7
Judendorf-
    Straßengel ....172 S 7
Juifen ....160 G 6
Julbach ....156 N 3
Jungholz ....166 D 6

K

Kahlenberg ....159 U 4
Kahlersberg ....161 L 6
Kahlkogel ....171 O 9
Kaibing ....173 T 7
Kainach ....172 R 7
Kainach b. Voitsberg ....172 R 7
Kaindorf ....164 T 7
Kaindorf an der Sulm ......172 S 8
Kaiserdorf ....165 V 6
Kaisergebirge ....160 I 6
Kaiserhäuser ....163 P 6
Kaisers ....166 C 7
Kaisersberg ....164 Q 6
Kaisersteinbruch ....165 W 5
Kaisertal ....160 I 6
Kalch ....173 U 8
Kalkgruben ....165 V 6
Kalkkögel ....167 F 7
Kalksburg ....159 U 4
Kalkstein ....169 I 8
Kallham ....156 N 4
Kals ....170 J 7
Kalsdorf ....172 S 8
Kalsertal ....170 J 8
Kalser Tauern ....170 J 7
Kaltenbach ....169 H 7
Kaltenberg
    (Oberösterr.) ....157 Q 3
Kaltenberg
    (Vorarlberg) ....166 C 7
Kaltenbrunn ....167 E 7
Kaltenleutgeben ....159 U 4
Kaltwasser ....171 O 7
Kalwang ....163 Q 6
Kamering ....171 M 8
Kammern im Liesingtal ....163 Q 6
Kammersdorf ....159 U 3
Kamp ....158 S 3
Kampertal ....163 P 5
Kamptal ....158 S 3
Kaning ....171 N 8
Kanzelhöhe ....171 N 8
Kanzelkehre ....160 H 6
Kapellen ....164 S 6
Kapellerfeld ....159 V 4
Kapelln ....158 T 4
Kapfenberg ....164 R 6
Kapfenstein ....173 T 8
Kapfing ....171 P 8
Kappl ....166 D 7
Kaprun ....170 K 7

Kaprunertal ....170 K 7
Karawanken ....169 N 9
Karawankentunnel ....171 O 9
Karl ....165 V 6
Karlsbach
    (Niederösterr.) ....164 R 4
Karlsbach
    (Oberösterr.) ....156 N 3
Karlstein ....158 S 2
Karlstetten ....158 S 4
Karlstift ....157 Q 3
Karnabrunn ....159 U 3
Karnburg ....171 O 8
Karnische Alpen ....167 J 8
Kärnten *(Land)* ....171 M 8
Karres ....167 E 7
Kartitsch ....170 J 8
Karwendelgebirge ....160 F 6
Karwendelhaus ....160 G 6
Kaсereck ....170 K 7
Kasern ....169 G 7
Kasern ....156 M 3
Kasten
    bei Böheimkirchen ..158 T 4
Katerloch ....164 S 7
Kathal ....172 Q 7
Katsch ....171 O 7
Katschberg ....171 M 7
Katschbergtunnel ....171 M 7
Katsdorf ....157 P 4
Kattowitzer H. ....170 M 7
Katzelsdorf
    (bei Poysdorf) ....159 W 2
Katzelsdorf
    (bei Wiener Neustadt) ....165 U 5
Kaumberg ....164 T 4
Kaunerberg ....167 E 7
Kauner Grat ....167 E 8
Kaunertal ....167 E 7
Kauns ....167 E 7
Kautzen ....158 R 2
Kefermarkt ....157 P 3
Kelchsau ....160 I 6
Kellerberg ....171 N 8
Kellerjoch ....160 H 7
Kelmen ....167 E 6
Kematen ....163 Q 4
Kematen am Innbach ..162 N 4
Kematen a. d. Krems ..163 O 4
Kematen in Tirol ....167 F 7
Kemeten ....165 U 7
Kemmelbach ....164 R 4
Kendlbruck ....171 N 7
Kernhof ....164 S 5
Kerschbaum ....157 P 3
Kerschdorf ....171 O 9
Kessellfall-Alpenhaus ....170 K 7
Kesselspitze ....167 G 7
Kettenreith ....164 S 4
Keutschach ....171 O 9
Kienberg ....160 H 6
Kienberg ....164 R 5
Kilb ....164 S 4
Kindberg ....164 S 6
Kirchbach
    (Kärnten) ....170 L 9
Kirchbach
    (Niederösterr.) ....157 R 3
Kirchbach in Steiermark ...173 S 8
Kirchberg ....161 I 6
Kirchberg a. d. Wild ....158 S 2
Kirchberg am Wagram ..158 T 3
Kirchberg am Walde ......158 R 2
Kirchberg am Wechsel ..164 T 6
Kirchberg an der Pielach ...164 S 4
Kirchberg a. d. Raab ......173 T 8
Kirchberg-Thening ....157 O 4
Kirchbichl ....160 I 6
Kirchdorf an der Krems ...163 O 5
Kirchdorf in Tirol ....161 J 6
Kirchdorf a. I. ....156 L 4
Kirchenlandl ....163 Q 6
Kirchfidisch ....173 V 7
Kirchham ....162 N 5
Kirchheim ....156 M 4
Kirchplatzl ....167 F 6
Kirchschlag ....158 R 3
Kirchschlag bei Linz ......157 O 3
Kirchschlag
    in der Bucklingen Welt ..165 U 6
Kirchstetten ....158 T 4
Kirnberg a. d. Mank ......164 R 4
Kirschentheuer ....171 O 9
Kittsee ....159 X 4
Kitzbühel ....161 J 6
Kitzbüheler Alpen ....161 I 7

Kitzbüheler Horn ....161 K 6
Kitzeck ....172 S 8
Kitzladen ....165 U 7
Kitzsteinhorn ....170 K 7
Kl. Gerungs ....158 R 3
Kl. Pertholz ....158 R 3
Klachau ....163 O 6
Klaffer ....156 N 2
Klagenfurt ....171 O 9
Klagenfurt
    (Flughafen) ....171 P 9
Klam ....157 Q 3
Klamm ....164 T 6
Klammhöhe ....164 T 4
Klammljoch ....169 I 8
Klammpaß ....170 L 7
Klaus ....164 R 5
Klaus an der Pyhrnbahn ...163 O 5
Klausenleopoldsdorf ....164 U 4
Klebach ....170 L 8
Klein St. Veit ....172 P 8
Kleinarl H. ....170 L 7
Kleinarler H. ....170 L 7
Kleine Erlauf ....164 Q 4
Kleine Mühl ....156 N 3
Kleiner Loibl-Paß ....171 O 9
Kleinfeistritz ....172 Q 7
Klein Glödnitz ....171 O 8
Kleinhadersdorf ....159 V 3
Kleinhaugsdorf ....158 U 2
Kleinhöflein ....158 T 2
Kleinklein
    (bei Poydsorf) ....172 Q 7
Kleinlobming ....172 Q 7
Kleinmariazell ....164 T 4
Kleinmeiseldorf ....158 T 3
Kleinneusiedl ....165 V 4
Kleinpertenschlag ....157 Q 3
Kleinpöchlarn ....158 R 4
Kleinraming ....163 P 4
Kleinreifling ....163 P 5
Klein St. Paul ....172 P 8
Klein St. Veit ....171 O 8
Kleinschweinbarth ....159 V 2
Kleinstetteldorf ....158 U 3
Kleinstübing ....172 R 7
Kleinwarasdorf ....165 V 6
Kleinzell ....164 T 5
Kleinzell i. Mühlkr. ....157 N 3
Klement ....159 V 3
Klenglbach ....156 N 4
Kliening ....172 Q 8
Klingenbach ....165 V 5
Klippitztörl ....172 Q 8
Klobenstein ....161 J 5
Klöch ....173 T 8
Klösterle ....166 C 7
Klopeinersee ....172 P 9
Klostermarienberg ....165 V 6
Klosterneuburg ....159 U 4
Klostertal ....166 B 7
Klostertaler Gscheid ..164 T 5
Knappenberg ....172 P 8
Knittelfeld ....172 Q 7
Knittelkarspitze ....167 D 6
Kobenz ....172 Q 7
Kobernaußer Wald ....161 L 4
Koblach ....166 A 6
Königalm ....170 M 7
Kössen ....161 J 5
Köflach ....172 R 7
Kogl ....158 T 4
Koglereck ....172 R 9
Koglhof ....164 T 7
Kohfidisch ....173 V 7
Kolbnitz ....170 L 8
Kollerschlag ....156 N 3
Kollerschlag ....158 T 3
Kolm Saigurn ....170 K 7
Kölnbreinsperre ....170 M 7
Kolomannsberg ....161 L 5
Königsberg ....163 Q 5
Königsbrunn am Wagram ..158 T 3
Königsdorf ....173 U 8
Königstetten ....159 U 4
Königswiesen ....157 Q 3
Kopfing i. Innkreis ....156 N 3
Kopfstetten ....159 W 4
Koppenbrüllerhöhle ....162 N 6
Koppl ....161 L 5
Kops-Stausee ....166 C 8
Koralpe ....172 Q 8
Kordeschkogel ....172 Q 9
Korenuburg ....159 V 3
Koschach ....170 M 8
Koschuta ....171 O 9

A B C D E F G H I J K L M N O P Q R S T U V W X Y Z

Köstenberg ... 171 O9
Köstendorf ... 161 L5
Kotezicken ... 173 V7
Kötschach ... 170 L8
Kottes ... 158 R3
Kottingbrunn ... 165 U5
Köttmannsdorf ... 171 O9
Kraig ... 171 P8
Krakaudorf ... 171 O7
Krakauebene ... 171 N7
Krakauhintermühlen ... 171 N7
Krampen ... 164 S5
Kramsach ... 160 H6
Kranebitten ... 167 F7
Kranichberg ... 164 T6
Kraubath ... 163 Q7
Kräuterin ... 164 R5
Krefelder H. ... 170 K7
Krems ... 158 S3
Krems ... 163 O5
Krems a. d. Donau ... 158 S3
Kremsbrücke ... 171 M8
Kremsdorf ... 157 O4
Kremsegg ... 163 O4
Kremsmünster ... 163 O4
Kremstal ... 158 S3
Krensdorf ... 165 V5
Krenstetten ... 163 P4
Kreuth ... 164 T5
Kreuzbach ... 172 R8
Kreuzberg ... 164 T5
Kreuzen ... 171 M8
Kreuzjoch ... 169 H7
Kreuzkogel ... 170 L7
Kreuzspitze ... 167 G7
Krieglach ... 164 S6
Krimml ... 169 I7
Krimmler Wasserfälle ... 169 I7
Krippau ... 163 Q5
Krippenstein ... 162 M6
Krispl ... 161 L5
Kritzendorf ... 159 U4
Kroatisch Geresdorf ... 165 V6
Kroatisch Minihof ... 165 V6
Krößbach ... 167 F7
Kröllendorf ... 163 Q4
Kronbichler ... 163 P6
Kronstorf ... 163 P4
Krottendorf ... 172 R7
Krumau ... 158 S3
Krumau ... 163 P6
Krumbach (Niederösterr.) ... 165 U6
Krumbach (Vorarlberg) ... 166 B6
Krumegg ... 173 S7
Krummnußbaum ... 158 R4
Krumpendorf ... 171 O9
Krusdorf ... 173 T8
Kuchenspitze ... 166 C7
Kuchl ... 161 L6
Kühtai ... 167 F7
Kufstein ... 160 I6
Kühnsdorf ... 172 P9
Kukmirn ... 173 U7
Kulm ... 162 N6
Kumberg ... 172 S7
Kumpfmühl ... 156 M4
Kundl ... 160 H6
Kürnberg ... 163 P4

L

Laa an der Thaya ... 159 V2
Laab ... 159 U4
Laaben ... 164 T4
Laakirchen ... 162 N5
Laas ... 170 K8
Lackenbach ... 165 V6
Lackendorf ... 165 V6
Lackenhof ... 164 R5
Ladendorf ... 159 V3
Ladingerspitze ... 172 P8
Ladis ... 167 D7
Lafnitz ... 164 U6
Lahn ... 162 M6
Lahn Sattel ... 164 S5
Lailachspitze ... 167 D6
Laimbach ... 158 R4
Lainbach ... 163 Q6
Lainsitz ... 157 Q2
Laintal ... 164 R6
Lambach ... 162 N4
Lambrechten ... 156 M4
Lammer ... 162 L6
Lamprechtshausen ... 161 K5
Lamprechtshöhle ... 161 K6

Lamsenjoch-H. ... 160 G6
Landeck ... 167 D7
Landl ... 160 I6
Landsberger H. ... 167 D6
Landscha a. d. Mur ... 172 S8
Landsee ... 165 U6
Landskron ... 171 N9
Lanersbach ... 169 H7
Langau ... 158 T2
Langau ... 164 R5
Langbathsee ... 162 M5
Langeck ... 165 V6
Langegg ... 172 R8
Langegg (Niederösterr.) ... 157 R2
Langegg (Steiermark) ... 172 S9
Langen ... 166 B6
Langen am Arlberg ... 166 C7
Langenegg ... 166 B6
Langenlebarn ... 158 U3
Langenlois ... 158 T3
Langenrohr ... 158 U4
Langenstein ... 157 P4
Langenwang ... 164 S6
Langenzersdorf ... 159 V4
Langkampfen ... 160 I6
Langschlag ... 157 Q3
Langschwarza ... 158 R2
Längsee ... 171 P8
Langwies ... 162 N5
Lannach ... 172 R8
Lans ... 167 G7
Lanzenkirchen ... 165 U5
Lasberg ... 157 P3
Lasörling ... 169 J8
Lasörlinggruppe ... 169 I8
Lassach ... 170 L8
Lassee ... 159 W4
Lassing ... 163 O6
Lassing ... 163 Q5
Laßnitz ... 171 O7
Laßnitz (Bach) ... 171 S8
Laßnitz-Murau ... 171 O7
Laßnitzhöhe ... 172 S7
Laßnitzthal ... 173 S7
Laterns ... 166 B7
Latschach ... 171 N9
Laufener H. ... 161 M6
Laufen ... 162 M5
Launsdorf ... 171 P8
Laussa ... 163 P5
Lauterach ... 166 B6
Lavamünd ... 172 Q9
Lavant (Kärnten) ... 172 Q8
Lavant (Osttirol) ... 170 K8
Lavanttalbrücke ... 172 Q8
Laxenburg ... 165 V4
Lebring ... 172 S8
Lebring St. Margarethen ... 172 S8
Lech ... 166 D6
Lech ... 166 C7
Lechaschau ... 167 E6
Lech (Bach) ... 167 D6
Lechtal ... 166 D7
Lechtaleralpen ... 166 C7
Ledenitzen ... 171 N9
Lehenrotte ... 164 S5
Leiben ... 158 R4
Leibnitz ... 172 S8
Leisach ... 170 K8
Leiserberge ... 159 V3
Leitenhaus ... 162 M6
Leitersdorf ... 173 T8
Leitersdorf ... 173 U7
Leitersdorf ... 173 S8
Leiterspitze ... 167 D7
Leithagebirge ... 165 V5
Leithaprodersdorf ... 165 V5
Leithner ... 163 P5
Leitring ... 172 S8
Leitzersdorf ... 159 U3
Lembach im Mühlkreis ... 156 N3
Lend ... 161 L7
Lendorf (bei Klagenfurt) ... 171 O9
Lendorf (bei Spittal) ... 170 M8
Lengberg ... 170 K8
Lengenfeld ... 158 S3
Lenzing ... 162 M5
Leoben (Kärnten) ... 171 M8
Leoben (Steiermark) ... 164 R6
Leobendorf ... 159 U4
Leogang ... 161 K6
Leombach ... 163 O4

Leonding ... 157 O4
Leonsberg ... 162 M5
Leonstein ... 163 O5
Leopoldsberg ... 159 U4
Leopoldschlag Markt ... 157 P3
Leopoldsdorf (bei Litschau) ... 158 R2
Leopoldsdorf (bei Wien) ... 159 V4
Leopoldsdorf im Marchfelde ... 159 W4
Leopoldsteiner See ... 163 Q6
Lermoos ... 167 E6
Lesach ... 170 J8
Lesachtal ... 170 K8
Lessach ... 171 N7
Leutasch ... 167 F6
Leutschach ... 172 S9
Lichendorf ... 173 T8
Lichendorf (b. Mureck) ... 173 T8
Lichtenau ... 158 S3
Lichtenau im Mühlkreis ... 157 O3
Lichtenberg ... 157 O3
Lichtenegg ... 165 U6
Lichtenwörth ... 165 U5
Liebenau ... 157 Q3
Liebenfels ... 171 O8
Lieboch ... 172 R8
Liechtensteinklamm ... 161 L7
Liemberg ... 171 O8
Lienz ... 170 K8
Lienzer Dolomiten ... 170 K8
Lieserbrücke ... 171 M8
Lieserhofen ... 171 M8
Liesing ... 170 K8
Liesingau ... 163 Q6
Liezen ... 163 Q6
Ligist ... 172 R8
Lilienfeld ... 164 S4
Limbach ... 158 R2
Limberg ... 158 T3
Limbergsperre ... 170 K7
Lind ... 172 Q8
Lind ... 171 O9
Lind b. S. ... 171 P7
Lindach ... 162 N5
Lindau ... 163 Q5
Lindauer H. ... 166 B7
Linderalm ... 172 P7
Lind im Drautal ... 170 M8
Lingenau ... 166 B6
Linz ... 157 O4
Linz (Flughafen) ... 157 O4
Litschau ... 157 R2
Litzelsdorf ... 165 U7
Lizumer H. ... 169 G7
Lizumer Reckner ... 169 G7
Lobau ... 159 V4
Lobming ... 164 R7
Lochau ... 166 B6
Lochen ... 161 L4
Lockenhaus ... 165 V6
Lödersdorf ... 173 T8
Löffelspitze ... 166 B7
Lölling Graben ... 172 P8
Lofer ... 161 K6
Loferer Alpe ... 161 J6
Lohnsburg ... 162 M4
Loibichl ... 162 M5
Loibltal ... 171 O9
Loibltunnel ... 171 O9
Loidesthal ... 159 W3
Loipersbach im Burgenland ... 165 V5
Loipersdorf (Burgenland) ... 173 U7
Loipersdorf (Steiermark) ... 165 U6
Loiwein ... 158 S3
Loosdorf ... 158 S4
Lorüns ... 166 B7
Losenheim ... 164 T5
Losenstein ... 163 P5
Loser ... 162 N6
Luckbauerhube ... 163 Q7
Luder-Lehen ... 163 O6
Ludersdorf-Wilfersdorf ... 173 T8
Ludesch ... 166 B7
Ludmannsdorf ... 171 O9
Ludweis ... 158 S2
Lünersee ... 166 B7
Lüsens ... 167 F7
Lüsenstal ... 167 F7
Luftenberg ... 157 P4
Lugdorf ... 158 R3

Luising ... 173 V7
Lungitz ... 157 P4
Lungitz ... 164 U7
Lungötz ... 162 M6
Lunz ... 164 R5
Lunzersee ... 164 R5
Lurgrotte ... 172 S7
Lustenau ... 166 A6
Lutzmannsburg ... 165 V6

M

Madau ... 166 D7
Madrisahorn ... 166 B8
Madstein ... 164 Q6
Mäder ... 166 A6
Magdalensberg ... 171 P8
Maiden ... 156 N3
Maiersdorf (Niederösterr.) ... 164 U5
Maiersdorf (Steiermark) ... 172 R7
Mailberg ... 159 U2
Maisbirbaum ... 159 U3
Maishofen ... 161 K6
Maiskogel ... 170 K7
Maissau ... 158 T3
Mallnitz ... 170 L8
Malta ... 171 M8
Maltatal ... 170 M7
Maltschach ... 171 O8
Mammuthöhle ... 162 N6
Mandling ... 162 M6
Manhartsbrunn ... 159 V3
Mank ... 164 S4
Mannersdorf am Leithagebirge ... 165 V5
Mannersdorf an der Rabnitz ... 165 V6
Mannsdorf ... 159 V4
Mannswörth ... 159 V4
Mantscha ... 172 R7
Marbach a. d. Kl. E. ... 164 R4
Marbach am Walde ... 158 R3
Marbach a. d. Donau ... 158 R4
Marbach im Felde ... 158 S3
March ... 157 P3
March ... 159 W3
Marchegg ... 159 W4
Marchfeld ... 159 V4
Marchstein ... 157 Q3
Marchtrenk ... 157 O4
Maria Alm ... 161 K6
Maria Anzbach ... 158 T4
Maria Dreichen ... 158 T3
Maria Elend ... 171 O9
Maria Ellend ... 159 W4
Maria Enzersdorf ... 165 U4
Maria Feicht ... 171 O8
Maria Gail ... 171 N9
Maria Kirchental ... 161 K6
Maria Laach ... 158 S4
Maria Langegg ... 158 S4
Maria Lankowitz ... 172 R7
Maria Lanzendorf ... 165 V4
Maria Luggau ... 170 K8
Maria Neustift ... 163 P5
Maria Plain ... 161 L5
Maria Rain ... 171 O9
Maria Rast ... 169 H7
Maria Rojach ... 172 Q8
Maria Saal ... 171 P8
Maria Schmolln ... 161 L4
Maria Schutz ... 164 T6
Maria Taferl ... 158 R4
Maria Wörth ... 171 O9
Mariahilf ... 169 I8
Mariahof ... 171 P7
Mariapfarr ... 171 N7
Mariastein ... 160 I6
Mariazell ... 164 R5
Marienwasserfall ... 164 R5
Markersdorf ... 158 S4
Markgrafneusiedl ... 159 V4
Markt Allhau ... 165 U7
Markt Neuhodis ... 165 V7
Markt Piesting ... 165 U5
Markt St. Florian ... 157 P4
Markt St. Martin ... 165 V6
Markt Übelbach ... 172 R7
Martinsberg ... 158 R3
Marz ... 165 V5
Masenberg ... 164 T6
Mathon ... 166 C8
Matrei am Brenner ... 167 G7

Matreier Tauernhaus ... 170 J7
Matrei in Osttirol ... 170 J7
Mattersburg ... 165 V5
Mattig ... 161 L4
Mattighofen ... 161 L4
Mattsee ... 161 L5
Matzendorf ... 165 U5
Matzen-Raggendorf ... 159 W3
Matzleinsdorf ... 158 R4
Mauer ... 158 S4
Mauerbach ... 159 U4
Mauerkirchen ... 161 L4
Maurach (Salzburg) ... 170 L7
Maurach (Tirol) ... 160 H6
Maustrenk ... 159 W3
Mautern ... 163 Q6
Mautern an der Donau ... 158 S3
Mauterndorf ... 171 N7
Mauthausen ... 157 P4
Mauthen ... 170 K9
Mautstatt ... 164 S6
Mayerling ... 164 U4
Mayrhofen ... 169 H7
Meggenhofen ... 162 N4
Mehrnbach ... 156 M4
Meiningen ... 166 A7
Meiselding ... 171 P8
Meißner Hs. ... 167 G7
Melk ... 158 S4
Mellau ... 166 B6
Memminger H. ... 166 D7
Merkendorf ... 173 T8
Merkersdorf (bei Ernstbrunn) ... 159 U3
Merkersdorf (bei Retz) ... 158 T2
Merzenstein ... 158 R3
Messern ... 158 S2
Metnitz ... 171 O8
Mettersdorf am Saßbach ... 173 T8
Mettmach ... 161 M4
Michaelbeuern ... 161 L4
Michaelnbach ... 156 N4
Michelbach ... 164 T4
Micheldorf ... 163 O5
Micheldorf ... 171 P8
Michelhausen ... 158 T4
Mieders ... 167 G7
Mieming ... 167 E7
Miemingergebirge ... 167 E7
Miesenbach ... 164 T6
Milders ... 167 F7
Millstatt ... 171 M8
Millstätter See ... 171 M8
Mils bei Hall ... 167 E7
Mils bei Imst ... 167 E7
Minihof-Liebau ... 173 U8
Minimundus ... 171 O9
Mining ... 156 L4
Mischendorf ... 173 U7
Missingdorf ... 158 T2
Mistelbach ... 159 V3
Mittagskogel ... 171 N9
Mittelbach am Erlaufsee ... 164 R5
Mittelberg ... 167 E8
Mittelberg (Kl.-Walsertal) ... 166 C7
Mitterarnsdorf ... 158 S3
Mitterau ... 161 L7
Mitterbach am Mürztal ... 164 S6
Mitterding ... 156 M3
Mitterdorf im Mürztal ... 164 S6
Mittergrabern ... 158 T3
Mitterkirchen ... 157 Q4
Mitterndorf ... 156 M3
Mitterndorf an der Fischa ... 165 V5
Mitterretzbach ... 158 T2
Mittersill ... 170 J7
Mittertrixen ... 172 P8
Mitterweißenbach ... 162 N5
Mittewald a. d. Drau ... 170 J8
Mixnitz ... 164 S6
Möderbrugg ... 163 P7
Mödling ... 165 U4
Modriach ... 172 R8
Mödring ... 158 S2
Möchling ... 171 P9
Mödernsdorf ... 170 M9
Möllbrücke ... 170 M8
Möschitzgraben ... 171 P7
Mösern ... 167 E7
Mößna ... 163 O6
Möggers ... 166 B6
Mölbling ... 171 P8

Mold ... 158 T3
Möll ... 170 K7
Molln ... 163 O5
Mollram ... 165 U5
Mölltal ... 170 K7
Molzbichl ... 171 M8
Molzegg ... 164 T6
Mönchdorf ... 157 Q3
Mönchhof ... 165 W5
Mondsee ... 161 M5
Mönichkirchen ... 164 U6
Mönichwald ... 164 T6
Montafon ... 166 B7
Moos ... 167 F6
Moosbach ... 156 L4
Moosbrunn ... 165 V4
Moosburg ... 171 O9
Moosdorf ... 161 K4
Mooserboden (Stausee) ... 170 K7
Moossperre ... 170 K7
Moosham ... 171 N7
Moosheim ... 162 N6
Mooskirchen ... 172 R8
Moosland ... 163 Q6
Mörbisch ... 165 V5
Mortantsch ... 172 S7
Mörtschach ... 170 K8
Moschendorf ... 173 V7
Mosermandl ... 170 M7
Mößlacher ... 170 M8
Mötz ... 167 E7
Muckenkogel ... 164 S5
Mühlbach ... 171 O9
Mühlbach ... 169 J7
Mühldorf ... 170 M8
Mühlbach am Hochkönig ... 161 L6
Mühldorf am Manhartsberg ... 158 T3
Mühldorf ... 158 S3
Mühldorfer See ... 170 M8
Mühlen ... 171 P7
Mühltal ... 160 I6
Mühlviertel ... 156 N3
Muhr ... 171 M7
Müllendorf ... 165 V5
Münchendorf ... 165 V4
Munderfing ... 161 L4
Münichreith ... 158 R4
Münichthal ... 163 Q6
Münster ... 160 H6
Muntanitz ... 170 J7
Münzbach ... 157 Q4
Münzkirchen ... 156 M3
Murau ... 171 O7
Mureck ... 173 T8
Murstetten ... 158 T4
Murtal ... 164 S7
Mürz ... 164 S5
Mürzhofen ... 164 S5
Mürzsteg ... 164 S5
Mürzzuschlag ... 164 S6
Muthmannsdorf ... 165 U5
Mutterbergalm ... 167 F7
Mutters ... 167 G7

N

Naarn ... 157 P4
Nachbargauer ... 163 Q5
Namlos ... 167 E6
Namloser Wetterspitze ... 167 D7
Nappersdorf ... 159 U3
Napplach ... 170 L8
Nassereith ... 167 E7
Naßfeld-Paß ... 170 L9
Natternbach ... 156 N3
Natters ... 167 G7
Nauders ... 166 D8
Navis ... 167 G7
Nebelberg ... 156 N3
Nebersdorf ... 165 V6
Neckenmarkt ... 165 V6
Nederkogel ... 167 F8
Neidling ... 158 S4
Nenzing ... 166 B7
Nenzinger Himmel ... 166 A7
Nesselwängle ... 167 D6
Neßlegg ... 166 C7
Nestelbach bei Graz ... 173 S7
Neuaigen ... 158 U3
Neubau ... 159 V3

Neuberg .... 173 U 7
Neuberg
  an der Mürz .... 164 S 6
Neudau .... 173 U 7
Neudorf .... 165 W 4
Neudorf im Sausal ..... 172 S 8
Neudorf bei Landsee ... 165 V 6
Neudorf bei Staatz ..... 159 V 2
Neudörfl .... 165 U 5
Neufeld an der Leitha ... 165 V 5
Neufelden .... 157 O 3
Neuhaus .... 164 R 5
Neuhaus
  am Klausenbach .... 173 U 8
Neuhaus
  (Kärnten) .... 172 Q 9
Neuhaus
  (Niederösterr.) .... 164 U 5
Neuhof .... 172 R 7
Neuhofen an der Krems . 163 O 4
Neuhofen a. d. Ybbs ... 163 Q 4
Neukirchen .... 162 N 5
Neukirchen
  am Großvenediger ... 169 I 7
Neukirchen am Walde .. 156 N 3
Neukirchen
  an der Enknach .... 161 L 4
Neukirchen an der Vöckla . 162 M 4
Neuleugbach .... 158 T 4
Neumarkt .... 161 L 5
Neumarkt an der Raab . 173 U 8
Neumarkt a. d. Ybbs ... 164 R 4
Neumarkter Sattel ...... 171 P 7
Neumarkt
  im Hausruckkreis ..... 156 N 4
Neumarkt im Mühlkreis . 157 P 3
Neumarkt im Tauchental . 165 U 7
Neumarkt in Steiermark . 171 P 7
Neunagelberg .... 157 Q 2
Neunkirchen .... 165 U 5
Neupölla .... 158 S 3
Neurißhof .... 165 U 5
Neusach .... 170 L 8
Neusiedl am See .... 165 W 5
Neusiedl an der Zaya .. 159 W 3
Neusiedler See .... 165 W 5
Neußerling .... 157 O 3
Neustadtl an der Donau . 172 Q 4
Neustift .... 156 N 3
Neustift .... 164 R 5
Neustift im Stubaital ... 167 F 7
Neustift bei Güssing .... 173 U 7
Neustift im Felde .... 158 T 3
Neustift-
  Innermanzing .... 158 T 4
Neutal .... 165 V 6
Nickelsdorf .... 165 X 5
Niederabsdorf .... 159 W 3
Niederalm .... 161 L 5
Niederalpl .... 164 S 5
Niederau .... 160 I 6
Niederdorf .... 171 P 9
Niedere Tauern .... 171 N 7
Niederfellabrunn .... 159 U 3
Niederfladnitz .... 158 T 2
Niederhollabrunn .... 159 U 3
Niederkappel .... 156 N 3
Niederkreuzstetten ..... 159 V 3
Niederleis .... 159 V 3
Niederndorf .... 160 I 6
Niederneukirchen .... 163 P 4
Niedernfritz-St. Martin . 162 M 6
Niedernsill .... 170 J 7
Niederösterreich
  (Land) .... 158 S 3
Niederrußbach .... 158 U 3
Niedersachsen-Hs. ..... 170 L 7
Niedersulz .... 159 W 3
Niederthalheim .... 162 N 4
Niederthai .... 167 E 7
Niederwaldkirchen ..... 157 O 3
Niederwölz .... 171 N 7
Nikelsdorf .... 171 M 8
Nikitsch .... 165 V 6
Niklasdorf .... 164 R 6
Nikolsdorf .... 170 K 8
Nöchling .... 157 Q 4
Nofels .... 166 A 7
Nondorf .... 157 Q 2
Nößlach .... 167 G 7
Nöstach .... 164 U 4
Nötsch .... 171 M 9
Nußbach .... 163 O 5
Nußdorf .... 161 L 5
Nußdorf am Attersee ... 162 M 5
Nußdorf an der Traisen . 158 T 3
Nüziders .... 166 B 7

O

Obdach .... 172 Q 7
Ober-Längenfeld .... 167 E 7
Ober-Loibach .... 172 Q 9
Oberaich .... 164 R 6
Oberalm .... 161 L 5
Oberasch .... 161 L 5
Oberau .... 160 I 6
Oberbergtal .... 167 F 7
Oberdorf .... 171 M 7
Oberdorf a. Hochegg ... 173 T 8
Oberdorf im Burgenland . 165 U 7
Oberdrauburg .... 170 K 8
Oberdrautal .... 170 K 8
Oberes Gailtal .... 170 L 9
Oberfeistritz .... 164 T 7
Oberfellabrunn .... 158 U 3
Obergänserndorf .... 159 V 3
Obergottesfeld .... 170 M 8
Obergrafendorf .... 158 S 4
Obergrünburg .... 163 O 5
Obergurgl .... 167 F 8
Oberhaag .... 172 R 8
Oberhaus .... 169 I 8
Oberhof .... 171 O 8
Oberhofen am Irrsee ... 161 L 5
Oberhöflein .... 158 T 2
Oberjoch Paß .... 166 D 6
Oberkappel .... 156 N 3
Oberlech .... 166 C 7
Oberland .... 163 Q 5
Oberleibnig .... 170 J 8
Oberlienz .... 170 K 8
Oberloisdorf .... 165 V 6
Obermarkersdorf .... 158 T 2
Obermeisling .... 158 S 3
Obermieger .... 171 P 9
Obermillstatt .... 171 M 8
Obermoos .... 167 E 6
Obermosgan .... 172 Q 9
Obermühl a. d. Donau .. 156 N 3
Obermühlbach .... 171 O 8
Obernalb .... 158 T 2
Obernberg .... 167 G 7
Obernberg am Inn ...... 156 M 4
Oberndorf a. d. Melk ... 164 R 4
Oberndorf bei Salzburg . 161 K 5
Oberndorf in Tirol ...... 161 J 6
Oberneukirchen .... 157 O 3
Oberort-Tragöß .... 164 R 6
Oberösterreich
  (Land) .... 162 M 4
Oberperfuß .... 167 F 7
Oberpetersdorf .... 165 V 6
Oberpullendorf .... 165 V 6
Oberrabnitz .... 165 V 6
Oberrohrbach .... 159 U 3
Oberrußbach .... 158 U 3
Oberschützen .... 165 U 6
Obersiebenbrunn .... 159 W 4
Oberstinkenbrunn ...... 159 U 3
Oberstrahlbach .... 158 R 3
Obersulz .... 159 W 3
Obersulzbachtal .... 169 I 7
Obertauern .... 171 M 7
Obertilliach .... 170 J 8
Obertraun .... 162 N 6
Obertrum .... 161 L 5
Obertrumer See .... 161 L 5
Obervellach .... 170 L 8
Oberwalder H. .... 170 K 7
Oberwaltenreith .... 158 R 3
Oberwaltersdorf .... 165 U 5
Oberwang .... 162 M 5
Oberwart .... 165 U 7
Oberweiden .... 159 W 4
Oberwölbling .... 158 S 4
Oberwölz .... 171 O 7
Oberzeiring .... 171 P 7
Obladis .... 167 D 7
Oblarn .... 163 O 6
Obritz .... 158 U 2
Obritzberg .... 158 S 4
Obsteig .... 167 E 7
Ochsengarten-Wald .... 167 E 7
Ochsner .... 169 H 7
Ockert .... 164 R 4
Odenburgergebirge .... 165 V 6
Odensee .... 162 N 6
Oed .... 164 U 5
Oed .... 163 Q 4
Ödenhof .... 164 T 5
Oehling .... 163 Q 4
Oepping .... 156 N 3
Österreichisches
  Freilichtmuseum .... 172 R 7

Österreichring .... 172 Q 7
Österreuten .... 167 E 7
Östl. Karwendelspitze .. 160 G 6
Oetz .... 167 E 7
Ötztal .... 167 E 7
Ötztaleralpen .... 167 E 8
Oeynhausen .... 165 U 5
Offenhausen .... 162 N 4
Offensee .... 162 N 5
Ofering .... 157 O 4
Oggau .... 165 W 5
Ohlsdorf .... 162 N 5
Ois (Ybbs) .... 164 Q 5
Olbendorf .... 173 U 7
Ollersbach .... 158 T 4
Ollersdorf .... 159 W 3
Ollersdorf
  im Burgenland .... 173 U 7
Olperer .... 169 G 7
Olsach .... 171 M 8
Oppenberg .... 163 O 6
Opponitz .... 163 Q 5
Ornding .... 158 R 4
Ort .... 162 N 5
Orth .... 159 W 4
Ort im Innkreis .... 156 M 4
Osch .... 164 R 5
Oslip .... 165 V 5
Osselitzenberg .... 171 P 8
Ossiach .... 171 N 8
Ossiacher See .... 171 N 8
Ostermiething .... 161 K 4
Ostpreußen-H. .... 161 L 6
Ostrong .... 158 R 4
Ottenhausen .... 161 L 4
Ottenschlag .... 158 R 3
Ottenschlag im Mühlkreis . 157 P 3
Ottensheim .... 157 O 3
Ottenthal .... 159 V 2
Otterbach .... 164 T 6
Otterthal .... 164 T 6
Ottmanach .... 171 P 8
Ottnang .... 162 M 4
Ottsdorf .... 163 O 5

P

Paasdorf .... 159 V 3
Pabneukirchen .... 157 Q 4
Pachfurth .... 165 W 4
Pack .... 172 Q 8
Packalpe .... 172 Q 7
Packsattel (Vier Tore) . 172 Q 8
Palbersbach .... 173 T 8
Paldau .... 173 T 8
Palfau .... 163 Q 5
Palten .... 163 P 6
Palterndorf .... 159 W 3
Palting .... 161 L 4
Pama .... 165 W 4
Pamhagen .... 165 W 5
Panzendorf .... 170 J 8
Parndorf .... 165 W 5
Parschlug .... 164 R 6
Parseierspitze .... 166 D 7
Partenen .... 166 C 8
Pasching .... 157 O 4
Passail .... 164 S 7
Passering .... 171 P 8
Paßriach .... 170 M 9
Pasterze .... 170 K 7
Patergassen .... 171 N 8
Paternion .... 171 M 8
Patsch .... 167 G 7
Patscherkofel .... 167 G 7
Pattigham .... 162 M 4
Patzmannsdorf .... 159 U 2
Paudorf .... 158 S 3
Payerbach .... 164 T 5
Paznauntal .... 166 C 7
Peggau .... 172 S 7
Pehendorf .... 157 R 3
Peilstein .... 156 N 3
Peishlach .... 170 J 8
Pendling .... 160 I 6
Penk .... 164 U 6
Penk .... 170 L 8
Penken .... 169 H 7
Pennewang .... 162 N 4
Penzing .... 159 U 4
Perchau .... 171 P 7
Perchauer Sattel .... 171 P 7
Perchtoldsdorf .... 159 U 4
Perg .... 157 P 4

Pernegg .... 158 S 2
Pernegg an der Mur .... 164 S 6
Pernersdorf .... 158 U 2
Pernitz .... 164 T 5
Perschling .... 158 T 4
Persenbeug .... 158 R 4
Pertisau .... 160 H 6
Perwang .... 161 L 4
Perwarth .... 163 Q 4
Pesenheim .... 171 M 8
Petersdorf .... 173 T 8
Peterskirchen .... 156 M 4
Petronell-Carnuntum ... 159 W 4
Pettenbach .... 163 O 5
Pettnau .... 167 F 7
Pettneu .... 166 D 7
Petzeck .... 170 K 8
Petzen .... 169 Q 9
Petzenkirchen .... 164 R 4
Peuerbach .... 156 N 3
Pfänder .... 166 B 6
Pfändertunnel .... 166 B 6
Pfaffenhofen .... 167 F 7
Pfaffensattel .... 164 T 6
Pfaffenschlag bei Waidhofen
  an der Thaya .... 158 R 2
Pfafflar .... 167 D 7
Pfaffstätt .... 161 L 4
Pfaffstätten .... 165 U 4
Pfaffstetten .... 158 T 3
Pfandl .... 162 N 6
Pfarrkirchen im Mühlkreis . 156 N 3
Pfarrwerfen .... 161 L 6
Pfeis-H. .... 160 G 7
Pfitscherjoch .... 169 H 8
Pflach .... 167 E 6
Pfons .... 167 G 7
Pfroslkopf .... 167 E 8
Pfunds-Dorf .... 167 D 8
Pfunds-Stuben .... 167 D 8
Pians .... 167 D 7
Piber .... 172 R 7
Piesendorf .... 170 K 7
Pießling .... 163 O 5
Piesting .... 165 T 5
Pilgersdorf .... 165 V 6
Pill .... 160 H 7
Piller .... 167 E 7
Pillichsdorf .... 159 V 3
Pinegg .... 160 H 6
Pinggau .... 165 U 6
Pinka .... 165 U 7
Pinkafeld .... 165 U 6
Pinsdorf .... 162 N 5
Piringsdorf .... 165 V 6
Pischelsdorf am Engelbach . 161 L 4
Pischelsdorf in Steiermark . 173 T 7
Pisweg .... 171 O 8
Pitten .... 165 U 5
Pitzbach .... 167 E 7
Pitztal .... 167 E 7
Pitztaler Jöchl .... 167 E 8
Piz Buin .... 166 C 8
Plainfeld .... 161 L 5
Planai .... 162 N 6
Plangeroß .... 167 E 8
Plank .... 158 T 3
Plankenstein .... 164 R 4
Plansee .... 167 E 6
Platt .... 158 T 2
Pleißing .... 158 T 2
Plöckenpaß .... 170 K 9
Plomberg .... 162 M 5
Plumssattel .... 160 G 6
Pöchlarn .... 158 R 4
Podersdorf am See ..... 165 W 5
Pöbring .... 158 R 4
Pöham .... 161 L 6
Pöllauberg .... 164 T 7
Pölling .... 172 Q 8
Pöndorf .... 162 M 5
Pötschenhöhe .... 162 N 6
Poggersdorf .... 171 P 9
Pöggstall .... 158 R 4
Pölfing-Brunn .... 172 R 8

Pölla .... 171 M 7
Pöllatal .... 171 M 7
Pöllau
  (bei Gleisdorf) .... 164 T 7
Pöllau
  (bei Murau) .... 171 O 7
Pollham .... 156 N 4
Polling im Innkreis ..... 156 L 4
Pöls .... 172 P 7
Polster .... 163 Q 6
Pontlatzerbrücke .... 167 D 7
Porrau .... 159 U 3
Pörtschach .... 171 O 9
Possruck .... 172 S 9
Postalm .... 162 M 6
Postlingberg .... 157 O 4
Pottenbrunn .... 158 T 4
Pottendorf .... 165 V 5
Pottenhofen .... 159 V 2
Pottenstein .... 164 U 5
Pötting .... 156 N 4
Pottschach .... 164 T 5
Pöttsching .... 165 V 5
Potzneusiedl .... 165 W 4
Poysdorf .... 159 V 2
Präbichl .... 163 Q 6
Prager H. .... 169 J 7
Prägraten .... 169 J 7
Pram .... 156 M 3
Prambachkirchen .... 156 N 4
Pramerdorf .... 156 M 4
Pramet .... 162 M 4
Prater .... 159 V 4
Preber .... 171 N 7
Preding .... 172 S 8
Predlitz .... 171 N 7
Preg .... 163 Q 7
Pregarten .... 157 P 3
Preims .... 172 Q 8
Prein .... 164 T 5
Preiner Gscheid .... 164 T 5
Preitenegg .... 172 Q 8
Prellenkirchen .... 165 W 4
Prendt .... 157 P 3
Prescenyklause .... 164 R 6
Pressbaum .... 158 U 4
Preßguts .... 173 T 7
Pretalsattel .... 164 S 6
Prigglitz .... 164 T 5
Prinzendorf .... 159 W 3
Prinzersdorf .... 158 S 4
Probstdorf .... 159 V 4
Proleb .... 164 R 6
Promau .... 163 Q 5
Prottes .... 159 W 3
Pruggern .... 162 N 6
Prutz .... 167 D 7
Puch .... 171 N 8
Puch bei Hallein .... 161 L 5
Puch bei Weiz .... 164 T 7
Puchberg am Schneeberg . 164 T 5
Puchenstuben .... 164 R 5
Pucking .... 157 O 4
Pürschhaus .... 160 G 6
Pürbach .... 158 R 2
Purbach
  am Neusiedler See ... 165 W 5
Pürgg .... 163 O 6
Purgstall .... 164 R 4
Purk .... 158 R 3
Purkersdorf .... 159 U 4
Pürnstein .... 157 O 3
Purrath .... 157 Q 3
Purtscheller-Hs. .... 161 L 6
Pusarnitz .... 170 M 8
Pustertal .... 170 J 8
Pusterwald .... 163 P 6
Pustritz .... 172 Q 8
Putschall .... 170 K 8
Putschall .... 156 N 3
Putzleinsdorf .... 156 N 3
Pyhra .... 158 T 4
Pyhrabruck .... 157 Q 2
Pyhrn .... 163 O 6
Pyhrnpaß .... 163 O 6
Pyramidenkogel .... 171 O 9
Pyramidenspitze .... 161 I 6
Pyrawang .... 156 M 3

R

Raab .... 173 T 8
Raab
  (Oberösterr.) .... 156 M 3
Raaba .... 172 S 7
Raabs an der Thaya .... 158 S 2

Raach .... 164 T 6
Raasdorf .... 159 V 4
Rabensburg .... 159 W 3
Rabenstein .... 164 S 4
Rabenwald .... 164 T 7
Rabnitz .... 165 V 6
Rachau .... 172 Q 7
Radlbrunn .... 158 T 3
Radlpaß .... 173 R 9
Radmer a. d. Hasel ..... 163 Q 6
Radmer a. d. Stube ..... 163 Q 6
Radnig .... 170 M 9
Radsberg .... 171 P 9
Radstädter Tauern ...... 170 L 7
Radstädter Tauernpaß .. 171 M 7
Radstädt .... 162 M 6
Radstädter H. .... 162 M 6
Raffelding .... 157 O 4
Raggal .... 166 B 7
Raggendorf .... 159 W 3
Raglitz .... 164 U 5
Ragnitz .... 173 S 8
Raiding .... 165 V 6
Rainbach im Innkreis ... 156 M 3
Rainbach im Mühlkreis . 157 P 3
Rainfeld .... 164 T 4
Ramingstein .... 171 N 7
Ramsau (Molln) .... 163 O 5
Ramsau im Zillertal .... 169 H 7
Ramsau
  (Niederösterr.) .... 164 T 4
Ramsau
  (Oberösterr.) .... 162 N 5
Ramsau am Dachstein .. 162 M 6
Ramsbach .... 163 Q 6
Ranalt .... 167 F 7
Randegg .... 163 Q 4
Rangersdorf .... 170 K 8
Rankweil .... 166 A 7
Rannersdorf .... 159 W 3
Ranshofen .... 156 L 4
Ranten .... 171 O 7
Rappenlochschlucht .... 166 B 6
Rappoltenkirchen .... 158 U 4
Rappolz .... 158 S 2
Rappottenstein .... 158 R 3
Rassach .... 172 R 8
Rastenberg .... 158 R 3
Rastenfeld .... 158 R 3
Rastkogel .... 169 H 7
Rastkogelhütte .... 169 H 7
Rätikon .... 166 A 7
Ratten .... 164 T 6
Rattenberg .... 160 H 6
Rattendorf .... 170 L 9
Rattersdorf-Liebing ..... 165 V 6
Ratzersdorf an der Traisen . 158 T 4
Raucheck .... 161 L 6
Rauchenwarth .... 165 V 4
Rauchwart .... 173 U 7
Rauris .... 170 K 7
Rauz .... 166 C 7
Ravelsbach .... 158 T 3
Ravensburger H. .... 166 C 7
Raxalpe .... 164 T 5
Raxblick .... 164 T 6
Raxendorf .... 158 R 3
Rechberg
  (Kärnten) .... 172 P 9
Rechberg
  (Oberösterr.) .... 157 Q 4
Rechnitz .... 165 V 7
Redl .... 162 M 4
Redlthal .... 162 M 4
Regelsbrunn .... 159 W 4
Rehberg .... 158 S 3
Reichenau .... 164 T 5
Reichenau im Mühlkreis . 157 P 3
Reichenfels .... 172 Q 7
Reichenspitze .... 169 I 7
Reichenthal .... 157 P 3
Reichenthalheim .... 162 M 5
Reichersberg .... 156 M 3
Reichraming .... 163 P 5
Reidling .... 158 T 4
Reifenstein .... 172 P 7
Reifnitz .... 171 O 9
Rein .... 172 H 7
Reingers .... 158 R 2
Reinprechtspölla .... 158 T 3
Reinthal .... 159 W 2
Reisach .... 170 L 9
Reisalpe .... 164 S 5
Reisenberg .... 165 V 5
Reißeck .... 170 M 8
Reißkofel .... 170 L 8

A B C D E F G H I J K L M N O P Q R S T U V W X Y Z

Reit 161 K6
Reitdorf 162 M6
Reitereck 171 M7
Reith 160 H6
Reith bei Kitzbühel 161 J6
Reith bei Seefeld 167 F7
Reither Spitze 160 F7
Rekawinkel 158 U4
Rennfeld 164 S6
Rennweg 171 M7
Reschenpaß 169 D8
Rettenbach 160 I6
Rettenbachalm 162 N5
Rettenegg 164 T6
Retz 158 T2
Reuthe 166 B6
Reutte 167 E6
Reyersdorf 159 W3
Ried 171 M8
Ried 162 M5
Ried im Zillertal 169 H7
Ried am Riederberg 158 U4
Riedau 156 M4
Rieden 167 E7
Riedersdorf 157 Q3
Ried im Innkreis 156 M4
Ried im Oberinntal 167 D7
Ried im Traunkreise 163 O4
Ried in der Riedmark 157 P4
Riedlingsdorf 165 U6
Riefensberg 166 B6
Riegersburg (Niederösterr.) 158 T2
Riegersburg (Steiermark) 173 T7
Riegersdorf 173 T7
Riemann-Hs. 161 K6
Rietz 167 F7
Rietzer Grießkogel 167 F7
Riezlern 166 C6
Rifflkopf 161 L6
Rindbach 162 N5
Rinegg 172 S7
Ringelsdorf 159 W3
Rinn 167 G7
Rißtal 160 G6
Ritzing 165 V6
Rodingersdorf 158 T2
Röthis 166 A7
Rofangebirge 160 H6
Rohr 173 U7
Rohrau 165 W4
Rohrbach 157 N3
Rohrbach 158 R2
Rohrbach an der Gölsen 164 T4
Rohrbach an der Lafnitz 164 T6
Rohrbach an der Teich 165 U7
Rohrbach bei Mattersburg 165 V5
Rohrbach im Oberösterreich 157 N3
Rohr bei Hartberg 165 U7
Rohrberg 169 H7
Rohrbrunn 173 U7
Röhrenbach 158 S3
Rohrendorf 158 S3
Rohrer 163 O6
Rohrer Sattel 164 T5
Rohr im Gebirge 164 T5
Rohr im Kremstal 163 O4
Rohrmoos 162 M6
Roiten 158 R3
Roith 162 N5
Roitham 162 N4
Roppen 167 E7
Rosaliengebirge 165 U5
Röschitz 158 T2
Rosegg 171 O9
Roseldorf 158 T3
Rosenau am Hengstpaß 163 P5
Rosenau Schloß 157 R3
Rosenbach 171 O9
Rosenburg 158 S3
Rosenheim 170 M8
Rossatz 158 S3
Roßbach 161 L4
Roßberg 157 O3
Roßbrand 162 M6
Rossegg 164 T7
Roßkogel 164 S6
Roßleithen 163 O5
Roßwandspitze 169 H7
Rotenkogel 170 J8
Rotenturm 165 U7
Rote Wand 166 B7
Rötgülden 170 M7
Rotheau 164 S4

Röthelstein 164 S7
Rothenthurm 172 P7
Rothleiten 164 R7
Rothwald 164 R5
Rottal 157 R2
Rottenbach 156 N4
Rottenmann 163 P6
Rottenmanner Tauern 163 P6
Rottenstein 171 P9
Rubland 171 M9
Rückersdorf 172 P9
Rückersdorf-Harmannsdorf 159 V3
Ruden 172 Q9
Ruderhofspitze 167 F7
Ruders 158 R2
Rudmanns 158 R3
Rudolfs-H. 170 J7
Rum 167 G7
Ruppersthal 158 T3
Ruprechtshofen 164 R4
Rußbach (bei Abtenau) 162 M6
Rust (Burgenland) 165 W5
Rust (Niederösterr.) 158 T4
Rüstorf 162 N4

S
Saalach 161 J6
Saalachtal 161 K6
Saalbach 161 J6
Saalfelden 161 K6
Sachendorf 172 Q7
Sachsenburg 170 M8
Säuling 167 E6
Safen 173 U7
Sagritz 170 K8
Salla 172 Q7
Sallapulka 158 T2
Sallingberg 158 R3
Salza 164 S5
Salzach 170 J6
Salzachgeier 169 I7
Salzachöfen 161 L6
Salzachtal 161 L6
Salzatal 164 R6
Salzburg 161 L5
Salzburg (Flughafen) 161 L5
Salzburg (Land) 161 K7
Salzburgring 161 L5
Salzkammergut 169 M5
Salzsteigjoch 163 O6
Samnaungruppe 166 D7
Sandl 157 P3
Sandling 162 N6
St. Aegidi 156 N3
St. Aegyd 164 S5
St. Agatha 156 N3
St. Agatha (bei Bad Ischl) 162 M6
St. Andrä 172 Q8
St. Andrä an der Traisen 158 T4
St. Andrä bei Frauenkirchen 165 W5
St. Andrä im Lungau 171 N7
St. Andrä im Sausal 172 S8
St. Andrä-See 171 N9
St. Andrä-Wördern 159 U4
St. Anna am Aigen 173 T8
St. Anton am Arlberg 166 C7
St. Anton an der Jeßnitz 164 R5
St. Anton im Montafon 166 B7
St. Bartholomä 172 R7
St Bernhard 158 S2
St. Blasen 171 O7
St. Christoph am Arlberg 166 C7
St. Christophen 158 T4
St. Corona 164 T4
St. Corona am Wechsel 164 U6
St. Donat 171 P8
St. Egyden 171 O9
St. Egyden am Steinfeld 165 U5
St. Filippen 171 P8
St. Florian am Inn 156 M3
St. Gallen 163 P5
St. Gallenkirch 166 B7
St. Georgen 172 Q8
St. Georgen 165 V5
St. Georgen am Fillmannsbach 161 L4
St. Georgen am Längsee 171 P8

St. Georgen am Reith 163 Q5
St. Georgen am Steinfelde 158 S4
St. Georgen am Walde 157 Q3
St. Georgen am Ybbsfelde 163 Q4
St. Georgen an der Gusen 157 P4
St. Georgen an der Leys 164 R4
St. Georgen an der Stiefing 172 S8
St. Georgen bei Obernberg 156 M4
St. Georgen bei Salzburg 161 K5
St. Georgen im Attergau 162 M5
St. Georgen ob Judenburg 171 P7
St. Georgen ob Murau 171 O7
St. Gilgen 162 M5
St. Ilgen 164 R6
St. Jakob 166 C7
St. Jakob an der Straße 171 P9
St. Jakob bei Mixnitz 164 S6
St. Jakob im Lesachtal 170 K8
St. Jakob i. Rosental 171 O9
St. Jakob im Walde 164 T6
St. Jakob in Defereggen 169 J8
St. Jakob in Haus 161 J6
St. Jodok 167 G7
St. Johann a. Pressen 163 P6
St. Johann am Tauern 163 P6
St. Johann am Walde 161 L4
St. Johann am Wimberg 157 O3
St. Johann bei Herberstein 173 T7
St. Johann im Pongau 161 L6
St. Johann im Saggautal 172 S8
St. Johann im Walde 170 J8
St. Johann in der Haide 164 U7
St. Johann in Engstetten 163 P4
St. Johann in Tirol 161 J6
St. Kanzian am Klopeiner See 172 P9
St. Katharein an der Laming 164 R6
St. Katharina 172 R8
St. Kathrein am Hauenstein 164 S6
St. Kathrein am Offenegg 164 S7
St. Kathrein im Burgenland 173 V7
St. Koloman 161 L6
St. Konrad 162 N5
St. Lambrecht 171 O7
St. Leonhard 171 N7
St. Leonhard a. Forst 164 R4
St. Leonhard am Hornerwald 158 S3
St. Leonhard am Walde 163 Q5
St. Leonhard bei Freistadt 157 P3
St. Leonhard im Pitztal 167 E7
St. Lorenz 162 M5
St. Lorenzen 171 N8
St. Lorenzen am Wechsel 164 T6
St. Lorenzen bei Knittelfeld 172 Q7
St. Lorenzen im Gitschtal 170 L8
St. Lorenzen im Lesachtal 170 K8
St. Lorenzen im Paltental 163 P6
St. Lorenzen ob Murau 171 O7
St. Magdalena 172 R9
St. Marein 172 Q8
St. Marein bei Graz 173 T7
St. Marein bei Knittelfeld 163 Q7
St. Marein im Mürztal 164 S6
St. Margareten im Rosental 171 P9
St. Margarethen an der Raab 173 T7
St. Margarethen an der Sierning 158 S4
St. Margarethen bei Knittelfeld 172 Q7
St. Margarethen im Burgenland 165 V5
St. Margarethen im Lavanttal 172 Q8
St. Margarethen im Lungau 171 M7
St. Georgen ob Töllerberg 172 P8
St. Marien 163 O4
St. Marienkirchen 162 M4
St. Marienkirchen an der Polsenz 156 N4

St. Marienkirchen bei Schärding 156 M3
St. Martin 171 N9
St. Martin am Grimming 163 N6
St. Martin am Silberberg 172 P8
St. Martin am Tennengebirge 162 M6
St. Martin am Wöllmißberg 172 R7
St. Martin am Ybbsfelde 157 Q4
St. Martin an der Raab 173 U8
St. Martin bei Lofer 161 K6
St. Martin bei Traun 157 O4
St. Martin bei Weitra 157 Q3
St. Martin im Innkreis 156 M4
St. Martin im Mühlkreis 157 N3
St. Martin im Sulmtal 172 R8
St. Michael 172 Q9
St. Michael (bei Wolfsberg) 172 Q8
St. Michael (Niederösterr.) 158 S3
St. Michael ob. d. Gurk 171 P7
St. Michael am Zoldeld 171 P8
St. Michael im Burgenland 173 U7
St. Michael im Lungau 171 M7
St. Michael in Obersteiermark 164 R7
St. Nikola an der Donau 157 Q4
St. Nikolai im Saussal 172 S8
St. Nikolai im Sölktal 163 O7
St. Nikolai ob Draßling 173 T8
St. Oswald (Kärnten) 171 N8
St. Oswald (Niederösterr.) 157 R4
St. Oswald bei Freistadt 157 P3
St. Oswald bei Haslach 157 O3
St. Oswald bei Plankenwarth 172 R7
St. Oswald im Freiland 172 R8
St. Oswald-Möderbrugg 163 P7
St. Oswald ob Eibiswald 172 R8
St. Pankraz 163 O5
St. Pantaleon 161 K4
St. Pantaleon-Erla 157 P4
St. Paul im Lavanttal 172 Q8
St. Peter am Bichl 171 O8
St. Peter am Hart 156 L4
St. Peter am Kammersberg 171 O7
St. Peter am Ottersbach 173 T8
St. Peter am Wimberg 157 O3
St. Peter-Freienstein 164 R6
St. Peter in der Au Markt 163 P4
St. Peter ob Judenburg 172 P7
Scheffau am Wilden Kaiser 160 I6
St. Pölten 158 S4
St. Radegund 161 K4
St. Radegund bei Graz 172 S7
St. Roman 156 M3
St. Ruprecht an der Raab 173 T7
St. Ruprecht ob Murau 171 O7
St. Salvator 171 P8
St. Sigmund 167 F7
St. Stefan am Walde 157 O3
St. Stefan an der Gail 171 M9
St. Stefan im Lavanttal 172 Q8
St. Stefan im Rosental 173 T8
St. Stefan ob Leoben 164 Q7
St. Stefan ob Stainz 172 R8
St. Thomas 156 N4
St. Thomas am Blasenstein 157 Q4
St. Ulrich 171 O8
St. Ulrich am Pillersee 161 J6
St. Urban 171 O8
St. Valentin 157 P4
St. Veit am Vogau 173 S8
St. Veit an der Glan 171 P8
St. Veit a. d. Gölsen 164 T4
St. Veit an der Triesting 165 U5
St. Veit im Innkreis 156 L4
St. Veit im Mühlkreis 157 O3
St. Veit im Pongau 161 L6
St. Veit in Defereggen 169 J8
St. Willibald 156 N3
St. Wolfgang im Salzkammergut 162 M5
St. Wolfgangsee 162 M5
St. Anna 172 Q7
St. Erhard 164 S6
St. Georgen 170 K7
St. Georgen i. d. Klaus 163 Q5
St. Georgen im Obdachegg 172 Q7
St. Gotthard im Mühlkreis 157 O3

St. Joseph 172 S8
St. Katarina 170 J8
St. Lorenzen 172 R8
St. Lorenzen im Mürztal 164 S6
St. Oswald 172 P8
St. Pankrazen 172 R7
St. Petel 171 M7
St. Peter im Lavanttal 172 Q7
St. Ruprecht 172 Q8
St. Sebastian 164 R5
St. Stefan 172 Q9
St. Stefan 171 P8
St. Ulrich im Mühlkreis 157 O3
St. Veit im Jauntal 172 P9
St. Vinzenz 172 R8
St. Walburgen 172 P8
St. Wolfgang 157 Q2
St. Wolfgang 172 P7
Santneralm 171 M7
Sarasdorf 165 W4
Sarleinsbach 156 N3
Sarmingstein 157 Q4
Satteins 166 B7
Sattelbach 165 U4
Sattelwirt 172 R7
Sattendorf 171 N8
Sattledt 163 O4
Saualpe 172 Q8
Sauerbrunn 165 U5
Sauerfeld 171 N7
Saurau 171 O7
Saurüsselkogel 162 M5
Sausal 172 S8
Säusenstein 158 R4
Sautens 167 E7
Sauwald 156 M3
Saxen 157 Q4
Schachendorf 165 V7
Schachenstein 164 R6
Schärding 156 M3
Schafberg 162 M5
Schäffern 165 U6
Schalchen 161 L4
Schallaburg 158 S4
Schardenberg 156 M3
Scharfling 162 M5
Scharfreuter 160 G6
Scharnitz 160 F6
Scharnitzpaß 160 F6
Scharnstein 163 N5
Scharten 157 O4
Schattbach 162 M6
Schattberg 161 J6
Schattendorf 165 V5
Schattwald 166 D6
Schattwad 165 V5

Schmirn 169 G7
Schmittenhöhe 161 K6
Schmittenstein 161 L5
Schnann 166 D7
Schneealpe 164 S5
Schneeberg 161 L6
Schneeberg 164 T5
Schneebergdörfl 164 T5
Schneegattern 161 L4
Schnepfau 166 B6
Schnifis 166 B7
Schober 161 L5
Schobergruppe 170 K8
Schoberpaß 163 Q6
Schöckl 172 S7
Schöder 171 O7
Schönau 160 H6
Schönau a.d.D. 159 V4
Schönberg 156 N2
Schöneck 170 K7
Schönering 157 O4
Schönwies 167 D7
Schöpflgitter 164 T4
Schörfling 162 M5
Schollach 158 S4
Schönau im Mühlkreis 157 P4
Schönbach 157 R3
Schönberg 158 T3
Schönberg bei Niederwölz 171 P7
Schönberg im Stubaital 167 G7
Schönbrunn 159 U4
Schönbühel an der Donau 158 S4
Schöneben 156 N2
Schönegg 157 O3
Schönegg bei Pöllau 164 T7
Schönenbach 166 B6
Schönfeld 159 W4
Schöngrabern 158 U3
Schönkirchen 159 V3
Schoppernau 166 C7
Schottwien 164 T6
Schrankogel 167 F7
Schrattenberg 159 V2
Schrattenthal 158 T2
Schreckenspitze 160 G6
Schrems 157 R2
Schrems bei Frohnleiten 164 S7
Schrick 159 V3
Schröcken 166 C7
Schrottkopf 170 J7
Schruns 166 B7
Schützen 165 V5
Schwadorf 165 V4
Schwaigern 162 M5
Schwaighof 161 M6
Schwallenbach 158 S3
Schwanberg 172 R8
Schwand im Innkreis 161 K4
Schwanenstadt 162 N4
Schwarza 164 T5
Schwarzach 166 B6
Schwarzach im Pongau 161 L7
Schwarzau am Steinfelde 165 U5
Schwarzau im Gebirge 164 T5
Schwarzenau 158 R2
Schwarzenbach 165 U6
Schwarzenbach an der Gölsen 164 S4
Schwarzenbach an der Pielach 164 R5
Schwarzenberg 166 B6
Schwarzenberg a. Böhmerwald 156 N2
Schwarzensee (Niederösterr.) 164 M5
Schwarzensee (Oberösterr.) 164 U4
Schwarzkopf 170 K7
Schwarzsee 161 J6
Schwaz 160 H6
Schwechat 159 V4
Schwechat (Bach) 164 U4
Schweiggers 157 R2
Schwendau 169 H7
Schwendt 161 J6
Schwerbach 164 S4
Schwertberg 157 P4
Schwoich 160 I6
Sebersdorf 173 T7
Seckau 163 Q7
Seckauer Tauern 163 P6
Seckauer Zinken 163 Q6
See 166 D7
See 171 P7
Seebach 171 O7

Seebarn an Wagram 158 T3
Seebenstein 165 U5
Seeboden 171 M8
Seefeld 159 U2
Seefeld 162 M5
Seefeld in Tirol 167 F6
Seeham 161 L5
Seehaus 163 N5
Seekirchen 161 L5
Seeklause 162 N6
Seetal 171 N7
Seetaleralpen 172 P7
Seewalchen 162 M5
Seewiesen 164 R6
Seewinkel 165 W5
Seggauberg 172 S6
Seibersdorf 165 V5
Seibuttendorf 173 T8
Seiersberg 172 S7
Seisenbergklamm 161 K6
Seitenstetten Markt 163 P4
Seiz 163 Q6
Selbhorn 161 K6
Sellrain 167 F7
Sellraintal 167 F7
Selzthal 163 O6
Semmering Kurort 164 T6
Semmering-Paß 164 T6
Semriach 172 S7
Senftenbach 156 M4
Senftenberg 158 S3
Sengsengebirge 163 O5
Senning 159 U3
Serfaus 167 D7
Seyfrieds 158 R2
Seyring 159 V4
Sibratsgfäll 166 C6
Sicheldorf 173 U8
Siebenhirten 159 V3
Sieding 164 T5
Siegendorf 165 V5
Siegenfeld 165 U4
Sieggraben 165 V6
Sieghartskirchen 158 T4
Sierndorf 159 U3
Sierning 163 O4
Sierninghofen 163 P4
Siezenheim
  (Salzburg) 161 K5
Sigharting 156 M3
Sigleß 165 V5
Sigmundsherberg 158 T2
Silberegg 171 P8
Silbertal 166 B7
Sill 167 G7
Sillian 169 J8
Silvrettagruppe 166 C8
Silvrettahorn 170 C8
Silvretta-Stausee 166 C8
Silz 167 E7
Similaun 167 E8
Simmering 159 V4
Simonhöhe 171 O8
Simony-H. 162 M6
Sinabelkirchen 173 T7
Sinnersdorf 165 U6
Sipbachzell 163 O4
Sirnitz 171 O8
Sistrans 167 G7
Sittersdorf 172 P9
Sitzendorf 158 T3
Soboth-Ort 172 R8
Söchau 173 U7
Söding 172 R7
Södingberg 172 R7
Söll 160 I6
Sölling 164 R4
Sölden 167 E8
Sölker Paß 171 O7
Sollenau 165 U5
Solstein 167 F7
Sommerein 165 V5
Sonnblick 170 J7
Sonnjoch 160 G6
Sonntag 166 B7
Sonntagberg 163 Q5
Sonnwendstein 164 T6
Spannberg 159 W3
Sparbach 165 U4
Speicher Durlaßboden 169 I7
Speicher Sameralm 170 L7
Speicher Zillergründl 169 I7
Speiereck 171 M7
Speikkogel 172 R7
Speisendorf 158 S2
Spertental 161 I6
Spielberg 158 R3

Spielberg bei Knittelfeld 172 R7
Spielfeld 173 S8
Spillern 159 U3
Spiß 166 D8
Spital 161 J6
Spital am Pyhrn 163 P6
Spital am Semmering 164 T6
Spittal an der Drau 171 M8
Spitz 158 S3
Sportgastein 170 L7
Sprinzenstein 156 N3
Staatz 159 V2
Stadelhorn 161 K6
Stadl an der Mur 171 N7
Stadl-Paura 162 N4
Stadtschlaining 165 U7
Stafflach 167 G7
Stainach 163 O6
Stainz 172 R8
Stall 170 L8
Stallersattel 170 I8
Stallhofen 170 L8
Stallhofen 172 R7
Stambach 164 T6
Stammersdorf 159 V4
Stams 167 E7
Stang 165 U6
Stans 160 H6
Stanzach 167 D6
Stanz bei Landeck 167 D7
Stanzertal 166 D7
Stanz im Mürztal 164 S6
Starkenbach 167 D7
Stattegg 172 S7
Stattersdorf 158 S4
Statzendorf 158 S4
Stausee-Gepatsch 167 E8
Steeg 166 C7
Steeg 162 M6
Stegersbach 173 U7
Steiermark (Land) 172 P7
Stein 158 S3
Stein 173 U7
Steinabrückl 165 U5
Steinach 167 G7
Steinakirchen 164 R4
Steinalpl 164 S5
Stein an der Enns 163 N6
Steinbach am Attersee 162 M5
Steinbach am Ziehberg 163 O5
Steinbach an der Steyr 163 O5
Steinberg b. L. 172 R8
Steinberg am Rofan 160 H6
Steinberg an der Rabnitz 165 V6
Steinbrunn 165 V5
Steindorf 162 M5
Steindorf am Ossiachersee 171 N8
Steinegg 158 S3
Steinerkirchen 163 N4
Steinernes Meer 161 K6
Steinfeld 170 L8
Steinfelden 163 N5
Steinfeldspitze 170 M7
Steinhaus 163 O4
Steinhaus am Semmering .164 T6
Steinplatte 161 J6
Steinsee-H. 167 D7
Steirische Kalkspitze 171 M7
Steirisch Laßnitz 171 O7
Sternstein 157 O3
Steuerberg 171 O8
Steyersberger-Schwaig 164 T6
Steyr 163 P4
Steyr (Bach) 163 O5
Steyrbrücke 163 O5
Steyregg 157 P4
Steyrermühl 162 N5
Steyrling 163 O5
Stiftung 157 P3
Stillfried 159 W3
Stilluppgrund 169 H7
Stilupp-Speicher 169 H7
Stinatz 173 U7
Stiwoll 172 R7
Stixneusiedl 165 W4
Stockenboi 171 M8
Stockerau 159 U3
Stocking 172 S8
Stockwinkl 162 M5
Stodertal 163 O6
Stollhof 164 U5
Stolzalpe 171 O7
Stoob 165 V6

Stopfenreuth 159 W4
Stössing 164 T4
Stotzing 165 V5
Straden 173 T8
Strallegg 164 T6
Stranig 170 L9
Straßburg 171 P8
Straßen 170 J8
Straßgang 172 S7
Straßhof an der Nordbahn . 159 W4
Straßham 157 O4
Straß im Attergau 162 M5
Straß im Straßertal 158 T3
Straß im Zillertal 160 H6
Straß in Steiermark 173 S8
Straßwalchen 161 L5
Stratzing 158 S3
Strechau 163 O6
Strem 173 V7
Strengberg 163 P4
Strengen 166 D7
Stripsenjoch 161 I6
Stripsenkopf 161 I6
Strobl 162 M5
Stroheim 156 N3
Stronsdorf 159 U3
Strub 161 J6
Struden 157 Q4
Strudengau 157 Q4
Stubachtal 170 J7
Stubaier Alpen 167 F7
Stubaital 167 F7
Stubalpe 172 Q7
Stubenberg a. See 164 T7
Stuben
  (Burgenland) 165 U6
Stuben
  (Vorarlberg) 166 C7
Stübming 164 S6
Stubnerkogel 170 L7
Studenzen 173 T7
Stuhleck 164 T6
Stuhlfelden 170 J7
Stuibenfall 167 E7
Stumm 169 H7
Südwiener H. 170 M7
Suetschach 171 O9
Sulm 172 S8
Sulz 166 E6
Sulzberg 166 B6
Sulz in Wienerwald 165 U4
Sulzkogel 167 F7
Sulztal 167 F7
Summerau 157 P3

T

Tadten 165 X5
Taiskirchen 156 M4
Talnach 172 P9
Tamsweg 171 N7
Tannheim 167 D6
Tannheimer Gruppe 167 D6
Tarrenz 167 E7
Tarsdorf 161 K4
Tattendorf 165 U5
Tauchen 164 U6
Tauernmoossee 170 J7
Tauerntal 170 J7
Tauerntunnel
  (Autobahn) 170 M7
Tauerntunnel
  (Autotransport) 170 L7
Taufkirchen
  an der Trattbach 156 N4
Taufkirchen an der Pram .. 156 M3
Tauka 173 U8
Tauplitz 163 O6
Tauplitzalm 163 N6
Taurach 171 M7
Tautendorf 158 S3
Taxenbach 170 K7
Techendorf 170 L8
Telfes 167 G7
Telfs 167 F7
Tenneck 161 L6
Tennengebirge 161 L6
Terfens 160 G7
Ternberg 163 P5
Ternitz 164 U5
Terz 164 S5
Tessenberg 170 J8
Teufenbach 171 P7
Teuflau 156 M3
Teurnia
  (Ausgrabungen) 170 M8

Texing 164 R4
Thal 164 T5
Thalerkogel 164 R6
Thalgau 161 L5
Thalheim 163 O4
Thaur 167 G7
Thaures 157 R2
Thaya 158 R2
Thaya (Bach) 158 R2
Theiß 158 T3
Theißenegg 172 Q8
Thenneberg 164 T4
Theras 158 T2
Theresienfeld 165 U5
Thernberg 165 U5
Thierbach 160 H6
Thiersee 160 I6
Th. Körner-H. 162 M6
Thomasberg 165 U6
Thomasroith 162 M4
Thomatal 171 N7
Thon 171 P9
Thondorf 172 S7
Thörl 164 R6
Thüringen 166 B7
Thüringer H. 169 J7
Thüringerberg 166 B7
Thumersbach 170 K7
Tiefbrunau 161 L5
Tieschen 173 T8
Tiffen 171 O8
Tigring 171 O8
Tillmitsch 172 S8
Timelkam 162 M5
Timmelsjoch 167 F8
Tirol (Land) 167 F7
Tisis 166 A7
Tobaj 173 U7
Tobelbad 172 S8
Tölzer H. 160 G6
Töplitsch 171 N9
Topitza 172 Q9
Toplitzsee 163 N6
Tormäuer 164 R4
Torren 161 L6
Tösching 158 S3
Tösens 167 D7
Toter Mann 164 T6
Totes Gebirge 163 N5
Trabach 164 Q6
Tradigist 158 S4
Tragöß 164 R6
Tragwein 157 P4
Trahütten 172 R8
Traisen 164 S4
Traisen (Bach) 164 S4
Traiskirchen 165 U4
Traismauer 158 T3
Traming 171 O8
Trandorf 158 R3
Trasdorf 158 T4
Tratten 171 M9
Trattenbach 164 T6
Trattenbach 163 P5
Trattenköpfl 169 I7
Tratzberg 160 H6
Traun 157 O4
Traun (Bach) 162 N6
Traunkirchen 162 N5
Traunsee 162 N5
Traunstein 158 R3
Trausdorf 165 V5
Trautenfels 163 O6
Trautmannsdorf 165 V4
Trautmannsdorf
  in Oststeiermark 173 T8
Trebesing 171 M8
Treffen 171 N8
Treffling 171 N8
Treglwang 163 P6
Tresdorf 159 V3
Tresdorf 170 K8
Treubach 161 L4
Trieben 163 P6
Triebenthal 163 P6
Triesting 165 V4
Trimmelkam 161 K4
Trins 167 G7
Trisanna 166 C8
Trisannabrücke 166 D7
Trisannaspitze 166 D6
Tristach 170 K8
Tristkopf 161 L6
Trofaiach 164 R6
Trögern 171 P9
Tröpolach 170 L9
Trumau 165 V5
Tschagguns 166 B7

Tschurndorf 165 V6
Türchlwand 170 L7
Tulbing 158 U4
Tulfes 167 G7
Tulln 158 U4
Tullnerbach 158 U4
Tullnerfeld 158 T4
Tulwitz 164 S7
Tumeltsham 156 M4
Tumpen 167 E7
Turmberg 162 M4
Turnau 164 S6
Türnitz 164 S5
Turrach 171 N8
Turracher Höhe 171 N8
Tux 169 H7
Tuxeralpen 169 G7
Tuxerjoch 169 G7
Tuxertal 169 H7
Tweng 171 M7
Twenger Talpaß 171 M7
Twimberg 172 Q8
Tyrnau 164 S7

U

Überackern 161 K4
Übersaxen 166 B7
Übersbach 173 U7
Uderns 160 H7
Ulmerfeld-Hausmening ... 163 Q4
Ulreichsberg 164 S5
Ulrichsberg 156 N2
Ulrichschlag 158 R3
Ulrichskirchen 159 V3
Umhausen 167 E7
Ungenach 162 M4
Ungerdorf 173 T8
Ungerndorf 159 V2
Unken 161 K6
Unserfrau-Altweitra 157 Q2
Unter-Längenfeld 167 E7
Unter-Loibach 172 Q9
Unterach 162 M5
Unteramlach 171 M8
Unterberg 164 T5
Unterbergtal 167 F7
Unterbildein 173 V7
Unterboden-Alm 163 Q6
Unterbuch 164 T7
Unterfladnitz 164 S7
Unterfrauenhaid 165 V6
Untergrünau 173 T7
Untergrünburg 163 O5
Unterkirchen 160 F6
Unterkohlstätten 165 U6
Unterlaussa 163 P5
Unterleins 167 E7
Unterlimbach 173 U7
Unterloibach 172 Q9
Unterloibl 171 O9
Untermeisling 158 S3
Untermühl 157 N3
Unternberg 171 N7
Unternußdorf 170 K8
Unterolberndorf 159 V3
Unterort-Tragöß 164 R6
Unterpinswang 165 V6
Unterpetersdorf 167 E6
Unterpremstätten 172 S8
Unterpullendorf 165 V6
Unterpurkla 173 T8
Unterrabnitz 165 V6
Unterregau 162 N5
Unterretzbach 158 U2
Unterried 170 J8
Untersberg 161 K5
Untersiebenbrunn 159 W4
Unterstinkenbrunn 159 U2
Untertauern 162 M7
Untertal 162 N6
Unterthörl 171 M9
Untertilliach 170 K8
Unterwaltersdorf 165 V5
Unterwart 165 U7
Unterweißenbach 157 Q3
Unterweitersdorf 157 P3
Unterwolfern 163 P4
Unterzeiring 171 P7
Unzmarkt 171 P7
Urbereleskarspitze 166 D6
Urbersdorf 173 V7
Urfahr 157 O3
Ursprungpaß 160 I6
Utermauerbach 159 U4
Uttendorf 161 L4
Uttendorf 170 J7

Utzenaich 156 M4

V

Valluga 166 C7
Vals 167 G7
Vandans 166 B7
Vasoldsberg 172 S7
Veitsch 164 S6
Veitschalpe 164 S6
Velden 171 O9
Velm 165 V4
Velm-Götzendorf 159 W3
Vent 167 E8
Ventertal 167 E8
Verditz 171 N8
Vermunt-Stausee 166 C8
Verwallgruppe 166 C7
Verwalltal 166 C7
Vesilspitze 166 C8
Vesulspitze 166 C7
Vichtenstein 156 M3
Viechtwang 163 N5
Viehdorf 163 Q4
Viehhofen 161 K6
Viehofen 158 S4
Vigaun 161 L5
Viktorsberg 166 B7
Viktring 171 O9
Villach 171 N9
Villacher Alpe 171 M9
Vilsalpsee 167 D6
Vinaders 167 G7
Virgen 170 J7
Virgental 169 J7
Vitis 158 R2
Vöcklabruck 162 M4
Vöcklamarkt 162 M4
Vögelsberg 169 G7
Völkermarkt 172 P9
Völkermarkter Stausee 172 P9
Völs 167 F7
Voitsberg 172 R7
Voitsdorf 163 O4
Volders 169 G7
Volderwildbad 169 G7
Vomp 160 H6
Von-Schmidt-Zabierow-H. . 161 J6
Vorarlberg (Land) 166 B7
Vorau 164 T6
Vorchdorf 162 N4
Vorderberg 171 M9
Vorderer Thiersee 160 I6
Vorderer Gosausee 162 M6
Vorderhornbach 167 D6
Vorderkaiserfelden-H. 160 I6
Vorderlanersbach 169 H7
Vordernberg 164 Q6
Vorderstoder 163 O5
Vorderunutz 160 H6
Vorderweißenbach 157 O3
Vösendorf 159 V4

W

Wachau 158 S4
Wagendorf 164 U7
Wagna 172 S8
Wagrain 161 L6
Wagrainer Höhe 161 L6
Wagram a. d. Donau 159 W4
Wagram ob der Traisen 158 T3
Waidegg 170 L9
Waidendorf 159 W3
Waidhofen an der Thaya ... 158 R2
Waidhofen an der Ybbs 163 Q5
Waidisch 171 P9
Waidmannsfeld 164 T5
Waidring 161 J6
Waisach 170 L8
Waizenkirchen 156 N4
Walchen 163 O6
Walchsee 161 I6
Wald 170 M7
Wald 164 T4
Wald 163 Q6
Waldaist 157 Q3
Wald am Arlberg 166 C7
Waldburg 157 P3
Waldegg 164 U5
Waldenstein (Kärnten) 172 Q8
Waldenstein
  (Niederösterr.) 157 R2
Waldhausen 158 R3
Waldhausen
  im Strudengau 157 Q4

A B C D E F G H I J K L M N O P Q R S T U V W X Y Z

258 Österreich

Wald im Pinzgau 169 I7
Walding 157 O3
Waldkirchen a. Wesen 156 N3
Waldkirchen an der Thaya 158 R2
Waldneukirchen 163 O4
Waldviertel 158 Q3
Waldzell 162 M4
Walkenstein 158 T2
Walkersdorf 173 T7
Wallern 165 W5
Wallern an der Trattbach 156 N4
Wallersee 161 L5
Wallsee 163 Q4
Walpersbach 165 U5
Walpersdorf 158 T4
Wals-Siezenheim 161 K5
Walterskirchen 159 W3
Wambersdorf 165 V5
Wang 163 R4
Wanghausen 161 K4
Wanneck 167 E6
Wappoltenreith 158 S2
Warscheneck 163 O6
Wartberg 158 T3
Wartberg 164 S6
Wartberg an der Krems 163 O5
Wartberg o. d. Aist 157 P3
Warth 166 C7
Wartmannstetten 164 U5
Wasserburg 158 T4
Wasserfallboden (Stausee) 170 K7
Wasserfallwinkel 170 K7
Wattens 169 G7
Watzelsdorf 158 T2
Waxenberg 157 O3
Wechsel 164 T6
Wechselpaß 164 T6
Weer 169 G7
Weerberg 169 H7
Wegscheid 164 R5
Wegscheidt 158 S3
Wehrberg 161 K4
Weibern 162 N4
Weichselboden 164 R5
Weichstetten 163 O4
Weidach 167 F6
Weiden am See 165 W5
Weiden b. Rechnitz 165 U7
Weidling 159 U4
Weigelsdorf 165 V5
Weikendorf 159 W3
Weikersdorf 165 U5
Weikertschlag 158 S2
Weilbach 156 M4
Weilhart-Forst 161 K4
Weinburg 164 S4
Weinburg am Saßbach 173 T8
Weinebene 172 Q8
Weingraben 165 V6
Weinsbergerwald 157 Q3
Weinsteig 159 V3
Weinviertel 159 U3
Weinzierl a. Walde 158 S3
Weißbach 161 K6
Weißberg 171 O8
Weißbriach 170 L8
Weißeck 170 M7
Weißenalbern 157 R2
Weißenbach 162 N6
Weißenbach a. Lech 167 D6
Weißenbach *(bei Bad Ischl)* 162 M6
Weißenbach *(Kärnten)* 170 M8
Weißenbach *(Stodertal)* 163 O5
Weißenbach am Attersee 162 M5
Weißenbach an der Enns 163 P5
Weißenbach an der Triesting 164 U5
Weißenbach bei Liezen 163 O6
Weißenkirchen an der Perschling 158 T4
Weißenkirchen in der Wachau 158 S3
Weißensee 170 M8
Weißenstein 171 N8
Weiße Spitze 169 J8
Weißkirchen 172 Q7
Weißkirchen an der Traun 163 O4
Weißkugel 167 E8
Weißpriach 171 N7
Weißsee 170 J7
Weißseespitze 167 E8
Weistrach 163 P4
Weiten 158 R4
Weitendorf 172 S8
Weitenegg 158 R4
Weitensfeld 171 O8
Weitersfeld 158 T2
Weitersfelden 157 Q3
Weitra 157 Q2
Weiz 173 S7
Weizelsdorf 171 O9
Wels 163 O4
Wendling 156 M4
Weng 161 L7
Weng bei Admont 163 P6
Weng im Innkreis 156 L4
Wenigzell 164 T6
Wenns 167 E7
Weppersdorf 165 V6
Werfen 161 L6
Werfenweng 161 L6
Wernberg 171 N9
Werndorf 172 S8
Wernstein 156 M3
Wesenufer 156 N3
Westendorf 160 I6
Wetterspitze 166 D7
Wetterstein Gebirge 167 F6
Wettmannstätten 172 S8
Wetzelsdorf 159 V3
Wetzleinsdorf 159 V3
Weyer Markt 163 Q5
Weyerburg 159 U3
Weyersdorf 158 S4
Weyregg a. Attersee 162 M5
Wiechenthaler H. 161 K6
Wieden 173 T8
Wiedersberger Horn 160 H6
Wien 159 U4
Wien-Schwechat *(Flughafen)* 159 V4
Wienerbruck 164 R5
Wienerherberg 165 V4
Wiener Neudorf 165 U4
Wiener Neustadt 165 U5
Wienerwald 164 T5
Wien *(Land)* 159 V4
Wies 172 R8
Wieselburg 164 R4
Wiesen 165 U5
Wiesenfeld 164 S4
Wiesfleck 165 U6
Wiesing 160 H6
Wiesmath 165 U6
Wiestal-Stausee 161 L5
Wieting 172 P8
Wildalpen 163 Q6
Wildbad-Einöd 171 P7
Wildendürnbach 159 V2
Wilder Kaiser 161 I6
Wildermieming 167 F7
Wildgerlostal 169 I7
Wildgrat 167 E7
Wildkogel 169 I7
Wildon 172 S8
Wildschönau 160 I6
Wildseeloder 161 J6
Wildshut 161 K4
Wildspitze 167 E8
Wildungsmauer 159 W4
Wilfersdorf 159 V3
Wilfleinsdorf 165 W4
Wilhelmsburg 164 S4
Wilhering 157 O4
Willendorf 164 U5
Willersbach 157 Q4
Wimpassing 164 U5
Wimpassing an der Leitha 165 V5
Windauer Ache 160 I6
Windegg 167 F8
Winden am See 165 W5
Windgrube 164 R6
Windhaag 157 Q4
Windhaag bei Freistadt 157 P3
Windhag 163 Q5
Windigsteig 158 R2
Windisch Bleiberg 171 O9
Windische Höhe 171 M9
Windischgarsten 163 O5
Windorf 157 O3
Winkl 161 M5
Winkler 163 P5
Winklern 170 K8
Winklern bei Oberwölz 171 O7
Winterbach 164 R5
Winterstaude 166 B6
Winzendorf 165 U5
Wittau 159 V4
Wittmannsdorf 173 T8
Wölfnitz 172 Q8
Wöllersdorf 165 U5
Wölting 171 N7
Wölzer Tauern 163 O6
Wörgl 160 I6
Wörnharts 157 Q2
Wörschach 163 O6
Wörth 170 K7
Wörth a. d. Lafnitz 165 U7
Wörther See 171 O9
Wohlsdorf 172 S8
Wolfau 165 U7
Wolfpassing 164 R4
Wolfpassing an der Hochleithen 159 V3
Wolfsbach 163 Q4
Wolfsberg 172 Q8
Wolfsegg am Hausruck 162 N4
Wolfsgraben 159 U4
Wolfsthal 159 X4
Wolfurt 166 B6
Wolkersdorf 159 V3
Württemberger Hs. 167 D7
Wulka 165 V5
Wulkaprodersdorf 165 V5
Wullersdorf 158 U3
Wullowitz 157 P3
Wultendorf 159 V3
Wultschau 157 Q2
Wulzeshofen 159 U2
Wundschuh 172 S8
Würflach 164 U5
Wurmbrand 157 Q3
Würmla 158 T4
Würmlach 170 L9
Würnsdorf 158 R4
Wurzen-Paß 171 N9

Y

Ybbs 163 Q4
Ybbs an der Donau 158 R4
Ybbsitz 163 Q5
Ysper 158 R4

Z

Zahmer Kaiser 161 I6
Zams 167 D7
Zarnsdorf 164 R4
Zauchen 163 N6
Zauchensee 162 M7
Zaunhof 167 E7
Zaya 159 V3
Zederhaus 171 M7
Zedlitzdorf 171 N8
Zeillern 163 Q4
Zeinisjoch 166 C8
Zeiritzkampel 163 Q6
Zeiselmauer 159 U4
Zelking 158 R4
Zell am Moos 161 L5
Zell am Pettenfirst 162 M4
Zell am See 161 K7
Zell am Ziller 169 H7
Zell an der Pram 156 M4
Zell an der Ybbs 163 Q5
Zellberg 169 H7
Zellerndorf 158 T2
Zellerrain 164 R5
Zeller See *(bei Zell a. Moos)* 161 L5
Zeller See *(bei Zell a. See)* 161 K7
Zellinkopf 170 K8
Zell Pfarre 171 P9
Zelting 173 U8
Zeltschach 171 P8
Zeltweg 172 Q7
Zemendorf 165 V5
Zemmtal 169 H7
Zettersfeld 170 K8
Zeutschach 171 P7
Ziersdorf 158 T3
Ziethenkopf 170 K8
Ziller 169 I7
Zillergrund 169 H7
Zillertal 160 H6
Zillertaler Alpen 166 H7
Zillingtal 165 V5
Zimba 166 B7
Zinkenbach 162 M5
Zipf 162 M4
Zirbitzkogel 172 P7
Zirl 167 F7
Zirlerberg 167 F7
Zissersdorf *(bei Raabs)* 158 S2
Zissersdorf *(bei Stockerau)* 158 U3
Zistersdorf 159 W3
Zitterklapfen 166 B7
Zlabern 159 V2
Zöbern 165 U6
Zöbing 158 T3
Zöblen 166 D6
Zuckerhütl 167 F8
Zürs 166 C7
Zug 166 C7
Zugspitze 167 E6
Zurndorf 165 W5
Zwaring 172 S8
Zweinitz 171 O8
Zwentendorf 158 T3
Zwentendorf 159 V3
Zwerndorf 159 W3
Zwettl 158 R3
Zwettl an der Rodl 157 O3
Zwickenberg 170 K8
Zwieselstein 167 F8
Zwingendorf 159 U2
Zwölfaxing 159 V4
Zwölferhorn 162 M5

A

Abertamy 176 C3
Adamov 182 K5
Albrechtice 183 O4
Albrechtice nad Vltavou 181 F5
Arnoltice 177 F2
Aš 176 B3

B

Babylon 180 C5
Bakov nad Jizerou 177 G3
Bánov 183 M6
Bartošovice 183 N4
Bartošovice v
  Orlických horách 178 K3
Baška 183 N4
Batelov 181 H5
Bavorov 181 F5
Bečice 181 G5
Bečov 176 E3
Bečov nad Teplou 176 C3
Bečva 183 L5
Bedihošť 182 L5
Bedřichov 182 J5
Bechlín 177 F3
Bechyně 181 F5
Bělá nad Radbuzou 180 C4
Bělá nad Svitavou 182 J4
Bělá pod Bezdězem 177 G2
Bělá pod Pradědem 179 L3
Bělčice 180 E5
Bělečko 178 I3
Bělkovice-Lašťany 182 L4
Bělotín 183 M4
Benátky nad Jizerou 177 G3
Benecko 178 I2
Benešov
  (Jihočeský kraj) 182 K4
Benešov
  (Středočeský kraj) 181 G4
Benešov nad Černou 181 G6
Benešov nad Ploučnicí 177 F2
Bernartice
  (Jihočeský kraj) 181 F5
Bernartice
  (Královéhradecký kraj) 178 I2
Beroun 177 F4
Berounka 176 E4
Běšiny 180 D5
Besednice 181 G6
Běstvina 178 I4
Bezděz 177 G2
Bezdružice 176 C4
Bezno 177 G3
Bezvěrov 176 D4
Bílá 183 N5
Bílá Lhota 182 K4
Bílá Třemešná 178 I3
Bílá Voda 178 K3
Bílé Karpaty 183 M6
Bílina 177 D2
Bílovec 183 N4
Bílovice 183 M5
Bílovice nad Svitavou 182 K5
Bílý Potok 177 H2
Biskupice 183 M5
Bítov 182 I6
Blanice 181 F5
Blansko 182 K5
Blanský les 181 F5
Blatná 180 E5
Blatnice pod svatým
  Antonínkem 183 L6
Blatno 176 D3
Blížejov 180 C4
Blíževedly 177 F2
Blížkovice 182 I6
Blovice 180 E4
Blšany 176 D3
Blučina 182 K5
Bludov 178 K4
Bobrová 182 J5
Bochov 176 D3
Bohdalice 182 L5
Bohdalín 181 H5
Bohdalov 182 I5
Bohumín 179 N4
Bohuňovice 182 L4
Bohušov 179 M3
Bohuslavice
  (Jihočeský kraj) 182 L5
Bohuslavice
  (Královéhradecký kraj) 178 J3
Bohuslavice
  (Moravskoslezský kraj) 179 N4

Bohuslavice u Zlína 183 M5
Bohutín 180 E4
Bojkovice 183 M5
Bolatice 179 N4
Boleboř 176 D2
Bolešiny 180 D5
Boletice nad Labem 177 F2
Boňetice 180 C4
Bořetice 182 K6
Borohrádek 178 J3
Borotín 181 G4
Borová 182 J4
Borová Lada 180 E6
Borovany 181 G6
Borovnice 182 J4
Borovnice
  (Královéhradecký kraj) 178 J3
Boršice u Buchlovic 183 L5
Bory 182 J5
Boskovice 182 K5
Boubín 180 E6
Boubínský prales 180 E6
Bouzov 182 K4
Božanov 178 J2
Božejov 181 H5
Boží Dar 176 C3
Božice 182 J6
Břasy 176 E4
Břeclav 182 K6
Břehy 178 I3
Březany 182 J6
Březí 182 J6
Březina 177 H2
Březnice
  (Středočeský kraj) 180 E4
Březno
  (Středočeský kraj) 177 H3
Březno
  (Ústecký kraj) 176 D3
Březolupy 183 M5
Březová
  (Moravskoslezský kraj) 183 M4
Březová
  (Pardubický kraj) 176 C3
Březová
  (Zlínský kraj) 183 M6
Březůvky 183 M5
Břidličná 179 L4
Březnec 176 D2
Brandýs nad Labem 177 G3
Brandýs nad Orlicí 178 J3
Braníšovice 182 J6
Brantice 179 M3
Bratronice 177 F3
Bratrušoz 178 K3
Brloh 181 F6
Brná nad Labem 177 F2
Brněnec 177 F2
Brniště 177 G2
Brno 182 K5
Brno-Tuřany (Letiště) 182 K5
Brodek u Konice 182 K4
Brodek u Přerova 182 L5
Brodek u Prostějova 182 L5
Broumov 178 J2
Brozany 177 F3
Brtnice 181 I5
Brtníky 177 F2
Brumov-Bylnice 183 N5
Brumovice 179 M3
Bruntál 179 L4
Brušperk 183 N4
Bublava 176 C3
Bučovice 182 L5
Budeč 181 I5
Budišovice 181 I5
Budišov 182 J5
Budišov nad Budišovkou 183 M4
Budyně nad Ohří 177 F3
Buchlov 182 L5
Buchlovice 182 L5
Bukovec 183 O4
Bukovice 178 K4
Buštěhrad 177 F3
Byňov 181 G6
Byšice 177 G3
Býšť 178 I3
Bystřany 177 E2
Bystřička 183 M5
Bystřice
  (Moravskoslezský kraj) 183 O4
Bystřice
  (Středočeský kraj) 181 G4
Bystřice nad Pernštejnem 182 J4
Bystřice pod Hostýnem 183 M5
Bystrc 182 K5
Bystré 182 J4

Bzenec 182 L6

C

Čachrov 180 D5
Čáslav 177 H4
Častolovice 178 J3
Častrov 181 H5
Čechtice 181 H4
Čechtín 182 I5
Čejč 182 K6
Čejkovice 182 K6
Čeladná 183 N4
Čelákovice 177 G3
Čelina 181 F4
Čenkovice 178 K3
Čepřovice 180 E5
Čeradice 176 D3
Čerčany 181 G4
Čerchov 180 C5
Černá Hora 182 K5
Černá hora 182 K5
Černá hora 178 I2
Černá v Pošumaví 181 F6
Černčice 177 E3
Černilov 178 I3
Černošice 177 F4
Černošín 176 C4
Černovice 181 G5
Černovice 177 F3
Černý Důl 178 I2
Čertův kámen 181 G5
Červená Lhota 181 G5
Červená Řečice 181 H4
Červená Voda 178 K3
Červené Janovice 177 H4
Červený Kostelec 178 J3
Červený Újezd 177 G2
Červený vrch 182 K5
Česká Bělá 181 I4
Česká Kamenice 177 F2
Česká Lípa 177 G2
Česká Skalice 178 J3
Česká Třebová 178 J4
České Budějovice 181 F6
České Velenice 181 G6
České Žleby 180 E6
Český Brod 177 G3
Český Dub 177 H2
Český Krumlov 181 F6
Český les 180 C4
Český ráj 177 H2
Český Rudolec 181 H5
Český Šternberk 177 G4
Český Těšín 183 O4
Čestice 180 E5
Čestín 177 H4
Čimelice 181 F5
Čiměř 181 H5
Čiňeves 177 H3
Čisovice 177 F4
Čistá 176 E3
Čistá
  (Pardubický kraj) 178 J4
Čížkovice 177 F3
Čížová 181 F5
Čkyně 180 E5
Cehnice 180 F5
Cínovec 177 E2
Cítoliby 177 E3
Cornštejn 182 I6
Cvikov 177 G2

D

Dačice 181 H5
Dalečín 182 J4
Dalešice 182 J5
Dalešice (Vodní nádrž) 182 J5
Dambořice 182 K5
Dašice 178 I3
Davle 177 F4
Deblín 182 J5
Debrník 180 D5
Děčín 177 F2
Děčínský Sněžník 177 F2
Defurovy Lažany 180 E5
Dejvice 177 F3
Děšenice 180 D5
Dešov 181 I6
Deštná 181 G5
Deštné v Orlických horách 178 J3
Desná 177 H2
Dětmarovice 179 N4
Dětřichov nad Bystřicí 179 L4
Devět skal 182 J4
Dírná 181 G5
Divčí Hrady 182 K6
Dívčice 181 F5

Divišov 181 G4
Dlouhá Loučka 182 L4
Dlouhá Ves 180 E5
Dlouhopolsko 177 H3
Dobčice 181 F6
Dobev 180 F5
Dobřany 180 D4
Dobřeň 178 I3
Dobřenice 178 I3
Dobříč 176 D4
Dobřichovice 177 F4
Dobříš 177 F4
Dobrá 183 N4
Dobronín 181 I5
Dobrovice 177 G3
Dobruška 178 J3
Doksy 177 G2
Dolany 180 L4
Dolany
  (Olomoucký kraj) 182 D5
Dolní Benešov 179 N4
Dolní Bojanovice 182 L6
Dolní Bousov 177 H3
Dolní Břežany 181 G5
Dolní Bukovsko 181 G5
Dolní Čermná 178 K4
Dolní Cerekev 181 H5
Dolní Dobrouč 178 K4
Dolní Dunajovice 182 K6
Dolní Dvořiště 181 F6
Dolní Hbity 181 F4
Dolní Kalná 178 I2
Dolní Kounice 182 J5
Dolní Kralovice 181 H4
Dolní Krupá
  (Středočeský kraj) 177 G2
Dolní Krupá
  (Vysočina kraj) 181 I4
Dolní Lípa 178 K3
Dolní Loučky 182 J5
Dolní Lukavice 180 D4
Dolní Lutyně 179 N4
Dolní Město 181 H4
Dolní Morava 178 K3
Dolní Němčí 183 M6
Dolní Nivy 176 C3
Dolní Oldříš 177 H1
Dolní Poustevna 177 F2
Dolní Rožínka 182 J5
Dolní Slivno 177 G3
Dolní Údolí 179 L3
Dolní Újezd
  (Olomoucký kraj) 183 M4
Dolní Újezd
  (Pardubický kraj) 178 J4
Dolní Vltavice 180 F6
Dolní Žandov 176 C3
Dolnomoravský úval 182 L6
Domanín 182 L6
Domašov 182 J5
Domašov nad Bystřicí 183 L4
Domažlice 180 C5
Domousnice 177 H3
Doubí 176 C3
Doubravník 182 J5
Doubravy 183 M5
Doudleby nad Orlicí 178 J3
Doupovské hory 176 D3
Dřevohostice 183 M5
Dříteč 178 I3
Dříteň 181 F5
Drahanovice 182 L4
Drahany 182 K5
Drahobuz 177 F2
Drahonice 181 F5
Draženov 180 C5
Dražič 181 F5
Dražice 181 G5
Drmoul 176 C4
Drnholec 182 J6
Drnovice 182 K5
Dub nad Moravou 182 L5
Dubá 177 G2
Dubenec 181 F4
Dubí 177 E2
Dubice 177 F2
Dubicko 178 K4
Dublovice 181 F4
Dubňany 182 L6
Dubné 181 F6
Dubrava 179 N4
Duchcov 177 E2
Dvořiště 181 G5
Dvorce 179 M4
Dvory nad Lužnicí 181 G6
Dvůr Králové nad Labem 178 I3
Dyje 182 J6
Dyleň 176 C4

Dymokury 177 H3
Dýšina 176 D4

E-F

Entenbühl 176 B4
Fláje 176 E2
Folmava 180 C5
Francova Lhota 183 N5
Františkovy Lázně 176 B3
Frenštát pod Radhoštěm 183 N4
Fryčovice 183 N4
Frýdlant 177 H2
Frýdek-Místek 183 N4
Frýdlant nad Ostravicí 183 N4
Frymburk 181 F6
Fryšava 182 J4
Fryšták 183 M5
Fulnek 183 M4

G-CH

Golčův Jeníkov 178 H4
Grygov 182 L4
Chabařovice 177 E2
Cheb 176 B3
Chlístov 180 D5
Chlum
  (Chrudim) 182 I4
Chlum
  (Hradec Králové) 178 I3
Chlum
  (Jihočeský kraj) 182 K4
Chlum u Třeboně 181 G6
Chlumčany 180 D4
Chlumec nad Cidlinou 178 H3
Choceň 178 J4
Chocerady 177 G4
Chodov
  (Praha) 177 G3
Chodov
  (Sokolov) 176 C3
Cholina 182 L4
Choltice 178 I4
Chomutov 176 D3
Chornice 182 K4
Choroušov 177 G3
Chotěboř 181 I4
Chotěšov
  (Plzeňský kraj) 180 D4
Chotěšov
  (Ústecký kraj) 177 F3
Chotětov 177 G3
Chotilsko 181 F4
Chotoviny 181 G5
Chřibská 177 F2
Chřiby 182 L5
Chříč 176 E4
Chrášťany 181 G4
Chrást 176 D4
Chrast 178 I4
Chrastava 177 G2
Chroboly 180 F6
Chropyně 183 L5
Chrudim 178 I4
Chudenice 180 D5
Chudenín 180 D5
Chudolazy 177 F3
Chuchelná 179 N4
Chvalčov 183 M5
Chvaleč 178 J2
Chvaletice 177 H3
Chvalšiny 181 F6
Chyňava 177 F4
Chýnov 181 G5
Chyše 176 D3
Chyšky 181 F4

H

Habartice 177 H1
Habartov 176 C3
Habrovany 182 K5
Habry 181 I4
Háj 176 B3
Háj ve Slezsku 179 N4
Halenkov 183 N5
Halenkovice 183 L5
Halže 176 C4
Hanušovice 178 K3
Harrachov 178 H2
Hartmanice 180 D5
Hať 179 N4
Hatě 182 J6
Hatín 181 G5
Havířov 183 N4
Havlíčkova Borová 182 I4
Havlíčkův Brod 181 I4
Havraň 176 E3

Hazlov 176 B3
Hazmburk 177 F3
Hejnice 177 H2
Helfenburk 180 F5
Helfštýn 183 M4
Heřmaničky 181 G4
Heřmanova Huť 180 D4
Heřmanovice 179 L3
Heřmanův Městec 178 I4
Herálec
  (Pelhřimov) 182 J4
Herálec
  (Žďár nad Sázavou) 181 H4
Hevlín 182 J6
Hlavňovice 180 D5
Hlinné 182 J4
Hlinsko 182 I4
Hlubočky 183 L4
Hluboká nad Vltavou 181 F5
Hluboké Mašůvky 182 J6
Hlučín 179 N4
Hluk 183 M6
Hněvkovice 181 H4
Hnojník 183 O4
Hodkovice nad Mohelkou 177 H2
Hodonice 182 J6
Hodonín 182 L6
Hodslavice 183 N4
Hojsova Stráž 180 D5
Holasovice 179 M3
Holčovice 179 L3
Holešov 183 M5
Holice 178 I3
Holoubkov 176 E4
Holýšov 180 D4
Homole 181 F6
Honezovice 180 D4
Hořejší Kunčice 179 M4
Hořepník 181 H4
Hořičky 178 J3
Hořice 178 I3
Hořice na Šumavě 181 F6
Hořiněves 178 I3
Hořovičky 176 E3
Horušice 177 H4
Hora Svaté Kateřiny 176 D2
Hora Svatého Šebestiána 176 D2
Horažďovice 180 E5
Horka nad Moravou 182 L4
Horní Bečva 183 N5
Horní Benešov 179 M4
Horní Beřkovice 177 F3
Horní Blatná 176 C3
Horní Bříza 176 D4
Horní Bradlo 182 I4
Horní Čermná 178 K4
Horní Cerekev 181 H5
Horní Dvořiště 181 F6
Horní Jelení 178 J3
Horní Jiřetín 176 E2
Horní Kněžeklady 181 F5
Horní Kruty 177 G4
Horní Libchava 177 G2
Horní Lideč 183 N5
Horní Loděnice 183 L4
Horní Lomná 183 O4
Horní Maršov 178 I2
Horní Město 179 L4
Horní Moštěnice 183 L5
Horní Planá 180 F6
Horní Počernice 177 G3
Horní Slavkov 176 C3
Horní Štěpánov 182 K4
Horní Stropnice 181 G6
Horní Suchá 183 N4
Horní Vltavice 180 E6
Horšovský Týn 180 C4
Horusický rybník 181 G5
Hošťálková 183 M5
Hošťálkovy 179 M3
Hošťka 177 F3
Hostěradice 182 J6
Hostim 182 I5
Hostinné 178 I2
Hostivice 177 F3
Hostomice
  (Středočeský kraj) 177 F4
Hostomice
  (Ústecký kraj) 177 E2
Hostouň 180 C4
Hostýnské vrchy 183 M5
Hovězí 183 N5
Hovorany 182 K6
Hradčany 181 G5
Hrádek 183 N4
Hřensko 177 F2
Hříměždice 181 F4
Hříškov 177 E3
Hřivice 176 E3

A B C D E F G H I J K L M N O P Q R S T U V W X Y Z

- Hrabišín 178 L4
- Hrabyně 179 N4
- Hradčany 177 G2
- Hradec Králové 178 I3
- Hradec nad Moravicí 179 M4
- Hradec nad Svitavou 182 J4
- Hrádek (*Klatovy*) 180 D5
- Hrádek (*Rokycany*) 180 E4
- Hrádek (*Znojmo*) 182 J6
- Hrádek nad Nisou 177 G2
- Hrádek u Nechanic 178 I3
- Hradiště 176 D3
- Hracholusky (Vodní nádrž) 176 D4
- Hranice (*Karlovarský kraj*) 176 B3
- Hranice (*Olomoucký kraj*) 183 M4
- Hrejkovice 181 F5
- Hrob 176 E2
- Hrobčice 177 E2
- Hrochův Týnec 178 I4
- Hronov 178 J3
- Hrotovice 182 J5
- Hroznětín 176 C3
- Hrubá Voda 183 L4
- Hrubý Jeseník 177 L3
- Hrušky 182 K6
- Hrušovany nad Jevišovkou 182 J6
- Hrušovany u Brna 182 K5
- Hukvaldy 183 N4
- Hulín 183 L5
- Humpolec 181 H4
- Huštěnovice 183 L5
- Husinec 180 E5
- Huslenky 183 N5
- Hustopeče 182 K6
- Hustopeče nad Bečvou 183 M4
- Hutisko-Solanec 183 N5
- Huzová 182 L4
- Hvězdlice 182 L5
- Hvožďany 180 E4
- Hvozd 182 K4

I

- Ivančice 182 J5
- Ivanovice na Hané 182 L5

J

- Jabkenice 177 H3
- Jablonec nad Jizerou 178 H2
- Jablonec nad Nisou 177 H2
- Jablonné nad Orlicí 178 K3
- Jablonné v Podještědí 177 G2
- Jablůnka 183 M5
- Jablunkov 183 O4
- Jáchymov 176 C3
- Jalubí 183 L5
- Jankov 181 G4
- Janov nad Nisou 177 H2
- Janovice 183 N4
- Janovice nad Úhlavou 180 D5
- Janské Lázně 178 I2
- Jaroměř 178 I3
- Jaroměřice 182 K4
- Jaroměřice nad Rokytnou 182 I5
- Jarošov nad Nežárkou 181 H5
- Jaroslav 178 J3
- Jaroslavice 182 J6
- Javořice 181 H5
- Javorník (*Olomoucký kraj*) 178 L3
- Javorník (*Pardubický kraj*) 182 J4
- Jedlová 182 J4
- Jedovnice 182 K5
- Jemnice 181 I5
- Jeneč 177 F3
- Ještěd 177 G2
- Jesenice (*Praha*) 177 G4
- Jesenice (*Rakovník*) 176 D3
- Jesenice (Vodní nádrž) 176 B3
- Jeseník 179 L3
- Jeseník nad Odrou 183 M4
- Jestřebí 177 G2
- Jetřichovice 177 F2
- Jevany 177 G4
- Jevíčko 182 K4
- Jevišovice 182 I6
- Ježov 182 L5
- Jezeřany-Maršovice 182 J5
- Jezerní hora 180 D5
- Jičín 177 H3
- Jičíněves 177 H3
- Jihlava 181 H5
- Jihlava (*Sídla*) 181 I5
- Jilemnice 178 I2
- Jílové 177 F2
- Jílové u Prahy 177 F4
- Jilovice 181 G6
- Jimramov 182 J4
- Jince 177 E4
- Jindřichov (*Bruntál*) 179 M3
- Jindřichov (*Šumperk*) 178 K3
- Jindřichovice 176 C3
- Jindřichovice pod Smrkem 177 H2
- Jindřichův Hradec 181 H5
- Jinošov 182 J5
- Jiřetín pod Jedlovou 177 G2
- Jiříkov 177 G2
- Jirkov 176 D3
- Jistebnice 181 G5
- Jistebník 183 N4
- Jívová 183 L4
- Jizera 177 H2
- Jizera 177 H2
- Jizerské hory 177 H2
- Josefov 178 I3
- Josefův Důl 177 H2

K

- Kaceřov (*Plzeň-sever*) 176 E4
- Kaceřov (*Sokolov*) 176 C3
- Kácov 181 H4
- Kadaň 176 D3
- Kadov 180 E5
- Kájov 181 F6
- Kalek 176 D2
- Kámen 181 H5
- Kamenice (*Středočeský kraj*) 177 G4
- Kamenice (*Vysočina kraj*) 182 I5
- Kamenice nad Lipou 181 H5
- Kamenický Šenov 177 F2
- Kamenný Přívoz 177 G4
- Kamenný Újezd 181 F6
- Kamýk nad Vltavou 181 F4
- Kaplice 181 F6
- Kařez 176 E4
- Kardašova Řečice 181 G5
- Karlova Studánka 179 L3
- Karlovice 179 L3
- Karlovy Vary 176 C3
- Karlštejn 177 F4
- Karolinka 183 N5
- Karviná 179 O4
- Kašperk 180 E5
- Kašperské Hory 180 E5
- Kasárna 181 I5
- Kasejovice 180 E5
- Katovice 180 E5
- Katusice 177 G3
- Kaznějov 176 D4
- Kbely 177 G3
- Kdyně 180 D5
- Kejžlice 181 H4
- Kelč 183 M5
- Keprník 178 L3
- Kladno 177 F3
- Kladruby 180 C4
- Kladruby nad Labem 178 H3
- Klášterec nad Ohří 176 D3
- Klatovy 180 D5
- Klecany 177 F3
- Klenčí pod Čerchovem 180 C5
- Klenovice na Hané 182 L5
- Kleť 181 F6
- Klimkovice 183 N4
- Klínovec 176 C3
- Klobouky 182 K6
- Klobuky 177 E3
- Kněždub 183 L6
- Kněževes 176 E3
- Kněžice (*Středočeský kraj*) 177 H3
- Kněžice (*Vysočina kraj*) 181 I5
- Kněžmost 177 H3
- Knížecí stolec 180 F6
- Knížecí strom 176 B4
- Kobeřice 179 N4
- Kobylí 182 K6
- Kocbeře 178 I3
- Kojetín (*Olomoucký kraj*) 182 L5
- Kojetín (*Ústecký kraj*) 176 D3
- Kokašice 176 C4
- Kokořín 177 G3
- Kokory 183 L5
- Kolín 177 H3
- Kolinec 180 D5
- Kolný 181 G5
- Koloveč 180 D5
- Komáří hůrka 177 E2
- Komárov 177 E4
- Komorní Lhotka 183 O4
- Komorovice 181 H4
- Koněprusy 177 F4
- Konice 182 K4
- Konopiště 181 G4
- Konstantinovy Lázně 176 C4
- Kopaniny 176 B3
- Kopidlno 177 H3
- Kopřivnice 183 N4
- Kořenov 177 H2
- Koryčany 182 L5
- Korytná 183 M6
- Košetice 181 H4
- Košice 181 G5
- Košťálov 177 H2
- Košťany 177 E2
- Koštice 177 E3
- Kosičky 178 I3
- Kosova Hora 181 F4
- Kost 177 H3
- Kostelec 181 I5
- Kostelec na Hané 182 L4
- Kostelec nad Černými Lesy 177 G4
- Kostelec nad labem 177 G3
- Kostelec nad Orlicí 178 J3
- Kostelní Hlavno 177 G3
- Kostomlaty nad Labem 177 G3
- Kostomlaty pod Milešovkou 177 E2
- Kotel 178 I2
- Kounice 177 G3
- Kouřim 177 G3
- Kouty 182 I5
- Kouty nad Desnou 178 L3
- Kovářov 181 F4
- Kovářská 176 D3
- Kožlany 176 E4
- Kozí Hrádek 181 G5
- Kozlovice 183 N4
- Kozojedy 176 E4
- Kozolupy 176 D4
- Křečovice 181 F4
- Křelovice 181 H4
- Křemže 181 F6
- Křenice 180 D4
- Křenov 182 K4
- Křenovice 182 K5
- Křešice 177 F2
- Křetín 182 K4
- Křinec 177 H3
- Křivoklát 177 E3
- Křižanov 182 J5
- Křižany 177 G2
- Křížová 182 I4
- Křtiny 182 K5
- Krajková 176 C3
- Kralice nad Oslavou 182 J5
- Králický Sněžník 178 K3
- Králíky 178 K3
- Královec 178 I2
- Kralovice 176 D4
- Kralupy nad Vltavou 177 F3
- Králův Dvůr 177 F4
- Kramolín 182 J5
- Kraselov 180 E5
- Kraslice 176 C3
- Krásná 183 N4
- Krásná Hora nad Vltavou 181 F4
- Krásná Lípa 177 G2
- Krásný Dvůr 176 D3
- Kratochvíle 181 F5
- Kravaře (*Liberecký kraj*) 177 F2
- Kravaře (*Moravskoslezský kraj*) 179 N4
- Krchleby (*Kutná Hora*) 177 H4
- Krchleby (*Nymburk*) 177 H3
- Krkonoše 178 I2
- Krnov 179 M3
- Kroměříž 183 L5
- Krompach 177 G2
- Krouna 182 J4
- Krsy 176 D4
- Krumvíř 182 K6
- Krupá 176 E3
- Krupka 177 E2
- Krušné hory 176 C3
- Kryry 176 D3
- Kučeř 181 F5
- Kuks 178 I3
- Kunčice pod Ondřejníkem 183 N4
- Kunčina 182 K4
- Kunín 183 M4
- Kunovice 183 L5
- Kunštát 182 K4
- Kunvald 178 J3
- Kunžak 181 H5
- Kuřim 182 K5
- Kuřivody 177 G2
- Kutná Hora 177 H4
- Kvasice 183 L5
- Kvasiny 178 J3
- Kvilda 180 E5
- Kyjov 182 L5
- Kyjovice 179 N4
- Kynšperk nad Ohří 176 C3
- Kyselka 176 C3
- Kytlice 177 G2

L

- Labe 177 I3
- Landštejn 181 H5
- Lánov 178 I2
- Lanškroun 178 K4
- Lanžhot 182 K6
- Lanžov 178 I3
- Lásenice 181 G5
- Lázně Bělohrad 178 I3
- Lázně Bohdaneč 178 I3
- Lázně Kynžvart 176 C3
- Ledeč nad Sázavou 181 H4
- Ledenice (*Jihočeský kraj*) 181 G6
- Lednice (*Jihočeský kraj*) 182 K6
- Lechovice 182 J6
- Lelekovice 182 K5
- Lenešice 177 E3
- Lenora 180 E6
- Lešná 183 M5
- Lešná (*Severomoravský kraj*) 183 M4
- Leština u Světlé 181 H4
- Leština 178 K4
- Leskovec nad Moravicí 179 M4
- Lesná 176 C4
- Lesný 176 C3
- Lestkov 176 C4
- Letiny 180 D4
- Letňany 177 G3
- Letohrad 178 K3
- Letonice 182 K5
- Letovice 182 K4
- Lezník 182 J4
- Lhenice 181 F6
- Lhota 183 M4
- Lhota pod Libčany 178 I3
- Lhota pod Radčem 176 E4
- Lhotka 177 F3
- Libá 176 B3
- Libáň 177 H3
- Libčeves 177 E3
- Libčice nad Vltavou 177 F3
- Libecina 178 J4
- Liběchov 177 F3
- Liberec 177 H2
- Liběšice 177 F2
- Líbeznice 177 F3
- Líbchavy 178 J3
- Libice nad Doubravou 182 I4
- Libín 180 F6
- Libina 178 L4
- Libínské Sedlo 180 E6
- Libňatov 178 J3
- Libočany 176 E3
- Libochovice 177 F3
- Liboměřice 178 I4
- Libošovice 177 H3
- Libouchec 177 F2
- Libřice 178 I3
- Libušín 177 F3
- Lično 178 J3
- Lidečko 183 N5
- Lidice 177 F3
- Lichnov 179 M3
- Lindava 177 G2
- Líně 180 D4
- Lípa 181 I4
- Lipí 181 F6
- Lipnice 181 G6
- Lipník 182 I5
- Lipník nad Bečvou 183 M4
- Lipno I (Vodní nádrž) 180 F6
- Lipno-Lipenec 176 E3
- Lipno nad Vltavou 181 F6
- Lipoltice 178 I4
- Lipov 183 L6
- Lipová 182 K4
- Lipová-lázně 179 L3
- Lipovec 182 K5
- Liptál 183 M5
- Lipůvka 182 K5
- Líšeň 182 K5
- Lišov 181 G5
- Lišťany 176 D4
- Liteň 177 F4
- Litenčice 182 L5
- Litice 180 D4
- Litobratřice 182 J6
- Litohoř 182 I5
- Litoměřice 177 F2
- Litomyšl 178 J4
- Litovel 182 L4
- Litultovice 179 M4
- Litvínov 176 E2
- Lnáře 180 E5
- Lobendava 177 F1
- Loděnice 177 F4
- Lochovice 177 E4
- Loket 176 C3
- Lom (*Jihočeský kraj*) 180 E5
- Lom (*Ústecký kraj*) 176 E2
- Lomnice 182 J5
- Lomnice nad Lužnicí 181 G5
- Lomnice nad Popelkou 177 H2
- Loštice 182 K4
- Loučeň 177 H3
- Loučka 183 M5
- Loučka (*Přerov*) 183 M4
- Loučky 183 M4
- Loučná nad Desnou 178 L3
- Loučovice 181 F6
- Louka 183 L6
- Louňovice pod Blaníkem 181 G4
- Louny 177 E3
- Lovčice 182 L5
- Lovečkovice 177 F2
- Lovosice 177 F2
- Loza 176 D4
- Lubenec 176 D3
- Lubná 183 L5
- Lubná (*Východočeský kraj*) 182 J4
- Luby 176 B3
- Lučina 183 N4
- Ludgeřovice 179 N4
- Ludvíkovice 177 F2
- Luhačovice 183 M5
- Luká 182 K4
- Luka nad Jihlavou 181 I5
- Lukavec 181 G4
- Lukov 183 M5
- Lukov (*Znojmo*) 182 I6
- Luleč 182 K5
- Luštěnice 177 G3
- Lusen 180 E6
- Lutín 182 L4
- Luž 177 G2
- Luže 178 J4
- Lužec nad Vltavou 177 F3
- Lužice 182 L6
- Lužické hory 177 G2
- Lužná 176 E3
- Lužnice 181 G6
- Lysá hora 183 N4
- Lysá nad Labem 177 G3
- Lysice 182 K5

M

- Macocha 182 K5
- Machov 178 J3
- Máchovo jezero 177 G2
- Malá Morávka 179 L3
- Malá Štáhle 179 L4
- Malá Skála 177 H2
- Malá Úpa 178 I2
- Malé Březno (*Most*) 176 E3
- Malé Březno (*Ústí n. Lab.*) 177 F2
- Malešov 177 H4
- Maletín 182 K4
- Malonty 181 G6
- Malšice 181 G5
- Malšín 181 F6
- Manětín 176 D4
- Mariánské Lázně 176 C4
- Markvarec 181 H5
- Markvartovice 179 N4
- Maršíkov 178 L3
- Maršovice 181 G4
- Maštov 176 D3
- Maxičky 177 F2
- Mcely 177 H3
- Měčín 180 D5
- Měděnec 176 D3
- Měcholupy 176 E3
- Melč 179 M4
- Mělnické Vtelno 177 G3
- Mělník 177 F3
- Měnín 182 K5
- Měřín 182 I5
- Merklín 180 D4
- Městec Králové 177 H3
- Městečko Trnávka 182 K4
- Město Albrechtice 179 M3
- Město Libavá 183 M4
- Město Touškov 176 D4
- Meziboří 176 E2
- Meziměstí 178 J2
- Mikulášovice 177 F2
- Mikulov (*Jihomoravský kraj*) 182 K6
- Mikulov (*Ústecký kraj*) 176 E2
- Mikulovice (*Jihočeský kraj*) 182 J6
- Mikulovice (*Olomoucký kraj*) 179 L3
- Milešov (*Středočeský kraj*) 181 F4
- Milešov (*Ústecký kraj*) 177 E2
- Miletín 178 I3
- Milevsko 181 F5
- Milíčín 181 G4
- Milín 181 F4
- Milotice 182 L6
- Milovice (*Jihočeský kraj*) 182 K6
- Milovice (*Středočeský kraj*) 177 G3
- Mimoň 177 G2
- Miřetice 178 I4
- Miřkov 180 C4
- Mirošov 180 E4
- Miroslav 182 J6
- Mirotice 180 F5
- Mirovice 181 F4
- Miškovice 183 M5
- Mísečky 178 I2
- Místo 176 D3
- Mladá Boleslav 177 G3
- Mladá Vožice 181 G4
- Mladé Buky 178 I2
- Mladějovice 182 L4
- Mladkov 178 K3
- Mladošovice 181 G6
- Mladotice 176 D4
- Mlázovice 178 I3
- Mlečice 176 E4
- Mlýny 181 G5
- Mnich 181 G5
- Mnichov 176 C3
- Mnichovice (*Benešov*) 181 H4
- Mnichovice (*Praha-východ*) 177 G4
- Mnichovo Hradiště 177 G2
- Mníšek 177 H2
- Mníšek pod Brdy 177 F4
- Modřice 182 K5
- Modrava 180 D5
- Mochov 177 G3
- Mochtín 180 D5
- Mohelnice 182 K4
- Mohelnice nad Jizerou 177 G2
- Mohelno 182 J5
- Mohyla míru 182 K5
- Mokrá-Horákov 182 K5
- Moldava 176 E2
- Mořina 177 F4
- Mořkov 183 N4
- Morašice 178 J4
- Morava 178 K3
- Moravany 178 I4
- Moravec 182 J5
- Moravičany 182 K4
- Moravice 179 M4
- Morávka 183 O4
- Moravská Nová Ves 182 L6

Moravská Třebová 182 K4
Moravské Budějovice 182 I5
Moravskoslezské
  Beskydy 183 N5
Moravský Beroun 183 L4
Moravský Kras 182 K5
Moravský Krumlov 182 J5
Moravský Písek 182 L6
Morkovice-Slížany 182 L5
Mošnov 183 N4
Most 176 E2
Mostek 178 I3
Mostkovice 182 L5
Mosty u Jablunkova 183 O4
Moutnice 182 K5
Mratín 177 G3
Mrázov 176 C4
Mšec 177 E3
Mšené-lázně 177 F3
Mšeno 177 G3
Mukařov 177 G4
Mutějovice 176 E3
Mutěnice 182 L6
Myštice 180 E5
Myslejovice 182 L5
Myslibořice 182 I5
Mýtina 176 B3
Mýto 176 E4
Mže 176 C4

N
Načeradec 181 G4
Náchod 178 J3
Náklo 182 L4
Nalžovské Hory 180 E5
Náměšť na Hané 182 L4
Náměšť nad Oslavou 182 J4
Napajedla 183 M5
Nasavrky 178 I4
Nebužely 177 G3
Nečemice 176 E3
Nečtiny 176 D4
Nedakonice 183 L5
Nedašov 183 N5
Nedvědice 182 J5
Nechanice 178 I3
Nechranice (Vodní nádrž) . 176 D3
Nechvalice 181 F4
Nejdek 176 C3
Nekvasovy 180 E5
Nemanice 180 C5
Němčice 182 K5
Němčice 180 D5
Němčice nad Hanou 182 L5
Nepomuk 180 E5
Neratovice 177 G3
Neslovice 182 J5
Nesovice 182 L5
Nespeky 177 G4
Netolice 181 F5
Netřebice 177 H3
Netvořice 177 G4
Neurazy 180 E5
Neustupov 181 G4
Neveklov 181 G4
Nezamyslice 182 L5
Nezvěstice 180 E4
Nivnice 183 M6
Nížbor 177 F3
Nížkov 182 I4
Nížkovice 182 K5
Nová Bystřice 181 H5
Nová Cerekev 181 H5
Nová Hospoda 176 C4
Nová Lhota 183 M6
Nová Paka 178 I3
Nová Pec 180 E6
Nová Říše 181 I5
Nová Role 176 C3
Nová Včelnice 181 H5
Nová Ves
  (Břeclav) 182 K6
Nová Ves
  (Jihlava) 181 H5
Nová Ves
  (Mělník) 177 F3
Nová Ves I 177 H3
Nová Ves v Horách 176 D2
Nové Dvory 177 H4
Nové Hrady
  (Jihočeský kraj) 181 G6
Nové Hrady
  (Pardubický kraj) 178 J4
Nové Město na Moravě 182 J4
Nové Město nad Metují 178 J3
Nové Město pod Smrkem ... 177 H2
Nové Mitrovice 180 E4

Nové Mlýny
  (Vodní nádrž) 182 K6
Nové Sedlo 176 C3
Nové Strašecí 177 E3
Nové Syrovice 182 I5
Nové Veselí 182 I4
Novohradské hory 181 G6
Novosedly nad Nežárkou ... 181 G5
Nový Bor 177 G2
Nový Bydžov 178 I3
Nový Hrádek 178 J3
Nový Hrozenkov 183 N5
Nový Jičín 183 N4
Nový Knín 177 F4
Nový Kostel 176 B3
Nový Malín 178 L4
Nový Přerov 182 J6
Nový Rychnov 181 H5
Nýdek 183 O4
Nymburk 177 H3
Nýřany 180 D4
Nýrsko 180 D5

O
Obecnice 180 E4
Obory 181 F4
Obříství 177 F3
Obrataň 181 G5
Obrnice 176 E2
Obrnice 177 F2
Odolena Voda 177 F3
Odra 183 N4
Odry 183 M4
Ochoz u Brna 182 K5
Oheb 178 I4
Ohře 176 D3
Okna 177 G2
Okounov 176 D3
Okříšky 182 I5
Okrouhlá 176 B3
Okrouhlice 181 I4
Olbramovice
  (Jihočeský kraj) 182 J6
Olbramovice
  (Středočeský kraj) 181 G4
Oldřichovice 183 O4
Oldřišov 179 M4
Olešnice
  (Jihočeský kraj) 181 G6
Olešnice
  (Jihočeský kraj) 182 J4
Olešnice
  v Orlických horách 178 J3
Olomouc 182 L4
Oloví 176 C3
Olšany u Prostějova 182 L4
Olší 182 J5
Olšovec 183 M4
Oltyně 181 G5
Ondřejov 177 G4
Opařany 181 F5
Opatov
  (Pardubický kraj) 178 K4
Opatov
  (Vysočina kraj) 181 I5
Opatovice 183 M4
Opatovice nad Labem 178 I3
Opava 179 M3
Opava
  (Sídla) 179 M4
Opočno 178 J3
Opolany 177 H3
Ořechov 182 K5
Oráčov 176 E3
Orlice 178 J3
Orlické hory 178 J3
Orlické Záhoří 178 J3
Orlík 179 L3
Orlík (Vodní nádrž) 181 F4
Orlík nad Vltavou 181 F4
Orlová 179 N4
Osečná 177 G2
Osek
  (Plzeňský kraj) 176 E4
Osek (Ústecký kraj) 176 E2
Osek nad Bečvou 183 M4
Oskava 178 L4
Oskořínek 177 H3
Oslavany 182 J5
Osoblaha 179 M3
Osová Bitýška 182 J5
Ostrava 179 N4
Ostrava-Mošnov (Letiště) . 183 N4
Ostravice 183 N4
Ostroměř 178 I3
Ostrov
  (Karlovarský kraj) 176 C3

Ostrov (Pardubický kraj) . 178 K4
Ostrov nad Oslavou 182 I5
Ostrov u Macochy 182 K5
Ostrovec 181 F5
Ostrožská Nová Ves 183 L5
Ostružná 178 L3
Ostrý 180 D5
Osvětimany 182 L5
Otaslavice 182 L5
Otava 180 D5
Otice 179 M4
Otnice 182 K5
Otročín 176 C3
Otrokovice 183 M5
Otryby 177 G4
Otvice 176 D3
Ovčáry 177 H3

P
Pačejov 180 E5
Pačlavice 182 L5
Pacov 181 H5
Palkovice 183 N4
Pancíř 180 D5
Panenský Týnec 177 E3
Panská skála 177 F2
Panské Dubenky 181 H5
Paračov 180 E5
Pardubice 178 I3
Pašovice 183 M5
Paseka 182 L4
Paskov 183 N4
Pasohlávky 182 K6
Pastviny 178 K3
Pavlice 182 I6
Pavlíkov 176 E3
Pavlovské vrchy 182 K6
Pec pod Sněžkou 178 I2
Pěčín 178 J3
Pečky 177 H3
Pecka 178 I3
Pelhřimov 181 H5
Pěnčín 177 H2
Pernarec 176 D4
Pernink 176 C3
Pernštejn 182 J5
Perštejn 176 D3
Peruc 177 E3
Pětipsy 176 D3
Petřvald 179 N4
Petrovice
  (Ústí n. Lab.) 177 E2
Petrovice
  (Česká Lípa) 177 G2
Petrovice
  (Příbram) 181 F4
Petrovice
  (Znojmo) 182 J5
Petrovice u Karviné 179 O4
Petrovice u Sušice 180 D5
Pchery 177 F3
Pila 176 C3
Pilníkov 178 I2
Píšť 179 N4
Písečná 179 L3
Písečné 181 H6
Písek (Jihočeský kraj) ... 181 F5
Písek
  (Moravskoslezský kraj) . 183 O4
Plaňany 177 H3
Plána 176 C4
Planá nad Lužnicí 181 G5
Plánice 180 D5
Plasy 176 D4
Plavy 177 H2
Plechý 180 E6
Plešivec 176 C3
Plesná 176 B3
Plumlov 182 L5
Plzeň 176 D4
Pňovany 176 D4
Pňovice 182 L4
Poběžovice 180 C4
Počátky 181 H5
Pocinovice 180 D5
Podbořanský Robozec 176 D3
Podbořany 176 D3
Podbřezí 178 J3
Poděbrady 177 H3
Podhora 177 H3
Podhradí 177 H3
Podhradí nad Dyjí 181 I6
Podivín 182 K6
Podlesí 183 M4
Podmokly 176 E4
Podolí 183 M5

Podomí 182 K5
Podstrání 176 C3
Pohořelice 182 K6
Pohoří na Šumavě 181 G6
Pohorská Ves 181 G6
Polánka 182 J5
Polepy 177 F2
Polešovice 182 L5
Polička 182 J4
Police nad Metují 178 J2
Polná 182 I5
Polná na Šumavě 181 F6
Polnička 182 I4
Pomezí 182 J4
Pomezí nad Ohří 176 B3
Popelín 181 H5
Poříčany 177 G3
Poříčí nad Sázavou 177 G4
Poruba 183 N4
Postoloprty 176 E3
Postřekov 180 C5
Postřelmov 178 K4
Postupice 181 G4
Potěhy 177 H4
Potštát 183 M4
Potštejn 178 J3
Povrly 177 F2
Pozdeň 177 E3
Pozořice 182 K5
Práslavice 183 L4
Přebuz 176 C3
Předín 181 I5
Předměřice nad Jizerou ... 177 G3
Předměřice nad Labem 178 I3
Přelouč 178 I3
Přemyslovice 182 K4
Přepychy 178 J3
Přerov 183 L5
Přerov nad Labem 177 G3
Přeštice 180 D4
Příbor 183 N4
Příbram
  (Středočeský kraj) 180 F4
Příbram
  (Ústecký kraj) 177 F2
Přibyslav 182 I4
Přimda 176 D3
Přísečnice (Vodní nádrž) . 176 D3
Praděd 179 L3
Prachatice 180 F5
Prachomety 176 C3
Prachovice 178 I4
Praha 177 G3
Praha-Ruzyně (Letiště) ... 177 F3
Prameny 176 C3
Pravčická brána 177 F2
Pražmo 183 N4
Proseč 182 J4
Prosiměřice 182 J6
Prostějov 182 L5
Prostřední Bečva 183 N5
Protivanov 182 K5
Protivín 181 F5
Průhonice 177 G4
Pruněřov 176 D3
Prušánky 182 K6
Prusinovice 183 M5
Pšov 176 D3
Pšov
  (Západočeský kraj) 176 D3
Psáry 177 G4
Ptení 182 K4
Purkarec 181 F5
Pustá Polom 179 N4
Pustiměř 182 L5

R
Rásná 181 H5
Řečany nad Labem 178 H3
Řečice 181 H5
Řeka 183 O4
Řepiště 183 N4
Řevničov 177 E3
Řevnice 177 F4
Říčany (Jihočeský kraj) .. 182 J5
Říčany
  (Středočeský kraj) 177 G4
Říčky 178 J3
Řimov 181 F6
Řimov (Vodní nádrž) 181 F6
Rabí 180 E5
Rabyně 177 F4
Račice-Pístovice 182 K5
Radbuza 180 C4
Radeč 176 E4
Radíč 181 F4

Radiměř 182 J4
Radnice 176 E4
Radomyšl 180 E5
Radonice 176 D3
Radošice 180 E4
Radostín nad Oslavou 182 I5
Radotice 181 I6
Radotín 177 F4
Radovesnice I 177 H3
Radslavice 183 M5
Raduň 179 M4
Rájec-Jestřebí 182 K5
Rajhrad 182 K5
Rajnochovice 183 M5
Rakovník 176 E3
Rakvice 182 K6
Rancířov 181 I6
Rapotín 178 L4
Rapšach 181 G6
Raspenava 177 H2
Rataje nad Sázavou 177 G4
Ratiboř 183 M5
Ratibořice 178 J3
Ratibořské Hory 181 G5
Ratíškovice 182 L6
Ražice 181 F5
Rejštejn 180 E5
Ročov 177 E3
Rohatec 182 L6
Rohovládova Bělá 178 I3
Rohozná 182 J4
Rokycany 180 E4
Rokytnice 183 L5
Rokytnice nad Jizerou 178 H2
Rokytnice nad Rokytnou ... 182 I5
Ronov nad Doubravou 178 I4
Ropice 183 O4
Roštejn 181 H5
Rosice 182 J5
Rosovice 181 F4
Rotava 176 C3
Roudnice nad Labem 177 F3
Rouchovany 182 J5
Rousínov
  (Jihočeský kraj) 182 K5
Rousínov
  (Středočeský kraj) 176 E3
Rovečné 182 J4
Rovensko pod Troskami 177 H2
Rožďalovice 177 H3
Rožmberk 181 G5
Rožmberk nad Vltavou 181 F6
Rožmitál pod Třemšínem ... 180 E4
Rožnov pod Radhoštěm 183 N5
Rozkoš 182 I5
Rozkoš (Vodní nádrž) 178 J3
Rozseč nad Kunštátem 182 J4
Roztoky
  (Praha-západ) 177 F3
Roztoky
  (Rakovník) 177 E3
Rozvadov 180 C4
Rtyně v Podkrkonoší 178 J2
Ruda nad Moravou 178 K4
Rudná 177 F3
Rudník 178 I2
Rudolfov 181 G6
Rumburk 177 G2
Rusava 183 M5
Rybitví 178 I3
Rybničná 176 C3
Rychnov 180 C4
Rýdeč 177 F2
Rychlebské hory 178 K3
Rychnov 182 K4
Rychnov nad Kněžnou 178 J3
Rychnov
  u Jablonce nad Nisou ... 177 H2
Rychtářov 182 K5
Rychvald 179 N4
Rýmařov 179 L4
Rymice 183 M5
Rynárec 181 H5
Rynoltice 177 G2

S
Šafov 182 I6
Šakvice 182 K6
Šance (Vodní nádrž) 183 N4
Šardice 182 L6
Šebetov 182 K4
Šebkovice 182 I5
Šenov 183 N4
Ševětín 181 G5

Široká Niva 179 L3
Šitbořice 182 K5
Škrdlovice 182 I4
Škvorec 177 G3
Šlapanice 182 K5
Šlapanov 181 I4
Šluknov 177 F2
Špičák 180 D5
Špindlerův Mlýn 178 I2
Šťáhlavy 180 E4
Štěchovice 177 F4
Štěkeň 180 F5
Štěnovice 180 D4
Štěpánkovice 179 N4
Štěpánov 182 L4
Štěpánov nad Svratkou 182 J4
Šternberk 182 L4
Štětí 177 F3
Štítina 179 N4
Štíty 178 K4
Štoky 181 I4
Štramberk 183 N4
Šumava 180 D5
Šumice 183 M5
Šumná 182 I6
Šumperk 178 K4
Šumvald 178 L4
Švihov 180 D5
Sadov 176 C3
Sadová 178 I3
Sadská 177 G3
Sázava 181 G4
Sázava
  (Středočeský kraj) 177 H4
Sázava
  (Vysočina kraj) 182 I4
Sebuzín 177 F2
Seč 178 I4
Sedlčany 181 F4
Sedlec 178 I3
Sedlec-Prčice 181 G4
Sedlice 180 E5
Sedliště 183 N4
Sedlo 177 F2
Semčice 177 H3
Semily 177 H2
Semněves 180 C4
Senice na Hané 182 L4
Senomaty 176 E3
Senožaty 181 H4
Sepekov 181 F5
Sezemice 178 I3
Sezimovo Ústí 181 G5
Sirotčí Hrádek 182 K6
Skalná 176 B3
Skašov 180 D4
Skochovice 177 H3
Skřipov 183 M4
Skryje 176 E4
Skuhrov 181 I4
Skuhrov nad Bělou 178 J3
Skuteč 178 I4
Slabce 176 E4
Slaný 177 F3
Slapy 177 F4
Slapy (Vodní nádrž) 177 F4
Slatiňany 178 I4
Slatinice 182 L4
Slavhostice 177 H3
Slavičín 183 M5
Slavkov
  (Moravskoslezský kraj) . 179 M4
Slavkov
  (Zlínský kraj) 183 M6
Slavkov u Brna 182 K5
Slavkovský les 176 C3
Slavonice 181 H6
Sloup 182 K5
Sloup v Čechách 177 G2
Sloupnice 178 J4
Slušovice 183 M5
Smečno 177 F3
Smědeč 181 F6
Smidary 178 H3
Smiřice 178 I3
Smolov 180 C4
Smrčná 181 I5
Smrk 182 N4
Smrk 177 H2
Smržice 182 L5
Smržovka 177 H2
Sněžka 178 I2
Sněžné 182 J4
Soběšice 180 E5
Soběslav 181 G5

A B C D E F G H I J K L M N O P Q R S T U V W X Y Z

A B C D E F G H I J K L M N O P Q R S T U V W X Y Z

Sobotín ... 178 L3
Sobotka ... 177 H3
Sokolnice ... 182 K5
Sokolov ... 176 C3
Solenice ... 181 F4
Solnice ... 178 J3
Sopotnice ... 178 J3
Sovinec ... 179 L4
Spálené Poříčí ... 180 E4
Spálov ... 183 M4
Spytihněv ... 183 M5
Srbeč ... 177 E3
Srbská Kamenice ... 177 F2
Srní ... 180 D5
Stachy ... 180 E5
Stáj ... 182 I5
Staňkov ... 180 D4
Stanovice (Vodní nádrž) ... 176 C3
Stařeč ... 182 I5
Stará Bělá ... 183 N4
Stará Boleslav ... 177 G3
Stará Libavá ... 183 M4
Stará Paka ... 178 I2
Stará Ves nad Ondřejnicí ... 183 N4
Stará Voda ... 176 C4
Staré Čivice ... 178 I3
Staré Hamry ... 183 N5
Staré Hobzí ... 181 H5
Staré Hradiště ... 178 I3
Staré Křečany ... 177 G2
Staré Město (Bruntál) ... 178 L3
Staré Město (Šumperk) ... 178 K3
Staré Město (Svitavy) ... 182 K4
Staré Město pod Landštejnem ... 181 H5
Staré Sedliště ... 176 C4
Staré Smrkovice ... 178 I3
Staré Splavy ... 177 G2
Staré Ždánice ... 178 I3
Stárkov ... 178 J2
Starý Hrozenkov ... 183 M6
Starý Jičín ... 183 M4
Starý Plzenec ... 180 D4
Starý Smolivec ... 180 E4
Stěbořice ... 179 M4
Stěžery ... 178 I3
Stod ... 180 D4
Stodůlky ... 177 F3
Stochov ... 177 E3
Stonařov ... 181 I5
Stonava ... 183 O4
Střekov ... 177 F2
Střela ... 176 D4
Střelice ... 182 K5
Stříbřec ... 181 G5
Stříbrná ... 182 K5
Stříbrná ... 176 C3
Stříbrná Skalice ... 177 G4
Stříbrnice ... 177 F2
Stříbro ... 176 C4
Střílky ... 182 L5
Stradouň ... 178 J4
Strachotice ... 182 J6
Strachotín ... 182 K6
Strakonice ... 180 E5
Strančice ... 177 G4
Stráni ... 183 M6
Strašice ... 180 E4
Strašín ... 180 E5
Straškov-Vodochody ... 177 F3
Strašov ... 178 I3
Stráž ... 180 C4
Stráž nad Nežárkou ... 181 G5
Stráž pod Ralskem ... 177 G2
Strážek ... 182 J5

Strážiště ... 177 G2
Strážkovice ... 181 G6
Strážnice ... 182 L6
Strážný ... 180 E6
Strážný ... 180 E6
Strážov ... 180 D5
Strmilov ... 181 H5
Strunkovice nad Blanicí ... 181 F5
Strupčice ... 176 E3
Studánka ... 181 F6
Studánky ... 181 F6
Studená ... 181 H5
Studenec ... 178 I2
Studénka ... 183 N4
Stvolny ... 176 D3
Sudice ... 179 N3
Sudoměřice ... 182 L6
Sudoměřice u Bechyně ... 181 G5
Suchdol ... 177 H4
Suchdol nad Lužnicí ... 181 G6
Suchdol nad Odrou ... 183 M4
Suchohrdly ... 182 J6
Suchomasty ... 177 F4
Suchý vrch ... 178 K3
Sukorady ... 178 I3
Sušice ... 180 E5
Svatá ... 180 E5
Svatá Kateřina ... 180 D5
Svatobořice-Mistřín ... 182 L6
Svatoslav ... 182 I5
Svatý Kopeček ... 178 K4
Svébohov ... 178 K4
Světlá Hora ... 179 L3
Světlá nad Sázavou ... 181 H4
Světlík ... 181 F6
Světnov ... 182 I4
Svinky ... 181 G5
Svitava ... 182 K5
Svitávka ... 182 K5
Svitavy ... 182 J4
Svoboda nad Úpou ... 178 I2
Svojanov ... 182 J4
Svojetín ... 176 E3
Svojsice ... 177 H3
Svratka ... 182 J4
Svratka ... 182 J5
Sychrov ... 177 H2
Syrovice ... 182 K5

T
Tábor ... 181 G5
Tachov ... 176 C4
Tálín ... 181 F5
Tanečnice ... 183 N5
Tanvald ... 177 H2
Tasov ... 182 J5
Tatenice ... 178 K4
Tavíkovice ... 182 J5
Tečovice ... 183 M5
Těchlovice ... 177 F2
Těchobuz ... 181 G4
Těchonín ... 178 K3
Telč ... 181 H5
Telecí ... 182 J4
Telnice ... 177 E2
Temelín ... 181 F5
Teplá ... 176 C4
Teplice ... 177 E2
Teplice nad Bečvou ... 183 M4
Teplice nad Metují ... 178 J2
Teplicko-adršpašské skály ... 178 J2
Terezín ... 177 F3
Těrlicko ... 183 N4
Těšetice ... 182 L4
Těšíkov ... 183 L4
Tichá ... 183 N4

Tišice ... 177 G2
Tišnov ... 182 J5
Tisá ... 177 F2
Tlumačov ... 183 M5
Tochovice ... 180 E4
Topolná ... 183 M5
Toužim ... 176 C3
Tovačov ... 182 L5
Třebařov ... 178 K4
Třebechovice pod Orebem ... 178 J3
Třebenice (Ústecký kraj) ... 177 E3
Třebenice (Vysočina kraj) ... 182 J5
Třebíč ... 182 I5
Třebíz ... 176 D3
Třebnice ... 181 F4
Třebohostice ... 180 E5
Třebom ... 179 N3
Třeboň ... 181 G5
Třebotov ... 177 F4
Třebušín ... 181 F6
Třemešná ... 179 M3
Třemošná ... 176 D4
Třemošnice ... 178 I4
Třešť ... 181 H5
Třinec ... 183 O4
Třtěno ... 177 E3
Travná ... 178 K3
Trhová Kamenice ... 182 I4
Trhové Sviny ... 181 G6
Trhový Štěpánov ... 181 H4
Trnava ... 182 I5
Trojanovice ... 183 N4
Troskovice ... 177 H2
Troubelice ... 182 L4
Troubky ... 183 L5
Tršice ... 183 L4
Trutnov ... 178 I2
Tučapy ... 181 G5
Tuchlovice ... 177 E3
Tuchořice ... 176 E3
Tuhaň ... 177 F2
Tulešice ... 182 J5
Tuřany ... 182 K5
Turnov ... 177 H2
Tvrdonice ... 182 K6
Týn nad Vltavou ... 181 F5
Týnec nad Labem ... 177 H3
Týnec nad Sázavou ... 177 G4
Týniště nad Orlicí ... 178 J3

U
Údlice ... 176 D3
Uhelná Příbram ... 181 I4
Uherčice ... 181 I6
Uherské Hradiště ... 183 L5
Uherský Brod ... 183 M5
Uherský Ostroh ... 183 L6
Uhlířské Janovice ... 177 H4
Úhonice ... 177 F3
Úhřetická Lhota ... 178 I4
Uhříněves ... 182 K5
Újez u Brna ... 182 K5
Újezd ... 183 M5
Újezd nad Lesy ... 177 G3
Úlibice ... 177 H3
Únanov ... 182 J6
Úněšov ... 176 D4
Unhošť ... 177 F3
Uničov ... 182 L4
Úpice ... 178 J2
Určice ... 182 L5
Úštěk ... 177 F2
Úsov ... 182 L4
Ústí nad Labem ... 177 F2

Ústí nad Orlicí ... 178 J4
Úterý ... 176 D4
Úvalno ... 179 M3
Úvaly ... 177 G3

V
Vacenovice ... 182 L6
Vacov ... 180 E5
Valašská Bystřice ... 183 N5
Valašská Polanka ... 183 M5
Valašské Klobouky ... 183 N5
Valašské Meziříčí ... 183 M5
Valdštejn ... 177 H2
Valečov ... 177 H2
Valtice ... 182 K6
Vamberk ... 178 J3
Varnsdorf ... 177 G2
Včelná ... 181 F6
Vejprnice ... 180 D4
Vejprty ... 176 D3
Velehrad ... 183 L5
Velemín ... 177 E2
Velenice ... 181 F6
Velhartice ... 180 D5
Velichovky ... 178 I3
Velim ... 177 H3
Velká Bíteš ... 182 J5
Velká Bystřice ... 183 L4
Velká Dobrá ... 177 F3
Velká Hleďsebe ... 176 C4
Velká nad Veličkou ... 183 M6
Velká Polom ... 179 N4
Velké Bílovice ... 182 K6
Velké Březno ... 177 F2
Velké Heraltice ... 179 M4
Velké Hoštice ... 179 M4
Velké Karlovice ... 183 N5
Velké Kunětice ... 179 L3
Velké Losiny ... 178 L3
Velké Meziříčí ... 182 J5
Velké Němčice ... 182 K5
Velké Opatovice ... 182 K4
Velké Pavlovice ... 182 K6
Velké Popovice ... 177 G4
Velké Přílepy ... 177 F3
Velký Bor ... 180 E5
Velký Osek ... 177 H3
Velký Šenov ... 177 G2
Velký Tisý ... 181 G5
Velký Týnec ... 182 L4
Velký Újezd ... 183 L4
Veltrusy ... 177 F3
Velvary ... 177 F3
Vémyslice ... 182 J5
Vepřová ... 182 I4
Veřovice ... 183 N4
Verneřice ... 177 F2
Věšín ... 180 E4
Veselí nad Lužnicí ... 181 G5
Veselí nad Moravou ... 183 L6
Větřní ... 181 F6
Větrný Jeníkov ... 181 H5
Veverská Bítýška ... 182 J5
Věž ... 181 H4
Vícov ... 182 K5
Víden ... 182 I6
Vidnava ... 179 L3
Vilémov ... 178 I4
Vimperk ... 180 E5
Vinařice ... 177 F3
Vír ... 182 J4
Višňová ... 177 H2
Vítějeves ... 178 I3
Vítkov ... 183 M4
Vítkovice ... 178 I2
Vítkův kámen ... 181 F6

Vítonice ... 183 M5
Vizovice ... 183 M5
Vladislav ... 182 I5
Vlachovice ... 183 M5
Vlachovo Březí ... 180 E5
Vlašim ... 181 G4
Vlasatice ... 182 J6
Vlastiboř ... 181 G5
Vlčkovice v Podkrkonoší ... 178 I3
Vlčnov ... 183 M5
Vlhošť ... 177 F2
Vltava ... 181 F5
Vodňany ... 181 F5
Vodokrty ... 180 D4
Vojkov ... 181 G4
Vojtanov ... 176 B3
Volary ... 180 E6
Volenice ... 180 E5
Volevčice ... 176 E3
Volfartice ... 177 F2
Volyně ... 180 E5
Votice ... 181 G4
Voznice ... 177 F4
Vracov ... 182 L6
Vrané nad Vltavou ... 177 F4
Vranov (Vodní nádrž) ... 182 I6
Vranov nad Dyjí ... 182 I6
Vranovice ... 182 K6
Vranovská Ves ... 182 I6
Vratěnín ... 181 I6
Vratimov ... 183 N4
Vrbátky ... 182 L4
Vrbno pod Pradědem ... 179 L3
Vrčeň ... 180 E4
Vrdy ... 178 H4
Vrchlabí ... 178 I2
Vroutek ... 176 D3
Všemina ... 183 M5
Všeruby ... 180 C5
Všeruby (Plzeň-sever) ... 176 D4
Všestary ... 178 I3
Všetaty ... 177 G3
Vsetín ... 183 M5
Vsetínské vrchy ... 183 N5
Výprachtice ... 178 K4
Vyškov ... 182 L5
Výškovice ... 183 M4
Vyšovice ... 182 L5
Vyšší Brod ... 181 F6
Vysočany ... 181 I6
Vysočina ... 182 I4
Vysoká ... 183 N5
Vysoké Chvojno ... 178 I3
Vysoké Mýto ... 178 J4
Vysoké nad Jizerou ... 177 H2
Vysoké Veselí ... 177 H3

Z
Žacléř ... 178 I2
Žalany ... 177 E2
Žamberk ... 178 J3
Žandov ... 177 F2
Žár ... 181 G6
Žárošice ... 182 K5
Žatec ... 176 E3
Ždánice ... 182 L5
Ždánický les ... 182 K6
Žďár (Mladá Boleslav) ... 177 H2
Žďár (Rakovník) ... 176 D3
Žďár nad Sázavou ... 182 I4
Žďárec ... 182 J4
Žďárské vrchy ... 182 J4
Ždírec ... 177 G2
Ždírec nad Doubravou ... 182 I4

Žebětín ... 182 J5
Žebrák ... 177 E4
Žebráky ... 176 C4
Žehuň ... 177 H3
Žehušice ... 177 H4
Želeč ... 181 G5
Želetava ... 181 I5
Železná ... 180 C4
Železná Ruda ... 180 D5
Železnice ... 177 H3
Železný Brod ... 177 H2
Želiv ... 181 H4
Želivka (Vodní nádrž) ... 181 H4
Želnava ... 180 E6
Žeravice ... 182 L5
Židlochovice ... 182 K5
Žichlínek ... 178 K4
Žichovice ... 180 E5
Žihle ... 176 D3
Žinkovy ... 180 D5
Žirovnice ... 181 H5
Živohošť ... 181 F4
Žleby ... 178 I4
Žlutice ... 176 D3
Žlutice (Vodní nádrž) ... 176 D3
Žulová ... 178 L3
Záblatí ... 180 E6
Záblatský rybník ... 181 G5
Záboří ... 180 E5
Zábřeh ... 178 K4
Zadní Chodov ... 176 C4
Zádveřice ... 183 M5
Zahořany ... 181 F4
Záhoří ... 181 F5
Zahrádky ... 177 G2
Zaječí ... 182 K6
Zaječov ... 177 E4
Zákolany ... 177 F3
Zákupy ... 177 G2
Záluží ... 176 E2
Zašová ... 183 N5
Zásmuky ... 177 H4
Zastávka ... 182 J5
Zavidov ... 176 E3
Zbiroh ... 176 E4
Zborovice ... 182 L5
Zbraslav (Jihočeský kraj) ... 182 J5
Zbraslav (Praha) ... 177 F4
Zbraslavice ... 177 H4
Zbůch ... 180 D4
Zbýšov (Jihočeský kraj) ... 182 J5
Zbýšov (Středočeský kraj) ... 177 H4
Zbytiny ... 180 E6
Zděchov ... 183 N5
Zdice ... 177 E4
Zdíkov ... 180 E5
Zdobnice ... 178 J3
Zdounky ... 182 L5
Zhoř ... 180 C4
Zlatá Koruna ... 181 F6
Zlaté Hory ... 179 L3
Zlín ... 183 M5
Zliv ... 181 F5
Zlobice ... 182 L5
Zlonice ... 177 F3
Znojmo ... 182 J6
Zruč ... 176 D4
Zruč nad Sázavou ... 181 H4
Zubří ... 183 N5
Zubrnice ... 177 F2
Zvíkov ... 181 F5
Zvíkovské Podhradí ... 181 F5
Zvole ... 182 J5

Stadtpläne / Stadsplattegronden
Town plans / Plans de ville
Piante di città / Planos de ciudades

Deutschland ▬
- Aachen 265
- Augsburg 265
- Berlin 266
- Bonn. 267
- Braunschweig 267
- Chemnitz 268
- Dortmund 269
- Dresden 270
- Duisburg. 270
- Düsseldorf 271
- Essen 272
- Frankfurt am Main...... 273
- Hamburg 274-275
- Hannover 276
- Karlsruhe 276
- Kassel. 277
- Kiel 277
- Köln 278
- Konstanz. 278
- Leipzig. 279
- Magdeburg 279

Belgique / België ▮▮
- Antwerpen (Anvers) 292
- Brugge (Bruges) 293
- Bruxelles / Brussel .. 294-295
- Gent (Gand) 296
- Liège (Luik) 297
- Namur (Namen) 298

Luxembourg ▬
- Luxembourg 299

Nederland ▬
- Amsterdam 300-301
- Arnhem................302
- Breda 302
- Den Haag 303
- Haarlem 304
- Maastricht 305
- Rotterdam 306
- Utrecht 307

Suisse / Schweiz / Svizzera ✚
- Basel. 308
- Bern 309
- Fribourg 310
- Genève 310
- Interlaken............311
- Lausanne.............311
- Neuchâtel............312
- Zürich 313

Österreich ▬
- Wien...............314-315

Česká Republika ◣
- Praha 316-317

- Mainz. 280
- Mannheim 280
- München 281
- Münster. 282
- Nürnberg 283
- Potsdam 284
- Regensburg........... 285
- Ruhrgebiet 286-287
- Schwerin............. 288
- Stuttgart............ 289
- Wiesbaden............ 290
- Würzburg 291

Stadtpläne

Sehenswürdigkeiten
Sehenswertes Gebäude
Sehenswerter Sakralbau:
Katholische - Evangelische Kirche
Straßen
Autobahn - Schnellstraße
Nummerierte Voll- bzw. Teilanschlussstellen
Hauptverkehrsstraße
Gesperrte Straße oder mit Verkehrsbeschränkungen
Fußgängerzone - Straßenbahn
Parkplatz - Park-and-Ride-Plätze
Tunnel
Bahnhof und Bahnlinie
Standseilbahn
Seilschwebebahn

Sonstige Zeichen
Informationsstelle
Moschee - Synagoge
Turm - Ruine
Windmühle
Garten, Park, Wäldchen
Friedhof

Stadion - Golfplatz - Pferderennbahn
Freibad - Hallenbad
Aussicht - Rundblick
Denkmal - Brunnen
Yachthafen
Leuchtturm
Flughafen - U-Bahnstation
Autobusbahnhof
Schiffsverbindungen:
Autofähre, Personenfähre
Hauptpostamt (postlagernde Sendungen) - Krankenhaus
Markthalle
Gendarmerie - Polizei
Rathaus
Universität, Hochschule
Öffentliches Gebäude, durch einen Buchstaben
gekennzeichnet:
Museum - Rathaus
Präfektur, Unterpräfektur - Theater
Automobilclub

Plattegronden

Bezienswaardigheden
Interessant gebouw
Interessant kerkelijk gebouw:
Kerk - Protestantse kerk
Wegen
Autosnelweg - Weg met gescheiden rijbanen
Knooppunt / aansluiting: volledig, gedeeltelijk
Hoofdverkeersweg
Onbegaanbare straat, beperkt toegankelijk
Voetgangersgebied - Tramlijn
Parkeerplaats - P & R
Tunnel
Station, spoorweg
Kabelspoor
Tandradbaan

Overige tekens
Informatie voor toeristen
Moskee - Synagoge
Toren - Ruïne
Windmolen
Tuin, park, bos
Begraafplaats

Stadion - Golfterrein - Renbaan
Zwembad: openlucht, overdekt
Uitzicht - Panorama
Gedenkteken, standbeeld - Fontein
Jachthaven
Vuurtoren
Luchthaven - Metrostation
Busstation
Vervoer per boot:
Passagiers en auto's - uitsluitend passagiers

Hoofdkantoor voor poste-restante - Ziekenhuis
Overdekte markt
Marechaussee / rijkswacht - Politie
Stadhuis
Universiteit, hogeschool
Openbaar gebouw, aangegeven met een letter::
Museum - Stadhuis
Prefectuur, onderprefectuur - Schouwburg
Automobieclub

Town plans

Sights
Place of interest
Interesting place of worship:
Church - Protestant church
Roads
Motorway - Dual carriageway
Numbered junctions: complete, limited
Major thoroughfare
Unsuitable for traffic or street subject to restrictions
Pedestrian street - Tramway
Car park - Park and Ride
Tunnel
Station and railway
Funicular
Cable-car

Various signs
Tourist Information Centre
Mosque - Synagogue
Tower - Ruins
Windmill
Garden, park, wood
Cemetery

Stadium - Golf course - Racecourse
Outdoor or indoor swimming pool
View - Panorama
Monument - Fountain
Pleasure boat harbour
Lighthouse
Airport - Underground station
Coach station
Ferry services:
passengers and cars - passengers only

Main post office with poste restante - Hospital
Covered market
Gendarmerie - Police
Town Hall
University, College
Public buildings located by letter:
Museum - Town Hall
Prefecture or sub-prefecture - Theatre
Automobile Club

Plans

Curiosités
Bâtiment intéressant
Édifice religieux intéressant : catholique - protestant

Voirie
Autoroute - Double chaussée de type autoroutier
Échangeurs numérotés : complet - partiels
Grande voie de circulation
Rue réglementée ou impraticable
Rue piétonne - Tramway
Parking - Parking Relais
Tunnel
Gare et voie ferrée
Funiculaire, voie à crémaillère
Téléphérique, télécabine

Signes divers
Information touristique
Mosquée - Synagogue
Tour - Ruines
Moulin à vent
Jardin, parc, bois
Cimetière

Stade - Golf - Hippodrome
Piscine de plein air, couverte
Vue - Panorama
Monument - Fontaine
Port de plaisance
Phare
Aéroport - Station de métro
Gare routière
Transport par bateau :
passagers et voitures, passagers seulement

Bureau principal de poste restante - Hôpital
Marché couvert
Gendarmerie - Police
Hôtel de ville
Université, grande école
Bâtiment public repéré par une lettre :
Musée - Hôtel de ville
Préfecture, sous-préfecture - Théâtre
Automobile Club

Piante

Curiosità
Edificio interessante
Costruzione religiosa interessante: Chiesa - Tempio

Viabilità
Autostrada - Doppia carreggiata tipo autostrada
Svincoli numerati: completo, parziale
Grande via di circolazione
Via regolamentata o impracticabile
Via pedonale - Tranvia
Parcheggio - Parcheggio Ristoro
Galleria
Stazione e ferrovia
Funicolare
Funivia, cabinovia

Simboli vari
Ufficio informazioni turistiche
Moschea - Sinagoga
Torre - Ruderi
Mulino a vento
Giardino, parco, bosco
Cimitero

Stadio - Golf - Ippodromo
Piscina: all'aperto, coperta
Vista - Panorama
Monumento - Fontana
Porto turistico
Faro
Aeroporto - Stazione della metropolitana
Autostazione
Trasporto con traghetto:
passeggeri ed autovetture - solo passeggeri

Ufficio centrale di fermo posta - Ospedale
Mercato coperto
Carabinieri - Polizia
Municipio
Università, scuola superiore
Edificio pubblico indicato con lettera:
Museo - Municipio
Prefettura, sottoprefettura - Teatro
Automobile Club

Planos

Curiosidades
Edificio interessante
Edificio religioso interessante: católica - protestante

Vías de circulación
Autopista - Autovía
Enlaces numerados: completo, parciales
Via importante de circulacíon
Calle reglamentada o impracticable
Calle peatonal - Tranvía
Aparcamiento - Aparcamientos «P+R»
Túnel
Estación y línea férrea
Funicular, línea de cremallera
Teleférico, telecabina

Signos diversos
Oficina de Información de Turismo
Mezquita - Sinagoga
Torre - Ruinas
Molino de viento
Jardín, parque, madera
Cementerio

Estadio - Golf - Hipódromo
Piscina al aire libre, cubierta
Vista parcial - Vista panorámica
Monumento - Fuente
Puerto deportivo
Faro
Aeropuerto - Estación de metro
Estación de autobuses
Transporte por barco:
pasajeros y vehículos, pasajeros solamente

Oficina de correos - Hospital
Mercado cubierto
Policía National - Policía
Ayuntamiento
Universidad, escuela superior
Edificio público localizado con letra :
Museo - Ayuntamiento
Prefectura, subprefectura - Teatro
Club del Automóvil

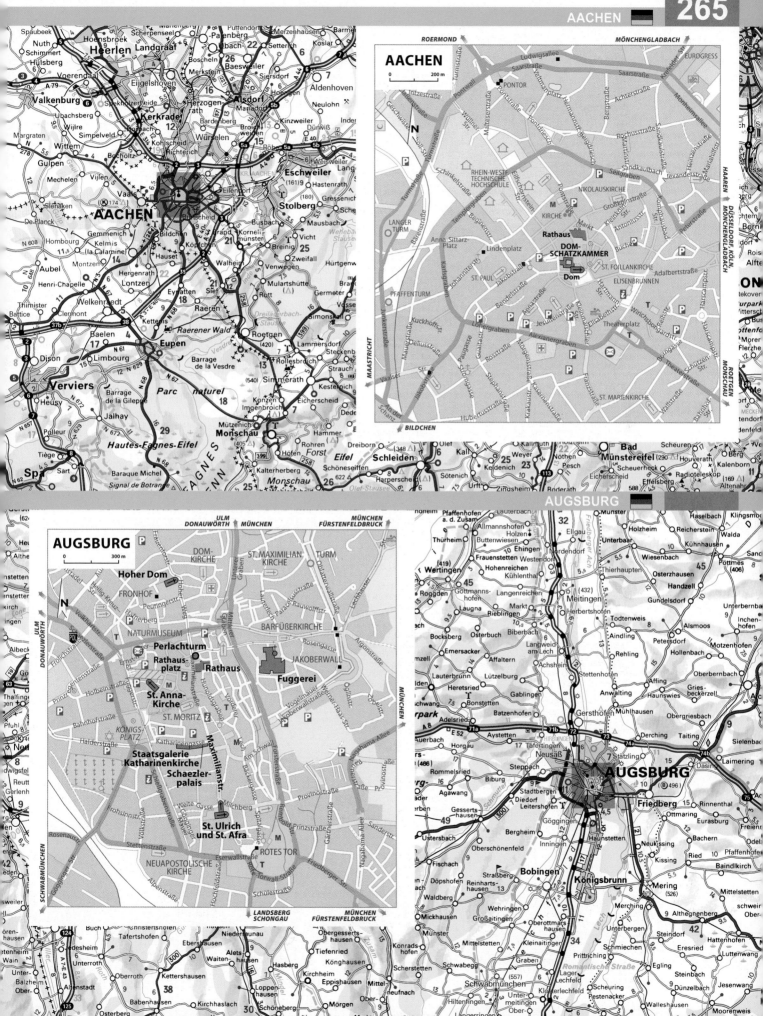

AACHEN

ROERMOND
MÖNCHENGLADBACH

0   200 m

PONTOR
Saarstraße
EUROGRESS
Ludwigsallee
Pontwall
Pontstraße
RHEIN-WESTF. TECHNISCHE HOCHSCHULE
NIKOLAUSKIRCHE
LANGER TURM
KIRCHE
Markt
Rathaus
Anna-Sittarz-Platz
Lindenplatz
DOM-SCHATZKAMMER
ST. FOILLANKIRCHE
Dom
St. PAUL
ELISENBRUNNEN
PFAFFENTURM
Theaterplatz
Alexianergraben
DÜSSELDORF, KÖLN, MÖNCHENGLADBACH
HAAREN
N
MAASTRICHT
BILDCHEN
ST. MARIENKIRCHE
ROETGEN MONSCHAU

HEERLEN
Landgraaf
Valkenburg
Kerkrade
Alsdorf
AACHEN
Eschweiler
Stolberg
Vaals
Eupen
Verviers
Monschau
Spa
Hautes-Fagnes-Eifel
Parc naturel
Simmerath
Schleiden
Bad Münstereifel

AUGSBURG

ULM DONAUWÖRTH MÜNCHEN
MÜNCHEN FÜRSTENFELDBRUCK

0   300 m

DOM-KIRCHE
ST. MAXIMILIAN KIRCHE
TURM
Hoher Dom
FRONHOF
NATURMUSEUM
BARFÜSSERKIRCHE
Perlachturm
Rathaus-platz
Rathaus
JAKOBERWALL
St. Anna-Kirche
Fuggerei
ST. MORITZ
KÖNIGS-PLATZ
Staatsgalerie
Katharinenkirche
Schaezler-palais
Maximilianstr.
St. Ulrich und St. Afra
ROTES TOR
NEUAPOSTOLISCHE KIRCHE
N
ULM DONAUWÖRTH
SCHWABMÜNCHEN
LANDSBERG SCHONGAU
MÜNCHEN FÜRSTENFELDBRUCK

Wertingen
Meitingen
Langweid am Lech
Gersthofen
AUGSBURG
Friedberg
Neusäß
Stadtbergen
Göggingen
Haunstetten
Bobingen
Königsbrunn
Mering
Schwabmünchen
Romantische Straße

BERLIN

BERLIN

POTSDAM

Top map labels:

Herzfeld · Paaren i. Glien · Perwenitz · Bötzow · Schönfließ · Schönerlinde · Bornicke · Hirschfelde · Prötz 36
Hennigsdorf · Schildow · Buch · Schwanebeck · Löhme · Werneuchen
Berge · Nauen · Bredow · Brieselang · Schönwalde · Frohnau · Glienicke · Birkholz · DR SCHWANEBECK · Blumberg · Krummensee · Wesendahl
Lietzow · Wansdorf · Pausin · Falkenhagen · Reinickendorf · Weissensee · Hohenschönh · Ahrensfelde · Mehrow · Honow · Altlandsberg · Buchholz · Strausberg
Schwanebeck · Markee · Wernitz · Finkenkrug · Falkensee · Staaken · Spandau · BERLIN-TEGEL · Pankow · Lichtenberg · Marzahn · Neuenhagen · Hoppegarten · Petershagen · Bahnhof-Rehfelde
Tremmen · Wüstmark · Hoppenrade · Buchow Karpzow · Dallgow · Seeburg · Lichtenberg · Dahlwitz 1-5 Vogelsdorf · Fredersdorf · Rehfelde · Hennickendorf
Wachow · Etzin · Falkenrehde · Priort · Groß Glienicke · Gatow · Treptow · Köpenick · Schöneiche · Wolterschof · Rüdersdorf · Herzfelde · Lichtenow
Ketzin · Paretz · Uetz · Satzkorn · Fahrland · Kladow · Steglitz · Friedrichshagen · Wilhelmshgn · Grünheide · Kienbaum
Schmergow · Marquardt · Neu Fahrland · Zehlendorf · Großer Müggelsee · Müggel-heim · Grünau · Gosen · Peetzsee
Deetz · Golm · Sanssouci · Cecilienhof · Wannsee · Kleinmachnow · Großziethen · Erkner · Neu Zittau · Spreeau
Groß Kreutz · Werder · Geltow · Babelsberg · Stahnsdorf · Teltow · Ruhlsdorf · Walmannsdorf · Schmöckwitz · Eichwalde · Wernsdorf · Braunsdorf
Bochow · Plötzin · Glindow · Derwitz · Güterfelde · Groß-beeren · Mahlow · BERLIN BRANDENBURG · Zeuthen · Spreenhagen · Markgrafpieske
Göhlsdorf · Plessow · Kielow · Pöhden · Bornim · Rehbrücke · Bergholz · Schenkenhorst · Selchow · Rotberg · Niederwalde
Düßnitz · Pretzsch · Lebien · Annaburg · Borken · Polzen Schließen · Wehrhain · Hildorf · Zeckerin · Babben · Graupe · Gollwitz

Bottom city map labels:

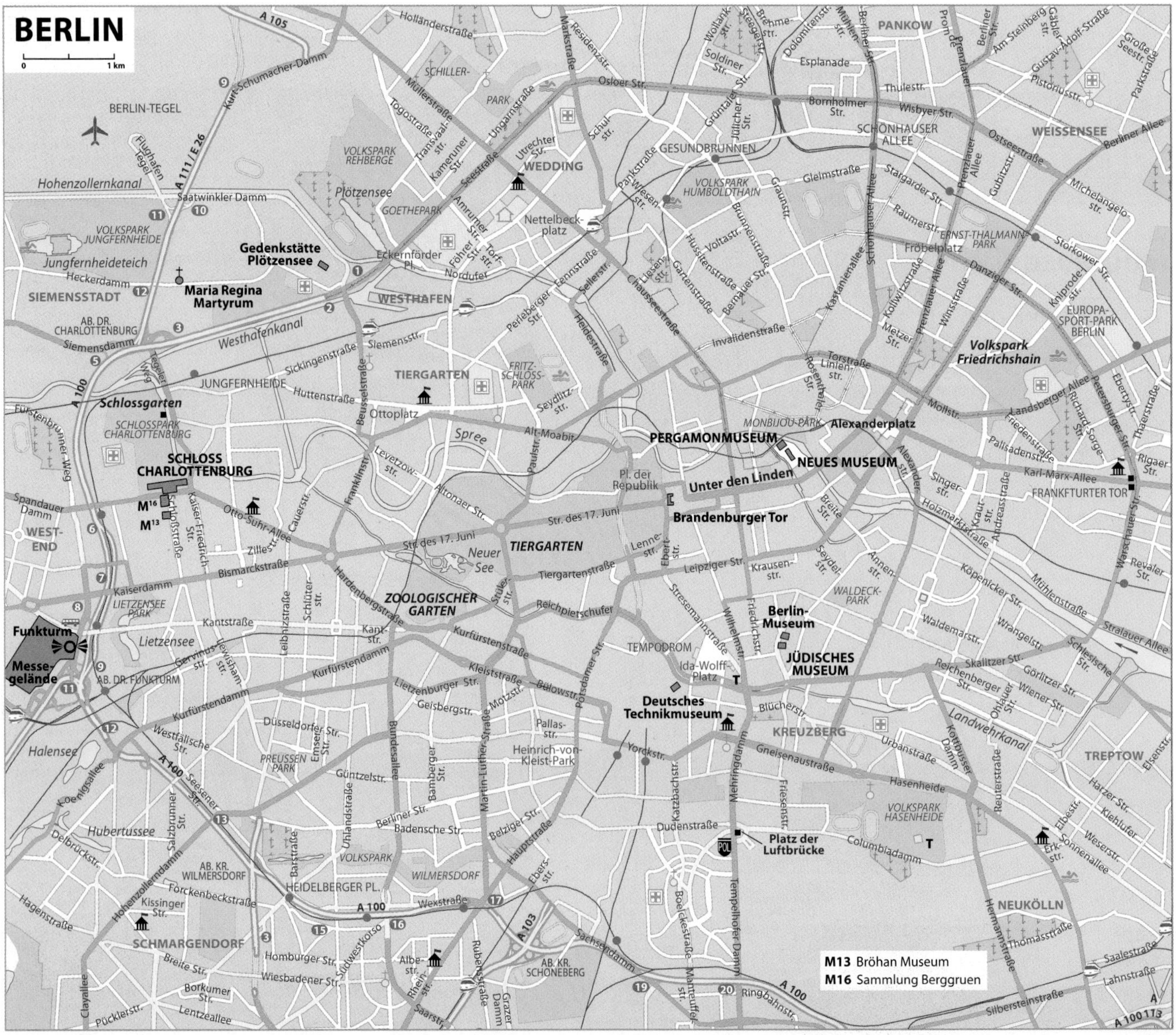

BERLIN · 0 1 km
BERLIN-TEGEL · Flughafen · Hohenzollernkanal · Saatwinkler Damm · Kurt-Schumacher-Damm · Hollandstraße · Residenzstr. · PANKOW · Esplanade · WEISSENSEE
VOLKSPARK REHBERGE · PARK · SCHILLER- · Togostraße · Müllerstraße · Osloer Str. · Bornholmer Str. · SCHÖNHAUSER ALLEE · Berliner Allee
VOLKSPARK JUNGFERNHEIDE · Plötzensee · GOETHEPARK · WEDDING · GESUNDBRUNNEN · VOLKSPARK HUMBOLDTHAIN · ERNST-THÄLMANN-PARK
Gedenkstätte Plötzensee · Nettelbeckplatz · EUROPA-SPORT-PARK BERLIN
SIEMENSSTADT · Maria Regina Martyrum · Jungfernheideteich · WESTHAFEN · Volkspark Friedrichshain
AB. DR. CHARLOTTENBURG · Siemensdamm · Westhafenkanal · Sickingenstraße · Invalidenstraße · Mollstr.
JUNGFERNHEIDE · TIERGARTEN · FRITZ-SCHLOSS-PARK · MONBIJOU-PARK · Alexanderplatz
Schlossgarten · SCHLOSSPARK CHARLOTTENBURG · Ottoplatz · Alt-Moabit · Spree · PERGAMONMUSEUM · FRANKFURTER TOR
SCHLOSS CHARLOTTENBURG · Leverkusen-str. · NEUES MUSEUM · Karl-Marx-Allee
M16 · M13 · Otto-Suhr-Allee · Pl. der Republik · Unter den Linden · Brandenburger Tor
WEST-END · Spandauer Damm · Kaiser-Friedrich-Str. · Str. des 17. Juni · Leipziger Str. · WALDECK-PARK
Kaiserdamm · Bismarckstraße · TIERGARTEN · Neuer See · Tiergartenstraße · Berlin-Museum
Funkturm · LIETZENSEE PARK · Kantstraße · ZOOLOGISCHER GARTEN · Reichpietschufer · JÜDISCHES MUSEUM
Messegelände · Lietzensee · Kurfürstendamm · Kurfürstenstraße · Lützowstr. · TEMPODROM · Ida-Wolff-Platz
AB. DR. FUNKTURM · Kantstr. · Lietzenburger Str. · Bülowstr. · Deutsches Technikmuseum
Halensee · Westfälische Str. · Düsseldorfer Str. · Pallasstr. · KREUZBERG · TREPTOW
PREUSSEN PARK · Bundesallee · Heinrich-von-Kleist-Park · Yorckstr. · VOLKSPARK HASENHEIDE
A 100 · Uhlandstraße · Badensche Str. · Hauptstraße · Hasenheide
WILMERSDORF · Belziger Str. · Dudenstraße · Platz der Luftbrücke · NEUKÖLLN
SCHMARGENDORF · VOLKSPARK WILMERSDORF · HEIDELBERGER PL. · AB. KR. SCHÖNEBERG · Tempelhofer Damm
Hohenzollerndamm · Förckenbeckstraße · Wexstraße · A 103 · Columbiadamm
Breite Str. · Homburger Str. · Südwestkorso · Sachsendamm · Ringbahnstr. · A 100

Legend:

M13 Bröhan Museum
M16 Sammlung Berggruen

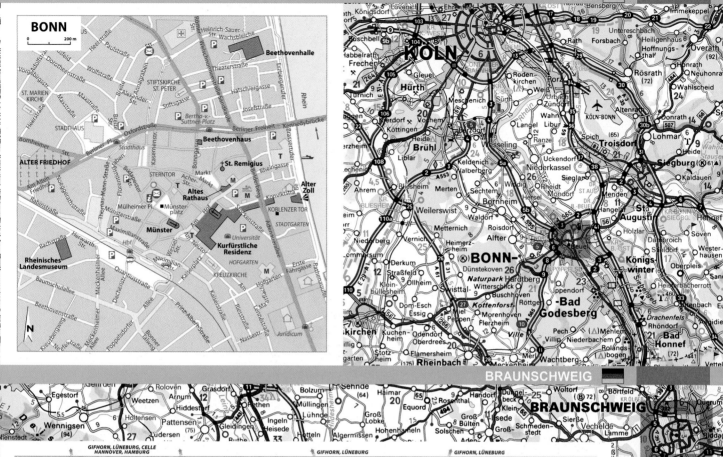

BONN

0   200 m

ST. MARIEN KIRCHE

Beethovenhalle

Beethovenhaus

ALTER FRIEDHOF

STERNTOR
Altes Rathaus
St. Remigius

Alter Zoll
KOBLENZER TOR
Münster
Kurfürstliche Residenz
Universität
STADTGARTEN
HOFGARTEN
Rheinisches Landesmuseum
KREUZKIRCHE

N

KÖLN
Hürth
Brühl
TROISDORF
Siegburg
BONN
Bad Godesberg
Königswinter
Bad Honnef
Rheinbach

BRAUNSCHWEIG

GIFHORN, LÜNEBURG, CELLE
HANNOVER, HAMBURG

GIFHORN, LÜNEBURG

GIFHORN, LÜNEBURG

WOLFSBURG
MAGDEBURG, BERLIN

ST. ALBERTUS MAGNUS KIRCHE

SPORTHALLE

ST. LAURENTIUS KIRCHE

LÖBBECKES INSEL

BOTANISCHER GARTEN

ST. PAULIKIRCHE

PRINZ-ALBRECHT-PARK

ST. ANDREASKIRCHE

KATHARINENKIRCHE

THEATER PARK

ST. JACOBIKIRCHE

ST. PETRIKIRCHE

BRÜDERNKIRCHE

BOTAN-GARTEN

RATHAUS

DOM

MUSEUM PARK

SCHLOSS-PARK

ST. MAGNIKIRCHE

ST. MARTINIKIRCHE

ST. JOSEPH KIRCHE

ST. AGIDIENKIRCHE

STADTHALLE

KIRVAT JVON PARK

HOLLANDS-PARK

VOLKSWAGEN-HALLE

VIEWEGS-GARTEN

BÜRGER-PARK

N

0   500 m

BRAUNSCHWEIG

GÖTTINGEN
KASSEL

WOLFENBÜTTEL
BAD HARZBURG
WERNIGERODE

DORTMUND
0   400 m

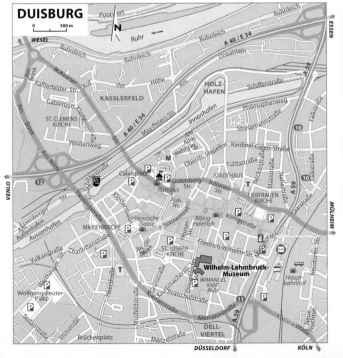

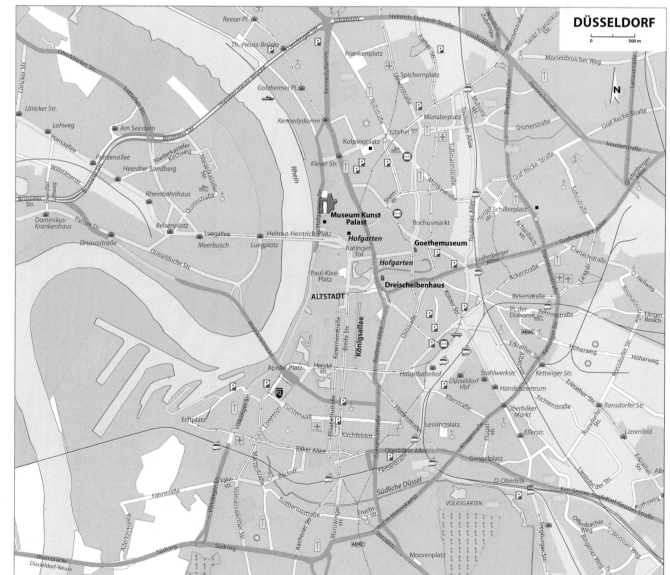

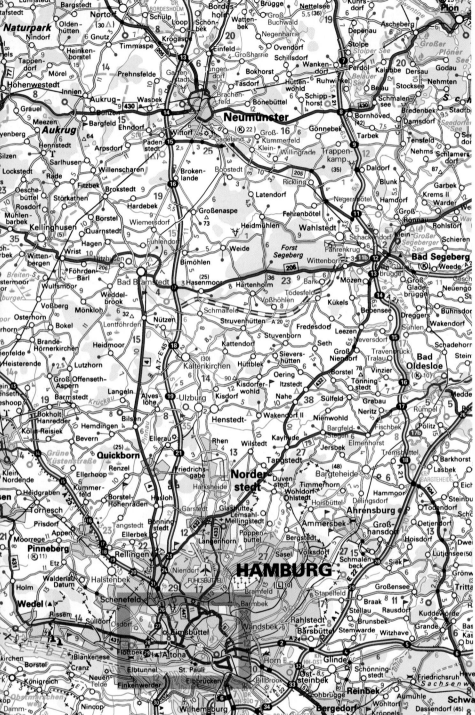

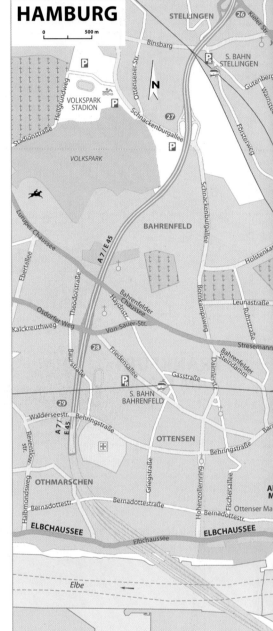

HAMBURG

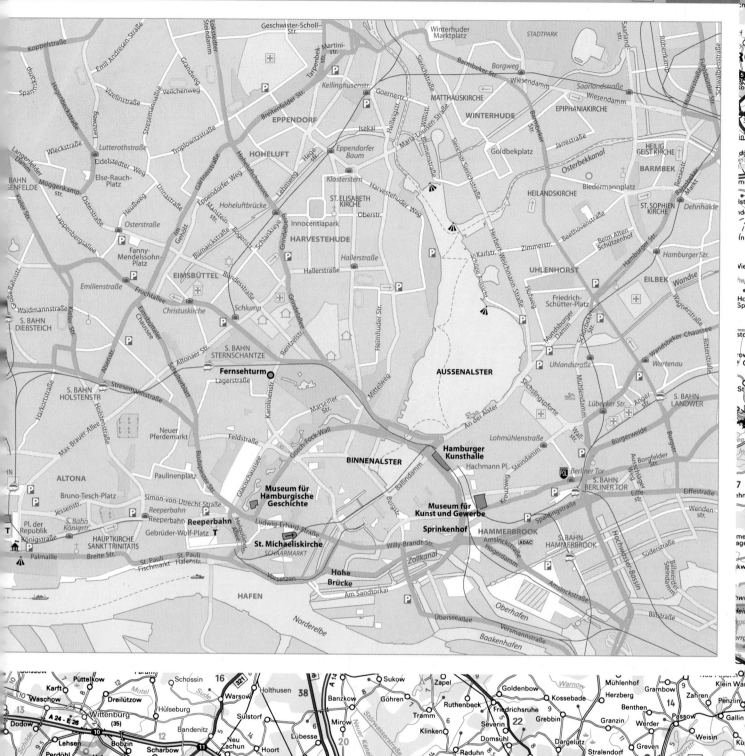

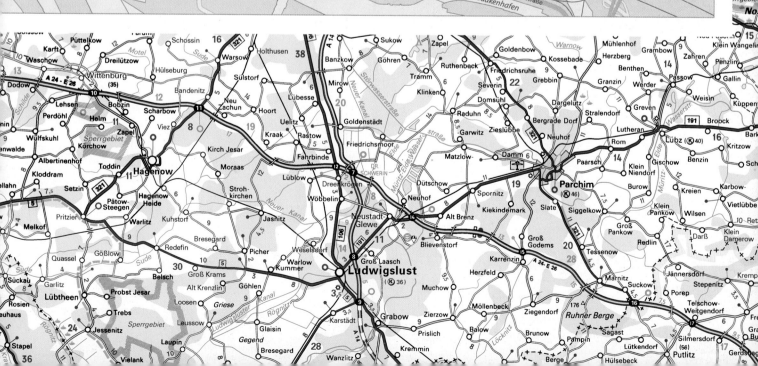

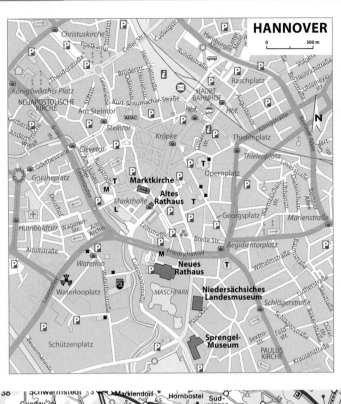

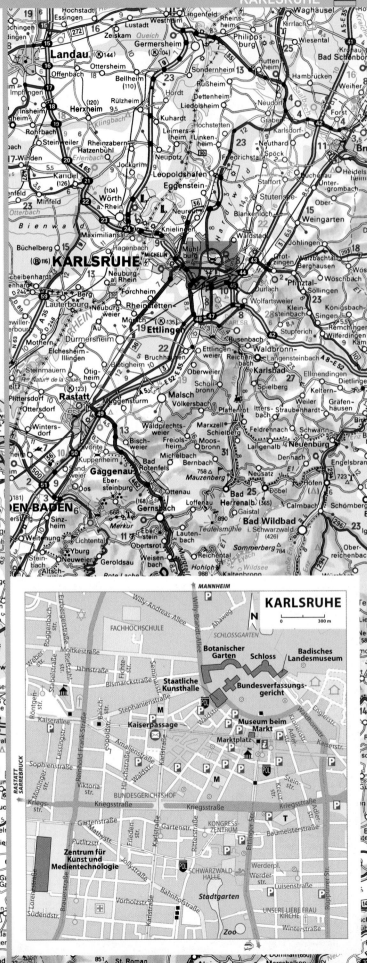

KASSEL

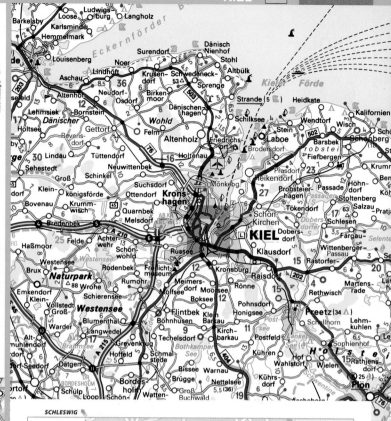

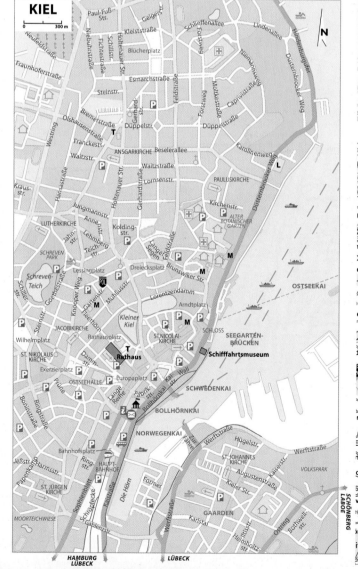

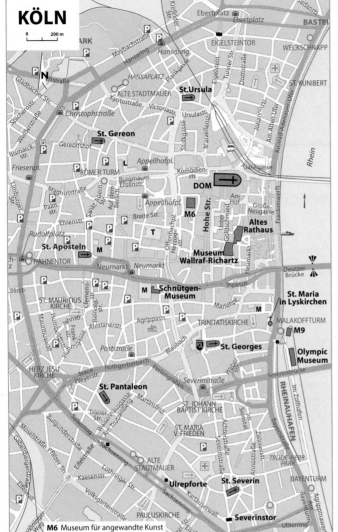

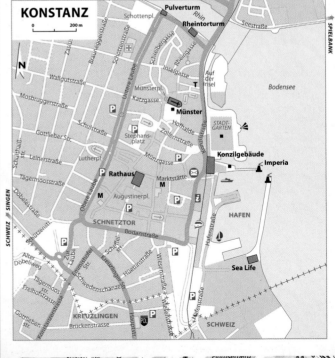

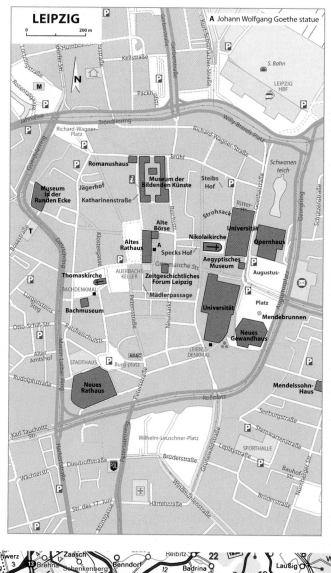

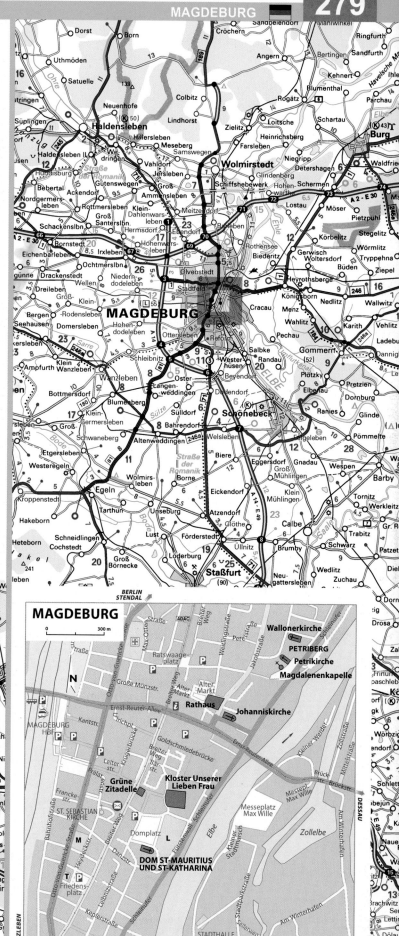

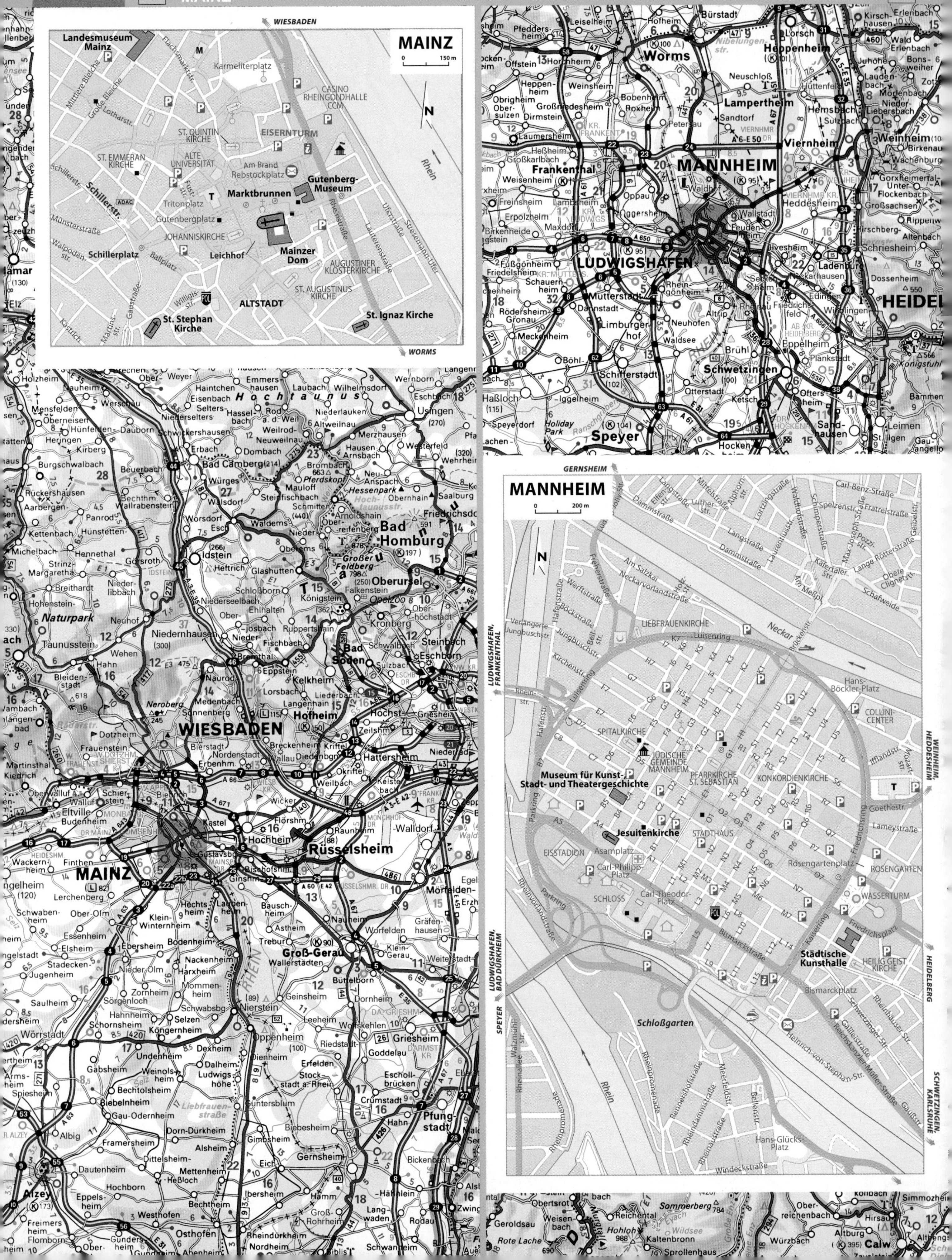

MAINZ

0 — 150 m

N

WIESBADEN

Landesmuseum Mainz
Flachsmarktstr.
Karmeliterplatz
CASINO
RHEINGOLDHALLE
CCM
ST. QUINTIN KIRCHE
EISERNTURM
Mittlere Bleiche
Große Lotharstr.
ST. EMMERAN KIRCHE
ALTE UNIVERSITÄT
Am Brand
Rebstockplatz
Gutenberg-Museum
Schillerstr.
Fischtor
Rheingoldstr.
Marktbrunnen
Marktbrunnen
ADAC
Tritonplatz
Gutenbergplatz
Münsterstraße
JOHANNISKIRCHE
Schillerplatz
Ballplatz
Leichhof
Mainzer Dom
AUGUSTINER KLOSTERKIRCHE
ST. AUGUSTINUS KIRCHE
Walpödenstr.
Willigis
ALTSTADT
St. Stephan Kirche
St. Ignaz Kirche
Uferstraße
Stresemann-Ufer
Lauteranstr.
Rhein
WORMS

MANNHEIM (region map)

Worms
Bürstadt
Leiselheim
Hofheim
Lorsch
Kirschhausen
Erlenbach
Pfeddersheim
Heppenheim
WaldErlenbach
Nibelungen str.
Horchheim
Offstein
Weinsheim
Lampertheim
Hemsbach
Sulzbach
Birkenau
Weinheim
MANNHEIM
Frankenthal
Viernheim
Wachenburg
LUDWIGSHAFEN
Heddesheim
Großsachsen
Oppau
Oggersheim
Wallstadt
Feudenheim
Rippenweier
Mutterstadt
Ilvesheim
Ladenburg
Dossenheim
Maxdorf
Schauernheim
Rheingönheim
Friesenheim
HEIDEL(BERG)
Neuhofen
Altrip
Friedrichsfeld
Böhl
Waldsee
Brühl
Eppelheim
Plankstadt
Schifferstadt
Schwetzingen
Otterstadt
Haßloch
Iggelheim
Ketsch
Hockenheim
Speyerdorf
Holiday Park
Sandhausen
Leimen
Speyer
Lachen

MANNHEIM (city map)

0 — 200 m

N

GERNSHEIM

LUDWIGSHAFEN, FRANKENTHAL
LUDWIGSHAFEN, BAD DÜRKHEIM
SPEYER
WEINHEIM, HEDDESHEIM
HEIDELBERG
SCHWETZINGEN, KARLSRUHE

Langstraße
Mittelstraße
Alphornstr.
Lutherstr.
Carl-Benz-Straße
Dammstraße
Lange Rötterstr.
Neckar
LIEBFRAUENKIRCHE
Luisenring
Hans-Böckler-Platz
COLLINI-CENTER
SPITALKIRCHE
JÜDISCHE GEMEINDE MANNHEIM
Museum für Kunst-, Stadt- und Theatergeschichte
PFARRKIRCHE ST. SEBASTIAN
KONKORDIENKIRCHE
Jesuitenkirche
STADTHAUS
EISSTADION
Asamplatz
Rösengartenplatz
ROSENGARTEN
WASSERTURM
Carl-Philipp-Platz
SCHLOSS
Carl-Theodor-Platz
Städtische Kunsthalle
HEILIG GEIST KIRCHE
Bismarckstraße
Bismarckplatz
Schloßgarten
Heinrich-von-Stephan-Str.
Rheinpromenade
Hans-Glücks-Platz
Rhein
Windeckstraße

WIESBADEN / Taunus region map

Hochtaunus
Wiesbaden
Mainz
Rüsselsheim
Groß-Gerau
Bad Homburg
Oberursel
Kronberg
Bad Soden
Eschborn
Höchst
Hofheim
Hattersheim
Nierstein
Oppenheim
Pfungstadt
Alzey
Gernsheim
Griesheim
Idstein
Königstein
Naturpark
Taunusstein
Bad Camberg
Usingen
Feldberg
Saalburg

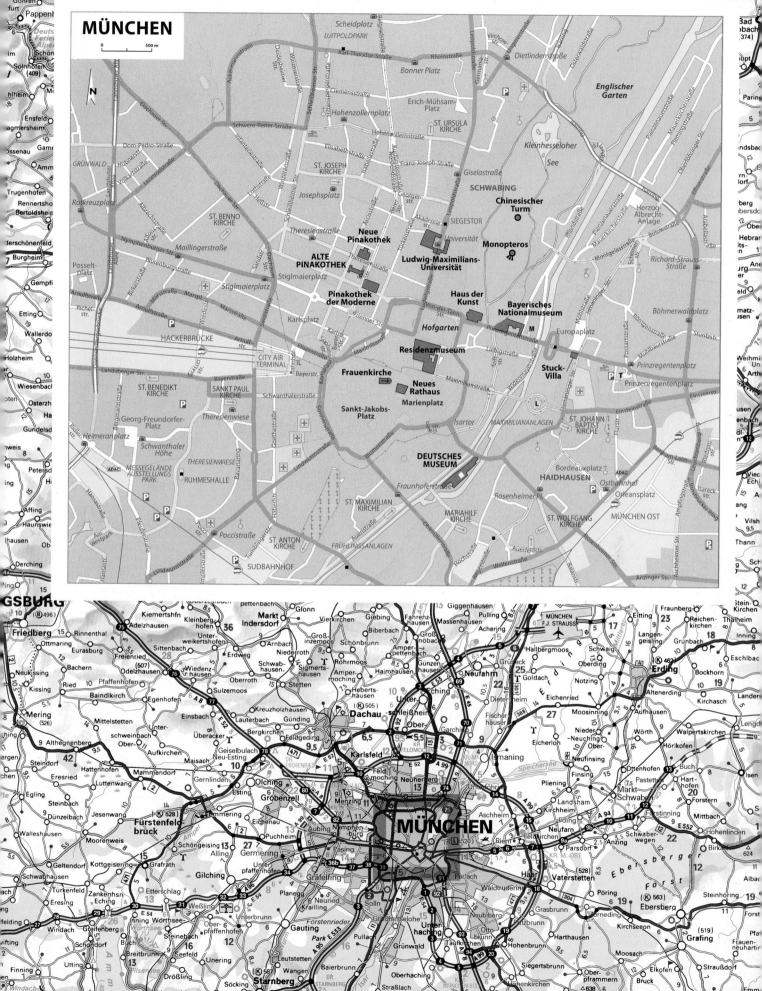

MÜNSTER

0   250 m

M1 Westfälisches Landesmuseum für Kunst und Kulturgeschichte

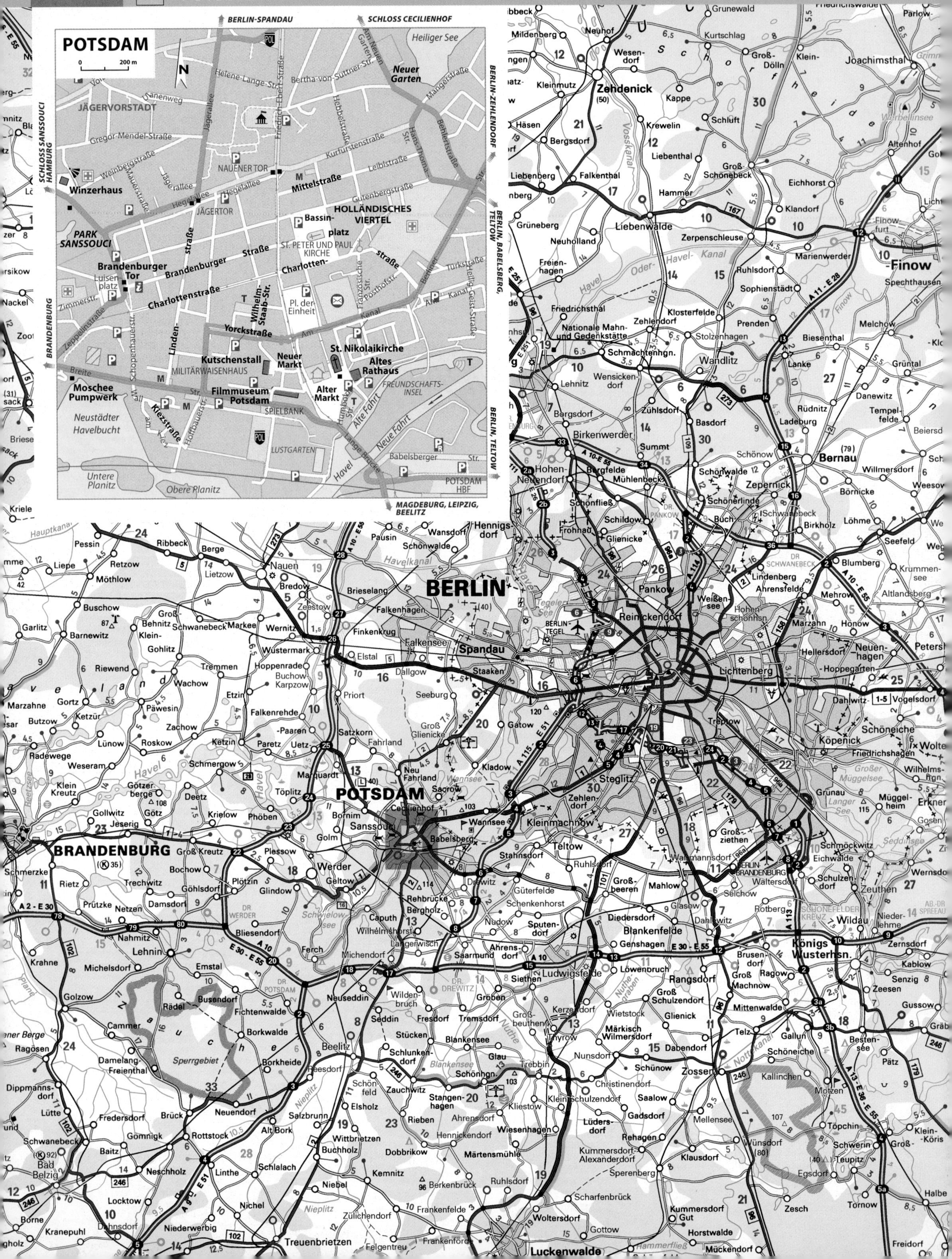

POTSDAM

0   200 m

N

JÄGERVORSTADT

BERLIN-SPANDAU   SCHLOSS CECILIENHOF
Heiliger See
Neuer Garten

SCHLOSS SANSSOUCI HAMBURG

Winzerhaus

PARK SANSSOUCI

NAUENER TOR
Mittelstraße
JÄGERTOR
Bassin-
platz
HOLLÄNDISCHES VIERTEL
ST. PETER UND PAUL KIRCHE

Brandenburger Tor
Luisenplatz
Brandenburger Straße
Charlotten-
straße

Charlottenstraße

Linden-   Yorckstraße
Kutschenstall
Neuer Markt
St. Nikolaikirche
Altes Rathaus

MILITÄRWAISENHAUS

Moschee Pumpwerk
Filmmuseum Potsdam
Alter Markt
FREUNDSCHAFTS-INSEL

Neustädter Havelbucht
Kiezstraße
SPIELBANK

Untere Planitz
Obere Planitz
LUSTGARTEN
Babelsberger Str.

POTSDAM HBF

MAGDEBURG, LEIPZIG, BEELITZ

BERLIN, BABELSBERG, TELTOW
BERLIN-ZEHLENDORF
BERLIN, TELTOW

BERLIN

POTSDAM
Sanssouci

BRANDENBURG

Zehdenick

Finow

Bernau

Königs Wusterhsn.

Luckenwalde

REGENSBURG

Sperrgebiet

Bubach · Pottenstetten · Emhof · Teublitz · Fischbach · Kaspeltshub · Bruck i. d. Oberpfalz · Neubäu · Strahlfeld · Pitzling · Willmering · Pösing · Untertraubenbach · Wetterfeld · Cham

Siegenhofen · Lengenfeld · Deining · Velburg · Großbissendorf · Dietldorf · Burglengenfeld · Maxhütte-Haidhof · Leonberg · Stefling · Nittenau · Walderbach · Altenkreith · Roding · Radling

Großbierbach · Batzhausen · Ronsolden · Hormannsdorf · Hohenfels · Rohrbach · Heilinghausen · Regen · Bergham · Reichenbach · Wald · Unterzell · Schorndorf · Traitsching · Bayerischer · Churpfalzpark · Loifling

Goschberg · Seubersdorf · Parsberg (550) · Lupburg · Raitenbuch · Dinau · Kallmünz · Pirkensee · Ramspau · Wolfersdorf · Roßbach · Trasching · Neuhaus · Michelsneukirchen · Sattelbogen

Freihausen · Daßwang · See · Oberpfraundorf · Holzheim a. Forst · Trischlberg · Regenstauf · Kürn · Süssenbach · Altenthann · Schillerswiesen · Gfäll · Falkenstein (628) · Zinzenzell

Kemnathen · Hamberg · Willenhofen · Schwarzenthonhausen · Duggendorf · Wolfsegg · Eitlbrunn · Hauzendorf · Bernhardswald · Forstmühle · Lichtenwald · Frauenzell · Brennberg · Eckerzell · Rettenbach · Wiesenfelden

Dürn · Langenthonhausen · Beratzhausen · Brunn · Kaulhausen · Thanhausen · Wenzenbach · Zumhof · Weihern · Pilgramsberg · Falkenfels

Kevenhüll · Breitenbrunn · Neukirchen · Bergstetten · Pielenhofen · Hainsacker · Zeitlarn · Wörth a. d. Donau · Stallwang

Erggertshofen · Hemau · Laaber · Deuerling · Pettendorf · Lappersdorf · **REGENSBURG** · Walhalla · Donaustauf · Bach a. d. Donau · Wiesent · Hofdorf

Mühlbach · Meihern · Jachenhausen · Maierhofen · Hohenschambach · Thumhausen · Schönhofen · Nittendorf · Kareth · Tegernheim · Sarching · Ilkofen · Saulburg

Naturpark · Thann · Riedenburg · Prunn · Painten · Painer Forst · Alling · Sinzing · Pentling · KRR R. SÜD · Neutraubling · Geisling · Platter · Gmünd · Pondorf · Kirchroth · Münster · Steinach · Mitter

Altmühltal · Essing · Großes Schulerloch · Ihrlerstein · Gundelshausen · Oberhinkofen · Obertraubling · Mintraching · Puchhof · Kößnach · Niedermotzing · Parkstetten

Schafshill · Buch · Kelheim · Affecking · Saal a. d. Donau · Bad Abbach (374) · Poign · Kofering · Moosham · Taimering · Riekofen · Schönach · Rain · Aholfing · Hornstorf · Straub(ing)

Schamhaupten · Hexenagger · Schwaben · Hienheimer Forst · Weltenburg · Saalhaupt · Lengfeld · Thalmassing · Alteglofsheim · Langenerling · Hagelstadt · Mötzing · Radldorf · Atting

Sandersdorf · Tettenwang · Laimerstadt · Thaldorf · Reißing · Mitterfecking · Hausen · Teugn · Sanding · Dünzling · Aufhausen · Sünching · Feldkirchen · Aiterhofen

Altmannstein · Hagenhill · Hienheim · Eining · Holzharlanden · Herrnwahlthann · Oberschambach · Paring · Pfakofen · Eggmühl · Upfkofen · Graßlfing · Perkam · Pönning · Alburg

Mendorf · Mindelstetten · Forchheim · Irnsing · Sandharlanden · Bad Gögging · Abensberg · Langquaid · Niederleierndorf · Zaitzkofen · Eitting · Labermeinting · Hadersbach · Salching

Oberdolling · Marching · Pförring · Neustadt a. d. Donau (305) · Biburg · Offenstetten · Sandsbach · Bachl · Buchhausen · Grafentraubach · Hainsbach · Gundhöring · Metting · Oberpiebing · Obersunzing

Demling · Menning · Oberhartheim · Münchsmünster · Altdürnbuch · Adlhausen · Herrngiersdorf · Rohr · Mallersdorf · Pfaffenberg · Schwimmbach · Leiblfing · Niedersunzing · Oberschneiding

Ernsgaden · Vohburg · Geibenstetten · Siegenburg · Kirchdorf · Laaberberg · Gebersdorf · Oberronning · Pfiegendorf · Oberhindhart · Neuhofen · Hofkirchen · Hankofen · Triching

Nötting · Engelbrechtsmünster · Aigl · Train · Wildenberg · Niedereulenbach · Hebramsdorf · Winklsaß · Neufahrn · Oberellenbach · Greilsberg · Martinsbuch · Weichshofen · Mengkofen · Großköllnbach · Waibling

Ilmendorf · Dürnbucher Forst · St. Johann · Elsendorf · Pattendorf · Gisseltshausen · Inkofen · Bayerbach · Süßkofen · Tunding · Ottering · Pilsting

Geisenfeld · Unterpindhart · Zell · Rottenegg · Lieblstraße · Müllerstr. · Badstraße · Donau · Wöhrdstraße · Werftstraße

Niederlauterbach · Oberrohrbach · Wolnzach · Gebrontshausen · Osterwaal · OR. HOLLEDAU · Geroldshausen · Geisenhausen · Abens · Siller hausen · Dürnhaindlfing · Pl. der Einheit · Schweitenkirchen · Wolfersdorf · Aufham · Kirchdorf · Norting · Wippenhausen · Allershausen · Kranzberg · Sünzhausen · Vötting · Frei(sing)

Lauterbach · Paunzhausen · Haindlfing · Giggenhausen · Fahrenzhausen · Pulling · Massenhausen · Achering · Großnöbach · Günzenhausen · Amperpettenbach · Neufahrn · Goldach · Notzing · Bockhorn · Eibach · Oberberg · Grün

MÜNCHEN, NÜRNBERG · KELHEIM, INGOLSTADT · PASSAU, LANSHUT · Erding · Angerskirchen · Oberding · Oberhausen

REGENSBURG (Stadtplan)

0 — 150 m
N

Lieblstraße · Müllerstr. · Badstraße · Donau · Prockstl. Steg · Grieser Steg · Wöhrdstraße · Werftstraße

Holzländestraße · Ledergasse · Weinlände · Keplerstraße · Kohlenmarkt · Donaumarkt

Brückturm · Salzstadel · Historische Wurstküche

Zum Goldenen Kreuz · Altes Rathaus · Porta Praetoria · Cloitre · Niedermünster · Goliathstr. · Watmarkt

Haidplatz · Rathausplatz · Dom St. Peter · St. Ulrich Kirche · Alter Kornmarkt

Justitiabrunnen · Ludwigstraße · Albertus-Magnus-Platz · Hinter der Grieb · Neupfarrplatz · Alte Kapelle · Bertoldstr.

Schottenkirche St-Jakob · Gesandtenstraße · DREIEINIGKEITSKIRCHE · NEUPFARRKIRCHE · ST. KASSIAN KIRCHE · Schwarze-Bären-Str. · MINORITENKIRCHE · POL · Prinzenweg · Ostengasse

Prüfeninger Str. · Jakobstraße · Pfarrergasse · Malergasse · Brüxner Hof · Dachauplatz · Minoritenweg

Aegidienpl. · Marschallstr. · Obermünsterstraße · Schäffnerstr. · Maximilianstraße · Am Königshof · Von-der-Tann-Straße

Marstallmuseum · St. Emmeram Kirche · OBERMÜNSTER · Fuchsengang · PASSAU, STRAUBING

Dörnbergpark · Hoppestraße · Kumpfmühler Str. · Schloss Thurn und Taxis · Sankt-Peters-Weg · Ernst-Reuter-Platz · Landshuter Str. · Augustenstraße

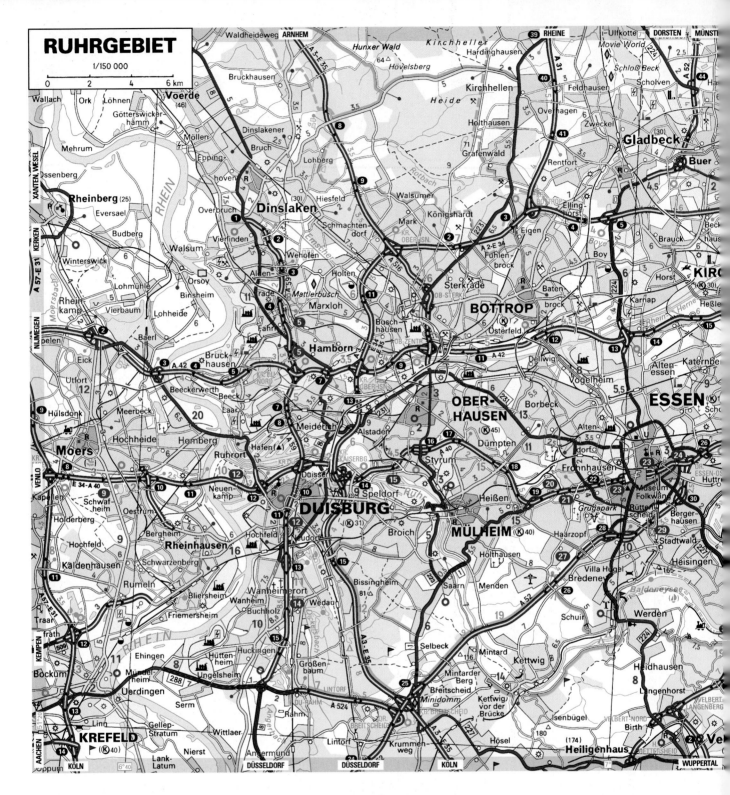

RUHRGEBIET
1/150 000

0   2   4   6 km

Spezielle Zeichen

Erholungsgebiet - Freizeitanlage	
Yachthafen - Golfplatz	
Garten, Park - Tierpark, Zoo	
Museumseisenbahn-Linie	
Jugendherberge	
Kraftwerk	
Bergwerk - Industrieanlagen	
Kokerei - Stahlwerk	
Kfz.- Industrie	
Chem. Industrie	

Bijzondere tekens

Recreatiegebied - Recreatiepark	
Jachthaven - Golf	
Tuin, park - Safaripark, dierentuin	
Toeristentreintje	
Jeugdherberg	
Elektrische centrale	
Mijn - Industrie	
Cokesfabriek - IJzer en staal	
Automobielind.	
Chemie	

Special symbols

Recreatioal centre - Country park	
Sailing - Golf course	
Garden, park - Safari park, zoo	
Tourist train	
Youth hostel	
Power station	
Mine - Industrial activity	
Coking plant - Steel works	
Car Industry	
Chemical works	

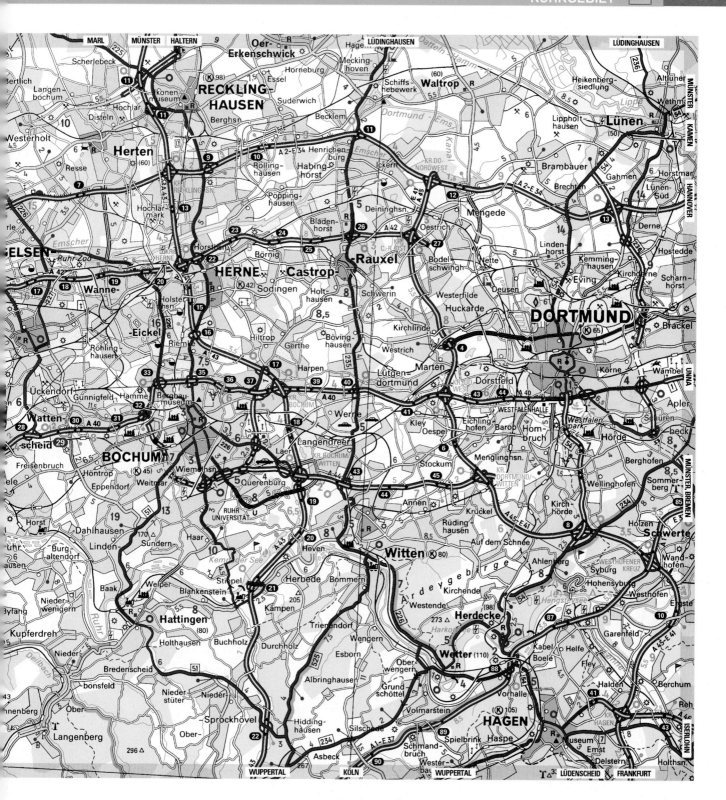

Signes particuliers

Base de loisirs - Parc de loisirs
Centre de voile - Golf
Jardin, parc - Parc animalier, zoo
Train touristique
Auberge de jeunesse
Centrale électrique
Mine - Industries
Cokerie - Sidérurgie
Automobile
Chimie

Segni convenzionali

Bagno - Parco per attività ricreative
Centro velico - Golf
Giardino, parco - Parco con animali, zoo
Trenino turistico
Ostello della gioventù
Centrale elettrica
Miniera - Industrie
Cokeria - Siderurgia
Industria automobilistica
Industria chimica

Signos especiales

Zona recreativa - Parque de ocio
Vela - Golf
Jardín, parque - Zoo
Tren turístico
Albergue juvenil
Central eléctrica
Mina - Industrias
Coquería - Siderurgia
Industria del automóvil
Industria química

MECKLENBURGER

BUCHT

(▲) Warnemünde

ROSTOCK

Kühlungsborn-West
Kühlungsborn-Ost
Heiligendamm
Bad Doberan

Rerik
Wustrow
Poel
Insel Poel
Kaltenhof
Gollwitz
Timmendorf
Kirchdorf
Fährdorf

Wismarbucht

WISMAR

Grevesmühlen

Neubukow

SCHWERIN

Schweriner See

Ludwigslust

Hagenow

SCHWERIN (inset)

ROSTOCK, WISMAR — GÜSTROW

0   200 m

N

Ziegelsee

SCHWERIN HBF

PAULS-STADT
Pfaffenteich

PAULSKIRCHE

SCHELFSTADT

WERDERVOR-STADT

Dom zu Schwerin

ALTSTADT

Beutel

Staatliches Museum

Schloßkirche
SCHLOSS-INSEL

Schloss

Burgsee

Schweriner See

FELDSTADT

Schloß-garten

Ostorfer See

Fauler See

PARCHIM, BERLIN,
LUDWIGSLUST, HAGENOW

STUTTGART

0   500 m

WIESBADEN

0   200 m

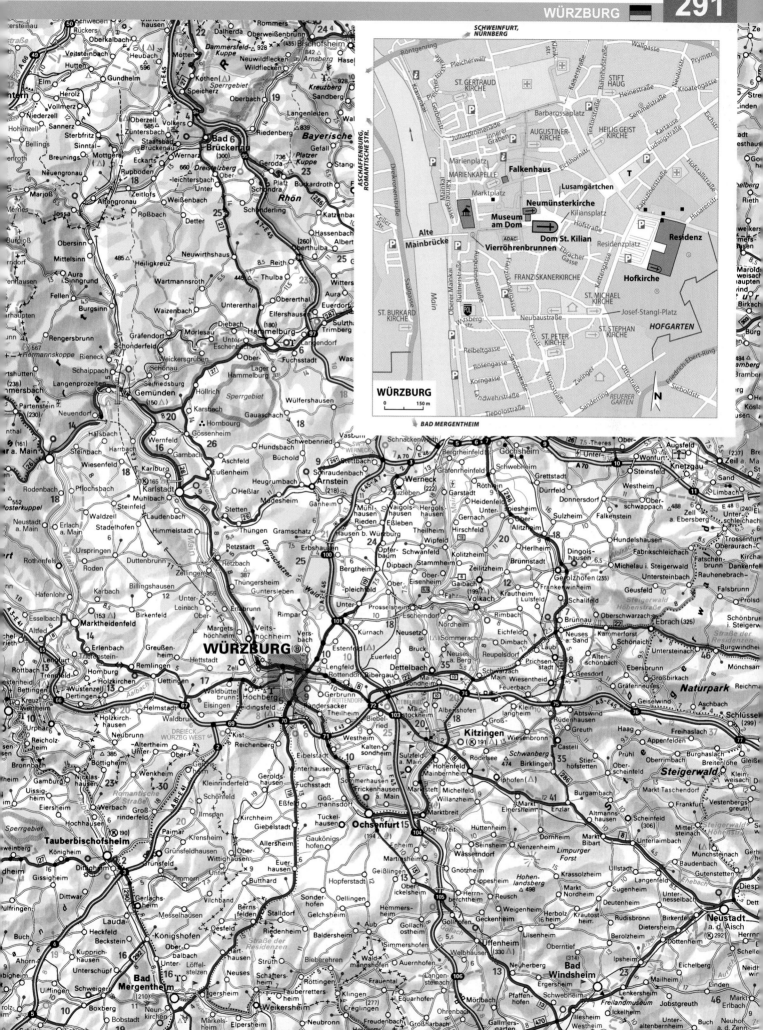

ANTWERPEN

0 — 110 m

N

Sint-Pauluskerk
Het Steen
Vleeshuis
FLANDRIA
Oude Beurs
Gildekamersstr.
Grote Markt
Handschoen markt
Vlaaikensgang
Rockoxhuis
St-Carolus Borromeuskerk
Hendrik Consciencepl.
St-Niklaaskapel
KATHEDRAAL
St-Jakobskerk
Handelsbeurs
Groenpl.
Boerentoren
Meir
MUSEUM PLANTIN-MORETUS
Paleis op de Meir
Modemuseum
Rubenshuis
St-Andrieskerk
Jodenstraat
Hopland
St. Andriespl.
Bourlaschouwburg
Oudaan
Museum Mayer Van den Bergh
Maagdenhuis
Theaterplein
St.-Elisabethgasthuiskapel
ELZENVELD

Kingston-upon-Hull
's-Gravenzande
Hoek van Holland
Maasvlakte
Europoort
Maasvlakte 2
Oostvoorne
Maassluis
Vlaardingen
Rozenburg
Brielle
VOORNE
Zwartewaal
Rockanje (Westvoorne)
Heenvliet
Hoogvliet
Spijkenisse
Haringvlietdam
GOEREE
Goedereede
Hellevoetsluis
Ouddorp
Stellendam
Zuidland
Nieuw-Beijerland
Piershil
Goudswaard
GREVELINGEN
Port Zélande
Den Osse
Melissant
Sommelsdijk
Middelharnis
Stad aan 't Haringvliet
Zuid-Beijerland
Tiengemeten
Den Bommel
Haringvlietbrug
SCHOUWEN
Brouwershaven
Zonnemaire
Noordgouwe
Dirksland
Herkingen
Nieuwe Tonge
OVERFLAKKEE
Kerkwerve
Dreischor
Grevelingendam
Oude Tonge
Achthuizen
Volkerakdam
Schuddebeurs
Bruinisse
Philipsdam
Dinteloord
Zierikzee
DUIVELAND
Oosterland
Anna Jacobapolder
St. Philipsland
De Heen
Kerkwerve
Zeelandbrug
St. Annaland
KRAMMER
Park Stavenisse
THOLEN
St. Maartensdijk
Scherpenisse
Poortvliet
Steenbergen
Welberg
Kats
Zandkreekdam
Gorishoek
Strijenham
Tholen
Nw-Vossemeer
Kruisland
Wilhelminadorp
Wemeldinge
Halsteren
Wouw
St. Willebrord
Gilze
Goes
Oosterschelde
Yerseke
Bergen op Zoom
Roosendaal
NOORD BRABANT
Rijsbergen
Strijbeek
Chaam
Kapelle
Oesterdam
Wouwse Plantage
Schijf
Zundert
Ulicoten
Baarle-Nassau
Biezelinge
's-Gravenpolder
Kruiningen
Plantage
Nispen
Wouwse Plantage
Essen
Wernhout
Meerle
Baarle-Hertog
Hansweert
Krabbendijke
Huijbergen
Nieuwmoer
Achtmaal
Braken
Minderhout
Weelde
Kwadendamme
Waarde
Rilland
Hoogerheide
Ossendrecht
Arboretum
Wuustwezel
Loenhout
Hoogstraten
Wortel
Weelde Station
Hoedekenskerke
Bath
Achterbroek
Merksplas
Ossenisse
Walsoorden
Putte
Kalmthout
Brecht
Rijkevorsel
Beerse
Kloosterzande
Zandvliet
St-Lenaarts
Terneuzen
Berendrecht
Vogelwaarde
Graauw
Lamswaarde
Stabroek
Kapellen
Maria-ter-Heide
Westmalle
Oostmalle
Vosselaar
Turnhout
Zaamslag
Ter Hole
Prosperpolder
Doel
Hoevenen
St-Job-in-'t-Goor
Vlimmeren
Oud-Turnhout
Nieuw-Namen
Kieldrecht
Brasschaat
Zoersel
Lille
Kasterlee
Hulst
Clinge
Meerdonk
Ekeren
Schoten
(ANVERS)
Wechelderzande
Gierle
Tielen
Heikant
De Klinge
Verrebroek
Petroleumhaven
ANTWERPEN
Zandhoven
Poederlee
Westdorpe
Zuiddorpe
Kallo
Deurne
Schilde
Oelegem
Pulle
Vorselaar
Lichtaart
Axel
Kemzeke
Nieuwkerken-Waas
Beveren
Melsele
Vrasene
Zwijndrecht
Wijnegem
Massenhoven
Grobbendonk
Herentals
St.-Jansteen
Koewacht
St-Gillis-Waas
Wommelgem
Borgerhout
Borsbeek
Ranst
Broechem
Bouwel
O.L.V. Olen
Stekene
St-Pauwels
Haasdonk
Kruibeke
Hoboken
Berchem
Mortsel
Emblem
Nijlen
Herenthout
Geel
Belsele
De Ster
Bazel
Hemiksem
Wilrijk
Boechout
Kessel
Bevel
Noorderwijk
Olen
St. Nicolas
St.-Niklaas
Sinaai
Elversele
Temse (Tamise)
Steendorp
Rupelmonde
Schelle
Aartselaar
Kontich
Lint
Waarloos
Lier (Lierre)
Berlaar
Itegem
Wiekevorst
Zoerle-Parwijs
Morkhoven
Eksaarde
Zwaanbeke
Hamme
Moerzeke
Mariekerke
Puurs
Niel
Boom
Reet
Duffel
Koningshooikt
Hallaar
Heist-op-den-Berg
Lochristi
Lokeren
Beervelde
Zele
Grembergen
Bornem
Ruisbroek
Rumst
St.-Katelijne-W
Heikant
Heultje
Westerlo
GENT
Wachtebeke
Moerbeke
Zevenekan
Waasmunster
Tielrode
Hingene
Wintam
Willebroek
Weert
Niel
MECHELEN (MALINES)

ZEEBRUGGE
Blankenberge
Wenduine
De Haan
OOSTENDE (OSTENDE)
Middelkerke
Westende
Nieuwpoort
Ramskapelle
Pervijze
Veurne (Furnes)
Lampernisse
Oudekapelle
Alveringem
Diksmuide (Dixmude)
Woumen
Reninge
Oostvleteren (Vleteren)
Westvleteren
Zuidschote
Boezinge
Elverdinge
Poperinge
Vlamertinge
Ieper (Ypres)
Reningelst
Westouter
Loker
Kemmel
Bailleul
Ploegsteert
Nieppe
Le Bizet
Steenwerck
Armentières
Estaires
Lomme
La Madeleine
LILLE (RIJSEL)
Haubourdin
Wattignies
Lesquin
Seclin
Gondecourt
la Bassée
Annoeullin
Carvin
Bauvin
Wingles
Vermelles
Lens
Liévin
Bully-les-M.
Grenay

Bredene
Bredene-aan-Zee
Mariakerke
Middelkerke-Bad
Westende-Bad
Leffinge
Slijpe
Gistel
Zevekote
Koekelare
Ichtegem
Moere
Aartrijke
Torhout
Beerst
Esen
Vladslo
Werken
Zarren
Handzame
Kortemark
Gits
Hooglede
Staden
Oostnieuwkerke
Westrozebeke
Poelkapelle
Langemark
Passendale
Zonnebeke
Ledegem
Moorslede
Rumbeke
Oekene
Beselare
Dadizele
Moorsele
Geluveld
Geluwe
Zillebeke
Zandvoorde
Hollebeke
Houthem
Wervik
Wervicq-Sud
Comines (Komen)
Warneton (Waasten)
Mesen (Messines)
Neuve Eglise
Deûlémont
Linselles
Quesnoy-s-Deûle
Bondues
Wambrechies
Roubaix
Tourcoing
Marcq
Lannoy
Villeneuve-d'Ascq
Loos
Faches-Thumesnil
Templeuve
Cysoing
Pont-à-Marcq
Cappelle-en-Pévèle
Libercourt
Bersée
Thumeries
Courrières
Oignies
Ostricourt
Harnes
Montigny-en-G.
Leforest
Hénin-Beaumont
Lallaing

Het Zoute
Retranchement
Zuidzande
Oostburg
Westkapelle
St. Anna-ter-Muiden
Sluis
Waterlandkerkje
St. Margriete
Waterland Oudeman
Philippine
Sluiskil
Terneuzen
Hoek
IJzendijke
Biervliet
Driewegen
Aardenburg
St. Kruis
Eede
St.-Jan-in-Eremo
Boekhoute
Assenede
Westdorpe
Sas-van-Gent
Lapscheure
Middelburg
Damme
Moerkerke
Oostkerke
Dudzele
Lissewege
Ter Doest
Zuienkerke
Nieuwmunster
Vlissegem
Klemskerke
Houtave
Zandvoorde
Snaaskerke
Stalhille
Oudenburg
Roksem
Zerkegem
Jabbeke
Snellegem
Zevenkerken
Zedelgem
Loppem
Oostkamp
Varsenare
St. Andries
St. Michiels
Assebroek
BRUGGE (BRUGES)
St.-Kruis
Sijsele
Oedelem
Beernem
Knesselare
Ursel
Maldegem
Adegem
Eeklo
Lembeke
Kaprijke
Waarschoot
Sleidinge
Zelzate
Wachtebeke
Ertvelde
Evergem
Oostakker
Lochristi
GENT (GAND)
Destelbergen
Laarne
Drongen
St.-Martens-Latem
Nevele
Hansbeke
Aalter
Maria-Aalter
Ruiselede
Wingene
Zwevezele
Egem
Lichtervelde
Ardooie
Koolskamp
Roeselare (Roulers)
Beveren
Kachtem
Izegem
Ingelmunster
Vrije
Zomergem
Lovendegem
Merendree
Bellem
Oostwinkel
Waarschoot
Rudderedvoorde
Hertsberge
Waardamme
Veldegem

BRUGGE

0   100 m

Van Eyckplein
Friet Museum
Poortersloge
St-Annakerk
St-Walburgakerk
Choco-Story-Lumina Domestica
Historium
Paleis van het Brugse Vrije
Markt
Burg
Basiliek van het Heilig Bloed
Brugse Vrije
De Pelikaan
Steenhouwersdijk
BELFORT-HALLEN
Huidenvettersplein
Huidenvettershuis
Rozenhoedkaai
St-Salvatorskathedraal
Gruuthuse
Museum Arenthuis
ARENTSPARK
Astridpark
O-L-V-Kerk
Bonifatiusbrug
GROENINGE MUSEUM
MEMLING-MUSEUM (St-Jans-Hospitaal)
Nieuwe Gentweg
De Halve Maan
Begijnhuisje
Begijnhof
Zonnekemeers
Sashuis
Minnewater

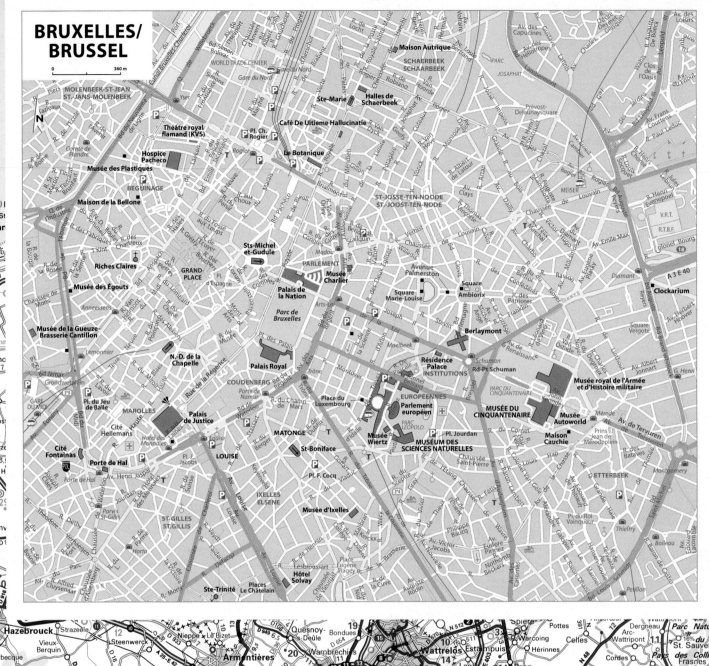

BRUXELLES/ BRUSSEL

0 ———— 360 m

MOLENBEEK-ST-JEAN
ST-JANS-MOLENBEEK

SCHAERBEEK
SCHAARBEEK

Maison Autrique

WORLD TRADE CENTER

Gare du Nord

Ste-Marie

Halles de Schaerbeek

Café De Ultieme Hallucinatie

Théâtre royal flamand (KVS)

Pl. Ch. Rogier

Le Botanique

Hospice Pacheco

Maison Autrique

Musée des Plastiques

ST-JOSSE-TEN-NOODE
ST-JOOST-TEN-NODE

BEGUINAGE

Maison de la Bellone

Sts-Michel et-Gudule

PARLEMENT

Musée Charlier

Square Marie-Louise

Square Ambiorix

Clockarium

GRAND-PLACE

Riches Claires

Palais de la Nation

Berlaymont

Musée des Égouts

Parc de Bruxelles

Avenue Palmerston

Musée de la Gueuze-Brasserie Cantillon

Résidence Palace
INSTITUTIONS
EUROPÉENNES

Schuman
Rd-Pt Schuman

PARC DU CINQUANTENAIRE

Musée royal de l'Armée et d'Histoire militaire

N.-D. de la Chapelle

Palais Royal

COUDENBERG

MUSÉE DU CINQUANTENAIRE

Musée Autoworld

Pl. du Jeu de Balle

Palais de Justice

Place du Luxembourg

Parlement européen

Musée Wiertz

MUSÉUM DES SCIENCES NATURELLES

Maison Cauchie

MAROLLES

MATONGE

St-Boniface

Pl. Jourdan

ETTERBEEK

Cité Hellemans

LOUISE

Pl. F. Cocq

Cité Fontainas

Porte de Hal

Musée d'Ixelles

IXELLES
ELSENE

ST-GILLES
ST-GILLIS

Hôtel Solvay

Ste-Trinité

Places Le Châtelain

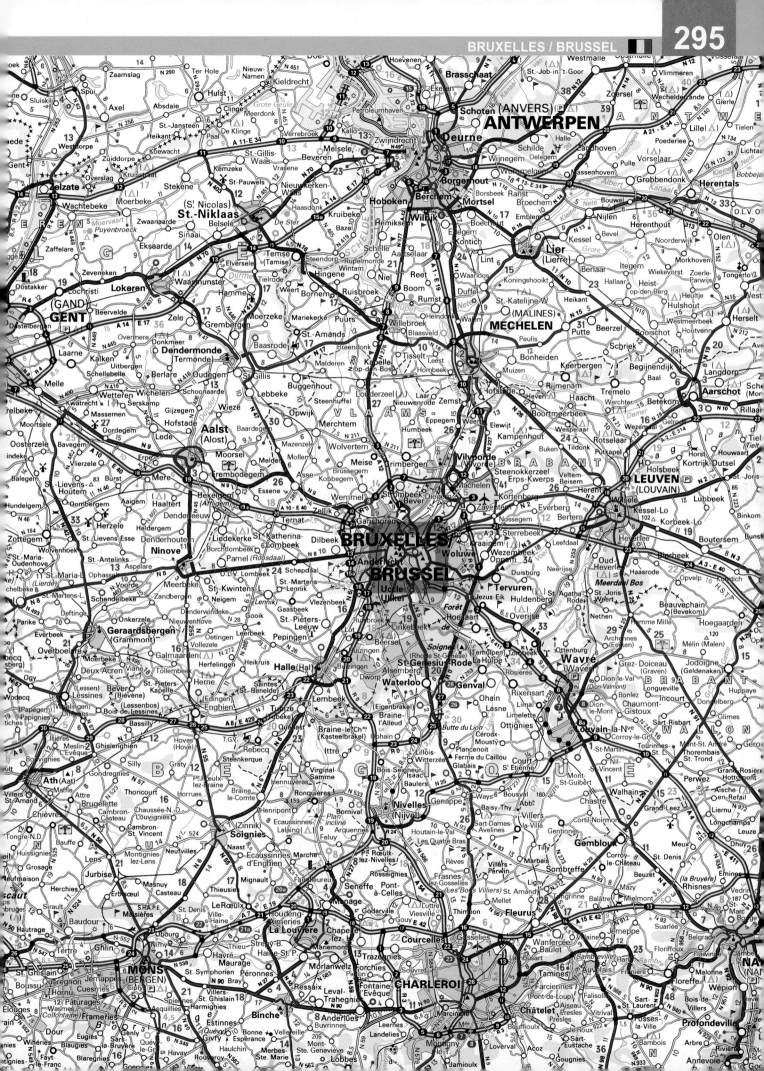

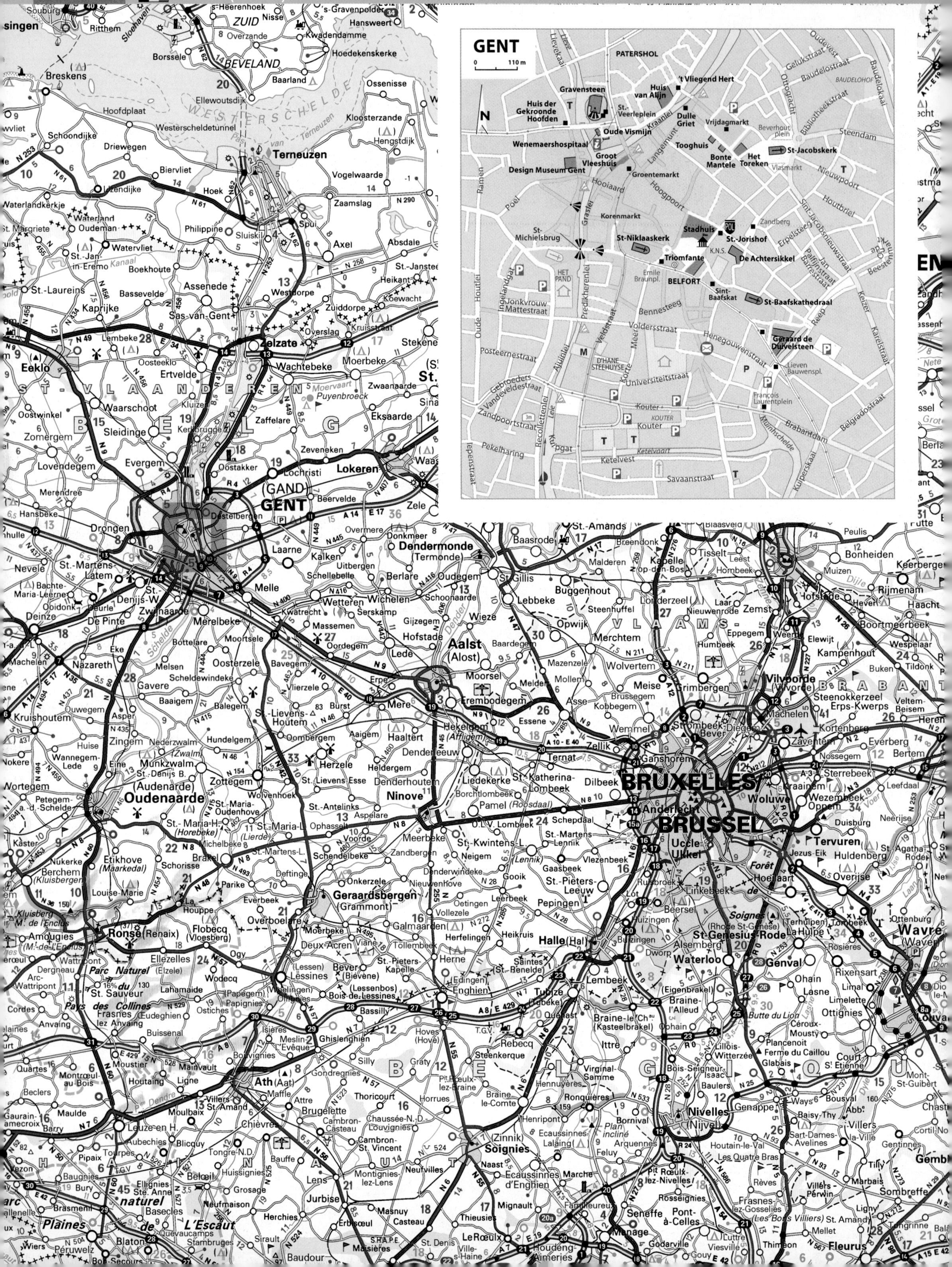

GENT

0 — 110 m

N

PATERSHOL

Gravensteen
Huis der Gekroonde Hoofden
't Vliegend Hert
Huis van Alijn
Dulle Griet
St. Veerleplein
Vrijdagmarkt
Beverhout plein
Oude Vismijn
Tooghuis
Wenemaershospitaal
Groot Vleeshuis
Bonte Mantele
Het Toreken
St-Jacobskerk
Vlasmarkt
Design Museum Gent
Groentemarkt
Korenmarkt
St-Michielsbrug
Stadhuis
St-Niklaaskerk
Zandberg
St-Jorishof
K.N.S.
Triomfante
De Achtersikkel
BELFORT
Emile Braunpl.
Sint-Baafskat
Het Pand
Jonkvrouw Mattestraat
Sint-Baafskathedraal
Gerard de Duivelsteen
Bennesteeg
Voldersstraat
D'HANE STEENHUYSE
Universiteitstraat
Lieven Bauwenspl.
KOUTER
Kouter
François Laurentplein
Savaanstraat
Ketelvest

ZUID BEVELAND
WESTERSCHELDE
Terneuzen
Breskens
Eeklo
GENT (GAND)
St. NIKLAAS
Lokeren
Dendermonde (Termonde)
Aalst (Alost)
Oudenaarde
Ronse (Renaix)
Geraardsbergen (Grammont)
Ninove
BRUXELLES BRUSSEL
Anderlecht
Woluwe
Uccle Ukkel
Vilvoorde (Vilvorde)
Tervuren
Wavre (Waver)
Halle (Hal)
Waterloo
Nivelles (Nijvel)
Soignies
Ath (Aat)

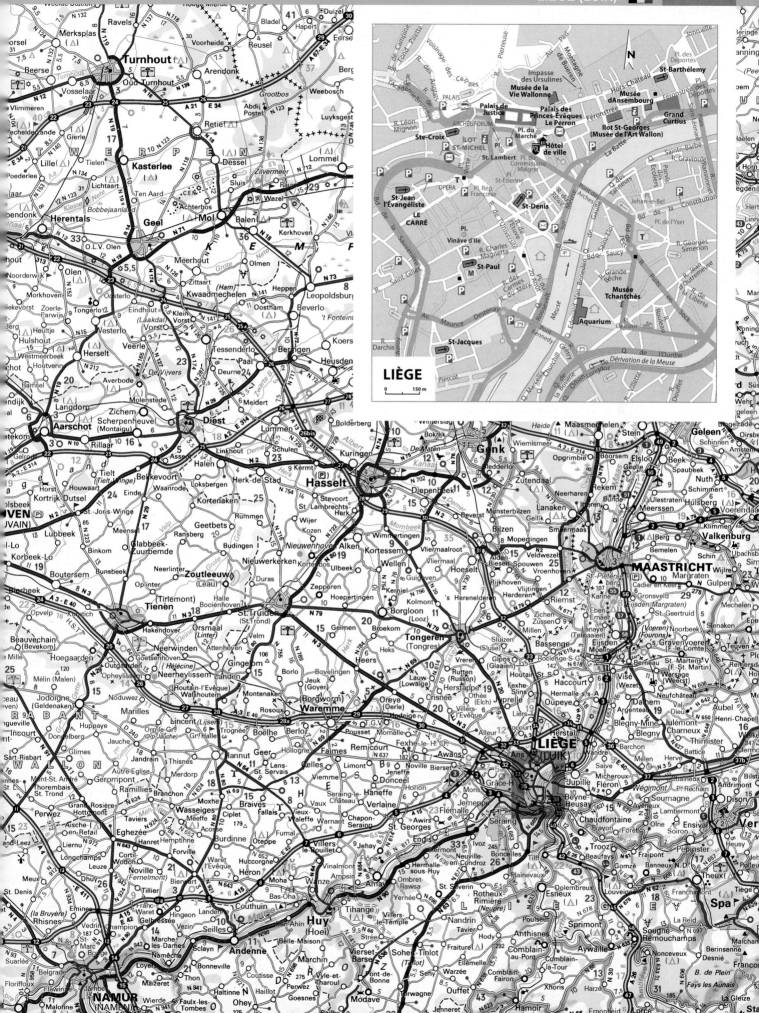

LIÈGE

0   150 m

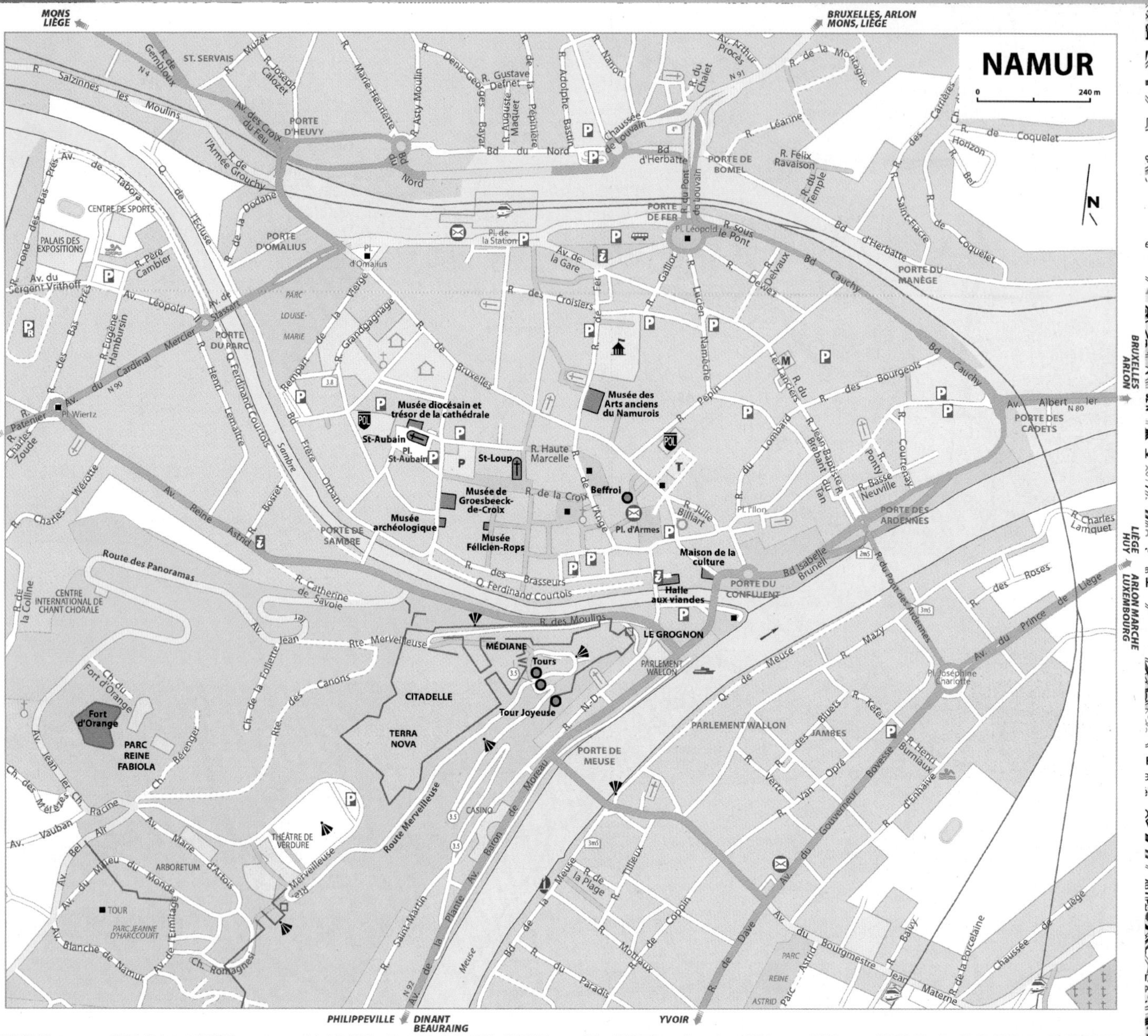

NAMUR

0 — 240 m

N

Street map labels (selection):

MONS LIÈGE · BRUXELLES, ARLON MONS, LIÈGE · ST. SERVAIS · PORTE D'HEUVY · PORTE D'OMALIUS · PORTE DE FER · PORTE DE BOMEL · PORTE DU MANÈGE · PORTE DES CADETS · CENTRE DE SPORTS · PALAIS DES EXPOSITIONS · PARC LOUISE-MARIE · PORTE DU PARC · Pl. de la Station · Av. de la Gare · Pl. Léopold le Pont · PORTE DES ARDENNES · Musée diocésain et trésor de la cathédrale · St-Aubain · Pl. St-Aubain · St-Loup · R. Haute Marcelle · Musée des Arts anciens du Namurois · Musée de Groesbeeck-de-Croix · Beffroi · Pl. d'Armes · Musée archéologique · PORTE DE SAMBRE · Musée Félicien-Rops · Maison de la culture · Halle aux viandes · PORTE DU CONFLUENT · Route des Panoramas · CENTRE INTERNATIONAL DE CHANT CHORALE · LE GROGNON · MÉDIANE · Tours · CITADELLE · PARLEMENT WALLON · Tour Joyeuse · TERRA NOVA · Fort d'Orange · PARC REINE FABIOLA · PORTE DE MEUSE · Pl. Joséphine Charlotte · CASINO · THÉÂTRE DE VERDURE · ARBORETUM · PARC JEANNE D'HARCOURT · TOUR · LIÈGE HUY · ARLON MARCHE LUXEMBOURG · PHILIPPEVILLE DINANT BEAURAING · YVOIR

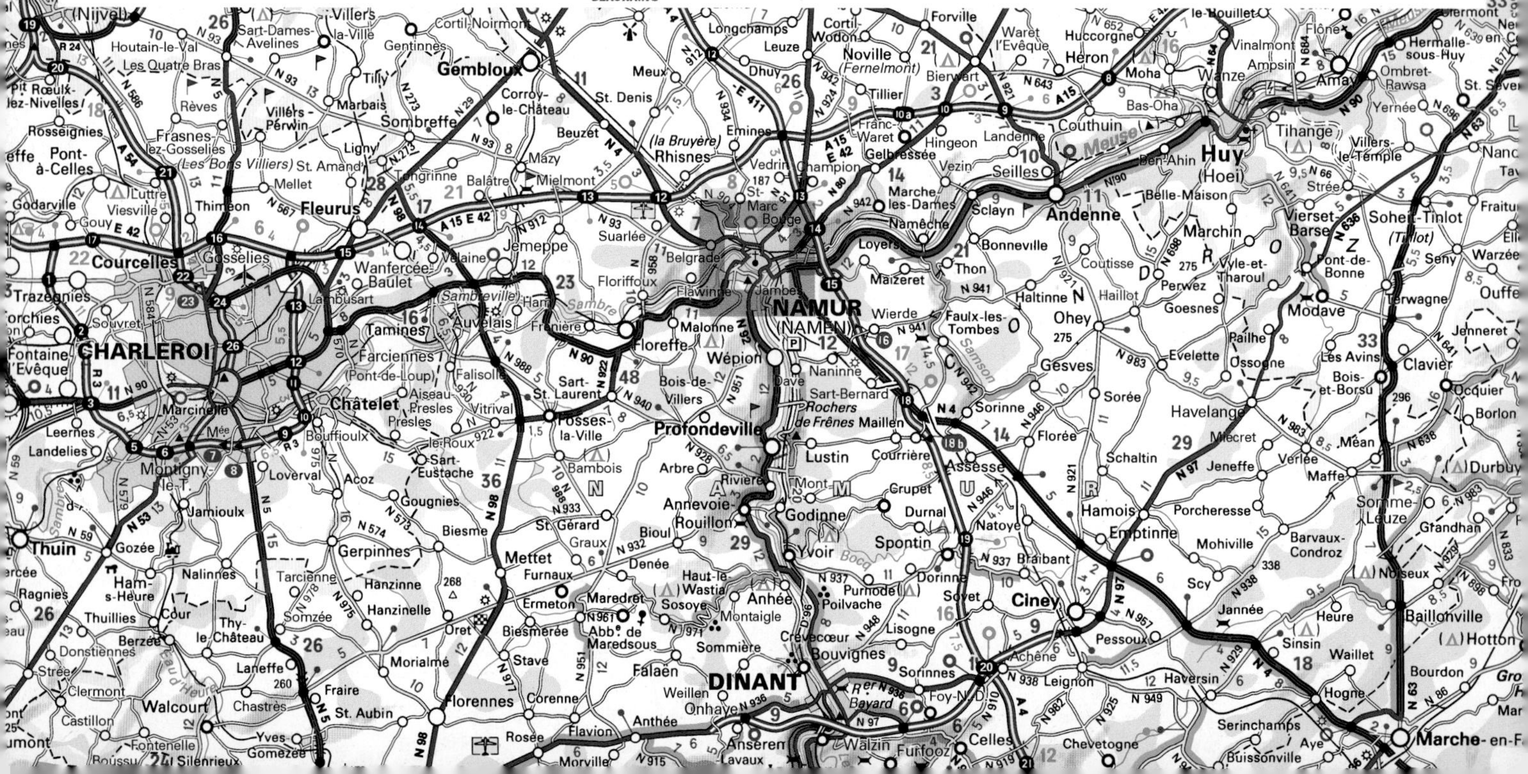

Regional road map labels (selection):

CHARLEROI · GEMBLOUX · FLEURUS · COURCELLES · GOSSELIES · CHÂTELET · TAMINES · NAMUR (NAMEN) · PROFONDEVILLE · DINANT · CINEY · HUY (Hoei) · ANDENNE · MODAVE · CLAVIER · MARCHE-EN-F. · Thuin · Walcourt · Mettet · Florennes

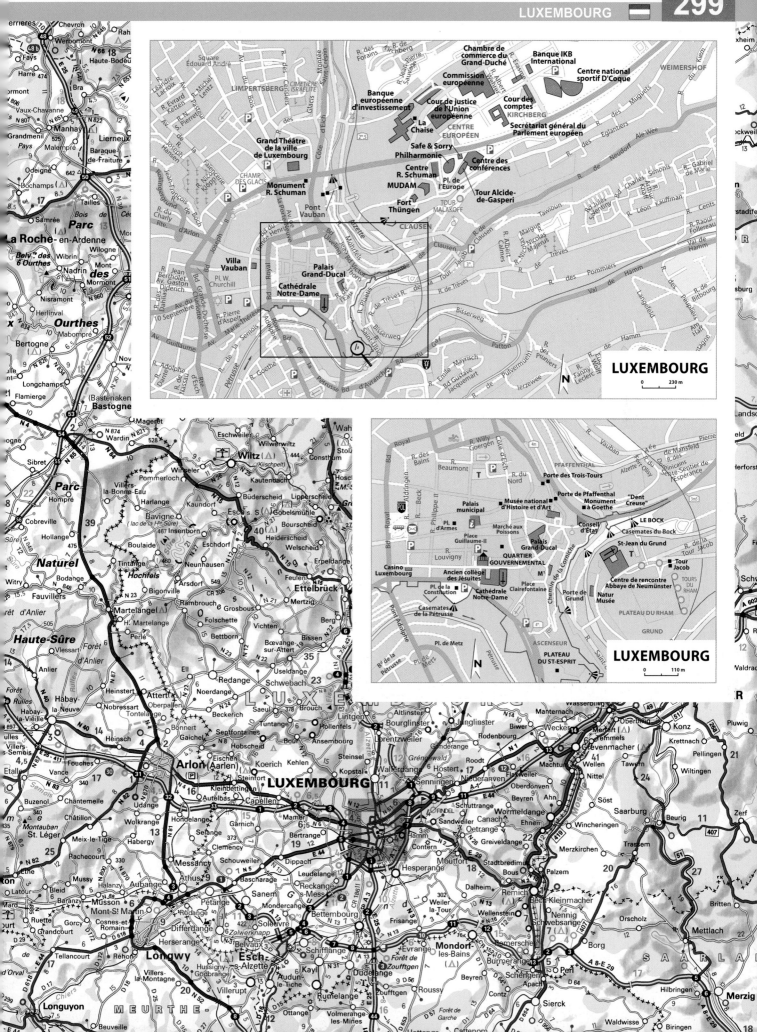

AMSTERDAM

0   1,2 km

(▲) SCHEVENINGEN
(P) **DEN HAAG**
('S-GRAVENHAGE)

IJSSELMEER

MARKERMEER

AMSTERDAM

HAARLEM

ALKMAAR

LEIDEN

HILVERSUM

UTRECHT

Amersfoort

Lelystad

Almere — Almere-Stad, Almere-Buiten, Almere-Hout, Almere-Haven

ZUIDELIJK-FLEVOLAND

Zandvoort · IJmuiden · Beverwijk · Castricum · Bergen · Bergen aan Zee · Egmond aan Zee · Egmond aan den Hoef · Egmond-Binnen · Heiloo · Limmen · Akersloot · Uitgeest · Heemskerk · Velsen · Driehuis · Santpoort · Bloemendaal · Bloemendaal aan Zee · Overveen · Aerdenhout · Heemstede · Bennebroek · Hillegom · Lisse · Sassenheim · Voorhout · Noordwijkerhout · Noordwijk aan Zee · Noordwijk-Binnen · Katwijk aan Zee · Katwijk a/d Rijn · Rijnsburg · Oegstgeest · Warmond · Leiderdorp · Koudekerk · Zoeterwoude · Voorschoten · Wassenaar · Valkenburg · De Kieviet

Julianadorp · Breezand · Westerland · Wieringermeer · Wieringerwerf · Anna Paulowna · Sloodorp · Middenmeer · Kolhorn · Medemblik · Opperdoes · Onderdijk · Andijk · Enkhuizen · Wervershoof (Drechterland) · Hoogkarspel · Bovenkarspel (Stede-Broec) · Venhuizen · Hem · Oosterleek · Wijdenes · Schellinkhout · Blokker · Zwaag · De Streek · Hoorn · Scharwoude · Berkhout · Oosthuizen · Edam · Volendam · Monnickendam · Marken · Kerkbuurt · Broek in Waterland · Zuiderwoude · Uitdam · Durgerdam · Ransdorp

Schagen · Schagerbrug · St.-Zijpe · Maartensvlotbrug · Burgervlotbrug · Petten · Camperduin · Schoorl · Groet · St.-Maarten · Zijdewind · Dirkshorn (Harenkarspel) · Warmenhuizen · Oudkarspel · Nieuwe-Niedorp · Hoogwoud · Abbekerk · Midwoud · Twisk · Opmeer · Spanbroek · Obdam · Wadway · Wognum · Nibbixwoud · Zwaagdijk · Hoogkarspel · Heerhugowaard · Langedijk · Broek op Langedijk · St.-Pancras · Koedijk · Oudorp · Hensbroek · Spierdijk · Oterleek · Ursem · Avenhorn · Schermerhorn · Grootschermer · De Rijp · Graft · West-Graftdijk · Oost-Graftdijk · Westbeemster · Middenbeemster · De Beemster · Zuidoostbeemster

NOORD-HOLLAND

Zaanstad · Zaandam · Zaandijk · Koog a/d Zaan · Wormerveer · Wormer · Oostzaan · Assendelft · Westzaan · Krommenie · Jisp · Purmerend · Purmerland · Ilpendam · Landsmeer · Watergang

Hoofddorp · Nieuw-Vennep · Aalsmeer · Kudelstaart · Uithoorn · Badhoevedorp · Zwanenburg · Osdorp · Ouderkerk · Amstelveen · Diemen · Duivendrecht · Abcoude · Baambrugge · Nederhorst den Berg · Nigtevecht · Weesp · Muiden · Muiderberg · Naarden · Bussum · Huizen · Blaricum · Laren · Eemnes · Baarn · Soest · Soestdijk · Soesterberg · Spakenburg · Bunschoten · Eembrugge

Vinkeveen · Wilnis · Mijdrecht (De Ronde Venen) · Nieuwveen · Nieuwkoop · Noorden · Ter Aar · Langeraar · Woubrugge · Hoogmade · Roelofarendsveen (Kaag en Brassem) · Leimuiden · Oude-Wetering · Rijnsaterwoude · Nieuwerbrug · Alphen a/d Rijn · Rijndijk · Hazerswoude-Dorp · Koudekerk · Boskoop · Waddinxveen · Moerkapelle · Bleiswijk · Zevenhuizen · Moordrecht · Gouderak · Gouda · Reeuwijk · Reeuwijk-Dorp · Bodegraven (Bodegraven-Reeuwijk) · Zwammerdam · Driebruggen · Waarder · Oudewater · Montfoort · Linschoten · Woerden · Harmelen · Kamerik · Zegveld · Meije · Haarzuilens · De Meern · Vleuten · Maarssen · Maarssenbroek · Breukelen · Tienhoven · Loenen · Vreeland · Kortenhoef · 's-Graveland · Loosdrecht · Nieuw-Loosdrecht · Oud-Loosdrecht · Maartensdijk · Westbroek · Oud-Zuilen · Bilthoven · De Bilt · Bosch en Duin · Den Dolder · Zeist · Woudenberg · Doorn · Driebergen · Odijk · Bunnik · Houten · Nieuwegein · Vianen · IJsselstein · Lopik · Lopikerkapel · Benschop · Polsbroek · Schoonhoven · Haastrecht · Hagestein · Everdingen · Culemborg

ZUID-HOLLAND

DELFT · Delfgauw · Pijnacker · Nootdorp · Zoetermeer · Leidschendam · Stompwijk · Benthuizen · Zevenhuizen · Hillegersberg · Berkel en Rodenrijs · Bergschenhoek · Bleiswijk · Schipluiden · Voorburg

UTRECHT

Nationaal Park Zuid-Kennemerland

Nationaal Park Utrechtse Heuvelrug

Oostvaardersplassen · Aviodrome · Houtribsluizen · Markerwaarddijk · Oostvaardersdijk · Hollandse Brug · Stichtse Brug · Gooimeer · IJmeer · Zuidlaren

ARNHEM

ARNHEM inset
0 140 m

APELDOORN
DE WATER MOLEN
Nijhoffstraat
Paul Krügerstraat
Marten van Rossemstraat
Van Spaenstraat
Sonsbeeksingel
Amsterdamseweg
Bouriciusstraat
Utrechtsestraat
Jansbuitensingel
Jansbinnensingel
Bastionstraat
Spoorwegstraat
Steenstraat
Spijkerstraat
1e Wijkstraat
Willemsplein
Nieuwe Oeverstraat
Varkensstraat
Historisch Museum Het Burgerweeshuis
Ketelstraat
Walstraat
Rijnstraat
Beekstraat
Parkstraat
Oude Kraan
Stadsblokenweg
Bakkerstraat
Koningstraat
Langstraat
Weerdjesstraat
Duivelshuis
Eusebiuskerk
Stadhuis
Palais van Justitie
Markt
Bd Heuvelink
STADSKANTOOR
Sabelspoort
Huis der Provincie
Neder-Rijn
Rijnkade
Westervoortsedijk
WAGENINGEN
NIJMEGEN
N

Arnhem regional map
Nunspeet
Veessen
Broekland
Raa
Epe
Den Nul
Vierhouten
Oene
Olst
Boskamp
Heeten
Wesepe
Emst
Diepenveen
Vaassen
Nijbroek
Terwolde
Schalkhaar
Leuvenum
DEVENTER
Elspeet
Wiesel
Wenum
Twello
Teuge
Uddel
Hoog Soeren
APELDOORN
Het Loo
Epse
Nieuw Milligen
Ugchelen
Wilp
Gorssel
Kootwijk
Beekbergen
Klarenbeek
Voorst
Empe
Zutphen
Harskamp
Loenen
Warnsveld
Jachthuis St. Hubertus
Otterlo
Hoenderloo
Eerbeek
Baak
Bronkhorst
Kröller-Müller Museum
Deelen
Laag-Soeren
Brummen
Steenderen
Toldijk
Nationaal Park De Hoge Veluwe
Nationaal Park De Veluwezoom
Terlet
Dieren
Ede
Oud-Reemst
Schaarsbergen
Posbank
Ellecom
Olburgen
Doesburg
Hummelo
Keijenborg
Bennekom
Wolfheze
Openl. museum
Velp
De Steeg
Middachten
Rheden
Drempt
Heelsum
Oosterbeek
Doorwerth
ARNHEM
Doesburg
Angerlo
Wehl
Renkum
Heteren
Driel
Westervoort
Duiven
Loo
Didam
Kilder
Handwijk
Elden
Huissen
Zevenaar
Beek
Zetten
Elst
Babberich
Montferland
('s-Heerenbergh)
Valburg
Angeren
Haalderen
Pannerden
Doornenburg
(Rijnwaarden)
Elten
Bemmel
Gendt
Millingen
Lobith
Spijk
Tolkamer
Hüthum
Weurt
Beuningen
Lent
Ooij
Leuth
Kekerdom
Bimmen
Ewijk
Kesteren
Slijk-Ewijk
Nijmegen
Beek
Berg-en-Dal
Wyler
Donsbrüggen
WAAL

BREDA

Breda regional map
Alblasserwaard
Giessenburg
Kedichem
Hardinxveld-G.
Gorinchem
Papendrecht
Boven-H.
Brakel
Sliedrecht
Sleeuwijk
Woudrichem
Werkendam
Andel
DORDRECHT
Dubbeldam
Kop van 't Land
Giessen
Wijk-en-A. (Aalburg)
Nieuwendijk
Almkerk
Waardhuizen
Eethen
Nationaal Park De Biesbosch
Hank
Dussen
Meeuwen
Genderen
Strijen
Moerdijk
Drongelen
Elshout
Moerdijk bruggen
Lage Zwaluwe
Drimmelen
Geertruidenberg
Hooge Zwaluwe
Raamsdonksveer
Waspik
Zevenbergschen Hoek
Made
Raamsdonk
Sprang-Capelle
Waalwijk
's-Gravenmoer
Kaatsheuvel
Zevenbergen
Wagenberg
Oosterhout
Oosteind
Dongen
Loon op
Terheijden
Oosterhout
De Moer
BREDA
Teteringen
Rijen (Gilze en Rijen)
Prinsenbeek
Dorst
TILBURG
Etten-Leur
Hülten
Molenschot
Princenhage
Ulvenhout
Gilze
St. Willebrord
Ginneken
Riel
Sprundel
NOORD BRABANT
Goirle
Rijsbergen
Strijbeek
Chaam
Alphen-Oosterwijk
Schijf
Hilvarenbeek
Zundert
Meerle
Ulicoten
Alphen
Achtmaal
Wernhout
Baarle-Nassau
Poppel
Meer
Baarle-Hertog
Minderhout
Weelde
Braken
Wortel
Weelde Station
Eel
Hooge Mierd
Hoogstraten
Loenhout
Merksplas
Ravels
Voorheide
Brecht
Rijkevorsel
St-Lenaarts
Wuustwezel
Beerse
TURNHOUT
Oud-Turnhout
Westmalle
Oostmalle
(Malle)
Vosselaar
Antwerpen
ROTTERDAM, ANTWERPEN
KASTEEL BOUVIGNE
BAARLE-NASSAU ULVENHOUT

BREDA inset
0 220 m
Mark
Markkade
Speelhuislaan
Belcrumweg
Academiesingel
Ceresstraat
Slingerweg
Kasteel
Valkenberg
Het Spanjaardsgat
Begijnhof
Grote of Onze-Lieve-Vrouwekerk
De Beyerd
Havermarkt
Grote Markt
Stadhuis
Het Wit Lam
CASINO
STADSKANTOOR
Breda's Museum
ROTTERDAM
BERGEN OP ZOOM
ROOSENDAAL
TILBURG, UTRECHT
BURG. V. SONSBEECK PARK
Vincent van Goghstraat
ANTWERPEN
N

MARKERME

Alkmaar Schermerhorn
Egmond-Binnen Schermer Grootschermer
Limmen Graft De Rijp Westbeemster Oosthuizen (Zeevang) 34
Castricum aan Zee Akersloot De Beemster N 247
Castricum West-Graftdijk Oost-Graftdijk Middenbeemster **Edam**
Uitgeest HOLLAND **Volendam**
Heemskerk Krommenie Jisp N 244 **Marken**
Wijk aan Zee Wormer Wormerveer *Marken*
Beverwijk Assendelft Purmerland **Purmerend** Kerkbuurt
Velsertunnel Westzaan Ilpendam Monnickendam
Velsen Koog a/d Z **Zaanstad** Broek in Zuiderwoude
IJmuiden Driehuis Zaandam Waterland Uitdam
Nationaal Park Santpoort Coentunnel Oostzaan Landsmeer **Almere**
Zuid-Kennemerland Spaarndam Zunderdorp Almere-Stad
Bloemendaal Schellingwoude
Overveen **HAARLEM** Haarlemmerliede Durgerdam
Bloemendaal aan Zee IJ-Tunnel **AMSTERDAM**
N 200 Zwanenburg Osdorp Diemen Muiden Muiderberg
Zandvoort Aerdenhout Wijfhuizen Amsterdam E 231 Hollandse Brug
Heemstede Badhoevedorp Zuidoost Weesp Naarden
Cruquius Ouderkerk Abcoude **Bussum**
Vogelenzang **Amstelveen** Nigtevecht **HILVERSUM**
De Zilk Bennebroek SCHIPHOL 's-Graveland Laren
Hoofddorp Aalsmeer Baambrugge Kortenhoef
Hillegom *Haarlemmermeer* Uithoorn Vreeland Loosdrecht
Noordwijkerhout Nieuw-Vennep Kudelstaart Vinkeveen Loosdrechtse
Noordwijk aan Zee **Lisse** Abbenes Rijsenhout Plassen
Sassenheim Westeinder Loenen Breukelen
Noordwijk-Binnen Voorhout Plassen Mijdrecht Tienhoven
Katwijk aan Zee Kaag Warmond Leimuiden Nieuwveen Maarssen
Rijnsburg Langeraar Westbroek Bilthoven
Katwijk a/d Rijn **LEIDEN** Roelofarendsveen Oegstgeest Noordeinde Maarssen
Valkenburg Ter Aar Kockengen De Bilt

HAARLEM (inset)
0 170 m

Tetterodestraat Schotersingel
Jan Steenstraat Versprockweg
Staten Bolwerk Werfstraat
Vrouwehekstraat
KENAU PARK RIPPERDA PARK
Parklaan Parklaan
Rolsteeg Friese Varkenmarkt
Nieuwe Gracht
Hofje van Oorschot **Molen De Adriaan**
Buiten Spaarne HUIS VAN BEWARING
Waalse Kerk Catharijnebrug
Corrie ten Boom **Vishal** **St-Bavokerk**
Grote Markt **Teylers Museum**
Hofje van Loo **Verweyhal Vleeshal** **Amsterdamse Poort**
Brouwershofje **Waag**
Proveniershofje
FRANS HALS MUSEUM
Voormalig St-Elisabeths Gasthuis

Gouda Woerden UTRECHT Nieuwegein
Bodegraven Harmelen Vianen Culemborg
Oudewater Montfoort IJsselstein Houten
Schoonhoven Lopik Gorinchem
Sliedrecht Werkendam Nationaal Park De Biesbosch
DRECHT Geertruidenberg Waalwijk

MAASTRICHT

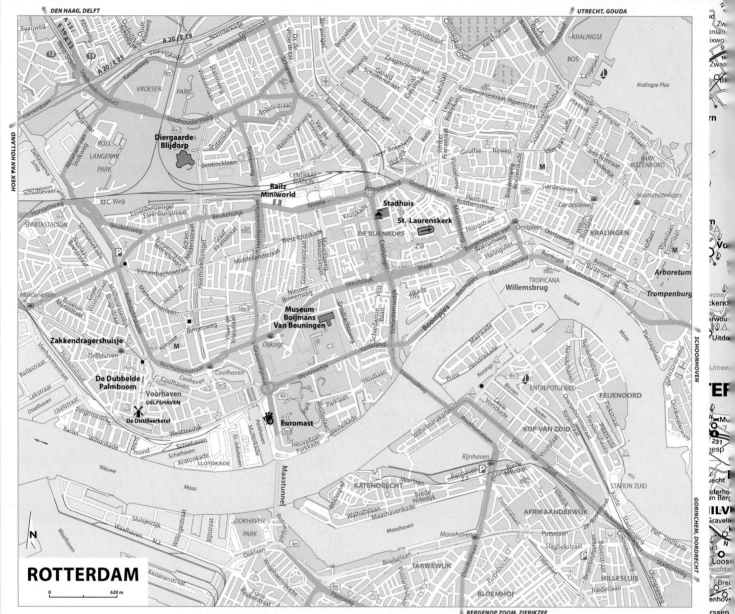

DEN HAAG, DELFT

UTRECHT, GOUDA

HOEK VAN HOLLAND

SCHOONHOVEN

GORINCHEM, DORDRECHT

Diergaarde
Blijdorp

ROEL
LANGERAK
PARK

SPARTASTADION

Railz
Miniworld

CENTRAAL
STATION

Stadhuis

DE BIJENKORF

St.-Laurenskerk

KRALINGEN

Arboretum

Trompenburg

Museum
Boijmans
Van Beuningen

Willemsbrug

Zakkendragershuisje

De Dubbelde
Palmboom

Voorhaven
DELFSHAVEN

De Distilleerketel

Euromast

TROPICANA

ENTREPOTGEBIED

FEIJENOORD

KOP VAN ZUID

LLOYDKADE

KATENDRECHT

DOKHAVEN
PARK

MAASTUNNEL

STATION ZUID

AFRIKAANDERWIJK

HILLESLUIS

TARWEWIJK

BLOEMHOF

ROTTERDAM

0   620 m

N

BERGEN OP ZOOM, ZIERIKZEE

(▲) SCHEVENINGEN

(P) DEN HAAG
('S-GRAVENHAGE)

ZUID

HOLLAND

Harwich

Kingston-upon-Hull

Hoek van
Holland

Europoort

Maassluis

Vlaardingen

Schiedam

ROTTERDAM

DELFT

Ridderkerk

Spijkenisse

Hellevoetsluis

Zwijndrecht

GOEREE
Goedereede

Ouddorp

VOORNE

PUTTEN

Gouda

Gorinchem

DORDRECHT

41

UTRECHT

Kloostergang .... E
Universiteit Utrecht .... F
Aboriginal Art Museum M7
Nationaal Museum van
  Speelklok tot Pierement .... N
Pieterskerk .... Q
Winkel van Sinkel V

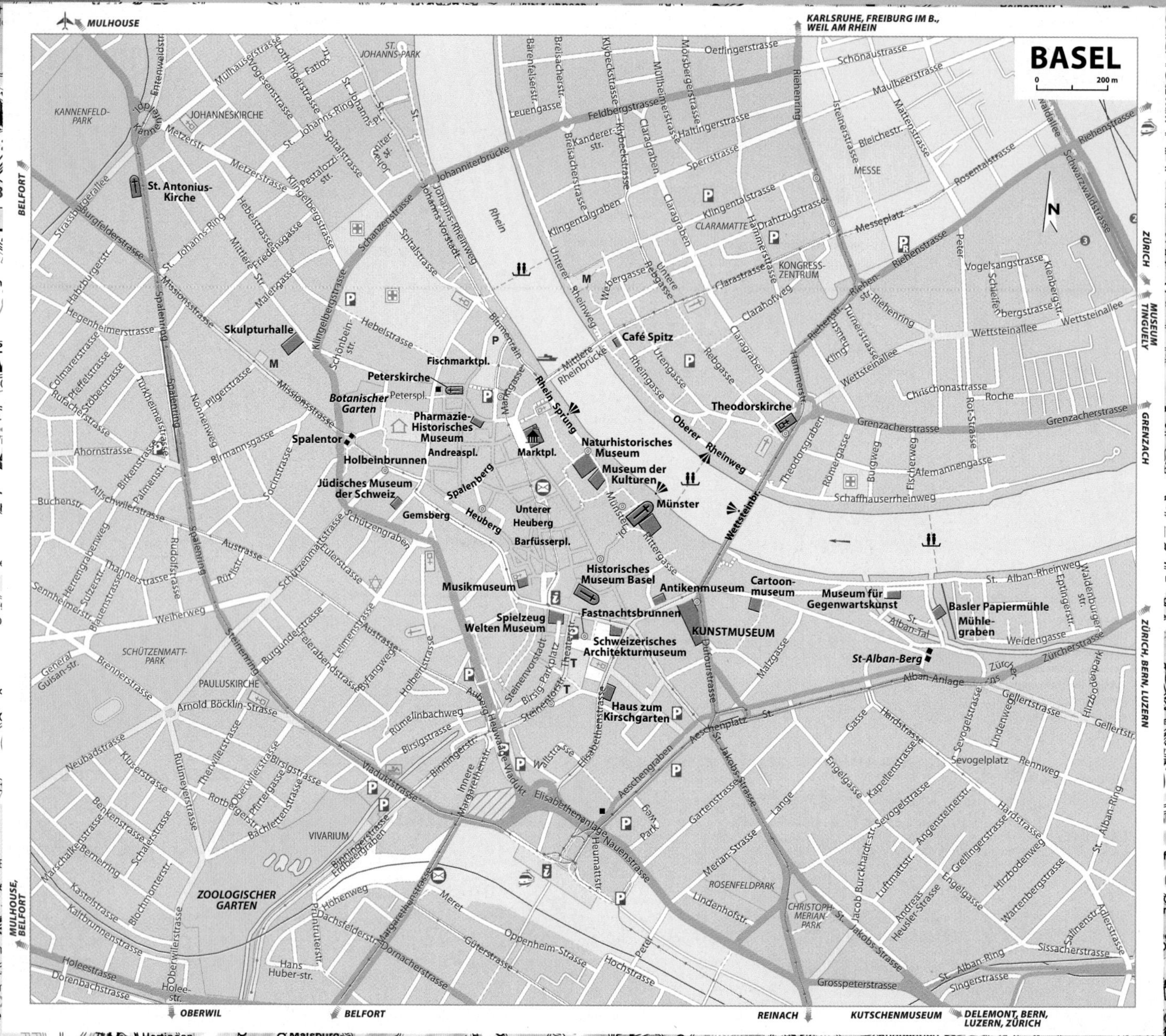

BASEL

0   200 m

N

Landmarks:

- St. Antonius-Kirche
- Skulpturhalle
- Peterskirche
- Fischmarktpl.
- Botanischer Garten
- Pharmazie-Historisches Museum
- Spalentor
- Holbeinbrunnen
- Jüdisches Museum der Schweiz
- Gemsberg
- Spalenberg
- Heuberg
- Unterer Heuberg
- Barfüsserpl.
- Musikmuseum
- Spielzeug Welten Museum
- Historisches Museum Basel
- Fastnachtsbrunnen
- Schweizerisches Architekturmuseum
- Haus zum Kirschgarten
- Antikenmuseum
- Cartoonmuseum
- KUNSTMUSEUM
- Museum für Gegenwartskunst
- Basler Papiermühle Mühlegraben
- St-Alban-Berg
- Café Spitz
- Theodorskirche
- Naturhistorisches Museum
- Museum der Kulturen
- Münster
- Pauluskirche
- Marktpl.
- Andreaspl.
- Peterspl.
- Johanneskirche
- KANNENFELD-PARK
- ST. JOHANNS-PARK
- CLARAMATTE
- KONGRESS-ZENTRUM
- MESSE
- SCHÜTZENMATT-PARK
- PAULUSKIRCHE
- VIVARIUM
- ZOOLOGISCHER GARTEN
- ROSENFELDPARK
- CHRISTOPH-MERIAN-PARK

Edge directions:

- MULHOUSE
- KARLSRUHE, FREIBURG IM B., WEIL AM RHEIN
- COLMAR
- ZÜRICH · MUSEUM TINGUELY
- GRENZACH
- ZÜRICH, BERN, LUZERN
- OBERWIL
- BELFORT
- REINACH
- KUTSCHENMUSEUM
- DELEMONT, BERN, LUZERN, ZÜRICH
- MULHOUSE, BELFORT

Rivers / features: Rhein, Rhein Sprung, Mittlere Rheinbrücke, Oberer Rheinweg, Unterer Rheinweg, Wettsteinbr.

Regional map place names (lower section):

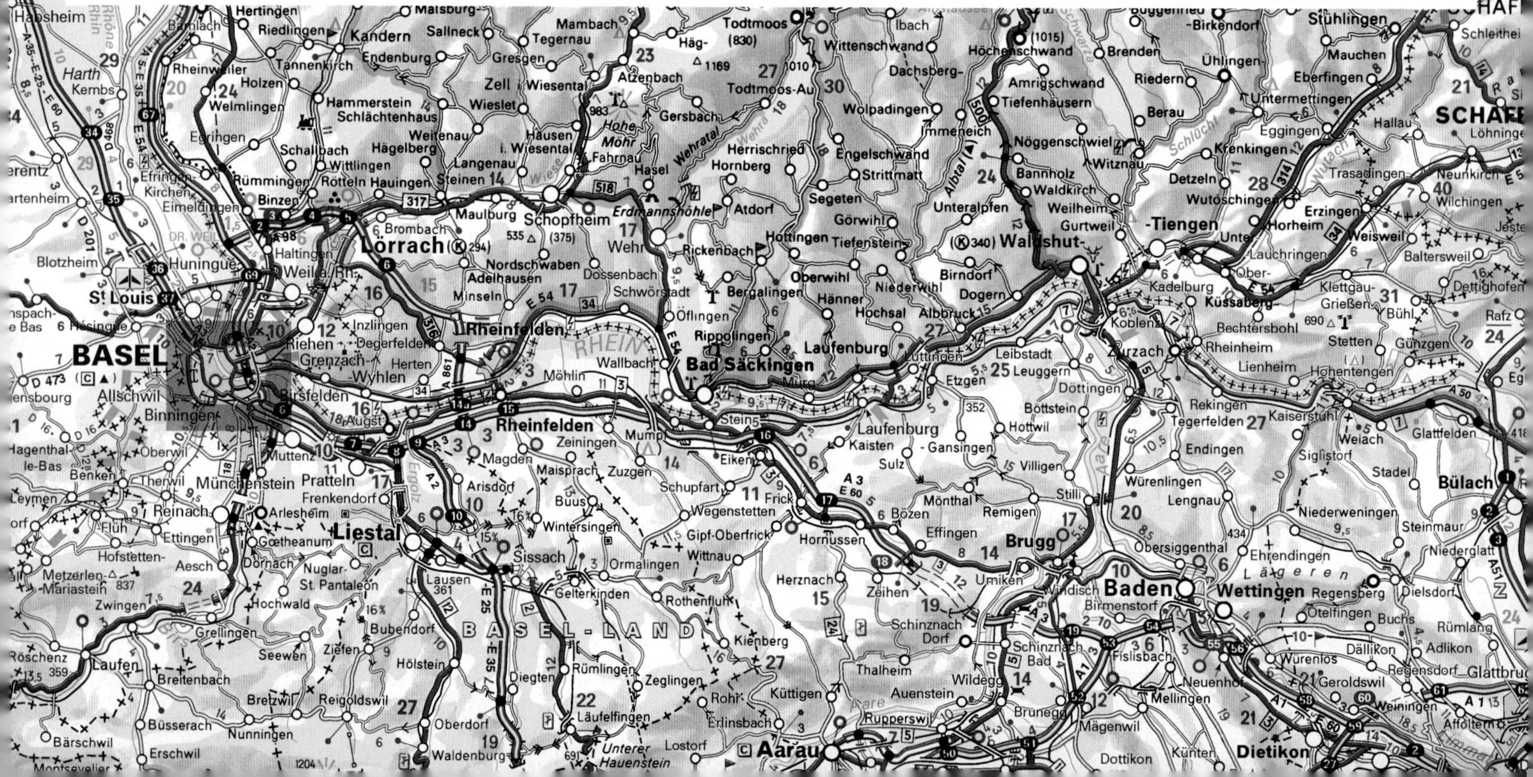

BASEL · St. Louis · Huningue · Lörrach · Weil · Rheinfelden · Binningen · Allschwil · Birsfelden · Muttenz · Pratteln · Münchenstein · Reinach · Arlesheim · Dornach · Liestal · Sissach · Gelterkinden · Bad Säckingen · Laufenburg · Brugg · Baden · Wettingen · Aarau · Dietikon · Bülach · SCHAFFHAUSEN · Waldshut · Tiengen · Säckingen · BASEL-LAND

(Numerous additional village names and road numbers appear on the regional map.)

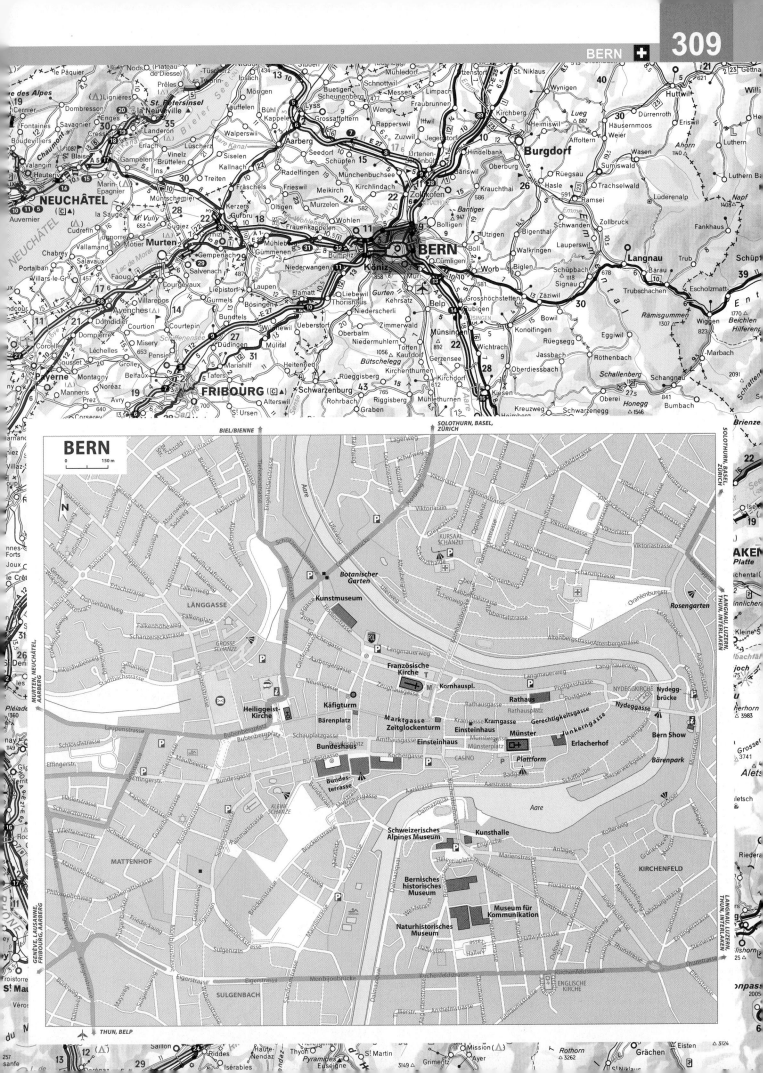

FRIBOURG

0   300 m

MURTEN · BERN

Porte de Morat
Église des Cordeliers
Musée d'Art et d'Histoire
Musée Gutenberg
St-Nicolas
Église des Augustins
Rue de la Samaritaine
Pont de Berne
Tour des Chats
Tour Rouge
Tour Dürrenbühl
Grand-Places
Fri Art
Musée suisse de la Marionnette
Pl. du Petit St-Jean
Montorge
Chapelle de Lorette
Porte de Bourguillon
Beau-Chemin
La Maigrauge
Église du Christ-Roi
Lac de Pérolles
PÉROLLES
Musée d'Histoire naturelle

BULLE · GRUYÈRES

PAYERNE AVENCHES · ROMONT · ROSSENS, BULLE VEVEY · THUN SCHWARZENBURG · SCHWARZSEE

GENÈVE

0   300 m

NYON, LAUSANNE

Parc Mon Repos
Sainte-Trinité
LE PRIEURÉ
Palais Wilson
Lac Léman
PARC BEAULIEU
PARC DES CROPETTES
LES PÂQUIS
TEMPLE DES PÂQUIS
PORT DES PÂQUIS
BASILIQUE NOTRE DAME
SAINT-GERVAIS
Mausolée du Duc de Brunswick
Rhône
Île J.-J. Rousseau
Jardin Anglais
Musée Barbier-Mueller
Musée Rath
Maison Tavel
Musée international de la Réforme
Grand' Rue
R. des Granges
Place de Neuve
SACRÉ-CŒUR
VIEILLE VILLE
Cathédrale Saint-Pierre
ÉGLISE ST-JOSEPH
Immeuble La Clarté
Place du Bourg-de-Four
Mur des Réformateurs
Museum d'Histoire Naturelle
Bibliothèque universitaire
Musée d'Art et d'Histoire
Cathédrale Orthodoxe Ste-Croix
Petit Palais
Fondation Baur
LES TRANCHÉES
PLAINPALAIS
PARC DES CONTAMINES

GEX · BOURG-EN-BRESSE, BELLEGARDE-SUR-VALSERINE · EVIAN-LES-BAINS, THONON-LES-BAINS · MONT-BLANC, CHAMONIX, MEGÈVE

ST-JULIEN-EN-GENEVOIS, ANNECY, LYON, GRENOBLE

Fribourg region road map

Prêles · Ligières · St. Petersinsel · La Neuveville · Le Landeron · Gampelen · Murten · Lac de Morat · Avenches · Aarberg · Lyss · Kappelen · Seedorf · Münchenbuchsee · Zollikofen · BERN · Köniz · Belp · Flamatt · Düdingen · FRIBOURG · Marly · Schwarzenburg · Riffenraltt · Schwarzenbühl · Plaffeien · Zollhaus · Schwyberg · Schwarzsee · Bulle · Broc · Charmey · Jaun · Jaunpass · Boltigen · Stockhorn

Genève region road map

Crêt de la Neige · Ferney-Voltaire · St Genis-Pouilly · Meyrin · Versoix · Douvaine · GENÈVE · Carouge · Annemasse · St-Julien-en-G. · Chancy · Valleiry · Viry · Reignier · Cruseilles · Allonzier-la-Caille · Montagne de Sous-Dine · Thorens-Glières · la Balme-de-Sillingy · Pringy · Tête du Parmelan · ANNECY

INTERLAKEN

0 — 300 m

B Ansicht der Kirche von Unterseen

N

BRIENZ RINGGENBERG

UNTERSEEN · Goldey · Untere Goldey · Aare · OST
Brand-Promenade · Obere · Untere · Untere · Bönigstr. · POL
Höheweg · CONGRESSCENTER · KURSAAL · Höheweg · Schlossstrasse · Lindenallee · Mittengrabenstr.
Höhematte · SCHLOSS · Alpenstrasse · Lindenallee
Bahnhofstrasse · Bahnhofstrasse · Centralstrasse · Jungfraustr. · Obere · Bönigstr.
WEST · Aarmühlestrasse · Parkstrasse · Rütistrasse
Florastrasse · Niesenstrasse · General-Guisan-Strasse · Waldeggstr. · Klosteggässli
Fabrikstrasse · Pfarrw. · Wychelstrasse · Unterdorfstrasse · Hauptstrasse · Kupfergasse
Waldeggstrasse · Hubelweg · Tellweg · Baumgartenstr. · MATTEN · Aegertenstr.
Ringweg · Eyatal · Mattenstrasse · Herrigässli
KLEINER RUGEN · 733 · Feldgasse · Senggigässli · Kreuzackerweg
Heimwehfluh
WILDERSWIL · WENGEN GRINDELWALD
BEATENBERG · THUN · SPIEZ, THUN, BERN · Kanal · BRIENZ LUZERN

(Regional map — Interlaken area)

BRIENZ
Bowil · Konolfingen · Ramisgummen · Wiggen · Beichlen 867 · Flühli
Wichtrach · Eggiwil · Hilferenpass · 1291
Oberdiessbach · Röthenbach · Marbach · 2091
Kiesen · Kreuzweg · Schallenberg · Schangnau · Schrattenflue
Steffisburg · Heimberg · Schwarzenegg · 1546 · Oberei · 27.5 · Honegg · 841 · Bumbach · Sörenberg
THUN · Goldiwil · Eriz · Innereriz · Hohgant 2297 · Brienzer Rothorn 2350
Heiligenschwendi · Sigriswiler · Rothorn 2050 · Habkern · Oberried · Giessbach
Hilterfingen · Oberhofen · Sigriswil · Niederhorn 1950 · Niederried · Brienzer See · Iseltwald · Axalp
Spiez · Einigen · Gunten · Beatenberg 602 · Bönigen · Faulhorn 2681
Reutigen · Merligen · Unterseen · INTERLAKEN · 19
Wimmis · Faulensee · Wilderswil · Schynige Platte 2101 · Grindelwald
Simme · Aeschi · Krattigen · Leissigen · Darligen · 20 · Lütschental · Faulhorn
Horboden · Niesen 2362 · Mülenen · Saxeten · Zweilütschinen · Männlichen 2343 · Eiger 3970
Reichenbach · Morgenberghorn · Wengen · Kleine Scheidegg · Schre
Frutigen · Kiental · Schwalmern 2777 · Lauterbrunnen · Jungfraujoch 3475 · Mönch 4049 · Fischerhorn
Geerihorn · Dreispitz 2520 · Schilthorn 2970 · Mürren · Jungfrau · Grünhorn 3983
Kandergrund · 28% · Griesalp (1411) · Stechelberg 4158 · Gletscherhorn
Mitholz · Dündenhorn 2862 · Hohtürli 2778 · Gspalten · Gspaltenhorn 3436
Blausee · Oeschinensee · Blümlisalp 3436
Kandersteg · Blümlisalp · Mutthorn · Breithorn 3782 · Hollandia · Grosser Aletschfirn
Fründen 3663 · Sattelhorn 3741 · Aletschhorn 4195
Klus · Lohner 3049 · Doldenhorn 3643 · Petersgrat · Kander · gletscher

Gstaad · Pays d'Enhaut · Gummfluh 2458 · Gifferhorn 2542 · Lenk · Hahnenmoos 1956 · 13% · Adelboden · Engstligenfälle

LAUSANNE

0 — 100 m

N

NEUCHÂTEL, YVERDON

POL · Château St-Maire · Pl. du Château · P
LAUSANNE-CLOS DE BULLE · Palais de Rumine · CITÉ
LAUSANNE-TERREAUX · Pl. de la Riponne · Cathédrale
Escaliers du Marche · Musée de Design et d'Arts appliqués
Pl. de Bel-Air · ST-LAURENT · Pl. de la Palud
Hôtel de Ville · Fontaine de la Justice
Pl. Pépinet · Musée historique de Lausanne
Place de l'Europe · Pl. Centrale
Av. Jean-Jacques Mercier · Flon · P
Av. Jules Gonin · St-François
RENENS, VALLORBE, NEUCHÂTEL, YVERDON
GENÈVE · BERN, FRIBOURG, SION · VEVEY, MONTREUX

(Regional map — Lausanne / Lac Léman area)

LAC de Joux · St-Croix · les Rasses · Onnens · LAC
Malbuisson · l'Auberson · Vuagnes-la-Mothe · Champagne · NEUCHÂTEL, YVERDON
Labergement-Marie · les Hôpitaux-Neufs · Mt de Baulmes 1285 · Grandson · Yvonand
Métabief · Jougne · Baulmes · Montagny · YVERDON-les-Bains
le Suchet 1588 · Champvent · Mathod · Pomy · Molondin
Mt d'Or 1463 · la Ferrière · Rances · Ependes · Donneloye
Vallorbe · Ballaigues · Montcherand · Orbe · Essertines · Orzens · Prahins
Dent de Vaulion 1483 · Romainmôtier · Croy · Chavornay · Corcelles
Vaulion · Arnex-s-Orbe · Bavois · Vuarrens · Bercher · Moudon
la Praz · la Sarraz · Goumoens-la-V. · Poliez-le-Gd · Sottens
l'Abbaye · Mont-la-V. · Moiry · Oulens · Bettens · Peney-le-Jorat
Cuarnens · Echallens · Bottens · Corcelles
l'Isle · la Chaux (Cossonay) · Boussens · Assens · Froideville · Mt Jorat 927
Montricher · Cossonay · Penthaz · Cheseaux · Montpreveyres
Pampigny · Cottens · Gollion · Cugy · le Mont · Essertes
Marchairuz · Ballens · Aclens · Bussigny · Savigny 743 · Forel · Châtel-St-Denis
Bière · Apples · Colombier · Vufflens-la-Ch · Renens · Pully · la Croix · Granges · Bossonnens · les Paccots
Gimel · St-Livres · Yens · Bussy · Echandens · la Conversion · Lavaux · Oron · Dent de Lys 2014
Signal de Bougy 707 · Lavigny · Lonay · Morges · Ecublens · Lutry · Chexbres · Pulidoux · les Pléiades 1360 · Montbovon
Aubonne · Bougy · Préverenges · St-Sulpice · Ouchy · Cully · Chardonne · Légier · Rossinière
Rolle · Perroy · Allaman · St-Prex · LAUSANNE · Vevey · Blonay 1149 · Col de Sonloup · Château-d'Oex
Dully · LAC LÉMAN · ÉVIAN-LES-BAINS · Clarens · les Avants · Saanen · Gstaad
Yvoire · THONON-LES-BAINS · Amphion · Meillerie · la Tour-de-Peilz · MONTREUX · Rochers de Naye 2042 · Gummfluh 2458 · Gifferhorn 2542
Excenevex · les-Bains · Maxilly · St-Gingolph · Chillon · Villeneuve · la Lécherette · Col des Mosses · l'Etivaz · Lauenen
Vinzier · Thollon les-Mémises · Bouveret · les Mosses · Gsteig · Spitzhorn
la Dent d'Oche 2222 · le Grammont 2172 · Tour d'Aï 2331 · la Comballaz · la Tornette 2548 · les Diablerets · Wildhorn

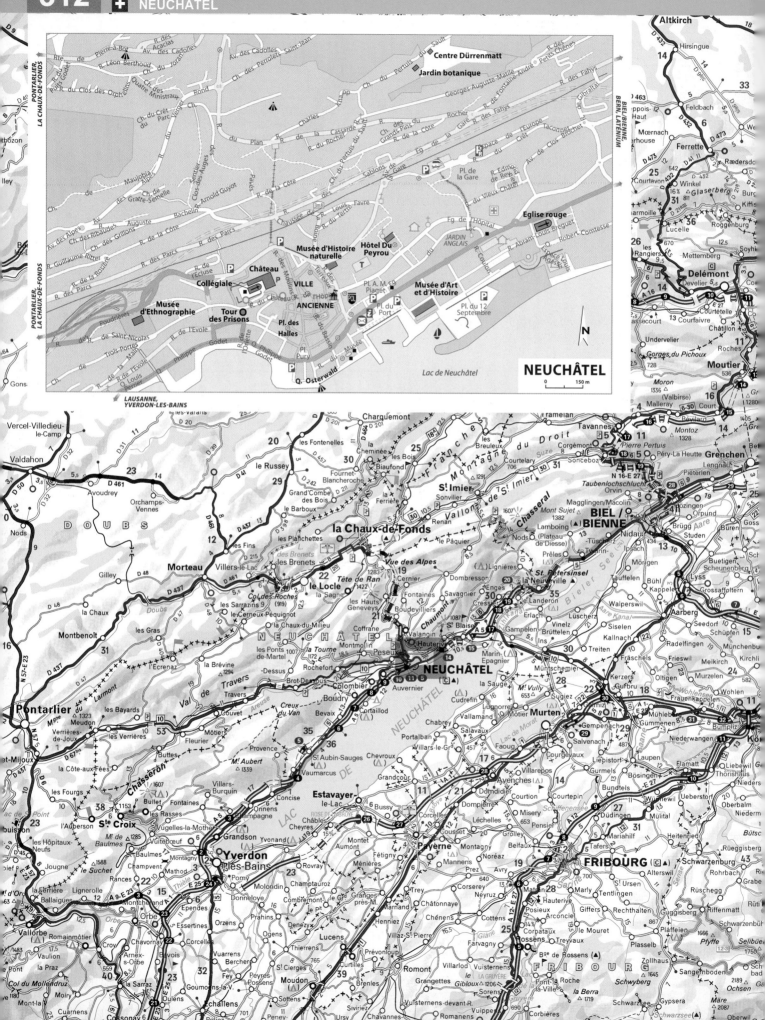

NEUCHÂTEL

Centre Dürrenmatt
Jardin botanique
Eglise rouge
Musée d'Histoire naturelle
Hôtel Du Peyrou
Château
Collégiale
VILLE ANCIENNE
Musée d'Art et d'Histoire
Musée d'Ethnographie
Tour des Prisons
Pl. des Halles
Lac de Neuchâtel

0   150 m

N

WIEN

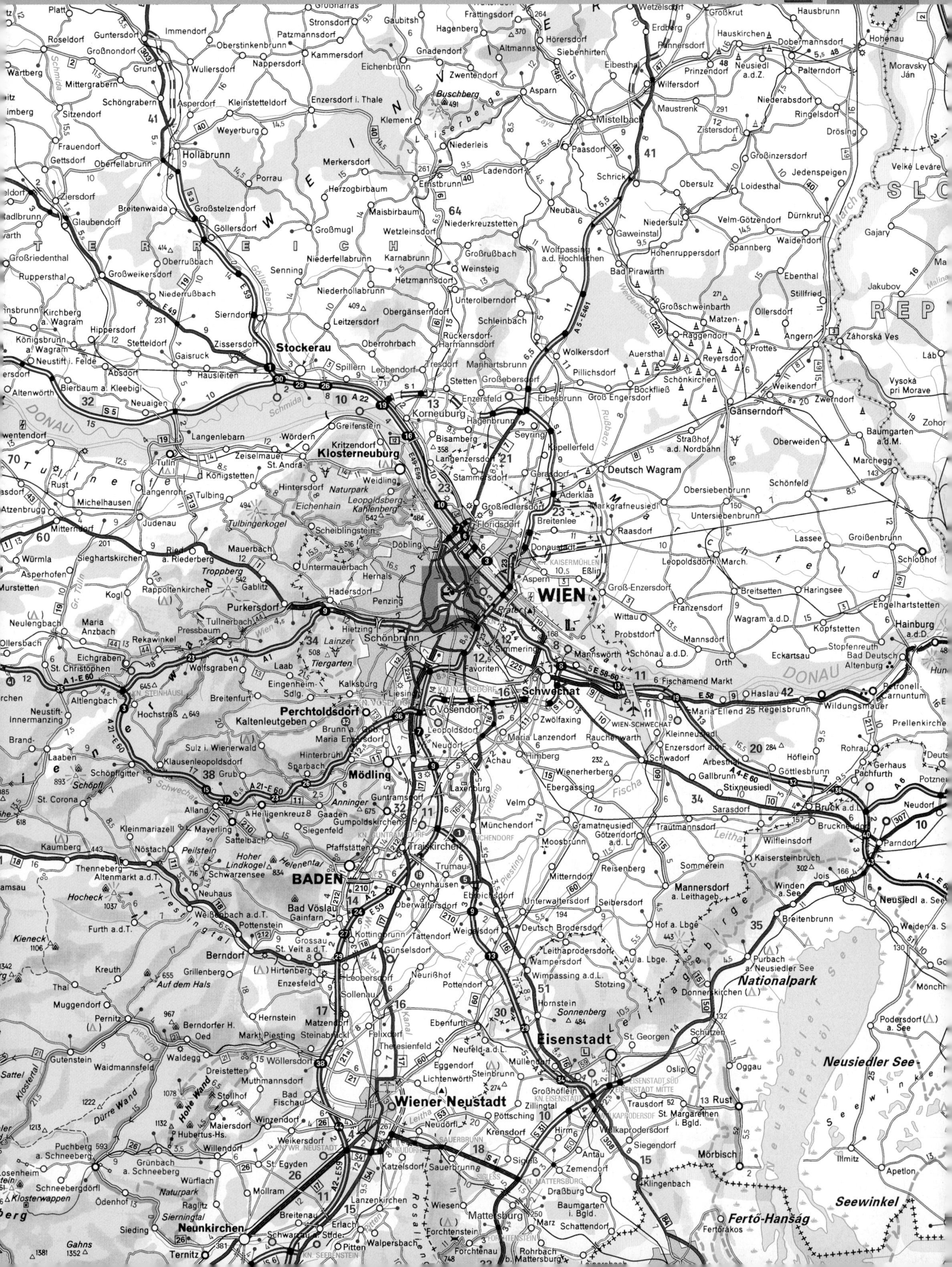

WIEN

Stockerau
Klosterneuburg
Korneuburg
Deutsch Wagram
Gänserndorf
Hollabrunn
Mistelbach
Schwechat
Perchtoldsdorf
Mödling
BADEN
Bad Vöslau
Berndorf
Traiskirchen
Eisenstadt
Wiener Neustadt
Neunkirchen
Bruck a.d.
Parndorf
Neusiedl a. See
Nationalpark
Neusiedler See
Fertő-Hanság
Seewinkel
DONAU

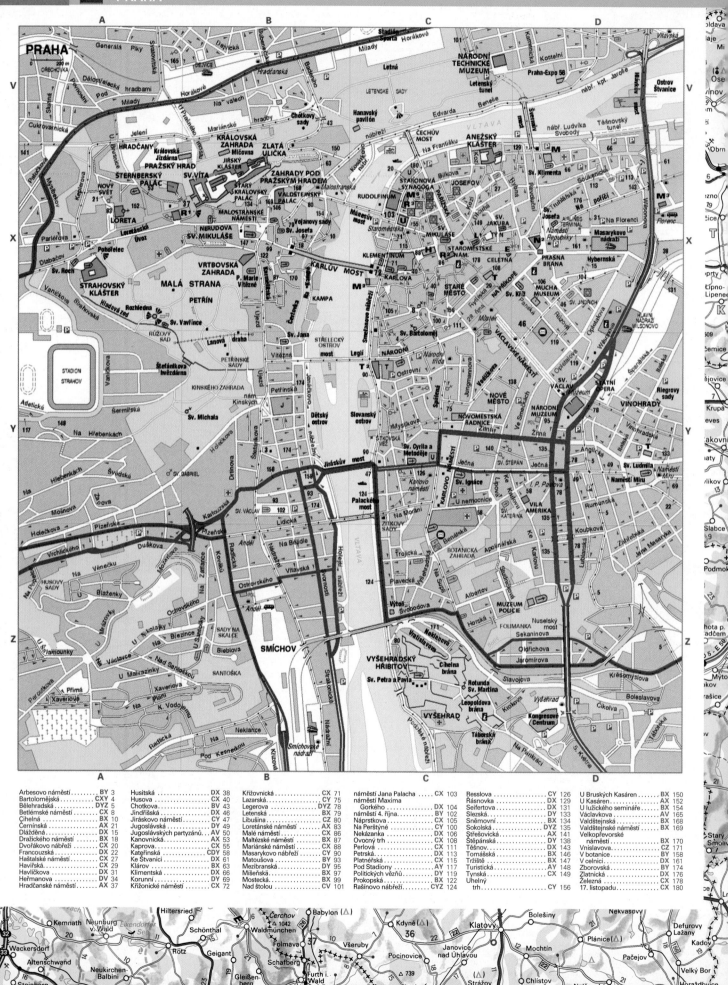

Arbesovo náměstí . . . . BY 3
Bartolomějská . . . . CXY 4
Bělehradská . . . . DYZ 5
Betlémské náměstí . . . . . CX 8
Čihelná . . . . BX 10
Černínská . . . . CX 21
Dlážděná . . . . DX 15
Dražického náměstí . . . . . BX 18
Dvořákovo nábřeží . . . . . . CX 20
Francouzská . . . . DX 22
Haštalské náměstí . . . . . . CX 27
Havířská . . . . CX 29
Havlíčkova . . . . DX 31
Heřmanova . . . . DV 34
Hradčanské náměstí . . . . . AX 37

Husitská . . . . DX 38
Husova . . . . CX 40
Chotkova . . . . BV 43
Jindřišská . . . . DX 46
Jiráskovo náměstí . . . . . . CX 47
Jugoslávská . . . . DY 49
Jugoslávských partyzánů . . AV 53
Kanovnická . . . . AX 53
Kaprova . . . . CX 55
Kateřinská . . . . CDY 58
Ke Štvanici . . . . CY 61
Klárov . . . . BX 63
Klimentská . . . . DX 66
Korunní . . . . DY 69
Křižíkovská náměstí . . . . . CX 72

Křižovnická . . . . CX 71
Lazarská . . . . CY 75
Legerova . . . . DYZ 78
Letenská . . . . BX 79
Libušina . . . . CZ 80
Loretánské náměstí . . . . . AX 83
Malé náměstí . . . . CX 86
Maltézské náměstí . . . . . . BX 87
Mariánské náměstí . . . . . . CX 88
Masarykovo nábřeží . . . . . BY 90
Matoušova . . . . BY 93
Platnéřská . . . . CX 115
Mezibranská . . . . DY 95
Míšeňská . . . . BX 97
Mostecká . . . . BX 99
Nad štolou . . . . CV 101

náměstí Jana Palacha . . . . CX 103
náměstí Maxima
  Gorkého . . . . DX 104
náměstí 4. října . . . . BY 102
Náprstkova . . . . CX 105
Na Perštýně . . . . CX 100
Nekázanka . . . . DX 106
Ovocný trh . . . . CX 108
Perlova . . . . CX 111
Petrská . . . . CX 113
Platnéřská . . . . CX 115
Pod Stadiony . . . . AY 117
Politických vězňů . . . . DY 119
Prokopská . . . . BX 122
Rašínovo nábřeží . . . . CYZ 124

Resslova . . . . CY 126
Rásnovka . . . . DX 129
Seifertova . . . . DX 131
Slezská . . . . DY 133
Sněmovní . . . . BX 134
Sokolská . . . . DYZ 135
Střešovická . . . . AX 141
Štěpánská . . . . DY 138
Těšnov . . . . DX 143
Tomášská . . . . BX 146
Tržiště . . . . BX 147
Turistická . . . . AY 148
Tynská . . . . CX 149
Uhelný
  trh . . . . CY 156

U Bruských Kasáren . . . . . BX 150
U Kasáren . . . . AX 152
U lužického semináře . . . . BX 154
Václavkova . . . . AV 165
Valdštejnská . . . . BX 168
Valdštejnské náměstí . . . . BX 169
Velkopřevorské
  náměstí . . . . BX 170
Vnislavova . . . . CZ 171
V botanice . . . . BY 158
V celnici . . . . DX 161
Zborovská . . . . CY 174
Zlatnická . . . . DX 176
Železná . . . . CX 178
17. listopadu . . . . CX 180

Georgenfeld · Telnice · Cínovec · Dubí · Krupka · Košťany · Bystřany · Žalany · Hostomice · Kostomlaty p. Milešovkou · Milešov · Hrobčice · Třebenice · Lovosice · Třtěno · Libčeves · Košťice · Černčice · Peruc · Citoliby · Panenský Týnec · Hříškov · Srbeč · Mšec · Smečno · Vinařice · Libušín · Stochov · Tuchlovice · Velká Dobrá · Kladno · Buštěhrad · Lidice · Bratronice · Chyňava · Úhonice · Nižbor · Roztoky · Křivoklát · Beroun · Králův Dvůr · Karlštejn · Koněprusy · Zdice · Žebrák · Suchomasty · Lochovice · Hořovice · Komárov · Jince · Rosovice · Obecnice · Příbram · Bohutín · Milín · Tochovice · Březnice · Mirovice · Myštice · Čimelice · Blatná · Lom · Sedlice · Radomyšl · Písek

Ústí nad Labem · Povrly · Chabařovice · Střekov · Brná n. Labem · Rýdeč · Sebuzín · Velké-Březno · Malé-Březno · Zubrnice · Verneřice · Loevčkovice · Blíževedly · Úštěk · Liběšice · Křešice · Polepy · Drahobuz · Terezín · Litoměřice · Hazmburk · Chotěšov · Brozany · Roudnice nad Labem · Bechlín · Budyně n. Ohří · Libochovice · Mšené-lázně · Straškov-Vodochody · Horní Beřkovice · Slaný · Zlonice · Velvary · Kralupy nad Vltavou · Veltrusy · Nová Ves · Libčice n. Vltavou · Klecany · Roztoky · Dejvice · Jeneč · Hostivice · Stodůlky

Boletice n. Labem · Volfartice · Nový Bor · Panská skála · Hor. Libchava · Sloup v Čechách · Lindava · Žandov · Brniště · Stráž p. Ralskem · Česká Lípa · Zákupy · Mimoň · Doksy · Staré Splavy · Hradčany · Jestřebí · Máchovo jezero · Dubá · Okna · Bezděz · Bělá p. Bezdězem · Žďírec · Kokořín · Liběchov · Mělník · Chorušice · Nebužely · Mšeno · Katusice · Mělnické Vtelno · Byšice · Všetaty · Tišice · Neratovice · Obříství · Kostelec n. Labem · Stará Boleslav · Brandýs n. Labem · Letňany · Kbely · Libeznice · Mratín

Jablonné v Podještědí · Liberec · Desná · Harrachov · Smržovka · Kořenov · Rokytnice n. Jiz. · Jablonec nad Nisou · Tanvald · Plavy · Železný Brod · Vysoké n. Jiz. · Vítkovice · Ještěd · Pěnčín · Rychnov u Jablonce n. Nisou · Malá Skála · Semily · Jilemnice · Český Dub · Hodkovice n. Mohelkou · Sychrov · Turnov · Valdštejn · Žďár · ráj · Rovensko pod Troskami · Koštálov · Studenec · Lomnice n. Popelkou · Stará Paka · Železnice · Mohelnice n. Jiz. · Březina · Český ráj · Valečov · Troskovice · Libošovice · Jičín · Mladá Boleslav · Mnichovo Hradiště · Bakov n. Jizerou · Kněžmost · Kost · Sobotka · Podhradí · Dolní Bousov · Domousnice · Libáň · Jičíněves · Ostroměř · Kopidlno · Vysoké Veselí · Slavhostice · Smidary · Nový · Bezno · Dobrovice · Březno · Semčice · Luštěnice · Jabkenice · Rožďalovice · Mcely · Loučeň · Křinec · Dymokury · Číněves · Skochovice · Kněžice · Městec Králové · Chotětov · Dolní Slivno · Benátky n. Jizerou · Milovice · Oskořínek · Netřebice · Dlouhopolsko · Chlumec n. Cidlinou · Předměřice n. Jizerou · Lysá n. Labem · Kostelní Hlavno · Kostomlaty n. Labem · Nymburk · Přerov n. Labem · Sadská · Poděbrady · Opolany · Žehuň · Zíželice · Velký Osek

Čelákovice · Mochov · Horní Počernice · Újezd n. Lesy · Úvaly · Kounice · Poříčany · Pečky · Český Brod · Plaňany · Velim · Nová Ves I · Kolín · Tatce · Ovčáry · Týnec n. Labem · Rečany n. Laber · Kladruby n. Labem · Chvaletice · Přelouč · Řečany · Kutná Hora · Nové Dvory · Žehušice · Čáslav · Žleby · Vrdy · Krchleby · Potěhy · Třemošnice · Golčův Jeníkov · Zbýšov · Zbraslavice · Běstvina · Čestín · Kácov · Zruč n. Sázavou · Leština u Světlé · Habry · Dolní Město · Okrouhlice · Světlá n. Sázavou · Skuhrov · Ledeč n. Sázavou · Hněvkovice · Dolní Kralovice · Kejžlice · Dolní Cerekev · Humpolec · Herálec · Věž · Lípa · Pelhřimov · Nový Rychnov · Smrčná

PRAHA · Skvorec · Říčany · Mukařov · Kostelec nad Černými Lesy · Kouřim · Radovesnice I · Svojšice · Jevany · Stříbrná Skalice · Horní Kruty · Malešov · Uhlířské Janovice · Sázava · Rataje nad Sázavou · Červené Janovice · Chodov · Uhříněves · Lhotka · Jesenice · Strančice · Mnichovice · Ondřejov · Čerčany · Divišov · Zásmuky · Suchdol · Přestavlky

Třebotov · Černošice · Radotín · Zbraslav · Dolní Břežany · Vrané n. Vltavou · Psáry · Velké Popovice · Kamenice · Nespeky · Chocerady · Český Šternberk · Otryby · Rudná · Mořina · Dobřichovice · Lety · Řevnice · Liteň · Davle · Jílové u Prahy · Kamenný Přívoz · Poříčí n. Sázavou · Chrášťany · Benešov · Konopiště · Neveklov · Mnišek pod Brdy · Čisovice · Štěchovice · Týnec n. Sázavou · Rabyně · Netvořice · Živohošť · Nový Knín · Slapy · Chotilsko · Čelina · Radíč · Křečovice · Maršovice · Bystřice · Postupice · Vlašim · Trhový Štěpánov · Dubenec · Obory · Hříměždice · Kamýk n. Vltavou · Dublovice · Sedlčany · Vojkov · Jankov · Louňovice pod Blaníkem · Mnichovice · Načeradec · Čechtice · Dolní Kralovice · Želiv · Senožaty · Křelovice · Lukavec · Košetice · Červená Řečice · Milín · Dolní Hbity · Krásná Hora n. Vltavou · Solenice · Milešov · Nechvalice · Kosova Hora · Sedlec Prčice · Heřmaničky · Votice · Neustupov · Miličín · Olbramovice · Mladá Vožice · Těchobuz · Hořepník · Pacov · Kámen

Zvíkov · Zvíkovské Podhradí · Mirotice · Kučeř · Sepekov · Milevsko · Oltyně · Drahnice · Jistebnice · Borotín · Chotoviny · Ratibořské Hory · Chýnov · Nová Cerekev · Žákava · Zahořany · Chyšky · Červený Újezd · Tábor · Sezimovo Ústí · Planá nad Lužnicí · Černovice · Božejov · Dolní Cerekev · Ostrovec · Bernartice · Malšice · Kozí Hrádek · Rynárec · Bechyně

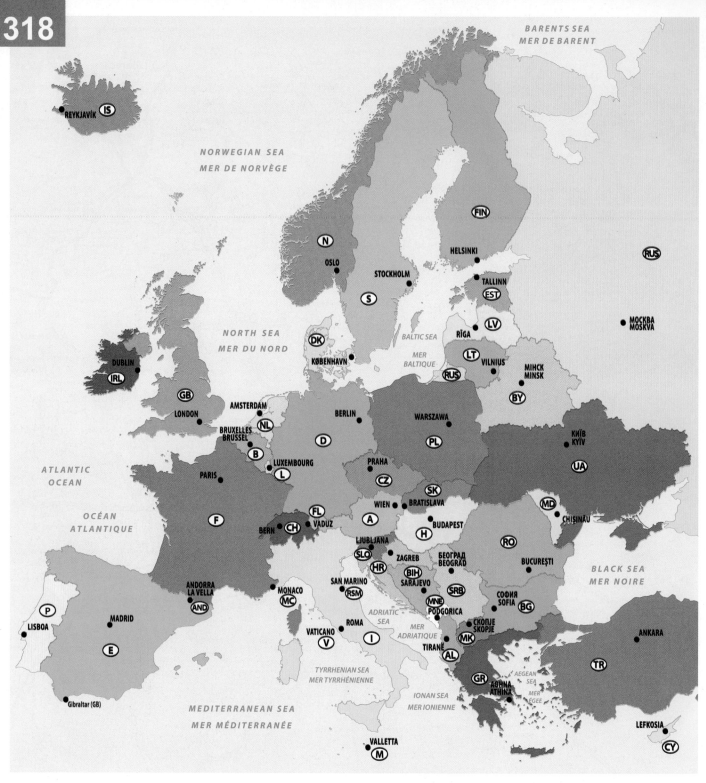

BARENTS SEA
MER DE BARENT

NORWEGIAN SEA
MER DE NORVÈGE

REYKJAVÍK (IS)

(FIN)

(RUS)

(N)
OSLO
HELSINKI

STOCKHOLM
TALLINN
(EST)

(S)
(LV)
RĪGA
MOCKBA
MOSKVA

NORTH SEA
MER DU NORD
BALTIC SEA
(DK)
MER
BALTIQUE
(LT)
VILNIUS
MIHCK
MINSK

KØBENHAVN
(RUS)
(BY)

DUBLIN
(IRL)
(GB)
AMSTERDÁM
BERLIN
WARSZAWA
КИЇВ
KYÏV

LONDON
(NL)
(D)
(PL)
(UA)

BRUXELLES
BRUSSEL
(B)
PRAHA

ATLANTIC
OCEAN
LUXEMBOURG
(L)
(CZ)
(SK)
(MD)
CHIŞINĂU

PARIS
(FL)
WIEN
BRATISLAVA

OCÉAN
ATLANTIQUE
(F)
BERN (CH)
VADUZ
(A)
BUDAPEST
(RO)
BUCUREŞTI
BLACK SEA
MER NOIRE

(H)
LJUBLJANA
(SLO)
ZAGREB
БЕОГРАД
BEOGRAD

(P)
ANDORRA
LA VELLA
MONACO
(HR)
(BIH)
SARAJEVO
(SRB)
СОФИЯ
SOFIA

LISBOA
MADRID
(MC)
SAN MARINO
(RSM)
(MNE)
PODGORICA
(BG)

(AND)
ROMA
ADRIATIC
SEA
СКОПJЕ
SKOPJE
ANKARA

(E)
VATICANO
(V)
(I)
MER
ADRIATIQUE
(MK)
TIRANË
(AL)
(TR)

TYRRHENIAN SEA
MER TYRRHÉNIENNE
AEGEAN
SEA

Gibraltar (GB)
(GR)
AΘHNA
ATHINA
MER
EGEE

MEDITERRANEAN SEA
MER MÉDITERRANÉE
IONAN SEA
MER IONIENNE
LEFKOSIA

VALLETTA
(M)
(CY)

(A) **Österreich**	(E) **España**	(L) **Luxembourg**	(RO) **România**
(AL) **Shqipëria**	(EST) **Eesti**	(LT) **Lietuva**	(RSM) **San Marino**
(AND) **Andorra**	(F) **France**	(LV) **Latvija**	(RUS) **Rossija / Россия**
(B) **Belgique / België**	(FIN) **Suomi, Finland**	(M) **Malta**	(S) **Sverige**
(BG) **Balgarija / България**	(FL) **Liechtenstein**	(MC) **Monaco**	(SK) **Slovenská Republika**
(BIH) **Bosna i Hercegovina**	(GB) **United Kingdom**	(MD) **Moldova**	(SL) **Slovenija**
(BY) **Belarus / Беларусь**	(GR) **Elláda / Ελλάς**	(MK) **Makedonija / Македонија**	(SRB) **Srbija / Србија**
(CH) **Schweiz, Suisse, Svizzera**	(H) **Magyarország**	(MNE) **Crna Gora (Montenegro)**	(TR) **Türkiye**
(CY) **Kýpros, Kibris**	(HR) **Hrvatska**	(N) **Norge**	(UA) **Ukraïna / Україна**
(CZ) **Česká Republika**	(I) **Italia**	(NL) **Nederland**	(V) **Vaticano**
(D) **Deutschland**	(IRL) **Ireland / Éire**	(P) **Portugal**	
(DK) **Danmark**	(IS) **Ísland**	(PL) **Polska**	

EUROPA
EUROPE

1/3 500 000

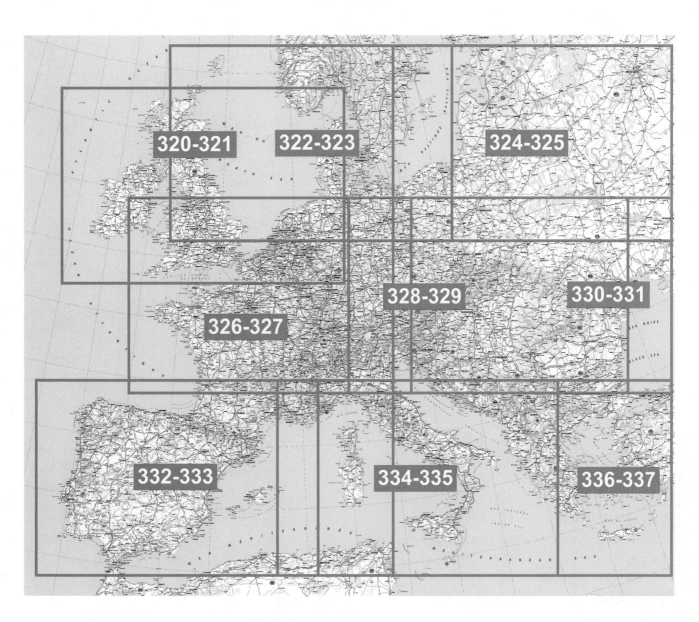

320-321 322-323 324-325

326-327 328-329 330-331

332-333 334-335 336-337

Urnes
Forde
Sogndalsfjøra
Balestrand
Lavik
Vangsnes
Brekke
Gudvangen
Flåm
49
Voss
Hardangerjøkulen
Dale
Øystese
106
516
1862
Bergen
77
1691
Kinsarvik
Hardanger
Odda
Tysnesøy
Rosendal
Svortland
Sauda
Bømlo
Ølen
Hauk
E134
Hoyden
ROGALAND
Stord
Haugesund
Karmøy
Hjelmelandsvågen
Skudeneshavn
Stavanger
Svartevatn
Sandnes
Tonstad
255
Egersund
Farsund
Flekkefjord
Lindesnes

Yell
Unst
Hillswick
Sandness
Lerwick
Shetland
Mainland
Sumburgh

Orkney
Westray
Rousay
Sanday
Mainland
Stronsay
Kirkwall
Stromness
Hoy
Tongue
Dunnet Head
Pentland Firth
Thurso
Lairg
Wick
114
Brora
Dornoch
DS
Moray Firth
ngwall
Nairn
Elgin
Banff
Fraserburgh
Inverness
Keith
A96
Peterhead
Loch Ness
Grantown-on-Spey
105
Aviemore
Newtonmore
1309
Aberdeen
112
Mountains
Stonehaven
Braemar
90
68
Forfar
Montrose
TLAND
Pitlochry
Dundee
Arbroath
nlanich
Crieff
Perth
St Andrews
59
Stirling
Kinross
41
Kirkcaldy
Firth of Forth
Glasgow
Falkirk
North Berwick
barton
Haddington
47
EDINBURGH
Hamilton
Lanark
Berwick-upon-Tweed
Peebles
Galashiels
marnock
212
Moffat
Hawick
Jedburgh
119
Alnwick
Dumfries
GB
Blyth
Hadrian's Wall
South Shields
Newcastle upon Tyne
Tynemouth
Carlisle
Gateshead
Sunderland
Workington
Keswick
Penrith
Durham
Hartlepool
Whitehaven
Darlington
Middlesbrough
977
Windermere
Whitby
Kendal
Thirsk
Scarborough
Barrow-in-Furness
YORK
Heysham
Fountains Abbey
Bridlington
Lancaster
Skipton
Harrogate
HIRE
Blackpool
Ribble
Bradford
Leeds
York
Burnley
Preston
Halifax
Kingston-upon-Hull
Southport
Bolton
58
Wakefield
Scunthorpe
Grimsby
LIVERPOOL
Huddersfield
Humber River
ndudno
MANCHESTER
Doncaster
Louth
Birkenhead
Stockport
Colwyn Bay
Macclesfield
Sheffield
Chesterfield
Stoke-on-Trent
Matlock
Lincoln
Skegness
Chatsworth
Mansfield
Boston
Oswestry
74
Derby
Nottingham
Grantham
The Wash
Welshpool
Burton-upon-Trent
198
King's Lynn
Newtown
Stafford
Loughborough
Wisbech
NORFOLK
Great Yarmouth
Shrewsbury
Walsall
Leicester
Stamford
Peterborough
WOLVERHAMPTON
BIRMINGHAM
Coventry

MER DU NORD

NORTH SEA

Waddeneilanden
Delfzijl
Leeuwarden
Groningen
Texel
Harlingen
Sneek
Assen
Den Helder
Usselmeer
Heerenveen
Afsluitdijk
Enkhuizen
Emmeloord
Meppel
Alkmaar
Hoorn
Lelystad
Zwolle
IJmuiden